1001 recettes

Tous les plats que vous avez toujours voulu cuisiner

Les Éditions
Coup d'œil

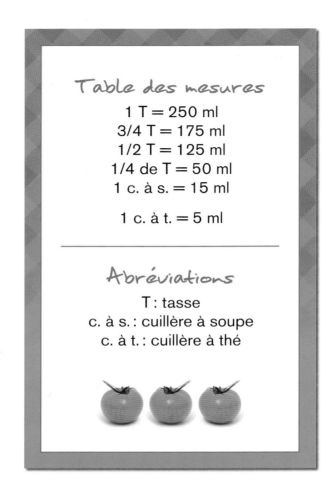

Table des mesures

1 T = 250 ml
3/4 T = 175 ml
1/2 T = 125 ml
1/4 de T = 50 ml
1 c. à s. = 15 ml

1 c. à t. = 5 ml

Abréviations

T : tasse
c. à s. : cuillère à soupe
c. à t. : cuillère à thé

1001 recettes

Dépôt légal : 4ᵉ trimestre 2009
Bibliothèque et Archives nationales
du Québec
Bibliothèque nationale du Canada

Gouvernement du Québec
Programme de crédit d'impôt
pour l'édition de livres
Gestion SODEC

Traduction et rédaction : Catherine Girard-Audet, Geneviève Rouleau
Correction : Corinne Danheux, Sylvie Martin, Jean-Pierre Sauvé
Photographies et recherche des recettes : Caviart
Conception graphique : Katia Senay, Marie-Claude Parenteau,
Julie Jodoin, Marjolaine Pageau

© Éditions Coup d'œil, 2009

Imprimé au Canada

ISBN : 978-2-89638-560-7

Table des matières

Pour le brunch

Fèves au lard

Instructions :

1. Faire cuire le bœuf, le bacon et l'oignon dans une grande poêle à frire jusqu'à ce que la viande soit cuite et que l'oignon soit tendre. Égoutter l'excédent de graisse. Mélanger le sucre, la cassonade, le ketchup, la sauce barbecue, la moutarde, l'assaisonnement au chile et le poivre dans un bol et incorporer le mélange à la viande dans la poêle. Bien mélanger le tout puis ajouter les haricots rouges, les fèves au lard et les haricots blancs.

2. Verser le tout dans un grand plat graissé allant au four et faire cuire au four à 350 °F jusqu'à ce que les fèves au lard soient bien chaudes (1 heure).

Portions : 8
Préparation : 15 min
Cuisson : 1 h

Ingrédients :
- **250 g de bœuf haché maigre**
- **250 g de bacon**
- **1 oignon haché**
- **1 boîte de haricots rouges**
- **1 boîte de fèves au lard avec le jus**
- **1 boîte de haricots blancs**
- **1/3 de T de sucre**
- **1/3 de T de cassonade**
- **1/4 de T de ketchup**
- **1/4 de T de sauce barbecue**
- **1 c. à s. de moutarde**
- **1/2 c. à t. d'assaisonnement au chile**
- **1/2 c. à t. de poivre**

Casserole du matin

Portions : 4
Préparation : 20 min
Cuisson : 45 à 60 min

Ingrédients :
- **500 g de bacon**
- **1 c. à s. de beurre**
- **2 oignons hachés**
- **2 T de champignons frais tranchés**
- **4 T de pommes de terre rissolées congelées**
- **1 c. à t. de sel**
- **1/4 de c. à t. de sel d'ail**
- **1/2 c. à t. de poivre noir moulu**
- **4 œufs**
- **1 1/2 T de lait**
- **1 pincée de persil séché**
- **1 T de fromage cheddar râpé**

Instructions :

1. Préchauffer le four à 400 °F. Graisser une grande cocotte.

2. Déposer le bacon dans une grande poêle à frire profonde. Faire cuire à feu moyen-fort jusqu'à ce qu'il soit bien doré. Égoutter et mettre de côté. Dans une autre poêle, faire fondre le beurre et frire les oignons et les champignons jusqu'à ce qu'ils soient tendres.

3. Déposer les pommes de terre dans le fond de la cocotte. Saupoudrer de sel, de sel à l'ail et de poivre, et couvrir de bacon, d'oignons et de champignons.

4. Battre les œufs avec le lait et le persil dans un grand bol. Verser dans la casserole, puis couvrir le tout de fromage râpé. Couvrir et réfrigérer pendant une nuit.

5. Faire cuire dans le four préchauffé jusqu'à ce que tout soit bien cuit (1 heure). Faire cuire pendant 45 minutes si la préparation et la cuisson s'effectuent au cours de la même journée.

POUR LE BRUNCH

Pain doré aux bananes et aux noix

Portions : 6
Préparation : 30 min
Cuisson : 10 min

Ingrédients :
- **1 1/2 T de noix concassées**
- **6 gros œufs**
- **1 1/2 T de crème riche en matières grasses (ou de crème moins riche ou de lait)**
- **2 c. à s. d'extrait de vanille naturelle**
- **1/2 c. à t. de cannelle moulue**
- **1 pincée de muscade moulue**
- **1 pincée de sel**
- **6 bananes mûres, pelées et coupées en rondelles**
- **1 1/2 T de cassonade foncée**
- **12 tranches de pain (préférablement de la veille)**
- **1/2 T de beurre non salé**
- **4 c. à s. d'huile végétale**
- **Sirop d'érable pour servir (facultatif)**

Instructions :

1. Préchauffer le four à 350 °F. Déposer les noix sur une plaque à biscuits et faire cuire jusqu'à ce qu'elles soient dorées et qu'elles dégagent une odeur (environ 10 minutes). Mettre de côté, et hacher grossièrement les noix.

2. Fouetter les œufs, la crème, l'extrait de vanille, la cannelle, la muscade et le sel dans un bol et réserver. Mélanger les bananes, la cassonade et les noix grillées dans un autre bol. Poser 6 tranches de pain sur une surface de travail, puis étaler 1/3 de tasse du mélange de bananes sur chaque tranche avant de couvrir avec les 6 tranches restantes. Presser soigneusement pour bien refermer les sandwichs.

3. Déposer les sandwichs sur une plaque assez profonde et assez grande pour pouvoir les étendre sur une seule couche. Verser le mélange d'œufs sur le pain et laisser tremper 10 minutes. Retourner soigneusement les sandwichs et laisser tremper l'autre côté jusqu'à ce que le pain soit complètement imbibé (10 minutes).

4. Réduire la température du four à 250 °F. Poser une grille sur une plaque à biscuits et mettre de côté. Faire chauffer le reste du mélange de bananes dans une petite poêle à feu moyen-doux jusqu'à ce que le sucre soit fondu et que les bananes soient tendres et légèrement translucides (environ 3 minutes). Ajouter 4 c. à soupe de beurre et mélanger le tout. Garder au chaud.

5. Faire chauffer 2 c. à soupe de beurre et 2 c. à soupe d'huile végétale à feu moyen dans une grande poêle. Faire frire la moitié des sandwichs jusqu'à ce qu'ils soient dorés (2 à 3 minutes par côté). Transférer les sandwichs sur la grille et mettre au four pendant que vous faites frire les autres sandwichs. Essuyer la poêle et répéter l'opération avec le reste de beurre, d'huile et de sandwichs. Garder au four jusqu'à ce que vous soyez prêts à servir. Couper en triangles et servir avec le mélange de bananes chaud et du sirop d'érable, si désiré.

ASTUCE

Pour une recette tout aussi délicieuse, remplacer le pain doré par une gaufre de Bruxelles (recette p.12).

Pain doré classique

Portions : 6
Préparation : 30 min
Cuisson : 10 min

Ingrédients :

- **6 gros œufs**
- **1 1/2 T de crème riche en matières grasses (ou de crème moins riche ou de lait)**
- **2 c. à s. d'extrait de vanille**
- **1/2 c. à t. de cannelle moulue**
- **1 pincée de muscade moulue**
- **1 pincée de sel**
- **6 tranches de pain (préférablement de la veille)**
- **4 c. à s. de beurre non salé**
- **4 c. à s. d'huile végétale**
- **Sirop d'érable pour servir (facultatif)**

Instructions :

1. Fouetter les œufs, la crème, l'extrait de vanille, la cannelle, la muscade et le sel dans un bol et mettre de côté.

2. Déposer le pain sur une plaque profonde assez grande pour pouvoir étendre les tranches sur une seule couche. Verser le mélange d'œufs sur le pain et faire tremper pendant 10 minutes. Retourner les tranches et faire tremper l'autre côté jusqu'à ce que le pain soit complètement imbibé (10 minutes).

3. Préchauffer le four à 250 °F. Poser une grille sur une plaque à biscuits et mettre de côté. Faire chauffer 2 c. à soupe de beurre et 2 c. à soupe d'huile végétale à feu moyen dans une poêle. Faire frire la moitié des tranches de pain jusqu'à ce qu'elles soient dorées (2 à 3 minutes par côté). Transférer les tranches de pain sur la grille et mettre au four pendant que vous faites cuire les autres tranches. Essuyer la poêle et répéter l'opération avec le reste de beurre, d'huile et de tranches de pain. Garder le pain au four jusqu'à ce que vous soyez prêts. Servir avec du sirop d'érable, si désiré.

Pain doré farci aux bananes

Instructions :

1. Verser le mélange à crêpes dans un grand bol et incorporer assez d'eau pour former une pâte très liquide. Ajouter la muscade, la cannelle, la vanille, le sucre et les œufs. Fouetter jusqu'à ce que la préparation soit lisse (environ 3 minutes).

2. Dans un bol, mélanger les noix, la cassonade et les tranches de banane.

3. Trancher les extrémités du pain français. En commençant par un bout, mesurer environ 1 cm et trancher le pain aux 3/4. Compter de nouveau 1 cm et couper complètement le pain. Vous devriez alors obtenir une tranche de 2,5 cm d'épaisseur coupée au centre jusqu'aux 3/4. Répéter cette étape jusqu'à ce que le pain soit complètement tranché.

4. Prendre une tranche de pain et farcir l'ouverture avec quelques c. à soupe du mélange de bananes. En mettre suffisamment pour que le centre soit rempli sans toutefois déborder. Répéter cette étape jusqu'à ce que toutes les tranches soient farcies.

5. Faire chauffer une poêle ou une grille plate à feu moyen-fort et graisser avec 2 c. à soupe de beurre.

6. Verser les flocons de maïs dans un plat. Tremper une tranche de pain farcie dans le mélange d'œufs en imbibant les deux côtés. Presser ensuite la tranche farcie dans les flocons de maïs de façon à enrober les deux côtés. Déposer le pain sur la grille ou dans la poêle et faire cuire jusqu'à ce qu'il soit doré (environ 3 minutes par côté). Imbiber, enrober et faire cuire chaque tranche de pain farcie en ajoutant du beurre sur la grille ou dans la poêle si nécessaire ; vous aurez environ besoin de 2 c. à soupe de beurre par tranche farcie.

Portions : 6
Préparation : 15 min
Cuisson : 18 min

Ingrédients :

- **1/4 de T de mélange à crêpes**
- **1/4 de c. à t. de muscade moulue**
- **2 c. à t. de cannelle moulue**
- **1/4 de c. à t. d'extrait de vanille**
- **1/2 T de sucre**
- **12 œufs**
- **1 T de noix hachées**
- **2 T de cassonade**
- **4 bananes mûres et tranchées**
- **1 gros pain français non tranché**
- **Environ 2 T de flocons de maïs croustillants**
- **Environ 3/4 de T de beurre**

Sandwichs de pain doré garnis au chutney

Portions : 4
Préparation : 20 min
Cuisson : 15 min

Ingrédients :

CHUTNEY
- 1/2 T d'abricots séchés coupés en dés
- 3 petites pêches bien mûres dénoyautées et coupées en dés
- 1 T de jus de pomme fait de concentré
- 2,5 cm de gingembre pelé (racine)
- Zeste de 1 citron
- 1/8 de c. à t. de muscade fraîche râpée (ou quelques pincées de muscade moulue)
- 1/4 de c. à t. de cannelle moulue

PAIN DORÉ
- 8 tranches de pain blanc
- 3 œufs battus
- 1/2 T de crème ou de lait
- 1 c. à s. de sucre
- 1/4 de c. à t. de muscade moulue (ou fraîchement râpée)
- Beurre pour graisser
- 1 pomme golden delicious sans trognon et finement tranchée
- 1 brique de fromage cheddar fort finement tranché
- 350 g de poitrine de dinde fumée tranchée

Instructions :

1. Mettre tous les ingrédients du chutney dans une casserole de taille moyenne et porter à ébullition. Réduire légèrement le feu et faire cuire le chutney pendant 10 minutes. Retirer la racine de gingembre avant de servir.

2. Battre les œufs, le lait, le sucre et la muscade dans un bol profond. Déposer le pain près du bol. Déposer un morceau de beurre froid dans une serviette de papier pliée et garder à portée de la main pour essuyer et graisser votre poêle au besoin. Déposer les tranches de pomme, le fromage et la dinde sur une planche à découper près de vous.

3. Préchauffer la poêle à feu moyen.

4. Pour assembler les sandwichs, graisser la poêle avec du beurre, puis tremper 4 tranches de pain dans le mélange d'œufs avant de les déposer dans la poêle. Faire cuire pendant 2 minutes puis retourner 2 tranches. Recouvrir les deux tranches tournées avec du fromage, des tranches de pomme, de la dinde et une autre tranche de fromage. Refermer les sandwichs en posant les 2 autres tranches de pain sur les garnitures en laissant le côté non cuit ver le haut. Retourner les sandwichs pour faire cuire l'autre côté. Presser doucement les sandwichs pour les faire griller pendant 1 ou 2 minutes. Répéter l'opération avec les ingrédients qui restent.

5. Couper les sandwichs en diagonale et servir avec des barquettes de chutney bien chaud.

Pain doré à la vanille et aux amandes garni de fruits et de bacon

Portions : 6
Préparation : 30 min
Cuisson : 25 min

Ingrédients :

BACON
- **250 g de bacon fumé**
- **1/2 T de cassonade foncée**

PAIN DORÉ
- **8 gros œufs**
- **1 T de crème (ou de lait)**
- **2 c. à t. d'extrait de vanille**
- **2 pincées de sel**
- **1/2 c. à t. de muscade moulue**
- **2 c. à t. de cannelle moulue**
- **3 T de flocons de maïs légèrement croustillants**
- **1/2 T d'amandes tranchées**
- **4 c. à s. de beurre**
- **12 tranches de pain (pain brioché torsadé ou pain italien mou)**
- **Sirop d'érable pour accompagner**

GARNITURE DE FRUITS
- **1 grosse orange pelée et hachée**
- **12 grosses fraises tranchées**
- **1/2 casseau de bleuets**
- **1/2 casseau de framboises**
- **1/2 casseau de mûres**
- **2 c. à s. de sucre**
- **1/4 de T de liqueur d'orange comme du Grand Marnier**

Instructions :

1. Préchauffer le four à 350 °F.

2. Déposer le bacon sur une lèchefrite. Saupoudrer de cassonade et faire cuire au four de jusqu'à ce qu'il soit croustillant (20 à 22 minutes).

3. Préchauffer une grande poêle antiadhésive à feu moyen.

4. Battre les œufs, la crème ou le lait, la vanille, le sel, la muscade et la cannelle dans un bol profond. Mélanger les flocons de maïs et les amandes. Ajouter 2 c. à soupe de beurre dans une poêle bien chaude. Déposer une plaque recouverte de papier aluminium près du four. Tremper 4 à 6 tranches de pain dans le mélange d'œufs selon la grosseur de la poêle puis enrober le pain de flocons et de noix. Faire cuire les tranches de pain 2 minutes de chaque côté avant de les déposer sur la plaque. Répéter l'opération avec le reste des tranches et déposer la plaque dans le four. Faire cuire pendant 10 minutes avec le bacon déjà cuit.

5. Pendant que le bacon et le pain sont dans le four, mélanger les fruits, le sucre et la liqueur dans un bol et mettre de côté.

6. Retirer le pain et le bacon du four. Faire chauffer le sirop au micro-ondes pendant 15 secondes à température élevée. Servir le pain et le bacon dans des assiettes et arroser de sirop d'érable et de garniture de fruits.

Scones aux raisins et aux noix

Instructions :

1. Mélanger la farine, le sucre, la levure, le bicarbonate de soude, le sel et le zeste de citron dans un grand bol.

2. Couper grossièrement le beurre à l'aide de 2 couteaux ou d'un mélangeur. Incorporer dans le bol avec les autres ingrédients à l'exception de 2 c. à soupe de raisins secs et de noix. Incorporer le babeurre en mélangeant avec une fourchette.

3. Faire une boule avec la pâte et pétrir pendant environ 2 minutes sur une surface légèrement farinée.

4. Étaler la pâte pour obtenir une épaisseur de 1 cm. À l'aide d'un couteau de chef, couper la pâte en triangles de 7,5 cm. Déposer sur une plaque à biscuits graissée en les espaçant de 2,5 cm. Badigeonner la surface des triangles avec 1 c. à soupe de babeurre et couvrir le tout avec les raisins et les noix qui restent.

5. Faire cuire au centre du four à 425 °F jusqu'à ce que les scones soient dorés (15 minutes). Servir avec du beurre ou de la confiture.

Portions : 12 scones
Préparation : 15 min
Cuisson : 15 min

Ingrédients :
- **2 T de farine (tout usage)**
- **4 c. à s. de sucre blanc**
- **2 c. à t. de levure chimique**
- **1/2 c. à t. de bicarbonate de soude**
- **1/2 c. à t. de sel**
- **1 c. à s. de zeste de citron râpé**
- **1/2 T de beurre coupé en dés**
- **3/4 de T de noix hachées**
- **1/2 T de raisins secs**
- **3/4 de T de babeurre**

Scones de grand-maman

Instructions :

1. Mélanger la crème sure et le bicarbonate de soude dans un petit bol. Mettre de côté.

2. Préchauffer le four à 350 °F. Graisser légèrement une grande plaque à biscuits.

3. Mélanger la farine, le sucre, la levure, la crème de tartre et le sel dans un grand bol. Incorporer le mélange de crème sure et l'œuf dans le mélange d'ingrédients secs jusqu'à ce que la pâte soit humide. Ajouter les raisins secs.

4. Déposer la pâte sur une surface farinée et pétrir quelques instants. Étaler pour obtenir une épaisseur de 1 cm. Couper 12 tranches avant de les déposer sur la plaque à biscuits préparée en les espaçant de 5 cm.

5. Faire cuire de 12 à 15 minutes jusqu'à ce que le dessous des scones soit doré.

Portions : 12
Préparation : 15 min
Cuisson : 15 min

Ingrédients :
- 1 T de crème sure
- 1 c. à t. de bicarbonate de soude
- 4 T de farine (tout usage)
- 1 T de sucre blanc
- 2 c. à t. de levure chimique
- 1/4 de c. à t. de crème de tartre
- 1 c. à t. de sel
- 1 œuf
- 1 T de raisins secs (facultatif)

Recette classique de scones

Portions : 12
Préparation : 15 min
Cuisson : 10 min

Ingrédients :
- 2 T de farine (tout usage)
- 1 c. à t. de crème de tartre
- 1/2 c. à t. de bicarbonate de soude
- 1 pincée de sel
- 1/4 de T de margarine
- 1 c. à s. de sucre blanc
- 3/4 de T de lait

Instructions :

1. Préchauffer le four à 425 °F. Recouvrir une plaque à biscuits de papier ciré.

2. Tamiser la farine, la crème de tartre, le bicarbonate de soude et le sel dans un bol.

3. Faire pénétrer le beurre jusqu'à ce que le mélange ressemble à de la chapelure très fine. Ajouter le sucre et assez de lait pour former une pâte bien lisse.

4. Déposer la pâte sur une surface farinée et étaler pour obtenir une épaisseur de 15 mm. Couper en tranches de 5 cm et déposer sur la plaque à biscuits préparée. Badigeonner avec du lait pour glacer la surface.

5. Faire cuire à 425 °F pendant 10 minutes, puis laisser refroidir sur une grille pendant 10 minutes. Servir avec du beurre ou de la crème caillée et de la confiture.

Fricadelles au sirop d'érable et au fenouil

Instructions :

1. Mélanger le sel, le poivre et les graines de fenouil au fond du bol. Ajouter le porc et remuer pour bien intégrer les épices. Verser 2 c. à soupe de sirop d'érable sur le porc et remuer à nouveau pour mélanger les saveurs. Former des boulettes de 5 cm avec la viande. Faire cuire à feu moyen-fort dans une poêle antiadhésive avec 1 c. à soupe d'huile pendant 4 à 5 minutes de chaque côté. Égoutter les fricadelles sur une assiette recouverte de papier absorbant et servir.

Portions : 4
Préparation : 15 min
Cuisson : 10 min

Ingrédients :
- 1 c. à t. de gros sel
- 1/2 c. à t. de poivre noir
- 1 c. à t. de graines de fenouil
- 500 g de porc haché
- 2 c. à s. de sirop d'érable
- 1 c. à s. d'huile d'olive (ou d'huile végétale)

Gaufres aux bananes

Portions : 4
Préparation : 25 min
Cuisson : 15 min

Ingrédients :
- 1 1/3 T de farine (tout usage)
- 1 grosse pincée de bicarbonate de soude
- 2 c. à t. de sucre blanc
- 1/4 de c. à t. de sel
- 3 œufs
- 1 1/3 T de lait
- 1/2 T de beurre
- 2 c. à t. de levure chimique
- 2/3 de T de cassonade
- 2 c. à t. d'extrait de rhum
- 4 c. à t. d'extrait de vanille
- 1/2 c. à t. de cannelle moulue
- 1/4 de T de pacanes entières
- 1/2 T de sirop d'érable
- 3 bananes coupées en tranches
- 1 T de crème riche en matières grasses
- 1 c. à s. de sucre glace

Instructions :
1. Préchauffer le gaufrier. Fouetter la farine, le bicarbonate de soude, la levure chimique, le sucre blanc et le sel dans un bol. Réserver.

2. Fouetter les œufs, 1 1/2 c. à thé d'extrait de vanille et le lait dans un bol. Verser le beurre fondu et le mélange de farine jusqu'à l'obtention d'une pâte légèrement grumeleuse. Faire cuire les gaufres jusqu'à ce que la vapeur cesse de s'échapper des fentes du gaufrier (environ 2 minutes).

3. Pendant ce temps, faire fondre 1/4 de tasse de beurre à feu moyen dans une casserole. Ajouter la cassonade, l'extrait de rhum, 2 c. à thé d'extrait de vanille et la cannelle. Porter à ébullition, puis ajouter les pacanes et continuer à faire mijoter pendant 1 minute. Incorporer le sirop et les bananes et faire cuire jusqu'à ce que les bananes soient tendres (environ 4 minutes).

4. Battre la crème, 1/4 de c. à thé de vanille et le sucre glace avec le batteur électrique dans un bol jusqu'à ce que des pics fermes se forment.

5. Lorsque les gaufres sont prêtes, verser des bananes sur les gaufres avant de garnir le tout d'une cuillérée de crème fouettée.

Gaufres de Bruxelles

Instructions :
1. Dans un petit bol, dissoudre la levure dans 1/4 de tasse de lait chaud. Laisser reposer jusqu'à ce que le mélange soit crémeux (environ 10 minutes).

2. Dans un grand bol, fouetter les jaunes d'œuf, 1/4 de tasse de lait chaud et le beurre fondu. Incorporer le mélange de levure, le sucre, le lait et la vanille. Verser les 2 1/2 tasses de lait qui restent en alternant avec la farine et en terminant avec la farine. Battre les blancs d'œuf jusqu'à ce que des pics mous se forment, puis les incorporer dans la préparation. Couvrir le bol avec une pellicule plastique. Laisser lever la pâte dans un endroit chaud jusqu'à ce qu'elle ait doublé de volume (environ 1 heure).

3. Préchauffer le gaufrier. Badigeonner d'huile et verser environ 1/2 tasse (ou la quantité recommandée par le fabricant) au centre du gaufrier. Fermer le couvercle et faire cuire jusqu'à ce le gaufrier cesse de faire de la vapeur et que la gaufre soit dorée. Servir immédiatement ou garder au chaud dans le four à 200 °F.

Portions : 10 gaufres
Préparation : 15 min
(plus le temps de faire gonfler la pâte)
Cuisson : 20 min

Ingrédients :
- 1 paquet (700 g) de levure sèche active
- 1/4 de T de lait chaud
- 3 œufs
- 2 3/4 T de lait chaud
- 3/4 de T de beurre fondu et tiède
- 1/2 T de sucre blanc
- 1 1/2 c. à t. de sel
- 2 c. à t. d'extrait de vanille
- 4 T de farine (tout usage)

Instructions :

1. Mélanger la farine, l'avoine, la cassonade, la levure chimique et le sel dans un bol. Mélanger le lait, l'œuf, l'huile et le jus de citron dans un autre bol. Incorporer les ingrédients liquides aux ingrédients secs et bien mélanger. Ajouter les pacanes et les bleuets, puis laisser reposer 5 minutes. Faire cuire dans un gaufrier préchauffé en suivant les instructions du fabricant jusqu'à ce que les gaufres soient dorées.

ASTUCE

Si vous utilisez des bleuets surgelés, ne les faites pas dégeler avant de les incorporer à la pâte.

Portion : 4 min
Préparation : 15 min
Cuisson : 15 min

Ingrédients :

- 2/3 de T de farine (tout usage)
- 1/2 T d'avoine (à cuisson rapide)
- 1 c. à s. de cassonade
- 1 c. à t. de levure chimique
- 1/2 c. à t. de sel
- 2/3 de T de lait
- 1 œuf
- 1/4 de T d'huile végétale
- 1/2 c. à t. de jus de citron
- 1/4 de T de pacanes moulues
- 1/2 T de bleuets frais ou congelés

Gaufres au pain d'épices

Portions : 10
Préparation : 15 min
Cuisson : 10 min

Ingrédients :

- 2 T de farine (tout usage)
- 1/4 de T de sucre granulé
- 1 c. à t. de levure chimique
- 1 c. à t. de bicarbonate de soude
- 3/4 de c. à t. de sel
- 1 1/2 c. à t. de cannelle moulue
- 1 c. à t. de gingembre moulu
- 1/2 c. à t. de cardamome moulue
- 1/4 de c. à t. de clou de girofle moulu
- 4 gros œufs
- 6 c. à s. de beurre non salé fondu et refroidi
- 1 T de lait
- 1/2 T de crème sure, et une quantité additionnelle pour servir
- 3 c. à s. de mélasse
- Gelée de fruits pour garnir

Instructions :

1. Mélanger la farine, le sucre, le bicarbonate de soude, la levure chimique, le sel et les épices dans un grand bol. Fouetter les œufs, le beurre, le lait, la crème sure et la mélasse dans un autre bol. Incorporer le mélange d'œufs dans le mélange d'ingrédients secs et fouetter jusqu'à l'obtention d'une préparation lisse.

2. Préchauffer le gaufrier. Verser 1/3 de tasse de la pâte dans chaque moule et faire cuire jusqu'à ce que les gaufres soient dorées. Servir les gaufres bien chaudes avec de la crème sure et de la gelée de fruits.

Gaufres à l'avoine

Instructions :

1. Mélanger la farine, l'avoine, la levure chimique, la cannelle et le sel dans un grand bol. Réserver. Mélanger les œufs, le lait, le beurre et la cassonade dans un petit bol. Incorporer les ingrédients liquides aux ingrédients secs et bien mélanger. Verser la pâte sur les moules d'un gaufrier préchauffé et légèrement huilé (la quantité de pâte varie selon la taille du gaufrier). Fermer rapidement le couvercle sans le soulever pendant la cuisson. Utiliser une fourchette pour retirer les gaufres lorsqu'elles sont prêtes. Garnir de fruits et de yogourt.

Portions : 4
Préparation : 15 min
Cuisson : 10 min

Ingrédients :

- 1 1/2 T. de farine (tout usage)
- 1 T. d'avoine (à cuisson rapide)
- 1 c. à s. de levure chimique
- 1/2 c. à t. de cannelle
- 1/4 de c. à t. de sel
- 2 œufs légèrement battus
- 1 1/2 T. de lait
- 6 c. à s. de beurre fondu
- 2 c. à s. de cassonade

Gaufres au babeurre et fruits grillés

Portions : 8 gaufres
Préparation : 15 min
Cuisson : 10 min

Ingrédients :

- 3 œufs (séparés)
- 1 1/2 T de babeurre
- 1/2 T de beurre non salé, fondu
- 1/2 c. à t. d'extrait de vanille
- 1 1/2 T de farine (tout usage)
- 1 1/2 c. à t. de levure chimique
- 1 c. à t. de bicarbonate de soude
- 1/4 de c. à t. de sel
- 3 c. à s. de sucre
- 2 pêches ou nectarines
  (ou 3 grosses prunes coupées
  en tranche)
- 3 c. à s. de miel
- 3/4 de T de yogourt nature

Instructions :

1. Garder tous les ingrédients à température ambiante. Préchauffer le four à 200 °F. Préchauffer le gaufrier.

2. Fouetter les jaunes d'œufs dans un grand bol, puis incorporer le babeurre, le beurre et la vanille en fouettant. Tamiser la farine, la levure, le bicarbonate de soude, le sel et le sucre sur une feuille de papier ciré. Verser le mélange d'ingrédients secs dans le mélange d'œufs et fouetter le tout jusqu'à l'obtention d'une préparation lisse.

3. Dans un autre bol, fouetter ensemble les blancs d'œufs jusqu'à ce que des pics fermes se forment. À l'aide d'une spatule en caoutchouc, verser les blancs d'œufs en deux fois dans le mélange. Faire cuire les gaufres en suivant les instructions du fabricant puis transférer les gaufres sur une plaque à biscuits dans le four pour les garder au chaud.

4. Préchauffer une poêle gril à feu moyen-fort. Faire griller les fruits pendant 4 ou 5 minutes en ne les retournant qu'une seule fois jusqu'à ce qu'ils soient tendres et portent les marques du gril. Transférer les fruits dans une assiette et arroser de miel.

5. Placer 2 gaufres dans chaque assiette avant de les recouvrir de fruits grillés et de yogourt en divisant les quantités en portions égales.

Gaufres au babeurre
avec une sauce aux cerises et aux amandes

Instructions :

1. Mélanger les cerises congelées et la gelée de cerises dans une casserole de taille moyenne. Porter à ébullition à feu moyen-fort en brassant jusqu'à ce que les cerises commencent à dégeler et qu'un bouillon se forme. Faire bouillir jusqu'à ce que la sauce épaississe légèrement (environ 3 minutes). Retirer la sauce du feu et ajouter l'extrait d'amande.

2. Préchauffer le four à 300 °F. Fouetter la farine, le sucre, la levure chimique et le sel dans un bol. Verser le babeurre puis 6 c. à soupe de beurre fondu et fouetter pour mélanger. Faire chauffer le gaufrier en suivant les instructions du fabricant. Badigeonner légèrement les deux côtés des moules du gaufrier avec du beurre. Verser 1/2 tasse (ou plus) du mélange à pâte (selon la taille du gaufrier) sur chaque moule. Fermer le gaufrier et faire cuire jusqu'à ce que les gaufres soient dorées et croustillantes des deux côtés. Répéter l'opération avec la pâte qui reste en badigeonnant davantage le gaufrier avec du beurre au besoin.

3. Déposer les gaufres sur des assiettes. Couvrir le tout de crème fouettée ou de yogourt et de sauce aux cerises.

Portions : 4 pour le petit déjeuner
Préparation : 30 min
Cuisson : 10 min

Ingrédients :

- 1 paquet (340 g) de cerises noires
  congelées et dénoyautées
- 1 T de gelée de cerises
- 1/2 c. à t. d'extrait d'amande
- 2 T de farine (tout usage)
- 3 c. à s. de sucre
- 1 1/2 c. à t. de levure chimique
- 1/2 c. à t. de sel
- 2 T de babeurre
- 1/2 T de beurre non salé, fondu
- Crème fouettée légèrement
  sucrée ou yogourt nature

Gaufres aux grains entiers

Instructions :

1. Mélanger les œufs, le lait, l'huile, la compote de pommes et la vanille dans un grand bol. Incorporer la farine à pâtisserie, la farine de graines de lin, les germes de blé, la farine tout usage, la levure chimique, le sucre et le sel jusqu'à ce que la pâte soit lisse.

2. Préchauffer un gaufrier et vaporiser de l'huile végétale en aérosol. Verser la pâte dans le gaufrier et faire cuire jusqu'à ce que les gaufres soient dorées et croustillantes.

Portions : 6
Préparation : 10 min
Cuisson : 5 min

Ingrédients :
- 2 œufs battus
- 1 3/4 T de lait écrémé
- 1/4 de T d'huile de canola
- 1/4 de T de compote de pommes non sucrée
- 1 c. à t. d'extrait de vanille
- 1 T de farine
  (à pâtisserie de blé entier)
- 1/2 T de farine de graines de lin
- 1/4 de T de germes de blé
- 1/4 de T de farine (tout usage)
- 4 c. à t. de levure chimique
- 1 c. à s. de sucre
- 1/4 de c. à t. de sel

Gaufres de maïs croustillant

Portions : 6 gaufres
Préparation : 25 min
Cuisson : 15 min

Ingrédients :

TRANCHES D'ORANGES
- 3 grosses oranges bien juteuses
- 1 à 2 c. à t. de sucre
- 2 c. à t. de Grand Marnier
  (ou autre liqueur à l'orange)

GAUFRES
- 4 c. à s. de beurre non salé
- 1 T de farine (tout usage)
- 1 T de farine de maïs jaune
  (préférablement moulue sur pierre)
- 2 c. à t. de levure chimique
  à double action
- 1/2 c. à t. de bicarbonate
  de soude
- 1/4 de c. à t. de sel
- 2 T de babeurre
- 2 œufs
- Sirop d'érable

Instructions :

1. Pour préparer les tranches d'oranges, peler les oranges à l'aide d'un petit couteau bien aiguisé de façon à retirer le centre blanc et à exposer la pulpe juteuse lorsque vous enlevez la pelure. En vous plaçant au-dessus d'un bol, passer la lame entre chaque quartier d'orange de façon à ce que les quartiers tombent dans le bol sans les fines membranes blanches.

2. Après avoir coupé tous les quartiers, presser le jus des membranes qui restent dans le bol, puis jeter les membranes. À l'aide d'une cuillère, ramasser et jeter les pépins qui sont tombés dans le bol. Incorporer le sucre et le Grand Marnier. Couvrir et mettre de côté.

3. Pour faire les gaufres, préchauffer un gaufrier et préchauffer le four à 200 °F pour garder les gaufres déjà prêtes au chaud.

4. Faire fondre le beurre et réserver. Dans un grand bol, mélanger les farines, la semoule, la levure, le bicarbonate et le sel. Dans un autre bol, bien mélanger le babeurre, le sirop d'érable et les œufs. Verser les ingrédients liquides sur les ingrédients secs et remuer jusqu'à ce que les ingrédients soient intégrés. Incorporer le beurre fondu.

5. Graisser légèrement les moules du gaufrier au besoin.

6. Verser 1/2 tasse de pâte (ou la quantité recommandée par le fabricant) dans le gaufrier. Utiliser une spatule en métal ou une cuillère en bois pour étendre la pâte presque jusqu'en bordure des moules. Refermer et faire cuire jusqu'à ce que les gaufres soient dorées et croustillantes. Servir les gaufres au fur et à mesure ou les garder au chaud sur une grille installée dans le four préchauffé jusqu'à ce qu'elles soient toutes prêtes.

7. Pour servir, déposer les gaufres sur une assiette et couvrir de sirop d'érable. À l'aide d'une cuiller à égoutter, déposer des quartiers d'orange sur chaque portion.

Œufs bénédictine

Portions : 4
Préparation : 10 min
Cuisson : 10 min

Ingrédients :
- **4 œufs**
- **4 muffins anglais**
- **4 tranches de bacon de dos**
- **Sel**
- **Poivre**
- **Sauce hollandaise, p. 447**

Instructions :

1. Pocher les œufs tel que désiré. Vous pouvez ajouter un peu de vinaigre dans l'eau pour aider les blancs d'œufs à rester ensemble.

2. Faire griller les muffins anglais.

3. Étendre une tranche de bacon cuit sur chaque muffin anglais grillé et déposer un œuf poché sur le bacon.

4. Napper le tout d'une généreuse portion de sauce hollandaise et servir. Assaisonner de sel et de poivre au besoin.

ASTUCE

Vous pouvez remplacer le bacon par des épinards cuits ou ajouter des épinards sur le bacon pour des œufs florentine prêts en un rien de temps. Vous pouvez aussi remplacer le bacon par du saumon fumé et ajouter des épinards si ça vous plaît.

Instructions:

1. Tamiser la farine et le sel dans un grand bol. Former un trou au centre de la farine avant d'y verser les œufs. Fouetter les œufs dans la farine et ajouter lentement 1 tasse de lait. Fouetter jusqu'à ce que la préparation soit lisse, puis ajouter le beurre fondu. Verser le mélange dans une grande tasse à mesurer en verre, couvrir et réfrigérer 1 heure.

2. Retirer le mélange du réfrigérateur et remuer pour vérifier la consistance. Ajouter du lait si nécessaire.

3. Graisser la poêle à crêpes avec un papier absorbant imbibé d'huile végétale et faire chauffer à feu moyen-fort. Commencer à cuire les crêpes lorsqu'un léger voile de chaleur se forme au-dessus de la poêle. Verser une petite quantité du mélange (environ 3 c. à soupe) dans la poêle (le mélange devrait alors grésiller). Tournoyer et incliner la poêle pour étaler une couche très mince de pâte. Verser l'excédent de pâte dans la tasse à mesurer.

4. Utiliser une spatule pour tailler la crêpe aux endroits où il y a un excédent de pâte. Remettre la poêle sur le feu et faire cuire jusqu'à ce que la surface extérieure soit sèche et que les contours commencent à se courber (10 à 15 secondes). À l'aide d'une spatule, retourner la crêpe et faire cuire l'autre côté pendant 10 secondes. Faire glisser la crêpe dans une assiette recouverte de papier absorbant. Continuer avec le reste du mélange.

Portions: 12 à 16 crêpes
Préparation: 15 min
Cuisson: 10 min

Ingrédients:
- 1 T de farine
- 1 pincée de sel
- 2 œufs
- 1 à 1 1/4 T de lait entier
- 2 c. à s. de beurre non salé fondu
- Huile végétale

CONSEILS

1. Toujours préparer le mélange à l'avance. Il devrait reposer au moins 30 minutes avant d'être cuit et peut même être réfrigéré tout une nuit. Laisser toujours reposer la pâte jusqu'à ce qu'elle soit à température ambiante avant de l'utiliser.

2. Les crêpes peuvent être cuites à l'avance et conservées jusqu'à 3 jours au réfrigérateur en les enveloppant convenablement. Elles peuvent aussi être congelées pendant 2 mois.

3. Pour réchauffer les crêpes, badigeonner une plaque à biscuits avec du beurre fondu et étendre les crêpes sur la plaque. Recouvrir de papier aluminium et faire cuire au four à 400 °F pendant environ 4 minutes.

4. Pour réchauffer des crêpes farcies, fourrer les crêpes lorsqu'elles sont froides, les déposer ensuite sur une plaque à biscuits et faire chauffer à 400 °F jusqu'à ce que la farce soit chaude.

5. Vous pouvez remplacer la moitié de la quantité de farine par de la farine de blé entier ou de la farine de sarrasin.

Crêpes majestueuses au babeurre

Portions: 9 crêpes
Préparation: 15 min
Cuisson: 10 min

Ingrédients:
- 2 T de farine (tout usage)
- 2 c. à t. de levure chimique
- 1 c. à t. de bicarbonate de soude
- 1/2 c. à t. de sel
- 3 c. à s. de sucre
- 2 gros œufs légèrement battus
- 3 T de babeurre
- 4 c. à s. de beurre non salé fondu, plus 1/2 c. à t. pour la plaque chauffante

Instructions:

1. Préchauffer la plaque à 375 °F. Fouetter la farine, la levure chimique, le bicarbonate de soude, le sel et le sucre dans un bol. Ajouter les œufs, le babeurre et 4 c. à thé de beurre. Fouetter encore pour bien mélanger. La pâte devrait alors contenir de petits ou de moyens grumeaux.

2. Chauffer le four à 175 °F. Vérifier si la plaque chauffante est prête en l'aspergeant de gouttes d'eau. Si l'eau rebondit et crépite sur la plaque, cela signifie qu'elle est assez chaude. À l'aide d'un pinceau à pâtisserie, badigeonner la plaque avec la 1/2 c. à thé de beurre. Essuyer l'excédent.

3. Verser avec une louche de petites quantités de pâte à crêpe en laissant un espace de 5 cm entre chaque flaque. Laisser cuire pendant environ 2 minutes 30 et retourner lorsque des bulles se forment sur le dessus des crêpes et que le contour est légèrement sec. Faire cuire jusqu'à ce que le dessous des crêpes soit doré (environ 1 minute).

4. Répéter l'opération avec la pâte qui reste et déposer les crêpes déjà cuites au four dans un plat résistant à la chaleur. Servir chaud.

Crêpes classiques au babeurre

Portions : 12 crêpes
Préparation : 15 min
Cuisson : 10 min

Ingrédients :

- **2 œufs**
- **2 T de farine (tout usage)**
- **2 c. à s. de sucre**
- **2 c. à t. de levure chimique**
- **1 c. à t. de bicarbonate de soude**
- **1 c. à t. de sel**
- **2 1/2 T de babeurre**
- **4 c. à s. de beurre non salé fondu**
- **1/2 c. à t. d'extrait de vanille**
- **1 à 2 c. à s. d'huile végétale ou d'enduit anticollant pour cuisson en vaporisateur**
- **Sirop d'érable pour servir**

Instructions :

1. À l'aide d'un batteur électrique, battre les œufs à vitesse moyenne jusqu'à ce qu'ils moussent. Ajouter la farine, le sucre, la levure, le bicarbonate de soude, le sel, le babeurre, le beurre fondu et la vanille. Remuer jusqu'à ce que la pâte soit lisse et qu'il ne reste plus de grumeaux de farine ; ne pas trop battre la pâte.

2. Faire chauffer une plaque à feu moyen-fort jusqu'à ce que des gouttes d'eau lancées sur la plaque grésillent. Graisser légèrement la plaque avec de l'huile végétale ou de l'enduit anticollant pour cuisson en vaporisateur et faire chauffer. Verser environ 1/3 de tasse de pâte par crêpe. Faire cuire jusqu'à ce que des bulles se forment et que la pâte soit cuite (environ 2 minutes). Retourner les crêpes à l'aide d'une spatule et faire cuire jusqu'à ce que l'autre côté soit doré (2 minutes). Garder au chaud jusqu'à ce que toutes les crêpes soient prêtes. Répéter l'opération avec la pâte qui reste en ajoutant un peu d'huile sur la plaque au besoin. Servir avec du sirop d'érable.

Crêpes aux agrumes

Instructions :

1. Fouetter les œufs dans un bol jusqu'à ce qu'ils moussent. Tamiser la farine, le sucre, la levure, le bicarbonate de soude et le sel sur les œufs et remuer pour incorporer tous les ingrédients. Ajouter le yogourt, le lait, le beurre, la vanille et le zeste d'orange et remuer jusqu'à ce que la préparation soit lisse.

2. Faire chauffer une plaque à feu moyen-fort jusqu'à ce que des gouttes d'eau lancées sur la plaque grésillent. Graisser légèrement la plaque avec de l'huile végétale ou de l'enduit anticollant pour cuisson en vaporisateur.

3. Verser environ 1/3 de tasse de pâte sur la plaque par crêpe. Faire cuire jusqu'à ce que des bulles se forment et que la pâte soit cuite (environ 2 minutes). Retourner les crêpes à l'aide d'une spatule et faire cuire jusqu'à ce que l'autre côté soit doré (2 minutes). Garder au chaud jusqu'à ce que toutes les crêpes soient prêtes. Répéter l'opération avec la pâte qui reste en graissant davantage la plaque au besoin. Couvrir les crêpes de quartiers d'orange et de miel.

Portions : 12 crêpes
Préparation : 15 min
Cuisson : 10 min

Ingrédients :

- **2 œufs**
- **2 T de farine (tout usage)**
- **2 c. à t. de levure chimique**
- **1 c. à t. de bicarbonate de soude**
- **1 c. à t. de sel**
- **1 T de yogourt nature faible en gras**
- **1 1/4 T de lait**
- **4 c. à s. de beurre non salé fondu**
- **1/2 c. à t. d'extrait de vanille**
- **1 c. à t. de zeste d'orange finement râpé**
- **4 oranges pelées et coupées en quartiers**
- **Miel pour servir**

Crêpe hollandaise

Portions : 4
Préparation : 15 min
Cuisson : 20 min

Ingrédients :

- **3 c. à s. de beurre non salé à température ambiante**
- **3 gros œufs**
- **3/4 de T de lait entier**
- **1/2 T de farine (tout usage)**
- **1/4 de c. à t. de sel**
- **1/2 c. à t. d'extrait de vanille naturelle**
- **1/4 T de sucre, plus 1 c. à s. supplémentaire**

Instructions :

1. Préchauffer le four à 425 °F. Faire fondre 2 c. à soupe de beurre à feu moyen dans une poêle antiadhésive ou une poêle en fonte. Réserver.

2. Combiner les œufs, le lait, la farine, le sel, le vinaigre et 1/4 de tasse de sucre dans le mélangeur jusqu'à l'obtention d'une substance mousseuse (1 minute). Verser la pâte dans la poêle et faire cuire jusqu'à ce que la crêpe gonfle et soit légèrement dorée.

3. Étaler 1 c. à soupe de beurre sur la crêpe et saupoudrer de 1 c. à soupe de sucre et de jus de citron. Couper en pointes et servir immédiatement.

Frittatas miniatures

Instructions :

1. Préchauffer le four à 375 °F.

2. Vaporiser 2 plaques de 24 moules miniatures à muffins chacune avec de l'aérosol de cuisson.

3. Fouetter les œufs, le lait, le poivre et le sel dans un grand bol pour bien mélanger. Y incorporer le jambon, le parmesan et le persil.

4. Remplir presque complètement les moules avec le mélange. Faire cuire jusqu'à ce que le mélange gonfle et que le centre soit cuit (8 à 10 minutes).

5. À l'aide d'une spatule en caoutchouc, retirer les frittatas des moules à muffins pour les faire glisser sur une assiette. Servir immédiatement.

Portions : environ 40 frittatas
Préparation : 15 min
Cuisson : 10 min

Ingrédients :
- Huile végétale en aérosol
- 8 gros œufs
- 1/2 T de lait entier
- 1/2 c. à t. de poivre noir fraîchement moulu
- 1/4 de c. à t. de sel
- 115 g de jambon finement haché
- 1/3 de T de parmesan fraîchement râpé
- 2 c. à s. de persil hâché

Crêpes de maïs bleu

POUR LE BRUNCH

Portions : 12 crêpes
Préparation : 25 min
Cuisson : 20 min

Ingrédients :

- 1 1/2 T de farine (tout usage)
- 1/2 T de semoule de maïs bleu
- 1 pincée de sel
- 1 c. à s. de sucre
- 1 c. à s. de levure chimique
- 2 gros œufs
- 1 1/2 à 2 T de lait
- 2 c. à s. de beurre non salé fondu
- 1 T de bleuets frais et quelques autres pour garnir
- 2 à 3 bananes pelées et tranchées
- Beurre au miel et à l'orange
- Sirop d'érable à la cannelle
- Sucre glace, pour garnir
- 3 T de jus d'orange fraîchement pressé
- 2 bâtonnets de beurre légèrement ramolli
- 2 c. à s. de miel
- 1 pincée de sel
- 2 T de sirop d'érable
- 2 à 3 bâtonnets de cannelle

Instructions :

1. Préchauffer une plaque antiadhésive à 200 °F.

2. Mélanger les ingrédients secs dans un bol. Battre les œufs et 1 1/2 tasse de lait dans un autre bol jusqu'à ce que le tout soit bien intégré, puis ajouter le beurre. Incorporer les ingrédients liquides aux ingrédients secs et bien mélanger le tout. Ajouter soigneusement les bleuets et un peu de lait si la pâte semble trop épaisse.

3. Verser environ 1/4 de tasse de pâte sur la plaque pour chaque crêpe. Faire cuire jusqu'à ce que le dessous soit légèrement doré, retourner et continuer de faire cuire pendant environ 30 secondes.

4. Déposer au four dans un plat résistant à la chaleur et garder au chaud jusqu'à ce que vous soyez prêt à les servir.

5. Servir 3 crêpes par personne avec une cuillérée de beurre au miel et à l'orange, du sirop d'érable à la cannelle et des bananes. Garnir de bleuets et saupoudrer de sucre glace.

BEURRE AU MIEL ET À L'ORANGE

Verser le jus d'orange dans une petite casserole antiadhésive et faire cuire à feu élevé. Réduire le jus à 3 c. à soupe. Déposer le beurre dans un bol et ajouter le sirop d'orange, le miel et le sel. Remuer jusqu'à ce que tous les ingrédients soient bien incorporés. Verser dans un grand bol, couvrir d'une pellicule plastique et réfrigérer jusqu'à ce que le mélange soit ferme (environ 2 heures).

SIROP D'ÉRABLE À LA CANNELLE

Faire chauffer le sirop et les bâtonnets de cannelle à feu doux pendant 10 minutes. Retirer du feu et faire macérer pendant 1 heure. Retirer les bâtonnets et verser dans une saucière.

Pizza déjeuner

Instructions :

1. Préchauffer le four à 350 °F. Recouvrir une plaque à biscuits de papier parchemin.

2. À l'aide d'un rouleau à pâte, étendre la pâte à pizza de façon à obtenir 5 mm d'épaisseur. Transférer sur la plaque à biscuits et badigeonner la pâte avec le beurre fondu. Saupoudrer avec 2 c. à soupe de sucre à la cannelle et faire cuire jusqu'à ce que la pâte soit bien dorée (10 à 15 minutes). Laisser refroidir sur une grille.

3. Pendant ce temps, mélanger le fromage, la crème, le jus de citron et le zeste dans un bol.

4. Étendre le mélange de fromage sur la pâte, puis couvrir le tout de petits fruits avant de saupoudrer de sucre à la cannelle. Couper des pointes et servir.

Portions : 4 à 6
Préparation : 20 min
Cuisson : 15 min

Ingrédients :

- 1 pâte à pizza achetée
- 2 c. à s. de beurre fondu
- 4 c. à s. de sucre à la cannelle
- 2 T de mascarpone
- 1 c. à s. de crème riche en matières grasses
- 2 c. à s. de jus de citron
- 1 c. à t. de zeste de citron (1 citron)
- 2 T de mélange de petits fruits
- 1 gousse de vanille
- 1/2 T de sucre
- 1 c. à t. de cannelle moulue

Petits pancakes américains

Portions : 1 douzaine
Préparation : 40 min
Cuisson : 10 min

Ingrédients :
- **2 T de mélange à pâte Bisquick**
- **1 T de lait**
- **2 œufs**

Instructions :

1. Faire chauffer une poêle à feu moyen ou une plaque électrique à 375 °F. Badigeonner avec de l'aérosol de cuisson, de l'huile végétale ou de la graisse végétale (la surface est assez chaude lorsque des gouttes d'eau lancées sur la surface chauffante grésillent). Combiner tous les ingrédients dans un bol et bien mélanger, puis verser des c. à soupe de pâte sur la surface chauffante pour former de petits pancakes. Faire cuire les pancakes jusqu'à ce que la bordure de chacun soit sèche. Tourner et faire cuire jusqu'à ce qu'ils soient dorés.

Crêpes aux pommes

Portions : 2 à 4
Préparation : 15 min
Cuisson : 30 min

Ingrédients :
- **4 c. à s. de beurre non salé fondu**
- **1 pomme golden delicious et coupée en tranches**
- **1/2 c. à t. de cannelle moulue**
- **1 c. à s. de sucre granulé**
- **2 œufs à température ambiante**
- **1/2 T de lait**
- **1/2 T de farine (tout usage)**
- **1/2 c. à t. de sel**
- **Sucre glace pour décorer**

Instructions :

1. Préchauffer le four à 400 °F. Badigeonner une poêle de 25 cm avec du beurre. Dans une autre poêle, faire fondre 2 c. à soupe de beurre. Ajouter les pommes, la cannelle et le sucre granulé et faire sauter de 5 à 6 minutes en remuant de temps à autre jusqu'à ce que les pommes deviennent tendres et dorées. Réserver.

2. Dans un bol, battre les œufs à l'aide d'un fouet. Ajouter le lait et fouetter jusqu'à ce que le tout soit bien mélangé. Tamiser la farine et le sel dans le mélange d'œufs et fouetter pour bien mélanger. Faire fondre le reste du beurre dans une petite casserole à feu moyen-doux. Verser le beurre dans le mélange d'œufs et fouetter jusqu'à ce que la préparation soit lisse. Verser la pâte dans la poêle graissée à l'avance et disposer les tranches de pommes sur le dessus. Faire cuire jusqu'à ce que la crêpe soit dorée et gonflée. Saupoudrer de sucre glace et servir immédiatement.

Crêpes au poulet et aux légumes asiatiques

Portions : 4
Préparation : 25 min
Cuisson : 20 min

Ingrédients :

- **Pâte à crêpes classique, p. 17**
- **2 c. à s. d'oignons verts finement hachés**
- **1 c. à s. de graines de sésame**
- **275 g de petits bok choy**
- **1 petite tête de brocoli**
- **275 g de poitrine de poulet désossé sans peau**
- **2 c. à t. de semoule de maïs**
- **3 c. à s. de sauce soja**
- **3 c. à s. d'huile végétale**
- **1/4 de T de gingembre frais finement haché**
- **2 gousses d'ail finement hachées**
- **1 chile finement haché**
- **1 c. à s. de vinaigre de riz**
- **1 c. à s. de vin de riz**
- **6 oignons verts coupés en morceaux d'un pouce (2,5 cm)**
- **1 c. à t. d'huile de sésame**
- **2 c. à s. de sauce de soya**

Instructions :

1. Ajouter les oignons verts finement hachés et les graines de sésame dans la pâte à crêpes et bien remuer. Faire les crêpes en suivant les instructions de la recette toute simple de pâte à crêpes. Vous devez préparer 8 crêpes pour cette recette.

2. Bien laver le bok choy et couper en tranches de 2,5 cm pour obtenir 4 tasses. Défaire le brocoli en bouquets.

3. Trancher finement le poulet et déposer dans un bol. Ajouter la semoule de maïs et 1 c. à soupe de sauce soja. Bien mélanger et mettre de côté.

4. Préchauffer le four à 400 °F.

5. Badigeonner légèrement une plaque à biscuits avec de l'huile et y déposer les crêpes en les faisant légèrement chevaucher. Recouvrir de papier aluminium.

6. Dans un wok, faire chauffer 1 c. à soupe d'huile, ajouter le gingembre et le brocoli et remuer jusqu'à ce qu'ils soient enrobés d'huile. Ajouter 1/4 de tasse d'eau, couvrir et laisser mijoter jusqu'à ce que le brocoli soit tendre (5 minutes). Transférer le brocoli et le gingembre dans un bol et déposer la plaque à biscuits avec les crêpes dans le four.

7. Faire chauffer le reste de l'huile dans le wok et ajouter les tranches de poulet en remuant jusqu'à ce qu'elles soient opaques. Ajouter l'ail, le chile, le bok choy, le brocoli et le gingembre et remuer pour bien mélanger les ingrédients. Verser le reste de la sauce soja, le vinaigre de riz et le vin de riz. Continuer à remuer jusqu'à ce que les légumes soient cuits. Ajouter les oignons verts et l'huile de sésame et remuer pour bien mélanger.

8. Déposer 1 à 2 crêpes bien chaudes dans chaque assiette puis étaler 1 c. à thé de sauce de soya sur chaque crêpe avant de recouvrir du mélange de poulet et de légumes.

Crêpes au citron et à la ricotta garnies de tartinade et de framboises fraîches

Instructions :

1. Préchauffer une plaque antiadhésive.

2. Mélanger la farine, la levure, la muscade, le sel et le sucre dans un petit bol. Battre le fromage, les œufs, le lait, le jus de citron et le zeste dans un grand bol. Incorporer le mélange d'ingrédients secs dans le mélange d'ingrédients liquides et fouetter jusqu'à ce que le tout soit bien intégré. Badigeonner la plaque chauffante avec du beurre. Verser environ 1/4 de tasse de pâte sur la plaque par crêpe et faire cuire chaque côté jusqu'à ce que la crêpe soit légèrement dorée. Répéter l'opération avec le reste de la pâte.

3. Vider le contenu du pot de tartinade au citron dans un petit chaudron et faire chauffer à feu doux. Sinon, faire chauffer sans couvercle au micro-ondes à température moyenne pendant 2 minutes en arrêtant après 1 minute pour remuer la tartinade. Verser quelques c. à soupe de tartinade sur les crêpes, garnir de framboises fraîches et saupoudrer de sucre glace.

Portions : 4 à 6
Préparation : 15 min
Cuisson : 20 min

Ingrédients :

- **3/4 de T de farine (tout usage)**
- **1 c. à t. de levure chimique**
- **1/2 c. à t. de muscade moulue**
- **1/4 de c. à t. de sel**
- **2 c. à s. de sucre**
- **1 T de fromage ricotta**
- **2 œufs**
- **2/3 de T de lait**
- **1 citron (zeste et jus)**
- **Beurre pour la cuisson**
- **1 pot de tartinade au citron**
- **Framboises fraîches pour décorer**
- **Sucre glacé pour garnir**

Crêpes au citron

Portions : 4
Préparation : 15 min
Cuisson : 10 min

Ingrédients :
- **Pâte à crêpes classique, p. 17**
- **Fromage blanc ou crème fraîche**
- **Zeste de citron finement râpé**
- **Miel**
- **Tranches de citron**

Instructions :

1. Étaler du fromage blanc ou de la crème fraîche sur une grande crêpe. Saupoudrer d'une pincée de zeste de citron et arroser de miel. Plier la crêpe en deux puis verser plus de miel. Répéter l'opération pour chaque crêpe. Servir avec des tranches de citron.

Crêpe italienne

Portions : 4
Préparation : 1 h 15 min
Cuisson : 35 min

Ingrédients :
- **3/4 de T. de farine de pois chiche**
- **1 c. à. t. de sel**
- **1 1/2 T. d'eau**
- **2 c. à. s. d'huile d'olive extra vierge**
- **1/4 T. d'oignon finement tranché**
- **1/2 c. à. t. de romarin séché**
- **Poivre noir fraîchement moulu**

Instructions :

1. Mélanger la farine et le sel. Incorporer l'eau et mélanger vigoureusement pour éviter que des grumeaux se forment puis laisser reposer pendant 1 heure ou une nuit entière.

2. Préchauffer le four à 500 °F.

3. Fouetter à nouveau la pâte jusqu'à ce qu'elle ait la consistance de la crème. Verser de l'huile dans une poêle antiadhésive de 20 cm puis le mélange à pâte. Remuer l'huile et la pâte ensemble.

4. Garnir le mélange d'oignon puis déposer la poêle au centre du four et faire cuire pendant 5 minutes. Ajouter du romarin et laisser cuire jusqu'à ce que la crêpe soit dorée et croustillante (30 minutes). Retirer du four et laisser refroidir dans la poêle. Servir chaud ou à la température ambiante. Assaisonner de poivre noir et arroser d'huile d'olive, si désiré.

Crêpes aux bleuets

Portions : 40 petites crêpes
Préparation : 15 min
Cuisson : 10 min

Ingrédients :

- 1 3/4 T de farine (tout usage)
- 3/4 de c. à t. de bicarbonate de soude
- 1 c. à t. de levure chimique
- 1 1/2 c. à t. de sucre granulé
- 1/2 c. à t. de sel
- 3 œufs (séparés)
- 1 3/4 T de babeurre
- 4 c. à s. de beurre non salé fondu
- 1 chopine de bleuets frais
- Sucre glace pour garnir
- Sirop d'érable pour servir

Instructions :

1. Fouetter ensemble la farine, le bicarbonate de soude, la levure chimique, le sucre granulé et le sel dans un bol.

2. Dans un petit bol, fouetter légèrement les jaunes d'œuf et le babeurre, puis incorporer le mélange d'œufs aux ingrédients secs jusqu'à ce que le tout soit bien mélangé et que la pâte soit grumeleuse.

3. Dans un autre bol, battre les blancs d'œuf à vitesse rapide avec un batteur électrique muni d'un fouet jusqu'à ce que les blancs soient consistants (2 à 3 minutes), mais sans que des pics fermes se forment. À l'aide d'une spatule en caoutchouc, incorporer doucement les blancs dans la pâte en deux fois.

4. Verser 1/2 c. à thé de beurre dans chaque trou d'une poêle à blinis. Faire chauffer à feu moyen jusqu'à ce que le beurre commence à bouillonner. Verser 1 c. à soupe de pâte dans chaque cavité et faire cuire jusqu'à ce que le dessous soit doré et croustillant (3 à 5 minutes). Déposer 5 à 6 bleuets au centre de chaque crêpe et recouvrir les bleuets avec 1 c. à thé. pâte. À l'aide de deux brochettes en bois, retourner les crêpes et faire cuire l'autre côté pendant encore 3 minutes jusqu'à ce qu'elles soient dorées et croustillantes. Faire glisser dans une assiette, et répéter l'opération avec le beurre et les bleuets qui restent.

5. Saupoudrer les crêpes avec du sucre glace et servir chaud avec du sirop d'érable.

Crêpes aux bananes et aux brisures de chocolat

Instructions :

1. Mélanger la farine, la levure, le bicarbonate de soude et le sel dans un grand bol. Mettre de côté. Dans un autre bol, fouetter ensemble le lait écrémé, le beurre fondu, les œufs, le sucre et la vanille. Former un trou au centre des ingrédients secs et y verser le mélange d'ingrédients liquides en prenant soin de ne pas trop mélanger la pâte. Incorporer doucement les bananes, les brisures de chocolat et les noix.

2. Faire chauffer une grande poêle à feu moyen et badigeonner avec de l'enduit anticollant pour cuisson en vaporisateur. Verser 1/4 de tasse de pâte dans la poêle et faire cuire jusqu'à ce que des bulles apparaissent à la surface. Retourner les crêpes avec une spatule et faire cuire jusqu'à ce que les deux côtés soient dorés.

Portions : 4
Préparation : 10 min
Cuisson : 20 min

Ingrédients :
- 1 T de farine (tout usage)
- 2 c. à t. de levure chimique
- 1 c. à t. de bicarbonate de soude
- 1/4 de c. à t. de sel
- 3/4 de T de lait écrémé
- 3 c. à s. de beurre fondu
- 2 œufs
- 1 c. à s. de sucre blanc
- 1 c. à t. d'extrait de vanille
- 1 grosse banane coupée en dés
- 1/2 T de petites brisures de chocolat semi-sucré
- 1/4 de T de pacanes hachées
- Enduit anticollant pour cuisson en vaporisateur

Crêpes au homard et à l'estragon

Portions : 4
Préparation : 45 min
Cuisson : 10 min

Ingrédients :

CRÊPES
- 1 T de farine (tout usage)
- 1/4 de c. à t. de sel
- 1/4 de c. à t. de poivre noir fraîchement moulu
- 3 œufs
- 1 T de lait
- 3 c. à s. de beurre fondu
- 1 c. à s. d'estragon frais haché (ou 1/2 c. à t. d'estragon séché)

FARCE AU HOMARD
- 2 c. à s. de beurre
- 2 oignons verts finement tranchés
- 1/4 de c. à t. de sel
- 1 pincée de poivre moulu
- 1 c. à s. de farine (tout usage)
- 1 T de vin blanc sec
- 250 g de homard cuit et haché
- 1 c. à t. d'estragon frais haché (ou une pincée d'estragon séché)
- 125 g de fromage bocconcini égoutté

Instructions :

1. Pour faire les crêpes, mélanger la farine, le sel et le poivre dans un grand bol. Fouetter les œufs avec le lait dans une tasse à mesurer ou un autre bol jusqu'à ce que le tout soit bien mélangé. Incorporer graduellement le mélange de farine en fouettant jusqu'à ce que la pâte soit très lisse. Ajouter le beurre et l'estragon. Couvrir et laisser reposer pendant 30 minutes ou réfrigérer pendant une journée complète (ramener à la température de la pièce avant de faire cuire). La pâte devrait avoir la texture d'une crème liquide. Au besoin, incorporer graduellement 3 c. à soupe d'eau pour éclaircir.

2. Faire chauffer une poêle antiadhésive de 20 cm à feu moyen. Vérifier la chaleur en versant une goutte de pâte dans la poêle. La température est bonne lorsque la pâte grésille dans la poêle. Essuyer la poêle et badigeonner légèrement avec du beurre fondu. Verser 1/4 de tasse de pâte en faisant tournoyer la poêle de façon à étaler également la pâte sur toute la surface. Faire cuire jusqu'à ce que la surface de la crêpe ne reluise plus et que le dessous de la crêpe soit doré (environ 30 secondes). À l'aide d'une spatule en caoutchouc résistante à la chaleur, décoller le contour de la crêpe pour la retourner. Faire cuire l'autre côté jusqu'à ce que des taches dorées commencent à se former (10 secondes).

3. Faire glisser la crêpe cuite sur une assiette recouverte de papier ciré. Répéter l'opération avec le reste de la pâte en graissant la poêle entre chaque crêpe au besoin. Les crêpes froides peuvent être enveloppées et conservées au réfrigérateur pendant 2 jours.

4. Pour faire la farce, faire fondre le beurre à feu moyen dans une poêle. Ajouter les petits oignons, le sel et le poivre et faire cuire jusqu'à ce qu'ils soient translucides (environ 2 minutes). Saupoudrer de farine et faire cuire en remuant pendant 30 secondes (ne pas laisser brunir). Incorporer graduellement le vin et porter à ébullition en remuant constamment. Faire bouillir doucement pendant 3 minutes en remuant souvent jusqu'à ce que le bouillon monte et redescende légèrement. Retirer du feu et ajouter le homard et l'estragon. La farce peut être conservée au réfrigérateur pendant 1 journée dans un contenant hermétique.

Crêpes aux fruits de mer, cari et noix de coco

POUR LE BRUNCH

Portions : 5 à 6
Préparation : 20 min
Cuisson : 40 min

Ingrédients :

- 3 1/2 T de bouillon de poulet faible en sodium et faible en gras
- 250 g de crevettes (26 à 30 crevettes par 500 g) épluchées, déveinées et rincées
- 250 g de filet de saumon rincé sans arêtes et sans peau
- 1/4 de T de beurre ou de margarine
- 1 oignon pelé et finement haché
- 1/2 T de farine (tout usage)
- 1 1/2 T de lait de coco
- Sel et poivre
- 250 g de crabe cuit et décortiqué
- Crêpes au cari
- 1 c. à s. de coriandre fraîche finement hachée

Instructions :

1. Porter le bouillon à ébullition dans une grande casserole. Ajouter les crevettes, couvrir et retirer du feu. Laisser reposer pendant 1 à 2 minutes jusqu'à ce que les crevettes soient à peine opaques, mais que l'intérieur de la partie la plus épaisse ait encore l'air humide (couper pour vérifier). Transférer les crevettes sur une planche à l'aide d'une cuiller à égoutter.

2. Porter à nouveau le bouillon à ébullition puis ajouter le saumon, couvrir et retirer du feu. Laisser reposer pendant 8 à 9 minutes jusqu'à ce que le poisson soit à peine opaque, mais que l'intérieur de la partie la plus épaisse ait encore l'air humide (couper pour vérifier). Transférer le saumon sur une planche à l'aide d'une cuiller à égoutter. Verser le bouillon dans une tasse à mesurer en verre ou dans un bol. Rincer et éponger la poêle.

3. Faire fondre 1/4 de tasse de beurre dans la poêle à feu moyen-fort. Lorsque le beurre est fondu, ajouter l'oignon et remuer jusqu'à ce qu'il soit tendre. Saupoudrer l'oignon de farine et remuer pendant 1 minute. Retirer du feu et fouetter le bouillon avec le lait de coco puis le mélange à feu moyen-fort jusqu'à ce qu'il bouille et épaississe (8 à 10 minutes). Retirer du feu et assaisonner de sel et de poivre.

4. Pendant ce temps, enlever tous les morceaux de carapace restants sur le crabe avant de le déposer dans un bol. Lorsque les crevettes et le saumon ont refroidi, couper les crevettes en tranches et émietter le saumon à l'aide d'une fourchette. Déposer les morceaux de crevettes et le saumon émietté dans le bol avec le crabe, et incorporer 1 1/2 tasse de sauce à la noix de coco.

5. Déposer une crêpe dans une grande poêle badigeonnée de beurre. Verser 1/3 de tasse du mélange de fruits de mer sur la moitié de crêpe et étaler le mélange en laissant une bordure de 2,5 cm. Replier la moitié de crêpe dégarnie sur le mélange puis plier de nouveau en deux pour former un triangle. Répéter l'opération pour farcir les autres crêpes. Couvrir et réfrigérer pendant 24 heures.

6. Découvrir et réchauffer au four à 350 °F jusqu'à ce que le centre des crêpes soit chaud (35 à 40 minutes).

7. Verser le reste de la sauce à la noix de coco dans des assiettes. À l'aide d'une grande spatule, transférer les crêpes dans les assiettes en les disposant sur la sauce. Saupoudrer de coriandre et assaisonner de sel et de poivre au besoin.

ASTUCE

Les crêpes au cari peuvent être cuisinées jusqu'à 3 jours avant la farce aux fruits de mer. Si vous décidez de ne pas réfrigérer les crêpes pendant une journée tel qu'indiqué à l'étape 5, déposez directement les crêpes dans le four comme à l'étape 6 en ne les faisant réchauffer que de 15 à 20 minutes.

Crêpes aux graines de lin et aux bleuets

Instructions :

1. Faire chauffer une poêle antiadhésive à feu moyen.

2. Verser le mélange à crêpe et les graines de lin dans un bol, puis dans un autre bol ou une tasse à mesurer fouetter le lait et les œufs. Incorporer les ingrédients liquides aux ingrédients secs et remuer jusqu'à ce que la préparation soit humide.

3. Verser 1/4 de tasse de pâte dans une poêle bien chaude. Recouvrir de bleuets (autant que vous le désirez). Faire cuire jusqu'à ce que des bulles se forment à la surface, puis retourner et faire cuire jusqu'à ce que l'autre côté soit doré.

Portions : 12 crêpes
Préparation : 5 min
Cuisson : 10 min

Ingrédients :

- 1 1/2 T. de mélange à crêpes sec
- 1/2 T. de graines de lin
- 1 T. de lait écrémé
- 2 œufs
- 1 T. de bleuets frais ou surgelés

Crêpes aux fruits de mer

Portions : 8
Préparation : 25 min
Cuisson : 15 min

Ingrédients :

- **250 g de crevettes nettoyées**
- **250 g de pétoncles**
- **3 c. à s. de beurre non salé**
- **1 oignon vert finement haché**
- **1 gousse d'ail finement hachée**
- **1/2 T de vin blanc sec**
- **1 c. à s. de Pernod**
- **3 c. à s. de ciboulette finement hachée**
- **2 c. à s. d'estragon haché**
- **2 c. à t. de zeste de citron fraîchement râpé**
- **Sel casher et poivre noir fraîchement moulu**
- **8 crêpes préparées (pâte à crêpes classique, p. 17)**

Instructions :

1. Couper les crevettes en deux dans le sens de la longueur et les pétoncles en deux ou en quatre selon leur grosseur. Mettre de côté.

2. Faire fondre 2 c. à soupe de beurre dans une grande poêle à feu moyen. Ajouter l'oignon vert et laisser cuire jusqu'à ce qu'il soit transparent. Ajouter l'ail, les crevettes et les pétoncles et laisser cuire en remuant constamment jusqu'à ce que les fruits de mer soient cuits à point. Transférer les fruits de mer dans un bol à l'aide d'une cuiller à égoutter.

3. Ajouter le vin dans la poêle et porter à ébullition. Déglacer en grattant les sucs caramélisés dans la poêle. Faire bouillir jusqu'à ce que le vin ait réduit de moitié, ajouter le Pernod et verser le tout sur les crevettes et les pétoncles. Ajouter la ciboulette, l'estragon, le zeste de citron et assaisonner de sel et de poivre.

4. Préchauffer le four à 400 °F.

5. Graisser une plaque à biscuits avec du beurre. Déposer une crêpe sur le comptoir et verser 2 à 3 c. à soupe. du mélange de fruits de mer juste en dessous du centre de la crêpe. Rouler la crêpe et déposer sur la plaque à biscuits. Répéter l'opération avec le reste des crêpes et du mélange.

6. Verser le reste du liquide sur les crêpes, couvrir la plaque de papier aluminium et faire cuire jusqu'à ce que les crêpes soient bien chaudes (15 minutes).

Crêpes farcies à la saucisse et au brocoli

Portions : 4
Préparation : 15 min
Cuisson : 15 min

Ingrédients :

- 1/4 de T de beurre
  (ou de margarine)
- 3/4 de T de lait
- 2/3 de T de farine (tout usage)
- 2 œufs

POUR LA FARCE :

- 2 T de champignons frais hachés
- 1 petit oignon coupé en rondelles
- 2 c. à s. de beurre
  (ou de margarine)
- 500 g de saucisses de porc
- 1 paquet de brocoli haché congelé
- 1/3 de T de riz instantané non cuit
- 1 T de fromage cheddar râpé

Instructions :

1. Déposer le beurre dans un moule à tarte en verre. Enfourner à 400 °F pendant 2 à 3 minutes jusqu'à ce que le beurre soit fondu. Retirer du four. Dans un bol, fouetter le lait, la farine, les œufs et le sel jusqu'à ce que la préparation soit lisse. Verser le tout dans le moule à tarte bien chaud. Faire cuire pendant 25 minutes à 400 °F jusqu'à ce que le mélange gonfle et devienne doré.

2. Pendant ce temps, faire sauter les champignons et les oignons dans une poêle avec du beurre jusqu'à ce qu'ils soient tendres. Retirer du feu et mettre de côté. Dans la même poêle, faire cuire les saucisses à feu moyen jusqu'à ce qu'elles ne soient plus roses. Faire cuire le riz et le brocoli jusqu'à ce qu'ils soient tendres. Ajouter le mélange de champignons et d'oignons ainsi que le fromage. Couvrir et garder au chaud.

3. Sortir la crêpe du four et verser immédiatement le mélangeau centre. Servir chaud.

Crêpes aux fruits et à la ricotta

Instructions :

1. Mélanger le lait, l'œuf, la farine, le sel, l'huile et le zeste dans un mélangeur jusqu'à ce que la préparation soit lisse. Transférer dans un bol, couvrir et réfrigérer de 2 à 8 heures.

2. Dans un grand bol, combiner les fraises, les bleuets, les framboises, le jus de citron et 2 c. à soupe de sucre granulé. Dans un autre bol, mélanger la ricotta et l'autre c. à soupe de sucre. Mettre de côté.

3. Dans une poêle, faire fondre 1 c. à thé de beurre à feu moyen de façon à recouvrir complètement la surface de la poêle. Verser 1/3 de tasse de pâte et étendre à l'aide d'une spatule. Faire cuire jusqu'à ce que le dessous de la crêpe soit doré (1 à 2 minutes). Retourner la crêpe et faire cuire l'autre côté de 1 à 2 minutes. Transférer la crêpe dans une assiette et recouvrir de papier aluminium. Répéter l'opération de façon à faire 4 à 6 crêpes.

4. Couvrir la moitié de chaque crêpe avec le mélange de ricotta et plier en quatre. Déposer une crêpe dans chaque assiette, couvrir de fruits et saupoudrer de sucre glace. Servir immédiatement.

Portions : 4 à 6 crêpes
Préparation : 15 min
Cuisson : 10 min

Ingrédients :

- 1 T de lait
- 1 œuf
- 1/2 T de farine (tout usage),
  plus 1 c. à s. supplémentaire
- 1/2 c. à t. de sel
- 1/2 c. à t. d'huile de canola
- 1/2 c. à t. de zeste d'orange
  (ou de citron)
- 1 casseau de fraises équeutées
  et coupées en quartiers
- 1 casseau de bleuets
- 1 casseau de framboises
- 1 1/2 c. à t. de jus de citron
- 3 c. à s. de sucre granulé
- 1 T de fromage ricotta
  au lait entier
- 4 à 6 c. à t. de beurre
  non salé fondu
- Sucre glace pour décorer

Crêpes de sarrasin au levain

Portions : 12 crêpes
Préparation : 20 min
Cuisson : 20 min

Ingrédients :
- 2 T de levain
- 2 œufs battus
- 1 c. à s. d'huile végétale
- 3 c. à s. de sucre blanc
- 1/2 c. à t. d'extrait de vanille
- 1 c. à t. de sel
- 1 T de farine de sarrasin
- 1/2 T de farine (tout usage)
- 1/2 c. à t. de bicarbonate de soude
- 1 c. à t. de gingembre moulu

Instructions :

1. Mélanger le levain, les œufs, l'huile végétale, le sucre et la vanille dans un grand bol. Incorporer le sel, la farine de sarrasin, la farine tout usage, le bicarbonate de soude et le gingembre et bien mélanger. Ajuster la texture en ajoutant plus de farine ou plus d'eau au besoin selon l'épaisseur du levain. La pâte devrait pouvoir se verser sans être trop liquide.

2. Faire chauffer une plaque à 400 °F. Graisser légèrement la surface et verser 1/4 à 1/3 de tasse de pâte sur la plaque. Faire cuire jusqu'à ce que la surface de la crêpe soit pleine de bulles (3 à 4 minutes). Utiliser une spatule pour retourner la crêpe et faire cuire l'autre côté pendant encore 2 minutes. Servir chaud.

Crêpes au jambon fumé et au beurre

Portions : 4
Préparation : 15 min
Cuisson : 10 min

Ingrédients :
- **Pâte à crêpes classique, p. 17**
  (Il est possible de remplacer la moitié de la quantité de farine par de la farine de sarrasin.)
- **Beurre salé**
- **Poivre noir fraîchement moulu**
- **Jambon fumé**
- **Fromage en tranches**
  (suisse, emmental ou au choix)

Instructions :

1. Étaler du beurre sur une petite crêpe, préférablement une crêpe au sarrasin. Saupoudrer de poivre fraîchement moulu puis déposer une tranche mince de jambon fumé et recouvrir avec une tranche de fromage sur une moitié de la crêpe. Plier la crêpe en deux puis encore en deux. Répéter l'opération si désiré. Servir immédiatement.

Crêpes à l'orange et à la ricotta

Portions : 4
Préparation : 15 min
Cuisson : 10 min

Ingrédients :

- 1 3/4 T de fromage ricotta partiellement écrémé
- 1/3 de T de sucre granulé
- 2 gros œufs
- 2 c. à t. de zeste d'orange râpé
- 2/3 de T de farine (tout usage)
- 3 c. à s. d'huile de canola
- Sucre glace pour décorer

Instructions :

1. Mélanger la ricotta, le sucre, les œufs et le zeste d'orange dans un bol. Incorporer ensuite la farine en fouettant jusqu'à ce que tous les ingrédients soient bien intégrés.

2. Faire chauffer 3 c. à soupe d'huile de canola à feu moyen dans une grande poêle antiadhésive. Verser 1/4 de tasse de pâte par crêpe en faisant cuire une crêpe à la fois et en ajoutant plus d'huile au besoin. Faire cuire de 4 à 5 minutes par côté jusqu'à ce que la crêpe soit dorée. Transférer les crêpes sur une assiette recouverte de papier absorbant. Servir chaud et saupoudrer de sucre glace ou arroser de sirop d'érable.

POUR LE BRUNCH

Crêpes traditionnelles de grand-maman

Portions : 4
Préparation : 5 min
Cuisson : 15 min

Ingrédients :

- 1 1/2 T de farine (tout usage)
- 3 1/2 c. à t. de levure chimique
- 1 c. à t. de sel
- 1 c. à s. de sucre blanc
- 1 1/4 T de lait
- 1 œuf
- 3 c. à s. de beurre fondu

Instructions :

1. Tamiser la farine, et la verser dans un grand bol avec la levure, le sel et le sucre. Faire un trou au centre et verser le lait, les œufs et le beurre fondu. Mélanger jusqu'à l'obtention d'une pâte lisse.

2. Faire chauffer une poêle légèrement huilée à feu moyen-fort. Verser la pâte dans la poêle en utilisant environ 1/4 de tasse par crêpe. Faire dorer les deux côtés et servir chaud.

Crêpes aux fraises et aux bananes

Portions : 18
Préparation : 20 min
Cuisson : 10 min

Ingrédients :

CRÊPES

- 1 T. de farine (tout usage)
- 1 c. à. s. de sucre
- 1/2 c. à. t. de cannelle moulue
- 1 1/2 T. de lait
- 2 œufs
- 1 c. à. s. de beurre

FARCE

- 1 paquet de fromage à la crème
- 1 contenant de garniture fouettée congelée
- 1/2 T. de sucre glace

GARNITURE

- 2 T. de fraises tranchées
- 2 bananes tranchées
- 1/4 de T. de sucre (facultatif)

Instructions :

1. Bien mélanger la farine, le sucre, la cannelle, le lait et les œufs dans un bol. Couvrir et réfrigérer pendant 1 heure.

2. Faire fondre 1 c. à thé de beurre dans une poêle antiadhésive de 20 cm. Remuer la pâte, puis verser 2 c. à soupe du mélange au centre de la poêle. Soulever et incliner la poêle de façon à étaler également la pâte sur toute la surface. Faire cuire jusqu'à ce que la surface de la crêpe devienne sèche. Tourner et faire cuire pendant encore 15 à 20 secondes. Transférer sur une grille.

3. Répéter l'opération avec le reste de la pâte en ajoutant du beurre dans la poêle au besoin. Empiler les crêpes refroidies en insérant du papier ciré ou absorbant entre chacune d'elles.

4. Mélanger les ingrédients de la farce dans un bol. Étaler 2 c. à soupe du mélange sur chaque crêpe. Rouler. Mélanger les ingrédients de la garniture et verser sur les crêpes.

Frittatas à la saucisse et aux poivrons

Portions : 4
Préparation : 15 min
Cuisson : 15 min

Ingrédients :

- Huile d'olive extra vierge
- 3 saucisses italiennes fortes sans boyau et émiettées
- 1 poivron rouge coupé en dés
- 1 poivron jaune coupé en dés
- 1 T de parmesan Reggiano râpé
- 12 œufs battus avec 1/4 de T d'eau
- Sel

Instructions :

1. Préchauffer le four à 350 °F.

2. Badigeonner une poêle de 25 cm avec de l'huile d'olive. Ajouter la saucisse et faire brunir puis les poivrons et faire sauter jusqu'à ce qu'ils soient tendres.

3. Combiner le parmesan et les œufs battus dans un bol et assaisonner avec du sel. Verser ensuite les œufs dans la poêle pour les mélanger à la saucisse et aux poivrons. Remuer pour répartir également la viande et les poivrons dans les œufs. Lorsque les œufs sont cuits au fond et sur les côtés de la poêle, déposer la poêle dans le four et faire cuire jusqu'à ce que les œufs soient entièrement cuits (7 à 8 minutes). Retirer de la poêle. Couper en pointes et servir chaud ou à température ambiante.

Muffins anglais

Instructions :

1. Faire cuire le lait dans une casserole à feu moyen-fort ou jusqu'à ce que de petites bulles se forment tout autour de la casserole (ne pas faire bouillir). Retirer du feu, et verser le lait dans un grand bol. Incorporer l'huile, le sucre et le sel. Laisser refroidir.

2. Dissoudre la levure dans l'eau chaude dans un petit bol. Laisser reposer 5 minutes.

3. Verser le mélange de levure, 3 tasses de farine et l'œuf dans le mélange de lait puis poser la pâte sur une surface farinée. Pétrir la pâte jusqu'à ce qu'elle soit lisse et élastique (environ 10 minutes). Ajouter de la farine en y allant une c. à soupe à la fois pour éviter que la pâte colle sur les mains. Déposer la pâte dans un grand bol vaporisé d'aérosol de cuisson et retourner pour enrober toute la surface de la pâte. Couvrir et laisser la pâte lever dans un endroit chaud pendant 45 minutes, ou jusqu'à ce qu'elle ait doublé de volume (vous pouvez insérer deux doigts dans la pâte, et si les empreintes restent, c'est que la pâte n'a pas fini de lever).

4. Presser la pâte pour la faire descendre. Diviser la pâte en deux puis étaler une portion à la fois (couvrir l'autre portion pour éviter qu'elle sèche). Étendre chaque portion de pâte pour obtenir une épaisseur de 5 mm. Laisser la pâte reposer pendant 5 minutes. Couper 8 muffins avec un emporte-pièce de 10 cm. Déposer les muffins sur une grande plaque à biscuits. Répéter l'opération avec l'autre portion de pâte. Couvrir et faire lever jusqu'à ce que la pâte ait doublé de volume (30 minutes).

5. Préchauffer le four à 350 °F.

6. Faire cuire pendant 7 minutes, tourner les muffins et faire cuire pendant encore 7 minutes jusqu'à ce que les muffins anglais soient légèrement dorés. Laisser refroidir.

Portions : 16 muffins
Préparation : 2 h
(plus le temps de faire gonfler la pâte)
Cuisson : 15 min

Ingrédients :

- 1 T de lait écrémé 2 %
- 3 c. à s. d'huile végétale
- 2 c. à s. de sucre
- 1 1/4 c. à t. de sel
- 1 paquet de levure sèche
- 1/4 de T d'eau chaude
- 3 1/2 T de farine (tout usage)
- 1 gros œuf légèrement battu
- Aérosol de cuisson

Pain de maïs au babeurre

Portions : 10
Préparation : 15 min
Cuisson : 20 min

Ingrédients :
- 1/2 T de beurre fondu
- 1 1/2 T de farine de maïs jaune
- 1 1/2 T de farine (tout usage)
- 1/4 de T de sucre
- 2 c. à t. de bicarbonate de soude
- 2 c. à t. de sel
- 3 gros œufs
- 2 1/2 T de babeurre écrémé

Instructions :

1. Préchauffer le four à 425 °F .

2. Badigeonner le fond et les côtés d'un plat de cuisson de 33 x 23 cm avec 2 c. à soupe de beurre.

3. Fouetter ensemble la farine de maïs, la farine, le sucre, le bicarbonate de soude et le sel dans un bol et mettre de côté.

4. Dans un grand bol, fouetter les œufs et le babeurre, puis incorporer le reste du beurre en continuant à fouetter.

5. Verser le mélange des farines dans le mélange de babeurre jusqu'à ce que la préparation soit humide (ne pas trop mélanger).

6. Verser la pâte dans le plat de cuisson et laisser cuire jusqu'à ce que le pain soit doré et qu'un cure-dent inséré au centre du pain en ressorte propre (15 à 20 minutes).

7. Laisser refroidir dans le plat pendant au moins 15 minutes avant de démouler le pain et de le trancher.

Pain irlandais aux raisins secs

Instructions :

1. Préchauffer le four à 375 °F.

2. Dans un grand bol, tamiser et verser la farine avec le bicarbonate de soude, le sel, la muscade et le sucre. Incorporer la graisse végétale dans le mélange de farine et travailler avec les doigts ou un mélangeur jusqu'à ce que le mélange devienne grumeleux. Ajouter les raisins secs et les graines de carvi et remuer pour les répartir également dans la pâte. Verser graduellement le babeurre en y allant 1/4 de tasse à la fois pour assembler la pâte. Pétrir la pâte pendant 1 ou 2 minutes puis travailler la pâte pour lui donner la forme d'un pain rond avant de la déposer sur une plaque à biscuits graissée.

3. Tailler un X sur le dessus et sur les côtés du pain. Faire cuire environ 45 minutes.

4. Laisser refroidir sur une grille.

Portions : 4 à 6
Préparation : 25 min
Cuisson : 45 min

Ingrédients :
- 2 T de farine (tout usage)
- 1 c. à t. de bicarbonate de soude
- 1/2 c. à t. de sel
- 1/2 c. à t. de muscade moulue
- 1 1/2 c. à s. de sucre
- 6 c. à s. de graisse végétale
- 2/3 de T de raisins secs
- 2 c. à t. de graines de carvi
- 1 T de babeurre

Entrées

Ailes de poulet au paprika

Instructions :

1. Faire chauffer l'huile dans une friteuse à 375 °F. Il devrait y avoir juste assez d'huile pour couvrir entièrement les ailes de poulet. Mélanger le beurre, la sauce piquante, le poivre et la poudre d'ail dans une petite casserole à feu doux. Remuer et faire chauffer jusqu'à ce que le beurre soit fondu et que les ingrédients soient bien mélangés. Retirer du feu et mettre de côté.

2. Mélanger la farine, le paprika, le poivre de Cayenne et le sel dans un petit bol. Déposer les ailes de poulet dans un grand plat en verre ou dans un bol et saupoudrer du mélange de farine pour les enrober uniformément. Couvrir et réfrigérer 60 à 90 minutes.

3. Faire frire les ailes de poulet dans l'huile jusqu'à ce que des parties des ailes commencent à dorer (10 à 15 minutes). Retirer du feu et déposer les ailes dans un bol. Napper les ailes de sauce piquante et remuer. Servir chaud.

Portions : 10 ailes
Préparation : 15 min
Réfrigération : 1 h 30
Cuisson : 15 min

Ingrédients :
- Huile pour la friture
- 1/4 de T de beurre
- 1/4 de T de sauce piquante
- 1 pincée de poivre noir moulu
- 1 pincée de poudre d'ail
- 1/2 T de farine (tout usage)
- 1 c. à t. de paprika
- 1/4 de c. à t. de poivre Cayenne
- 1/4 de c. à t. de sel
- 10 ailes de poulet

Rouleaux de printemps avec sauce au concombre et à la menthe

Portions : 22 à 24 rouleaux
Préparation : 20 min
Cuisson : 10 min

Ingrédients :

ROULEAUX
- 4 petits bok choy
- 3 carottes
- 2 ou 3 branches de basilic thaïlandais (ou régulier)
- 3 oignons verts
- 1 à 1 1/2 T d'huile d'arachide
- 2 grosses gousses d'ail finement hachées
- 1 c. à s. de sauce de poisson (ou sauce soja)
- 375 g de petites crevettes crues
- 500 g de porc haché maigre
- 1 paquet (200 g) de feuilles de riz (24 feuilles de 15 cm de largeur)
- 1 œuf (ou 2 blancs d'œufs)

SAUCE
- 1 morceau de 20 cm de concombre anglais
- 3/4 de T de vinaigre de riz assaisonné
- 1/4 de T d'eau
- 1 carotte finement râpée
- 2 c. à s. de menthe fraîche finement hachée
- 2 c. à s. de gingembre frais râpé
- 1/2 c. à t. d'huile de sésame foncée
- 1/2 c. à t. de flocons de chile
- Coriandre fraîche (facultatif)

Instructions :

1. Trancher finement les bok choy dans le sens de la largeur. Râper les carottes. Hacher finement les feuilles de basilic et trancher finement les oignons verts.

2. Faire chauffer 1 c. à soupe d'huile dans une poêle à frire à feu moyen. Mettre le reste de l'huile de côté. Ajouter le bok choy et l'ail. Faire cuire en remuant fréquemment jusqu'à ce que le bok choy soit un peu flétri (3 minutes). Verser dans un grand bol puis incorporer les carottes, les oignons verts, le basilic et la sauce de poisson. Laisser refroidir.

3. Éplucher les crevettes, si nécessaire, et enlever les queues. Hacher grossièrement les crevettes avant de les incorporer au mélange de bok choy avec le porc. Bien mélanger le tout avec les mains ou avec une cuillère en bois. Séparer les feuilles de riz (il est préférable de les ramener à la température ambiante auparavant et de les prendre par le centre d'un des côtés plutôt que par un coin). Battre légèrement les œufs entiers ou les blancs d'œuf.

4. Verser 1/4 de tasse de garniture au centre de chaque feuille de riz. Étendre en laissant 2,5 cm de feuille non garnie de chaque côté. Badigeonner les surfaces non garnies avec de l'œuf. Rabattre un côté sur la garniture et badigeonner avec de l'œuf. Rabattre ensuite les bords latéraux avant de les badigeonner avec de l'œuf et rouler la feuille en la serrant bien pour former un rouleau. Déposer les rouleaux sur un plateau recouvert de pellicule plastique en posant l'ouverture vers le bas. Les rouleaux peuvent être couverts et conservés au réfrigérateur pendant une demi-journée ou être congelés.

5. Pour faire la sauce, râper finement le concombre dans un bol. Ajouter le vinaigre, l'eau, la carotte, la menthe, le gingembre, l'huile de sésame et les flocons de chile. Couvrir et réfrigérer jusqu'à utilisation.

6. Pour servir, verser 2,5 cm d'huile d'arachide dans une grande poêle à frire et faire chauffer à feu moyen-fort. Déposer les 6 rouleaux lorsque l'huile est chaude. Maintenir la température de l'huile à 325 °F. Faire frire en retournant de temps à autre jusqu'à ce que les rouleaux soient dorés (5 à 7 minutes). Égoutter sur de l'essuie-tout et garder au chaud jusqu'à ce que tous les rouleaux soient frits (faire frire les rouleaux congelés quelques minutes de plus).

7. Déposer les rouleaux sur des assiettes bien chaudes et napper de sauce. Servir immédiatement avec de la coriandre fraîche et du basilic.

Rouleaux au bacon et aux olives

Instructions :

1. Préchauffer le gril.

2. Couper les tranches de pain en trois. Étaler de la sauce au fromage fondu sur chaque morceau de pain, et recouvrir le tout d'olives. Rouler les morceaux de pain pour former de petits rouleaux. Envelopper chaque rouleau dans une demi-tranche de bacon et faire tenir le tout avec un cure-dents. Déposer les rouleaux en une seule couche sur une grande plaque à biscuits.

3. Faire griller au four en surveillant constamment jusqu'à ce que le bacon soit uniformément doré et croustillant (environ 5 minutes)

Portions : 30 rouleaux
Préparation : 15 min
Cuisson : 10 min

Ingrédients :
- 10 tranches de pain blanc sans la croûte
- 1 pot de sauce au fromage fondu
- 1 pot d'olives vertes dénoyautées et hachées
- 500 g de tranches de bacon coupées en deux
- Cure-dents

Sushi témaki

Portions: 8
Préparation: 1 h

Ingrédients:
- 8 feuilles de nori grillées
- 2 T de riz à sushi vinaigré
- Wasabi fraîchement râpé, congelé
  (ou en poudre mélangé avec de l'eau)
- Légumes: oignons verts, asperges, avocat et concombre coupés en bâtonnets de 7,5 cm
- Poissons assortis: de la limande à queue jaune, du thon, du saumon, du saumon fumé et des crevettes coupés en bâtonnets de 7,5 cm.
- Crabe
- Œufs de saumon
- Saucisse cuite coupée en bâtonnets de 7,5 cm
- Fromage américain finement tranché et coupé en bâtonnets de 7,5 cm
- Jambon bouilli coupé en bâtonnets de 7,5 cm
- Sauce soja, pour servir
- Gingembre mariné, pour servir

Instructions:
1. Poser une feuille de nori dans la paume de la main en s'assurant de mettre le côté luisant vers le bas. Ajouter 1/4 de tasse de riz d'un côté de la feuille. Aplatir le riz avec le bout des doigts de façon à couvrir environ 2,5 cm de la feuille. Étendre la quantité désirée de wasabi puis couvrir le tout des légumes et des poissons de votre choix. Enrouler delà feuille de nori en cornet avant de fermer l'une des embouchures. Servir immédiatement avec de la sauce soja et du gingembre mariné.

Abricots avec fromage bleu

Portions: 36 bouchées
Préparation: 20 min
Cuisson: 2 min

Ingrédients:
- 18 petits abricots frais
- 1/4 de T d'huile d'olive
- 1 c. à s. de jus de lime fraîchement pressée
- Sel et poivre fraîchement moulu
- 125 g de fromage bleu

Instructions:
1. Couper les abricots en 2 et enlever les noyaux. Déposer dans un grand bol. Mélanger l'huile et le jus de lime. Assaisonner et verser sur les abricots. Remuer doucement.

2. Déposer les moitiés d'abricots sur des plaques à biscuits en mettant les surfaces tranchées vers le haut. Couper le fromage bleu en petits morceaux et déposer au centre de chaque abricot.

3. Environ 1 heure avant de servir, faire griller les abricots au four jusqu'à ce que le fromage ramollisse (1 ou 2 minutes).

Canapés aux petites crevettes et au beurre d'avocat

Portions : 12 canapés
Préparation : 15 min
Marinade : 20 min

Ingrédients :
- 1/4 de T de beurre mou
- 1 avocat pelé
- 1 c. à s. de jus de citron
- 1 c. à t. d'assaisonnement au chile
- Sel au goût
- 250 g de petites crevettes cuites
- 2 c. à s. de jus de citron
- 2 c. à s. d'huile d'olive
- 1/2 c. à t. de sauce piquante
- 1/2 concombre anglais finement tranché
- 6 tranches de pain aux œufs (ou de pain blanc) sans la croûte
- Feuilles de cresson
- Sel, au goût

Instructions :

1. Battre le beurre, l'avocat, le jus de lime, l'assaisonnement au chile et le sel dans un bol.

2. Dans un autre bol, mélanger le jus de citron, l'huile d'olive, la sauce piquante et le sel et faire mariner les petites crevettes. Saupoudrer légèrement les tranches de concombre avec du sel et laisser reposer pendant 20 minutes. Éponger les concombres avec du papier absorbant.

3. Couper les tranches de pain en deux.

4. Étaler du beurre d'avocat sur chaque tranche puis déposer une tranche de concombre et une crevette sur chacune. Garnir de cresson.

ENTRÉES

Instructions :

1. Préchauffer le four à 375 °F.

2. Mélanger la cassonade, la sauce Worcestershire et le ketchup dans un bol.

3. Couper les tranches de bacon en deux. Envelopper chaque châtaigne d'eau dans une demi-tranche de bacon et faire tenir le bacon avec un cure-dent. Déposer les châtaignes d'eau enrobées de bacon dans un plat allant au four de 23 x 33 cm et faire cuire 10 à 15 minutes.

4. Retirer du four et extraire la graisse de bacon. Verser la sauce sur les châtaignes d'eau enrobées de bacon.

5. Faire cuire encore 30 à 35 minutes.

Châtaignes d'eau bardées de bacon

Portions : 4
Préparation : 40 min
Cuisson : 50 min

Ingrédients :
- 1 T de cassonade
- 2 c. à s. de sauce Worcestershire
- 2 T de ketchup
- 500 g de bacon
- 2 boîtes de châtaignes d'eau

Crevettes au poivre noir

Portions : 8
Préparation : 10 min
Cuisson : 15 min

Ingrédients :
- 1 kg de grosses crevettes non décortiquées
- 125 g de beurre tranché très finement
- Poivre noir concassé

Instructions :

1. Rincer les crevettes, les égoutter et les éponger sur du papier absorbant pour extraire l'humidité.

2. Déposer les crevettes dans un plat allant au four et saupoudrer généreusement toutes les crevettes avec du poivre concassé.

3. Préchauffer le four à 425 °F et faire cuire les crevettes dans le four jusqu'à ce qu'elles soient cuites. La cuisson dépend de la taille des crevettes. Faire cuire jusqu'à ce qu'elles deviennent roses et courbées.

4. Retirer du four puis lorsque les crevettes sont refroidies, les éplucher et servir.

Instructions :

1. Si les croustilles ne sont pas toutes de la même taille, casser celles qui sont entières en 2 ou en 3.

2. Couper les tomates en 4 dans le sens de la longueur puis en deux dans le sens de la largeur pour obtenir 8 morceaux. Les éponger ensuite avec une double épaisseur d'essuie-tout.

3. Étaler une fine couche de pesto sur les croustilles avant de les déposer les unes près des autres sur une plaque à biscuits couverte de papier ciré ou vaporisée avec l'aérosol de cuisson.

4. Couvrir avec des tomates égouttées, avec du fromage et des noix de pin. Vous pouvez les faire à l'avance et les couvrir avec une pellicule plastique pour les déposer au réfrigérateur pendant une demi-journée.

5. Préchauffer le four à 350 °F.

6. Faire cuire sans couvrir jusqu'à ce que les noix de pin soient dorées (8 à 10 minutes). Servir immédiatement.

Bouchées au pesto

Portions : 24 bouchées
Préparation : 20 min
Cuisson : 10 min

Ingrédients :
- 1 sac (175 g) de croustilles de bagel, préférablement au sel de mer
- 16 ou 18 tomates cerises
- 1/3 de T de pesto au basilic
- 1/2 T de fromage parmesan fraîchement râpé
- 2 c. à s. de noix de pin

Feuilletés au poulet à la sauce hoisin

Portions : 9 feuilletés
Préparation : 25 min
Cuisson : 25 min

Ingrédients :
- Aérosol de cuisson
- 340 g de cuisses de poulet désossées et sans peau
- 1/4 de T d'oignon vert finement haché
- 1 1/2 c. à s. de sauce hoisin
- 1 c. à s. de sauce aux huîtres
- 2 c. à t. de vinaigre de riz
- 9 morceaux de pâte blanche congelée
- 1 gros œuf légèrement battu
- 1 c. à t. de graines de sésame grillées

Instructions :

1. Faire chauffer une poêle à frire antiadhésive à feu moyen-fort. Vaporiser avec l'aérosol de cuisson puis déposer le poulet. Faire cuire jusqu'à ce qu'il soit cuit (4 minutes de chaque côté).

2. Laisser refroidir légèrement. Effilocher la viande avec 2 fourchettes. Déposer le poulet dans un bol, et ajouter les oignons verts, la sauce hoisin, la sauce aux huîtres et le vinaigre. Bien mélanger le tout.

3. Étendre chaque morceau de pâte pour former un cercle de 10 cm sur une surface légèrement farinée. Verser 2 c. à soupe du mélange de poulet au centre de chaque cercle et rassembler les contours de la pâte au-dessus de la garniture.

4. Pincer pour refermer la pâte puis déposer les feuilletés sur une plaque à biscuits vaporisée avec l'aérosol de cuisson en posant l'ouverture vers le bas.

5. Badigeonner légèrement la pâte avec l'aérosol de cuisson. Couvrir et laisser lever pendant 20 minutes.

6. Préchauffer le four à 375 °F.

7. Découvrir la pâte et badigeonner soigneusement les feuilletés avec l'œuf battu. Saupoudrer de graines de sésame et faire cuire jusqu'à ce que les feuilletés soient chauds (15 minutes).

Sardines frites à la bière avec de la mayonnaise au wasabi

Portions : 4
Préparation : 10 min
Cuisson : 10 min

Ingrédients :
- 1/2 T de farine (tout usage)
- 1/2 T de fécule de maïs
- 1/2 c. à t. de sel
- 1/2 T de bière
- 1/4 de T de beurre fondu
- 2 jaunes d'œufs
- Huile végétale
- 16 sardines fraîches parées
- 1 1/2 c. à s. de poudre de wasabi
- 1 c. à s. d'eau
- 1/2 T de mayonnaise

Instructions :

1. Mélanger la farine, la fécule de maïs et le sel dans un bol. Ajouter la bière, le beurre et les jaunes d'œuf en remuant jusqu'à ce que le mélange soit lisse.

2. Verser 5 cm d'huile dans un faitout et faire chauffer à 375 °F.

3. Enrober les sardines du mélange de farine et faire frire dans la poêle (quelques sardines à la fois) jusqu'à ce qu'elles soient dorées (2 minutes). Bien égoutter.

4. Mélanger la poudre de wasabi dans 1 c. à soupe d'eau puis incorporer la mayonnaise. Servir avec les sardines.

Kebabs au poisson

Instructions :

1. Couper le poisson en morceaux de 4 cm. Peler 2 citrons et garder la pelure. Couper les 2 autres citrons en morceaux pour servir et mettre de côté.

2. Piquer en alternance 1 morceau de poisson et 1 morceau de pelure sur chaque brochette. Déposer les brochettes sur une assiette, badigeonner d'huile d'olive et saupoudrer de sel et de poivre.

3. Allumer le barbecue et attendre qu'il y ait des cendre grises (ou faire chauffer le four à gaz à feu moyen) pour cuire les kebabs pendant 10 minutes en les retournant fréquemment. Servir avec des tranches de citron et du cerfeuil ou du persil frais.

Portions : 8
Préparation : 15 min
Cuisson : 10 min

Ingrédients :
- 750 g de darne de thon (de requin ou de flétan)
- 4 citrons
- Huile d'olive extra vierge
- Sel
- Poivre noir fraîchement moulu
- Cerfeuil (ou persil) frais

ENTRÉES

Bouchées aux oignons caramélisés et aux pommes

Portions : 32 bouchées
Préparation : 20 min
Cuisson : 55 min

Ingrédients :
- 3 c. à s. de beurre non salé
- 500 g d'oignons jaunes finement tranchés
- 1/2 c. à t. de sel
- 2 pommes Granny Smith pelées, étrognées et finement tranchées
- 1/4 de c. à t. de poivre noir fraîchement moulu
- 1 feuille de pâte feuilletée congelée
- 90 g de fromage fontina râpé
- 1 c. à s. de thym frais finement haché

Instructions :

1. Faire fondre le beurre dans une grande poêle à frire à feu moyen-fort. Ajouter les oignons et 1/2 c. à thé de sel. Faire cuire en remuant de temps à autre jusqu'à ce que les oignons soient tendres (5 minutes). Ajouter les tranches de pommes et remuer pour bien les enrober. Baisser à feu moyen et faire cuire en remuant souvent jusqu'à ce que les oignons soient moyennement dorés (30 minutes). Assaisonner de sel et de poivre, retirer du feu et laisser refroidir environ 10 minutes.

2. Préchauffer le four à 375 °F.

3. Couper la feuille de pâte en 16 carrés puis en diagonale pour former 32 triangles. Déposer les triangles sur une plaque à biscuits.

4. Verser une cuillérée du mélange de pommes et d'oignons refroidi sur chaque triangle. Saupoudrer de fromage râpé et de thym haché. Faire cuire jusqu'à ce que les bouchées gonflent et soient croustillantes (15 à 20 minutes). Servir chaud.

Bûche de fromage de chèvre au poivre

Instructions :

1. Saupoudrer un morceau de papier ciré avec du poivre.

2. Rouler la bûche de fromage de chèvre sur le papier pour l'enrober.

3. Arroser d'huile d'olive et servir avec des tranches de baguette grillées. Garnir, si désiré.

Portions : 6 à 8
Préparation : 15 min

Ingrédients :
- **2 c. à s. de poivre noir concassé**
- **1 bûche de fromage de chèvre**
- **2 c. à s. d'huile d'olive extra vierge**

GARNITURE
- **Branches de romarin frais**

Tartelettes aux abricots et au fromage bleu

Portions : 10 tartelettes
Préparation : 20 min
Cuisson : 5 min

Ingrédients :
- **2 abricots tranchés**
- **4 feuilles de basilic frais déchiquetées**
- **55 g de fromage bleu**
- **Croûtes à tartelettes congelées**
- **Amandes hachées**

Instructions :

1. Verser les abricots dans les croûtes à tartelettes, saupoudrer de morceaux de feuilles de basilic et de miettes de fromage bleu puis assaisonner de sel et de poivre.

2. Couvrir le tout d'amandes hachées, si désiré.

3. Faire cuire à 375 °F jusqu'à ce que les tartelettes soient dorées (5 minutes).

Terrine de pesto et de poivrons jaunes

Portions : 56 bouchées
Préparation : 20 min
Réfrigération : 6 h

Ingrédients :

PESTO
- 2 gros poivrons jaunes
- 1 T de feuilles de basilic hachées
- 1/4 de T de chapelure
- 1 c. à s. de noix de pin grillées
- 1 c. à s. d'huile d'olive
- 1/2 c. à t. de sel
- 1/4 de c. à t. de poivre moulu
- 4 gousses d'ail pelées

GARNITURE AU FROMAGE
- 2 paquets de fromage à la crème sans gras ramolli
- 1 paquet de fromage à la crème faible en gras ramolli
- 2 c. à s. de fromage parmesan râpé
- 1/4 de c. à t. de sel
- 1/4 de c. à t. de poivre de Cayenne moulu

INGRÉDIENTS ADDITIONNELS
- Feuilles de basilic
- 56 gaufrettes (ou craquelins)

Instructions :

1. Préchauffer le gril.

2. Pour préparer le pesto, couper les poivrons en 2 dans le sens de la longueur et enlever les graines des poivron. Déposer les 1/2 poivrons sur une plaque à biscuits recouverte de papier aluminium en mettant la peau vers le haut. Aplatir avec la main. Faire griller jusqu'à ce que la peau soit noire (10 minutes). Déposer les poivrons dans un sac en plastique refermable. Sceller et laisser reposer 15 minutes. Peler et jeter la peau.

3. Mélanger les poivrons, le basilic, la chapelure, les noix de pin, l'huile d'olive, le sel, le poivre et l'ail dans un mélangeur ou un robot culinaire jusqu'à l'obtention d'une préparation lisse.

4. Pour préparer la garniture au fromage, mélanger les fromages, le sel et le poivre de Cayenne dans un bol en remuant bien.

5. Tapisser un moule à pain de 20 x 10 cm avec une pellicule plastique en faisant dépasser la pellicule sur les côtés du moule. Étaler environ 1 tasse du mélange fromagé au fond du moule et étendre 1/2 tasse de pesto sur la couche de fromage. Répéter l'opération avec le reste du fromage et du pesto en terminant par une couche de fromage. Couvrir et réfrigérer pendant 6 heures ou toute une nuit.

6. Pour servir, renverser la terrine sur une assiette de service. Enlever la pellicule plastique et garnir de feuilles de basilic, si désiré. Servir avec des gaufrettes ou des craquelins.

Ailes de poulet marinées à la limette et trempette à l'avocat

Instructions :

1. Dans un mélangeur, réduire en purée le piment jalapeño, l'ail, l'huile végétale, la pâte de tomate, le sel, le miel et la limette, jusqu'à obtention d'un mélange lisse.

2. Verser la marinade sur le poulet. Ajouter le zeste de limette et remuer pour bien enduire la viande. Couvrir d'une pellicule de plastique et réfrigérer pendant la nuit.

3. Préchauffer le grilloir à feu moyen.

4. Disposer le poulet sur une plaque à biscuits recouverte de papier parchemin. Faire griller le poulet à au moins 15 cm du feu, de 4 à 5 minutes par côté ou jusqu'à ce que le poulet soit croustillant à l'extérieur et bien cuit.

5. Dénoyauter et peler l'avocat. Placer dans un bol moyen ; écraser. Incorporer 3 c. à soupe de feuilles de coriandre hachées, le jus de limette, saler et poivrer au goût.

6. Servir avec la trempette à l'avocat.

Portions : 6
Préparation : 40 min
Réfrigération : 8 h
Cuisson : 10 min

Ingrédients :

AILES DE POULET
- 750 g d'ailes de poulet, rincées et asséchées en tapotant
- 1 piment jalapeño épépiné
- 4 gousses d'ail hachées
- 1/4 de T d'huile végétale
- 1 c. à s. de pâte de tomate
- 1 pincée de sel
- 2 c. à s. de miel
- 1 1/2 limettes pressées
- 1/2 limette, le zeste enlevé

TREMPETTE À L'AVOCAT
- 1 avocat
- 3 c. à s. de coriandre hachées
- 1 1/2 c. à t. de jus de limette
- 1 gousse d'ail émincée
- 1/4 de c. à t. de sel
- Poivre fraîchement moulu

Crostinis aux figues et bleu

Portions : 8
Préparation : 10 min
Cuisson : 2 min

Ingrédients :
- 1/2 T d'eau
- 6 figues séchées,
  chacune coupée en 4 dans le sens de la longueur
- 1 c. à s. de miel
- 8 tranches de pain italien grillées
- 60 g de gorgonzola (ou de fromage bleu)

Instructions :

1. Déposer les figues dans l'eau dans une tasse à mesurer de 500 ml. Couvrir de pellicule plastique résistante percée légèrement. Faire cuire au micro-ondes à puissance maximale pendant 2 minutes. Égoutter et jeter le liquide.

2. Étaler uniformément le miel sur les tranches de pain et verser le fromage (ramené à la température ambiante) sur le miel. Couvrir chaque tranche de 3 tranches de figue.

Crevettes barbecue

Portions : 5
Préparation : 10 min
Cuisson : 8 min

Ingrédients :
- 1/2 T de sauce à salade César sans gras
- 1/3 de T de sauce Worcestershire
- 2 c. à s. de beurre (ou margarine)
- 1 c. à s. d'origan séché
- 1 c. à s. de paprika
- 1 c. à s. de romarin séché
- 1 c. à s. de thym
- 1 1/2 c. à t. de poivre noir
- 1 c. à t. de sauce piquante
- 5 feuilles de laurier
- 3 gousses d'ail finement hachées
- 1 kg de grosses crevettes décortiquées
- 1/3 de T de vin blanc sec
- 10 tranches de baguette française
- 10 morceaux de citron

Instructions :

1. Mélanger la sauce à salade César, la sauce Worcestershire, le beurre, l'origan, le paprika, le romarin, le thym, le poivre noir, la sauce piquante, les feuilles de laurier et les gousses d'ail dans une poêle à frire antiadhésive. Porter le tout à ébullition. Ajouter les crevettes et faire cuire pendant 7 minutes en remuant de temps à autre. Ajouter le vin et faire cuire jusqu'à ce que les crevettes soient cuites (1 minute). Servir avec des tranches de baguette et des morceaux de citron.

Sandwichs de bœuf au cognac avec sauce au raifort

ENTRÉES

Portions : 30 petits sandwichs
Préparation : 20 min
Marinade : 2 h
Cuisson : 40 min

Ingrédients :

SAUCE
- 1/2 T de crème sure faible en gras
- 1/3 de T de mayonnaise faible en gras
- 2 c. à s. de ciboulette fraîche finement tranchée
- 2 c. à s. de raifort

BŒUF
- 1 milieu de longe (750 g) paré
- 1/3 de T d'oignon vert
- 1/3 de T de cognac
- 1/3 de T d'eau
- 2 c. à s. d'estragon frais finement haché
- 2 c. à t. de thym frais haché
- 1/2 c. à t. de poivre noir fraîchement moulu
- 2 gousses d'ail finement hachées
- 1 c. à t. de sel casher
- Aérosol de cuisson
- 30 petits pains ronds

Instructions :

1. Pour préparer la sauce, bien mélanger la crème sure, la mayonnaise, la ciboulette et le raifort, couvrir et réfrigérer.

2. Pour préparer le bœuf, attacher le filet avec de la ficelle tous les 3 cm. Mélanger le filet avec l'oignon vert, le cognac, l'eau, l'estragon, le thym, le poivre et l'ail dans un grand sac en plastique refermable. Fermer et secouer pour enrober uniformément le filet du mélange de cognac.

3. Faire mariner au réfrigérateur pendant au moins 2 heures en tournant le sac de temps à autre.

4. Préchauffer le four à 450 °F.

5. Retirer le filet de bœuf du sac et jeter la marinade. Saupoudrer uniformément la viande avec du sel puis déposer le filet dans un plat à rôtir profond vaporisé avec l'aérosol de cuisson.

6. Faire cuire jusqu'à ce que le bœuf soit médium saignant ou qu'il atteigne la cuisson désirée (40 minutes).

7. Laisser reposer pendant 10 minutes avant de trancher.

8. Couper le filet dans le sens de la largeur pour faire des tranches minces. Étaler 1 1/2 c. à thé de sauce au raifort sur la partie inférieure de chaque pain, couvrir d'environ 30 g de bœuf et de l'autre demi-pain.

Crevettes à la noix de coco

Instructions :

1. Tamiser la farine, le sel et le gingembre dans un bol assez profond. Fouetter l'œuf avec le miel dans un autre bol, et mélanger la noix de coco et la chapelure dans un troisième bol. Enrober les crevettes de farine en secouant l'excédent. Tremper ensuite les crevettes dans le mélange de miel et d'œuf avant de les rouler dans la noix de coco. Déposer sur une plaque à biscuits recouverte de papier ciré et mettre de côté jusqu'à ce que toutes les crevettes soient bien enrobées. Les crevettes peuvent être enrobées au début de la journée et rangées ensuite au réfrigérateur jusqu'au moment de la friture.

2. Verser l'huile dans une grande poêle à frire profonde (ne pas remplir plus que le 1/3 de la poêle). Faire chauffer l'huile à feu moyen-fort 375 °F pendant 6 à 10 minutes. Vérifier la température en déposant une crevette dans l'huile. L'huile est assez chaude lorsque des bulles se forment autour de la crevette.

3. Recouvrir une autre plaque à biscuits avec de l'essuie-tout. Faire frire les crevettes en déposant plusieurs crevettes à la fois dans la poêle sans toutefois la surcharger jusqu'à ce qu'elles soient très dorées et bien cuites (1 ou 2 minutes). Baisser le feu si les crevettes brunissent trop rapidement.

4. Déposer ensuite les crevettes sur la plaque à biscuits et continuer de faire frire le reste des crevettes. Saupoudrer de coriandre, si désiré. Servir avec des morceaux de citron ou de lime et une trempette de sauce chili thaïlandaise.

Portions : 4
Préparation : 10 min
Cuisson : 8 min

Ingrédients :
- 400 g de grosses crevettes épluchées et déveinées
- 3 c. à s. de farine (tout usage)
- 1 c. à t. de sel
- 1/2 c. à t. de gingembre moulu
- 1 c. à s. de miel liquide
- 1/2 T de noix de coco râpée non sucrée
- 1/2 T de chapelure Panko
- 4 T d'huile d'arachide ou d'huile végétale (pour la friture)
- Morceaux de lime
- Coriandre hachée (facultatif)

Pâtés de crabe

Portions : 30 bouchées
Préparation : 20 min
Cuisson : 15 min

Ingrédients :

- 500 g de chair de crabe égouttée
- 1/4 de T de mayonnaise
- 1 jaune d'œuf
- 1 c. à s. de moutarde de Dijon
- 2 c. à t. de jus de citron
- 1/2 c. à t. de sauce Worcestershire
- 3 c. à s. de coriandre hachée
- 1/4 de T d'oignon vert haché
- 1/4 de T de poivrons rouges rôtis
- Sel et poivre fraîchement moulu
- 1/2 c. à t. de sauce piquante
- 1/2 T de semoule de maïs
- 1/2 T de farine (tout usage)
- 3 c. à s. de beurre fondu

Instructions :

1. Mélanger la mayonnaise, le jaune d'œuf, la moutarde, le jus de citron, la sauce Worcestershire, la coriandre, l'oignon vert et les poivrons rouges dans un bol. Émietter la chair de crabe avant de l'incorporer au mélange. Assaisonner de sel, de poivre et de sauce piquante.

2. Mélanger la semoule et la farine sur une assiette. Former des boulettes de 1 c. à s. avec le mélange de crabe et aplatir légèrement avant de les rouler dans le mélange de farine.

3. Préchauffer le four à 450 °F. Graisser une plaque à biscuits avec du beurre. Badigeonner chaque pâté de crabe avec un peu de beurre fondu.

4. Déposer au four et faire cuire jusqu'à ce qu'ils soient croustillants (15 minutes). Retourner les pâtés une fois au cours de la cuisson.

5. Servir avec de la mayonnaise à l'ail.

Instructions :

1. Éplucher les crevettes en gardant la queue et déveiner, si désiré.

2. Mélanger la tequila, le jus d'orange, le jus de lime, l'ail, le jalapeño, le sel et la coriandre dans un grand bol. Ajouter les crevettes, couvrir et réfrigérer 30 minutes.

3. Piquer en alternance une crevette, un morceau de poivron et des tranches de lime et d'orange sur 8 brochettes.

4. Faire griller à feu moyen-fort (350 à 400 °F) avec un couvercle jusqu'à ce que les crevettes soient prêtes (5 à 6 minutes de chaque côté).

Portions : 4
Préparation : 20 min
Réfrigération : 12 min
Cuisson : 6 min

Ingrédients :
- **750 g de grosses crevettes fraîches non décortiquées**
- **1/4 de T de tequila**
- **2 c. à s. de jus d'orange concentré congelé**
- **2 c. à s. de jus de lime frais**
- **2 gousses d'ail finement hachées**
- **1 piment jalapeño épépiné et finement tranché**
- **1/2 c à t. de sel**
- **2 c. à s. de coriandre fraîche hachée**
- **1 poivron rouge coupé en tranches de 2,5 cm**
- **1 orange coupée en tranches de 1 cm**
- **1 lime coupée en tranches de 1 cm**
- **8 brochettes**

Mini-sandwichs au porc

Portions : 24 bouchées
Préparation : 30 min
Marinade : 2 h 30
Réfrigération : 3 h
Cuisson : 40 min

Ingrédients :
- **1 filet de porc (500 g)**
- **4 T d'eau**
- **2 c. à s. de sucre**
- **1 c. à s. de sel**
- **1 1/2 c. à t. de thym séché**
- **1 c. à t. de piment de Jamaïque**
- **1 feuille de laurier**
- **1 c. à t. de romarin séché**
- **4 c. à t. d'huile d'olive**
- **12 petits pains**
- **3/4 de T de chutney aux canneberges et à l'orange achetée à l'épicerie**
- **Aérosol de cuisson**

Instructions :

1. Dégraisser le porc. Mélanger l'eau, le sucre, le sel, le thym, le piment de Jamaïque et la feuille de laurier dans un grand sac en plastique refermable avant d'y déposer le porc. Sceller et laisser mariner au réfrigérateur pendant 2 h 30.

2. Préchauffer le four à 350 °F.

3. Mélanger le romarin avec 1 c. à thé d'huile. Retirer le porc du sac et jeter la marinade. Éponger le porc avec un essuie-tout puis badigeonner avec le mélange d'huile et de romarin.

4. Faire chauffer les 3 autres c. à thé d'huile dans une poêle à frire antiadhésive à feu moyen-fort. Déposer le porc et faire cuire jusqu'à ce que la viande brunisse uniformément (5 minutes). Déposer le porc sur une lèchefrite enduite d'aérosol de cuisson. Insérer le thermomètre à viande dans la partie la plus épaisse du porc. Faire cuire à 350 °F pendant 35 minutes ou jusqu'à ce que le thermomètre indique 160 °F et que la viande soit légèrement rosée. Envelopper le porc dans du papier aluminium. Réfrigérer pendant 3 heures ou 1 nuit complète.

5. Couper le filet porc en diagonale de façon à former 24 tranches. Déposer 1 tranche sur chaque moitié de petit pain. Couvrir le porc de 1 1/2 c. à thé de chutney et de l'autre moitié de pain.

Quenelles à la dinde

Portions : 16 à 20
Préparation : 30 min
Cuisson : 20 min

Ingrédients :
- **500 g de dinde hachée**
- **1 gros œuf**
- **3/4 de T de têtes de shiitakes frais finement hachées**
- **3/4 de T de chou nappa**
- **1/2 T de châtaignes d'eau hachées**
- **1/2 T d'oignon vert finement tranché**
- **1 c. à s. de semoule de maïs**
- **2 c. à t. de gingembre frais râpé**
- **1/4 de T de sauce soja**
- **1 c. à s. de sauce aux huîtres (ou de sauce soja)**
- **2 c. à s. de vin blanc sec (ou de gin)**
- **1/2 c. à t. de sel**
- **1/2 c. à t. de sucre**
- **1/4 de c. à t. de poivre blanc moulu**
- **60 gyoza (ou pâtes à won-ton)**
- **3 à 6 c. à s. d'huile végétale**
- **Vinaigre de riz**
- **Huile de chili**

Instructions :

1. Mélanger la dinde, l'œuf, les champignons, le chou, les châtaignes d'eau, l'oignon vert, la semoule, le gingembre, 3 c. à soupe de sauce soja, la sauce aux huîtres, le vin, le sel, le sucre et le poivre dans un bol jusqu'à ce que tous les ingrédients soient bien incorporés.

2. Pour assembler les quenelles, verser de l'eau dans un petit bol. Déposer une pâte à won-ton sur une surface plate et couvrir les autres pâtes avec une pellicule plastique pour qu'elles restent malléables. Verser 1 c. à soupe de garniture au centre de la pâte, tremper les doigts dans l'eau et mouiller la bordure de la pâte. Rabattre la pâte sur la garniture et pincer le centre des bordures ensemble pour refermer. Former deux plis de chaque côté du centre sur le devant de chaque quenelle et presser la bordure pour refermer complètement. Déposer les quenelles à plat avec la bordure vers le haut sur une plaque à biscuits légèrement farinée. Couvrir d'une pellicule plastique pendant que vous farcissez les autres quenelles.

3. Pour faire cuire les quenelles, faire chauffer une poêle à frire de 25 cm à feu moyen-fort puis badigeonner le fond de la poêle avec 1 c. à soupe d'huile végétale. Déposer les quenelles dans la poêle bordure vers le haut sur une seule couche en les espaçant légèrement. Faire cuire jusqu'à ce que le dessous des quenelles soit doré (3 à 5 minutes) puis verser 1/3 de tasse d'eau dans la poêle, couvrir et baisser le feu à moyen-doux. Faire cuire de 3 à 6 minutes (10 à 11 minutes pour les quenelles surgelées) jusqu'à ce que la garniture ne soit plus rosée en taillant au centre pour vérifier.

4. Transférer les quenelles dans un plat résistant à la chaleur à l'aide d'une grande spatule. Servir ou couvrir et déposer dans le four à 200 °F. Répéter l'opération avec le reste des quenelles.

5. Servir avec de la sauce soja, du vinaigre de riz et de l'huile de chili pour tremper les quenelles.

Kebabs aux escargots et aux champignons

Instructions :

1. Faire chauffer 2 c. à s. d'huile dans une poêle à frire à feu moyen-fort. Laisser cuire les champignons, l'oignon vert, l'ail et le thym en remuant souvent jusqu'à ce qu'ils deviennent dorés (5 minutes).

2. Ajouter les escargots, le vermouth et la moitié du basilic. Faire cuire en remuant jusqu'à ce que le vermouth s'évapore. Assaisonner de sel et de poivre. Retirer du feu.

3. Embrocher 1 champignon, 1 escargot et 1 tomate cerise sur chaque cure-dent. Répéter avec le reste des champignons, des escargots et des tomates et déposer les brochettes sur une assiette.

4. Ajouter l'huile qui reste à la sauce reposant dans la poêle et verser le tout sur les kebabs. Saupoudrer de basilic avant de servir.

Portions : 24 petites brochettes
Préparation : 15 min
Cuisson : 5 min

Ingrédients :
- **3 c. à s. d'huile d'olive extra vierge**
- **24 petits portobellos**
- **1 petit oignon vert finement haché**
- **1 gousse d'ail finement hachée**
- **1/4 de c. à t. de thym séché**
- **1 boîte de 200 g d'escargots égouttés**
- **3 c. à s. de vermouth blanc sec (ou de marsala)**
- **2 c. à s. de basilic frais haché (ou de persil italien)**
- **Sel et poivre**
- **24 tomates cerises**
- **Cure-dents**

Calmars frits à l'aïoli

Instructions :

1. Couper les tubes de calmars en rondelles de 1 cm et éponger avec du papier absorbant. Mélanger la farine, le sel et le poivre dans un grand bol. Incorporer graduellement les rondelles et les tentacules de calmars dans le mélange de farine.

2. Verser 5 cm d'huile dans le fond d'un faitout. Faire chauffer à 365 °F et laisser frire les calmars jusqu'à ce qu'ils soient dorés (2 minutes). Égoutter sur de l'essuie-tout. Servir immédiatement avec de l'aïoli à l'ail et à la lime.

Portions : 6
Préparation : 15 min
Cuisson : 2 min

Ingrédients :
- **1 paquet de calmars congelés nettoyés (tentacules et tubes)**
- **1 1/2 T de farine (tout usage)**
- **1 c. à t. de sel**
- **1 c. à t. de poivre fraîchement moulu**
- **Huile d'arachide**
- **Aïoli à l'ail et à la lime**

Endives farcies au crabe

Portions : 48 bouchées
Préparation : 15 min

Ingrédients :
- **48 feuilles d'endives (environ 5 endives)**
- **200 g de crabe des neiges**
- **2 gousses d'ail finement hachées**
- **1/4 de T de jus de lime**
- **2 c. à s. de sauce de poisson**
- **4 c. à t. de sucre granulé**
- **1/4 de T de coriandre fraîche grossièrement hachée**

Instructions :

1. Détacher les feuilles d'endive. Laver et bien éponger. Égoutter le crabe et éponger.

2. Mélanger l'ail, le jus de lime, la sauce de poisson, le sucre et la coriandre puis incorporer le crabe.

3. Verser une grosse cuillérée de garniture au crabe sur chaque feuille d'endive et servir.

Boulettes de viande givrées aux canneberges

Portions : 24 boulettes
Préparation : 25 min
Cuisson : 35 min

Ingrédients :
- Huile d'olive
- 375 g de porc haché
- 1/2 T de persil italien haché
- 2 gousses d'ail finement hachées
- 1 tranche de pain de 2,5 cm d'épaisseur sans la croûte trempée dans l'eau
- 1/2 c. à t. de poudre de 5 épices
- 1 gros œuf battu
- Sel et poivre fraîchement moulu
- 1 gousse d'ail finement hachée
- 1 c. à t. de pâte de piments
- 1/4 de c. à t. d'huile de sésame
- 3/4 de T de marmelade de canneberges (en gelée)
- 4 c. à t. de sauce soja
- 1 c. à t. de miel
- 1 c. à t. de sauce aux huîtres
- Cure-dents

Instructions :

1. Préchauffer le four à 400 °F et badigeonner une plaque à biscuits avec de l'huile d'olive.

2. Mélanger le porc, le persil, l'ail, le pain trempé, la poudre de 5 épices, l'œuf battu, le sel et le poivre dans un grand bol. Réduire le tout en purée avec les mains. Se mouiller les mains et former 24 boulettes de la même taille (environ 2,5 cm chacune) avec le mélange. Déposer les boulettes de viande sur la plaque à biscuits et badigeonner légèrement avec de l'huile d'olive. Laisser cuire les boulettes pendant 15 minutes avant de les retourner (vous pouvez utiliser une spatule en métal pour décoller les boulettes collées sur la plaque). Mettre le four à gril et faire cuire les boulettes encore jusqu'à ce qu'elles soient croustillantes (5 à 10 minutes).et à la cuisson désirée

3. Pour faire le glaçage aux canneberges, faire chauffer l'huile d'olive dans une petite casserole à feu moyen-doux. Ajouter l'ail et laisser cuire jusqu'à ce qu'il ramollisse (5 minutes). Incorporer la pâte de piments, l'huile de sésame, la marmelade de canneberges, la sauce soja, le miel et la sauce aux huîtres et laisser mijoter 2 ou 3 minutes.

4. Retirer les boulettes du four avant de les déposer dans un grand bol. Verser le glaçage sur les boulettes et remuer pour bien les enrober. Piquer les boulettes avec un cure-dent avant de les déposer sur une assiette. Servir chaud.

ENTRÉES

Pâté aux champignons exotiques

Instructions :

1. Graisser un moule à pain de 23 x 12 x 6 cm avec du beurre et tapisser de papier ciré. Faire chauffer le bouillon dans une petite casserole à feu élevé jusqu'à ce qu'il bouille. Ajouter les bolets et laisser tremper 10 minutes. Déposer une feuille d'essuie-tout dans un tamis posé par-dessus un bol en acier inoxydable. Verser le mélange de bolets dans le tamis en pressant les champignons pour extraire et récupérer le plus de liquide possible. Trancher finement les bolets et mettre de côté dans un grand bol. Remettre le bouillon dans une casserole propre et porter à ébullition. Faire cuire jusqu'à ce que le liquide devienne sirupeux (10 à 15 minutes) puis verser dans le bol avec les bolets.

2. Préchauffer le four à 350 °F.

3. Faire chauffer 2 c. à soupe de beurre à feu moyen dans une grande poêle à frire. Ajouter l'oignon vert et l'ail et faire sauter pendant 2 minutes. Ajouter le xérès et laisser cuire encore 1 minute. Transférer la préparation dans un mélangeur. Faire fondre 2 c. à soupe de beurre dans la poêle puis ajouter 1/3 des champignons tranchés et la préparation au xérès et faire cuire jusqu'à ce que le liquide soit évaporé et que les champignons soient légèrement croustillants (6 minutes). Réserver. Continuer de faire cuire les champignons en 2 fois avec le reste du beurre et ajouter les champignons cuits. Verser la moitié des champignons dans le mélangeur et l'autre moitié dans le mélange de bolets.

4. Ajouter la crème, les œufs et les noix dans le mélangeur et réduire le tout en purée jusqu'à l'obtention d'une préparation lisse. Incorporer la préparation du mélangeur dans les bolets et ajouter le persil, le thym, la chapelure, le citron, le sel et le poivre. Remuer pour bien combiner les ingrédients. Verser le mélange dans le moule à pain graissé et couvrir de papier aluminium. Déposer le moule à pain dans un plat à rôtir. Verser de l'eau dans le plat de façon à couvrir la moitié de la hauteur du moule à pain et déposer le plat dans le four. Faire cuire jusqu'à ce que les bordures du pâté soient cuites (50 à 60 minutes). Le centre du pâté n'a pas besoin d'être complètement cuit. Retirer le moule à pain du plat à rôtir et laisser refroidir à la température ambiante. Réfrigérer pendant une nuit.

Portions : 10 à 12
Préparation : 30 min
Cuisson : 1 h 30

Ingrédients :
- 1 T de bolets séchés
- 375 g de shiitakes sans queues, têtes finement hachées
- 375 g de dermatoses des russules sans queues, têtes finement hachées
- 12 portobellos sans queues, têtes finement hachées
- 1 1/2 T de bouillon de poulet
- 8 c. à s. de beurre non salé
- 1 T d'oignon vert finement haché
- 3 gousses d'ail finement hachées
- 1/2 T de xérès sec
- 1 T de crème riche en matières grasses
- 4 gros œufs
- 1/4 de T de noix grillées et hachées
- 1/2 T de persil haché
- 2 c. à t. de thym frais haché
- 1/3 de T de chapelure
- 1 c. à s. de jus de citron
- 2 c. à t. de sel
- Poivre noir fraîchement moulu
- 1 c. à s. d'huile d'olive

5. Faire chauffer l'huile d'olive à feu moyen dans une poêle à frire antiadhésive. Ajouter l'ail et les tranches de portobellos et faire cuire jusqu'à ce que le liquide soit évaporé et que les champignons soient légèrement croustillants (6 minutes). Laisser refroidir à la température ambiante.

6. Passer une lame de couteau tout autour du pâté pour le détacher du moule. Poser une grande assiette par-dessus le pâté et renverser pour démouler. Enlever le papier ciré. Étendre les portobellos refroidis sur le pâté. Servir avec des tranches de pain grillées.

Boulettes de saucisses farcies aux olives

Portions : 54 boulettes
Préparation : 30 min
Cuisson : 22 min

Ingrédients :
- 3 T de mélange à pâte (tout usage)
- 500 g de chair de saucisses de porc haché douces (ou piquantes)
- 300 g de fromage cheddar extra-fort râpé
- 54 petites olives farcies au piment

Instructions :

1. Préchauffer le four à 400 °F.

2. Mélanger le mélange à pâte, la saucisse et le fromage dans un grand bol. Remuer avec une cuillère en bois jusqu'à ce que tout soit bien mélangé.

3. Former des boulettes de 2,5 cm avec la pâte et les déposer sur une plaque à biscuits légèrement graissée. Insérer profondément 1 olive dans chaque boulette. Remouler avec les mains au besoin. Faire cuire jusqu'à ce que les boulettes soient légèrement dorées (22 minutes). Retirer du four et servir.

Crevettes farcies au crabe et aux épinards

Portions: 4
Préparation: 15 min
Cuisson: 20 min

Ingrédients:
- **125 g de chair de crabe égouttée déchiquetée**
- **4 crevettes géantes décortiquées et déveinées**
- **2 c. à s. d'huile d'olive**
- **4 T d'épinards frais**
- **1 feuille de pâte feuilletée congelée**
- **1/4 de T de sauce béchamel, recette p. 439**
- **1 c. à s. d'oignon vert haché**
- **1 c. à s. d'estragon frais haché**
- **1 œuf battu**
- **Sel et poivre, au goût**

Instructions:

1. Préchauffer le four à 400 °F. Graisser une plaque à biscuits.

2. Faire chauffer de l'huile à feu moyen dans une grande poêle à frire. Déposer les épinards, faire cuire et mélanger environ 3 minutes.

3. Assaisonner de sel et de poivre. Égoutter pour extraire l'excès de liquide et laisser reposer.

4. Poser une feuille de pâte feuilletée sur une surface propre avant de la couper en 4 carrés. Piquer légèrement la feuille avec une fourchette.

5. Mélanger la chair de crabe, la sauce béchamel, les oignons verts et l'estragon dans un bol de taille moyenne jusqu'à ce que tous les ingrédients soient bien incorporés.

6. Couper les crevettes dans le sens de la longueur et ouvrir de façon à ce que la crevette forme un papillon. Déposer 1 crevette au centre de chaque carré de pâte feuilletée en posant la surface coupée vers le haut.

7. Farcir chaque crevette d'une quantité égale d'épinard et couvrir le tout de 1 c. à soupe bien remplie de préparation au crabe. Replier la pâte feuilletée pour former 1 triangle puis presser les côtés pour bien refermer les bouchées. Déposer sur une plaque à biscuits et badigeonner le tout avec l'œuf battu.

8. Faire cuire au four jusqu'à ce que les bouchées soient dorées (15 à 20 minutes). Servir chaud.

Gravlax

Instructions:

1. Déposer les filets de saumon sur une surface de travail couverte de papier ciré. Enlever toutes les arêtes du poisson. Mélanger les graines d'anis, les graines de carvi, le poivre, le sucre et le sel dans un bol.

2. Déposer 1 filet de saumon dans un grand plat en verre ou en émail et saupoudrer avec le mélange d'épices. Déposer de l'aneth sur les épices puis verser de la vodka sur l'aneth. Déposer le deuxième filet de saumon par-dessus le premier en direction opposée (de façon à ce que la queue du premier filet se trouve sous la tête du deuxième).

3. Couvrir complètement le plat avec une pellicule plastique. Déposer un objet lourd comme un livre ou une brique dans un plat plus petit. Poser ce plat sur le poisson pour l'aplatir et ranger les 2 plats au réfrigérateur pendant 12 heures.

4. Sortir le poisson du plat, retourner et recouvrir à nouveau avec une nouvelle pellicule plastique. Remettre le poids sur le poisson. Réfrigérer le poisson en retournant les filets toutes les 12 heures.

5. Après 4 jours de réfrigération, sortir le poisson du réfrigérateur, enlever la pellicule plastique et transférer sur une plaque à biscuits tapissée de papier ciré. Soulever le filet du haut avant de le déposer à côté de l'autre. Gratter l'aneth et les épices sur la surface des deux filets.

6. Pour servir, couper chaque filet en diagonale pour faire des tranches minces.

Portions: 16
Préparation: 20 min
Réfrigération: 4 jours

Ingrédients:
- **1 saumon sans arêtes coupé en 2 filets avec la peau**
- **1/4 de T de graines d'anis grillées**
- **1/4 de T de graines de carvi grillées**
- **1/4 de T de poivre noir fraîchement moulu**
- **1 T de sucre**
- **1/2 T de sel**
- **5 grosses bottes d'aneth (de coriandre ou de cerfeuil) frais**
- **1/4 de T de vodka (d'aquavit ou de gin)**

Crostinis à la mozzarella et aux herbes

Portions : 8 à 12
Préparation : 10 min
Cuisson : 8 min

Ingrédients :
- 1 baguette de pain
- 625 g de mozzarella fraîche
- 3 ou 4 c. à s. d'huile d'olive extra vierge
- 2 ou 3 c. à s. d'herbes fraîches hachées
  (thym, marjolaine, origan, sauge, romarin ou mélange)
- Sel et poivre fraîchement moulu

Instructions :

1. Couper la baguette en diagonale et faire des tranches de 1 cm d'épaisseur. Déposer les tranches sur une grille posée sur une plaque à biscuits. Faire cuire au four à 425 °F jusqu'à ce que le pain soit doré (6 à 8 minutes).

2. Égoutter et éponger la mozzarella. Couper des tranches de 5 mm d'épaisseur et en déposer sur chaque tranche de pain. Badigeonner les tranches avec de l'huile d'olive et saupoudrer d'herbes fraîches, de sel et de poivre.

Rouleaux de concombre à la truite fumée

Portions : 24
Préparation : 15 min

Ingrédients :
- 1 truite fumée (ou 12 tranches minces de rôti de bœuf)
- 1 concombre anglais
- Jus de citron
- 1/2 T de raifort râpé
- Sel
- Cure-dents

Instructions :

1. Couper le concombre en 2 dans le sens de la largeur. À l'aide d'un éplucheur ou d'une mandoline, couper des fines tranches de concombre dans le sens de la longueur en retournant le concombre lorsque vous atteignez les pépins de façon à obtenir des tranches avec une bande mince de pelure des 2 côtés.

2. Couper 24 tranches de truite fumée puis arroser les tranches avec du jus de citron. Déposer une tranche de truite sur chaque tranche de concombre et rouler le tout en faisant tenir les rouleaux avec des cure-dents. Servir les rouleaux avec du raifort râpé.

Piments cerises farcis

Portions : 18 bouchées
Préparation : 20 min
Cuisson : 35 min

Ingrédients :
- 18 piments cerises
- 1 grosse pomme de terre
- 1 T de courgettes coupées en dés
- 2 gousses d'ail finement tranchées
- 1/2 c. à t. de basilic séché
- 1/2 c. à t. d'origan séché
- 1 1/2 c. à t. d'huile d'olive
- 1/4 de T de vin blanc sec
- 1/4 de T de parmesan râpé
- 1 paquet de fromage
  à la crème ramolli
- 2 c. à s. de crème sure
- 1/2 c. à t. de sel

Instructions :

1. Couper le dessus des piments et vider l'intérieur. Mettre les couvercles de piments de côté.

2. Faire cuire les piments dans l'eau bouillante avec un couvercle pendant 1 minute. Égoutter. Plonger les piments dans l'eau glacée et éponger. Mettre de côté.

3. Peler la pomme de terre et couper en morceaux de 2,5 cm. Couvrir et faire cuire dans l'eau bouillante jusqu'à ce que les morceaux soient tendres (20 minutes). Égoutter et réduire en purée.

4. Faire sauter les courgettes dans l'huile avec l'ail, le basilic et l'origan pendant 3 minutes. Ajouter le vin et faire cuire jusqu'à ce que le liquide soit évaporé (2 minutes). Retirer du feu.

5. Mélanger les courgettes, la purée de pommes de terre, 3 c. à soupe de parmesan, le fromage à la crème, la crème sure et le sel. Verser le mélange dans les piments et déposer sur une plaque à biscuits de 23 x 33 cm légèrement graissée. Saupoudrer uniformément les piments avec le reste du fromage et remettre les couvercles de piments.

6. Faire cuire à 400 °F jusqu'à ce que les piments cerises soient légèrement dorés (10 minutes).

Brie enrobé de pâte phyllo

Instructions :

1. Déposer les noix de pin sur une plaque à biscuits et faire cuire au four à 350 °F jusqu'à ce qu'elles soient dorées (5 à 7 minutes).

2. Pendant ce temps, hacher les tomates séchées. Mélanger l'huile et le beurre dans un petit bol.

3. Couper les feuilles de pâte phyllo en carrés de 30 cm . Badigeonner légèrement les carrés avec le mélange de beurre et d'huile et empiler les carrés.

4. Étaler les tomates séchées, le basilic et les noix grillées au centre de la pile dans un rond correspondant à la taille du fromage. Déposer le brie sur la garniture puis soulever les coins de la pile de pâte phyllo (1 coin à la fois) en les posant sur le dessus du fromage et en les badigeonnant légèrement avec le mélange de beurre. Presser la pâte phyllo contre le fromage pour former un paquet compact.

5. Déposer le fromage enrobé sur un moule à tarte de 23 cm en posant le côté lisse vers le haut. Badigeonner la surface de la pâte phyllo avec le reste du beurre.

6. Faire cuire à 350 °F jusqu'à ce que la pâte phyllo soit dorée (25 à 30 minutes). Laisser refroidir 10 minutes.

7. Transférer le brie enrobé sur une assiette à l'aide d'une spatule. Découper un grand X au centre ou couper en pointes pour que les gens puissent se servir.

Portions : 8
Préparation : 20 min
Cuisson : 40 min

Ingrédients :
- 225 g de brie ferme
- 1/4 de T de noix de pin
- 1/4 de T de tomates séchées
  dans l'huile égouttées
  (mettre 1 c. à s. d'huile de côté)
- 2 c. à s. de beurre fondu
- 4 feuilles de pâte phyllo
- 1/4 de T de feuilles de basilic
  fraîches et hachées

Fatayers

Portions : 3 à 4 douzaines
Préparation : 2 h 30
Cuisson : 20 min

Ingrédients :

PÂTE
• 4 T de farine (tout usage)
• 1 sachet de levure sèche
• 1 c. à s. de sel
• 3 T d'eau tiède

GARNITURE
• 500 g d'agneau haché maigre
  (ou de surlonge)
• 2 gros oignons hachés
• 2 c. à s. de menthe broyée
• 1 grosse boîte de tomates
• Sel et poivre au goût
• 1/2 T de persil frais haché
  (ou 1/4 de T de persil séché)
• 1/4 de c. à t. de cannelle
• 1/4 de T de noix de pin (facultatif)
• Jus de 2 citrons (facultatif)

Instructions :

1. Mélanger tous les ingrédients de la garniture dans un grand bol et bien remuer le tout.

2. Préchauffer le four à 400 °F.

3. Mélanger la farine, la levure, le sel et l'eau et pétrir la pâte jusqu'à ce qu'elle soit lisse. Couvrir d'un linge et laisser lever dans un endroit chaud pendant 1 h 30. Couper des morceaux de pâte de 10 cm de diamètre, couvrir et laisser lever pendant encore 30 minutes.

4. Étaler la pâte pour former des ronds semblables à des croûtes à tarte. Extraire le plus de liquide possible de la garniture et verser une grosse cuillérée sur chaque rond de pâte puis rabattre pour former un triangle. Ne pas étaler de liquide sur la bordure de la pâte pour pouvoir la refermer plus facilement. Tremper les doigts dans la farine au besoin pour presser les bordures ensemble.

5. Badigeonner la surface d'une plaque à biscuits avec de l'huile et disposer les fatayers en rangées. Faire cuire jusqu'à ce qu'ils soient dorés. Badigeonner légèrement avec du beurre après la cuisson.

Œufs farcis

Portions : 16
Préparation : 15 min
Cuisson : 5 min

Ingrédients :

- 8 gros œufs
- 1/3 de T de jambon maigre
  finement tranché
- 1 c. à s. d'oignon vert
  finement tranché
- 1 c. à s. de persil finement tranché
- 1 c. à s. de mayonnaise
  faible en gras
- 1 c. à t. de moutarde
- 1/4 de c. à t. de thym
  frais haché
- Poivre noir fraîchement moulu
- 2 tranches de pain blanc
  coupé en gros morceaux
- Feuilles de thym frais (facultatif)
- Aérosol de cuisson
- Sel

Instructions :

1. Déposer les œufs dans une grande casserole. Couvrir les œufs de 2,5 cm d'eau. Porter à ébullition. Retirer du feu et laisser reposer 12 minutes. Égoutter et rincer avec de l'eau froide jusqu'à ce que les œufs soient refroidis.

2. Enlever les coquilles des œufs puis les couper en 2 dans le sens de la longueur. Retirer 4 jaunes, les déposer dans un bol. Ajouter le jambon, l'oignon, le persil, la mayonnaise, la moutarde, le thym, le sel et le poivre. Bien mélanger.

3. Déposer le pain dans un robot culinaire et mélanger jusqu'à l'obtention d'une chapelure grossière équivalant à 1 tasse.

4. Verser 1 c. à thé de la garniture de jambon dans chaque moitié d'œuf puis couvrir de 1 c. à soupe de chapelure. Vaporiser la chapelure avec l'aérosol de cuisson.

5. Préchauffer le four à gril.

6. Déposer les œufs sur une plaque à biscuits et faire griller jusqu'à ce que la chapelure soit dorée (1 minute). Garnir de feuille de thym, si désiré.

Rouleaux printaniers avec sauce à la lime et au gingembre

Instructions:

1. Pour préparer la sauce, mélanger la lime, la sauce de poisson, l'eau, la pâte de piments, le sucre, le gingembre et l'ail. Fouetter jusqu'à ce que le sucre soit dissous. Mettre de côté.

2. Pour préparer les rouleaux printaniers, verser 2,5 cm d'eau chaude dans un grand chaudron. Déposer une feuille de riz dans le chaudron et laisser reposer jusqu'à ce que la feuille soit tendre (30 secondes). Retirer la feuille de riz de l'eau et la déposer ensuite sur une surface plate. Ajouter une feuille de laitue au centre, et couvrir avec 1/4 de tasse de brocoli, 3 bâtonnets de carotte, 3 bâtonnets de concombre, 3 bâtonnets de poivron, 4 moitiés de crevette et 3 feuilles de menthe. Rabattre les côtés de la feuille sur la garniture et rouler en serrant bien pour former un rouleau. Appuyer soigneusement sur la bordure pour refermer. Déposer le rouleau printanier sur une assiette la bordure vers le bas (couvrir pour éviter que le rouleau sèche).

3. Répéter l'opération avec le reste des feuilles de riz, de la laitue, de la luzerne, des carottes, du concombre, du poivron, des crevettes et de la menthe. Servir avec la sauce.

Portions: 6
Préparation: 20 min

Ingrédients:

SAUCE
- 2 c. à s. de jus de lime frais
- 1 c. à s. de sauce de poisson
- 1 c. à s. d'eau
- 1 c. à s. de pâte de piments
- 1 c. à t. de sucre
- 2 c. à t. de gingembre frais pelé et râpé
- 2 gousses d'ail finement hachées

ROULEAUX
- 12 feuilles de riz (de 20 cm)
- 3 feuilles de laitue coupées en 4
- 3 T de brocoli (ou de luzerne)
- 36 bâtonnets de carotte coupés en juliennes
- 36 bâtonnets de concombre coupés en juliennes
- 36 bâtonnets de poivron jaune coupés en juliennes
- 24 crevettes moyennes cuites, épluchées et coupées en 2 dans le sens de la longueur
- 36 feuilles de menthe

Côtes levées au miel et au soja

Portions: 8
Préparation: 15 min
Cuisson: 2 h 15

Ingrédients:
- 2 kg de côtes levées de porc
- 1 T de miel
- 1/3 de T de sauce soja
- 3 c à s. de xérès
- 2 c. à t. de poudre d'ail
- 1/2 c. à t. de poivre de Cayenne

GARNITURES
- Graines de sésame, oignon vert finement tranché
- Sauce barbecue (facultatif)

Instructions:

1. Rincer et éponger les côtes levées. Retirer la fine membrane du dos des côtes si désiré pour rendre les côtes plus tendres.

2. Déposer les côtes levées dans un faitout rempli d'eau, couvrir et porter à ébullition. Réduire à feu à moyen et laisser mijoter 30 minutes. Égoutter et éponger puis déposer les côtes levées sur une plaque à biscuits de 23 x 33 cm.

3. Mélanger le miel, la sauce soja, le xérès, la poudre d'ail et le poivre de Cayenne et verser la sauce sur les côtes levées.

4. Faire chauffer un côté du gril à feu moyen-fort, soit à 350-400 °F. Ne pas allumer l'autre côté. Disposer les côtes levées sur la surface non chauffée du gril et garder la marinade dans un bol. Poser le couvercle du gril et faire griller pendant 45 minutes. Replacer les côtes en déposant une côte près du feu et l'autre un peu plus loin. Couvrir et faire griller de 45 à 60 minutes jusqu'à ce que les côtes levées soient tendres en changeant la position des côtes et en les badigeonnant avec la marinade toutes les 20 minutes. Retirer du gril et laisser reposer 10 minutes. Couper les côtes levées (entre les os). Garnir de graines de sésame et d'oignon vert, puis servir avec de la sauce barbecue, si désiré.

Tartelettes aux pêches et au fromage bleu

Portions: 6 à 8
Préparation: 10 min
Cuisson: 6 min

Ingrédients:
- 24 croûtes à tartelettes
- 60 g de gorgonzola
- 1/2 T de marmelade aux pêches
- 3 c. à s. d'amandes grillées, hachées et salées

Instructions:

1. Préchauffer le four à 350 °F. Déposer les croûtes à tartelettes sur une plaque à biscuits. Couper le gorgonzola en 24 petits morceaux. Verser 1/4 de c. à thé de marmelade aux pêches dans chaque croûte et recouvrir de fromage.

2. Saupoudrer uniformément d'amandes hachées et faire cuire les tartelettes jusqu'à ce que le fromage soit fondu (5 à 6 minutes).

Crevettes grillées avec sangria

Instructions:

1. Déposer les crevettes dans la saumure de poisson et réfrigérer 1 heure.

2. Mélanger l'huile d'olive, l'ail, le persil, le poivre de Cayenne et le vin blanc dans un bol.

3. Sortir les crevettes de la saumure et bien rincer. Badigeonner ensuite avec la marinade pour bien les enrober, couvrir et réfrigérer 1 heure.

4. Faire griller les crevettes sur le gril à feu moyen-fort jusqu'à ce qu'elles soient cuites (3 à 5 minutes de chaque côté).

5. Verser de la sangria dans des bols à soupe et couvrir de crevettes et de morceaux d'avocat.

Portions: 8
Préparation: 20 min
Réfrigération et marinade: 2 h
Cuisson: 10 min

Ingrédients:
- 500 g de grosses crevettes épluchées et déveinées
- Saumure de poisson
- 1/4 de T d'huile d'olive extra vierge
- 2 c. à t. d'ail finement haché
- 1 c. à s. de persil frais finement haché
- 1/4 de c. à t. de poivre de Cayenne
- 2 c. à s. de vin blanc sec
- Sangria
- 2 avocats pelés et coupés en dés

Assiette d'antipasti

Portions: 8
Préparation: 15 min

Ingrédients:
- Viandes sèches tranchées minces comme du prosciutto et du soppressata
- Fromages italiens à pâte dure et à pâte molle
- Légumes en pot comme des poivrons rôtis et des olives
- Une tartinade comme du pâté de foie de poulet et une tartinade à l'ail
- Pain croûté tranché

Instructions:

1. Sélectionner une grande variété de saveurs, de couleurs et de textures.

2. Servir 5 ou 6 antipasti de bonne qualité plutôt que 10 antipasti de moyenne qualité.

3. Aucune cuisson nécessaire. Les antipasti sont servis à la température ambiante. Sortir les fromages et les viandes du réfrigérateur environ 1 heure avant de servir.

4. Servir sur une planche à découper en bois ou une plaque à pizza.

Petites brochettes aux crevettes et au gingembre

Instructions :

1. Mélanger le gingembre tranché, l'ail tranché, la ciboulette et l'huile d'olive dans un bol. Ajouter les crevettes en remuant pour bien les enrober, couvrir et faire mariner au réfrigérateur de 30 minutes à 2 heures.

2. Faire chauffer le barbecue à feu élevé.

3. Pendant ce temps, fouetter ensemble le gingembre râpé, l'ail haché, le vinaigre de riz et la sauce soja dans un petit bol. Tremper les brochettes dans l'eau et piquer 2 crevettes sur chaque brochette. Assaisonner de sel et de poivre.

4. Badigeonner le gril avec de l'huile végétale. Si vous utilisez du charbon, disposez-le de façon à ce qu'il se trouve à 10 cm de la grille. Déposer les brochettes sur le gril. Fermer le couvercle du barbecue.

5. Faire griller les crevettes jusqu'à ce qu'elles soient opaques (1 minute de chaque côté). Verser la sauce au gingembre sur les brochettes et servir.

Portions : 12
Préparation : 20 min
Marinade : 2 h
Cuisson : 20 min

Ingrédients :
- 1 c. à s. de gingembre frais finement tranché
- 1 c. à s. de gingembre frais finement râpé
- 1/2 tête d'ail pelée et finement tranchée
- 1 c. à s. d'ail finement haché
- 2 tiges de ciboulettes finement tranchées
- 1/2 T d'huile d'olive extra vierge
- 24 grosses crevettes décortiquées (garder les queues) et déveinées
- 2 c. à s. de vinaigre de riz épicé
- 1/4 de T de sauce soja
- Sel et poivre

Galettes de pommes de terre aux herbes

Portions : 20 à 24 galettes
Préparation : 20 min
Cuisson : 10 min

Ingrédients :
- 1,750 kg de pommes de terre Yukon Gold lavées
- 5 gros œufs battus
- 1/2 T de boulettes de pain azyme
- 3/4 de T de ciboulette fraîche finement hachée
- 1/2 T de persil finement haché
- 2 c. à t. de feuilles de thym frais hachées
- 2 c. à t. de feuilles de romarin frais hachées
- 1 c. à s. de sel casher
- 1 c. à t. de poivre noir fraîchement moulu
- Huile végétale pour la friture
- 260 à 340 g de saumon fumé finement coupé en 20 (ou 25) tranches
- Crème sure
- Oignon rouge finement tranché (ou 5 cm de ciboulette)
- Câpres

Instructions :

1. Remplir un grand bol aux 3/4 avec de l'eau. Râper les pommes de terre dans l'eau. Laisser reposer les pommes de terre dans l'eau pendant 15 minutes.

2. Verser les pommes de terre dans une passoire et rincer à l'eau.

3. Prendre une poignée de pommes de terre et presser pour extraire l'eau. Déposer ensuite sur un linge à vaisselle propre. Rassembler les coins et soulever le linge avant de le tordre pour extraire l'excédent d'humidité. Répéter l'opération avec le reste des pommes de terre. Remettre les pommes de terre dans le bol.

4. Mélanger les œufs, les boulettes de pain, les herbes, le sel et le poivre dans un bol puis verser la préparation sur les pommes de terre et remuer pour bien incorporer les ingrédients. Ajouter 2 c. à soupe de pain azyme à la fois si du liquide s'accumule au fond du bol.

5. Verser 2 cm d'huile au fond d'une poêle à frire de 25 à 30 cm de largeur et d'au moins 5 cm de profondeur et faire chauffer à feu moyen-fort. Lorsque l'huile atteint 350 °F, prendre 1/4 de tasse du mélange de pommes de terre avant de les déposer sur une grande spatule. Presser les pommes de terre pour former une galette d'environ 1 cm d'épaisseur et déposer dans l'huile chaude. Faire cuire 3 ou 4 galettes à la fois jusqu'à ce que la bordure soit croustillante et dorée et que le dessous soit grillé. Tourner et faire cuire encore l'autre côté jusqu'à ce qu'il soit bien doré (2 ou 3 minutes).

6. Déposer les galettes sur du papier absorbant et éponger brièvement puis transférer les galettes dans le four à 200 °F pour qu'elles restent chaudes pendant que vous faites cuire les autres. Servir avec des tranches de saumon fumé, de la crème sure, de l'oignon ou de la ciboulette et des câpres.

Mini-pitas aux poivrons rôtis et au provolone

Portions : 4
Préparation : 15 min
Cuisson : 10

Ingrédients :
- 2 pitas tranchés en 2 pour faire 4 galettes
- 4 c. à s. d'huile d'olive
- 1 c. à t. de paprika
- 1/2 c. à t. d'origan séché
- 1/2 c. à t. de sel casher
- 1 pot de poivrons rôtis égouttés et coupés en tranches
- 4 tranches de citron
- 1 gousse d'ail tranchée
- 1 T de provolone râpé

Instructions :

1. Faire chauffer le gril à température élevée. Déposer les pitas sur une plaque à biscuits en mettant la surface tranchée vers le haut. Badigeonner les pitas avec 2 c. à soupe d'huile puis saupoudrer avec l'origan, le paprika et 1/4 de c. à thé de sel. Déposer les pitas sous le gril jusqu'à ce qu'ils soient croustillants (2 minutes). Mettre de côté.

2. Faire chauffer le reste de l'huile dans une poêle à frire. Ajouter les poivrons rôtis, le citron, l'ail et le reste du sel. Faire sauter jusqu'à ce que les poivrons soient chauds et dégagent une odeur (3 minutes). Étaler uniformément les poivrons sur les pitas et recouvrir le tout de provolone. Remettre la plaque sous le gril et faire cuire jusqu'à ce que le provolone soit fondu (3 minutes). Couper en tranches, si désiré.

Tartelettes aux champignons

Instructions :

1. Rincer les shiitakes et les champignons ordinaires. Couper et jeter les queues des shiitakes puis hacher grossièrement les deux types de champignon (en les séparant). Faire fondre 1 c. à soupe de beurre avec 1 c. à soupe d'huile d'olive à feu moyen-fort dans une poêle à frire de 25 cm. Ajouter les shiitakes et laisser cuire en remuant souvent jusqu'à ce qu'ils soient dorés (4 à 5 minutes). Transférer dans un bol. Faire fondre encore 1 c. à soupe de beurre et 1 c. à soupe d'huile d'olive dans la poêle. Déposer les autres champignons dans la poêle et faire cuire à feu moyen-fort jusqu'à ce que le liquide s'évapore et que les champignons soient bien dorés (10 à 12 minutes). Transférer les champignons dans un bol. Laisser légèrement refroidir puis hacher finement les deux types de champignons.

2. Dans la même poêle, faire fondre 1 c. à soupe de beurre à feu moyen-fort. Ajouter l'oignon et faire cuire jusqu'à ce qu'il commence à brunir (environ 8 minutes). Ajouter l'ail et remuer jusqu'à ce qu'il dégage une odeur (1 minute). Verser le vinaigre et remuer jusqu'à ce que le liquide s'évapore (1 ou 2 minutes). Ajouter le persil et les champignons, et assaisonner de sel et de poivre.

3. Mélanger la farine et le sel à l'aide d'un robot culinaire. Ajouter 6 c. à soupe de beurre froid et mélanger jusqu'à ce qu'à la formation d'une chapelure grossière. Verser 1/4 de tasse d'eau et mélanger jusqu'à ce que la pâte soit compacte. Presser légèrement avec les mains ; si la pâte ne tient pas ensemble, ajouter 1 ou 2 c. à soupe d'eau et mélanger. Former une boule de pâte puis aplatir légèrement pour former une galette. Envelopper la galette dans une pellicule plastique et réfrigérer pendant 15 à 20 minutes.

Portions : 4 à 6
Préparation : 40 min
Réfrigération : 20 min
Cuisson : 40 min

Ingrédients :
- 115 g de shiitakes frais
- 230 g de champignons de Paris
- 3 c. à s. de beurre et 6 c. à s. de beurre froid coupé en morceaux
- 2 c. à s. d'huile d'olive
- 1 oignon pelé et finement haché
- 2 gousses d'ail pelées et finement hachées
- 2 c. à s. de vinaigre de xérès
- 1 c. à s. de persil italien finement haché
- 1/2 c. à t. de sel
- Poivre noir fraîchement moulu
- 1 T de farine (tout usage)
- 1 gros œuf battu

4. Préchauffer le four à 375 °F. Étaler la pâte sur une surface farinée à l'aide d'un rouleau à pâte pour former un ovale de 3 à 6 mm d'épaisseur. Badigeonner la moitié de la surface avec du beurre. Prendre des poignées du mélange de champignons avec une main, presser légèrement et déposer des petits tas de garniture sur la partie badigeonnée de la pâte en les espaçant de 2 cm. Rabattre la partir dégarnie de la pâte sur les tas de garniture aux champignons et presser entre chaque tas pour refermer. À l'aide d'un emporte-pièce de 5 cm, découper les tartelettes avant de les transférer sur une plaque à biscuits. Continuer avec le reste de la pâte pour faire d'autres tartelettes.

5. Faire cuire jusqu'à ce que les tartelettes commencent à dorer (15 minutes). Badigeonner les tartelettes avec de l'œuf et continuer de faire cuire jusqu'à ce qu'elles soient bien dorées (5 minutes). Servir chaud.

Crêpes roulées au saumon fumé

Portions : 20
Préparation : 10 min
Réfrigération : 1 h

Ingrédients :
- 8 tranches de saumon fumé
- 1/2 T de fromage à la crème sans gras ramolli
- 3 c. à s. de crème sure sans gras
- 1 paquet de fromage à la crème faible en matières grasses ramolli
- 8 crêpes au sarrasin
- 3 c. à s. de ciboulette fraîche finement hachée

Instructions :

1. Mélanger les 2 fromages à la crème et la crème sure puis remuer jusqu'à l'obtention d'une préparation lisse. Étaler uniformément 1 c. à soupe du mélange fromagé sur chaque crêpe. Saupoudrer chaque crêpe de 1 c. à thé de ciboulette et couvrir d'une tranche de saumon fumé. Rouler fermement chaque crêpe, couvrir et réfrigérer pendant 1 heure. Couper chaque rouleau en 10 tranches dans le sens de la largeur.

Instructions :

1. Couper les œufs en tranches dans le sens de la largeur et déposer l'équivalent d'un œuf dans chaque croûte de pâte feuilletée.

2. Couvrir de sauge fraîche et de fromage fontina râpé.

3. Faire cuire à 400 °F jusqu'à ce le fromage soit fondu (5 minutes).

4. Garnir chaque quiche de miettes de bacon, si désiré.

Mini-quiches

Portions : 6
Préparation : 15 min
Cuisson : 5 min

Ingrédients :
- 6 œufs durs
- 6 croûtes précuites de pâte feuilletée
- 1 1/2 c. à s. de feuilles de sauge fraîche hachées
- 1/3 de T de fromage fontina râpé
- Miettes de bacon

Pâtés de crabe à l'aïoli

Instructions :

1. Mélanger avec les mains dans un grand bol la chair de crabe, 1/4 de tasse de chapelure Panko, la chapelure sèche, l'oignon vert, le persil, l'estragon, la coriandre, le paprika, le poivre de Cayenne, le sel casher, le blanc d'œuf, la crème et la mayonnaise jusqu'à ce que tous les ingrédients soient bien intégrés.

2. Former 8 pâtés avec le mélange (environ 2 c. à soupe par pâté). Saupoudrer légèrement les pâtés avec le reste de la chapelure Panko.

3. Faire chauffer l'huile à feu moyen-fort dans une grande poêle à frire antiadhésive jusqu'à ce qu'elle soit chaude. Déposer les pâtés de crabe et faire cuire jusqu'à ce qu'ils soient dorés (2 minutes de chaque côté).

4. Servir avec de l'aïoli à la lime et de la ciboulette.

Portions : 4
Préparation : 20 min
Cuisson : 15 min

Ingrédients :
- 250 g de chair de crabe égouttée
- 3/4 de T de chapelure Panko
- 2 c. à s. de chapelure sèche et fine
- 2 c. à s. d'oignon vert haché
- 1 c. à s. de persil frais finement haché
- 1 1/2 c. à t. d'estragon frais finement haché
- 1 1/2 c. à t. de coriandre fraîche hachée
- 1/4 de c. à t. de paprika fumé
- 1/4 de c. à t. de poivre de Cayenne
- Sel
- 1 gros blanc d'œuf légèrement battu
- 3 c. à s. de crème riche en matières grasses
- 1 c. à s. d'huile de canola
- Aïoli à la lime
- Ciboulette

Gratin aux morilles et à l'oloroso

Portions : 4
Préparation : 30 min
Cuisson : 25 min

Ingrédients :
- 230 g de morilles fraîches
- 3 c. à s. de beurre
- 1/3 de T d'oignon vert haché
- 2 c. à s. d'ail finement haché
- 1/2 T d'oloroso
- 1 T de crème à fouetter
- 1 T de fromage manchego
- 230 g de pain artisanal croûté tranché et grillé

Instructions :

1. Couper et jeter l'extrémité des queues des morilles. Submerger les champignons dans un bol d'eau froide et remuer soigneusement avec les mains pour bien les nettoyer. Égoutter et bien rincer avant de les éponger. Couper les champignons en 2 dans le sens de la longueur (couper en 4 dans le cas des portobellos).

2. Faire fondre le beurre à feu moyen dans une poêle à frire de 25 à 30 cm. Ajouter l'oignon vert et l'ail et faire cuire en remuant souvent jusqu'à ce qu'ils soient tendres (5 minutes). Ajouter les champignons et faire cuire en remuant jusqu'à ce que le liquide libéré par les champignons s'évapore (5 à 6 minutes).

3. Ajouter l'oloroso et augmenter le feu à moyen-fort. Faire bouillir jusqu'à ce que la quantité d'oloroso ait diminué de moitié (environ 3 minutes). Ajouter la crème et faire bouillir en remuant de temps à autre jusqu'à ce que la sauce enrobe bien les champignons et que les 2/3 se soient évaporés (4 à 5 minutes).

4. Verser le mélange de champignons dans un plat profond en céramique allant au four de 3 ou 4 tasses. Couvrir uniformément de fromage. Mettre le four à gril et faire griller à 10 ou 15 cm du feu jusqu'à ce que le fromage soit fondu et bouillonne (environ 2 minutes). Servir avec des tranches de pain grillées.

Crevettes et artichauts marinés

Portions : 12
Préparation : 20 min
Réfrigération et marinade : 8 h

Ingrédients :
- 2 kg de crevettes moyennes fraîches non épluchées
- 3 L d'eau
- 1 pot de cœurs d'artichauts égouttés et coupés en quatre
- 1/3 de T d'huile d'olive extra vierge
- 4 oignons verts finement hachés
- 2 branches de céleri finement hachées
- 1/4 de T de persil frais finement haché
- 1 c. à t. de paprika
- 1 pincée de sel d'ail
- 1 c. à t. de sauce au raifort
- 2 1/2 c. à s. de vinaigre blanc
- 2 1/2 c. à s. de jus de citron
- 2 c. à s. de moutarde créole
- Feuilles de laitue
- Sel et poivre, au goût

Instructions :

1. Faire bouillir les crevettes dans 3 litres d'eau jusqu'à ce qu'elles deviennent roses (3 à 5 minutes). Égoutter et rincer à l'eau froide.

2. Éplucher les crevettes et déveiner au besoin. Mélanger les crevettes et les cœurs d'artichauts dans un grand bol.

Feuilletés d'épinards, de tomates séchées et de parmesan

Instructions :

1. Mélanger l'eau bouillante et les tomates dans un bol. Laisser reposer jusqu'à ce qu'elles soient molles (30 minutes). Égoutter et hacher.

2. Préchauffer le four à 350 °F.

3. Faire chauffer l'huile à feu moyen-fort dans une grande poêle à frire antiadhésive. Ajouter l'oignon, l'origan, le basilic et l'ail et faire sauter jusqu'à ce que les oignons commencent à dorer. Incorporer les tomates et les épinards et faire cuire pendant 1 minute. Retirer du feu et laisser refroidir 10 minutes. Incorporer les fromages, le sel, le poivre et le blanc d'œuf et bien mélanger.

4. Déposer une feuille de pâte phyllo sur une grande planche à découper ou sur une surface de travail et vaporiser légèrement avec l'aérosol de cuisson. Saupoudrer avec 1 1/2 c. à thé de chapelure. Répéter 3 fois cette opération en couvrant le tout avec une feuille de pâte phyllo. Presser soigneusement les feuilles de pâte ensemble et vaporiser légèrement la surface avec l'aérosol de cuisson. Verser la moitié du mélange d'épinards le long d'un des longs côtés de la pâte phyllo en laissant une bordure de 5 cm. Rabattre les côtés latéraux de la pâte phyllo pour couvrir 5 cm de garniture à chaque extrémité puis rouler la pâte dans le sens de la longueur en la serrant bien pour former un rouleau. Déposer le rouleau sur une plaque à biscuits vaporisée avec l'aérosol de cuisson en posant la bordure vers le bas. Faire des entailles diagonales sur le dessus du rouleau à l'aide d'un couteau tranchant et vaporiser légèrement avec l'aérosol de cuisson. Répéter l'opération avec le reste de la pâte phyllo, de la chapelure et du mélange d'épinards et l'aérosol de cuisson,. Faire cuire jusqu'à ce que les rouleaux soient dorés (22 minutes). Laisser reposer 5 minutes et couper chaque rouleau en 5 tranches égales.

Portions : 10
Préparation : 30 min
Cuisson : 22 min

Ingrédients :
- 1 T d'eau bouillante
- 1/2 T de tomates séchées emballées sans huile
- 2 c. à t. d'huile
- 1 T d'oignon haché
- 1 c. à t. d'origan séché
- 1 c. à t. de basilic séché
- 4 gousses d'ail finement hachées
- 2 paquets d'épinards décongelés, épongés et hachés
- 3/4 de T de ricotta sans gras
- 1/2 T de ricotta faible en gras
- 1/2 T de fromage parmesan râpé
- 1/2 c. à t. de sel
- 1/4 de c. à t. de poivre noir fraîchement moulu
- 1 gros œuf (blanc)
- 10 feuilles de pâte phyllo
- 1/4 de T de chapelure
- Aérosol de cuisson

Feuilletés à la courge, aux poivrons et aux artichauts

Instructions:

1. Pour préparer la sauce, mélanger le yogourt, la coriandre, la menthe, le paprika, le sel et le poivre. Couvrir et réfrigérer.

2. Préchauffer le four à 375 °F.

3. Pour préparer les feuilletés, déposer la courge et les moitiés de poivron sur une seule couche sur une plaque à biscuits vaporisée avec l'aérosol de cuisson. Badigeonner les légumes avec l'aérosol de cuisson. Saupoudrer uniformément avec 1/4 de c. à thé de sel et 1/4 de c. à thé de poivre. Faire cuire jusqu'à ce que la courge soit tendre en remuant à la moitié de la cuisson (40 minutes). Laisser refroidir légèrement. Trancher finement les moitiés de poivron et mettre de côté.

4. Réduire le four à 350 °F.

5. Faire cuire les graines de cumin dans une grande poêle à frire à feu moyen jusqu'à ce qu'elles soient grillées et qu'elles dégagent une odeur (1 minute). Verser de l'huile dans la poêle et augmenter le feu à moyen-fort. Déposer le poireau et les piments poblano. Faire sauter jusqu'à ce que le poireau soit tendre (8 minutes). Laisser refroidir légèrement.

6. Mélanger la courge, les tranches de piments, le mélange de poireau, le reste du sel, le reste du poivre, 2 c. à soupe de coriandre et les artichauts puis remuer doucement.

7. Déposer 1 feuille de pâte phyllo sur une grande planche à découper ou sur une surface de travail. Couvrir les autres feuilles de pâte pour ne pas qu'elles sèchent. Badigeonner légèrement la feuille avec l'aérosol de cuisson puis poser une deuxième feuille de pâte phyllo sur la première. Vaporiser avec l'aérosol de cuisson et presser soigneusement les deux feuilles ensemble. Verser environ 1 1/4 de tasse de la préparation aux légumes au centre de la pile de feuilles et saupoudrer de 3 c. à soupe de fromage feta. Rassembler les 4 coins de la pâte phyllo au-dessus de la garniture, pincer et tourner pour refermer les coins ensemble. Vaporiser le feuilleté avec l'aérosol de cuisson et déposer sur une plaque à biscuits. Répéter l'opération avec le reste de la pâte phyllo, du mélange de légumes et du fromage de façon à préparer 8 feuilletés. Faire cuire au four jusqu'à ce que la pâte phyllo soit dorée et croustillante (30 minutes). Servir avec de la sauce.

Portions: 8
Préparation: 40 min
Cuisson: 1 h 30

Ingrédients:

SAUCE
- 1 1/2 T de yogourt nature faible en gras
- 2 c. à s. de coriandre fraîche hachée
- 2 c. à s. de menthe fraîche hachée
- 1/2 c. à t. de paprika
- 1/4 de c. à t. de sel
- 1/4 de c. à t. de poivre noir fraîchement moulu

FEUILLETÉS
- 2 T de courges musquées (ou kabocha) pelées et coupées en dés
- 2 gros poivrons verts coupés en 2 dans le sens de la longueur et épépinés
- 1/2 c. à t. de sel
- 1/2 c. à t. de poivre noir fraîchement moulu
- 1 c. à t. de graines de cumin
- 2 c. à t. d'huile d'olive
- 3 T de poireau finement tranché
- 3 gros piments poblano épépinés et hachés
- 2 c. à s. de coriandre fraîche hachée
- 1 pot de cœurs d'artichauts égouttés et grossièrement hachés
- 16 feuilles de pâte phyllo congelée
- 1 1/2 T de fromage feta émietté
- Aérosol de cuisson

Bouchées au saumon

Portions: 48
Préparation: 10 min
Réfrigération: 3 h

Ingrédients:
- 1 boîte de saumon
- 1 paquet de fromage à la crème ramolli
- 4 c. à s. de salsa piquante ou douce
- 2 c. à s. de persil frais haché
- 1 c. à t. de coriandre séchée
- 1/4 de c. à t. de cumin moulu
- 8 tortillas de farine

Instructions:

1. Égoutter le saumon et enlever toutes les arêtes. Mélanger le saumon, le fromage à la crème, la salsa, le persil et la coriandre dans un petit bol. Ajouter du cumin, si désiré. Verser environ 2 c. à soupe du mélange de saumon sur chaque tortilla.

2. Rouler fermement chaque tortilla et envelopper individuellement dans une pellicule plastique.

3. Réfrigérer pendant 2 ou 3 heures puis trancher chaque rouleau en petites bouchées.

Champignons farcis aux huîtres et aux épinards

Portions : 12
Préparation : 30 min
Cuisson : 25 min

Ingrédients :

- 250 g d'épinards congelés hachés
- 24 gros champignons frais
- 6 c. à s. de beurre
- 1 boîte de petites huîtres crues coupées en 24 morceaux
- 1 pot de cœurs d'artichauts coupés en 4 égouttés et finement hachés
- 1/2 T d'oignon finement haché
- 1 pot de crème sure
- 1/2 T de parmesan râpé
- 1/2 c. à t. de sel
- 2 tranches de bacon cuit et émietté

Instructions :

1. Préparer les épinards en suivant les instructions indiquées sur la boîte. Égoutter et éponger avec de l'essuie-tout. Mettre de côté.

2. Couper les queues des champignons et les jeter.

3. Faire fondre 2 c. à soupe de beurre dans une grande poêle à frire à feu moyen-fort. Ajouter 12 champignons et faire sauter jusqu'à ce qu'ils soient à peine tendres (4 minutes). Répéter l'opération avec les autres champignons et 2 c. à soupe de beurre. Retirer les champignons de la poêle avant de les déposer sur une plaque à biscuits en posant la tête vers le haut. Déposer une huître dans chaque chapeau de champignon.

4. Faire fondre le reste du beurre à feu moyen-fort dans une grande poêle à frire. Ajouter l'artichaut et l'oignon et faire sauter jusqu'à ce qu'ils soient tendres (3 à 4 minutes). Retirer du feu et incorporer les épinards, la crème sure, 1/3 de tasse de fromage et le sel. Verser uniformément le mélange dans les chapeaux des champignons et saupoudrer de fromage et de miettes de bacon.

5. Faire cuire au four à 350 °F jusqu'à ce qu'ils soient bien cuits (20 minutes).

Roulés de tartare de saumon

Instructions :

1. Mélanger le saumon, la mangue, le ketchup, la sauce de poisson, l'huile de sésame, les oignons verts et les graines de cumin dans un bol en métal. Couvrir et réfrigérer pendant 30 minutes. Mélanger le wasabi et le raifort dans un autre bol. Réserver.

2. Couper et jeter les extrémités des concombres puis trancher finement dans le sens de la longueur de façon à obtenir 18 tranches de 2 mm d'épaisseur à l'aide d'une mandoline ou d'un éplucheur à légumes. Éviter de couper la partie centrale avec les pépins.

3. Étaler 1/4 ou 1/2 c. à thé du mélange de wasabi sur chaque tranche de concombre puis environ 1/4 de tasse du tartare de saumon sur le wasabi. Rouler les lamelles de concombre en commençant par l'extrémité la plus petite. Couvrir et réfrigérer jusqu'au moment de servir.

4. Mettre des feuilles de roquette sur des assiettes et déposer les rouleaux de tartare sur les feuilles. Garnir, si désiré.

Portions : 6 repas
(ou 18 hors-d'œuvre)
Préparation : 15 min
Réfrigération : 30 min

Ingrédients :

- 1 filet de saumon quinnat sans peau finement haché
- 2 petites mangues vertes pelées et finement hachées
- 2 c. à s. de ketchup
- 1 c. à s. de sauce de poisson
- 1 c. à t. d'huile de sésame piquante
- 6 oignons verts finement hachés
- 1 c. à s. de graines de cumin grillées et grossièrement hachées
- 2 à 3 c. à s. de wasabi
- 2 à 3 c. à s. de raifort frais râpé
- 2 concombres anglais
- 3 tasses de feuilles de roquette

GARNITURES

- Caviar de saumon
- Pétales de rose

Tomates farcies au fromage de chèvre

Instructions :

1. Mélanger la chapelure, le parmesan, le persil, le jus de citron et l'ail dans un bol profond. Incorporer le beurre fondu et réserver.

2. Mélanger le fromage de chèvre, le poivre et le sel dans un petit bol.

3. Couper les tomates en 2 horizontalement. Tailler les extrémités de façon à ce que les demi-tomates puissent se tenir debout. Extraire les graines et la pulpe et verser 2 c. à thé du mélange de fromage de chèvre dans chaque moitié.

4. Tremper les moitiés de tomates à l'envers dans le mélange de chapelure en recouvrant généreusement le fromage de chèvre et déposer sur une plaque à biscuits non graissée en posant le dessus vers le haut.

5. Faire cuire à 400 °F jusqu'à ce que la chapelure soit légèrement dorée (15 à 18 minutes). Transférer les tomates farcies sur une assiette et napper de pesto.

Portions : 24
Préparation : 10 min
Cuisson : 18 min

Ingrédients :
- 1 T de chapelure Panko
- 1 T de parmesan fraîchement râpé
- 1/4 de T de persil frais haché
- 1 c. à s. de jus de citron frais
- 1 c. à t. d'ail finement haché
- 1/3 de T de beurre fondu
- 320 g de fromage de chèvre mou
- 1/2 c. à t. de poivre noir fraîchement moulu
- 1/4 de c. à t. de sel
- 12 tomates italiennes
- Pesto

Asperges et prosciutto avec trempette aux agrumes

Portions : 18
Préparation : 15 min
Cuisson : 11

Ingrédients :

- 18 asperges
- 90 g de prosciutto finement tranché dans le sens de la largeur et coupé en bandes de 5 cm d'épaisseur (18 tranches au total)
- 18 rondelles d'oignon vert
- 18 tranches minces de zeste de citron
- 1/2 c. à t. de zeste de citron râpé
- 1/4 de T d'huile d'olive extra vierge
- 2 c. à s. de vinaigre balsamique
- 3/4 de c. à t. de zeste d'orange râpé
- Sel et poivre fraîchement moulu

Instructions :

1. Rincer les asperges et casser les extrémités dures. Faire bouillir une grande casserole d'eau salée. Mettre les asperges dans l'eau et faire cuire jusqu'à ce qu'elles soient tendres et croustillantes (3 à 4 minutes). Rincer sous l'eau froide pour refroidir.

2. Enrouler une tranche de prosciutto autour de chaque asperge à 8 ou 10 cm du haut de l'asperge. Attacher un morceau d'oignon vert autour du prosciutto et insérer une tranche de zeste de citron sous l'oignon vert. Déposer les asperges sur une assiette.

3. Mélanger l'huile d'olive, le vinaigre balsamique, le zeste d'orange râpé, le zeste de citron râpé, le sel et le poivre dans un bol.

4. Servir comme trempette avec les asperges.

Huîtres farcies au crabe

Instructions :

1. Préchauffer le gril.

2. Mélanger la ciboulette, la mayonnaise, la crème sure, le sel, le poivre, les miettes de bacon et la chair de crabe dans un bol. Remuer le tout.

3. Déposer la tranche de pain dans un robot culinaire et mélanger jusqu'à l'obtention de 1/2 tasse de chapelure grossière. Mélanger la chapelure et le beurre dans un petit bol.

4. Déposer les huîtres dans un plat à rôtir. Verser 1 c. à soupe du mélange de crabe sur chaque huître puis saupoudrer chacune de 1 c. à thé de chapelure. Faire griller jusqu'à ce que la surface soit dorée et que l'huître soit cuite (7 minutes). Servir avec des tranches de citron et garnir de ciboulette, si désiré.

Portions : 6
Préparation : 15 min
Cuisson : 7 min

Ingrédients :
- 1 c. à s. de ciboulette finement hachée
- 2 c. à s. de mayonnaise faible en gras
- 2 c. à s. de crème sure faible en gras
- 2 tranches de bacon cuit, égoutté et émietté
- 1 boîte de chair de crabe non égouttée
- 1 tranche de pain blanc
- 1 c. à t. de beurre fondu
- 12 huîtres écaillées
- Tranches de citron (facultatif)
- Sel
- Poivre noir fraîchement moulu

Galettes de polenta

Portions : 6
Préparation : 15 min
Cuisson : 11

Ingrédients :
- 450 g de polenta aux tomates séchées réfrigérée et coupée en 6 tranches
- 1 boîte de haricots à œil noir rincés et égouttés
- 1/2 T d'oignon finement haché
- 1/4 de T d'eau
- 1/4 de c. à t. de poivre de Cayenne moulu
- 1/4 de c. à t. de sel
- 1/2 T de tomates coupées en dés
- 4 c. à s. de coriandre fraîche hachée
- 1/4 de T de crème sure légère
- Aérosol de cuisson

Instructions :

1. Faire cuire les galettes de polenta à feu moyen-fort dans une grande poêle à frire antiadhésive vaporisée avec l'aérosol de cuisson jusqu'à ce qu'elles soient légèrement dorées (4 minutes de chaque côté). Retirer du feu et garder au chaud.

2. Essuyer la poêle avec de l'essuie-tout, vaporiser avec l'aérosol de cuisson et mélanger les haricots, l'oignon, l'eau, le poivre de Cayenne et le sel dans la poêle jusqu'à ce que l'eau s'évapore (3 minutes). Retirer du feu.

3. Incorporer les tomates et 3 c. à soupe de coriandre et bien mélanger le tout. Verser le mélange chaud de haricots sur chaque galette de polenta et couvrir uniformément les galettes avec de la crème sure. Saupoudrer le tout avec 1 c. à soupe de coriandre.

Crevettes au safran et aux graines de fenouil

Instructions :

1. Mélanger le vin, les graines de fenouil, le safran, le sel et l'ail dans une poêle à frire antiadhésive. Porter à ébullition et faire cuire pendant 5 minutes.

2. Ajouter les crevettes, couvrir et faire cuire en remuant de temps à autre jusqu'à ce que les crevettes soient cuites (2 minutes).

3. Verser le mélange dans un bol et réfrigérer. Ajouter le persil avant de servir.

Portions : 6
Préparation : 10 min
Cuisson : 10 min

Ingrédients :
- 1 tasse de vin sec
- 1 c. à s. de graines de fenouil
- 1/2 c. à t. de safran
- 1/2 c. à t. de sel
- 2 gousses d'ail finement hachées
- 1 kg de grosses crevettes épluchées et déveinées
- 1/4 de T persil frais haché

Rouleaux de saucisses

Portions : 9 rouleaux
Préparation : 45 min
Cuisson : 45 min

Ingrédients :
- 3 paquets de pâte à pain congelée (500 g)
- 1 kg de saucisse de porc
- 12 œufs
- 500 g de pepperoni coupé en dés
- 1 kg de provolone râpé
- 5 œufs battus

Instructions :

1. Faire décongeler la pâte à pain. Déposer les saucisses dans une grande poêle à frire assez profonde. Faire cuire à feu moyen-fort jusqu'à ce qu'elles soient dorées. Égoutter et mettre de côté.

2. Dans une grande poêle à frire, faire cuire rapidement les œufs à feu moyen en les remuant jusqu'à ce qu'ils deviennent solides. Retirer du feu et mettre de côté. Préchauffer le four à 350 °F. Graisser légèrement une plaque à biscuits de taille moyenne. Étaler chaque pâte à pain sur une surface légèrement farinée pour former une feuille de pâte d'environ 6 mm ou moins d'épaisseur. Étaler uniformément 1/3 de la saucisse, 1/3 des œufs, 1/3 du pepperoni et 1/3 du provolone sur chaque feuille de pâte puis rouler fermement pour former 3 rouleaux. Poser un rouleau à la fois sur la plaque à biscuits, brosser chacun d'eux avec le 1/3 des œufs battus et faire chauffer au four jusqu'à ce qu'ils soient bien dorés (30 à 45 minutes).

Chaussons au navet

Instructions :

1. Mélanger le navet et l'oignon dans un petit bol. Assaisonner de sel et de poivre. Déplier les croûtes à tarte et appuyer sur les plis. Couper 30 ronds avec un emporte-pièce de 5 cm.

2. Verser 1 c. à thé du mélange de navet sur la moitié de chaque rond et rabattre l'autre moitié sur la garniture. Presser les bordures ensemble à l'aide d'une fourchette.

3. Déposer sur une plaque à biscuits non graissée et badigeonner la surface des chaussons avec du beurre fondu. Faire cuire au four à 375 °F jusqu'à ce que les chaussons soient légèrement dorés (15 à 17 minutes).

Portions : 30
Préparation : 20 min
Cuisson : 17 min

Ingrédients :
- 1 petit navet pelé et râpé
- 1/2 oignon vert finement haché
- 1/4 de c. à t. de sel
- 1/4 de c. à t. de poivre
- 1 paquet de croûtes à tarte réfrigérées
- 2 c. à s. de beurre fondu

Martini aux pétoncles épicés

Portions : 4
Préparation : 10 min
Marinade : 4 h
Cuisson : 10 min

Ingrédients :
- 12 gros pétoncles
- 1/2 T de vodka
- 1/2 T de jus de lime
- 2 c. à t. de piment jalapeño haché
- 1 c. à s. d'huile d'olive
- 1/4 de T de poivre de Cayenne
- 1/4 de T de poivron jaune finement haché
- 2 oignons verts finement hachés
- 4 branches de coriandre
- Sel et poivre fraîchement moulu

Instructions :

1. Mélanger la vodka, le jus de lime et le poivre de Cayenne dans un bol.

2. Faire chauffer l'huile à feu élevé dans une poêle à frire. Assaisonner les pétoncles de sel et de poivre avant de les déposer dans la poêle. Faire roussir jusqu'à ce que les pétoncles soient dorés à l'extérieur et crus au centre (2 minutes par côté).

3. Déposer les pétoncles sur une planche à découper et couper chaque pétoncle en 4. Déposer dans le bol de marinade à la vodka et faire mariner au réfrigérateur pendant 4 heures.

4. Ajouter les poivrons et les oignons verts.

5. Répartir le mélange de pétoncles dans 4 verres à martini et ajouter de la marinade. Garnir de coriandre et servir.

Pizzas roulées avec salade de tomates et basilic

Portions : 8
Préparation : 1 h 30
Cuisson : 30 min

Ingrédients :
- 1 sachet de levure sèche active
- 2 1/2 à 3 T de farine (tout usage)
- 2 c. à t. de sel
- 1 oignon pelé et finement tranché
- 3 c. à s. d'huile d'olive extra vierge
- 1 tête de chicorée rincée et finement tranchée
- 3/4 de T de vin rouge sec
- 2 T de fromage mozzarella régulier (ou fumé) râpé
- 6 T de tomates mûres coupées en dés
- 1 T de feuilles de basilic frais haché
- 2 c. à s. d'ail haché
- Sel et poivre

Instructions :

1. Pour faire la pâte, verser la levure dans 1 tasse d'eau chaude. Laisser reposer jusqu'à ce qu'elle ramollisse (5 minutes). Ajouter 2 1/2 tasses de farine et le sel et battre à basse vitesse à l'aide d'un batteur électrique jusqu'à ce le tout soit bien incorporé puis à vitesse moyenne à élevée jusqu'à ce que la pâte soit élastique (3 minutes). Si vous utilisez un crochet pétrisseur, battre vigoureusement jusqu'à ce que la pâte soit lisse et élastique (5 minutes). Ajouter de la farine (1 c. à soupe à la fois) si la pâte est encore collante. Si vous pétrissez la pâte à la main, déposer la pâte sur une surface farinée puis pétrir jusqu'à ce que la pâte soit lisse et élastique et qu'elle ne soit plus collante (10 minutes). Ajouter de la farine au besoin pour éviter qu'elle colle.

2. Séparer la pâte en 2 et faire 2 boules. Poser sur une surface légèrement farinée dans un endroit chaud et couvrir de pellicule plastique. Laisser lever la pâte jusqu'à ce qu'elle ait doublé de volume (45 à 60 minutes).

3. Pendant ce temps, verser 1 c. à soupe d'huile d'olive dans une poêle à frire et faire cuire l'oignon à feu moyen-fort jusqu'à ce qu'il soit tendre et commence à dorer (3 à 5 minutes). Ajouter la chicorée et faire cuire jusqu'à ce qu'elle soit dorée et tendre (5 à 7 minutes). Verser le vin et laisser cuire le tout en remuant de temps à autre jusqu'à ce que le vin s'évapore (10 à 12 minutes). Assaisonner de sel et de poivre et laisser refroidir pendant au moins 20 minutes.

4. Frapper chaque boule de pâte pour la faire dégonfler et presser pour faire sortir l'air. Étaler les boules de pâte sur une surface farinée à l'aide d'un rouleau à pâte fariné pour former 2 galettes de pâte de 25 cm. Saupoudrer la moitié du fromage sur la moitié de chaque galette en laissant une bordure de 2,5 cm. Couvrir uniformément du mélange de chicorée. Rabattre la partie non garnie de chaque pâte sur la garniture en alignant les bordures. Pincer la bordure pour refermer. Rouler et fermer chaque pizza dans le sens de la longueur en commençant au pli. Pincer ensemble les extrémités du rouleau pour refermer. Déposer les rouleaux de pizza sur une plaque à biscuits en posant la bordure vers le bas puis former 2 demi-couronnes avec chaque rouleau en les espaçant d'au moins 8 cm. Faire cuire à 425 °F jusqu'à ce que les rouleaux soient dorés (25 à 30 minutes).

5. Pendant ce temps, faire la salade en mélangeant les tomates, le basilic, l'ail et le reste de l'huile d'olive dans un bol. Assaisonner de sel et de poivre.

6. À l'aide de 2 grandes spatules, transférer chaque demi-couronne sur une assiette en joignant les extrémités pour former une couronne complète. À l'aide d'une cuiller à égoutter, verser environ 2 tasses de salade aux tomates et au basilic au centre de la couronne et le reste de la salade dans un bol. Couper la couronne de pizza en tranches de 5 cm et servir avec de la salade.

Cocktail de crevettes et d'avocat

Instructions :

1. Mélanger les crevettes, l'avocat et la coriandre dans un bol. Incorporer la sauce à cocktail et la sauce piquante, remuer et badigeonner uniformément les crevettes. Diviser en 8 portions et servir avec des tranches de lime et des croustilles de maïs.

Portions : 8
Préparation : 15 min
Cuisson : 15 min

Ingrédients :
- 500 g de grosses crevettes cuites épluchées et déveinées (sans la queue)
- 1 avocat pelé, dénoyauté et coupé en dés
- 1/4 de T de coriandre fraîche hachée
- 1 pot de sauce à cocktail
- 1/2 c. à t. de sauce piquante
- 8 tranches de lime
- 1 sac de tortillas de maïs

Instructions :

1. Cuire partiellement le bacon à feu moyen dans une grande poêle à frire jusqu'à ce qu'il transpire sans être doré (4 ou 5 minutes). Égoutter sur du papier absorbant. Couper chaque tranche en 4 morceaux dans le sens de la largeur. Réfrigérer pour le faire durcir. Tremper les brochettes en bambou dans l'eau chaude pour éviter qu'elles fendent.

2. Épépiner et hacher très finement le piment rouge. Déposer dans un petit bol. Hacher finement l'oignon vert et ajouter dans le bol avec le piment rouge. Verser l'huile d'olive, le jus et le zeste de citron, l'ail, le sel et le poivre. Faire mariner pendant 1 heure à la température ambiante et 1/2 journée au réfrigérateur en remuant de temps à autre.

3. Piquer en alternance deux morceaux de bacon, de pétoncle et de champignon sur chaque brochette. Laisser un espace au bout de la brochette pour former une poignée. Couvrir et réfrigérer jusqu'à utilisation ou jusqu'à 1 demi-journée.

4. Préchauffer le barbecue ou le gril et faire griller les brochettes en les tournant fréquemment jusqu'à ce que le bacon soit croustillant et que les pétoncles soient cuits (5 à 10 minutes). Déposer sur une assiette bien chaude et napper de salsa. Servir immédiatement.

Portions : 6 à 8
Préparation : 10 min
Réfrigération : 12 h
Cuisson : 10 min

Ingrédients :
- 16 pétoncles de grosseur moyenne
- 4 tranches épaisses de bacon
- 1 petit piment rouge doux
- 1 oignon vert
- 1 c. à s. d'huile d'olive
- 1 c. à s. de jus de citron
- 1 c. à t. de zeste de citron râpé
- 1 petite gousse d'ail finement hachée
- 1/3 de c. à t. de sel
- Poivre fraîchement moulu
- 16 portobellos
- 8 brochettes en bambou de 20 cm

Pâtés de crabe panés

Portions : 24 petits pâtés
Préparation : 20 min
Cuisson : 15 min

Ingrédients :
- 340 g de crabe cuit sans carapace
- 1/4 de T de céleri finement coupé en dés
- 1/4 de T de ciboulette fraîche finement hachée
- 1/4 de T de mayonnaise
- 1 gros œuf
- 2 c. à t. de moutarde de Dijon
- 1/4 de c. à t. de sauce piquante
- 1 1/4 T de chapelure Panko (ou de chapelure sèche et fine)
- Aïoli aux poivrons rôtis et à la ciboulette
- Ciboulette fraîche et coupée en morceaux de 2,5 cm

Instructions :

1. Enlever les morceaux de carapace restants sur le crabe.

2. Mélanger le céleri, la ciboulette, la mayonnaise, l'œuf, la moutarde et la sauce piquante dans un grand bol. Bien mélanger avec une fourchette. Ajouter le crabe et 1/4 de tasse de chapelure. Remuer doucement pour mélanger.

3. Verser le reste de la chapelure dans un bol profond. Faire 24 petits pâtés d'environ 5 cm de largeur et de 1 cm d'épaisseur. Déposer chaque pâté dans le bol de chapelure et enrober tous les côtés en pressant doucement sur les pâtés pour faire coller la chapelure. Déposer les pâtés sur une plaque à biscuits huilée en les espaçant légèrement.

4. Faire cuire au four à 475 °F jusqu'à ce que les pâtés soient bien dorés (15 à 18 minutes). Transférer les pâtés de crabe sur une assiette à l'aide d'une spatule. Servir avec de l'aïoli aux poivrons rôtis et à la ciboulette.

Pâtés de crevettes avec mayonnaise aux agrumes

Instructions :

1. Mélanger l'oignon vert, 1 c. à t. d'ail, 1 tasse de mayonnaise, l'œuf, le jus de citron, le paprika, le thym, le sel et le poivre dans un grand bol. Hacher les crevettes avant de les incorporer dans le bol. Ajouter 1 tasse de chapelure et bien remuer.

2. Couvrir et réfrigérer le mélange pendant 30 minutes.

3. Mélanger le zeste d'orange, le jus d'orange, le jus de lime, le reste de l'ail et le reste de la mayonnaise dans un bol. Couvrir et réfrigérer 30 minutes.

4. Former 12 boulettes avec le mélange de crevettes en utilisant environ 1/3 de tasse pour chacune. Saupoudrer les boulettes avec le reste de la chapelure.

5. Faire cuire 6 boulettes avec 2 c. à s. d'huile dans une grande poêle à frire à feu moyen-fort jusqu'à ce qu'elles soient dorées (3 minutes par côté).

6. Répéter l'opération avec le reste de l'huile et le reste des boulettes. Éponger les pâtés avec de l'essuie-tout et déposer sur une plaque à biscuits.

7. Faire chauffer les pâtés au four à 250 °F jusqu'à 30 minutes. Servir avec la mayonnaise aux agrumes et garnir, si désiré.

Portions : 12 pâtés
Préparation : 25 min
Réfrigération : 30 min
Cuisson : 42 min

Ingrédients :
- 1 kg de crevettes moyennes cuites, épluchées et déveinées
- 1/4 de T d'oignon vert finement haché
- 1 1/2 c. à t. d'ail finement haché
- 1 3/4 T de mayonnaise
- 1 gros œuf légèrement battu
- 2 c. à s. de jus de citron
- 1/2 c. à t. de paprika
- 1/2 c. à t. de thym séché
- 1/2 c. à t. de sel
- 1/2 c. à t. de poivre
- 1 1/2 T de chapelure fine
- 1/2 c. à t. de zeste d'orange râpé
- 1 c. à s. de jus d'orange frais
- 1 c. à t. de jus de lime frais
- 1/4 de T d'huile végétale

GARNITURE
- Tranches d'orange

Cocktail de crevettes avec salsa de fruits tropicaux

Instructions :

1. Éplucher et déveiner les crevettes. Mettre de côté.

2. Préchauffer le gril du four (mettre le four à gril).

3. Déposer les moitiés de piments poblano et jalapeño dans une lèchefrite recouverte de papier aluminium en mettant la peau vers le haut. Aplatir avec la main. Faire griller jusqu'à ce que la peau des piments soit noire (10 minutes). Déposer les moitiés de piments dans un sac en plastique refermable et bien sceller. Laisser reposer pendant 10 minutes. Peler et hacher finement les piments avant de les déposer dans un bol. Ajouter la mangue, la papaye, l'oignon rouge, la coriandre, le jus de lime et le sel.

4. Faire chauffer une grande poêle à frire vaporisée d'aérosol de cuisson à feu moyen-fort. Ajouter les crevettes et faire sauter de chaque côté jusqu'à ce qu'elles soient cuites (2 1/2 minutes). Verser 1/2 tasse de salsa au centre de 6 petites assiettes. Déposer 4 crevettes sur la salsa.

Portions : 6
Préparation : 15 min
Cuisson : 15 min

Ingrédients :
- **24 grosses crevettes**
- **1 piment poblano coupé en 2 et épépiné**
- **1 piment jalapeño coupé en 2 et épépiné**
- **1 T de mangue pelée et finement hachée**
- **1 T de papaye pelée et finement hachée**
- **1/3 de T d'oignon rouge finement haché**
- **1/4 de T de coriandre fraîche hachée**
- **1/4 de T de jus de lime frais**
- **1/2 c. à t. de sel**
- **Aérosol de cuisson**

Kebabs aux crevettes avec marinade au jalapeño et à la lime

Portions : 12 brochettes
Préparation : 15 min
Marinade : 30 min
Cuisson : 10 min

Ingrédients :
- **2 kg de grosses crevettes épluchées, déveinées et coupées en papillon**
- **1 T de jus d'orange concentré**
- **2 c. à t. de zeste de lime râpé**
- **1/2 T jus de lime frais**
- **1/2 T de miel**
- **4 c. à t. cumin moulu**
- **1/2 c. à t. de sel**
- **6 gousses d'ail hachées**
- **4 piments jalapeños épépinés et hachés**
- **4 poivrons rouges coupés en dés**
- **Tranches de lime, si désiré**
- **Aérosol de cuisson**

Instructions :

1. Mélanger les crevettes, le jus d'orange, le zeste et le jus de lime, le miel, le cumin moulu, le sel, l'ail et les piments jalapeños dans un grand sac refermable.

2. Sceller et faire mariner au réfrigérateur 30 minutes. Sortir les crevettes du sac et mettre la marinade de côté. Piquer en alternance une crevette, des morceaux de poivron et des tranches de lime (si désiré) sur 12 brochettes.

3. Faire chauffer le gril du four ou du barbecue. Déposer les brochettes sur la grille ou dans une lèchefrite vaporisée avec l'aérosol de cuisson. Faire cuire jusqu'à ce que les crevettes soient cuites en badigeonnant souvent avec de la marinade (4 minutes de chaque côté).

Feuilletés de porc laqué

Portions: 10
Préparation: 1 h 30
Cuisson: 30 min

Ingrédients:

GARNITURE
- 1/2 c. à t. de poudre de cinq épices
- 500 g de filet de porc paré
- 1 T d'oignon vert finement tranché
- 3 c. à s. de sauce hoisin
- 2 c. à s. de vinaigre de riz
- 1 c. à s. de sauce soja faible en sodium
- 1 1/2 c. à t. de miel
- 1 c. à t. de gingembre frais pelé et finement haché
- 1 c. à t. d'ail finement haché
- 1/4 de c. à t. de sel
- Aérosol de cuisson

PÂTE
- 1 T d'eau chaude
- 3 c. à s. de sucre
- 1 sachet de levure sèche active
- 3 1/4 T de farine (tout usage)
- 3 c. à s. d'huile de canola
- 1/4 de c. à t. de sel
- 1 1/2 c. à t. de levure chimique

Instructions:

1. Pour préparer la garniture, saupoudrer uniformément la poudre de cinq épices sur le porc. Faire chauffer une poêle gril à feu moyen-fort et vaporiser avec l'aérosol de cuisson. Ajouter le porc dans la poêle et faire cuire jusqu'à ce qu'un thermomètre à viande indique 155 °F (18 minutes) en tournant le porc de temps à autre. Retirer de la poêle et laisser reposer 15 minutes.

2. Couper le porc en tranches minces dans le sens de la largeur. Couper ensuite ces tranches en lanières très minces. Déposer le porc dans un bol. Ajouter l'oignon vert, la sauce hoisin, le vinaigre de riz, la sauce soja, le miel, le gingembre, l'ail et le sel. Bien remuer les ingrédients et laisser reposer 15 minutes.

3. Pour faire la pâte, mélanger l'eau chaude, le sucre et la levure dans un grand bol et laisser reposer 5 minutes.

4. Ajouter la farine, l'huile et le sel et mélanger pour obtenir une pâte molle. Déposer la pâte sur une surface farinée puis pétrir jusqu'à ce que la pâte soit lisse et élastique (10 minutes). Déposer la pâte dans un bol vaporisé avec l'aérosol de cuisson en la retournant pour bien enrober la surface. Couvrir et laisser lever la pâte dans un endroit chaud sans courants d'air jusqu'à ce qu'elle ait doublé de volume (1 heure). (Insérer doucement 2 doigts dans la pâte. Si les empreintes restent, la pâte a assez levé.)

5. Frapper la pâte pour la faire dégonfler et laisser reposer 5 minutes. Déposer la pâte sur une surface propre et pétrir en incorporant la levure. Laisser reposer 5 minutes.

6. Séparer la pâte en 10 portions égales et former 10 boulettes. En travaillant avec une boulette à la fois et en couvrant celles qui ne sont pas utilisées pour éviter qu'elles sèchent, étaler chaque boulette pour former des galettes de 13 cm. Verser 1/4 de tasse de garniture au centre de chaque galette et soulever les bordures de la pâte pour les joindre au sommet de la garniture. Pincer et faire tourner pour bien sceller la bordure. Répéter l'opération avec les autres boulettes et le reste de la garniture.

7. Faire cuire à 425 °F jusqu'à ce que les rouleaux soient dorés (25 à 30 minutes).

8. Déposer 5 feuilletés dans chaque compartiment d'un cuiseur à vapeur à 2 étages en les espaçant de 2,5 cm et en mettant la bordure vers le bas. Superposer les étages et couvrir.

9. Verser 2,5 cm d'eau dans une grande poêle et porter à ébullition. Déposer le cuiseur à vapeur dans la poêle. Cuire à la vapeur jusqu'à ce que la pâte gonfle (15 minutes) et mettre de côté. Laisser refroidir 10 minutes avant de servir.

Figues farcies

Portions: 24 bouchées
Préparation: 10 min

Ingrédients:
- 24 figues
- 1 paquet de fromage à la crème ramolli
- 2 c. à t. de sucre en poudre
- 2 c. à t. de liqueur d'orange
- 24 amandes rôties et salées

Instructions:

1. Tailler 24 figues dans le sens de la longueur d'une extrémité à l'autre pour les ouvrir sans toutefois les couper en 2.

2. Mélanger le fromage à la crème, le sucre en poudre et la liqueur d'orange dans un bol et farcir chaque figue avec la garniture au fromage puis garnir d'une amande. Presser les figues pour refermer.

Taboulé

Instructions :

1. Faire tremper le blé dans l'eau chaude jusqu'à ce que l'eau soit absorbée (30 minutes).

2. Égoutter l'excédent d'eau et éponger au besoin.

3. Mélanger le blé, le concombre, les tomates, les oignons, la menthe, le persil et l'ail dans un bol.

4. Mélanger le jus de citron, l'huile d'olive, le poivre et le sel dans un petit bol et verser sur la salade de taboulé.

5. Servir froid ou à la température ambiante.

Portions : 12 à 16
Préparation : 35 min

Ingrédients :
• 2 T de blé concassé
• 2 T d'eau très chaude
• 1 concombre haché
• 2 petites tomates hachées
• 8 oignons verts tranchés
• 1/2 T de menthe fraîche hachée
• 2 T de persil frais haché
• 1 gousse d'ail finement tranché

VINAIGRETTE
• 1/2 T de jus de citron frais
• 3/4 de T d'huile d'olive extra vierge
• 1 c. à s. de poivre
• 2 c. à t. de sel

Feuilles de vigne farcies

Portions : 1 douzaine
Préparation : 1 h 30
Réfrigération : 3 h
Cuisson : 1 h

Ingrédients :

- 1 pot de feuilles de vigne égouttées et rincées
- 2 T d'eau chaude
- 1/4 de T d'huile d'olive extra vierge
- 2 c. à s. de jus de citron frais
- Tranches de citron

GARNITURE DE RIZ
- 3 c. à s. de raisins de Corinthe
- 2 c. à s. d'huile d'olive extra vierge
- 3 c. à s. de noix de pin crues
- 1/2 T d'oignon finement haché
- 1 T de riz blanc à grains longs
- 1 c. à s. de sucre
- 1 1/2 c. à t. de cannelle moulue
- 2 T d'eau chaude
- Jus d'un citron
- 2 c. à s. de feuilles d'aneth (ou de menthe fraîche) finement hachées
- 2 c. à s. de feuilles de persil finement hachées
- Sel et poivre fraîchement moulu, au goût

TREMPETTE AU YOGOURT ET AU CONCOMBRE
- 1 T de yogourt
- 1/2 T de crème sure
- 1/3 de T de concombre coupé en dés
- 3/4 de c. à t. d'aneth séché

Instructions :

1. Pour préparer les feuilles de vigne, faire bouillir 2 litres d'eau. Dérouler les feuilles de vigne et déposer dans l'eau bouillante pour ramollir les feuilles et éliminer la saumure (2 ou 3 minutes). Ne pas jeter les feuilles brisées ou tordues; elles pourront être utilisées pour boucher des trous.

2. Sortir les feuilles de l'eau avec une cuiller à égoutter et les égoutter sur du papier absorbant. Couper les racines protubérantes et les veines à l'aide d'un couteau ou d'une paire de ciseaux. Mettre les feuilles de vigne de côté.

3. Préchauffer le four à 350 °F. Préparer la garniture de riz.

4. Pour faire la garniture de riz, tremper les raisins dans l'eau chaude pendant 15 à 20 minutes, égoutter et mettre de côté.

5. Faire chauffer à feu moyen 2 c. à soupe d'huile d'olive dans une casserole de taille moyenne. Ajouter les noix de pin, remuer et faire cuire jusqu'à ce qu'elles soient dorées (2 minutes). Ajouter les raisins, l'oignon, le riz blanc, le sucre, la cannelle et l'eau chaude. Remuer le mélange, couvrir et laisser cuire à feu doux jusqu'à ce que l'eau soit absorbée (15 à 20 minutes). Retirer du feu et ajouter le jus de citron, les feuilles d'aneth et le persil. Assaisonner de sel et de poivre et laisser reposer la garniture 30 à 40 minutes avant de farcir les feuilles de vigne.

6. Pour farcir les feuilles, prendre les feuilles les plus grandes. Déposer soigneusement une feuille sur une assiette plate ou un plat en posant le côté reluisant vers le bas. Si la feuille est tordue ou trouée, prendre une feuille brisée mise de côté pour boucher les trous.

7. Verser 1 ou 2 c. à soupe de garniture de riz près de la bordure de la feuille (la quantité de riz varie selon la grosseur de la feuille). Presser la garniture pour lui donner la forme d'une petite saucisse, rabattre la bordure par-dessus la garniture et rabattre les deux bords latéraux vers le centre de la feuille avant de rouler la feuille pour lui donner la forme d'un rouleau (rouler fermement, mais sans trop serrer, car le riz gonflera lorsqu'il sera complètement cuit et risque de faire éclater la feuille). Les rouleaux doivent avoir la forme d'un cylindre d'environ 5 cm de longueur et 1 cm d'épaisseur. Presser soigneusement avec la paume de la main pour refermer les rouleaux. Répéter l'opération avec le reste des feuilles de vigne et de la garniture.

8. Tapisser le fond d'un plat allant au four avec la moitié des feuilles de vigne restantes (cela empêche les rouleaux de coller et c'est également une bonne façon d'utiliser les feuilles tordues ou trop petites). Aligner les rouleaux farcis sur les feuilles en posant la bordure vers le bas. Étendre une autre couche de rouleaux dans le plat. Vous pouvez étendre 2 ou 3 couches de rouleaux, mais ils auront de la difficulté à cuire si vous faites plus de 4 couches.

9. Lorsque la base du plat est complètement recouverte, poser le reste de feuilles de vigne sur les rouleaux. Verser l'eau chaude, l'huile d'olive et le jus de citron sur les feuilles. Aplatir les rouleaux farcis en posant dessus une assiette allant au four à l'envers (la circonférence de l'assiette doit être inférieure à la circonférence du plat allant au four). Couvrir le plat et porter le liquide à ébullition à feu moyen. Déposer ensuite le plat dans le four et laisser cuire jusqu'à ce que les rouleaux soient tendres et l'eau absorbée (45 à 60 minutes). Certaines feuilles de vigne auront de petites taches noires et d'autres seront complètement noires. Retirer le plat du four. Laisser refroidir.

10. Transférer les rouleaux sur une assiette, couvrir d'une pellicule plastique et réfrigérer. Servir froid ou à la température ambiante avec des tranches de citron et la trempette de yogourt et de concombre.

11. Pour faire la trempette au yogourt et au concombre, mélanger le yogourt, la crème sure, le concombre coupé en dés et l'aneth séché dans un bol. Réfrigérer pendant 2 ou 3 heures avant de servir.

ENTRÉES

Truite fumée

Portions: 20
Préparation: 45 min
Réfrigération: 3 h
Cuisson: 30 min

Ingrédients:
- 3 truites entières nettoyées sans arêtes, sans tête et sans queue
- 1/4 de T de sucre
- 2 c. à s. de sel
- 1 c. à t. de zeste de citron râpé
- 1/2 c. à t. de feuilles de thym frais (ou de thym séché)
- 2 T de copeaux à la fumée de noyer
- 1 c. à s. d'huile de table

Instructions:

1. Rincer et éponger les truites. Mélanger le sucre, le sel, le zeste de citron et le thym dans un bol puis étaler le mélange sur la chair de la truite. Déposer les truites dans un plat de 23 x 33 cm allant au four. Couvrir et réfrigérer de 1 à 3 heures.

2. Faire tremper les copeaux dans un bol rempli d'eau pendant 30 minutes. Égoutter.

3. Si vous utilisez un barbecue au charbon, faire chauffer 60 morceaux de charbon pendant 25 à 30 minutes. Lorsque ces derniers sont recouverts de cendre grise, séparer en 2 et pousser de chaque côté du barbecue. Déposer la moitié des copeaux mouillés sur chaque tas de charbon. Poser la grille à 15 cm des tas de charbon.

4. Si vous utilisez un barbecue à gaz, faire chauffer à feu élevé. Déposer les copeaux mouillés dans une boîte à fumée ou un plat en aluminium et mettre directement sur le feu. Fermer le couvercle du barbecue et faire chauffer 10 minutes. Ajuster le feu pour ne pas qu'il y ait de chaleur au centre du barbecue.

5. Rincer le poisson et éponger. Badigeonner la peau du poisson avec de l'huile avant de le déposer avec la peau vers le bas sur le gril, mais pas sur la source de chaleur. Fermer le couvercle du barbecue et ouvrir les conduits d'aération pour le charbon. Faire cuire le poisson de 8 à 10 minutes jusqu'à ce qu'il soit opaque, mais que la partie la plus épaisse demeure humide (couper pour vérifier).

6. Transférer le poisson sur une assiette à l'aide d'une grande spatule.

Cocktail de crevettes

Instructions:

1. Décortiquer les crevettes en laissant la queue intacte. Pour déveiner, passer soigneusement la lame d'un couteau le long de la courbe extérieure de la crevette en procédant de la tête vers la queue de façon à exposer les veines. Retirer les veines et rincer les crevettes.

2. Remplir une grande casserole avec 16 tasses d'eau et ajouter le citron, les feuilles de laurier et le sel. Couvrir et porter à ébullition. Réduire le feu et laisser mijoter 10 minutes. Porter à nouveau à ébullition. Ajouter les crevettes et faire cuire jusqu'à ce qu'elles soient roses et opaques (1 minute 45 secondes).

3. Transférer les crevettes à l'aide d'une cuiller à égoutter pour les déposer sur une grille posée sur une plaque à biscuits avec rebords. Couvrir de glace et laisser refroidir pendant 5 minutes. (Pour les ranger, remplir aux 3/4 un bol avec de la glace. Mettre les crevettes dans des sacs en plastique refermables et poser les sacs sur la glace. Couvrir les sacs de glace. Réfrigérer pendant 1 journée en remettant de la glace au besoin.)

4. Déposer les crevettes le long de la bordure d'un bol rempli de glace et servir avec des tranches de citron, de la sauce à cocktail ou de l'aïoli au citron.

Portions: 6 à 8
Préparation: 15 min
Cuisson: 15 min

Ingrédients:
- 1 kg de grosses crevettes
- 16 T d'eau
- 1/2 citron
- 2 feuilles de laurier séchées
- 1 c. à s. de sel

Frittata aux oignons

Portions : 12
Préparation : 15 min
Cuisson : 25 min

Ingrédients :
- 1 c. à t. de beurre
- 2 T d'oignons finement hachés
- 1 T de substitut d'œuf
- 1/4 de T de fromage parmesan râpé
- 2 gros œufs
- 1/4 de T de crème sure sans gras
- 48 morceaux (environ 2,5 cm chacun) de ciboulette fraîche
- 1/2 c. à t. de sel
- 1/2 c. à t. de poivre noir fraîchement moulu
- Aérosol de cuisson

Instructions :

1. Préchauffer le four à 350 °F.

2. Faire fondre le beurre dans une poêle antiadhésive à feu moyen. Ajouter l'oignon dans la poêle et faire cuire jusqu'à ce que les oignons soient brun doré en remuant de temps à autre (5 minutes).

3. Étendre le mélange sur une plaque à biscuits d'environ 27 x 17 cm enduite d'aérosol de cuisson.

4. Mélanger le substitut d'œuf, 2 c. à soupe de fromage, le sel, le poivre et les œufs. Verser le mélange d'œufs uniformément sur les oignons ; saupoudrer de 2 c. à soupe de fromage.

5. Faire cuire à 350 °F jusqu'à ce que le tout soit bien cuit (20 minutes).

6. Laisser refroidir quelques instants puis couper en 24 morceaux. Couvrir chaque bouchée de 1/2 c. à thé de crème sure et de deux morceaux de ciboulette.

Bouchées aux crevettes et aux noix de cajou

Instructions :

1. Hacher grossièrement les noix de cajou à l'aide d'un robot culinaire. Déposer les crevettes décongelées dans une passoire posée dans l'évier de la cuisine. Presser fermement les crevettes avec les mains pour extraire toute l'humidité. Envelopper les crevettes dans plusieurs couches d'essuie-tout et appuyer fermement pour éliminer l'humidité restante. Mettre les crevettes dans le robot culinaire pour les couper grossièrement.

2. Presser la 1/2 lime pour extraire le jus dans un petit bol puis ajouter l'huile de sésame et le persil. Bien mélanger. Verser la moitié de ce mélange dans le robot culinaire. Ajouter la mayonnaise et le wasabi dans la moitié de la préparation restante dans le petit bol, mélanger, couvrir et réfrigérer.

3. Ajouter l'œuf dans le robot culinaire puis mélanger le tout. Ajouter 1 1/4 tasse de chapelure puis brasser le tout jusqu'à l'obtention d'une préparation humide et compacte. Ajouter l'oignon vert et mélanger brièvement jusqu'à ce qu'il soit bien incorporé.

4. Poser du papier sulfurisé ou du papier ciré au fond d'une plaque puis utiliser 1 c. à soupe bien remplie du mélange de crevettes pour former une boulette de 2,5 cm. Ajouter un peu de chapelure restante sur toute la surface de la boulette. Déposer sur la plaque, couvrir et réfrigérer pendant au moins 1 heure et jusqu'à une journée complète pour former des boulettes bien fermes.

5. Lorsque les boulettes sont prêtes, poser la grille du four à 10 à 12 cm du gril et préchauffer. Étendre de l'huile sur la plaque à biscuits puis déposer soigneusement les bouchées aux crevettes en les espaçant légèrement les unes des autres. Si les boulettes se défont lors de la cuisson, il suffit de les assembler à nouveau. Faire griller jusqu'à ce qu'elles soient dorées (3 à 5 minutes) puis tourner et faire griller jusqu'à ce que l'autre côté soit doré (3 à 4 minutes).

6. Servir immédiatement sur une assiette chaude avec une cuillerée de mayonnaise au wasabi.

Portions : 4
Préparation : 30 min
Réfrigération : 1 h
Cuisson : 10 min

Ingrédients :
- **375 g petites crevettes cuites congelées**
- **1/3 de T de noix de cajou rôties et salées**
- **1/2 lime**
- **1/4 de c. à t. d'huile de sésame foncée**
- **2 c. à s. de persil (ou coriandre fraîche) haché**
- **1/4 de T de mayonnaise**
- **1 c. à t. de pâte de wasabi**
- **1 œuf**
- **2 T de chapelure**
- **1 oignon vert finement haché**
- **2 c. à s. d'huile d'arachide (ou d'huile de canola)**

Huîtres frites

Portions : 8
Préparation : 25 min
Cuisson : 5 min

Ingrédients :
- **12 grosses huîtres**
- **2 c. à t. de beurre**
- **1/2 T d'oignon vert haché**
- **1/2 T de céleri haché**
- **1 c. à thé d'ail haché**
- **1/2 T de farine (tout usage)**
- **2 c. à s. de fécule de maïs**
- **1/2 c. à t. de levure chimique**
- **1 œuf battu**
- **1/3 de T d'eau froide**
- **2 c. à s. de persil haché**
- **Sel et poivre fraîchement moulu**
- **Huile pour la friture**

Instructions :

1. Égoutter les huîtres dans une passoire pendant quelques instants. Couper grossièrement les huîtres et les remettre dans la passoire jusqu'à utilisation.

2. Faire chauffer le beurre à feu moyen dans une poêle à frire. Ajouter l'oignon vert et le céleri et faire sauter jusqu'à ce qu'ils soient ramollis (2 minutes). Ajouter l'ail et laisser refroidir.

3. Tamiser ensemble la farine, la fécule de maïs, la levure chimique, le sel et le poivre. Former un trou au centre avant d'y verser l'œuf battu et l'eau. Mélanger lentement au reste de la préparation puis ajouter le mélange d'oignon et le persil. Verser les huîtres dans le mélange.

4. Faire chauffer 1 cm d'huile dans une poêle à frire à feu moyen-fort jusqu'à ce qu'un petit bout de pain brunisse en 15 secondes.

5. Déposer les beignets aux huîtres dans l'huile (2 c. à soupe à la fois) et faire cuire jusqu'à ce qu'ils soient dorés (environ 1 minute de chaque côté). Égoutter et servir immédiatement.

Crevettes grillées à la noix de coco

Portions : 4
Préparation : 15 min
Marinade : 30 min
Cuisson : 20 min

Ingrédients :
- **500 g de grosses crevettes**
- **1 boîte de lait de coco**
- **2 c. à t. de pâte de cari vert**
- **1 c. à s. de gingembre frais haché**
- **1 c. à s. de zeste de lime râpé**
- **2 c. à s. de jus de lime**
- **2 c. à s. de sauce de poisson**
- **1 c. à s. de sucre granulé**
- **2 c. à s. de menthe fraîche hachée**
- **2 c. à s. de coriandre fraîche hachée**
- **1/4 de T de noix de coco non sucrée**
- **Sel au goût**
- **Brochettes de bambou**

Instructions :

1. Verser le lait de coco dans une poêle à frire et porter à ébullition. Réduire le feu et laisser mijoter jusqu'à ce que 1/4 du lait se soit évaporé (10 minutes).

2. Le lait devrait alors avoir la consistance d'une crème riche en matières grasses. Ajouter la pâte de cari, le gingembre, le zeste de lime, la sauce de poisson et le sucre.

3. Faire cuire encore jusqu'à ce que la sauce soit épaisse et odorante (5 à 6 minutes).

4. Incorporer 1 c. à soupe de menthe et de coriandre et le jus de lime. Laisser refroidir.

5. Répartir la sauce dans 2 bols. Assaisonner les crevettes avec du sel avant de les faire tremper dans l'un des bols de sauce.

6. Laisser mariner les crevettes pendant 30 minutes et conserver l'autre bol de sauce comme trempette.

7. Retirer les crevettes de la marinade et jeter la marinade.

8. Préchauffer le gril à feu élevé et faire griller les crevettes jusqu'à ce qu'elles soient roses et légèrement courbées (environ 1 minute et demie de chaque côté). Laisser refroidir.

9. Verser la noix de coco ainsi que la menthe et la coriandre restantes dans la trempette.

10. Servir avec les crevettes. Placer les crevettes sur des brochettes de bambou, si désiré.

Boules aux amandes, chèvre et herbes

Instructions :

1. À l'aide d'une fourchette, réduire le fromage en purée avec le thym, l'origan, le poivre de Cayenne, les tomates séchées et l'ail jusqu'à ce que le tout soit bien mélangé. Couper les noix en petits morceaux et réserver.

2. Rouler le fromage pour former 14 à 16 boules en utilisant 1 c. à thé de mélange de fromage pour chacune. Faire ensuite rouler chaque boule dans les miettes de noix en pressant légèrement pour que les boules soient bien recouvertes d'amandes.

3. Couvrir et réfrigérer pendant près de 2 heures avant de servir. (Si vous voulez les faire un jour à l'avance, faites des boules avec le mélange de fromage, couvrez et réfrigérez. Enrobez les boules d'amandes juste avant de servir.)

4. Servir sur un lit de laitue frisée ou de radicchio avec des cure-dents.

Portions : 4 à 6
Préparation : 20 min

Ingrédients :
- **1/2 T de fromage de chèvre crémeux**
- **1 c. à t. de thym frais et d'origan frais très finement haché**
- **2 petits morceaux de tomates séchées finement hachées**
- **1 petite gousse d'ail finement hachée**
- **1/2 T d'amandes rôties et salées**
- **1 pincée de poivre de Cayenne**

Instructions :

1. Faire bouillir une casserole d'eau. Plonger les vermicelles dans l'eau bouillante et laisser bouillir jusqu'à ce qu'ils soient al dente (3 à 5 minutes) et égoutter.

2. Remplir un grand chaudron d'eau chaude. Tremper une feuille de riz dans le chaudron pour la faire ramollir (1 seconde).

3. Déposer la feuille de riz sur une surface plate. Aligner 2 moitiés de crevette, 1 poignée de vermicelles, du basilic, de la menthe, de la coriandre et de la laitue au centre de la feuille de riz en laissant une bordure de 5 cm de chaque côté. Rabattre les bords latéraux vers le centre et rouler la feuille en la serrant bien pour former un rouleau.

4. Répéter l'opération avec le reste des ingrédients.

5. Dans un petit bol, mélanger la sauce de poisson, l'eau, le jus de lime, l'ail, le sucre et la sauce chili.

6. Dans un autre petit bol, mélanger la sauce hoisin et les arachides.

7. Servir les rouleaux printaniers avec le mélange de sauce au poisson et le mélange de sauce hoisin.

Portions : 8
Préparation : 45 min
Cuisson : 5 min

Ingrédients :
- 60 g de vermicelles de riz
- 8 feuilles de riz
  (de 20 cm de diamètre)
- 8 grosses crevettes cuites
  épluchées, déveinées
  et coupées en 2
- 1 1/3 c. à s. de basilic thaïlandais
  frais et haché
- 3 c. à s. de feuilles de menthe
  fraîches hachées
- 3 c. à s. de coriandre
  fraîche hachée
- 2 feuilles de laitue hachées
- 4 c. à t. de sauce de poisson
- 1/4 de T d'eau
- 2 c. à s. de jus de lime frais
- 1 gousse d'ail finement hachée
- 2 c. à s. de sucre blanc
- 1/2 c. à t. de sauce chili à l'ail
- 3 c. à s. de sauce hoisin
- 1 c. à t. d'arachides
  finement hachées

Fritto misto avec salsa verde

Portions : 6
Préparation : 30 min
Cuisson : 15 min

Ingrédients :
- **500 g de flétan, paré et coupé en cubes de 2,5 cm**
- **500 g de petits calmars, les corps coupés en rondelles de 1 cm et les tentacules laissés entiers.**
- **1 1/2 T de farine (tout usage)**
- **1 1/2 T de farine de semoule de blé dur**
- **3 T de babeurre**
- **1 citron épluché coupé en tranches très minces**
- **Huile de canola pour la friture**
- **Salsa verde pour servir**
- **Sel, au goût**

Instructions :

1. Mélanger la farine (tout usage) et la farine de semoule dans un bol. Verser le babeurre dans un bol à part. Laisser reposer. Verser l'huile dans un plat à frire d'environ 6 litres muni d'un panier à friture. S'assurer que l'huile n'atteint pas plus que la moitié de la hauteur des côtés de la poêle. Faire chauffer l'huile à 375 °F en utilisant un thermomètre à friture. Déposer des serviettes en papier au fond d'une plaque à biscuits. Assaisonner le flétan et les calmars avec du sel. Laisser reposer.

2. Tremper les tranches de citron dans le babeurre et enlever l'excès. Tremper les tranches de citron dans le mélange de farine en enrobant tous les côtés et en retirant l'excès de farine. Faire frire jusqu'à ce que les tranches soient dorées et croustillantes (2 à 3 minutes). Transférer les tranches de citron sur la plaque à biscuits et assaisonner avec du sel. Répéter l'opération avec le flétan et les calmars. Disposez les tranches de citron, le flétan et les calmars sur une assiette chaude. Servir immédiatement avec de la salsa verde.

Assiette d'antipasti

Instructions :

1. Sélectionner une grande variété de saveurs, de couleurs et de textures.

2. Servir 5 ou 6 antipasti de bonne qualité plutôt que 10 antipasti de moyenne qualité.

3. Aucune cuisson nécessaire. Les antipasti sont servis à la température de la pièce. Sortir les fromages et les viandes du réfrigérateur environ 1 heure avant de servir.

4. Servir sur une planche à découper en bois ou une plaque à pizza.

Portions : 8
Préparation : 15 min

Ingrédients :
- **Viandes sèches tranchées minces comme du prosciutto et du soppressata**
- **Fromages italiens à pâte dure et à pâte molle**
- **Légumes en pot comme des poivrons rôtis et des olives**
- **Une tartinade comme du pâté de foie de poulet et une tartinade à l'ail**
- **Pain croûté tranché**

Bruschettas classiques

Portions : 8 bruschettas
Préparation : 15 min
Cuisson : 15 min

Ingrédients :
- **8 tranches de pain de bonne qualité de 5 mm à 1 cm d'épaisseur**
- **2 c. à s. d'huile d'olive**
- **1 gousse d'ail coupée en 2**
- **Sel de mer**

Instructions :

1. Faire chauffer le barbecue ou le grill à gaz jusqu'à ce qu'il soit chaud (assurez-vous de garder votre pain 2,5 ou 5 cm au-dessus du grill pendant 2 ou 3 secondes), ou installer une grille 10 cm au-dessus d'un gril à température élevée. Badigeonner légèrement les 2 côtés des tranches de pain avec de l'huile d'olive. Faire griller le pain en le retournant si nécessaire jusqu'à ce que les 2 côtés soient dorés et croustillants (3 à 4 minutes).

2. Retirer le pain du gril ou du four et frotter chaque tranche avec la bordure intérieure de 1/2 gousse d'ail. Saupoudrer avec du sel de mer. Manger nature ou avec des garnitures.

Bruschettas, salsa aux pêches et brie fondu

Instructions :

1. Préchauffer le gril.

2. Pour la salsa, mélanger les pêches, le poivron, l'oignon, la coriandre, le sucre, le jus de lime et le poivre de Cayenne puis laisser reposer.

3. Disposer les morceaux de pain également sur une plaque à biscuits.

4. Déposer 1 tranche de fromage sur chaque morceau de pain puis faire griller jusqu'à ce que le fromage soit fondu et que le pain soit grillé (3 minutes).

5. Retirer la plaque du four. Déposer environ 1/2 c. à soupe de salsa sur chaque morceau de pain et servir immédiatement.

Portions : 12
Préparation : 30 min
Cuisson : 3 min

Ingrédients :
- 2 T de pêches pelées et hachées
- 3/4 de T de poivron rouge finement haché (environ 1)
- 1/4 de T d'oignon vert haché
- 2 c. à s. de coriandre hachée
- 1 c. à s. de sucre
- 1 c. à s. de jus de lime
- 1 pincée de poivre de Cayenne moulu
- 1 baguette française coupée en 24 tranches
- 100 g de fromage brie froid coupé en 24 morceaux

Pacanes épicées

Portions : 2 tasses
Préparation : 10 min
Cuisson : 25 min

Ingrédients :
- 1/3 de T de sucre
- 3/4 de c. à t. de poivre de Cayenne
- 1/2 c. à t. de sel
- 1/2 c. à t. de coriandre moulue
- 1/4 de c. à t. de cannelle moulue
- 1 pincée de piment de Jamaïque
- 1 gros œuf (blanc)
- 2 c. à t. d'huile végétale
- 2 T de pacanes coupées en 2

Instructions :

1. Mélanger le sucre, le poivre de Cayenne, le sel, la coriandre, la cannelle et le piment de Cayenne dans un bol. Incorporer le blanc d'œuf et 2 c. à thé d'huile végétale et remuer le tout, puis ajouter les pacanes.

2. Étaler les noix sur une seule couche sur une plaque à biscuits huilée et antiadhésive. Faire cuire au four à 300 °F en remuant de temps à autre jusqu'à ce que les noix soient croustillantes et légèrement dorées (20 à 25 minutes).

3. Laisser refroidir 5 minutes et détacher les noix de la plaque à l'aide d'une grande spatule. Servir ou conserver dans un contenant hermétique à la température ambiante pendant 2 semaines.

Empanadas au poulet

Portions : 4
Préparation : 25 min
Cuisson : 25 min

Ingrédients :
- 1 c. à s. de beurre non salé
- 1/2 oignon jaune coupé en dés
- 1 c. à s. de farine
- 3/4 de T de bouillon de poulet faible en sodium
- 1 paquet de carottes et de petits pois congelés
- 1 poulet rôti de 1,5 kg défait en lanières
- 1/4 de c. à t. de sel casher
- 1/4 de c. à t. de poivre noir
- 2 croûtes à tarte réfrigérées de 23 cm

Instructions :

1. Préchauffer le four à 400 °F.

2. Faire fondre le beurre dans une casserole à feu moyen. Ajouter l'oignon et laisser cuire 3 minutes. Ajouter la farine et faire cuire pendant 1 minute en remuant constamment. Incorporer lentement le bouillon en continuant de remuer jusqu'à ce que le mélange épaississe (3 minutes). Ajouter les petits pois, les carottes, le poulet, le sel et le poivre. Retirer du feu.

3. Couper chaque croûte à tarte en 2 pour former 4 demi-cercles. Verser le mélange de poulet sur chaque demi-cercle en laissant une bordure de 1 cm. Mouiller la bordure avec de l'eau à l'aide de vos doigts. Replier chaque demi-cercle en 2 de façon à couvrir la garniture au poulet et à former des 1/4 de cercle. Presser les bordures ensemble pour bien refermer. Faire des entailles de 2,5 cm sur le dessus de chaque empanada. Les transférer sur une plaque à biscuits et faire cuire jusqu'à ce qu'ils soient dorés (15 à 18 minutes).

Feuilletés au jambon et au brocoli

Portions : 16 feuilletés
Préparation : 30 min
Cuisson : 30 min

Ingrédients :
- 125 g de jambon cuit haché grossièrement
- 125 g de brocoli frais haché
- 1 botte d'oignons verts hachés
- 1/2 T de persil frais haché
- 1 T de fromage suisse râpé
- 2 c. à s. de moutarde de Dijon
- 1 c. à t. de jus de citron
- 2 paquets de pâte à croissants réfrigérés

Instructions :

1. Préchauffer le four à 350 °F.

2. Mélanger le jambon, le brocoli, l'oignon, le persil et le fromage suisse dans un grand bol. Ajouter le jus de citron et la moutarde.

3. Disposer les triangles de pâte sur une plaque à biscuits de 33 cm en formant un cercle de façon à ce que les bases se chevauchent au centre et forment un cercle de 8 cm de diamètre et que les triangles pointent vers l'extérieure. Verser uniformément le mélange de jambon au centre des triangles et replier les extrémités.

4. Faire cuire jusqu'à ce que la pâte soit dorée (25 à 30 minutes). Servir chaud.

Rillettes à la truite fumée

Portion : 1 1/3 T
Préparation : 5 min
Marinade : 2 jours

Ingrédients :
- 250 g de truite fumée (ou de saumon fumé) coupée en fines tranches
- 3/4 de T de crème fraîche (ou de crème sure ordinaire)
- 2 c. à s. de ciboulette fraîche hachée (ou d'aneth frais haché)
- Sauce piquante, au goût

Instructions :

1. Déposer les tranches de truite dans un bol. Ajouter suffisamment de crème fraîche ou de crème sure pour former une tartinade bien lisse et onctueuse. Ajouter la ciboulette et assaisonner de sauce piquante.

2. Couvrir et réfrigérer jusqu'à 2 jours.

Olives espagnoles marinées

Portions : 4
Préparation : 5 min
Marinade : 8 h

Ingrédients :
- 24 grosses olives espagnoles dénoyautées
- 2 c. à s. de vinaigre de xérès
- 1 c. à s. d'huile d'olive extra vierge
- 2 c. à t. de graines de coriandre broyées
- 1 c. à t. de thym séché
- 1 c. à t. de romarin séché
- 1/2 c. à t. de poivre de Cayenne concassé
- 2 gousses d'ail finement tranchées
- Branches de romarin frais (facultatif)

Instructions :

1. Mélanger les olives, le vinaigre, l'huile, les graines de coriandre, le thym, le romarin, le poivre de Cayenne et l'ail dans un bol.

2. Couvrir et laisser mariner les olives au réfrigérateur pendant au moins 8 heures.

3. Servir à la température ambiante. Garnir de branches de romarin, si désiré.

Bateaux de pommes de terre au fromage de chèvre

Portions : 18 bateaux
Préparation : 45 min
Cuisson : 40 min

Ingrédients :
- 2 pommes de terre Idaho pelées et coupées en gros morceaux
- 1 T de purée de maïs pour les tortillas (ou 1 tasse de « masa harina », ou de pâte de farine de maïs en poudre) mélangée avec :
- 1/2 T d'eau, plus 2 c. à t. d'eau chaude
- 1 1/2 c. à t. de vinaigre balsamique, et plus si désiré (facultatif)
- 3/4 de T de salsa (salsa de chili rouge et tomates)
- 2 grosses T d'herbes coupées
- Feuilles de cresson, de roquette (ou de basilic, ou de mizuna)
- 1 T de fromage de chèvre émietté
- Ricotta salata (ou queso añejo mexicain)
- Huile végétale pour la friture
- Sel au goût, plus 3/4 de c. à t. de sel

Instructions :

1. Dans une casserole, faire cuire les pommes de terre à feu moyen en les couvrant de 5 cm d'eau et ajouter du sel. Porter à ébullition et faire cuire les pommes de terre jusqu'à ce qu'elles soient très tendres (environ 25 minutes). Égoutter et laisser refroidir 15 minutes. Réduire les pommes de terre en purée dans un bol à mélanger à l'aide d'un presse-purée ou d'un passe-vite. Ne conserver qu'une seule tasse de pommes de terre dans le bol. Ajouter la pâte de farine de maïs et les 3/4 de c. à thé de sel et pétrir pour former une pâte lisse semblable à de la pâte à biscuits.

2. Faire chauffer une plaque chauffante antiadhésive à feu moyen. Diviser la pâte en 18 morceaux avant d'en faire des boulettes et transférer sur une assiette. Couvrir d'une pellicule plastique pour éviter qu'elles sèchent.

3. Manipuler les boulettes de pâtes pour former des galettes d'environ 5 mm d'épaisseur et 1 cm de largeur. Pincer le rebord de la pâte avec le pouce et l'index pour faire une bordure relevée d'environ 1 cm tout autour de la galette pour former le petit bateau. Transférer le sope (petit bateau) sur la plaque chauffante le côté plat vers le bas et faire cuire pendant 1 minute pour saisir la base du bateau. Pendant ce temps, continuer de manipuler les restes de pâtes avant de les faire cuire à leur tour. Pour retirer chaque bateau de la plaque chauffante, piquer la base sans pénétrer complètement le sope pour le transférer sur une assiette. Couvrir d'une pellicule plastique.

4. Préchauffer le four à 175 °F. Déposer sur une plaque à biscuits mettre au four.

5. Verser le vinaigre balsamique dans la salsa et préparer les herbes et le fromage de chèvre.

6. Verser 1 cm d'huile au fond d'une poêle à frire et faire chauffer à 350 °F en vous servant d'un thermomètre à friture (si vous n'avez pas de thermomètre, trempez le côté de 1 bateau dans l'huile ; s'il se met à grésiller vigoureusement, c'est que l'huile est prête). Faire frire les bateaux (quelques-uns à la fois) jusqu'à ce qu'ils soient dorés et croustillants (environ 1 minute). Égoutter les bateaux en les déposant à l'envers sur la plaque à biscuits et garder au chaud dans le four.

7. Une fois terminé, disposer les sopes sur une assiette de service. Verser environ 1/2 c. à thé de salsa dans chaque bateau avant de couvrir le tout d'une touffe d'herbes et de les garnir généreusement de fromage. Servir immédiatement.

Huîtres rafraîchissantes

Instructions :

1. Pour faire la sauce mignonnette, mélanger l'oignon vert, le jus de citron, l'eau, le zeste et le sucre dans un petit bol.

2. Laisser reposer 40 minutes à la température de la pièce.

3. Verser la ciboulette dans la sauce juste avant de servir les huîtres.

4. Couvrir chaque huître de 1/4 de c. à soupe de sauce mignonnette et servir.

Portions : 4
Préparation : 15 min
Marinade : 40 m

Ingrédients :
- 2 douzaines d'huîtres malpèques
- 1/4 de T d'oignon vert très finement haché
- 2 c. à s. de jus de citron
- 1 c. à s. d'eau
- 1/2 c. à t. de zeste de citron très finement râpé
- 1/2 c. à t. de sucre
- 1 c. à t. de ciboulette fraîche très finement hachée

Mini-burgers avec sauce Dijon et oignon vert

Instructions :

1. Préchauffer le gril à feu moyen-fort.

2. Mélanger le sel, le poivre et le bœuf de surlonge. Diviser la viande en 8 portions égales et former 8 boulettes. Vaporiser légèrement chaque surface des boulettes avec l'aérosol de cuisson puis déposer les boulettes sur le gril. Faire griller jusqu'à ce que la viande soit cuite (3 minutes de chaque côté).

3. Mélanger l'oignon vert, la sauce Worcestershire, la moutarde et le beurre dans un petit bol en remuant bien. Couper les petits pains en deux horizontalement. Étaler uniformément la sauce Dijon et l'oignon vert sur les surfaces tranchées des pains. Déposer 1 boulette et 2 tranches de cornichon sur la partie inférieure de chaque pain et couvrir avec la partie supérieure.

Portions : 8
Préparation : 15 min
Cuisson : 10 min

Ingrédients :
- 1/2 c. à t. de sel casher
- 1/4 de c. à t. de poivre noir fraîchement moulu
- 500 g de bœuf de surlonge haché
- Aérosol de cuisson
- 3 c. à s. d'oignon vert haché
- 1 c. à s. de sauce Worcestershire
- 1 c. à s. de moutarde de Dijon
- 2 c. à t. de beurre fondu
- 8 petits pains ronds
- 16 tranches de cornichon à l'aneth

Ailes de poulet Buffalo

Portions : 6
Préparation : 10 min
Cuisson : 30 min

Ingrédients :
- 3/4 de T de sauce piquante Franks ou Durkee
- 1/4 de T d'eau
- 1/4 de c. à t. de sucre
- 1 c. à s. de beurre non salé
- 2 c. à t. de fécule de maïs
- 750 g d'ailes de poulet (séparées avec les extrémités des ailes retirées)
- Huile d'olive pour recouvrir les ailes

Instructions :

1. Mélanger la sauce piquante, l'eau, le sucre, le beurre et la fécule de maïs. Laisser mijoter environ 5 minutes, jusqu'à épaississement.

2. Remuer les ailes dans l'huile d'olive, pour couvrir.

3. Cuire au four à 400 °F jusqu'à ce qu'elles soient bien cuites et bien dorées. Remuer dans la sauce chaude et servir.

Casserole de riz sauvage

Instructions :

1. Préchauffer le four à 375 °F.

2. Faire fondre le beurre à feu moyen dans une poêle à frire. Ajouter l'oignon et le céleri et faire sauter jusqu'à ce que les légumes soient tendres (5 minutes). Ajouter le riz et incorporer le bouillon, le zeste de citron, le sel et le poivre. Augmenter le feu à moyen-fort, porter à ébullition et retirer du feu.

3. Transférer le mélange de riz dans une casserole allant au four. Couvrir et faire cuire au four 35 minutes.

4. Retirer la casserole du four et ajouter le persil et les petits pois. Couvrir et remettre dans le four et laisser cuire encore jusqu'à ce que le riz soit tendre (15 minutes).

Portions : 4
Préparation : 25 min
Cuisson : 1 h

Ingrédients :
- 3 c. à s. de beurre
- 1 T d'oignon finement haché
- 1 T de céleri finement haché
- 1 T de riz sauvage lavé
- 3 T de bouillon de poisson (ou de bouillon de légumes)
- 1 c. à t. de zeste de citron
- 1 c. à t. de sel
- 1/4 de c. à t. de poivre
- 1/4 de T de persil finement haché
- 1/2 T de petits pois frais (ou congelés)

Croustilles de banane plantain

Portions: 4
Préparation: 5 min
Cuisson: 2 min

Ingrédients:
- 4 plantains verts
  pas tout à fait mûrs
- 4 T d'huile végétale
- 1 lime coupée en quartiers
- Sel au goût

Instructions:

1. Peler les bananes plantains et couper en diagonale pour former des tranches de 5 mm.

2. Faire chauffer l'huile à 350 °F dans une grande poêle.

3. Déposer les plantains dans l'huile en faisant frire chaque côté pendant 1 minute. Égoutter sur de l'essuie-tout, assaisonner de sel et servir avec les quartiers de lime.

Bouchées de crevettes et de poulet au sésame

Instructions:

1. Éplucher les crevettes en laissant les queues intactes. En partant de la base de la queue, insérer un cure-dent dans chaque crevette dans le sens de la longueur pour les empêcher de se courber en s'assurant de laisser l'extrémité du cure-dent sortir de la queue. Faire tremper soigneusement chaque crevette dans 1 c. à soupe de sauce chili thaïlandaise. Réserver.

2. Découper les poitrines de poulet pour former des bâtonnets de 1 cm d'épaisseur et 5 à 8 cm de longueur et les tremper dans un bol séparé avec l'autre c. à soupe de sauce chili thaïlandaise.

3. Poser une feuille de pâte phyllo sur une planche avant de la badigeonner légèrement avec du beurre fondu. Couper dans le sens de la longueur puis en diagonale de façon à former 6 carrés. Déposer une crevette (sur un cure-dent) sur 1 carré à environ 1 cm de la bordure inférieure en s'assurant qu'elle soit parallèle à celui-ci et que la queue non décortiquée repose le long de l'extrémité gauche. Replier le côté droit du carré sur la crevette et le refermer sur le côté gauche. Rouler pour former un cylindre. Badigeonner la surface extérieure avec du beurre puis déposer sur une plaque à biscuits recouverte de papier sulfurisé en plaçant l'embouchure soit vers le bas. Saupoudrer de graines de sésame. Répéter l'opération avec les autres crevettes, les 3 feuilles de pâte phyllo et la moitié de la quantité restante de beurre et de graines de sésame.

Portions: 8
Préparation: 1 h
Réfrigération: 25 min
Cuisson: 25 min

Ingrédients:
- 24 grosses crevettes décongelées
- 500 g de poitrine de poulet désossée sans peau
- 3 c. à s. de sauce chili thaïlandaise
- 8 feuilles de pâte phyllo
- 1/2 T de beurre fondu
- 2 c. à s. de beurre coupé en dés
- 1/4 de T de graines de sésame
- 1/3 de T de ketchup
- 1/4 de T de sauce soja
- 1/4 de T de vinaigre de riz assaisonné
- 1 c. à s. de cassonade
- 2 c. à s. de coriandre fraîche hachée (facultatif)
- Cure-dents

4. Répéter l'opération avec les bâtonnets de poulet en laissant dépasser environ 1 cm de poulet du côté gauche du carré de pâte phyllo. Déposer sur une autre plaque à biscuits couverte de papier sulfurisé. Couvrir et réfrigérer sur les plaques à biscuits pendant près de 1 journée. Les bouchées peuvent également être congelées pendant 2 semaines. Ne pas décongeler avant de les faire cuire.

5. Pour concocter la trempette, mélanger le ketchup, la sauce soja, le vinaigre, la cassonade et la sauce chili dans une petite casserole. Porter à ébullition à feu moyen en remuant souvent pour faire dissoudre le sucre. Ajouter des cubes de beurre dans la casserole (quelques-uns à la fois) en fouettant vigoureusement jusqu'à ce qu'ils soient bien incorporés et que la préparation soit lisse. Retirer du feu et laisser refroidir. Ajouter de la coriandre, si désiré (la sauce peut être conservée au réfrigérateur pendant 3 jours).

6. Préchauffer le four 450 °F.

7. Laisser la trempette à la température de la pièce ou la faire chauffer légèrement dans une casserole. Faire cuire les bouchées aux crevettes 5 à 7 minutes et les bouchées au poulet 10 à 12 minutes ou jusqu'à ce qu'elles soient dorées et que les crevettes soient opaques et que le poulet ne soit plus rosé à l'intérieur (faire cuire pendant 3 à 5 minutes de plus si les bouchées sont congelées). Retirer délicatement les cure-dents des crevettes puis poser les bouchées sur une assiette chaude et servir avec la trempette piquante.

ENTRÉES

Feuilletés à la saucisse

Portions : 8
Préparation : 1 h
Réfrigération : 30 min
Cuisson : 25 min

Ingrédients :

PÂTE FEUILLETÉE
• 180 g de beurre
• 250 g de farine (tout usage)
• 1 pincée de sel

GARNITURE
• 500 g de chair à saucisse de porc
• 1 oignon moyen pelé
• 2 c. à thé de sauge fraîche hachée
• 1 œuf battu

Instructions :

1. Comme le beurre doit être très dur, il est préférable de prendre la quantité nécessaire, de l'envelopper dans du papier aluminium et de le ranger au congélateur 30 à 45 minutes.

2. Pendant ce temps, tamiser la farine et le sel dans un bol. Sortir ensuite le beurre du congélateur. L'enrober de farine puis le râper au-dessus de la farine. Continuer d'enrober le beurre dans la farine pour faciliter le râpage. Utiliser une palette métallique (et non vos mains) pour mélanger le beurre râpé dans la farine jusqu'à ce que le mélange soit grumeleux. Ajouter ensuite suffisamment d'eau froide pour former une pâte lisse qui ne colle pas au bol. Déposer la pâte dans 1 sac de plastique et mettre au réfrigérateur 30 minutes.

3. Mélanger la chair à saucisse, l'oignon et la sauge dans un bol. Déposer ensuite la pâte feuilletée sur une surface farinée de façon à former un ovale (aussi mince que possible). Couper cette pâte oblongue en 3 bandes égales dans le sens de la longueur puis diviser le mélange de chair à saucisse en 3. Rouler la chair à saucisse pour obtenir 3 rouleaux de la même longueur que les bandes de pâte feuilletée (saupoudrer de farine si la chair est trop collante).

4. Déposer 1 rouleau de chair à saucisse sur 1 des bandes de pâte feuilletée. Badigeonner l'une des extrémités avec l'œuf battu puis replier la pâte feuilletée sur le rouleau de saucisse en la refermant soigneusement. Soulever le feuilleté et le retourner de façon à ce que l'extrémité refermée se trouve en dessous. Presser légèrement puis couper des rouleaux individuels d'environ 5 cm de long. Faire 3 petites entailles en forme de V à l'aide d'une paire à ciseaux sur le dessus de chaque rouleau et badigeonner avec l'œuf battu. Répéter l'opération avec les autres portions de viande et de feuilleté.

5. Pour une cuisson immédiate, placer les rouleaux sur une plaque à biscuits et la déposer dans le four sur une grille élevée avant de faire cuire le tout pendant 20 à 25 minutes. Pour les conserver, congeler les rouleaux non cuits jusqu'à utilisation.

Soupes

Soupe minestrone

Instructions :

1. Placer le bœuf, l'oignon et l'ail dans une poêle à feu moyen. Cuire jusqu'à ce que le bœuf soit uniformément doré et que l'oignon soit tendre. Égoutter le gras.

2. Transférer le bœuf, l'oignon et l'ail dans une grande casserole. Mélanger les tomates, la sauce tomate, l'eau, les pois, les carottes, les épinards, le cube de bouillon et le poivre. Amener à ébullition. Diminuer la chaleur et cuire 1 heure à feu doux, en remuant de temps à autre. Ajouter plus d'eau ou de sauce tomate, si nécessaire.

3. Incorporer les macaronis dans la soupe. Assaisonner du mélange d'épices italiennes. Poursuivre la cuisson 10 minutes ou jusqu'à ce que les macaronis soient tendres.

Portions : 4
Préparation : 15 min
Cuisson : 1 h 25

Ingrédients :
- **750 g de bœuf haché**
- **400 g de tomates étuvées**
- **400 g de petits pois**
- **400 g d'épinards hachés égouttés**
- **1 oignon finement haché**
- **1 c. à s. d'ail haché**
- **1 3/4 de T de sauce tomate**
- **2 T d'eau**
- **1 T de carottes finement hachées**
- **1 cube de bouillon de bœuf**
- **1 c. à t. de poivre noir moulu**
- **1 T de coquillettes non cuites**
- **2 c. à s. d'assaisonnement italien**

Potage Faubonne minute

Portions : 4 à 6
Préparation : 5 min
Cuisson : 7 min

Ingrédients :
- 2 c. à t. d'huile d'olive
- 2 oignons verts, finement tranchés
- 1 gousse d'ail émincée
- 1/2 c. à t. d'origan déshydraté
- 1 3/4 T de bouillon de légumes
- 1 boîte (540 g) de haricots blancs rincés et égouttés
- 1 1/2 c. à t. de jus de citron frais
- Gros sel et poivre moulu
- 2 c. à s. de parmesan frais râpé, pour le service

Instructions :

1. Dans une casserole de dimension moyenne, réchauffer l'huile à feu moyen. Ajouter les oignons verts, l'ail et l'origan ; cuire en remuant fréquemment jusqu'à ce que les oignons verts commencent à s'attendrir, environ 3 minutes.

2. Incorporer le bouillon et les haricots ; cuire jusqu'à ce qu'ils soient bien chauds, environ 4 minutes. À l'aide d'une cuiller de bois ou d'un pilon à pommes de terre, piler quelques haricots pour épaissir la soupe. Incorporer le jus de citron ; assaisonner de sel et de poivre. Avant de servir, saupoudrer de parmesan. (Pour conserver jusqu'à 3 jours, mettre au réfrigérateur dans un contenant hermétiquement fermé).

Soupe au poulet et nouilles asiatique

Portions : 4 à 6
Préparation : 20 min
Cuisson : 35 min

Ingrédients :

BOUILLON
- 2 poitrines de poulet désossées
- 2 c. à s. d'huile d'arachide ou de canola, divisées
- Morceau de gingembre frais de 5 cm tranché
- 2 grosses gousses d'ail broyées mais intactes
- 1 oignon coupé en tranches épaisses
- 8 T de fond ou de bouillon de poulet
- 1/2 c. à t. de flocons de piment de Cayenne broyés
- 1 tige de citronnelle, l'extrémité blanche broyée
- 2 c. à s. de sauce de poisson

SOUPE
- 400 g de nouilles udon
- 1 1/4 c. à t. d'huile de sésame foncée
- 1 limette
- Morceau de 15 cm de radis blanc ou 4 gros radis rouges taillés en juliennes
- 1 carotte taillée en juliennes
- 4 T de feuilles de jeunes épinards
- 1 T de pois mange-tout
- 1/4 de T de menthe fraîche hachée grossièrement et de basilic thaïlandais ou ordinaire frais
- 1 petit piment fort épépiné et finement émincé
- 1 ou 2 oignons verts, très finement tranchés

Instructions :

BOUILLON

1. Retirer toute la graisse du poulet. Réchauffer à feu médium-élevé 1 c. à soupe d'huile dans une grande casserole.

2. Ajouter le poulet, faire revenir 7 ou 8 minutes par côté ou jusqu'à ce qu'il soit doré. Retirer ; faire refroidir le poulet sur une assiette. Réduire la chaleur.

3. Ajouter 1 autre c. à soupe d'huile dans la casserole ; faire revenir le gingembre, l'ail et l'oignon 5 minutes ou jusqu'à ce qu'ils soient dorés et très odorants.

4. Verser le bouillon sur le gingembre et l'oignon ; ajouter les flocons de piment et la citronnelle. Amener à ébullition. Couvrir, laisser mijoter 20 minutes.

5. Laisser refroidir ; passer dans un tamis et jeter les solides. Incorporer la sauce de poisson. Pour utilisation ultérieure, couvrir et mettre au réfrigérateur jusqu'à 3 jours ou congeler.

SOUPE

6. Placer les nouilles dans une casserole allant au four. Couvrir d'eau bouillante ; laisser tremper de 2 à 3 minutes. Égoutter ; remuer dans l'huile de sésame.

7. Trancher finement les poitrines de poulet ; couper la limette en quartiers. Réchauffer le bouillon jusqu'à ébullition ; ajouter les radis, la carotte, les épinards, les pois et les fines herbes.

8. Verser la soupe dans des bols larges et profonds. Réchauffer les bols dans le four ou à l'aide de l'eau chaude du robinet. Placer un peu de piment fort dans le fond de chaque bol et surmonter de poulet et de nouilles. Verser le bouillon et les légumes très chauds ; garnir d'oignons verts.

9. Servir immédiatement avec des baguettes et une cuiller à soupe.

10. Passer le piment qui reste, les quartiers de limette et ajouter un peu de sauce de poisson, au goût.

SOUPES

Soupe à la courge musquée

Portions : 4
Préparation : 15 min
Cuisson : 45 min

Ingrédients :
- 2 c. à s. de beurre
- 1 petit oignon haché
- 1 branche de céleri haché
- 1 carotte moyenne hachée
- 2 pommes de terre moyennes taillées en dés
- 1 courge musquée moyenne pelées épépinée
  et taillée en dés
- 4 T de bouillon de poulet
- Sel et poivre noir fraîchement moulu, au goût

Instructions :

1. Faire fondre le beurre dans une grande casserole et cuire l'oignon, le céleri, la carotte et la courge 5 minutes, ou jusqu'à ce que les légumes soient légèrement dorés. Verser assez de bouillon de poulet pour couvrir les légumes. Amener à ébullition. Réduire la chaleur, couvrir et laisser mijoter à feu doux 40 minutes ou jusqu'à ce que tous les légumes soient tendres.

2. Transférer la soupe dans un mélangeur et passer jusqu'à l'obtention d'une substance lisse. Remettre dans la casserole et incorporer tout le bouillon qui reste pour obtenir la consistance désirée. Assaisonner de sel et de poivre.

Soupe aux haricots noirs et à la salsa

Portions : 4
Préparation : 10 min
Cuisson : 10 min

Ingrédients :
- 2 boîtes (425 g) de haricots noirs rincés et égouttés
- 1 1/2 T de bouillon de légumes
- 1 T de salsa épaisse
- 1 c. à t. de cumin moulu
- 4 c. à s. de crème sure
- 2 c. à s. d'oignon vert finement tranché

Instructions :

1. Dans un robot culinaire ou un mélangeur, combiner les haricots, le bouillon, la salsa et le cumin. Mélanger jusqu'à ce que le mélange soit modérément lisse.

2. Réchauffer le mélange de haricots dans une casserole à feu moyen, jusqu'à ce qu'il soit bien chaud.

3. Verser la soupe dans 4 bols individuels et napper de 1 c. à soupe de crème sure et de 1/2 c. à soupe d'oignon vert.

Chili du chaudronnier

Portions : 4 à 6
Préparation : 30 min
Cuisson : 2 h

Ingrédients :
- 1 kg de bloc d'épaule de bœuf haché
- 500 g de saucisse italienne
- 425 g de haricots rouges, égouttés
- 425 g de haricots rouges dans une sauce épicée
- 800 g de tomates en dés avec leur jus
- 170 g de pâte de tomates
- 1 gros oignon jaune, haché
- 3 branches de céleri hachées
- 1 poivron vert épépiné et haché
- 1 poivron rouge épépiné et haché
- 2 piments forts verts épépinés et hachés
- 1 c. à s. de miettes de bacon
- 4 cubes de bouillon de bœuf
- 1/2 T de bière
- 1/4 de T de poudre de chili
- 1 c. à s. de sauce Worcestershire
- 1 c. à s. d'ail émincé
- 1 c. à s. d'origan déshydraté
- 2 c. à t. de cumin
- 1 c. à t. de basilic déshydraté
- 1 c. à t. de sel
- 1 c. à t. de poivre noir moulu
- 1 c. à t. de poivre de Cayenne
- 1 c. à t. de paprika
- 1 c. à t. de sucre blanc
- 1 sac (297 g) de croustilles de maïs
- 1 paquet (227 g) de cheddar effiloché

Instructions :

1. Faire chauffer une grande casserole à feu moyen-élevé.

2. Émietter le bœuf et la saucisse dans la casserole et cuire jusqu'à ce que la viande soit dorée de façon uniforme. Égoutter l'excès de gras.

3. Incorporer les haricots rouges, les haricots épicés, les tomates en dés et la pâte de tomate. Ajouter l'oignon, le céleri, les poivrons rouge et vert, les piments forts, les miettes de bacon, le bouillon et la bière.

4. Assaisonner de poudre de chili, de sauce Worcestershire, d'ail, d'origan, de cumin, de sauce pimentée, de basilic, de sel, de poivre, de poivre de Cayenne, de paprika et de sucre. Remuer pour mélanger.

5. Couvrir et laisser mijoter à feu doux pendant au moins 2 heures en remuant de temps à autre.

6. Après 2 heures, goûter et ajuster le sel, le poivre et la poudre de chili, si nécessaire. Plus longtemps le chili mijote, meilleur il sera.

7. Retirer du feu et servir ou mettre au réfrigérateur et servir le lendemain.

8. Pour servir, verser dans des bols et surmonter de croustilles de maïs et de fromage effiloché.

Soupe de tomate riche au pesto

Instructions :

1. Réchauffer l'huile dans une grande poêle, ajouter l'ail et attendrir quelques minutes à feu doux. Ajouter les tomates séchées au soleil, les tomates en conserve, le bouillon, le sucre et l'assaisonnement et laisser mijoter. Laisser la soupe bouillonner 10 minutes, jusqu'à ce que les tomates se défassent un peu.

2. Fouetter avec un mélangeur portatif et, ce faisant, ajouter la moitié du pot de crème sure. Goûter et ajuster l'assaisonnement : ajouter plus de sucre, si nécessaire. Servir dans des bols en nappant d'environ 1 c. à soupe de pesto, un peu plus de crème sure et saupoudrer de feuilles de basilic.

Portions : 4
Préparation : 5 min
Cuisson : 10 min

Ingrédients :
- 1 c. à s. d'huile d'olive
- 2 gousses d'ail broyées
- 5 tomates séchées au soleil dans l'huile, grossièrement hachées
- 400 g de tomates prunes
- 2 T de bouillon de poulet
- 1 c. à t. de sucre
- 1/2 T de crème sure
- 1 pot de (125 g) de pesto au basilic frais
- Feuilles de basilic, pour servir

Soupe aux carottes et au gingembre

Portions : 4
Préparation : 10 min
Cuisson : 25 min

Ingrédients :

- 3 c. à s. de beurre non salé
- 1 kg de carottes, avec la tige de préférence, pelées et taillées en diagonale en morceaux de 1 cm
- 1/4 de T d'oignon en dés
- 1 gousse d'ail hachée
- 1 c. à t. de gingembre frais haché
- Pincée de sucre
- Gros sel et poivre fraîchement moulu
- 1 c. à s. d'huile d'olive
- 2 panais pelés et tranchés en diagonale en rondelles de 1 cm
- 1 c. à t. de vinaigre de vin blanc
- 2 T de bouillon de poulet
- 3/4 de T de lait
- 1/4 de T de feuilles de persil frais finement tranchées

Instructions :

1. Dans une casserole de dimension moyenne et munie d'un couvercle, faire fondre le beurre à feu moyen. Réserver 1/2 tasse de carottes et ajouter le reste dans la casserole avec l'oignon, l'ail, le gingembre, le sucre, 2 c. à thé de sel et une pincée de poivre ; remuer pour mélanger. Diminuer la chaleur, couvrir et cuire à feu moyen-doux jusqu'à ce que les carottes soient tendres, de 10 à 15 minutes.

2. Pendant ce temps, dans une autre casserole, réchauffer l'huile à feu moyen. Ajouter la 1/2 tasse de carottes réservée, le panais et assaisonner de sel et de poivre. Cuire en remuant jusqu'à ce qu'ils commencent à être légèrement colorés, environ 2 minutes. Couvrir et cuire jusqu'à ce que les ingrédients soient tendres, environ 5 minutes de plus.

3. Augmenter la chaleur à moyen-élevé et ajouter le vinaigre en remuant pour bien couvrir ; cuire 1 minute. Retirer du feu et diviser également les légumes dans 4 bols à soupe.

4. Ajouter le bouillon de poulet et le lait au mélange de carottes et d'oignon ; assaisonner de sel et de poivre. Amener à ébullition et, en procédant par lots transférer dans le contenant d'un mélangeur (ne pas remplir plus que la moitié du contenant) ; couvrir et réduire en purée jusqu'à l'obtention d'une substance très lisse et mousseuse. Verser la soupe sur les légumes et garnir de persil. Servir immédiatement.

Soupe aux légumes, au bœuf et à l'orge

Instructions :

1. Dans une mijoteuse, cuire le bœuf jusqu'à ce qu'il soit très tendre (généralement de 4 à 5 heures à feu vif, mais cela peut varier selon les différentes mijoteuses). Ajouter l'orge et la feuille de laurier au cours de la dernière heure de cuisson.

2. Retirer la viande et couper en petits morceaux. Jeter la feuille de laurier. Réserver le bœuf, le bouillon et l'orge.

3. À feu moyen-élevé, réchauffer l'huile dans une grande casserole. Faire revenir les carottes, le céleri, l'oignon et les légumes congelés jusqu'à ce qu'ils soient tendres. Ajouter l'eau, les cubes de bouillon de bœuf, le sucre, 1/4 c. à thé de poivre, les tomates étuvées hachées et le mélange de bœuf et d'orge. Amener à ébullition et laisser mijoter de 10 à 20 minutes.

4. Assaisonner de sel et poivre, au goût.

Portions : 6
Préparation : 20 min
Cuisson : 5 h 30

Ingrédients :
- 1 rôti de palette de 1,5 kg
- 1/2 T d'orge
- 1 feuille de laurier
- 2 c. à s. d'huile
- 3 carottes hachées
- 3 branches de céleri hachées
- 1 oignon haché
- 1 paquet (455 g) de légumes variés congelés
- 4 T d'eau
- 4 cubes de bouillon de bœuf
- 1 c. à s. de sucre blanc
- 1/4 c. à t. de poivre noir moulu
- 1 boîte (794 g) de tomates étuvées hachées
- Sel et poivre noir moulu, au goût

Soupe de morue

Portions : 4
Préparation : 20 min
Cuisson : 20 min

Ingrédients :
- 150 g de filets de morue
- 3/4 de T de mayonnaise légère
- 4 gousses d'ail broyées
- 1 c. à t. de poudre de safran
- 4 c. à t. de chapelure sèche
- 1 T de flocons de piment rouge
- 1/2 baguette tranchée en rondelles de 3 mm
- 1 c. à s. d'huile d'olive
- 4 gousses d'ail émincées
- 1/2 oignon moyen haché
- 1 poireau, le bulbe seulement, haché
- 1 pincée de poudre de safran
- 1 feuille de laurier
- 3/4 de T de vin blanc
- 1/3 de T de vin rouge
- 1 T d'eau
- 1 T de bouillon de bœuf
- 1 tomate prune épépinée et hachée
- 1 1/2 c. à t. de jus de citron
- 3 c. à s. de persil frais haché, divisées
- 1 c. à s. de farine (tout usage)
- 1/2 T de moitié-moitié
- 1 T de gruyère râpé

Instructions :

1. Dans un petit bol, mélanger la mayonnaise, 4 gousses d'ail, 1 c. à thé de poudre de safran, la chapelure et les flocons de piment rouge. Réserver.

2. Préchauffer le grilloir du four. Disposer les tranches de baguette sur une plaque à biscuits. Placer sous le grilloir pendant quelques minutes. Laisser refroidir.

3. Dans un chaudron ou un faitout, réchauffer l'huile d'olive à feu moyen. Ajouter les 4 gousses d'ail, l'oignon et le poireau ; faire revenir quelques minutes jusqu'à ce que les ingrédients soient tendres. Ajouter 1 pincée de safran et la feuille de laurier. Verser les vins blanc et rouge, placer le poisson dans la casserole et verser juste assez d'eau pour à peine le couvrir. Laisser mijoter environ 10 minutes en retournant le poisson, au besoin, jusqu'à ce qu'il se défasse facilement à la fourchette.

4. Retirer le poisson du bouillon, à l'aide d'une cuiller à rainures, et réserver. Verser le bouillon de bœuf et laisser mijoter, sans couvrir, environ 10 minutes, pour faire en sorte que l'alcool s'évapore et obtenir la réduction du bouillon. Retirer la feuille de laurier et transférer le bouillon dans le mélangeur. Y ajouter la tomate, le jus de citron et le persil. Réduire en purée par lots et remettre dans la casserole.

5. Incorporer la farine et le moitié-moitié en fouettant et cuire à feu moyen. Incorporer en fouettant environ la moitié du mélange de mayonnaise, ou au goût. Remettre le poisson dans la soupe et le briser en petits morceaux. Assaisonner de sel et de poivre, au goût, et réchauffer.

6. Étendre le reste de la mayonnaise sur les tranches de pain rôties et napper de gruyère. Verser la soupe dans des bols de service et laisser flotter 1 ou 2 rôties sur le dessus.

Bouillabaisse

Portions : 6
Préparation : 20 min
Cuisson : 45 min

Ingrédients :
- 500 g de filets de flétan coupés en morceaux de 5 cm
- 250 g de pétoncles de baie
- 250 g de grosses crevettes décortiquées et déveinées
- 1/4 de T de mayonnaise sans matières grasses
- 2 c. à t. de pâte de tomate
- 1/8 de c. à t. de piment rouge broyé
- 1 petite gousse d'ail broyée
- 1 c. à s. d'huile d'olive
- 3 T de fenouil finement tranché (environ 1 gros bulbe)
- 1 T d'oignon haché
- 1 c. à s. de thym frais ou 1 c. à t. de thym déshydraté
- 2 gousses d'ail broyées
- 1 T d'eau
- 1/4 de c. à t. de sel
- 1/4 de c. à t. de safran (facultatif)
- 1/4 de c. à t. de poivre noir
- 375 g de petites pommes de terre rouges taillées en quartiers
- 1 T de jus de myes
- 1 boîte (304 g) de purée de tomate
- Persil frais émincé (facultatif)
- 6 tranches de baguette (1 cm d'épaisseur) rôties

Instructions :

1. Mélanger les 4 premiers ingrédients dans un bol ; bien remuer.

2. Couvrir et mettre au réfrigérateur.

3. À feu moyen-élevé, réchauffer l'huile d'olive dans un grand faitout.

4. Ajouter le fenouil tranché, l'oignon, le thym et 2 gousses d'ail et faire revenir jusqu'à ce qu'ils soient tendres.

5. Ajouter l'eau et les 6 ingrédients suivants (jusqu'à la purée de tomate) au mélange de fenouil et amener à ébullition.

6. Cuire 15 minutes ou jusqu'à ce que les pommes de terre soient tendres et croustillantes.

7. Ajouter le flétan, les pétoncles et les crevettes ; couvrir, diminuer la chaleur et laisser mijoter 5 minutes ou jusqu'à ce que les fruits de mer soient cuits.

8. À l'aide d'une louche, verser la soupe dans des bols individuels et garnir de persil, si désiré.

9. Servir avec une rôtie nappée de mayonnaise tomatée.

Chaudrée de palourdes de Boston

Instructions :

1. Placer les myes dans une casserole. Ajouter l'eau et la feuille de laurier. Couvrir et cuire à l'étuvée 5 minutes ou jusqu'à ce que les myes s'ouvrent. Passer les myes et réserver le liquide de cuisson. Retirer les myes de leurs coquilles et jeter ces dernières. Laisser 4 myes dans leur coquille pour la garniture. Ajouter tout liquide de mye additionnel dans le liquide de cuisson.

2. Réchauffer l'huile et le bacon dans un faitout à feu moyen et faire revenir jusqu'à ce que la graisse du bacon fonde, environ 5 minutes. Ajouter l'oignon, le thym et les pommes de terre et faire revenir jusqu'à ce que l'oignon soit tendre, environ 4 minutes. Verser le liquide de cuisson des myes dans le faitout et amener à ébullition. Diminuer la chaleur et laisser mijoter 15 minutes ou jusqu'à ce que les pommes de terre soient cuites. Incorporer la crème et amener à ébullition.

3. Ajouter les myes et cuire 2 à 3 minutes de plus ou jusqu'à ce que les myes soient chaudes. Assaisonner de sel et de poivre. Surmonter d'une noix de beurre et garnir de persil.

Portions : 4
Préparation : 10 min
Cuisson : 40 min

Ingrédients :
- 1,5 kg de myes, bien rincées
- 2 T d'eau ou de bouillon de poisson
- 1 feuille de laurier
- 1 c. à s. d'huile d'olive
- 4 tranches de bacon en dés
- 1 T d'oignon finement haché
- 1 c. à t. de thym frais haché
- 2 T de pommes de terre rouges taillées en dés de 2 cm
- 1 T de crème à fouetter
- Sel et poivre fraîchement moulu
- 1 c. à s. de beurre à la température ambiante
- 2 c. à s. de persil haché

Bouillabaisse aux croûtons à l'ail

Portions : 6
Préparation : 40 min
Cuisson : 2 h 15

Ingrédients :

BOUILLON
- **500 g de crevettes géantes avec leur carapace**
- **2 c. à s. d'huile d'olive**
- **3 branches de céleri, grossièrement hachées**
- **2 carottes grossièrement hachées**
- **1 gros oignon haché**
- **2 gousses d'ail hachées**
- **2 c. à s. de pâte de tomate**
- **2 feuilles de laurier**
- **1 pincée de safran**
- **8 T d'eau**
- **1 T de vin blanc sec**
- **2 c. à t. de sel**

SOUPE
- **3 c. à s. d'huile d'olive**
- **2 poireaux, les parties blanches et vert pâle seulement, hachés**
- **2 carottes en dés**
- **Sel et poivre fraîchement moulu**
- **9 petites pommes de terre nouvelles taillées finement**
- **1 gousse d'ail émincée**
- **12 tranches de baguette**
- **1/2 T de vin blanc sec**
- **500 g de poisson blanc à chair ferme, sans peau et coupé en morceaux**
- **18 moules**
- **Jus de 1/2 citron**
- **Persil frais ou ciboulette hachée**

SOUPES

Instructions :

BOUILLON
1. Décortiquer, équeuter et déveiner les crevettes, si nécessaire. Réserver les carapaces. Couvrir et mettre les crevettes au réfrigérateur pour la soupe.

2. Dans une grande casserole, réchauffer l'huile à feu moyen ; faire revenir le céleri, les carottes et l'oignon, environ 10 minutes ou jusqu'à ce que l'oignon soit tendre et légèrement doré. Ajouter l'ail et faire revenir pendant 1 minute. Ajouter les carapaces des crevettes réservées ; cuire en remuant environ 2 minutes ou jusqu'à ce que les crevettes soient rosées. Incorporer la pâte de tomate. Ajouter les feuilles de laurier, le safran, l'eau et le vin ; amener à ébullition.

3. Diminuer la chaleur et laisser mijoter environ 1 heure ou jusqu'à légère réduction du volume et plénitude des saveurs. Passer au tamis et réserver le bouillon ; jeter les solides. Saler. (Le bouillon peut être refroidi, couvert et placé ai réfrigérateur pendant 1 journée ou jusqu'à 1 mois au congélateur.)

SOUPE
4. Réchauffer 1 c. à soupe d'huile à feu moyen dans une grande casserole. Ajouter les poireaux, les carottes, 1 c. à t. de sel et de poivre au goût ; faire revenir environ 10 minutes ou jusqu'à ce que les légumes soient tendres. Incorporer les pommes de terre et le bouillon. Augmenter la chaleur et amener à ébullition à feu vif.

5. Diminuer la chaleur et laisser mijoter environ 15 minutes ou jusqu'à ce que les pommes de terre soient tendres. Garder au chaud.

6. Environ 10 minutes avant de servir, préchauffer le grilloir. Dans un bol, combiner 1 c. à s. de l'huile qui reste et l'ail émincé. Badigeonner légèrement les deux côtés des tranches de baguette.

7. Placer sur une plaque à biscuits et griller, en retournant une fois, jusqu'à ce que le pain soit légèrement rôti. Réserver.

8. Assaisonner les crevettes de sel et de poivre. Dans une grande poêle, réchauffer l'huile qui reste à feu moyen-élevé. Ajouter les crevettes, par lots, et faire revenir jusqu'à ce qu'elles soient roses et légèrement recourbées. Transférer dans un plat chaud ; réserver.

9. Ajouter 1 T de soupe et le vin dans la poêle et laisser mijoter. Ajouter le poisson et pocher environ 5 minutes ou jusqu'à ce qu'il soit ferme. À l'aide d'une cuiller à rainures, transférer le poisson dans le plat où reposent les crevettes. Ajouter les moules dans la poêle, couvrir et cuire, en secouant la poêle à l'occasion, 2 à 3 minutes ou jusqu'à ce que les moules s'ouvrent. Jeter les moules dont la coquille ne s'est pas ouverte.

10. Pour servir, diviser les crevettes et le poisson en portions égales dans des bols chauds et peu profonds. Incorporer le liquide resté dans la poêle dans la soupe. Ajouter le jus de citron et assaisonner, au goût, de sel et de poivre.

11. À l'aide d'une louche, verser la soupe sur le poisson et les fruits de mer et surmonter de croûtons. Garnir de moules et saupoudrer de persil.

Gaspacho au poivron rouge

Portions : 4
Préparation : 10 min

Ingrédients :
- 2 concombres
- 2 poivrons rouges
- 1 gousse d'ail émincée
- 3 oignons verts tranchés
- 1 petite tomate en dés
- 1/4 de T de persil frais haché
- 1/2 piment jalapeño haché
- 2 1/2 T de jus de légumes
- 4 c. à t. d'huile d'olive
- 1 c. à s. de vinaigre de cidre
- Sel et poivre

Instructions :

1. Peler, épépiner et couper finement les concombres et les poivrons en dés. Placer dans un bol et mélanger avec l'ail, les oignons verts, la tomate, le persil et le 1/2 piment. Ajouter le jus de légumes, l'huile et le vinaigre ; assaisonner de sel et de poivre ; remuer pour mélanger. Couvrir d'une pellicule de plastique ; réfrigérer jusqu'au moment de l'utilisation, jusqu'à 2 jours.

Soupe au brocoli et au fromage

Portions : 6
Préparation : 15 min
Cuisson : 25 min

Ingrédients :
- Aérosol de cuisson
- 1 T d'oignon haché
- 2 gousse d'ail émincées
- 3 T de bouillon de poulet pauvre en sodium
- 400 g de fleurons de brocoli
- 2 1/2 T de lait 2 %
- 1/3 de T de farine tout usage
- 1/4 de c. à t. de poivre noir
- 227 g fromage transformé léger (en dés) (comme du Velveeta Léger)

Instructions :

1. À feu moyen-élevé, réchauffer une grande poêle antiadhésive enduite d'huile de cuisson en aérosol. Ajouter l'oignon et l'ail ; faire revenir 3 minutes ou jusqu'à ce qu'il soit tendre. Ajouter le bouillon et le brocoli. Amener le mélange de brocoli à ébullition à feu moyen-élevé. Diminuer la chaleur et cuire 10 minutes à feu moyen.

2. Mélanger le lait et la farine, remuer avec un fouet jusqu'à bien mélanger. Ajouter le mélange de lait au brocoli. Cuire 5 minutes ou jusqu'à légèrement plus épais en remuant constamment. Incorporer le poivre. Retirer de la chaleur ; ajouter le fromage et remuer jusqu'à ce qu'il fonde. Placer 1/3 de la soupe dans un robot culinaire ou un mélangeur et passer, jusqu'à l'obtention d'une substance lisse. Remettre le mélange de soupe dans la poêle.

Gombo à la poule, à l'andouille et aux huîtres

Portions: 6 à 8
Préparation: 15 min
Cuisson: 3 h

Ingrédients:
- 1 poule à rôtir (de 1,5 à 2 kg) coupée en morceaux
- Sel et poivre de Cayenne
- 1 T d'huile végétale
- 1 T de farine (tout usage)
- 2 1/2 T d'oignon haché
- 1 T de poivron vert haché
- 1 T de céleri haché
- 10 T de bouillon de poulet
- 2 feuilles de laurier
- 1/2 c. à t. de feuilles de thym déshydraté
- 500 g d'andouille coupée dans le sens de la largeur en tranches de 3 mm
- 6 d'huîtres fraîches écaillées, avec leur jus

Instructions:

1. Assaisonner généreusement la poule de sel et de poivre de Cayenne.

2. Mélanger l'huile et la farine dans une grande poêle épaisse ou dans un faitout et cuire à feu moyen. Remuer lentement et constamment et faire un roux de la couleur du chocolat. Ajouter l'oignon, le poivron vert et le céleri et cuire, en remuant, jusqu'à ce qu'ils soient tendres, de 10 à 12 minutes. Ajouter le bouillon de poulet. Remuer pour mélanger et amener à ébullition. Ajouter la poule. Ajouter les feuilles de laurier et le thym et laisser mijoter pendant 1 heure. Ajouter l'andouille et cuire, en remuant de temps à autre, jusqu'à ce que la poule soit tendre, de 1 heure à 1 h 30 de plus.

3. Quelques minutes avant de servir, ajouter les huîtres et laisser mijoter jusqu'à ce qu'elles se recourbent, environ 3 minutes. Ajuster l'assaisonnement, au goût. (Si le gombo devient trop épais durant la cuisson, ajouter simplement un peu d'eau ou de bouillon de poulet.)

Poulet cajun et saucisse gombo

Instructions:

1. Dans un faitout, réchauffer l'huile à feu moyen. Lorsqu'elle est chaude, fouetter la farine. Continuer de fouetter jusqu'à ce que le roux soit cuit, de 8 à 10 minutes. S'assurer de ne pas brûler le roux. Si des taches noires apparaissent dans le mélange, recommencer.

2. Incorporer l'oignon, le poivron vert, le céleri et la saucisse dans le roux; cuire 5 minutes. Ajouter l'ail et cuire 5 minutes de plus. Assaisonner de sel, de poivre et d'assaisonnement créole; bien mélanger. Verser le bouillon de poulet et ajouter la feuille de laurier. Amener à ébullition à feu vif, diminuer la chaleur et laisser mijoter à feu moyen-doux, sans couvrir, 1 heure en remuant de temps à autre. Incorporer le poulet et laisser mijoter 1 heure de plus. Dégraisser pendant la dernière heure de cuisson.

Portions: 6
Préparation: 45 min
Cuisson: 2 h 30

Ingrédients:
- **500 g d'andouille ou de saucisse fumée, coupée en tranches de 3 mm**
- **1 poulet cuit au tournebroche désossé et effiloché**
- **1 T d'huile végétale**
- **1 T de farine (tout usage)**
- **1 gros oignon haché**
- **1 gros poivron vert haché**
- **2 branches de céleri hachées**
- **4 gousses d'ail émincées**
- **6 T de bouillon de poulet**
- **1 feuille de laurier**
- **Sel et poivre, au goût**
- **Assaisonnement créole, au goût**

Soupe nuptiale italienne de la Californie

Portions: 4
Préparation: 10 min
Cuisson: 15 min

Ingrédients:
- **250 g de bœuf haché extra-maigre**
- **1 œuf légèrement battu**
- **2 c. à s. de chapelure italienne**
- **1 c. à s. de parmesan râpé**
- **2 c. à s. de feuilles de basilic fraîches effilochées**
- **5 3/4 T de bouillon de poulet**
- **2 T d'escarole finement tranchée**
- **Le zeste de 1 citron**
- **1/2 T d'orzo (pâtes en forme de grains de riz) non cuit**
- **Parmesan râpé**
- **1 c. à s. de persil italien plat haché (facultatif)**
- **2 oignons verts tranchés (facultatif)**

Instructions:

1. Mélanger la viande, l'œuf, la chapelure, le fromage, le basilic, le persil et l'oignon vert et façonner des boulettes de 2 cm.

2. Verser le bouillon dans une grande casserole et faire chauffer à feu vif. Pendant l'ébullition, déposer les boulettes de viande. Incorporer l'escarole, le zeste de citron et l'orzo. Amener à ébullition de nouveau; diminuer la chaleur. Laisser bouillonner à feu moyen 10 minutes ou jusqu'à ce que l'orzo soit tendre en remuant fréquemment. Saupoudrer de fromage avant de servir.

Soupe à la patate sucrée et au piment de Cayenne

Instructions:

1. Faire fondre une noix de beurre dans une grande poêle, ajouter l'oignon, les piments, la coriandre et l'ail et cuire environ 8 minutes jusqu'à ce qu'ils soient tendres.

2. Ajouter la patate sucrée et cuire quelques minutes de plus. Ajouter le bouillon, amener à ébullition et laisser mijoter environ 10 minutes, jusqu'à ce que les légumes soient tendres.

3. Piler ou passer au mélangeur pour obtenir une soupe lisse. Assaisonner et servir avec des copeaux de fromage et une pincée de paprika.

Portions: 4
Préparation: 10 min
Cuisson: 25 min

Ingrédients:
- **Beurre**
- **1 oignon grossièrement haché**
- **1 piment de Cayenne rouge, finement haché**
- **1 c. à t. de coriandre moulue**
- **2 gousses d'ail broyées**
- **750 g de patates sucrées, pelées et coupées en morceaux**
- **Jusqu'à 500 ml de bouillon de légumes frais, en cubes ou concentré**
- **75 g de gruyère râpé**
- **1 pincée de paprika (facultatif)**

Chaudrée de fruits de mer

Portions : 10
Préparation : 15 min
Cuisson : 45 min

Ingrédients :

- **500 g de pétoncles de baie**
- **500 g de crevettes déveinées fraîches ou congelées**
- **500 g de morue coupée en morceaux**
- **500 g de baudroie ou d'un autre poisson à chair blanche, coupée en morceaux**
- **125 g de porc salé taillé en dés de 2 mm**
- **1 gros oignon, finement haché**
- **1 1/2 litre de bouillon de poisson**
- **4 T de tomates en dés de 3 mm**
- **2 feuilles de laurier**
- **2 T de crème à fouetter**
- **1/8 de c. à t. de poivre de Cayenne**
- **Sel et poivre blanc, au goût**

Instructions :

1. Blanchir le porc salé dans l'eau bouillante pendant 10 minutes. Égoutter.

2. Dans une casserole épaisse d'une capacité de 4 litres, cuire le porc à feu doux 5 minutes. Ajouter l'oignon et faire revenir jusqu'à ce qu'il soit tendre. Ajouter le bouillon de poisson et les feuilles de laurier et laisser mijoter. Incorporer les pommes de terre dans le mélange de bouillon et cuire jusqu'à ce qu'elles soient à peine cuites. Ajouter les pétoncles, les crevettes et le poisson et laisser mijoter 5 minutes.

3. Réchauffer la crème et ajouter dans la soupe. Assaisonner de poivre de Cayenne, de sel et de poivre blanc. Servir très chaud.

Chaudrée de myes

Instructions :

1. Réchauffer le beurre à feu moyen-élevé dans une grande casserole.

2. Ajouter l'oignon et le céleri et faire revenir jusqu'à ce qu'ils soient tendres, en remuant souvent. Incorporer la farine pour la distribuer uniformément. Ajouter le bouillon, le jus des 2 boîtes de myes (réserver les myes), la crème, les feuilles de laurier et les pommes de terre et remuer pour mélanger.

3. Laisser mijoter en remuant constamment (le mélange épaissira) et diminuer la chaleur.

4. Cuire 20 minutes à feu moyen-doux en remuant souvent jusqu'à ce que les pommes de terre soient tendres et à point. Ajouter les myes et assaisonner de sel et de poivre, au goût, cuire jusqu'à ce que les myes soient fermes, 2 minutes de plus.

5. Ajouter le persil et assaisonner de sel et de poivre.

ASTUCE

Pour faire dorer les croûtons dans la poêle, faire fondre le beurre dans une grande poêle et remuer les morceaux de pain dans le beurre jusqu'à ce qu'ils soient dorés et rôtis, de 2 à 3 minutes.

Portions : 6 à 8
Préparation : 10 min
Cuisson : 30 min

Ingrédients :

- **2 c. à s. de beurre non salé**
- **1 oignon moyen finement tranché en dés**
- **2 branches de céleri (réserver les feuilles tendres) parées, coupées en 4 dans le sens de la longueur et coupées en morceaux de 3 mm**
- **3 c. à s. de farine (tout usage)**
- **2 T de bouillon de poulet ou de légumes**
- **2 boîtes (283 g) de myes hachées dans leur jus**
- **1 T de crème fraîche épaisse**
- **2 feuilles de laurier**
- **500 g de pommes de terre Idaho coupées en dés de 1 cm**
- **Sel et poivre noir fraîchement moulu**

CROÛTONS RÔTIS
- **2 à 3 c. à s. de beurre non salé**
- **1/2 baguette coupée en dés de 2,5 cm**
- **3 c. à s. de persil plat frais haché**
- **Sel et poivre noir fraîchement moulu**

Chaudrée de poisson traditionnelle

Portions : 4
Préparation : 10 min
Cuisson : 15 min

Ingrédients :

- 500 g de poisson blanc, comme de la morue, de l'aiglefin ou du goberge, coupé en morceaux de 5 mm
- 2 c. à s. de beurre non salé
- 3 fines tranches de lard
- 4 tiges de persil plat frais, ficelé, finement haché
- 1 feuille de laurier fraîche
- 1 grosse pomme de terre jaune pelée et coupée en morceaux de 5 à 8 mm
- 3 T de fumet de poisson
- 1 T de lait entier
- 2 c. à t. de gros sel
- Poivre fraîchement moulu

Instructions :

1. Dans une grande casserole, faire fondre le beurre à feu doux. Ajouter le lard ou le bacon et cuire 3 minutes. Jeter le porc. Ajouter le persil, la feuille de laurier, la pomme de terre et le fumet de poisson. Laisser mijoter doucement jusqu'à ce que la pomme de terre soit tendre, de 6 à 8 minutes.

2. Ajouter le poisson, couvrir et laisser mijoter jusqu'à ce que le poisson soit cuit à point, environ 2 minutes. Incorporer le lait et le sel et chauffer jusqu'à ce que le lait soit chaud, environ 30 secondes. Retirer du feu. Jeter la feuille de laurier.

3. Servir la chaudrée immédiatement avec du poivre fraîchement moulu et du persil haché à part.

Soupe à l'oignon

Instructions :

1. Couper le dessus et le dessous des oignons et tailler en 2 au centre, de haut en bas. Retirer les pelures extérieures et jeter. Prendre une moitié d'oignon et trancher en deux contre les lignes naturelles de sa surface, puis en juliennes, en suivant les lignes naturelles de l'oignon. Répéter avec les autres morceaux d'oignon. Dans une grande casserole, faire fondre le beurre et ajouter les oignons. Faire revenir 5 minutes jusqu'à ce qu'ils soient légèrement caramélisés et ajouter le sucre, le xérès, les bouillons de bœuf et de poulet et le poivre noir. Poursuivre la cuisson jusqu'à ébullition et diminuer immédiatement la chaleur.

2. Pour servir la soupe, à l'aide d'une louche verser dans un bol à soupe, surmonter la soupe de croûtons ou d'une tranche de baguette, saupoudrer de fromage parmesan ou romano râpé et couvrir d'une tranche de fromage suisse. Réchauffer au four sous le grilloir jusqu'à ce que le fromage fonde et devienne légèrement doré. Saupoudrer de flocons de persil et servir.

Portions : 4
Préparation : 15
Cuisson : 25

Ingrédients :

- 3 oignons blancs
- 55 g de beurre
- 1/8 de T de sucre
- 1/8 de T de xérès
- 1 c. à s. de poivre noir
- 2 1/2 T de bouillon de bœuf
- 2 1/2 T de bouillon de poulet
- Croûtons
- Parmesan râpé
- Fromage suisse râpé

Soupe au chou-fleur au cari

Portions : 6
Préparation : 15 min
Cuisson : 40 min

Ingrédients :

- 2 c. à s. d'huile d'olive
- 1 petit oignon haché
- 1 pomme pelée, évidée et grossièrement hachée
- 1 c. à s. de poudre de cari
- 1 gousse d'ail tranchée
- 1 gros chou-fleur haché en morceaux de 2,5 cm
- 4 T de bouillon de légumes pauvre en sodium
- 1 c. à t. de miel ou de nectar d'agave
- 1 c. à t. de vinaigre de riz

Instructions :

1. Réchauffer l'huile dans une grande casserole à feu moyen-élevé. Ajouter l'oignon et faire revenir de 5 à 7 minutes ou jusqu'à ce qu'il soit tendre et doré. Incorporer la pomme, la poudre de cari et l'ail et cuire 2 minutes de plus ou jusqu'à ce que la poudre de cari devienne jaune foncé.

2. Ajouter le chou-fleur et le bouillon de légumes et laisser mijoter. Couvrir, diminuer la chaleur et laisser mijoter 20 minutes à feu moyen-doux.

3. Laisser refroidir 20 minutes et mettre dans un robot culinaire ou un mélangeur jusqu'à l'obtention d'une substance lisse. Incorporer le miel et le vinaigre et assaisonner de sel, si désiré.

Soupe au poulet et aux arachides

Portions : 4
Préparation : 15 min
Cuisson : 30 min

Ingrédients :

- 4 T de bouillon de poulet
- 2 moitiés de poitrine de poulet désossée (environ 500 g)
- 2 pommes de terre rouges avec la pelure, coupées en petits dés
- 2 c. à s. d'huile d'olive extra vierge
- 1 oignon, finement haché
- 1 piment fort rouge ou vert, finement haché
- 1/2 poivron vert épépiné et finement haché
- 1/2 T de beurre d'arachide croquant
- Sel et poivre
- 1 limette

Instructions :

1. Dans une casserole moyenne, couvrir le bouillon de poulet et amener à ébullition. Ajouter le poulet et les pommes de terre ; couvrir et laisser mijoter à feu moyen-doux jusqu'à ce que les pommes de terre soient tendres et que le poulet soit cuit à point, environ 25 minutes.

2. Pendant ce temps, dans une poêle moyenne réchauffer l'huile d'olive à feu moyen.

3. Ajouter l'oignon, le piment et le poivron et cuire jusqu'à ce qu'ils soient tendres, environ 10 minutes.

4. Retirer les poitrines de poulet du bouillon et effilocher la viande ; réserver.

5. Dans un mélangeur, réduire en purée la moitié du bouillon et toutes les pommes de terre.

6. Verser le mélange dans le reste du bouillon et incorporer le beurre d'arachide, en remuant jusqu'à ce que les ingrédients soient bien amalgamés. Ajouter le poulet et faire revenir les légumes. Incorporer un peu d'eau pour éclaircir la soupe, si désiré.

7. Réchauffer à feu doux. Assaisonner de sel, de poivre et de jus de limette, au goût.

Gombo de fruits de mer classique d'Emeril

Portions : 10 à 12
Préparation : 20 min
Cuisson : 1 h 45

Ingrédients :

- 3/4 de T d'huile végétale
- 1 T de farine tout usage
- 1 1/2 T d'oignons finement hachés
- 3/4 de T de poivron vert finement haché
- 3/4 de T de céleri finement haché
- 2 c. à s. d'ail finement haché
- 1 bouteille (340 ml) de bière ambrée
- 6 T de bouillon de crevettes ou de bouillon de poulet commercial pauvre en sodium
- 1/4 de c. à t. de thym déshydraté
- 2 feuilles de laurier
- 250 g de crabes gombos ou de crabes bleus non cuits décongelés
- 2 c. à t. de sauce Worcestershire
- 1 c. à s. de gros sel
- 1/2 c. à t. de poivre de Cayenne
- 500 g de crevettes moyennes, pelées et déveinées
- 500 g de filets de poisson blanc
- 1 c. à s. d'essence d'Emeril
- 12 d'huîtres écaillées avec leur jus
- 1/4 de T de persil plat frais haché
- 1/2 T d'oignons verts tendres
- Poudre de Filé (sassafras), pour garnir (facultatif)
- Riz blanc cuit, pour servir

Instructions :

1. Faire chauffer une casserole d'une capacité de 8 litres à feu moyen ; ajouter l'huile. Quand l'huile est chaude, ajouter la farine. À l'aide d'une cuiller de bois, mélanger l'huile et la farine ensemble pour faire un roux et cuire jusqu'à ce qu'il soit chocolat au lait, de 20 à 25 minutes.

2. Ajouter l'oignon, le poivron et le céleri ; remuer jusqu'à ce que les ingrédients soient bien amalgamés, environ 5 minutes. Ajouter l'ail, cuire 30 secondes. Incorporer la bière et le bouillon de crevettes ; ajouter le thym, les feuilles de laurier, les crabes, la sauce Worcestershire, le sel et le poivre de Cayenne.

3. Amener le gombo à ébullition, diminuer immédiatement la chaleur et laisser mijoter environ 1 heure en dégraissant la surface à l'occasion. Assaisonner les crevettes et les filets avec de l'essence d'Emeril. Ajouter au gombo et remuer pour mélanger ; cuire 2 minutes. Ajouter les huîtres et cuire en remuant souvent, environ 5 minutes.

4. Servir le gombo garni de persil, d'oignon vert et de poudre de Filé dans des bols peu profonds sur du riz.

Fumet de poisson

Instructions :

1. Réchauffer une marmite d'une capacité de 12 litres à feu doux. Ajouter l'huile, l'échalote, les poireaux, le fenouil et le céleri et cuire en remuant fréquemment jusqu'à ce que les légumes soient tendres, environ 30 minutes. (Ne pas les laisser dorer.)

2. Ajouter les têtes de poisson, les queues et les arêtes et cuire jusqu'à ce qu'elles commencent à libérer leurs jus, de 10 à 15 minutes. Ajouter les grains de poivre, la feuille de laurier, la coriandre et assez d'eau pour recouvrir les arêtes de 2,5 cm. Augmenter la chaleur et laisser mijoter à feu vif avant de diminuer la chaleur à moyen-doux. Laisser mijoter 30 minutes et retirer toute la mousse qui se forme à la surface ; jeter. (Si le fumet bout trop fort, le poisson se défera et le bouillon deviendra trouble et amer.)

3. Fermer le feu et ajouter l'estragon, le persil, le cerfeuil et la ciboulette. Couvrir et laisser reposer 20 minutes.

4. Passer le fumet dans une passoire fine recouverte de coton à fromage, au-dessus d'un grand contenant.

5. Couvrir et mettre au réfrigérateur jusqu'à 1 journée ou congeler jusqu'à 3 mois.

Portions : 4 T
Préparation : 20 min
Cuisson : 1 h 30

Ingrédients :

- 3 c. à s. d'huile d'olive extra vierge
- 1 échalote finement tranchée
- 2 poireaux finement tranchés et bien rincés
- 2 bulbes de fenouil grossièrement hachés
- 2 branches de céleri grossièrement hachées
- 500 g de têtes, de queues et d'arêtes de merluche ou de morue, coupés en morceaux de 5 cm
- 5 grains de poivre noir entiers
- 1 feuille de laurier fraîche
- 1 c. à t. de graines de coriandre
- 3 tiges d'estragon frais
- 3 tiges de persil plat frais
- 3 tiges de cerfeuil frais
- 15 brins de ciboulette

Soupe au bacon et à l'aiglefin

Instructions :

1. Dans une grande casserole, recouvrir entièrement les pommes de terre d'eau. Amener à ébullition, réduire le feu et laisser mijoter.

2. Dans une poêle à frire, cuire l'oignon et le bacon à feu moyen jusqu'à ce que l'oignon soit tendre. Ajouter au mélange de pommes de terre.

3. Une fois que les pommes de terre sont tendres et que le bouillon a une apparence laiteuse, ajouter les filets de poisson coupés. Réchauffer jusqu'à ce que les filets soient bien cuits.

4. Ajouter assez de lait pour obtenir le goût et la texture désirés. Assaisonner de poivre blanc et servir.

Portions : 2
Préparation : 15 min
Cuisson : 30 min

Ingrédients :
- 4 tranches de bacon taillées en dés
- 125 g de filets d'aiglefin hachés
- 4 pommes de terre pelées et taillées en dés
- 1 oignon haché
- 1/2 T de lait
- 1/4 de c. à t. de poivre blanc fraîchement moulu

Chaudrée de morue

Portions : 6
Préparation : 10 min
Cuisson : 45 min

Ingrédients :
- 1 kg de filets de morue taillés en dés
- 4 c. à s. de margarine
- 1 oignon haché
- 3 pommes de terre pelées et taillées en dés
- 4 T d'eau
- 2 boîtes (425 g) de maïs en crème
- 5 T de lait
- Sel et poivre, au goût

Instructions :

1. Faire fondre le beurre ou la margarine dans une grande casserole à feu moyen. Ajouter l'oignon et faire revenir de 5 à 10 minutes, ou jusqu'à ce qu'il soit tendre. Ajouter les pommes de terre et l'eau et laisser mijoter 20 minutes de plus ou jusqu'à ce que les pommes de terre soient tendres.

2. Ajouter le maïs en crème et mélanger en remuant. Ajouter le poisson, bien remuer et laisser cuire de 10 à 15 minutes. Assaisonner de sel et de poivre, au goût.

Soupe aux pois frais à la menthe

Instructions :

1. Faire fondre le beurre dans une grande casserole à feu moyen. Ajouter les oignons et cuire 3 minutes en remuant de temps à autre. Ajouter les pois, le bouillon et 2 tasses d'eau ; amener à ébullition.

2. Diminuer la chaleur et laisser mijoter 10 minutes ou jusqu'à ce que les pois soient très tendres en remuant à l'occasion. Retirer du feu ; laisser reposer 15 minutes. Incorporer le jus, le sel et 1/4 de c. à thé de poivre.

3. Mettre la moitié du mélange de pois dans un robot culinaire ; passer, jusqu'à l'obtention d'une substance lisse. Verser la purée dans un grand bol. Répéter l'opération avec le reste des pois. Verser la moitié de la purée dans une passoire au-dessus d'un grand bol, réserver les liquides et jeter les solides. Remettre le liquide dans la soupe. Verser environ 3/4 tasse de soupe dans 6 bols ; arroser de 1/2 c. à thé d'huile. Saupoudrer d'une c. à thé de menthe.

4. Garnir de poivre concassé, si désiré.

Portions : 6
Préparation : 15 min
Cuisson : 20 min

Ingrédients :
- 2 c. à t. de beurre
- 1 T d'oignons verts grossièrement hachés
- 4 T de pois verts écossés (environ 2 kg non écossés)
- 3 T de bouillon de poulet pauvre en sodium et sans matières grasses
- 2 T d'eau
- 1 c. à s. de jus de citron frais
- 1/4 de c. à t. de sel
- 1/4 de c. à t. de poivre noir fraîchement moulu
- 1 c. à s. d'huile d'olive extra vierge
- 2 c. à s. de menthe tranchée finement
- Poivre noir concassé (facultatif)

Soupe poulet et nouilles de Grand-mère

Portions : 8
Préparation : 20 min
Cuisson : 25 min

Ingrédients :
- 2 1/2 T de nouilles aux œufs larges
- 1 c. à t. d'huile végétale
- 12 T de bouillon de poulet
- 1 1/2 c. à s. de sel
- 1 c. à t. d'assaisonnement pour volaille
- 1 T de céleri haché
- 1 T d'oignon haché
- 1/3 de T de fécule de maïs
- 1/4 de T d'eau
- 3 T de poulet cuit et taillé en dés

Instructions :

1. Amener une grande casserole d'eau à ébullition. Ajouter les nouilles aux œufs et l'huile et laisser bouillir 8 minutes ou jusqu'à ce qu'elles soient tendres. Égoutter et rincer à l'eau courante.

2. Dans une grande casserole ou un faitout, mélanger le bouillon, le sel et l'assaisonnement pour volaille. Amener à ébullition. Incorporer le céleri et l'oignon. Diminuer la chaleur, couvrir et laisser mijoter 15 minutes.

3. Dans un petit bol, mélanger la fécule de maïs et l'eau et remuer jusqu'à ce que la fécule de maïs soit entièrement dissoute. Ajouter graduellement à la soupe, en remuant constamment. Incorporer les nouilles et le poulet et réchauffer.

Soupe chinoise aigre-piquante

Instructions :

1. Mélanger le porc et la sauce soya foncée dans un bol et remuer jusqu'à ce que la viande soit bien enduite.

2. Faire tremper les champignons noirs et les agarics dans 3 tasses d'eau bouillante dans un autre bol (l'eau devrait recouvrir les champignons), en retournant les champignons noirs à l'occasion jusqu'à ce qu'ils soient tendres, environ 30 minutes. (Les agarics se développeront considérablement.) Couper et jeter les queues des champignons noirs et presser l'excès de liquide des chapeaux. Trancher finement. Retirer les agarics du bol, réserver le liquide et retirer toutes les parties plus dures des champignons. S'ils sont gros, couper en morceaux. Mélanger le 1/4 de tasse de liquide de trempage des champignons (jeter le reste) et la fécule de maïs et réserver.

3. Pendant ce temps, faire tremper les fleurs d'hémérocalle dans une tasse d'eau chaude jusqu'à ce qu'elles deviennent tendres, environ 20 minutes, et égoutter. Retirer les extrémités dures des fleurs. Couper les fleurs en 2 dans le sens de la largeur et déchirer chaque moitié dans le sens de la longueur en 2 ou 3 lanières.

4. Dans une petite casserole, recouvrir les pousses de bambou d'eau froide en s'assurant que l'eau dépasse de 5 cm et amener à ébullition (pour enlever l'amertume). Égoutter dans un tamis.

5. Mélanger ensemble les vinaigres, la sauce soya claire, le sucre et le sel dans un autre petit bol. Réchauffer un wok à feu vif jusqu'à ce qu'une goutte d'eau s'évapore en 1 ou 2 secondes après le contact. Verser l'huile d'arachide dans le fond d'un wok et faire tourbillonner l'huile en inclinant le wok pour qu'elle se répande sur les côtés. Ajouter le porc et saisir jusqu'à ce que la viande change de couleur, environ 1 minute, et ajouter les champignons noirs, les agarics, les fleurs d'hémérocalle et les pousses de bambou et saisir 1 minute. Ajouter le bouillon, amener à ébullition et ajouter le tofu. Amener à ébullition de nouveau et ajouter le mélange de vinaigres. Remuer la fécule de maïs et incorporer au bouillon. Amener à ébullition de nouveau, en remuant (le liquide épaissira). Diminuer la chaleur et laisser mijoter à feu moyen pendant 1 minute.

6. Battre les œufs à l'aide d'une fourchette et ajouter quelques gouttes d'huile de sésame. Ajouter les œufs dans la soupe en un mince filet en remuant lentement en une seule direction à l'aide d'une cuiller. Ajouter le poivre blanc, arroser du reste de l'huile de sésame et diviser dans 6 à 8 bols. Saupoudrer d'oignon vert et de coriandre avant de servir.

Portions : 6 à 8 entrées
Préparation : 45 min
Cuisson : 1 h 15

Ingrédients :
- 150 g de longe de porc coupée en lanières de 3 mm d'épaisseur
- 2 c. à t. de sauce soya foncée
- 4 petits champignons noirs chinois déshydratés
- 12 petits agarics déshydratés
- 1 1/2 c. à s. de fécule de maïs
- 12 fleurs d'hémérocalle déshydratées
- 1/2 T de pousses de bambou en conserve coupées dans le sens de la longueur en lanières de 2 mm
- 2 c. à s. de vinaigre de vin rouge
- 2 c. à s. de vinaigre de riz (non assaisonné)
- 1 c. à s. de sauce soya claire
- 1 1/2 c. à t. de sucre
- 1 c. à t. de sel casher
- 2 c. à s. d'huile d'arachide
- 4 T de bouillon de poulet pauvre en sodium
- 100 g de tofu ferme (environ le quart d'un morceau), rincé et égoutté et coupé en lanières de 3 mm d'épaisseur
- 2 gros œufs
- 2 c. à t. d'huile de sésame asiatique
- 1 1/2 c. à t. de poivre blanc fraîchement moulu
- 2 c. à s. des parties vertes d'un oignon vert finement tranché
- 2 c. à s. de feuilles de coriandre fraîches entières

Bouillon aigre des Philippines au tilapia

Portions : 4
Préparation : 5 min
Cuisson : 10 min

Ingrédients :
- **500 g de filets de tilapia coupés en morceaux**
- **1 petit pak-choï haché**
- **2 tomates moyennes coupées en morceaux**
- **1 T de daikon finement tranché**
- **1/4 de T de pâte de tamarin**
- **3 T d'eau**
- **2 piments rouges déshydratés (facultatif)**

Instructions :

1. Dans une casserole moyenne, mélanger le tilapia, le pak-choï, les tomates et le radis. Mélanger l'eau et la pâte de tamarin et verser dans la casserole. Incorporer le piment chili en remuant, s'il y a lieu. Amener à ébullition et cuire 5 minutes ou jusqu'à ce que le poisson soit cuit à point. Même le poisson congelé sera cuit en moins de 10 minutes. Ne pas trop cuire pour éviter que le poisson ne se défasse. À l'aide d'une louche verser dans des bols et servir.

Polpettes et orzo dans un bouillon

Portions : 6
Préparation : 10 min
Cuisson : 15 min

Ingrédients :
- **500 g de surlonge de bœuf hachée**
- **2 T de bouillon de poulet pauvre en sodium et sans matières grasses**
- **1 tranche de pain italien**
- **1/2 T lait à 1% de matières grasses**
- **1/2 T d'oignon émincé**
- **1/2 T de parmesan râpé (60 g)**
- **1/4 de T de persil frais haché**
- **1/4 de c. à t. de sel**
- **1/4 de c. à t. de poivre noir**
- **1 T de carotte effilochée**
- **2 T d'orzo cuit et chaud (environ 1 T de pâtes non cuites)**
- **1/4 de T, plus 2 c. à s. de persil frais haché**

Instructions :

1. Laisser mijoter le bouillon dans un faitout (ne pas faire bouillir). Garder chaud à feu doux.

2. Faire tremper le pain dans le lait 5 minutes, et presser le liquide hors du pain. Mélanger le pain, le bœuf, l'oignon émincé, 1/4 de tasse de fromage, 1/4 de tasse de persil, le sel et le poivre dans un bol.

3. Façonner le mélange en 24 boulettes (1 cm). Ajouter les boulettes et la carotte dans le bouillon et amener à ébullition.

4. Diminuer la chaleur et laisser mijoter 8 minutes. Incorporer l'orzo et cuire 2 minutes. Saupoudrer 1/4 de tasse de fromage et 1/4 de tasse plus 2 c. à soupe de persil.

Soupe poulet et nouilles facile et rapide

Portions : 8
Préparation : 10 min
Cuisson : 25 min

Ingrédients :
- **1 c. à s. de beurre**
- **1/2 T d'oignon haché**
- **1/2 T de céleri haché**
- **1 3/4 T de bouillon de poulet**
- **1 3/4 T de bouillon de légumes**
- **250 g de poitrine de poulet cuit hachée**
- **1 1/2 T de nouilles aux œufs**
- **1 T de carottes tranchées**
- **1/2 c. à t. de basilic déshydraté**
- **1/2 c. à t. d'origan déshydraté**
- **Sel et poivre, au goût**

Instructions :

1. Faire fondre le beurre dans une grande casserole à feu moyen.

2. Cuire l'oignon et le céleri dans le beurre jusqu'à ce qu'ils soient tendres, 5 minutes. Verser les bouillons de poulet et de légumes et incorporer le poulet, les nouilles, les carottes, le basilic, l'origan, le sel et le poivre.

3. Amener à ébullition, diminuer la chaleur et laisser mijoter 20 minutes avant de servir.

Soupe poulet et nouilles

Portions : 4 à 6
Préparation : 15 min
Cuisson : 30 min

Ingrédients :

- 4 T de bouillon de poulet ou de légumes
  (ou un mélange de soupe miso)
- 1 poitrine de poulet désossée
  et sans peau, environ 175 g
- 1 c. à t. de racine de gingembre fraîche hachée
- 1 gousse d'ail finement hachée
- 50 g de riz ou de nouilles de blé
- 2 c. à s. de maïs sucré, en conserve ou congelé
- 2 ou 3 champignons, finement tranchés
- 2 ciboules effilochées
- 2 c. à t. de sauce soya, un peu plus pour le service
- Feuilles de menthe ou de basilic et un peu de piment fort
  effiloché (facultatif), pour le service

Instructions :

1. Verser le bouillon dans une casserole et ajouter le poulet, le gingembre et l'ail. Amener à ébullition et diminuer la chaleur.

2. Laisser mijoter partiellement couvert pendant 20 minutes ou jusqu'à ce que le poulet soit tendre.

3. Transférer le poulet sur une planche à découper et défaire en petites lanières à l'aide de deux fourchettes.

4. Remettre le poulet dans le bouillon et ajouter les nouilles, le maïs, les champignons, les ciboules et la sauce soya. Laisser mijoter de 3 à 4 minutes, jusqu'à ce que les nouilles soient tendres.

5. Verser dans deux bols et saupoudrer des oignons qui restent, des fines herbes et des morceaux de piment, s'il y a lieu.

6. Servir avec de la sauce soya.

VERSION VÉGÉTARIENNE

Remplacer le poulet avec 175 g de tofu ferme taillé en dés, laisser mijoter 5 minutes et ajouter le reste des ingrédients comme mentionné plus haut.

Soupe aux fruits de mer et aux piments rouges

Portions : 6
Préparation : 15 min
Cuisson : 40 min

Ingrédients :

- **500 g de filet de poisson,
  comme du flétan, du mahi-mahi
  ou du poisson-chat,
  coupés en morceaux de 2,5 cm**
- **3 piments guajillo déshydratés
  équeutés, épépinés
  et déchirés en gros morceaux**
- **425 g de tomates en dés
  rôties à la flamme, de préférence**
- **1 gros oignon blanc
  coupé en morceaux de 3 mm**
- **2 gousses d'ail pelées**
- **6 T de bouillon de poulet
  ou de poisson pauvre en sodium**
- **2 c. à s. d'huile d'olive
  ou d'huile végétale**
- **4 pommes de terre rouges
  ou Yukon Gold moyennes
  à bouillir (environ 500 g),
  taillées en 8 morceaux**
- **2 grosses tiges d'epazote
  fraîche (facultatif)**
- **Gros sel**
- **500 g de moules nettoyées et
  ébarbées ou 2 myes nettoyées**

GARNITURE
- **1/2 T de coriandre fraîche hachée**
- **1 limette coupée en 6 morceaux**

Instructions :

1. Réchauffer l'huile dans une casserole à feu moyen. Ajouter les piments ; faire revenir en évitant de trop les faire griller jusqu'à ce qu'ils soient odorants et qu'ils changent légèrement de couleur, de 30 secondes à 1 minute. À l'aide d'une cuiller à rainures, transférer les piments dans un mélangeur et ajouter les tomates et leur jus.

2. Ajouter 2/3 des oignons et tout l'ail dans la casserole. Cuire en remuant fréquemment à feu moyen jusqu'à ce qu'ils soient dorés, environ 7 minutes. Transférer le reste des oignons dans une passoire et rincer à l'eau froide ; réserver pour la garniture. À l'aide de la même cuiller, transférer les oignons et l'ail dans le mélangeur ; passer jusqu'à l'obtention d'une substance lisse.

3. Installer une passoire au-dessus de la casserole. À l'aide d'une cuiller de bois, presser le mélange de tomates dans la passoire. Remettre la casserole sur le feu et cuire en remuant fréquemment à feu moyen-élevé jusqu'à réduction et épaississement, environ 6 minutes. Ajouter le bouillon, les pommes de terre et l'epazote, s'il y a lieu ; amener le mélange à ébullition, diminuer la chaleur et laisser mijoter à feu moyen-doux, jusqu'à ce que les pommes de terre soient tendres, environ 15 minutes. Assaisonner de sel.

4. Juste avant de servir, augmenter la chaleur à feu moyen-élevé ; ajouter les moules et le poisson. Faire bouillir vivement jusqu'à ce que les coquilles s'ouvrent, environ 4 minutes.

5. Pour servir, verser à l'aide d'une louche dans de grands bols. Saupoudrer généreusement de coriandre et de l'oignon réservé. Servir immédiatement, accompagnée de limettes.

Soupe d'hiver dorée

Instructions :

1. Préchauffer le grilloir.

2. Dans un grand faitout, faire fondre le beurre à feu moyen-élevé. Y ajouter la courge, la pomme de terre, le sel et le poivre ; faire revenir 3 minutes. Ajouter les poireaux ; faire revenir 1 minute. Incorporer le bouillon ; amener à ébullition. Diminuer la chaleur et laisser mijoter 20 minutes ou jusqu'à ce que les pommes de terre soient tendres en remuant de temps à autre. Placer la moitié de la préparation de pommes de terre dans un mélangeur. Retirer la pièce se trouvant au centre du couvercle du mélangeur (pour permettre à la vapeur de s'échapper) ; fixer solidement le couvercle sur le mélangeur. Placer un linge propre sur l'ouverture (pour éviter les éclaboussures). Passer jusqu'à l'obtention d'une substance lisse. Verser dans un grand bol. Répéter l'opération avec le reste du mélange de pommes de terre. Incorporer le moitié-moitié. Couvrir et garder au chaud.

3. Disposer les tranches de pain en 1 seule couche sur une plaque à biscuits ; saupoudrer uniformément de fromage. Griller les tranches de pain 2 minutes ou jusqu'à ce qu'elles soient dorées. Verser 1 tasse de soupe dans chacun des 8 bols ; surmonter d'environ 1 c. à thé de ciboulette. Servir 2 tranches de pain avec chaque soupe. Garnir de poivre noir fraîchement moulu, si désiré.

Portions : 8
Préparation : 15 min
Cuisson : 25 min

Ingrédients :
- **2 c. à s. de beurre**
- **5 T de courge musquée (environ
  750 g) pelée et taillée en dés (1 cm)**
- **2 T de pommes de terre jaunes
  pelées et taillées en dés (1 cm)**
- **1 c. à t. de sel casher**
- **1/2 c. à t. de poivre noir moulu**
- **2 T de poireaux tranchés
  (environ 2 moyens)**
- **4 T de bouillon de poulet pauvre en
  sodium et sans matières grasses**
- **1 T de moitié-moitié**
- **340 g de baguette
  coupée en 16 tranches**
- **3/4 de T de gruyère effiloché**
- **3 c. à s. de ciboulette hachée**
- **Poivre noir moulu (facultatif)**

Crème de champignons sauvages

Portions : 4
Préparation : 15 min
Cuisson : 45 min

Ingrédients :

- **25 g de porcinis déshydratés (cèpes)**
- **50 g de beurre**
- **1 oignon finement haché**
- **1 gousse d'ail tranchée**
- **Tiges de thym**
- **400 g de champignons sauvages variés**
- **3 T de bouillon de légumes**
- **1 3/4 T de crème fraîche**
- **4 tranches de pain blanc, environ 100 g, taillées en dés**
- **Ciboulette et huile de truffes, pour le service**

Instructions :

1. Amener une bouilloire à ébullition et verser juste assez d'eau sur les porcinis déshydratés pour les recouvrir.

2. Réchauffer la moitié du beurre dans une casserole et saisir l'oignon, l'ail et le thym 5 minutes, jusqu'à ce qu'ils soient tendres et commencent à dorer.

3. Égoutter les porcinis et réserver le jus. Ajouter les porcinis et les champignons sauvages à l'oignon et laisser cuire 5 minutes, jusqu'à ce qu'ils ramollissent. Verser le bouillon et le jus réservé, amener à ébullition et laisser mijoter 20 minutes. Incorporer la crème fraîche et laisser mijoter quelques minutes de plus.

4. Fouetter la soupe à l'aide d'un mélangeur portatif ou d'un mixeur et tamiser dans une passoire fine ; réserver.

5. Réchauffer le reste du beurre dans une poêle à frire et faire dorer les morceaux de pain jusqu'à ce qu'ils deviennent colorés. Égoutter sur des essuie-tout.

6. Pour servir, réchauffer la soupe et faire mousser à l'aide d'un mélangeur portatif, si désiré. Verser la soupe dans des bols, surmonter de croûtons et de ciboulette et arroser d'huile de truffes.

ASTUCE

Les mélanges de champignons sauvages sont délicieux lorsqu'ils sont assaisonnés et frits dans l'huile d'olive ou le beurre, étalés sur une rôtie beurrée et surmontés d'un œuf poché.

Soupe aux poireaux et aux pommes de terre

Portions : 6
Préparation : 20 min
Cuisson : 1 h 15

Ingrédients :
- **500 g de poireaux (approximativement 4 à 5 moyens)**
- **3 c. à s. de beurre non salé**
- **1 généreuse pincée de sel casher, plus pour assaisonnement supplémentaire**
- **3 petites pommes de terre Yukon Gold, pelées et coupées en petits dés**
- **4 T de bouillon de légumes**
- **1 T de crème fraîche épaisse**
- **1 T de babeurre**
- **1/2 c. à t. de poivre blanc**
- **1 c. à s. de ciboulette taillée en petits morceaux**

Instructions :

1. Couper les poireaux en petits morceaux.

2. Dans une casserole d'une capacité de 6 litres, faire fondre le beurre à feu moyen. Ajouter les poireaux et une généreuse pincée de sel et laisser suer 5 minutes. Diminuer la chaleur et cuire à feu moyen – doux jusqu'à ce que les poireaux soient tendres, approximativement 25 minutes, en remuant de temps à autre.

3. Ajouter les pommes de terre et le bouillon de légumes, augmenter la chaleur et amener à ébullition. Diminuer la chaleur, couvrir et laisser mijoter à feu doux jusqu'à ce que les pommes de terre soient tendres, approximativement 45 minutes.

4. Fermer le feu et passer la préparation dans le mélangeur jusqu'à l'obtention d'une substance lisse. Incorporer la crème épaisse, le babeurre et le poivre blanc. Goûter et ajuster l'assaisonnement, si désiré. Saupoudrer de ciboulette et servir immédiatement ou refroidir et servir froid.

Instructions :

1. Mélanger l'eau, les carapaces de crevettes, le poisson, le céleri, l'oignon, la feuille de laurier, le sel et le poivre dans une grande casserole. Amener à ébullition à feu vif. Diminuer la chaleur, couvrir et cuire à feu doux environ 30 minutes ou jusqu'à ce que le poisson se défasse.

2. Tamiser soigneusement le bouillon et jeter les solides. Faire preuve d'une prudence particulière à l'égard des arêtes. Utiliser dans toutes les recettes qui requièrent du bouillon de poisson.

Bouillon de poisson

Portions : 5 T
Préparation : 30 min
Cuisson : 45 min

Ingrédients :
- **5 T d'eau**
- **500 g de filets de morue en dés**
- **Les carapaces d'environ 500 g de crevettes**
- **1 branche de céleri coupée en 2**
- **1 petit oignon coupé en quartiers puis en tranches épaisses**
- **1 feuille de laurier**
- **1/2 c. à t. de sel**
- **1/2 c. à t. de poivre noir moulu**

Soupe aux zucchinis et aux tomates

Portions : 4
Préparation : 10 min
Cuisson : 30 min

Ingrédients :
- **8 T de tomates hachées**
- **6 zucchinis taillés en dés**
- **4 T d'eau**
- **50 g de mélange déshydraté de soupe au bœuf et à l'oignon**
- **1 oignon haché**
- **1 poivron vert haché**
- **2 c. à t. d'origan déshydraté**
- **1/4 de c. à s. d'ail en poudre**
- **Sel, au goût**
- **1 kg de bœuf haché**
- **2 T de macaronis**

Instructions :

1. Dans une grande casserole, mélanger les tomates, l'eau, le mélange de soupe, l'oignon, le poivron vert et les zucchinis.

2. Assaisonner d'origan, d'ail en poudre et de sel. Amener à ébullition.

3. Dans une poêle à frire, faire dorer le bœuf haché et ajouter ensuite la viande au bouillon. Ajouter les macaronis et cuire jusqu'à ce que les nouilles et les zucchinis soient tendres, approximativement de 10 à 15 minutes.

Bouillabaisse style latino

Instructions :

1. Cuire le bacon et 3 c. à soupe d'huile d'olive dans une très grande poêle à feu vif, en remuant fréquemment pendant 4 minutes.

2. Ajouter l'oignon et cuire 5 minutes. Ajouter les poivrons et cuire 5 minutes. Ajouter l'ail, le piment habenero, le safran et le xérès. Laisser réduire de moitié.

3. Ajouter le lait évaporé dans la poêle et continuer la cuisson du mélange jusqu'à réduction de moitié. Ajouter la coriandre hachée et assaisonner de sel et de poivre.

4. En procédant par lots, transférer la préparation dans un mélangeur et passer, jusqu'à obtention d'une substance lisse.

5. Verser le mélange dans une grande casserole ; ajouter le bouillon de fruits de mer. Cuire à feu moyen élevé jusqu'à ce qu'il soit bien chaud.

6. Dans un faitout, réchauffer la c. à soupe d'huile d'olive qui reste à feu moyen. Ajouter les myes, les pétoncles et les crevettes géantes ; cuire 2 minutes. Ajouter les crevettes extra-grosses, le vivaneau, les moules et le mélange de bouillon de fruits de mer.

7. Cuire jusqu'à ce que les crevettes soient roses et que les coquilles s'ouvrent.

8. Assaisonner de jus de limette, de sel et de poivre. Servir la soupe immédiatement, garnie de tiges de coriandre.

Portions : 6 à 8
Préparation : 20 min
Cuisson : 40 min

Ingrédients :
- 3 tranches de bacon hachées
- 4 c. à s. d'huile d'olive
- 1 T d'oignon rouge haché
- 1 poivron jaune épépiné et haché
- 1 poivron rouge épépiné et haché
- 2 gousses d'ail
- 1 c. à t. de piment habanero épépiné et émincé
- 1 généreuse pincée de safran
- 1/2 T de xérès sec
- 1/2 T de lait évaporé
- 1/4 de T de coriandre avec les tiges, grossièrement hachée, un peu plus pour garnir
- Gros sel et poivre noir moulu
- De 12 à 14 T de bouillon de fruits de mer
- 18 petites myes, nettoyées
- 12 pétoncles cueillis à la main
- 6 crevettes géantes avec la tête pelées, déveinées et ouvertes
- 12 crevettes extra grosses, pelées et déveinées
- 750 g de vivaneau rouge coupé en morceaux de 10 à 15 cm
- 18 moules ébarbées
- Le jus fraîchement pressé d'une limette

Chaudrée de vivaneau et légumes

Portions : 4 à 6
Préparation : 30 min
Cuisson : 50 min

Ingrédients :
- 500 g de vivaneau coupé en morceaux de 1 cm
- 2 c. à s. d'huile végétale
- 3 branches de céleri hachées
- 2 carottes hachées
- 1 oignon haché
- 1 poivron vert haché
- 3 gousses d'ail finement hachées
- 3 c. à s. de pâte de tomate
- 4 T de jus de palourdes
- 2 pommes de terre pelées et coupées en dés
- 1 boîte de tomates coupées en dés
- 2 c. à s. de sauce Worcestershire
- 1 piment jalapeño épépiné et finement haché
- 1 c. à t. de poivre noir moulu
- 1 feuille de laurier

Instructions :

1. Faire chauffer l'huile dans un gros chaudron à soupe à feu moyen.

2. Ajouter le céleri, les carottes, l'oignon, le poivron vert et l'ail et faire sauter pendant 8 minutes.

3. Incorporer la pâte de tomate et laisser cuire 1 minute.

4. Ajouter le jus de palourdes, les pommes de terre, les tomates en boîte avec le jus, la sauce Worcestershire, le piment jalapeño, la feuille de laurier et le poivre moulu.

5. Laisser mijoter jusqu'à ce que les pommes de terre soient tendres en remuant souvent.

6. Ajouter le poisson et laisser mijoter jusqu'à ce qu'il s'émiette facilement avec une fourchette (environ 10 minutes).

Soupe aux pois cassés

Portions : 8
Préparation : 20 min
Cuisson : 1 h 30

Ingrédients :
- **3 tranches de bacon hachées**
- **1 1/2 T d'oignon finement haché**
- **5 T d'eau**
- **1 1/2 T de pois fendus verts**
- **1/4 de c. à t. de thym déshydraté**
- **1/4 de c. à t. de sarriette déshydratée**
- **1/4 de c. à t. de poivre noir fraîchement moulu**
- **1 c. à t. de sel casher**
- **Tiges de thym (facultatif)**

Instructions :

1. Dans un faitout, cuire le bacon 5 minutes à feu moyen. Ajouter l'oignon dans la casserole ; cuire 5 minutes ou jusqu'à ce que l'oignon soit tendre et légèrement doré en remuant de temps à autre. Ajouter 5 tasses d'eau en grattant les petits morceaux dorés qui auraient adhéré au fond de la casserole. Ajouter les pois, le thym, la sarriette et le poivre ; amener à ébullition.

2. Couvrir, diminuer la chaleur et laisser mijoter 1 heure 20. Piler, à l'aide d'un pilon à pommes de terre jusqu'à l'obtention de la consistance désirée. Incorporer le sel.

3. Garnir de tiges de thym, si désiré.

Soupe de poisson épicée

Portions : 2 à 4
Préparation : 10 min
Cuisson : 30 min

Ingrédients :
- 1/2 oignon haché
- 1 gousse d'ail émincée
- 1 c. à s. de poudre de chili
- 1 1/2 T de bouillon de poulet
- 100 g de piments de Cayenne verts hachés
- 1 c. à t. de cumin moulu
- 1 1/2 T de tomates en conserve pelées et coupées en dés
- 1/2 T de poivron vert haché
- 1/2 T de crevettes
- 750 g de filet de morue
- 3/4 de T de yogourt nature sans matières grasses

Instructions :

1. Vaporiser une grande casserole d'huile avec l'aérosol de cuisson et faire chauffer à feu moyen-élevé. Ajouter les oignons et faire revenir, en remuant souvent, environ 5 minutes. Ajouter l'ail et la poudre de chili et faire revenir 2 minutes de plus. Ajouter le bouillon de poulet, les piments et le cumin et bien remuer. Amener à ébullition, diminuer la chaleur, couvrir et laisser mijoter à feu doux pendant 20 minutes. Ajouter les tomates, le poivron vert, les crevettes et la morue. Amener à ébullition de nouveau, diminuer la chaleur, couvrir et laisser mijoter à feu doux, 5 minutes de plus. Incorporer graduellement le yogourt jusqu'à ce qu'il soit bien chaud.

Soupe nuptiale grecque

Portions : 4
Préparation : 15 min
Cuisson : 15 min

Ingrédients :
- 3 3/4 T de bouillon de poulet
- 625 g d'agneau ou de bœuf haché
- 2/3 de T de persil plat finement haché (2 poignées généreuses)
- 1/3 de T de chapelure (une poignée généreuse)
- 1/4 de T de féta émietté ou haché
- 1 gros œuf
- 2 gousses d'ail râpées ou finement hachées
- 2 tiges d'origan finement hachées
- Sel et poivre
- 1 T d'orzo
- Le zeste râpé et le jus d'un citron
- 1/3 de T de feuilles de menthe hachées

Instructions :

1. Dans une poêle profonde ou un faitout, amener le bouillon de poulet à ébullition. Diminuer la chaleur et laisser mijoter. Pendant ce temps, dans un grand bol, combiner l'agneau, la moitié du persil, la chapelure, le feta, l'œuf, l'ail et l'origan ; assaisonner de sel et de poivre. Façonner des boulettes de 2,5 cm. Ajouter les boulettes et l'orzo dans le bouillon et cuire 8 minutes. Incorporer le zeste et le jus de citron, le reste du persil et la menthe.

Soupe de poisson à la provençale

Portions : 6
Préparation : 20 min
Cuisson : 40 min

Ingrédients :

- 500 g de mérou ou d'un autre poisson à chair blanche coupé en morceaux de 2,5 cm
- 1 c. à s. d'huile d'olive
- 2 T d'oignon haché
- 1 T de poivron vert haché
- 3/4 de T de poivron rouge haché
- 1 gousse d'ail émincée
- 1/4 de c. à t. de piment rouge broyé
- 1/4 de c. à t. de zeste d'orange râpé
- 1/4 de c. à t. de thym déshydraté
- 1/8 de c. à t. de graines de fenouil
- 400 g de tomates italiennes entières et hachées
- 1 feuille de laurier
- 2 T de pommes de terre cuites au four pelées et coupées en dés
- 1 1/2 T d'eau
- 1/2 T de vin blanc sec
- 2 c. à s. de persil frais haché
- 1/4 de T de moitié-moitié
- 3/4 de c. à t. de sel
- 1/4 de c. à t. de poivre noir

Instructions :

1. À feu moyen-élevé, faire chauffer l'huile dans une marmite.

2. Ajouter l'oignon, les poivrons et l'ail et faire revenir 5 minutes.

3. Ajouter le piment rouge et les 5 ingrédients qui le suivent dans la liste (jusqu'à la feuille de laurier) et amener à ébullition.

4. Ajouter les pommes de terre ; couvrir et cuire 10 minutes en remuant de temps à autre.

5. Ajouter l'eau et le vin ; amener à ébullition et cuire 5 minutes.

6. Ajouter le poisson et le persil ; amener à ébullition.

7. Couvrir et cuire 2 minutes ou jusqu'à ce que le poisson soit à point.

8. Retirer du feu ; jeter la feuille de laurier. Incorporer le moitié-moitié, le sel et le poivre noir.

Soupe aigre-douce aux crevettes à la vietnamienne

Portions : 4
Préparation : 15 min
Cuisson : 20 min

Ingrédients :

- 2 c. à s. de pulpe de tamarin
- 1/4 de T d'échalotes tranchées finement
- 1 c. à s. d'huile à salade
- 1/2 c. à t. d'ail émincé
- 1/2 c. à t. de pâte de chili asiatique
- 5 T de bouillon de poulet dégraissé
- 500 g de crevettes épluchées, déveinées et rincées
- 1 T de morceaux d'ananas (8 mm)
- 2 c. à s. de sauce de poisson asiatique (nuoc mam ou nam pla) ou de sauce soya pauvre en sodium
- 3 c. à s. de sucre
- 1/4 de T de jus de limette
- 2 tomates prunes rincées, évidées et coupées en morceaux de 1 cm
- 2 T de germes de soja rincés et égouttés
- 2 c. à s. de feuilles de basilic thaïlandais ou de basilic ordinaire
- 2 c. à s. d'herbe à paddy (ngo om) ou de coriandre fraîche
- 2 c. à t. de piments thaïlandais frais (hang prik) ou de piments serrano

Instructions :

1. Dans un bol, mélanger la pulpe de tamarin et 1/3 de tasse d'eau chaude. Laisser reposer, retirer les pépins de la pulpe et presser le mélange dans une passoire fine au-dessus d'un autre petit bol ; jeter les pépins.

2. Faire chauffer à feu moyen dans une grande casserole d'une capacité de 5 à 6 litres les échalotes et l'huile jusqu'à ce qu'elles soient dorées et croustillantes, de 3 à 6 minutes. Retirer les échalotes avec une cuiller à rainures et égoutter sur des essuie-tout.

3. Ajouter l'ail et la pâte de chili dans une poêle et remuer jusqu'à ce que l'ail soit odorant, environ 10 secondes. Ajouter le bouillon, couvrir et amener à ébullition à feu vif.

4. Ajouter les crevettes, les ananas, la sauce de poisson, le sucre, le jus de limette et réserver la pulpe de tamarin. Cuire sans couvrir jusqu'à ce que les crevettes soient roses, de 2 à 3 minutes.

5. À l'aide d'une cuiller à rainures, transférer les crevettes et l'ananas dans de grands bols. Incorporer les tomates, les germes de soja, le basilic et l'herbe à paddy dans le bouillon chaud.

6. Verser le mélange de soupe dans les bols et saupoudrer d'échalotes frites. Ajouter les piments hachés, au goût.

Soupe du pêcheur

Portions : 4
Préparation : 15 min (plus 30 minutes de repos)
Cuisson : 35 min

Ingrédients :
- 60 g de tamarin
- 1/2 T d'eau bouillante
- 200 g de crevettes moyennes décortiquées
- 2 gousses d'ail hachées
- 1/4 de T plus 1 c. à t. de nuoc mam
  (sauce de poisson vietnamienne)
- Poivre noir fraîchement moulu
- 2 c. à s. d'huile végétale
- 2 échalotes tranchées finement
- 3 tiges de citronnelle fraîche, le bulbe blanc broyé
  et coupées en trois sections de 5 cm
- 1 grosse tomate mûre épépinée et coupée en morceaux
- 2 c. à s. de sucre
- 1/4 d'ananas évidé coupé en tranches de 3 mm
  taillées en morceaux dans le sens de la largeur
- La section pâle d'un cœur de céleri,
  les nervures tranchées très finement
- 1 c. à t. de sel
- 1 oignon vert tranché finement (facultatif)
- 2 c. à s. de feuilles de menthe
  ou de coriandre effilochées

Instructions :

1. Faire tremper le tamarin dans l'eau bouillante pendant 15 minutes ou jusqu'à ce qu'il soit tendre.

2. À l'aide du dos d'une cuiller, presser le tamarin dans une passoire fine au-dessus d'un petit bol.

3. Mélanger les crevettes et 1 c. à thé de sauce de poisson, l'ail haché et le poivre. Laisser reposer 30 minutes.

4. Réchauffer l'huile dans une poêle à frire d'une capacité de 3 litres. Ajouter les échalotes et la citronnelle et faire revenir sans faire dorer. Ajouter la tomate et le sucre et cuire à feu moyen jusqu'à ce qu'elle soit légèrement tendre.

5. Ajouter l'ananas et le céleri et cuire en remuant environ 2 minutes.

6. Ajouter 5 T d'eau et amener à ébullition. Incorporer le tamarin tamisé, le sel et le reste du 1/4 de tasse de sauce de poisson.

7. Fermer le feu et laisser mijoter environ 5 minutes.

8. Cuire environ 30 secondes, retirer du feu et laisser reposer de 30 secondes à 1 minute de plus ou jusqu'à ce que les crevettes soient cuites. Ne pas trop cuire.

9. Ajouter l'oignon vert ou les feuilles de menthe ou de coriandre et servir.

Soupe épicée aux carottes et aux lentilles

Portions : 4
Préparation : 10 min
Cuisson : 20 min

Ingrédients :

- 2 c. à t. de graines de cumin
- 1 pincée de flocons de piments de Cayenne
- 2 c. à s. d'huile d'olive
- 600 g de carottes lavées et grossièrement râpées (il n'est pas nécessaire de les peler)
- 140 g de lentilles rouges fendues
- 4 T de bouillon de légumes chaud (en cubes s'il y a lieu)
- 1/2 T de lait
- Yogourt nature et pain naan, pour servir

Instructions :

1. Réchauffer une grande casserole et faire revenir les graines de cumin et les flocons de piments 1 minute, ou jusqu'à ce qu'ils commencent à sautiller dans la poêle et à être odorants. Récupérer environ la moitié des graines à l'aide d'une cuiller et réserver. Ajouter l'huile, les carottes, les lentilles, le bouillon et le lait et amener à ébullition. Laisser mijoter 15 minutes jusqu'à ce que les lentilles soient tendres et gonflées.

2. Fouetter la soupe avec un mélangeur portatif ou dans un robot culinaire, jusqu'à l'obtention d'une substance lisse (ou plus grumeleuse, au goût). Assaisonner, au goût, et finir en nappant d'une cuillerée de yogourt et en saupoudrant les épices rôties réservées. Servir avec des pains naan chauds.

UNE TOUCHE TUNISIENNE
Remplacer les graines de cumin et les flocons de piment par quelques c. à thé de sauce harissa. Il est également possible d'ajouter quelques lanières de poulet cuit à la fin de la cuisson.

SANS PRODUIT LAITIER
Pour une solution plus riche, mais sans produit laitier, utiliser à la place du lait une boîte de lait de coco à faible teneur en matières grasses.

Bouillon de fruits de mer

Instructions :

1. Réchauffer l'huile d'olive à feu moyen dans une grande casserole à fond épais. Ajouter les oignons, les poireaux, le céleri, le fenouil et l'ail.

2. Cuire en remuant jusqu'à ce que les légumes soit tendres mais pas dorés, environ 8 minutes.

3. Ajouter les herbes de Provence, la lavande, l'estragon, le zeste d'orange, le safran, les feuilles de laurier, la pâte de tomate, les tomates, les crevettes et le poisson.

4. Cuire 20 minutes en remuant de temps à autre.

5. Incorporer le vin et laisser mijoter jusqu'à réduction de moitié, environ 8 minutes. Ajouter le bouillon et laisser mijoter jusqu'à ce que les saveurs se fondent, environ 1 heure 30.

6. Tamiser le mélange dans une passoire installée au-dessus d'un bol en effectuant une pression sur les solides pour en extraire le liquide. Assaisonner de sel.

Portions : 6 à 8
Préparation : 20 min
Cuisson : 2 h

Ingrédients :

- 1/2 T d'huile d'olive
- 2 oignons espagnols moyens finement hachés
- 2 poireaux moyens hachés
- 4 branches de céleri hachées
- 2 T de fenouil haché (1 gros bulbe)
- 4 gousses d'ail moyennes émincées
- 1 c. à s. d'herbes de Provence
- 1 c. à t. de fleurs de lavande déshydratées
- 1 c. à s. d'estragon frais haché
- Le zeste râpé d'une orange
- 1 c. à s. de safran
- 2 feuilles de laurier
- 1 c. à s. de pâte de tomate
- 4 T de tomates Beefsteak pelées, épépinées et hachées (environ 3 tomates)
- 1 kg de crevettes hachées
- 2,25 kg de poisson, comme du vivaneau rouge, nettoyé, évidé et coupé en morceaux de 2,5 cm
- 1 bouteille de vin blanc sec
- 8 T de bouillon de poulet maison ou commercial pauvre en sodium
- Sel de mer

Soupe délicieuse au jambon et aux pommes de terre

Portions : 4 à 6
Préparation : 20 min
Cuisson : 25 min

Ingrédients :
- 3 1/2 T de tomates pelées et taillées en dés
- 1/3 de T de céleri taillé en dés
- 1/3 de T d'oignon finement haché
- 3/4 de T de jambon cuit taillée en dés
- 3 1/4 T d'eau
- 2 c. à s. de granules de bouillon de poulet
- 1/2 c. à t. de sel, ou au goût
- 1 c. à t. de poivre blanc et de poivre noir moulu ou au goût
- 5 c. à s. de beurre
- 5 c. à s. de farine (tout usage)
- 2 T de lait

Instructions :
1. Combiner les pommes de terre, le céleri, l'oignon, le jambon et l'eau dans une grande casserole.

2. Amener à ébullition et cuire à feu moyen jusqu'à ce que les pommes de terre soient tendres, de 10 à 15 minutes. Incorporer le bouillon de poulet, le sel et le poivre.

3. Dans une autre casserole, faire fondre le beurre à feu moyen-doux. Incorporer la farine en fouettant à l'aide d'une fourchette et cuire en remuant constamment jusqu'à épaississement, environ une minute.

4. Incorporer le lait, lentement, pour éviter la formation de grumeaux jusqu'à ce que tout le lait soit utilisé.

5. Continuer de remuer en réchauffant à feu moyen-doux jusqu'à épaississement, de 4 à 5 minutes. Incorporer le mélange de lait dans la casserole et cuire la soupe jusqu'à ce qu'elle soit bien chaude. Servir immédiatement.

Soupe à l'oignon, au bœuf et à l'orge

Portions : 6
Préparation : 30 min
Cuisson : 1 h 20

Ingrédients :

- 1 bifteck de surlonge (340 g), coupé en lanières de 5 cm
- 1 T d'eau bouillante
- 15 g de champignons shiitake déshydratés
- 1 c. à s. d'huile de sésame
- 4 T d'oignons coupés en 8
- 1/2 T d'échalotes hachées
- 2 c. à t. de gingembre frais pelé et haché
- 4 gousses d'ail émincées
- 3 T de champignons de Paris tranchés
- 1 c. à t. de cassonade
- 4 T d'eau
- 2/3 de T d'orge perlé non cuit
- 1/4 de T de xérès sec
- 3 c. à s. sauce soya pauvre en sodium
- 1 1/4 T de consommé de bœuf
- 12 tranches de baguette coupées en diagonale
- 3/4 de T de gruyère

Instructions :

1. Combiner l'eau bouillante et les champignons shiitake dans un bol ; couvrir et laisser reposer 30 minutes. Égoutter les champignons dans une passoire au-dessus d'un bol et réserver le liquide. Trancher les champignons et jeter les pieds.

2. Dans un grand faitout, réchauffer 2 c. à thé d'huile à feu moyen-élevé. Ajouter l'oignon, les échalotes, le gingembre et l'ail ; faire revenir 10 minutes ou jusqu'à ce qu'ils soient légèrement dorés. Ajouter les shiitakes, les champignons de Paris, le sucre et le bœuf.

3. Faire revenir 10 minutes, en grattant les petits morceaux dorés qui auraient adhéré au fond de la poêle.

4. Ajouter le liquide de champignons réservé, 4 tasses d'eau, et les 4 ingrédients qui suivent dans la liste jusqu'au consommé ; amener à ébullition.

5. Couvrir, diminuer la chaleur et laisser mijoter 50 minutes ou jusqu'à ce que l'orge soit tendre. Incorporer 1 c. à thé d'huile de sésame.

6. Préchauffer le grilloir.

7. Verser 1 1/2 tasse de soupe dans chacun des 6 bols allant au four ; surmonter de tranches de baguette et de 2 c. à soupe de fromage.

8. Griller à 7,5 cm de la source de chaleur 1 minute ou jusqu'à ce que le fromage fonde. Servir immédiatement.

Chaudrée de poisson de Manhattan

Instructions:

1. Dans une grande casserole ou un faitout d'une capacité de 5 litres, cuire le bacon à feu moyen-doux jusqu'à ce qu'il soit doré et croustillant, de 8 à 10 minutes. Récupérer et jeter tout le gras sauf 1 c. à soupe. Ajouter l'oignon et les carottes et cuire en remuant de temps à autre, jusqu'à ce qu'ils soient tendres, environ 10 minutes. Ajouter les tomates et ler jus (en brisant les tomates avec une cuiller), le jus de myes et 1 1/2 tasse d'eau; amener à ébullition.

2. Ajouter les pommes de terre et le thym; diminuer la chaleur et laisser mijoter. Cuire jusqu'à ce que les pommes de terre soient tendres, mais toujours fermes, de 15 à 20 minutes.

3. Ajouter le tilapia; couvrir et cuire jusqu'à ce qu'il soit opaque et floconneux, environ 3 minutes. Assaisonner de sel et de poivre. À l'aide d'une louche, verser les liquides et les solides dans 6 bols à soupe; servir immédiatement.

Portions: 6
Préparation: 15 min
Cuisson: 50 min

Ingrédients:
- 4 tranches de bacon, coupées dans le sens de la largeur en morceaux de 5 mm
- 1 gros oignon finement haché
- 1 T de carottes, coupées dans le sens de la longueur et tranchées finement dans le sens de la largeur
- 1 boîte (794 g) de tomates prunes dans leur jus
- 2 bouteilles (250 ml chacune) de jus de myes
- 2 pommes de terre moyennes (environ 750 g) convenant à la cuisson au four, pelées et coupées en morceaux de 5 cm
- 1/2 c. à t. de thym déshydraté
- 500 g de filets de tilapia sans peau coupés en morceaux de 5 cm
- Gros sel et poivre moulu

Soupe aux tomates et aux pâtes

Portion: 4
Préparation: 15 min
Cuisson: 1 h 10

Ingrédients:
- 3 T de sauce tomate
- 5 T d'eau
- 3 cubes de bouillon de légumes
- 1 feuille de laurier
- 1 petit oignon haché
- 2 gousses d'ail émincées
- 1 c. à t. d'assaisonnement italien
- 1 1/2 c. à t. de persil déshydraté
- 1 1/2 c. à t. de sucre
- 1 c. à t. de sel
- 1/4 de c. à t. de poivre
- 1/8 de c. à t. de sauce Tabasco
- 2 branches de céleri tranchées
- 2 carottes pelées et tranchées
- 1 petit zucchini haché
- 1 T de maïs congelé
- 1/2 T de ditalis non cuits

Instructions:

1. Dans une grande casserole, mélanger la sauce tomate, l'eau, le bouillon de légumes, la feuille de laurier, l'oignon, l'ail, l'assaisonnement italien, le persil, le sucre, le sel, le poivre et la sauce pimentée.

2. Amener à ébullition, diminuer la chaleur et laisser mijoter à feu doux au moins 30 minutes.

3. Incorporer le céleri, les carottes, le zucchini et le maïs. Couvrir et laisser mijoter 30 minutes de plus.

4. Incorporer les ditalis dans la casserole et poursuivre la cuisson 10 minutes ou jusqu'à ce que les pâtes soient *al dente*.

Chaudrée de poulet aux piments poblanos

Portions : 12 à 16
Préparation : 20 min
Cuisson : 30 min

Ingrédients :
- 1/4 de T d'huile d'olive
- 3 grosses carottes taillées en morceaux de 1 cm
- 2 gros oignons taillés en morceaux de 1 cm
- 5 branches de céleri taillées en morceaux de 1 cm
- 1/8 de T d'ail émincé
- 2 à 3 petits piments poblano épépinés et coupés en dés de 1 cm
- 1 c. à t. de sel
- 1/2 c. à t. de poivre blanc
- 1/4 de c. à t. de cumin moulu
- 1/4 de c. à t. de thym déshydraté
- 1 c. à s. de granules de bouillon de poulet
- 6 T de bouillon de poulet
- 1/2 botte de feuilles de coriandre fraîches émincées
- 3 T de gros cubes de poulet grillés
- 1/2 T de beurre non salé (1 bâtonnet)
- 1 T de farine (tout usage)
- 1/2 c. à t. de sauce piquante
- 1 T de crème fraîche épaisse

Instructions :

1. Réchauffer l'huile dans un grand chaudron à feu moyen. Ajouter les carottes, les oignons, le céleri, l'ail, les piments, le sel, le poivre blanc, le cumin et le thym.

2. Faire revenir de 7 à 8 minutes, ou jusqu'à ce que les légumes commencent à s'attendrir. Incorporer les granules de bouillon de poulet. Ajouter le bouillon de poulet et la coriandre et cuire de 10 à 12 minutes, jusqu'à ce que les carottes soient tendres. Incorporer le poulet et cuire, en remuant fréquemment jusqu'à ce que la chaudrée soit épaisse et le poulet, cuit à point.

3. Un peu avant que la chaudrée soit prête, faire fondre le beurre dans une grande poêle à feu moyen. Ajouter la farine et remuer pour mélanger.

4. Cuire, en remuant souvent, de 3 à 4 minutes. Ne pas laisser le mélange dorer.

5. À l'aide d'une louche, verser une tasse du liquide chaud du chaudron dans la poêle, en fouettant constamment.

6. Après avoir incorporé la première tasse, ajouter deux autres tasses de liquide, une tasse à la fois. Verser la préparation de la poêle dans le chaudron en remuant pour mélanger.

7. Cuire, en remuant fréquemment, de 3 à 5 minutes de plus ou jusqu'à ce que le mélange commence à épaissir.

8. Retirer le chaudron du feu. Incorporer la sauce piquante et la crème et servir.

Chaudrée de moules épicée

Instructions :

1. Amener le bouillon à ébullition et ajouter les moules. Secouer la casserole et couvrir jusqu'à ce que les moules s'ouvrent, environ 3 minutes. Jeter celles qui sont demeurées fermées. Retirer les moules de leurs coquilles et réserver. Réserver le liquide séparément.

2. Réchauffer l'huile dans un chaudron à feu moyen. Ajouter les pommes de terre, le fenouil et les poireaux et faire revenir 2 minutes. Ajouter la pâte de cari et faire revenir 1 minute de plus. Verser le bouillon de moules réservé. Amener à ébullition, diminuer la chaleur et laisser mijoter à feu moyen-doux, de 10 à 12 minutes, ou jusqu'à ce que les légumes soient tendres.

3. Ajouter les moules et la crème et laisser mijoter 2 minutes pour réchauffer et faire se fondre les saveurs. Incorporer le jus de citron. Assaisonner de sel et de poivre. Verser dans des bols et garnir de cerfeuil.

Portions : 4
Préparation : 15 min
Cuisson : 25 min

Ingrédients :
- 3 T de bouillon de poulet ou de poisson
- 500 g de moules
- 1 c. à s. d'huile végétale
- 1 T de pommes de terre rouges taillées en dés
- 1 T de fenouil taillé en dés
- 1 T de poireaux tranchés et taillés en dés
- 1/2 c. à t. de pâte de cari thaïlandaise
- 1/4 de T de crème à fouetter
- 1 c. à s. de jus de citron
- Sel et poivre fraîchement moulu
- 2 c. à s. de cerfeuil ou de persil frais haché

Soupe aux saucisses italiennes

Portions : 4 à 6
Préparation : 20 min
Cuisson : 1 h 15

Ingrédients :

- **500 g de saucisse italienne, les boyaux retirés**
- **1 T d'oignon haché**
- **2 gousses d'ail émincées**
- **5 T de bouillon de bœuf**
- **1/2 T d'eau**
- **1/2 T de vin rouge**
- **4 grosses tomates pelées, épépinées et hachées**
- **1 T de carottes finement tranchées**
- **1/2 c. à s. de feuilles de basilic frais**
- **1/2 c. à t. d'origan déshydraté**
- **1 T de sauce tomate**
- **1 1/2 T de zucchini tranché**
- **227 g de tortellini frais**
- **3 c. à s. de persil frais haché**

Instructions :

1. Dans un grand faitout d'une capacité de 5 litres, faire dorer la saucisse.

2. Retirer et égoutter en réservant 1 c. à soupe des jus de cuisson.

3. Faire revenir l'oignon et l'ail dans les jus. Incorporer le bouillon de bœuf, l'eau, le vin, les tomates, les carottes, le basilic, l'origan, la sauce tomate et la saucisse. Amener à ébullition.

4. Diminuer la chaleur ; laisser mijoter sans couvrir 30 minutes.

5. Dégraisser la soupe. Incorporer le zucchini et le persil. Laisser mijoter sans couvrir 30 minutes.

6. Ajouter les tortellini au cours des 10 dernières minutes.

7. Saupoudrer du parmesan sur les soupes.

Bouillabaisse thaïlandaise à la noix de coco

Portions : 6
Préparation : 20 min
Cuisson : 1 h

Ingrédients :

- 1 filet de flétan sans peau (170 g) coupé en morceaux de 2,5 cm
- 500 g de crevettes géantes décortiquées et déveinées (réserver les carapaces)
- 1 T de céleri haché, divisée
- 1 T de carotte hachée, divisée
- 1 T d'oignon haché, divisée
- 2 1/2 T d'eau froide
- 3 grains de poivre concassés
- 1 feuille de laurier
- 1 c. à t. d'huile d'olive
- 1 T de poivron rouge haché
- 1/2 T de tomate hachée
- 1 c. à s. d'ail frais émincé
- 1 c. à t. de pâte de cari rouge
- 4 zestes de limette (2 x 5 mm)
- 1 boîte (384 g) de lait de coco
- 12 palourdes du Pacifique,
- 12 moules, nettoyées et ébarbées
- 1/4 de T de basilic frais haché
- 1/4 de T de coriandre fraîche hachée
- 1 c. à t. de sel
- 1/4 de c. à t. de poivre noir
- Aérosol de cuisson

Instructions :

1. Réchauffer une casserole à feu moyen. Vaporiser avec l'aérosol de cuisson. Ajouter les carapaces des crevettes dans la casserole ; cuire 3 minutes, en remuant fréquemment. Ajouter 1/2 tasse de céleri, 1/2 tasse de carottes et 1/2 tasse d'oignons dans la poêle ; cuire 1 minute, en remuant de temps à autre. Incorporer 2 1/2 tasses d'eau, les grains de poivre et la feuille laurier ; amener à ébullition. Diminuer la chaleur et laisser mijoter 30 minutes en remuant de temps à autre. Passer le mélange dans un tamis au-dessus d'un bol ; jeter les solides.

2. Réchauffer l'huile à feu moyen dans une grande casserole. Ajouter la 1/2 tasse de céleri, la 1/2 tasse de carottes et la 1/2 tasse d'oignons qui restent ; cuire 3 minutes en remuant de temps à autre. Ajouter le poivron ; cuire 1 minute en remuant de temps à autre. Incorporer la tomate, l'ail, la pâte de cari et le zeste ; cuire 2 minutes en remuant fréquemment. Incorporer le mélange de bouillon et le lait de coco ; amener à ébullition. Ajouter les myes et les moules. Couvrir, diminuer la chaleur et cuire 2 minutes ou jusqu'à ce que les myes et les moules s'ouvrent. Retirer du feu ; jeter toutes les moules qui sont demeurées fermées. Incorporer les crevettes, le basilic et les ingrédients qui restent, sauf les quartiers de limette. Couvrir et laisser reposer 5 minutes ou jusqu'à ce que les crevettes et le flétan soient cuits. Jeter le zeste de limette. Placer 2 myes et 2 moules dans chacun des 6 bols. Diviser les crevettes et le poisson en quantités égales et verser 2/3 de tasse du mélange de bouillon dans chacun des bols.

Potage Faubonne aux grains de blé et au romarin

Instructions :

1. Trier et laver les haricots ; placer dans un grand bol. Couvrir d'eau en s'assurant que l'eau dépasse les haricots de 5 cm ; couvrir et laisser reposer 8 heures ou toute la nuit. Égoutter.

2. Placer les grains de blé dans un bol de dimension moyenne ; couvrir d'eau en s'assurant que l'eau les recouvre de 5 cm. Couvrir et laisser reposer 8 heures ou toute la nuit. Égoutter. Placer les grains de blé dans une grande casserole. Couvrir d'eau en s'assurant que l'eau les recouvre de 5 cm. Amener à ébullition ; diminuer la chaleur et laisser mijoter 25 minutes. Incorporer 1/2 c. à thé de sel ; cuire 20 minutes ou jusqu'à ce que les grains de blé soient tendres. Égoutter.

3. Pendant la cuisson des grains de blé, réchauffer l'huile dans un faitout à feu moyen. Ajouter l'oignon, le céleri, la carotte, 1 c. à soupe de romarin frais et 3 gousses d'ail broyées et cuire 12 minutes, en remuant de temps à autre. Incorporer les haricots, 8 tasses d'eau, les tiges de persil et de thym et la feuille de laurier. Couvrir partiellement et cuire 1 heure 30 ou jusqu'à ce que les haricots soient tendres. Jeter la feuille de laurier, le persil et le thym. Incorporer les grains de blé, 1/2 c. à thé de sel, 1/4 de c. à thé de poivre et les tomates ; cuire 5 minutes ou jusqu'à ce que les ingrédients soient bien chauds.

4. Pour préparer la garniture, mélanger le persil haché, le fromage, 1 c. à soupe de romarin frais, 1/4 de c. à thé de poivre et l'ail haché. À l'aide d'une louche verser dans des bols à soupe et saupoudrer chaque portion d'environ 2 c. à soupe de garniture.

Portions : 6
Préparation : 20 min
(plus 8 h de repos)
Cuisson : 2 h

Ingrédients :

- 1 1/2 T de haricots ronds blancs
- 1 1/4 T de grains de blé non cuits
- 1 c. à t. de sel, divisée
- 1 c. à s. d'huile d'olive
- 2 T d'oignon en dés
- 1 T de céleri en dés
- 1/2 T de carottes en dés
- 1 c. à s. de romarin frais haché
- 3 gousses d'ail broyées
- 8 T d'eau
- 4 tiges de persil
- 2 tiges de thym
- 1 feuille de laurier
- 1/4 de c. à t. de poivre noir
- 1 boîte (411 g) de tomates en dés non égouttées

GARNITURE

- 1/2 T de persil frais haché
- 1/3 de T de parmesan frais râpé
- 1 c. à s. de romarin frais haché
- 1/4 de c. à t. de poivre noir
- 1 gousse d'ail hachée

Salades & vinaigrettes

Laitue romaine et sauce César

Instructions :

1. Fouetter ensemble la mayonnaise, le jus de citron, le parmesan, la sauce Worcestershire, le sel et le poivre dans un grand bol à salade (si la sauce est trop épaisse, ajouter 1 ou 2 c. à soupe d'eau).

2. Ajouter la laitue et remuer pour bien enrober de sauce. Garnir de parmesan râpé, si désiré.

Portions : 4
Préparation : 15 min

Ingrédients :
- **1/3 de T de mayonnaise faible en gras**
- **2 à 3 c. à s. de jus de citron frais**
- **3 c. à s. de fromage parmesan râpé**
- **1/4 de c. à t. de sauce Worcestershire**
- **1 ou 2 laitues romaines coupées en morceaux de 2,5 cm**
- **1/4 de c. à t. de gros sel**
- **1/4 de c. à t. de poivre moulu**

Salade de betteraves et de noisettes à l'aneth

Portions : 4
Préparation : 15 min
Cuisson : 45 min

Ingrédients :
- 8 betteraves crues
  (avec les feuilles)
- 1 1/2 c. à s. de vinaigre de vin
  rouge (ou plus au besoin)
- 1 c. à s. d'huile d'olive extra vierge
- 2 c. à s. d'aneth frais haché
- 1 gousse d'ail finement hachée
- 1/3 de T de noisettes grillées
  grossièrement hachées
- Sel de mer, au goût

Instructions :

1. Préchauffer le four à 375 °F.

2. Enlever les feuilles de betteraves et laisser environ 2,5 cm de racine. Mettre les feuilles de côté pour usage futur. Déposer les betteraves dans un plat allant au four et verser environ 5 mm d'eau dans le plat. Couvrir et faire cuire au four jusqu'à ce que les betteraves puissent facilement être percées avec une fourchette (45 minutes).

3. Laisser refroidir les betteraves puis peler et couper en tranches fines. Déposer les tranches de betteraves dans un bol et ajouter le vinaigre balsamique puis remuer doucement. Laisser reposer 30 minutes.

4. Ajouter l'huile d'olive, l'aneth, l'ail et le sel en remuant doucement pour éviter de briser les tranches. Goûter et ajouter plus de vinaigre au besoin. Incorporer les noisettes et servir.

Salade au poulet grillé dans une sauce adobo

Instructions :

1. Préchauffer le four à 400 °F.

2. Déposer un petit bol d'eau près de la surface de travail. Pour faire les bols de tortillas, déposer 4 boîtes vides sur une plaque à biscuits en posant le côté ouvert vers le bas. Ramollir les tortillas en badigeonnant les 2 côtés avec de l'eau puis avec 1 c. à soupe d'huile d'olive à l'aide d'un pinceau. Draper les tortillas sur les boîtes et faire cuire au four jusqu'à ce qu'elles soient fermes (5 à 7 minutes). Les tortillas prendront la forme, les mettre à l'endroit avec des pinces puis mettre les boîtes au recyclage avant de continuer la cuisson des tortillas jusqu'à ce qu'elles soient dorées et croustillantes (encore 4 minutes).

3. Pour préparer le poulet grillé dans une sauce adobo, mélanger le poivre au citron, la poudre d'ail, la poudre d'oignon, l'origan séché, le persil séché, la poudre d'achiote, le cumin et le sel dans un contenant hermétique, fermer et remuer pour bien mélanger les ingrédients. Le mélange d'épices peut être conservé pendant 2 semaines dans un endroit sec et frais. Assaisonner le poulet avec les épices adobo puis le faire griller à feu moyen pendant 3 à 5 minutes de chaque côté selon l'épaisseur des tranches dans une poêle gril graissée avec l'aérosol de cuisson ou de l'huile d'olive.

4. Faire chauffer le reste de l'huile à feu moyen dans une grande poêle à frire, ajouter les oignons et faire cuire jusqu'à ce qu'ils soient tendres et translucides (4 minutes). Ajouter l'ail et faire cuire encore jusqu'à ce qu'il dégage une forte odeur (1 minute). Assaisonner de sel et de poivre puis incorporer les tomates, les piments jalapeños, la sauce adobo et l'eau et faire cuire en remuant de temps à autre jusqu'à ce que la préparation épaississe légèrement (5 minutes). Verser les haricots et laisser cuire jusqu'à ce qu'ils soient chauds en assaisonnant de sel et de poivre. Retirer la sauce du feu.

5. Déposer les tortillas sur des assiettes et les remplir d'épinards ou de mesclun. Répartir également la sauce aux haricots dans les 4 bols et garnir de feta. Couvrir le fromage de tranches de poulet et garnir de coriandre. Verser un filet d'huile d'olive et servir.

Portions : 4
Préparation : 25 min
Cuisson : 25 min

Ingrédients :
- 4 tortillas de blé entier
- 2 c. à s. d'huile d'olive
- 4 poitrines de poulet
  coupées en tranches
- 1/2 oignon jaune haché
- 4 gousses d'ail finement hachées
- 3 tomates hachées
- 2 piments jalapeños en boîte
  dans de la sauce adobo, hachés
- 2 c. à s. de sauce adobo
- 1/2 T d'eau
- 1 boîte de haricots pinto
- 5 T de bébés épinards
  (ou de mesclun)
- 1/2 T de fromage feta émietté
- 1/4 de T de feuilles de coriandre
  fraîche hachées
- Tranches de lime
- Gros sel et poivre noir
  fraîchement moulu

SAUCE ADOBO
- 1 c. à s. de poivre au citron
- 1 c. à s. de poudre d'ail
- 1 c. à s. de poudre d'oignon
  (ou de flocons d'oignon)
- 1 c. à s. d'origan séché
- 1 c. à s. de persil séché
- 1 c. à s. de poudre d'achiote
- 1/2 c. à s. de cumin moulu
- 1 c. à s. de sel

Salade d'asperges et de saumon fumé

Portions : 4
Préparation : 15 min
Cuisson : 10 min

Ingrédients :

- 450 g d'asperges fraîches coupées en morceaux de 2,5 cm
- 1/2 T de pacanes en morceaux
- 2 cœurs de laitue rouge coupés en filaments
- 1/2 T de petits pois congelés
- 125 g de saumon fumé coupé en morceaux de 2,5 cm
- 1/4 de T d'huile d'olive
- 2 c. à s. de jus de citron
- 1 c. à t. de moutarde de Dijon
- 1/2 c. à t. de sel
- 1/4 de c. à t. de poivre

Instructions :

1. Dans un grand chaudron, porter l'eau à ébullition. Y déposer les asperges et faire cuire jusqu'à ce qu'elles soient tendres (5 minutes). Égoutter et réserver.

2. Faire chauffer les pacanes dans une poêle à frire à feu moyen. Faire cuire en remuant fréquemment jusqu'à ce qu'elles soient légèrement grillées (5 minutes).

3. Mélanger les asperges, les pacanes, la laitue, les petits pois et le saumon fumé dans un grand bol.

4. Mélanger l'huile d'olive, le jus de citron, la moutarde de Dijon, le sel et le poivre dans un autre bol et verser le tout sur la salade ou servir dans une saucière.

Salade mexicaine

Instructions :

1. Empiler les tortillas et couper en bandes de 3 à 5 mm d'épaisseur. Déposer les tranches de tortillas dans une plaque à biscuits de 30 x 42 cm et verser 1 c. à soupe d'huile d'olive, le sel et l'assaisonnement au chile.

2. Faire cuire les tortillas au four à 425 °F en remuant de temps à autre jusqu'à ce qu'elles soient croustillantes (5 à 8 minutes). Sortir de la plaque et laisser refroidir.

3. Pendant ce temps, couper la viande dans le sens de la largeur en bandes de 1 cm d'épaisseur. Empiler quelques tranches et couper en lanières de 1 cm d'épaisseur et de 7 à 10 cm de longueur. Mélanger le vinaigre, le cumin et la cannelle dans un petit bol.

4. Faire chauffer une poêle à frire antiadhésive de 25 x 30 cm à feu élevé. Lorsque la poêle est chaude, ajouter le reste de l'huile et tourner pour couvrir le fond de la poêle. Ajouter le bœuf et mélanger jusqu'à ce que la surface soit dorée et que le centre soit encore rosé (1 minute). Ajouter le mélange de vinaigre et remuer pendant 1 minute jusqu'à ce que le liquide soit évaporé.

5. Déposer la laitue au centre d'un grand bol assez profond. Entourer la laitue de tranches de tortillas et couvrir le tout de haricots, de fromage et de viande.

6. Garnir de guacamole, de crème sure et d'oignon vert. Verser soigneusement la salade dans les assiettes et servir avec la sauce.

Portions : 4 à 6
Préparation : 15 min
Réfrigération : 2 h

Ingrédients :

- 3 tortillas de maïs
- 1 1/2 c. à s. d'huile d'olive
- 3/4 de c. à t. d'assaisonnement au chile
- 375 g de longe de bœuf désossée comme une côtelette parée, rincée et épongée
- 1 c. à s. de vin blanc distillé
- 1/2 c. à t. de cumin moulu
- 1/4 de c. à t. de cannelle moulue
- 12 T de laitue romaine finement tranchée
- 1 boîte de haricots noirs rincés et égouttés (ordinaires ou faibles en sodium)
- 1 T de fromage cheddar fort râpé
- 1 1/4 T de guacamole, recette p. 456
- 1/2 T de crème sure régulière (ou faible en gras)
- 1/4 de T d'oignon vert finement tranché
- 2 T de sauce aux tomates fraîches, recette p. 454
- 3/4 de c. à t. de sel

Salade niçoise

Instructions :

1. Badigeonner le pain avec 1 c. à soupe d'huile d'olive. Faire griller le pain jusqu'à ce qu'il soit doré et croustillant. Étaler la tapenade sur chaque tranche et mettre de côté.

2. Fouetter ensemble la moutarde de Dijon, la mayonnaise, l'ail, l'estragon et le vinaigre puis incorporer graduellement 1/2 tasse d'huile en fouettant continuellement. Assaisonner de sel et de poivre et réserver.

3. Porter à ébullition un chaudron d'eau salée et faire bouillir les pommes de terre jusqu'à ce qu'elles soient tendres et croustillantes (5 à 10 minutes) puis ajouter les haricots verts et les œufs de caille et faire bouillir pendant encore 2 minutes. Bien égoutter, retirer les œufs de caille et laisser refroidir. Mélanger les pommes de terre et les haricots dans un bol et verser 1/4 de tasse de vinaigrette. Écaler les œufs avant de terminer la salade.

4. Saupoudrer le thon de poivre noir et de sel. Verser 2 c. à soupe d'huile d'olive dans une poêle et faire chauffer à feu élevé. Saisir les 4 côtés du thon jusqu'à ce que l'intérieur soit encore très saignant (1 à 2 minutes de chaque côté). Laisser refroidir et couper en tranches minces dans le sens de la largeur.

5. Déposer les légumes verts dans un grand plat et verser un filet de vinaigrette. Incorporer les tomates et les oignons et verser un filet de vinaigrette. Disposer les pommes de terre, les haricots, les œufs de caille, les tomates, les oignons et les câpres en différentes sections sur les légumes puis couvrir de thon et verser le reste de la vinaigrette. Saupoudrer de persil et servir avec le pain.

Portions : 6
Préparation : 25 min
Cuisson : 20 min

Ingrédients :
- **500 g de steak de thon de 2,5 cm d'épaisseur**
- **8 tranches de baguette de 5 mm d'épaisseur**
- **1 c. à s. d'huile d'olive**
- **1/4 de T de tapenade**
- **1 c. à s. de moutarde de Dijon**
- **1 c. à s. de mayonnaise**
- **1 c. à t. d'ail haché**
- **1 c. à s. d'estragon frais haché (ou 1 c. à t. d'estragon séché)**
- **3 c. à s. de vinaigre de vin blanc**
- **1/2 T d'huile d'olive**
- **12 mini pommes de terre rouges**
- **125 g de haricots verts hachés**
- **4 œufs de caille**
- **1 c. à s. de poivre noir concassé**
- **2 c. à s. d'huile d'olive**
- **6 T de légumes verts**
- **1 T de tomates cerises coupées en 2**
- **1/2 T d'oignon rouge finement haché**
- **1/4 de T de câpres**
- **1 c. à s. de persil haché**
- **Sel et poivre fraîchement moulu**

Salade de chou aux pommes

Portions : 4
Préparation : 15 min

Ingrédients :
- **3 T de chou haché**
- **1 pomme rouge non pelée, étrognée et hachée**
- **1 pomme verte Granny Smith non pelée, étrognée et hachée**
- **1 carotte râpée**
- **1/2 T de poivron rouge finement haché**
- **2 oignons verts finement hachés**
- **1/3 de T de mayonnaise**
- **1/3 de T de cassonade**
- **1 c. à s. de jus de citron**

Instructions :

1. Mélanger le chou, la pomme rouge, la pomme verte, la carotte, le poivron rouge et les oignons verts dans un grand bol.

2. Mélanger la mayonnaise, la cassonade et le jus de citron dans un petit bol.

3. Verser la sauce sur la salade.

Salade de roquette, prosciutto et poires

Portions : 4
Préparation : 15 min

Ingrédients :
- **1 bouquet de roquette**
- **2 poires mûres**
- **4 tranches minces de prosciutto**
- **Gros sel et poivre moulu, au goût**

Instructions :

1. Laver la roquette et défaire en petits morceaux.

2. Déposer la salade dans un bol et assaisonner de sel et de poivre.

3. Peler les poires, couper en 2 et extraire le trognon. Trancher finement chaque moitié de poire dans le sens de la longueur en laissant les tranches attachées à la partie inférieure du fruit (laisser 2,5 cm de la partie inférieure intacts). Ouvrir les tranches en éventail.

4. Mélanger la vinaigrette dans un petit bol et mettre 2 c. à soupe de côté.

5. Disposer la roquette sur le bord d'une assiette. Déposer les poires au centre de la roquette et verser la vinaigrette.

6. Former une fleur avec les tranches de prosciutto et assaisonner de sel et de poivre.

Salade César aux crevettes et pancetta

Instructions :

1. Faire décongeler les crevettes et éplucher. Éponger.

2. Préchauffer le four à 425 °F.

3. Déposer les crevettes dans un bol, verser un filet d'huile d'olive et assaisonner de poivre. Bien remuer. Déposer les crevettes sur une plaque à biscuits.

4. Déposer les tranches de pancetta à côté des crevettes, sur la même plaque à biscuits.

5. Faire griller les crevettes jusqu'à ce qu'elles soient roses (4 ou 5 minutes) et la pancetta jusqu'à ce qu'elle soit croustillante (4 à 7 minutes). Laisser refroidir.

6. Pendant ce temps, fouetter ensemble le citron, l'ail, la sauce Worcestershire et la moutarde de Dijon. Incorporer 3 c. à soupe d'huile d'olive et assaisonner de sel et de poivre en fouettant le tout.

7. Déposer 3 ou 4 feuilles de laitue sur 2 assiettes et couvrir de crevettes. Verser la vinaigrette puis garnir de pancetta et de parmesan, si désiré. Sinon, défaire la laitue en petits morceaux et mélanger avec les crevettes et la vinaigrette dans un bol.

8. Répartir également sur 2 assiettes et garnir de pancetta et de parmesan.

Portions : 2
Préparation : 20 min
Cuisson : 15 min

Ingrédients :
- 8 à 12 grosses crevettes congelées
- 2 tranches minces de pancetta
- 1 1/2 c. à s. de jus de citron
- 1 grosse gousse d'ail finement hachée
- 1/2 c. à t. de moutarde de Dijon
- 3 c. à s. d'huile d'olive
- 1 cœur de laitue romaine
- Huile d'olive
- Quelques gouttes de sauce Worcestershire
- Sel et poivre fraîchement moulu
- Parmesan (facultatif)

Salade aux tomates cerise et aux gourganes

Portions : 6
Préparation : 20 min
Cuisson : 4 min

Ingrédients :
- 2 kg de gourganes
- 2 T de tomates cerise équeutées et coupées en 2
- 1 branche de céleri finement tranché
- 12 feuilles de menthe finement hachées
- 1/4 de T d'huile d'olive extra vierge
- 2 c. à t. de jus de citron frais
- 60 g de fromage pecorino romano
- 12 bâtonnets de pain au fromage (facultatif)
- Gros sel et poivre fraîchement moulu

Instructions :

1. Écosser les gourganes et jeter les cosses.

2. Remplir un grand bol aux 3/4 d'eau glacée et mettre de côté.

3. Porter à ébullition un chaudron rempli aux 3/4 d'eau puis ajouter les gourganes et faire bouillir jusqu'à ce qu'elles soient tendres (3 ou 4 minutes).

4. Égoutter dans une passoire et transférer immédiatement dans le bol d'eau glacée. Lorsque les gourganes sont froides, égoutter à nouveau et presser chacune avec les doigts pour extraire l'eau.

5. Mélanger les gourganes, les tomates, le céleri et la menthe dans un grand bol. Verser l'huile d'olive et le jus de citron et assaisonner de sel et de poivre. Remuer pour mélanger le tout.

6. Répartir également la salade sur des assiettes et ajouter le fromage.

7. Garnir chaque assiette avec 2 bâtonnets de pain au fromage et servir immédiatement.

Salade de tomates, concombres, oignons rouges et menthe

Portions: 6
Préparation: 15 min
Marinade: 1 h

Ingrédients:
- 2 gros concombres coupés en 2 dans le sens de la longueur, épépinés et tranchés
- 1/3 de T de vinaigre de vin rouge
- 1 c. à s. de sucre blanc
- 1 c. à t. de sel
- 3 grosses tomates épépinées et grossièrement hachées
- 2/3 de T d'oignon grossièrement haché
- 1/2 T de feuilles de menthe fraîche hachées
- 3 c. à s. d'huile d'olive
- Sel et poivre, au goût

Instructions:

1. Mélanger les tranches de concombres, le vinaigre, le sucre et le sel dans un grand bol et laisser reposer à la température ambiante pendant 1 heure en remuant de temps à autre.

2. Ajouter les tomates, l'oignon, la menthe et l'huile et mélanger le tout. Assaisonner de sel et de poivre, au goût.

Salade thaï au thon

Instructions:

1. Mélanger la sauce au poisson, le jus de citron et le miel dans un petit bol. Déposer le thon dans un grand sac refermable et verser la sauce au poisson sur le thon. Réfrigérer pendant 1 heure.

2. Faire chauffer 2 c. à soupe d'huile dans un wok à feu élevé et déposer la moitié du thon dans la poêle lorsque l'huile devient très chaude. Faire cuire en remuant pendant 1 minute ou jusqu'à l'obtention de la cuisson désirée. Transférer le poisson dans un grand bol et répéter l'opération avec le reste d'huile et de thon.

3. Mélanger le thon chaud avec les tomates, l'oignon, le piment fort, la coriandre et le basilic et servir le tout.

Portions: 6
Préparation: 30 min
Marinade: 1 h
Cuisson: 5 min

Ingrédients:
- 750 g de steak de thon coupé en dés
- 1/4 de T de sauce au poisson asiatique
- 1/2 T de jus de citron frais
- 2 c. à s. de miel
- 1/4 de T d'huile d'olive extra vierge
- 4 tomates fraîches hachées
- 1 bouquet d'oignons verts finement hachés
- 1 petit piment fort épépiné et finement haché
- 1/2 T de feuilles de coriandre fraîches
- 1/2 T de basilic frais

Salade d'ananas à la mexicaine

Portions: 4 à 6
Préparation: 15 min

Ingrédients:
- 1 gros ananas pelé et coupé en dés
- 250 g de jicama pelé et coupé en morceaux de 5 mm
- 1 avocat coupé en dés
- 1 petit oignon rouge finement tranché
- 2 c. à s. d'huile d'olive
- 1 c. à s. de vinaigre blanc distillé
- 3/4 de c. à t. de sel
- 1/2 c. à t. de poivre

Instructions:

1. Mélanger tous les ingrédients dans un bol avec le sel et le poivre. Servir.

Salade de ratatouille, de chorizo et de crevettes

Portions : 4
Préparation : 25 min
Cuisson : 50 min

Ingrédients :

RATATOUILLE
- 2 aubergines japonaises
- 2 courgettes
- 4 tomates italiennes
- 1 oignon rouge
- 1 poivron jaune
- 1/2 T d'huile d'olive
- 3 c. à s. de vinaigre balsamique
- 1 c. à t. d'ail haché
- 3 c. à s. de basilic frais haché
- Sel et poivre fraîchement moulu

MÉLANGE DE CREVETTES
- 500 g de grosses crevettes épluchées
- 2 c. à s. d'huile d'olive
- 1/2 T de chorizo haché
- 1/2 T d'oignon haché
- 1 c. à s. d'ail haché
- 1/4 de T de vin blanc
- 1/4 de c. à t. de sucre
- 4 petites branches de basilic

Instructions :

1. Préchauffer le four à 400 °F.

2. Couper les aubergines et les courgettes en tranches de 1 cm. Couper les tomates en 4 et extraire les pépins. Trancher l'oignon en 8 morceaux. Couper le poivron jaune en 4.

3. Fouetter ensemble l'huile d'olive, le vinaigre, l'ail et le basilic et assaisonner de sel et de poivre. Mélanger la moitié de la vinaigrette et les légumes et remuer le tout. Répartir également les légumes sur 2 plaques à biscuits et faire rôtir au four pendant 40 minutes en tournant les légumes et en changeant la position des plaques une fois, au milieu de la cuisson. Laisser refroidir. Hacher les légumes et mélanger. Verser un peu de vinaigrette pour humidifier le tout. Assaisonner de sel et de poivre au goût.

4. Saler légèrement les crevettes et mettre de côté pendant 15 minutes. Éponger.

5. Faire chauffer l'huile d'olive à feu moyen-fort dans une poêle à frire. Ajouter l'oignon et le chorizo et faire sauter jusqu'à ce que le chorizo change de couleur (2 minutes). Ajouter l'ail et les crevettes et faire sauter jusqu'à ce que les crevettes se courbent et deviennent roses (environ 2 minutes). Verser le vin blanc sur les crevettes et le chorizo et saupoudrer de sucre.

6. Faire bouillir le vin jusqu'à ce qu'il se transforme en glaçage (1 ou 2 minutes). Laisser refroidir.

7. Diviser les légumes en 4 portions égales sur chaque assiette et couvrir de crevettes et de chorizo. Verser le reste de la sauce et garnir de basilic.

Salade d'épinards et de cerises sèches

Portions : 4
Préparation : 15 min

Ingrédients :

- 4 c. à t. de vinaigre de vin rouge
- 1 c. à s. de moutarde de Dijon
- 2 c. à s. d'huile d'olive
- 250 g de bébés épinards
- 1/2 T d'oignon rouge
  finement haché
- 1/2 T de cerises séchées
- 1/4 de T de graines de citrouille
  crues et rôties
- Gros sel et poivre moulu

Instructions :

1. Mélanger le vinaigre, la moutarde et l'huile d'olive dans un grand bol à salade et remuer jusqu'à ce que la vinaigrette épaississe. Assaisonner de sel et de poivre.

2. Incorporer les bébés épinards, l'oignon rouge et les cerises et remuer pour bien mélanger. Garnir de graines de citrouille et servir immédiatement.

Instructions :

1. Fouetter ensemble le jus de lime, l'huile végétale, la sauce au poisson, la sauce hoisin et la sauce chili à l'ail dans un petit bol.

2. Déposer le chou, la carotte et le radis dans un grand bol. Couper le porc en juliennes et jeter les morceaux de gras. Couper les prunes en 2, dénoyauter puis couper en tranches très fines. Ajouter le porc et les prunes au mélange de chou et bien mélanger.

3. Verser la sauce sur la salade et bien mélanger. Incorporer la coriandre. Goûter et saler au besoin.

Salade de chou asiatique aux prunes et au porc laqué

Portions : 4 à 6
Préparation : 15 min

Ingrédients :

- 250 g de porc laqué
- 2 c. à s. de jus de lime
- 2 c. à s. d'huile végétale
- 2 c. à t. de sauce au poisson
- 2 c. à t. de sauce hoisin
- 2 c. à t. de sauce chili à l'ail
- 6 T de chou vert coupé en lanières
- 1 carotte moyenne râpée
  grossièrement
- 1 radis moyen coupé en juliennes
- 2 prunes mûres et fermes,
  préférablement jaunes ou rouges
- 1/4 de T de coriandre fraîche
  finement hachée
- Sel, au goût

Salade de courgettes et de câpres

Portions : 4
Préparation : 15 min
Marinade : 30 min
Cuisson : 15 min

Ingrédients :

MARINADE
- 1 citron (zeste et jus)
- 4 c. à s. d'huile d'olive extra vierge
- 1 gousse d'ail broyée
- Sel et poivre

SALADE
- 3 courgettes finement tranchées
- 50 g de fromage parmesan
  tranché
- 2 c. à s. d'huile d'olive extra vierge
- 2 c. à s. de câpres
- 100 g de roquette

Instructions :

1. Râper le zeste et extraire le jus du citron dans 1 bol.

2. Ajouter 4 c. à soupe d'huile d'olive, l'ail et assaisonner de sel et de poivre au goût.

3. Faire mariner les courgettes pendant au moins 30 minutes.

4. Incorporer les câpres, la roquette, 2 c. à soupe d'huile d'olive et le fromage parmesan. Servir immédiatement.

Salade frisée avec bacon

Portions : 4 à 6
Préparation : 15 min
Cuisson : 5 min

Ingrédients :
- 250 à 375 g de lardons coupés en dés de 5 mm
- 2 petites salades frisées étrognées et coupées en petits morceaux
- 1 endive blanche et coupée en tranches de 1 cm dans le sens de la largeur
- 1 chicorée étrognée et coupée en tranches de 1 cm dans le sens de la largeur
- 3 oignons verts finement hachés
- 2 c. à s. de ciboulette fraîche hachée
- 2 à 3 c. à t. d'huile d'olive extra vierge
- 3 c. à s. de vinaigre de xérès
- 2 c. à s. de vinaigre de vin blanc
- Sel et poivre fraîchement moulu

Instructions :

1. Mélanger la laitue, l'endive, la chicorée, les oignons verts et la ciboulette dans un grand bol. Assaisonner de sel et de poivre et ajouter 2 c. à soupe d'huile d'olive. Remuer le tout et réserver.

2. Faire chauffer une grande poêle antiadhésive à feu moyen-fort. Ajouter le bacon et verser le reste de l'huile d'olive si les lardons sont très maigres. Faire cuire en remuant constamment jusqu'à ce que le bacon soit doré et ait extrait la majorité de son gras (2 minutes). Ajouter la 1/2 du vinaigre de xérès et la 1/2 du vinaigre de vin et continuer de faire cuire jusqu'à l'obtention d'une texture sirupeuse (3 minutes).

3. Verser immédiatement le bacon chaud et le vinaigre sur la salade et bien remuer. Ajouter le reste du vinaigre au goût et servir immédiatement.

Salade orientale au bœuf

Portions : 6
Préparation : 25 min
Marinade : 10 min
Cuisson : 20 min

Ingrédients :
- 1/2 T de jus de lime frais
- 1/4 de T de coriandre fraîche hachée
- 2 c. à s. de cassonade
- 2 c. à s. de sauce au poisson thaïlandaise
- 2 c. à s. de pâte de chili à l'ail
- 2 gousses d'ail finement hachées
- 1 bavette de 500 g parée
- 1 1/2 T d'oignon rouge tranché
- 4 tomates italiennes coupées en 6
- 6 T de laitue romaine coupée en filaments
- 1 1/4 T de concombre anglais finement tranché
- 2 c. à s. de menthe fraîche hachée
- Aérosol de cuisson

Instructions :

1. Préchauffer le gril.

2. Mélanger les 6 premiers ingrédients en remuant jusqu'à ce que le sucre soit dissous. Mettre la moitié de la sauce de côté et mélanger l'autre moitié avec la viande dans un sac refermable. Mariner au réfrigérateur pendant 10 minutes en retournant la viande 1 fois. Sortir la viande du sac et jeter la marinade.

3. Vaporiser le gril avec l'aérosol de cuisson et déposer la viande sur le gril. Faire cuire pendant 6 minutes de chaque côté ou jusqu'à l'obtention de la cuisson désirée. Laisser reposer pendant 5 minutes puis couper la viande en diagonale dans le sens de la largeur pour obtenir des tranches minces.

4. Faire chauffer à feu moyen-fort une grande poêle à frire antiadhésive vaporisée avec l'aérosol de cuisson. Ajouter l'oignon et faire sauter pendant 3 minutes. Ajouter les tomates puis faire sauter 2 minutes. Déposer le mélange d'oignon, la laitue, le concombre et la menthe dans un grand bol et remuer doucement pour bien mélanger. Répartir également la salade sur 6 assiettes et couvrir chaque assiette avec 85 g de bœuf. Verser 1 c. à soupe de sauce sur chaque portion de viande.

Salade de thon au pesto et tomates séchées

Portions : 4
Préparation : 15 min

Ingrédients :
- 1 boîte de thon
- 1/4 de T de pesto
- 6 tomates séchées marinées dans l'huile coupées en dés
- 2 c. à s. de mayonnaise
- 2 c. à s. de fromage parmesan

Instructions :

1. Mélanger le thon, le pesto, les tomates séchées, la mayonnaise et le fromage parmesan dans un bol.

2. Couvrir et réfrigérer jusqu'à utilisation.

Salade de thon

Portions : 2
Préparation : 10 min

Ingrédients :
- 1 boîte de thon blanc dans l'eau en morceaux
- 6 c. à s. de mayonnaise
- 1 c. à s. de fromage parmesan
- 3 c. à s. de relish sucrée
- 1 pincée de flocons d'oignon séché
- 1/4 de c. à t. de poudre de cari
- 1 c. à s. de persil séché
- 1 c. à t. d'aneth séché
- 1 pincée de poudre d'ail

Instructions :

1. Mélanger le thon, la mayonnaise, le parmesan, la relish et les flocons d'oignon dans un bol.

2. Assaisonner de poudre de cari, de persil, d'aneth et de poudre d'ail, remuer et servir sur des craquelins ou en sandwich.

Salade de thon et wasabi

Portions : 2
Préparation : 10 min

Ingrédients :
- 1 boîte de thon blanc dans l'eau
- 1/2 T de mayonnaise
- 1 c. à s. de pâte de wasabi
- 1 c. à t. de racine de gingembre finement haché
- 1 c. à s. d'oignon vert finement haché

Instructions :

1. Mélanger le thon, la mayonnaise, la pâte de wasabi, le gingembre et l'oignon vert dans un bol jusqu'à ce que tous les ingrédients soient bien incorporés.

2. Servir sur des feuilles de laitue ou en faire un sandwich avec du pain blanc.

Salade de haricots verts avec salsa

Portions : 4
Préparation : 25 min
Cuisson : 5 min

Ingrédients :
- 450 g de haricots verts
- 1 laitue frisée (ou scarole) tranchée en petits morceaux
- 1/4 d'oignon rouge finement haché
- 1 T de salsa
- 1 c. à s. d'huile d'olive extra vierge
- 1/2 T d'amandes grillées tranchées
- 3/4 de T de fromage de chèvre émietté

Instructions :

1. Faire cuire les haricots verts dans un grand chaudron d'eau salée jusqu'à ce qu'ils soient Encore un peu croquants (2 minutes). Égoutter et rincer à l'eau froide.

2. Mélanger la laitue, l'oignon, les haricots verts, la salsa et l'huile d'olive dans un grand bol à salade et assaisonner de sel et de poivre. Garnir d'amandes et de fromage de chèvre.

Instructions :

1. Pour faire le confit, mélanger le sel casher, le thym, la coriandre, le piment de Jamaïque, le gingembre, les feuilles de laurier, le clou de girofle et la muscade dans un bol. Étaler tout le mélange d'épices sur le thon.

2. Faire chauffer l'huile végétale à feu élevé dans une poêle à frire. Déposer le thon et saisir jusqu'à ce que les surfaces soient dorées, mais que le centre soit encore très saignant (1 minute de chaque côté). Réfrigérer.

3. Fouetter ensemble l'huile d'olive, le jus de citron la sauce soja pour faire la sauce et réserver.

4. Extraire la chair de l'avocat avant de la déposer dans un bol. Jeter la pelure et le noyau. Réduire en purée avec une fourchette et passer au mélangeur pour une texture plus lisse. Ajouter la crème fraîche, le jus d'orange et le jus de citron et remuer pour bien mélanger. La mousse devrait alors avoir la même texture que de la crème fouettée. Assaisonner de sel et de poivre au goût, couvrir et réfrigérer jusqu'à utilisation.

5. Lorsque vous êtes prêt à servir, saupoudrer 4 assiettes avec de l'estragon et des graines de sésame. Trancher le thon dans le sens de la largeur pour faire des tranches de 5 mm d'épaisseur puis répartir sur les 4 assiettes en faisant légèrement chevaucher les tranches. Verser de la sauce au citron et soja sur le thon et garnir l'assiette de nori, de champignons enoki, de daïkon et de gingembre mariné. Former une boule de mousse à l'avocat sur le poisson à l'aide de 2 cuillères.

Salade de thon en croûte avec mousse d'avocat

Portions : 4
Préparation : 25 min
Réfrigération : 30 min
Cuisson : 2 min

Ingrédients :

CROÛTE CONFITE
- 500 g de thon rouge qualité sushi
- 1 c. à s. de thym frais haché
- 1 1/2 c. à t. de coriandre moulue
- 1 1/2 c. à t. de piment de Jamaïque moulu
- 1 1/2 c. à t. de gingembre moulu
- 4 feuilles de laurier haché
- 1 pincée de clou de girofle moulu
- 1 pincée de muscade moulue
- 1 c. à s. d'huile végétale
- 2 c. à s. de sel casher

SAUCE AU CITRON ET AU SOJA
- 1/4 de T d'huile d'olive
- 2 c. à s. de jus de citron
- 1 c. à s. de sauce soja

MOUSSE D'AVOCAT
- 1 avocat mûr
- 1 c. à s. de crème fraîche (ou crème sure)
- 2 c. à s. de jus d'orange
- 2 c. à s. de jus de citron
- Sel et poivre fraîchement moulu

GARNITURE
- 2 c. à t. d'estragon frais finement tranché
- 2 c. à t. de graines de sésame noir
- 1/4 de feuille de nori coupée en juliennes
- 1/4 de T de champignons enoki
- 1/4 de T de daïkon
- 1 c. à s. de gingembre mariné coupé en juliennes

Salade au boeuf grillé avec vinaigrette à la citronnelle

Portions : 4
Préparation : 15 min
Cuisson : 8 min

Ingrédients :

VINAIGRETTE
- 1/2 T de menthe fraîche f inement hachée
- 1/4 de T de coriandre fraîche grossièrement hachée
- 1/4 de T d'échalote finement hachée
- 1/4 de T de jus de citron
- 2 c. à s. d'oignons verts hachés
- 2 c. à s. de pâte de piments
- 1 1/2 c. à s. de sauce au poisson
- 2 c. à t. de sucre
- 2 c. à t. de citronnelle fraîche hachée

SALADE
- 1 bavette parée
- 2 T de laitue iceberg tranchée
- 2 T de chou nappa tranché
- 1/2 T de tomates tranchées
- 1/2 T d'oignon rouge tranché
- 1 pincée de sel
- 1 pincée de poivre fraîchement moulu
- Aérosol de cuisson

Instructions :

1. Préparer le gril.

2. Pour faire la vinaigrette, mélanger la menthe, la coriandre, l'échalote, le jus de citron, les oignons verts, la pâte de piments, la sauce au poisson, le sucre et la citronnelle dans un bol en remuant jusqu'à ce que le sucre soit dissous.

3. Pour préparer la salade, saupoudrer la bavette de sel et de poivre. Vaporiser le gril avec l'aérosol de cuisson et faire griller jusqu'à l'obtention de la cuisson désirée (4 minutes de chaque côté).

3. Retirer du gril et déposer sur une planche à découper. Laisser reposer pendant 15 minutes puis couper la viande en diagonale dans le sens de la largeur pour obtenir des tranches minces.

4. Déposer la viande, la laitue, le chou, les tomates et l'oignon rouge dans un grand bol et verser la vinaigrette avant de bien remuer le tout. Servir immédiatement.

Salade de chou et de crabe

Instructions :

1. Pour préparer la vinaigrette, mélanger l'ail, le gingembre, le vinaigre, la sauce au poisson et le sucre dans un robot culinaire et incorporer graduellement l'huile de canola et l'huile de sésame en continuant de mélanger jusqu'à l'obtention d'une préparation lisse.

2. Mélanger la chair de crabe, 2 c. à thé de poivron rouge, 2 c. à thé de poivron jaune, 2 c. à soupe de coriandre et 2 c. à soupe de vinaigrette dans un petit bol. Réserver.

3. Mélanger le chou vert, le chou rouge, le reste des poivrons, les carottes, les oignons verts, les radis, 1/4 de tasse de coriandre et 2 c. à thé de graines de sésame dans un grand bol. Ajouter le reste de la vinaigrette et bien mélanger.

4. Répartir également la salade de chou sur 4 assiettes et couvrir chaque portion de chou avec 1/4 de garniture au crabe.

5. Saupoudrer avec le reste des graines de sésame et servir immédiatement.

Portions : 4
Préparation : 15 min

Ingrédients :
- 250 g de chair de crabe
- 2 gousses d'ail finement hachées
- 1 c. à t. de gingembre fraîchement râpé
- 5 c. à t. de vinaigre de riz non assaisonné
- 5 c. à t. de sauce au poisson
- 5 c. à t. de sucre
- 1/4 de T d'huile de canola
- 1 c. à t. d'huile de sésame grillé
- 1/2 poivron jaune épépiné et coupé en dés
- 1/2 poivron rouge épépiné et coupé en dés
- 1/4 de T et 2 c. à t. de coriandre fraîche hachée
- 1/2 chou vert finement tranché
- 1/4 de chou rouge finement tranché
- 2 grosses carottes pelées et râpées
- 6 oignons verts tranchés en diagonale
- 3 gros radis finement tranchés
- 3 c. à t. de graines de sésame grillées

Salade de tomates

Instructions :

1. Enlever les tiges des tomates et couper en tranches de 5 mm d'épaisseur. Ou laisser les tomates en grappe ou les tomates cerise entières. Répartir également les tomates sur 6 assiettes puis badigeonner avec l'huile d'olive et saupoudrer de sel casher.

Portions : 6
Préparation : 15 min

Ingrédients :
- 700 g de tomates, préférablement de couleurs et de tailles différentes
- 1/4 de T d'huile d'olive
- 3/4 de c. à t. de sel casher

Salade de roquette garnie de figues, de noix de pin et de chicorée

Portions : 4
Préparation : 15 min

Ingrédients :
- 2 c. à s. d'huile d'olive
- 2 c. à s. de vinaigre balsamique
- 1 bouquet de bébé roquette
- 1 tête de chicorée coupée en 2, étrognée et coupée en bandes de 4 cm
- 250 g de figues fraîches et mûres équeutées et coupées en 4
- 1/4 de T de noix de pin rôties
- Gros sel et poivre moulu

Instructions :

1. Fouetter ensemble l'huile et le vinaigre dans un grand bol et assaisonner de sel et de poivre.

2. Ajouter la roquette, la chicorée, les figues et les noix de pin. Remuer pour mélanger.

Salade de concombres et saumon mariné

Portions : 12
Préparation : 25 min
Réfrigération : 52 h

Ingrédients :

SAUMON
- 1 filet de saumon coupé en 2 dans le sens de la largeur
- 2/3 de T d'aneth frais haché
- 1/3 de T de sel casher
- 1/4 de T de sucre
- 2 c. à t. de poivre noir grossièrement moulu
- 1 c. à t. de graines de coriandre broyées
- 1 1/2 T de betteraves pelées et râpées

SALADE
- 2 concombres moyens pelés, coupés en 2 dans le sens de la longueur, épépinés et tranchés finement
- 1 c. à s. de sel casher
- 1/4 de T de vinaigre de riz
- 2 c. à s. d'aneth frais haché
- 2 c. à t. de sucre
- 1/2 c. à t. de graines de coriandre broyées
- 1/4 de c. à t. de poivre noir fraîchement moulu
- Branches d'aneth frais

Instructions :

1. Pour préparer le saumon, mélanger l'aneth, le sel, le sucre, le poivre noir et les graines de coriandre broyées dans un bol. Saupoudrer 1/3 du mélange d'épices au fond d'une plaque à biscuits de 23 x 33 cm. Déposer une moitié de saumon sur le mélange d'épices en mettant la peau vers le bas. Mélanger 1/3 du mélange d'épices avec les betteraves râpées dans un petit bol et étaler sur le saumon. Couvrir le saumon épicé avec l'autre moitié de saumon en mettant la peau vers le haut et étaler également le reste du mélange d'épices sur le saumon. Couvrir d'une pellicule de plastique et déposer une poêle en fonte ou un objet lourd sur le saumon pour l'aplatir puis réfrigérer pendant 24 heures.

2. Retirer la poêle et réserver. Enlever la pellicule de plastique et retourner soigneusement le paquet de saumon. Répéter l'opération pour aplatir le saumon et réfrigérer 24 heures.

3. Pour préparer la salade, déposer les concombres dans une passoire et saupoudrer avec 1 c. à soupe de sel. Bien remuer puis laisser égoutter le concombre dans l'évier pendant 1 heure. Envelopper les morceaux de concombres dans plusieurs feuilles d'essuie-tout et laisser reposer 5 minutes en pressant les concombres de temps à autre. Mélanger les concombres, le vinaigre et le reste des ingrédients à l'exception des branches d'aneth. Couvrir et réfrigérer de 1 à 4 heures en remuant de temps à autre. Bien égoutter.

4. Gratter et jeter le mélange d'épices et de betteraves recouvrant le saumon. Extraire le liquide puis couper le saumon en tranches de 3 mm. Enlever la peau et servir avec la salade avant de garnir de branches d'aneth.

Salade de nouilles au poulet satay

Instructions :

1. Faire bouillir un grand chaudron rempli d'eau salée et faire cuire les pâtes jusqu'à ce qu'elles soient al dente. Égoutter et rincer à l'eau froide. Réserver.

2. Pendant que les pâtes cuisent, fouetter ensemble le beurre d'arachide, le miel et 1/4 de tasse d'eau chaude dans un grand bol.

3. Ajouter le tamari, le jus de lime, la sauce piquante et l'ail. Incorporer graduellement l'huile en fouettant pour bien mélanger. Ajouter les pâtes et remuer pour intégrer le tout.

4. Verser les pâtes dans 4 bols profonds et recouvrir de poulet, d'épinards, de carotte, d'oignons verts, d'arachides et de coriandre.

Portions : 4
Préparation : 25 min
Cuisson : 10 min

Ingrédients :
- 2 T de poulet rôti cuit sans peau et tranché
- 500 g de spaghetti de blé entier
- 1/3 de T de beurre d'arachide crémeux
- 2 c. à s. de miel
- 1/4 de T de tamari
- 2 limes (jus)
- 1 c. à t. de sauce piquante
- 1 gousse d'ail râpée
- 3 c. à s. d'huile végétale
- 1 T d'épinards finement tranchés
- 1/3 de T de carotte râpée
- 4 oignons verts finement tranchés
- 1/4 de T d'arachides hachées
- 2 c. à s. de coriandre hachée (ou de persil)
- Sel

Salade de chou crémeuse

Portions : 4
Préparation : 15 min
Réfrigération : 2 heures

Ingrédients :
- 1 sac de salade de chou préparée
- 2 c. à s. d'oignon coupé en dés
- 2/3 de T de sauce à salade crémeuse
- 3 c. à s. d'huile végétale
- 1/2 T de sucre blanc
- 1 c. à s. de vinaigre blanc
- 1/4 de c. à t. de sel
- 1/2 c. à t. de graines de pavot

Instructions :

1. Mélanger la salade de chou et l'oignon dans un grand bol.

2. Fouetter la sauce à salade, l'huile végétale, le sucre, le vinaigre, le sel et les graines de pavot dans un bol et bien mélanger. Verser la sauce sur le mélange de salade et bien mélanger le tout. Réfrigérer pendant au moins 2 heures avant de servir.

Salade d'épinards, de champignons et d'oignon rouge

Portions : 4
Préparation : 15 min
Cuisson : 6 min

Ingrédients :
- 1 baguette de pain coupée en dés
- 6 c. à s. d'huile d'olive
- 1/4 de T de vinaigre de vin rouge
- 1 c. à s. de moutarde de Dijon
- 300 g de champignons blancs équeutés et finement tranchés
- 300 g de bébés épinards
- 1 oignon rouge coupé en 2 et finement tranché
- Gros sel et poivre moulu

Instructions :

1. Préchauffer le four à 450 °F. Déposer les cubes de pain sur 1 plaque à biscuits avec rebords et badigeonner avec 2 c. à soupe d'huile d'olive. Assaisonner de sel et de poivre. Faire cuire en remuant de temps à autre jusqu'à ce que les croûtons soient grillés (4 à 6 minutes).

2. Fouetter le reste de l'huile, le vinaigre et la moutarde de Dijon dans un grand bol à salade et assaisonner de sel et de poivre.

3. Ajouter les champignons et remuer pour les enrober de vinaigrette. Laisser reposer 5 minutes puis ajouter les bébés épinards, l'oignon rouge et les croûtons. Remuer et servir immédiatement.

Salade de homard avec mangue et crème fraîche

Portions : 4
Préparation : 20 min

Ingrédients :
- **2 queues de homard cuites et froides**
- **1 mangue**
- **1/4 de T d'huile d'olive**
- **2 c. à s. de jus de lime**
- **4 T de mesclun (ou de bébés épinards)**
- **1/4 de T de crème sure**
- **1 pincée de sel et de poivre**
- **1 lime (zeste)**

Instructions :

1. Fouetter l'huile d'olive, le jus de lime, le sel et le poivre ensemble.

2. Extraire la chair des queues de homard en un seul morceau.

3. Couper en tranches de 5 mm dans le sens de la largeur. Réserver.

4. Peler et couper la mangue en tranches égales et mettre de côté.

5. Verser la vinaigrette sur le mesclun ou les épinards et répartir également sur 4 assiettes. Couvrir de tranches de mangue et de homard.

6. Verser de la crème sure et saupoudrer de zeste de lime.

Salade de bœuf à la thaïlandaise

Instructions:

1. Trancher le bœuf puis mélanger le jus et le zeste de lime, la sauce de poisson, le sucre, la sauce chili et l'huile dans un petit bol.

2. Déposer le bœuf dans un autre bol et incorporer la menthe, les oignons, les germes de haricot et la sauce puis verser le tout dans des assiettes tapissées de laitue.

3. Saupoudrer d'arachides.

Portions: 2 à 3
Préparation: 15 min

Ingrédients:
- 250 g de rôti de bœuf saignant

VINAIGRETTE
- 1/4 de T de jus de lime frais
- 1 c. à t. de zeste de lime râpé
- 2 c. à s. de sauce au poisson
- 1 c. à t. de sucre
- 1 c. à t. de sauce chili asiatique (ou au goût)
- 2 c. à s. d'huile végétale
- 1 T de feuilles de menthe fraîche grossièrement hachée
- 1 petit oignon rouge finement haché
- 2 T de germes de haricot
- 1 laitue séparée en feuilles
- 1 T d'arachides grillées

Laitue romaine et sauce à l'ail, citron et anchois

Portions: 4
Préparation: 15 min

Ingrédients:
- 1 gousse d'ail
- 2 filets d'anchois rincés et épongés
- 2 c. à t. de jus de citron frais
- 1/4 de T d'huile d'olive extra vierge
- 1 laitue romaine
- 450 g de fromage parmesan râpé
- Sel et poivre au goût

Instructions:

1. Séparer les feuilles de laitue. Couper en tranches de 1 cm dans le sens de la largeur. Bien laver et éponger.

2. Râper 1/3 de tasse de parmesan avec un éplucheur à légumes.

3. Réduire l'ail et les anchois en purée avec le jus de citron à l'aide d'un mélangeur. Incorporer graduellement l'huile dans le bol de la machine en mélangeant jusqu'à l'obtention d'une sauce homogène. Assaisonner de sel et de poivre.

4. Mélanger la laitue et la sauce dans un bol puis ajouter 1/4 de tasse de parmesan et assaisonner de sel et de poivre au goût. Répartir la salade sur 2 assiettes et garnir avec le reste du parmesan.

Salade de betteraves rôties

Instructions:

1. Préchauffer le four à 300 °F.

2. Déposer les betteraves jaunes et rouges sur une plaque à biscuits et badigeonner avec 3 c. à soupe d'huile d'olive. Assaisonner de sel et de poivre. Couvrir la plaque avec du papier aluminium et faire rôtir les betteraves au four jusqu'à ce qu'elles soient tendres lorsque piquées avec une fourchette (1 heure). Laisser refroidir pour les manipuler puis peler et couper en tranches de 2,5 cm.

3. Pendant ce temps, mélanger le jus de citron, la crème, le reste de l'huile d'olive, l'aneth et l'oignon vert dans un émulseur pour sauces à salades puis assaisonner de sel et de poivre.

Portions: 6
Préparation: 25 min
Cuisson: 1 h

Ingrédients:
- 3 betteraves jaunes nettoyées
- 6 betteraves rouges nettoyées
- 1/2 T d'huile d'olive
- 2 c. à s. de jus de citron frais
- 5 c. à s. de crème sure
- 1 c. à s. d'aneth frais haché
- 2 c. à t. d'oignon vert
- 4 T de petites feuilles de cresson
- 125 g de fromage de chèvre émietté
- 1/3 de T de noix grillées et hachées
- Sel casher et poivre fraîchement moulu

Salade de fruits de mer

SALADES & VINAIGRETTES

Portions : 6
Préparation : 25 min
Cuisson : 10 min

Ingrédients :

- 450 g de calmars frais nettoyés et coupés en tranches de 5 mm et les tentacules complets
- 1 homard de 1 kg cuit à la vapeur, refroidi, décortiqué et coupé en morceaux de 2,5 cm
- 250 g de morceaux de chair de crabe
- 24 moules fraîches
- 6 tranches de baguette
- 3 gousses d'ail coupées en 2 dans le sens de la longueur
- 2 gousses d'ail finement tranchées
- 8 c. à s. d'huile d'olive extra vierge
- 1 1/2 T de vin blanc sec
- 3 c. à t. de poivre de Cayenne
- 1/2 citron (jus), mettre le citron de côté
- 1 poivron rouge rôti, pelé et coupé en juliennes
- 1 poivron vert rôti, pelé et coupé en juliennes
- 2 c. à s. de vinaigre de vin rouge
- 2 bouquets de ciboulette coupés en morceaux de 2,5 cm
- 1 c. à s. de poivre rose
- Gros sel et poivre noir fraîchement moulu

Instructions :

1. Faire chauffer le gril et faire griller les tranches de baguette pendant 1 minute de chaque côté. Badigeonner 1 côté de chaque tranche avec la 1/2 d'une gousse d'ail. Réserver.

2. Faire chauffer 2 c. à soupe d'huile d'olive à feu élevé dans une grande casserole. Déposer l'ail finement tranché, 1 tasse de vin blanc, 1/2 c. à thé de poivre de Cayenne et les moules dans la casserole.

3. Couvrir et faire chauffer jusqu'à ce que les moules soient complètement ouvertes (3 ou 4 minutes). Égoutter et laisser refroidir les moules. Extraire les moules des coquilles et jeter les coquilles.

4. Remplir un gros bol avec de l'eau glacée puis porter à ébullition 5 litres d'eau dans une grande casserole avec le jus de citron, la moitié du citron, le reste du vin et le reste du poivre de Cayenne.

5. Plonger les calmars dans l'eau bouillante et faire cuire jusqu'à ce qu'ils soient opaques (25 à 45 secondes).

6. Extraire les calmars du bouillon avec une cuiller à égoutter ou une écumoire puis plonger immédiatement les calmars dans l'eau glacée pour interrompre la cuisson et égoutter.

7. Mélanger les fruits de mer, les poivrons, le reste de l'huile d'olive, le vinaigre de vin rouge, la ciboulette, le sel et le poivre dans un grand bol.

8. Servir immédiatement avec un filet d'huile d'olive et saupoudrer de poivre rose et servir avec le pain à l'ail.

Salade de pâtes au poulet et aux oignons verts frits

Instructions :

1. Faire cuire les pâtes dans un grand chaudron d'eau bouillante salée jusqu'à ce qu'elles soient al dente. Égoutter et rincer à l'eau froide.

2. Faire chauffer l'huile dans une poêle à frire et laisser mijoter l'oignon vert à feu moyen avant de le faire frire en remuant jusqu'à ce qu'il soit doré (18 à 20 minutes). Transférer l'oignon vert sur de l'essuie-tout pour égoutter et assaisonner de sel. Mettre 1/4 de tasse d'huile de cuisson de côté.

3. Mélanger les filaments de poulet, le concombre, les radis, les carottes, la coriandre et les pâtes dans un grand bol,

4. Fouetter ensemble le zeste et le jus de lime, le miel et l'huile de cuisson. Assaisonner de sel et de poivre et verser un filet sur la salade. Assaisonner et remuer. Garnir la salade d'oignons verts frits.

Portions : 6
Préparation : 25 min
Cuisson : 20 min

Ingrédients :

- 1 poulet rôti cuit défait en filaments
- 250 g de penne
- 2 T d'oignon vert finement tranché
- 2 T d'huile végétale
- 1/2 concombre anglais finement tranché
- 10 radis finement tranchés
- 2 carottes finement tranchées
- 1 petit bouquet de coriandre hachée grossièrement
- 2 limes (jus et zeste râpé)
- 1 c. à s. de miel
- Sel et poivre

Salade de cresson, d'endives et de poires

Portions : 8 à 10
Préparation : 20 min
Cuisson : 10 min

Ingrédients :
- 2/3 de T de noisettes
- 3 gros bouquets de cresson
- 3 endives étrognées
  et séparées en feuilles
- 5 c. à t. d'huile de noisette
  (ou d'huile d'olive extra vierge)
- 1/2 c. à t. de sel
  (ou plus, au besoin)
- 3 c. à t. de vinaigre de poire
  (ou de vinaigre balsamique blanc)
- 1/2 c. à t. de poivre noir
  fraîchement moulu
  (ou plus, au besoin)
- 3 grosses poires mûres

Instructions :

1. Préchauffer le four à 375 °F.

2. Déposer les noisettes dans une plaque à biscuits profonde en métal et faire griller au four jusqu'à ce qu'elles soient dorées et dégagent une forte odeur (10 minutes).

3. Envelopper les noisettes dans un linge à vaisselle propre et les laisser étuver pendant 1 minute puis les frotter vigoureusement pour séparer les noisettes de leur peau puis les hacher grossièrement.

4. Mélanger le cresson et les endives dans un grand bol. Verser un filet d'huile et remuer à nouveau. Saupoudrer de sel et remuer encore. Ajouter les noisettes, le vinaigre et le poivre et mélanger le tout. Goûter et assaisonner davantage au besoin.

5. Répartir également la salade sur des assiettes. Couper les poires en 2 et enlever le cœur puis couper chaque moitié en 8 morceaux dans le sens de la longueur.

6. Garnir chaque assiette avec des tranches de poires en les incorporant aux légumes verts. Servir immédiatement.

Salade de boeuf à la vietnamienne

Instructions :

1. Déposer la viande et la sauce soja dans un sac refermable et réfrigérer de 2 à 8 heures.

2. Faire chauffer le gril ou une poêle girl à feu moyen. Faire cuire la bavette pendant environ 5 minutes pour une viande mi-saignante ou jusqu'à l'obtention de la cuisson désirée. Transférer sur une plaque à découper et laisser reposer 10 minutes.

3. Pendant ce temps, préparer les nouilles en suivant les indications du paquet. Rincer à l'eau froide et égoutter.

4. Mélanger le gingembre, le jus de lime, la cassonade, le sel, l'huile de sésame et l'huile d'arachide dans un petit bol.

5. Trancher finement la bavette dans le sens de la largeur. Répartir également la viande et les nouilles sur 4 assiettes et couvrir de radis, de papaye et de sauce. Garnir avec de la coriandre, si désiré.

Portions : 4
Préparation : 25 min
Marinade : 2 à 8 h
Cuisson : 15 min

Ingrédients :
- 1 bavette parée
- 1/2 T de sauce soja
  faible en sodium
- 125 g de nouilles de riz
  très minces
- 1/4 de T de jus de lime frais
- 2 c. à t. de cassonade
- 1/2 c. à t. de sel casher
- 2 c. à t. d'huile de sésame
- 2 c. à s. d'huile d'arachide
- 2 radis finement tranchés
- 1 papaye pelée, épépinée et
  grossièrement hachée
- 1/2 T de feuilles de coriandre
  fraîche (facultatif)
- 2 c. à s. de gingembre frais râpé
  (facultatif)

Salade de cresson, de poires et de noix de cajou

Portions : 4
Préparation : 10 min

Ingrédients :
- 1 c. à s. d'huile végétale
  (huile de carthame)
- 1 c. à s. de jus de lime
- 1 c. à s. de sauce soja
- 2 bouquets de cresson
- 1 poire étrognée et finement tranchée
- 1/4 de T de noix de cajou non salées et hachées

Instructions :

1. Fouetter ensemble l'huile, la lime et la sauce soja dans un grand bol à salade puis incorporer le cresson, les tranches de poire et les noix de cajou.

2. Remuer pour bien mélanger les ingrédients et servir immédiatement.

Salade de bœuf, de cresson et de pêches

Portions : 4 à 6
Préparation : 20 min

Ingrédients :
- 500 g de rôti de bœuf coupé en dés
- 2 bouquets de cresson
- 2 concombres Kirby hachés grossièrement
- 4 pêches bien mûres coupées en tranches
- 1/4 de T de jus de lime frais
- 1 1/2 c. à t. de sucre
- 1 petite gousse d'ail finement hachée
- 2 c. à t. de gingembre finement râpé
- 1/2 T d'huile d'olive extra vierge
- 2 gros oignons verts finement tranchés
- Sel casher et poivre

Instructions :

1. Mélanger le cresson, le concombre, les pêches et le rôti de bœuf dans un grand bol.

2. Verser le jus de lime dans un petit bol et ajouter le sucre et 1/2 c. à thé de sel en fouettant jusqu'à ce qu'il soit dissous. Ajouter l'ail, le gingembre et 1/4 de c. à thé de sel puis incorporer un filet d'huile en fouettant continuellement jusqu'à ce qu'à l'obtention d'une texture homogène. Ajouter les oignons verts.

3. Transférer la salade dans un bol à salade ou une assiette et napper de vinaigrette.

Salade de pommes de terre grillées

Portions : 4
Préparation : 20 min
Cuisson : 20 min

Ingrédients :
- 1,250 kg de pommes de terre nouvelles (rouges et jaunes) lavées
- 1/2 T d'huile d'olive
- 3 c. à s. de vinaigre de vin blanc
- 1 c. à s. de moutarde de Dijon
- 1 petit oignon rouge coupé en 2 et finement tranché
- 8 cornichons finement hachés
- 2 c. à s. de câpres
- 1/4 de T de cerfeuil frais haché
- Sel et poivre noir fraîchement moulu

Instructions :

1. Déposer les pommes de terre dans une casserole et couvrir d'eau.

2. Ajouter 2 c. à soupe de sel et porter à ébullition. Réduire le feu et laisser mijoter jusqu'à ce qu'elles soient tendres (environ 8 minutes).

3. Égoutter, laisser refroidir et couper les pommes de terre en 2.

4. Préchauffer le gril à feu moyen.

5. Badigeonner les pommes de terre avec 1/4 de tasse d'huile et assaisonner de sel et de poivre. Déposer les pommes de terre sur le gril en posant la surface tranchée vers le bas et faire griller jusqu'à ce qu'elles soient légèrement dorées (4 minutes). Retourner les pommes de terre et continuer à faire dorer encore jusqu'à ce qu'elles soient complètement cuites (4 minutes).

6. Pendant que les pommes de terre grillent, fouetter ensemble le vinaigre, la moutarde et le reste de l'huile dans un grand bol puis ajouter l'oignon rouge, les cornichons et les câpres et bien mélanger.

7. Retirer les pommes de terre du gril pour les déposer immédiatement dans le bol avec les autres ingrédients. Remuer doucement pour mélanger. Assaisonner de sel et de poivre.

8. Laisser reposer à la température de la pièce pendant au moins 15 minutes avant de servir. Garnir de cerfeuil haché.

SALADES & VINAIGRETTES

Ceviche de pétoncles

Instructions :

1. Faire chauffer l'huile d'olive à feu élevé dans une poêle à frire antiadhésive. Déposer les pétoncles et faire sauter pour saisir la surface (1 minute de chaque côté). Assaisonner de sel et de poivre et couper en 4.

2. Mélanger les jus, le poivron, l'oignon rouge, le jalapeño et la coriandre avant d'incorporer les morceaux de pétoncles.

3. Faire mariner au réfrigérateur de 1 à 4 heures.

4. Déposer des feuilles de laitue au centre de 4 assiettes puis couvrir la laitue de ceviche de pétoncles.

5. Garnir le tout d'oignon, de tranches de tomate et d'avocat et napper avec le jus de marinade.

Portions : 4
Préparation : 20 min
Marinade : 1 à 4 h
Cuisson : 2 min

Ingrédients :
- 500 g de pétoncles géants
- 2 c. à s. d'huile d'olive
- 1/4 de T de jus d'orange
- 1/2 T de jus de citron
- 1/2 poivron rouge coupé en dés
- 1/2 oignon rouge finement tranché
- 1 petit piment jalapeño épépiné et finement tranché
- 3 c. à s. de coriandre fraîche hachée
- Laitue
- Tranches d'oignon
- Tranches de tomates
- Tranches d'avocat
- Sel et poivre fraîchement moulu, au goût

Salade de légumes verts avec mandarines et fenouil

SALADES & VINAIGRETTES

Portions : 4
Préparation : 15 min

Ingrédients :
- 1/4 de T d'huile d'olive
- 2 c. à s. de vinaigre de riz
- 2 c. à s. d'oignon vert haché
- 1 c. à t. de zeste de mandarine râpé
- 1 paquet de légumes verts assortis
- 2 bulbes de fenouil tranchés finement dans le sens de la largeur, frondes tranchées
- 4 mandarines pelées et séparées en quartiers
- Sel et poivre

Instructions :

1. Fouetter ensemble l'huile d'olive, le vinaigre de riz, l'oignon vert et le zeste de mandarine dans un bol. Assaisonner de sel et de poivre.

2. Répartir les légumes verts sur 4 assiettes. Garnir également de fenouil tranché et de morceaux de mandarine.

3. Saupoudrer de sel et de poivre et verser la vinaigrette sur les légumes. Garnir de frondes de fenouil et servir.

Salade de poivrons grillés

Instructions :

1. Préchauffer le gril à feu élevé. Déposer les poivrons sur le gril en posant la peau vers le bas et faire griller jusqu'à ce que la peau cloque (environ 5 minutes). Retourner les poivrons et faire grille l'autre côté pendant 4 à 5 minutes. Retirer du gril, laisser refroidir légèrement et enlever la peau. Couper les poivrons en tranches.

2. Mélanger les poivrons et les oignons verts. Fouetter ensemble le vinaigre, le jus de citron, la sauce soja, le sucre, la sauce chili, l'huile de sésame, l'huile végétale et le sel dans un petit bol, bien verser sur les poivrons et servir.

Portions : 6
Préparation : 15 min
Cuisson : 10 min

Ingrédients :
- 1 poivron vert coupé en 2
- 1 poivron rouge coupé en 2
- 1 poivron jaune coupé en 2
- 4 oignons verts coupés en juliennes
- 2 c. à s. de vinaigre de riz
- 1 c. à t. de jus de citron
- 3 c. à s. de sauce soja
- 1 c. à t. de sucre
- 1 c. à t. de sauce chili
- 1 c. à t. d'huile de sésame
- 1 c. à s. d'huile végétale
- Sel, au goût

Salade César suprême

Portions : 4 à 6
Préparation : 20 min
Cuisson : 10 min

Ingrédients :
- 6 gousses d'ail
- 3/4 de T de mayonnaise
- 5 filets d'anchois finement tranchés
- 6 c. à s. de fromage parmesan râpé
- 1 c. à t. de sauce Worcestershire
- 1 c. à t. de moutarde de Dijon
- 1 c. à s. de jus de citron
- 1/4 de T d'huile d'olive
- 4 T de pain frais de la veille coupé en dés
- 1 laitue romaine coupée en petits morceaux
- Sel et poivre noir moulu

Instructions :

1. Hacher finement 3 gousses d'ail et mélanger dans un petit bol avec la mayonnaise, les anchois, 2 c. à soupe de parmesan, la sauce Worcestershire, la moutarde et le jus de citron. Assaisonner de sel et de poivre noir et réfrigérer jusqu'à utilisation.

2. Faire chauffer l'huile à feu moyen dans une grande poêle à frire. Couper les 3 autres gousses d'ail en 4 et déposer dans l'huile bien chaude. Faire cuire en remuant jusqu'à ce que l'ail soit grillé puis retirer les morceaux de la poêle. Déposer les morceaux de pain dans l'huile et faire cuire en remuant continuellement jusqu'à ce qu'ils soient légèrement dorés. Retirer les morceaux de pain et l'huile et assaisonner de sel et de poivre.

3. Déposer la laitue dans un grand bol et verser la vinaigrette puis garnir du reste du fromage parmesan et des croûtons assaisonnés.

Salade d'asperges, de betteraves et de fromage de chèvre

Instructions :

1. Préchauffer le four à 400 °F.

2. Bien nettoyer les betteraves et éponger avec de l'essuie-tout. Déposer les betteraves dans un plat à rôtir, badigeonner avec 2 c. à thé d'huile d'olive et assaisonner de sel et de poivre. Couvrir le plat avec du papier aluminium et faire cuire jusqu'à ce que les betteraves soient tendres lorsque percées avec une fourchette (environ 1 heure). Sortir les betteraves du four et laisser refroidir à la température de la pièce. Enlever la pelure et couper en tranches fines à l'aide d'une mandoline ou d'un couteau tranchant. Réserver.

3. Mélanger l'oignon vert, le jus d'orange et le jus de citron dans un petit bol. Laisser reposer 5 minutes puis verser 1/4 de tasse d'huile d'olive en fouettant continuellement jusqu'à ce que tous les ingrédients soient bien mélangés. Assaisonner de sel et de poivre.

4. Répartir également les tranches de betterave sur 8 assiettes en les faisant chevaucher légèrement pour les disposer en cercle. Verser un filet de vinaigrette.

5. Peler les asperges avec un couteau éplucheur de façon à former de longues tranches et déposer dans un bol. Ajouter le persil, le cerfeuil et le reste de la vinaigrette et remuer pour bien faire enrober les asperges.

6. Répartir également le mélange d'asperges sur les betteraves sur les 8 assiettes. Saupoudrer le fromage de chèvre autour des asperges et des betteraves et garnir de ciboulette. Servir immédiatement.

Portions : 8
Préparation : 15 min
Cuisson : 1 h

Ingrédients :

- **750 g de betteraves**
- **2 c. à t et 1/4 de T d'huile d'olive extra vierge**
- **2 c. à t. d'oignon vert finement haché**
- **1/4 de T de jus d'orange frais**
- **2 1/2 c. à t. de jus de citron frais**
- **250 g d'asperges fraîches lavées**
- **2 c. à t. de feuilles de persil frais**
- **2 c. à t. de feuilles de cerfeuil frais**
- **150 g de fromage de chèvre défait en miettes**
- **2 c. à t. de ciboulette finement hachée**
- **Sel et poivre fraîchement moulu**

Salade d'endives et de pommes

Portions : 4
Préparation : 15 min

Ingrédients :
- 1/4 de T de vinaigre de cidre
- 1 c. à t. de moutarde de Dijon
- 1 c. à t. d'oignon vert haché
- 1 c. à t. de sucre
- 3/4 de T d'huile de canola
- 3 endives belges coupées en 2 dans le sens de la longueur puis en tranches de 1 cm dans le sens de la largeur
- 1 T de feuilles de scarole déchirées
- 1/2 pomme Fuji (ou Braeburn) étrognée, coupée en 6 pointes et finement tranchée dans le sens de la largeur.

Instructions :

1. Fouetter le vinaigre, la moutarde, l'oignon vert et le sucre dans un petit bol. Incorporer graduellement l'huile en fouettant et assaisonner de sel et de poivre. Mettre la vinaigrette de côté.

2. Mélanger les endives, les feuilles de scarole et les pommes dans un grand bol et verser 1/4 de tasse de vinaigrette. Remuer le tout.

Salade de chou vert et légumes

Portions : 8
Préparation : 15 min
Réfrigération : 4 h
Cuisson : 5 minutes

Ingrédients :
- 8 feuilles de chou vert
- 2 T de carotte râpée
- 1 T d'oignon râpé
- 1 T de poivron rouge coupé en dés
- 1/2 T de vinaigre de riz (ou de vinaigre de cidre)
- 1/3 de T de sucre
- 1/4 de T d'huile de canola
- 1 c. à t. de moutarde en poudre
- 1 c. à t. de graines de céleri
- 1/2 c. à t. de sel
- 1/4 de c. à t. de poivre moulu

Instructions :

1. Hacher grossièrement le chou en tranches puis en très petits morceaux et transférer dans un grand bol. Ajouter les carottes, l'oignon et le poivron.

2. Fouetter ensemble le vinaigre, le sucre, l'huile, la moutarde en poudre, les graines de céleri, le sel et le poivre dans une casserole et porter à ébullition en fouettant pour dissoudre le sucre. Retirer du feu et verser la vinaigrette chaude sur le mélange de chou et de légumes. Remuer pour enrober tout.

Salade de tomates anciennes aux herbes et aux câpres

Portions : 6
Préparation : 15 min

Ingrédients :
- 2 T de tomates cerise anciennes coupées en 2
- 1/2 T de fromage feta émietté
- 1/4 de T de basilic frais finement haché
- 3 c. à s. de persil frais haché
- 2 c. à s. de menthe fraîche hachée
- 1 c. à s. de câpres hachées
- 1 c. à s. de vinaigre balsamique
- 1 c. à s. d'huile d'olive extra vierge
- 900 g de tomates bifteck anciennes coupées en 6
- 6 tranches de pain au levain rôties (ou grillées)
- 1/4 de c. à t. de poivre noir
- 1/2 c. à t. de sel

Instructions :

1. Mélanger les tomates cerise, le fromage feta, le basilic, le persil, la menthe, les câpres, le vinaigre, l'huile et les morceaux de tomates dans un grand bol.

2. Assaisonner de sel et de poivre et remuer soigneusement le tout. Servir avec du pain.

Salade de poulet à l'estragon

Portions : 8
Préparation : 20 min
Cuisson : 15 min

Ingrédients :
- 4 poitrines de poulet sans peau
  et désossées
- 5 c. à s. d'huile d'olive extra vierge
- 2 c. à s. de vinaigre de vin rouge
- 2 c. à s. d'estragon frais finement haché
- 1 c. à s. d'oignon vert finement haché
- 1 c. à s. de jus de citron frais
- 2 c. à t. de moutarde de Dijon
- 250 g de légumes verts mélangés
- 1 1/2 T de raisins rouges sans pépins coupés en 2
- 3/4 de T de noisettes grillées
- Sel et poivre

Instructions :

1. Badigeonner le poulet avec 2 c. à soupe d'huile d'olive et assaisonner de sel et de poivre. Faire chauffer une poêle gril à feu moyen puis ajouter le poulet, couvrir et faire cuire en tournant jusqu'à ce qu'il soit bien cuit (12 minutes). Laisser refroidir et trancher finement.

2. Fouetter ensemble le reste de l'huile, le vinaigre, l'estragon, l'oignon vert, le jus de citron et la moutarde et assaisonner de sel et de poivre. Ajouter le poulet, les légumes verts et les noisettes et remuer le tout.

Salade de fèves blanches

Portions : 4
Préparation : 15 min

Ingrédients :
- 2 boîtes de fèves blanches
- 2 petites courgettes coupées en 4 dans le sens de la longueur et tranchées finement en diagonale
- 3/4 de T de haricots verts équeutés et tranchés finement en diagonale
- 1/2 T de fromage parmesan frais émietté
- 1/2 T de feuilles de basilic frais tranchées
- 2 citrons (zeste râpé et jus)
- 1 c. à s. d'huile d'olive
- Gros sel et poivre fraîchement moulu

Instructions :

1. Mélanger les fèves blanches, les tranches de courgettes, les haricots verts, le parmesan, le basilic, le zeste et le jus de citron et l'huile dans un grand bol et assaisonner de sel et de poivre avant de bien mélanger le tout.

Salade de porc et abricots

Portions : 4
Préparation : 25 min
Réfrigération : 1 h

Ingrédients :
- 1 filet de porc cuit
- 6 abricots coupés en 4
- 1 petit poivron rouge épépiné et coupé en dés
- 1 petit oignon espagnol coupé en 2 et finement haché
- 1/4 de T d'amandes grillées en juliennes
- 1 c. à t. de poudre de cari
- 1 lime (zeste et jus)
- 1 pincée d'assaisonnement au chile
- 1/2 T de yogourt
- 2 c. à s. de menthe hachée
- Sel casher et poivre rouge fraîchement moulu

Instructions :

1. Trancher le filet de porc et déposer dans un bol. Ajouter les abricots, le poivre rouge, l'oignon et les amandes.

2. Mélanger la poudre de cari, le zeste et le jus de lime et l'assaisonnement au chile dans un bol et incorporer le yogourt.

3. Verser la sauce au yogourt sur la salade et bien mélanger. Assaisonner de sel et de poivre et ajouter la menthe.

4. Couvrir et réfrigérer pendant au moins 1 heure avant de servir.

Salade de légumes verts, oranges, noix et gorgonzola

Portions : 4
Préparation : 15 min
Cuisson : 5 min

Ingrédients :
- 3/4 de T de noix coupées en 2
- 300 g de roquette et légumes verts assortis
- 2 grosses oranges navel pelées et défaites en quartiers
- 1/4 de T de gorgonzola émietté
- 1/2 T d'oignon rouge tranché
- 1/4 de T d'huile d'olive
- 1/4 de T d'huile végétale
- 2/3 de T de jus d'orange
- 1/4 de T de sucre blanc
- 2 c. à s. de vinaigre balsamique
- 2 c. à t. de moutarde de Dijon
- 1/4 de c. à t. d'origan séché
- 1/4 de c. à t. de poivre noir moulu

Instructions :

1. Déposer les noix dans une poêle à frire à feu moyen et faire cuire en remuant constamment jusqu'à ce qu'elles soient dorées (5 minutes).

2. Mélanger les noix, les légumes verts, les quartiers d'orange et l'oignon rouge dans un grand bol.

3. Mélange l'huile d'olive, l'huile végétale, le jus d'orange, le sucre, le vinaigre, la moutarde de Dijon, l'origan et le poivre dans un grand pot hermétique. Sceller et remuer le tout pour bien mélanger.

4. Répartir également la salade sur 4 assiettes, saupoudrer de fromage gorgonzola et napper de vinaigrette.

Salade à l'orange et à l'avocat

Portions : 4
Préparation : 15 min

Ingrédients :
- 3 oranges
- 2 c. à s. de vinaigre de vin blanc
- 2 c. à s. d'huile d'olive
- 1 gros cœur de laitue rouge
- 1 avocat pelé, dénoyauté et finement tranché
- 4 radis coupés en morceaux
- Gros sel et poivre moulu

Instructions :

1. Séparer les oranges en quartier et mettre 3 c. à soupe de jus frais de côté.

2. Fouetter les 3 c. à soupe de jus, le vinaigre de vin et l'huile d'olive dans un petit bol. Assaisonner de sel et de poivre.

3. Mélanger les quartiers d'orange, la laitue, l'avocat et les radis dans un grand bol à salade. Verser la vinaigrette et remuer soigneusement pour bien mélanger et servir immédiatement

Vinaigrette Dijon

Portions: 4
Préparation: 15 min

Ingrédients:
- 1 T d'huile d'olive
- 1/2 T de vinaigre balsamique
- 1 c. à s. de sauce soja
- 1 c. à s. de miel
- 1 c. à s. de moutarde
- 6 branches d'aneth frais
- 2 à 3 c. à s. de tahini (facultatif)
- Ail, au goût
- Quelques gouttes de jus de citron

Instructions:

1. Mélanger tous les ingrédients dans un mélangeur jusqu'à l'obtention d'une préparation lisse.

ASTUCE

Pour une vinaigrette plus épaisse, ajouter du tahini.

Sauce crémeuse au fromage bleu

Instructions:

1. Mélanger tous les ingrédients dans un robot culinaire jusqu'à l'obtention d'une sauce lisse en grattant les bords du robot au besoin.

ASTUCE

Se conserve au réfrigérateur dans un contenant hermétique pendant 1 semaine.

Portions: 2 T
Préparation: 15 min

Ingrédients:
- 6 c. à s. de crème sure
- 3/4 de T de fromage Stilton émietté
- 1/4 de c. à t. de poivre
- 1 pincée de poudre d'ail
- 1 1/2 c. à s. de vinaigre de cidre
- 3/4 de T de mayonnaise

Vinaigrette au citron, au miel et à la moutarde de Dijon

Portions: 1 1/2 T
Préparation: 10 min

Ingrédients:
- 1/4 de T d'aneth fraîchement haché
- 1/4 de T de vinaigre de vin blanc
- 2 c. à s. d'oignon rouge haché
- 2 c. à s. de câpres
- 1 c. à s. de zeste de citron râpé
- 2 c. à s. de jus de citron frais
- 4 c. à t. de miel
- 2 c. à t. de moutarde de Dijon
- 1/2 c. à t. de sauce piquante
- 2 gousses d'ail finement hachées
- 1/3 de T d'eau bouillante
- 1/4 de T d'huile d'olive extra vierge
- 3/4 de c. à t. de poivre noir fraîchement moulu
- 1 c. à t. de sel

Instructions:

1. Déposer l'aneth, le vinaigre de vin, l'oignon rouge, les câpres, le zeste et le jus de citron, le sel, le miel, la moutarde de Dijon, le poivre, la sauce piquante et l'ail dans un mélangeur et brasser jusqu'à l'obtention d'une préparation lisse.

2. Incorporer l'eau bouillante et l'huile d'olive et mélanger jusqu'à ce que tous les ingrédients soient bien intégrés.

Viandes rouges

Bifteck de filet au Gorgonzola

Instructions :

1. Laisser reposer la viande pendant 10 minutes avant de commencer la préparation du repas. Réchauffer une grande plaque à frire ou une poêle à feu vif. Lorsque la poêle est chaude, frotter la surface de cuisson d'huile d'olive à l'aide d'une paire de pinces et d'un essuie-tout et disposer les steaks. Caraméliser les steaks, 2 minutes de chaque côté. Réduire le feu à une température moyenne. Assaisonner la viande avec le sel et le poivre et poursuivre la cuisson de 4 à 5 minutes de plus de chaque côté.

2. Préchauffer le grilloir à feu vif.

3. Disposer les steaks sur une plaque à biscuits. Recouvrir chaque steak de 85 g de gorgonzola. Placer la plaque à biscuits à environ 15 cm du grilloir, juste assez longtemps pour que le fromage fonde. Retirer la viande du four et saupoudrer de sauge fraîche. Laisser la viande reposer de 2 à 3 minutes et servir immédiatement.

Portions : 4
Préparation : 20 min
Cuisson : 15 min

Ingrédients :
- 4 biftecks de filet de bœuf (3,5 cm d'épaisseur)
- 1 c. à s. d'huile d'olive extra vierge, versée à main levée
- Sel et poivre noir fraîchement moulu
- 375 g de Gorgonzola
- 4 feuilles de sauge, finement hachées

Anticuchos

Portions : 6 personnes
Préparation : 20 min
Marinade : 3 h
Cuisson : 6 min

Ingrédients :

BŒUF
- 750 g de bifteck de surlonge désossé, paré et coupé en dés de 1 cm
- 3 c. à s. de vinaigre de vin rouge
- 2 c. à t. de piment aji amarillo ou de paprika fort
- 1 c. à t. de sel
- 1 c. à t. de poivre noir fraîchement moulu
- 1/2 c. à t. de cumin moulu
- 1/2 c. à t. de curcuma moulu

MÉLANGE ÉPICÉ
- 1 c. à t. de piment aji amarillo ou de paprika fort
- 1 c. à t. de sel
- 1/2 c. à t. de poivre noir fraîchement moulu
- 1/4 c. à t. de curcuma moulu
- 3 c. à s. de persil à feuilles plates frais, haché
- Aérosol de cuisson
- Sauce aux poivrons jaunes grillés

Instructions :

1. Pour préparer le bœuf, combiner les sept premiers ingrédients dans un grand bol ; bien mélanger.

2. Couvrir et refroidir pendant 3 heures.

3. Pour préparer le mélange épicé, combiner 1 c. à thé de paprika, 1 c. à thé de sel, 1/2 c. à thé de poivre, de curcuma et de persil.

4. Préparer le gril.

5. Retirer le bœuf du bol, en réservant la marinade.

6. Enfiler les morceaux de bœuf sur 6 brochettes (25 cm). Badigeonner la viande avec le mélange épicé.

7. Placer les kébabs sur le gril préalablement enduit d'huile de cuisson en atomiseur ; laisser griller 6 minutes ou jusqu'à obtention de la cuisson désirée, en retournant les brochettes, une fois.

8. Servir le bœuf accompagné d'une sauce aux poivrons jaunes grillés.

Carpetbag Steak d'Australie

Instructions :

1. Réchauffer le beurre dans une poêle à frire à feu moyen. Ajouter les huîtres, la sauce au poivre de Cayenne, le zeste de citron et l'oignon vert. Faire revenir jusqu'à ce que les bords des huîtres se mettent à s'enrouler sur eux mêmes, soit environ 1 minute. Mélanger assez de chapelure pour absorber tous les jus. Assaisonner avec du sel et du poivre. Retirer du feu et laisser refroidir.

2. Tailler une « pochette » dans l'épaisseur du steak, à partir du côté opposé au gras, en arrêtant l'incision à 1 cm de chacune des extrémités. Ne pas tailler du côté du gras. Farcir la pochette de chaque steak avec quatre huîtres. Utiliser un cure-dents pour refermer l'ouverture.

3. Préchauffer le gril à haute température. Badigeonner les steaks avec de l'huile, saler et poivrer, placer sur le gril de 4 à 5 minutes par côté, en retournant la viande, une fois, ou jusqu'à ce que les jus commencent à apparaître sur le dessus. Pour obtenir de meilleurs résultats, la cuisson du steak devrait être à point (mi-saignant).

4. Pendant que le steak cuit, couper les tiges du cresson et mélanger les feuilles avec de l'huile et du vinaigre, saler et poivrer. Placer dans des assiettes pour accompagner la viande.

Portions : 4
Préparation : 10 min
Cuisson : 12 min

Ingrédients :
- 4 biftecks de contre-filet de coupe New York (300 g)
- 16 huîtres écaillées
- 1/4 de T de beurre
- 1 c. à t. de sauce au piment de Cayenne
- 2 c. à t. de zeste de citron râpé
- 1/2 T d'oignon vert haché
- 2 à 3 c. à s. de chapelure fraîche
- Sel et poivre fraîchement moulu
- 2 c. à s. d'huile végétale

GARNITURE
- 1 botte de cresson
- 1 c. à s. de vinaigre balsamique
- 1 c. à s. d'huile d'olive
- Sel et poivre fraîchement moulu

Rôti de filet grillé style bistro

Instructions :

1. Mélanger les ingrédients de la marinade et badigeonner le rôti. Faire mariner pendant 12 heures au réfrigérateur.

2. Préchauffer le gril à feu vif. Badigeonner le gril d'un peu d'huile. Placer le rôti sur le gril et saisir chaque côté pendant environ 3 minutes. Fermer la porte du gril et laisser cuire pendant encore 25 à 30 minutes pour une viande saignante, ou plus longtemps jusqu'au degré de cuisson désiré. Après la cuisson, laisser reposer sur la planche à découper pendant 10 minutes.

3. Réchauffer 2 c. à soupe de beurre à feu moyen-élevé, dans une poêle à frire. Réserver le reste du beurre. Ajouter l'échalote et faire revenir jusqu'à ce qu'elle soit souple et dorée, environ 3 minutes. Incorporer le sucre, cuire 1 minute, ajouter le vin rouge et le vinaigre balsamique.

4. Diminuer la chaleur et cuire pendant 10 minutes ou jusqu'à réduction du vin à 1 c. à soupe. Ajouter le bouillon et laisser mijoter de 10 à 15 minutes ou jusqu'à réduction de moitié.

5. Retirer du feu et fouetter les morceaux de beurre un à un dans la préparation, jusqu'à ce qu'elle épaississe.

Portions : 6
Préparation : 30 min
Marinade : 12 h
Cuisson : 1 h 15

Ingrédients :

MARINADE
- 1 rôti de filet de bœuf (1,5 kg)
- 3 c. à s. de moutarde de Dijon
- 2 c. à s. de sauce soya
- 2 c. à s. de thym frais haché
- 1 c. à s. d'ail haché
- 2 c. à s. d'huile d'olive
- Poivre fraîchement moulu

SAUCE
- 6 c. à s. de beurre froid, divisé en morceaux de 1 c. à s.
- 1 T d'échalotes tranchées
- 1 c. à t. de sucre
- 1/2 T de vin rouge
- 2 c. à s. de vinaigre balsamique
- 2 T de bouillon de bœuf
- Sel et poivre fraîchement moulu

Bifteck de filet mignon nappé de sauce aux échalotes caramélisées et au vin rouge

Portions : 8
Préparation : 15 min
Cuisson : 30 min

Ingrédients :
- 1 morceau du centre d'un filet mignon de 1,25 à 1,5 kg à température ambiante
- 1 c. à s. d'huile d'olive extra vierge
- 2 c. à s. de beurre non salé
- 4 échalotes pelées et finement tranchées
- 1 tige de thym frais
- 1 T de vin rouge sec
- 1 T de bouillon de bœuf
- Sel et poivre fraîchement moulu

Instructions :

1. Préchauffer le four à 450 °F.

2. Badigeonner le bifteck avec de l'huile et placer dans une rôtissoire recouverte d'une feuille d'aluminium. Assaisonner le bœuf avec du sel et du poivre.

3. À feu moyen, faire fondre le beurre dans une poêle à frire. Lorsque le beurre est chaud, ajouter les échalotes, la tige de thym et une pincée de sel. Cuire à feu moyen de 10 à 15 minutes en remuant jusqu'à ce que les échalotes soient tendres et qu'elles commencent à se caraméliser.

4. Pendant que les échalotes cuisent, placer le bœuf dans le four et rôtir pendant 25 minutes pour une viande saignante, 30 minutes pour une viande à point, ou jusqu'à ce qu'un thermomètre à lecture instantanée indique 120 °F, pour un bœuf saignant, ou 125 °F, pour un bœuf à point. (Ne pas oublier que la température de la viande augmentera de 5 °F pendant qu'elle repose). Retirer le bœuf du four lorsqu'il est cuit, l'envelopper dans du papier d'aluminium et laisser reposer de 10 à 15 minutes.

5. Verser le vin rouge dans la poêle à frire sur les échalotes caramélisées et amener à ébullition pour déglacer la poêle en grattant le fond. Ajouter le bouillon et laisser bouillir de 5 à 7 minutes ou jusqu'à réduction à 1 tasse de sauce. Retirer le thym et assaisonner avec du sel et du poivre.

6. Retirer la feuille d'aluminium recouvrant le bœuf et placer sur une planche à découper. Ajouter tous les jus de cuisson de la viande à la sauce. Tailler la viande et servir avec la sauce.

Chili cordon bleu

Portions : 4
Préparation : 10 min
Cuisson : 1 h 10

Ingrédients :
- **500 g de bœuf haché**
- **1/2 oignon haché**
- **1 c. à t. de poivre noir moulu**
- **1/2 c. à t. de sel d'ail**
- **2 1/2 T de sauce tomate**
- **1 pot de salsa (227 g)**
- **4 c. à s. de mélange d'assaisonnement pour chili**
- **1 boîte (425 g) d'haricots rouges clairs en conserve**
- **1 boîte (425 g) d'haricots rouges foncés en conserve**

Instructions :

1. Dans une grande casserole, mélanger le bœuf haché et l'oignon et faire revenir à feu moyen pendant 10 minutes ou jusqu'à ce que la viande soit dorée et l'oignon, tendre. Égoutter le gras, si désiré.

2. Incorporer le poivre noir, le sel d'ail, la sauce tomate, la salsa, le mélange d'assaisonnement pour chili et les haricots rouges.

3. Bien mélanger, réduire le feu au minimum et laisser mijoter pendant au moins 1 heure.

Satays de bœuf à la sauce aux arachides

Instructions :

1. Dans un bol de format moyen, mélanger la sauce soya, l'huile, le jus de citron, l'ail, la cassonade, le cumin, la coriandre et le curcuma. Ajouter la viande et bien remuer.

2. Couvrir et laisser mariner pendant 1 heure à température ambiante.

3. Enfiler la viande sur des brochettes de bambou ou de métal et, en travaillant par lots, faire cuire sur le gril ou le barbecue à feu vif pendant 1 à 2 minutes par côté ou jusqu'à ce que le bœuf soit mi-saignant.

SAUCE AUX ARACHIDES

4. Faire chauffer l'huile dans une casserole à feu moyen. Ajouter l'oignon et faire revenir pendant 2 minutes ou jusqu'à ce qu'il ramollisse. Ajouter l'ail et les flocons de piment de Cayenne et faire revenir pendant 1 minute. Ajouter le lait de coco, amener à ébullition et faire bouillir pendant 4 minutes ou jusqu'à réduction et épaississement.

5. Retirer du feu. Incorporer en remuant la sauce soya, le ketchup et le jus de limette et laisser le mélange refroidir à température ambiante. Ajouter le beurre d'arachides en remuant. Si la sauce commence à se séparer, semble caillée ou trop épaisse, ajouter de l'eau en fouettant. Saler au goût. Servir avec les satays de bœuf.

Portions : 3
Préparation : 30 min
Marinade : 1 h
Cuisson : 12 min

Ingrédients :

SATAYS
- **750 g de filet de bœuf de surlonge, ou de toute autre bonne coupe pour grillades, paré, découpé en tranches de 5 mm d'épaisseur**
- **2 c. à s. de sauce soya**
- **1 c. à s. d'huile végétale**
- **1 c. à s. de jus de citron**
- **2 c. à t. d'ail haché**
- **1 c. à s. de cassonade**
- **2 c. à t. de cumin moulu**
- **2 c. à t. de coriandre moulue**
- **1 c. à t. de curcuma**

SAUCE AUX ARACHIDES
- **1 c. à s. d'huile végétale**
- **1/2 T d'oignon rouge haché**
- **2 c. à t. d'ail haché**
- **1/4 de c. à t. de piment de Cayenne**
- **1 T de lait de coco**
- **2 c. à s. de sauce soya**
- **2 c. à s. de ketchup**
- **2 c. à s. de jus de limette**
- **1/2 T beurre d'arachides lisse**
- **2 c. à s. d'eau (facultatif)**
- **Sel**

Bouilli de la Nouvelle-Angleterre

Portions : 8
Préparation : 1 h
Cuisson : 2 h 30

Ingrédients :
- 1,25 kg de poitrine de bœuf salée, marinée et parée
- 1/2 c. à t. de grains de poivre noir
- 1/2 c. à t. de graines de moutarde
- 4 clous de girofle
- 4 piments de la Jamaïque entiers
- 4 feuilles de laurier
- 3 T de carottes finement tranchées
- 2 1/2 T de tranches (4 x 1 cm) de rutabaga pelé
- 2 1/4 T de panais finement tranché
- 1/2 T petits oignons blancs congelés
- 16 petites pommes de terre rouges, coupées en deux
- 1 petit chou pommé vert, coupé en 8

Instructions :

1. Mettre le bœuf dans un faitout. Ajouter les grains de poivre noir, les graines de moutarde, les clous de girofle, le piment de la Jamaïque et les feuilles de laurier.

2. Couvrir d'eau jusqu'à environ 5 cm au-dessus du bœuf. Amener à ébullition. Réduire la chaleur, couvrir partiellement et laisser mijoter pendant 2 heures ou jusqu'à ce que le bœuf soit tendre. Retirer la viande du faitout.

3. Passer le jus de cuisson dans un tamis au-dessus d'un bol large, jeter les solides et réserver le jus. Placer un sac de plastique refermable très résistant dans chacun des 2 récipients. Verser du jus de cuisson dans les sacs, laisser reposer pendant 10 minutes (le gras remontera à la surface). Sceller les sacs ; couper soigneusement un coin du bas d'un sac. Faire couler le jus dans le faitout en arrêtant au moment où le gras atteint l'ouverture ; jeter. Répéter la procédure avec l'autre sac. Ajouter le bœuf, les carottes, le rutabaga, les panais, les oignons et les pommes de terre dans le faitout. Amener à ébullition à feu vif.

4. Diminuer la chaleur et laisser mijoter pendant 5 minutes. Disposer le chou sur le dessus, couvrir, réduire encore la chaleur et faire mijoter 5 minutes ou jusqu'à ce que le chou soit tendre.

5. Retirer le bœuf du faitout, et couper 16 tranches contre le grain. Égoutter le mélange de légumes dans un tamis au-dessus d'un bol large et réserver le mélange et le liquide de cuisson. Placer 1 morceau de chou, 1 1/2 tasse de mélange de légumes et 2 tranches de bœuf dans 8 grands bols à soupe.

6. Verser 1/2 tasse de jus de cuisson dans chaque bol ; réserver le reste du jus de cuisson pour un autre usage.

Kebabs de bœuf au cari

Instructions :

1. Faire tremper les brochettes de bois dans de l'eau pendant 30 min.

2. Préchauffer le gril à une température moyenne-élevée de 350 °F à 400 °F. À l'aide d'un fouet, combiner, dans un grand bol, l'huile d'arachide, et les 5 ingrédients qui suivent dans la liste, jusqu'à obtention d'un mélange uniforme. Incorporer les morceaux de bœuf et bien remuer pour les enorber. Enfiler la viande sur les brochettes.

3. Griller le bœuf, le couvercle du gril fermé, à feu moyen-élevé, 3 minutes de chaque côté ou jusqu'au degré de cuisson désiré.

4. Disposer les brochettes sur une assiette de service. Saupoudrer de flocons de noix de coco.

Portions : 12
Préparation : 15 min
Trempage : 30 min
Cuisson : 6 min

Ingrédients :
- 750 g de bifteck de haut de palette, coupé en morceaux de 2,5 cm
- 2 c. à s. d'huile d'arachide
- 1 1/4 c. à t. de garam masala
- 1 1/4 c. à t. d'ail rôti et de sel de mer fraîchement moulus
- 3/4 c. à t. de poudre de cari indien
- 1/2 c. à t. d'un mélange de grains de poivre fraîchement moulus
- 1/4 de c. à t. de cumin moulu
- 1/2 T de flocons de noix de coco sucrés, rôtis
- 12 brochettes (15 cm)

Bœuf en daube à la provençale

Instructions :

1. Préchauffer le four à 300 °F.

2. Verser le vin dans un chaudron et faire chauffer à feu vif. Amener à ébullition jusqu'à réduction d'environ les deux tiers de la quantité de vin. Le liquide devrait être légèrement sirupeux.

3. Essorer le bœuf avec un essuie-tout ; il ne grillera pas s'il est humide. Bien assaisonner de sel et de poivre. Faire chauffer 2 c. à soupe d'huile à feu vif dans un chaudron allant au four ou dans une poêle. Faire revenir la viande dans l'huile chaude, quelques morceaux à la fois, jusqu'à ce que chaque côté soit doré. Ajouter un peu d'huile si nécessaire. Retirer du feu et déposer dans une assiette pour réserver. Retirer tout le gras, sauf 2 c. à soupe.

4. Réduire la chaleur à feu moyen, ajouter les carottes et l'oignon et faire revenir jusqu'à l'obtention d'une couleur dorée, soit environ 5 minutes.

5. Verser, en remuant, la réduction de vin et le bouillon. Ajouter la pâte de tomate, la feuille de laurier et le thym. Laisser mijoter sur la cuisinière. Incorporer la viande. Couvrir le chaudron et placer dans la partie la plus basse du four préchauffé. Régler la chaleur de façon à ce que le liquide mijote très lentement pendant 2 h 30 à 3 h. La viande est cuite au moment où une fourchette y pénètre avec facilité.

Portions : 4 à 6
Préparation : 25 min
Cuisson : de 2 h 30 à 3 h

Ingrédients :
- 2 T de vin rouge
- 1 kg de bœuf à ragoût, taillé en dés de 5 cm
- Sel et poivre fraîchement moulu
- 3 c. à s. d'huile d'olive ou d'huile de cuisson
- 1 T de carottes tranchées
- 1 T d'oignon tranché
- 2 T de bouillon de bœuf ou de bouillon de bœuf en conserve
- 1 c. à s. de pâte de tomate
- 1 feuille de laurier
- 1/2 c. à t. de thym déshydraté
- 2 bulbes d'ail, morcelés en gousses
- 2 c. à s. de beurre
- 1/4 de T de câpres
- 2 c. à s. de persil haché

6. Placer les gousses d'ail dans un chaudron d'eau froide. Amener à ébullition et laisser bouillir pendant 3 minutes ou jusqu'à ce que l'ail ramollisse légèrement. Retirer l'ail du feu et l'éplucher.

7. Dans une poêle à frire, chauffer le beurre à feu moyen. Ajouter l'ail et le faire sauter pendant 1 minute. Couvrir, réduire la chaleur et continuer la cuisson de l'ail jusqu'à ce qu'il atteigne une couleur dorée, soit environ 10 minutes.

8. Verser le contenu du chaudron dans un tamis au-dessus d'une casserole. Nettoyer le chaudron. Dégraisser la sauce et l'amener à ébullition. Ajouter l'ail et les câpres et laisser bouillir pendant 2 ou 3 minutes, ou jusqu'à ce que l'arôme se libère et que la sauce soit légèrement plus épaisse.

9. Verser la sauce sur la viande et réchauffer au besoin. Garnir de persil.

Filet de bœuf au beurre de poivron rouge

Portions : 2
Préparation : 10 min
Cuisson : 13 min

Ingrédients :
- 2 filets de bœuf (6 cm d'épaisseur)
- 1/3 de T de beurre, ramolli
- 1/4 de T de poivron rouge, finement haché
- 1/4 à 1/2 c. à t. de piment rouge moulu
- 3/4 de c. à t. de sel assaisonné

Instructions :

1. Mélanger les 4 premiers ingrédients en remuant bien. Disposer en 4 petits amas circulaires (5 cm) sur une feuille de papier ciré couvrant une plaque à biscuits. Couvrir et réfrigérer pendant 1 heure ou jusqu'à ce que le mélange soit ferme.

2. Déposer les filets de bœuf sur un gril-lèchefrite.

3. Placer à 15 cm du grilloir (laisser la porte du four électrique partiellement ouverte) pendant 6 minutes. Retourner les filets et déposer une noix de la préparation de beurre sur le dessus.

4. Griller de 6 à 7 minutes ou jusqu'à ce qu'un thermomètre à viande indique 145 °F (saignant), 160 °F (à point) ou la température de la cuisson désirée. Retourner les filets et transférer dans un plat de service ; napper des deux autres boutons de beurre.

Bœuf hoisin à l'ail

Portions : 4
Préparation : 20 min
Cuisson : 14 min

Ingrédients :

- 500 g de bifteck de flanc ou de surlonge désossé, finement tranché
- 2 1/2 c. à s. d'huile d'olive
- 1 poivron rouge, orange ou jaune, épépiné et finement tranché
- 1 pomme de terre sucrée pelée, coupée en deux dans le sens de la longueur et tranchée en lanières de 1 cm d'épaisseur
- 1/3 de T d'eau
- 1 1/2 T de pois mange-tout ou sugar snap
- 3 oignons verts (les parties vertes seulement), coupés en morceaux de 3,5 cm de longueur
- Sauce hoisin à l'ail
- Riz cuit

Instructions :

1. Réchauffer un wok ou une grande poêle à frire à feu vif. Verser 2 c. à soupe d'huile et faire chauffer pendant 30 secondes. Ajouter le bifteck et faire revenir 3 ou 4 minutes, jusqu'à ce qu'il soit bien cuit. Transférer dans une assiette.

2. Essuyer la poêle. Réduire à chaleur à une température moyenne-élevée, verser l'huile qui reste et réchauffer pendant 30 secondes.

3. Ajouter le poivron et cuire pendant 10 secondes, en remuant constamment. Incorporer la pomme de terre sucrée et l'eau. Couvrir partiellement, en remuant à l'occasion, pendant 7 minutes. Ajouter les pois et les oignons verts et cuire pendant 1 minute. Verser la sauce hoisin et cuire à feu vif. Quand des bulles commencent à se former, incorporer la viande.

4. Faire revenir jusqu'à ce qu'elle soit chaude, soit environ 1 minute. Servir immédiatement sur du riz.

ASTUCE

Des lanières de porc ou de dinde peuvent remplacer le bœuf et des haricots verts peuvent être utilisés à la place des pois mange-tout.

Piments verts farcis aux amandes et aux raisins

Portions : 5 à 6
(3 piments par personne)
Préparation : 30 min
Cuisson : 1 h 30

Ingrédients :

- 15 à 18 piments verts frais du Nouveau-Mexique ou d'Anaheim
- 500 g de bœuf haché
- 1/3 de T plus 3/4 de T d'amandes effilées
- 1 c. à s. d'huile d'olive
- 8 grosses gousses d'ail, divisées
- 3/4 de T d'oignon haché
- 1 1/2 c. à t. de sel, divisée
- 1 c. à t. de cannelle moulue
- 1 c. à t. de cumin moulu
- 1 c. à t. de poivre noir fraîchement moulu
- 1/3 de T de raisins
- 1/2 T de miettes de pain nature
- 2 c. à s. d'origan frais haché
- 1 T de fromage frais émietté
- 1 boîte (794 g) de tomates broyées
- 2 c. à s. de miel

Instructions :

1. Couper les tiges des piments. À l'aide d'une cuiller ou d'une cuiller parisienne, épépiner et retirer la membrane blanchâtre (éviter de fendre les piments) ; jeter. Réserver les piments. Préchauffer le four à 375 °F.

2. Dans une grande poêle à frire, faire chauffer les amandes à feu moyen-doux, en remuant souvent, de 8 à 10 minutes, ou jusqu'à ce qu'elles aient une belle teinte dorée et qu'elles soient bien odorantes. Transférer dans un bol et réserver.

3. Verser de l'huile dans la poêle et augmenter le feu à moyen-élevé. Émincer 4 gousses d'ail et ajouter dans la poêle avec l'oignon. Cuire, en remuant souvent, jusqu'à ce que l'oignon soit translucide, environ 3 minutes. Incorporer le bœuf, 1 c. à thé de sel, la cannelle, le cumin et le poivre et cuire, en brisant les amas de bœuf haché à l'aide d'une cuiller de bois, environ 10 minutes, ou jusqu'à ce que la viande soit bien cuite. Ajouter les raisins et cuire 3 minutes, en remuant. Incorporer la chapelure, l'origan, 1/3 de tasse d'amandes rôties et le fromage frais. Cuire 2 minutes en remuant ; retirer du feu.

4. Remplir soigneusement chaque piment de la farce. Disposer les piments verts sur une grande plaque à biscuits et cuire de 35 à 45 minutes, ou jusqu'à ce que les piments soient dorés et commencent à gonfler.

5. Pendant la cuisson, préparer la sauce. Dans une grande poêle à frire, faire mijoter doucement, à feu moyen, les tomates, les 4 autres gousses d'ail émincées et l'autre 1/2 c. à thé de sel. Cuire jusqu'à ce que presque tout le liquide soit évaporé, environ 15 minutes. Incorporer les amandes qui restent. Transférer dans un mélangeur, ajouter 1/2 tasse d'eau et mélanger environ 1 minute, jusqu'à obtention d'une sauce bien lisse. Verser la sauce sur les piments et servir chaud.

Bifteck de flanc au gin et aux épices

Portions : 4
Préparation : 15 min
Cuisson : 30 min

Ingrédients :
- 1 bifteck de flanc (de 750 à 875 g)
- 4 c. à t. de baies de genièvre déshydratées, divisées
- 1 1/2 c. à t. de piment de la Jamaïque entier
- 1 1/2 c. à t. de grains de poivre noir
- 1 c. à t. sel casher
- 1 c. à s. d'huile d'olive
- 1 T de bouillon de bœuf ou de poulet pauvre en sodium
- 3/4 de T de crème à fouetter
- 2 à 3 c. à s. de gin

Instructions :

1. Dans un moulin à épices, moudre grossièrement 2 c. à soupe de baies de genièvre, le piment de la Jamaïque et les grains de poivre. Ajouter du sel au mélange.

2. Dégraisser la viande. Rincer et éponger le bœuf et le badigeonner avec de l'huile. Saupoudrer et frotter les épices sur les deux côtés de la viande.

3. Dans une casserole d'une capacité de 2 litres, amener à ébullition à feu vif le bouillon et les 2 autres c. à t. de baies de genièvre. Poursuivre la cuisson jusqu'à réduction des 3/4. Incorporer la crème et 2 c. à soupe de gin et bouillir à feu moyen jusqu'à réduction de moitié.

4. Disposer la viande sur une grille placée au-dessus de charbons très chauds ou à la température la plus élevée du gaz (vous ne pouvez garder la main à une distance de 2,5 à 5 cm de la grille que pendant 1 ou 2 secondes) ; couvrir le gril. Cuire de 8 à 10 minutes ou jusqu'à ce que la viande soit ferme quand on effectue une pression à son extrémité, tout en demeurant bien rosée en son centre (faire une incision pour vérifier). Retourner la viande au milieu de la cuisson. Pendant que la viande cuit, réchauffer la sauce au gin à feu moyen-élevé et, pour ajouter un peu de piquant, incorporer 1 c. à soupe de gin.

5. Transférer la viande sur une planche à découper munie de rainures (pour récupérer les jus). À l'aide d'un couteau bien affûté, trancher la viande en lanières fines et larges, contre le grain, en tenant le couteau à angle peu prononcé. Déposer le bifteck dans une assiette chaude, recueillir le jus de la planche et verser dans la sauce au gin. Servir les lanières de viande avec la sauce.

Mini-hambourgeois

Portions : 8 à 12
Préparation : 30 min
Cuisson : 40 min

Ingrédients :

GARNITURE
- 2 c. à s. d'huile végétale
- 1 oignon rouge, finement tranché
- 250 g de champignons, finement tranchés
- 1 pincée de sel et de poivre

HAMBOURGEOIS
- 750 g de bœuf haché extra-maigre
- 1/3 de T de sauce chili
- 1 œuf
- 2 c. à s. de moutarde préparée
- 1 c. à s. de sauce Worcestershire
- 1 petit oignon râpé
- 2 petites gousses d'ail émincées
- 1/2 T de chapelure
- 1/4 de T de persil italien frais haché
- Tranches de baguette, petits pains ou petits pains mollets
- 1 T de fromage cheddar effiloché (facultatif)

Instructions :

1. Préchauffer le four à 375 °F.

2. Pour préparer la garniture, réchauffer, à feu moyen, la moitié de l'huile dans une poêle et cuire les oignons pendant environ 15 minutes ou jusqu'à ramollissement. Réserver.

3. Réchauffer le reste de l'huile dans la même poêle à feu moyen-élevé et cuire les champignons, le sel et le poivre pendant environ 8 minutes ou jusqu'à ce qu'ils soient dorés et qu'il n'y a ait plus d'eau.

4. À l'aide d'un fouet, mélanger la sauce chili, l'œuf, la moutarde, la sauce Worcestershire, l'oignon et l'ail. Incorporer la chapelure et le persil. Ajouter le bœuf et le porc et, avec les mains, mélanger jusqu'à ce que tous les ingrédients soient bien amalgamés.

5. Façonner des petites boulettes d'environ 5 cm de largeur. Disposer sur une feuille d'aluminium ou un parchemin posé sur une plaque à biscuits.

6. Cuire pendant environ 15 minutes ou jusqu'à ce le centre ne soit plus rosé.

7. Placer la viande sur des tranches de baguettes ou des petits pains et garnir d'oignons, de champignons et de fromage, si désiré.

Copieux ragoût de bœuf et de pommes de terre

Instructions :

1. Préchauffer le four à 300 °F.

2. Faire chauffer un faitout à feu moyen-élevé. Couvrir le faitout d'huile en aérosol. Ajouter l'ail et faire revenir 1 minute ou jusqu'à ce que l'ail commence à dorer. Retirer l'ail du faitout à l'aide d'une cuiller à rainures ; placer dans un grand bol. Couvrir de nouveau le faitout d'huile en aérosol. Ajouter l'oignon et faire revenir 3 minutes ou jusqu'à tendreté. Ajouter l'oignon à l'ail. Couvrir le faitout d'huile en aérosol, ajouter la moitié du bœuf ; faire revenir pendant 5 minutes ou jusqu'à ce que tous les côtés soient dorés. Incorporer la viande cuite et tous le jus au mélange d'oignon et d'ail. Couvrir le faitout d'huile en aérosol, ajouter toute la viande qui reste ; faire revenir pendant 5 minutes ou jusqu'à ce que tous les côtés soient dorés. Ajouter le bœuf et tout le jus au mélange d'oignon et d'ail.

3. Verser le vin dans le faitout ; amener à ébullition, en grattant les petits morceaux dorés qui auraient adhéré au chaudron. Incorporer le mélange de bœuf. Ajouter, en remuant, les carottes, le romarin, le sel, le poivre et les feuilles de laurier. Ajouter 1 tasse d'eau, le bouillon et les tomates ; remuer pour mélanger. Amener à ébullition ; cuire pendant 1 minute. Retirer du feu, couvrir et faire cuire à 300 °F, pendant 1 heure 30. Sortir du four, retirer le couvercle et incorporer les pommes de terre. Mélanger l'eau qui reste et la farine ; remuer à l'aide d'un fouet jusqu'à obtention d'un mélange lisse. Verser le mélange de farine dans le ragoût.

4. Couvrir et poursuivre la cuisson pendant 1 heure 30 ou jusqu'à ce que le bœuf devienne tendre. Jeter les feuilles de laurier. Saupoudrer de persil, si désiré. Servir avec du pain.

Portions : 12
Préparation : 30 min
Cuisson : 3 h 15

Ingrédients :
- 1,5 kg de rôti de palette désossé, paré et coupé en dés de 5 cm, divisé en lots
- 1,25 kg de pommes de terre blanches, coupées en morceaux de 2,5 cm
- 16 gousses d'ail broyées
- 2 T d'oignon haché
- 1 T de vin rouge sec
- 1 1/2 T de carottes hachées
- 2 c. à t. de romarin frais haché
- 1 3/4 c. à t. de sel
- 1/2 c. à t. de poivre noir
- 2 feuilles de laurier
- 1 1/4 T d'eau, divisée
- 1 T bouillon de bœuf pauvre en sodium
- 2 boîtes (411 g) de tomates en dés, non égouttées
- 1 c. à s. de farine (tout usage)
- Persil haché (facultatif)
- 2 baguettes, coupées chacune en 6 portions égales
- Aérosol de cuisson

Bouts de côtes grillées à l'orientale

Portions : 4
Préparation : 20 min
Marinade : 24 h
Cuisson : 25 min

Ingrédients :
- 6 carrés de bouts de côtes

MARINADE
- 1 oignon finement haché
- 2 c. à s. d'ail haché
- 1 T de sauce soya
- 1/4 de T de sucre
- 1 T de bière
- 1/4 de T d'huile de sésame
- 1/4 de T de gingembre frais finement haché
- 1 c. à s. de sauce chili
- Huile végétale pour badigeonner les côtes

Instructions :

1. À chaque cm, faire une incision d'une profondeur de 1 cm, du côté de la viande se trouvant à l'opposé de l'os de la côte. Disposer les côtes dans un grand plat peu profond.

2. Mélanger tous les ingrédients de la marinade. Verser la moitié de la quantité de la marinade sur les côtes et réserver le reste. Réfrigérer pendant 24 heures, en retournant la viande, de temps à autre.

3. Badigeonner la viande d'huile. Faire griller les côtes en maintenant fermé le couvercle du gril. Cuire en retournant la viande à l'occasion, pendant 14 à 18 minutes, ou jusqu'elles soient bien dorées, croustillantes et saignantes ou mi-saignantes.

4. À feu moyen-élevé, amener la marinade réservée à ébullition. Laisser mijoter de 6 à 8 minutes ou jusqu'à ce qu'elle épaississe légèrement. Tailler tous les bouts de côtes et servir avec la sauce.

Biftecks des hautes plaines

Portions : 3
Préparation : 10 min
Marinade : 30 min
Cuisson : 6 min

Ingrédients :
- **3 biftecks de faux-filet**
- **1 c. à s. de moutarde préparée**
- **1 c. à t. de sel casher**
- **1 c. à t. poivre noir
  fraîchement moulu**
- **2 c. à t. de sauce Worcestershire**
- **Aérosol de cuisson**

Instructions :
1. Préparer le gril.

2. Mélanger les 4 premiers ingrédients dans un petit bol. Badigeonner le mélange de moutarde sur les deux côtés des biftecks. Couvrir d'une pellicule de plastique et laisser reposer pendant 30 minutes.

3. Disposer les biftecks sur une grille préalablement enduite d'huile en aérosol ; faire griller 3 minutes de chaque côté ou jusqu'au degré de cuisson désiré. Laisser reposer 10 minutes avant de tailler.

Boulettes de viande dans une sauce tomate au basilic frais

Instructions :
1. Préchauffer le four à 450 °F. Graisser ou badigeonner d'huile en aérosol une plaque à biscuits. Dans un grand bol, mélanger le porc, le bœuf et le poulet. Ajouter l'œuf, la chapelure, l'eau, le fromage parmesan, l'origan, le basilic, le sel et le poivre. Travailler le mélange avec les mains jusqu'à ce que les ingrédients soient très bien amalgamés. Former, avec le mélange, de petites balles de 2,5 cm de diamètre. Disposer légèrement éloignées, sur la plaque à biscuits. Faire cuire en deux lots, si nécessaire. Cuire 15 minutes (10 minutes dans un four à convection) ou jusqu'à ce que les boulettes de viande soient légèrement dorées.

2. Pour préparer la sauce, faire chauffer l'huile dans une grande poêle. Ajouter l'ail et faire revenir pendant 2 minutes ou jusqu'à ce qu'il devienne odorant. Incorporer les tomates (incluant le liquide), la feuille de laurier, l'origan, le sucre et le sel. Amener à ébullition en remuant fréquemment. Ajouter les boulettes de viande et le jus de cuisson. Réduire la chaleur et laisser mijoter de 1 à 1 heure 30 ou jusqu'à ce que la sauce épaississe. Retirer la feuille de laurier et jeter. Couvrir et réfrigérer 2 ou 3 jours ou congeler immédiatement.

3. Mélanger le basilic, le parmesan et le poivre noir dans la sauce chaude. Goûter et ajuster l'assaisonnement, si nécessaire. Servir avec des pâtes ou farcir de boulettes de viande des rouleaux italiens croustillants.

Portions : 8
Préparation : 40 min
Cuisson : 1 h 45

Ingrédients :

BOULETTES DE VIANDE
- **500 g de porc haché maigre**
- **500 g de veau ou de bœuf
  haché maigre**
- **500 g de dinde
  ou de poulet haché maigre**
- **1 œuf**
- **1 T de chapelure italienne ou
  française fraîche**
- **1/2 T d'eau**
- **1/2 T de fromage parmesan ou
  romano râpé**
- **2 c. à t. d'origan déshydraté**
- **2 c. à s. de basilic frais
  finement haché**
- **1 c. à t. de sel**
- **1/2 c. à t. de poivre noir
  fraîchement moulu**

SAUCE
- **2 c. à s. d'huile d'olive**
- **4 grosses gousses d'ail émincées**
- **3 T de tomates en conserve,
  broyées ou taillées en dés**
- **1 grande feuille de laurier**
- **1 c. à t. d'origan déshydraté**
- **1 c. à t. de sucre granulé**
- **1/2 c. à t. de sel**
- **1/2 T de basilic frais haché**
- **1/4 de T de fromage parmesan
  ou romano finement râpé**
- **1/2 c. à t. de poivre noir
  fraîchement moulu**

Bœuf grillé et coulis de cari rouge

Portions: 4
Préparation: 30 min
Marinade: 30 min
Cuisson: 35 min

Ingrédients:
• 4 biftecks (175 g)

SAUCE
• 1 boîte (398 ml) de lait de coco en conserve
• 1 c. à s. de pâte de cari rouge thaïlandais
• 1 c. à s. de zeste de limette râpé
• 2 c. à s. de citronnelle finement hachée
• 2 c. à s. de sauce de poisson
• 1/2 c. à t. de sucre
• 1 c. à s. de pâte de tomate
• 1 c. à s. de jus de limette
• 1/4 de T de menthe hachée
• 1/4 de T de coriandre hachée

MARINADE
• 1/2 c. à t. de pâte de cari rouge
• 1 pincée de sucre
• 3 c. à s. d'huile végétale

GLACE
• 1 c. à s. de sirop de gingembre
• 1 c. à s. de vinaigre de vin rouge
• 1/2 T de sauce soya

Instructions:

1. Sans agiter la boîte, séparer l'eau de coco du lait de coco crémeux. Mettre l'eau de côté et verser le lait de coco crémeux dans la poêle à frire et cuire environ 3 minutes à feu moyen, jusqu'à réduction de moitié. Ajouter la pâte de cari, le zeste de limette, la citronnelle, la sauce de poisson, le sucre et la pâte de tomate. Cuire de 4 à 5 minutes, jusqu'à ce que le lait soit presque évaporé.

2. Verser l'eau de coco et poursuivre la cuisson de 8 à 10 minutes, ou jusqu'à ce que la sauce soit assez épaisse pour enduire le dos d'une cuiller. Incorporer le jus de limette et les fines herbes hachées. Réserver.

3. Pour préparer la marinade, mélanger la pâte de cari, le sucre et 2 c. à soupe d'huile. Badigeonner la viande. Laisser mariner pendant 30 minutes.

4. Pour préparer la glace, mélanger le sirop de gingembre, le vinaigre et la sauce soya dans une petite casserole. Amener à ébullition à feu moyen-élevé. Diminuer la chaleur et laisser mijoter à feu doux de 10 à 15 minutes, ou jusqu'à épaississement. Réserver.

5. Préchauffer le four à 400 °F.

6. Enduire une poêle pouvant aller au four de l'huile qui reste. Réchauffer à feu moyen élevé. Ajouter les filets et saisir 2 minutes de chaque côté. On peut également les déposer sur le gril environ 5 minutes de chaque côté.

7. Placer dans le four et poursuivre la cuisson pendant 5 minutes de plus pour obtenir une cuisson mi-saignante. Disposer les filets sur une planche à découper et badigeonner de glace. Couper en tranches de 5 mm d'épaisseur. Servir en versant la sauce autour de la viande.

Portions : 4
Préparation : 30 min
Cuisson : 15 min

Ingrédients :

SAUCE
- 1/4 de T de bouillon de poulet
- 2 c. à s. de sauce de poisson
- 1 c. à t. de pâte de cari rouge thaïlandais
- 1 c. à s. de sucre
- 2 c. à s. de jus de limette

SAUTÉ
- 400 g de bœuf coupé en dés
- 2 c. à s. d'huile végétale
- 1 c. à t. d'ail haché
- 1 c. à s. de gingembre haché
- 1 c. à s. de citronnelle hachée
- 1 T de carottes finement taillées
- 1 T d'oignon rouge finement taillé
- 1 T de pois mange-tout, coupés en deux
- 1 botte de cresson, paré
- 600 g de nouilles chinoises

GARNITURE
- 1/4 de T de menthe hachée
- 2 c. à s. de sauce aux arachides (facultatif)

Instructions :

1. Préchauffer le four à 450 °F.

2. Couvrir les nouilles d'eau froide et laisser tremper jusqu'à ce qu'elles ramollissent. Couper les nouilles dans l'eau, à l'aide de ciseaux. Égoutter et réserver.

3. Mélanger la pâte de cari thaïlandais et 2 c. à soupe d'huile végétale et badigeonner le bœuf.

4. Réchauffer le reste de l'huile végétale (2 c. à soupe) à feu moyen-élevé, dans un plat allant au four. Ajouter la viande et saisir chaque côté 1 minute ou jusqu'à ce qu'ils soient dorés. Placer le plat dans le four pendant 8 minutes ou jusqu'à ce que la viande soit mi-saignante.

5. Retirer le bœuf du plat et laisser reposer pendant 5 minutes jusqu'à ce que tous les jus s'en échappent. Tailler la viande en diagonale en tranches de 5 mm.

6. Pendant la cuisson de la viande, mélanger le bouillon de poulet, la sauce de poisson, la pâte de cari rouge thaïlandais et le jus de limette pour préparer la sauce. Réserver.

7. Réchauffer 2 c. à soupe d'huile dans un wok et, lorsqu'elle est très chaude, ajouter l'ail, le gingembre et la citronnelle et cuire environ 30 secondes. Incorporer les carottes, l'oignon et les pois mange-tout et faire revenir pendant 2 minutes. Ajouter le cresson et les nouilles et mélanger jusqu'à ce qu'ils deviennent tendres, environ 2 minutes. Verser la sauce réservée et amener à ébullition.

8. Disposer les nouilles sur une assiette et napper de bœuf et de tous les jus de cuisson.

9. Garnir de menthe et d'arachides hachées, si désiré.

Instructions :

1. Chauffer l'huile à feu moyen-élevé, dans une poêle à frire à fond épais ou dans un faitout. Saisir tous les côtés de la viande. Retirer de la poêle et faire revenir l'oignon et l'ail. Remettre la viande dans la poêle et assaisonner avec le paprika, le sel et le poivre ; recouvrir de la sauce tomate et d'une tasse d'eau.

2. Couvrir et laisser mijoter pendant 2 heures. Retirer la poitrine de bœuf de la poêle et laisser refroidir ; couper en diagonale, remettre dans la poêle et poursuivre la cuisson encore 30 minutes ou jusqu'à tendreté. Garnir, si désiré.

* Demander au boucher la coupe la plus maigre.
** Pour plus de saveur, ajouter 3 ou 4 carottes à la viande, 40 minutes avant la fin de la cuisson.

Portions : 6 à 8
Préparation : 10 min
Cuisson : 2 h 30

Ingrédients :
- 1 poitrine de bœuf (2,5 à 3 kg)*
- 1 c. à s. d'huile végétale
- 1 oignon
- 2 gousses d'ail émincées
- 1 c. à t. de paprika
- Sel casher, au goût
- Poivre fraîchement moulu, au goût
- 1 boîte (738 ml) de sauce tomate aux champignons

GARNITURE
- carottes rôties**

Brochettes de charqui de bœuf à la jamaïcaine

Portions : 3
Préparation : 20 min
Marinade : 20 min
Cuisson : 8 min

Ingrédients :

- 750 g de surlonge désossée, parée et coupée en 30 morceaux
- 1/2 T d'oignons verts hachés
- 1 c. à s. de piment de la Jamaïque moulu
- 2 c. à s. de vinaigre de vin rouge
- 1 c. à t. de sel
- 1 c. à t. de thym frais ou 1/4 de c. à t. de thym déshydraté
- 2 c. à t. de sauce soya pauvre en sodium
- 1/2 c. à t. de cannelle moulue
- 1/8 de c. à t. de piment Habanero ou Serrano, épépiné
- 1 poivron rouge, coupé en 18 morceaux
- 2 bananes plantain bien mûres, pelées et coupées chacune en 9 morceaux
- Aérosol de cuisson
- Oignons verts taillés en diagonale (facultatif)
- Quartiers de limette (facultatif)

Instructions :

1. Préparer le gril.

2. Mélanger les 9 premiers ingrédients dans un robot culinaire ou un mélangeur jusqu'à obtention d'une préparation lisse. Dans de grands sacs en plastique refermables, placer le mélange et les morceaux de bœuf et de poivrons. Sceller. Laisser mariner au réfrigérateur pendant 20 minutes.

3. Retirer les morceaux de bœuf et de poivron du sac. Jeter la marinade. Mettre les morceaux de bœuf, de poivron et de bananes plantain dans un grand bol ; bien mélanger.

4. Enfiler 5 morceaux de bœuf, 3 morceaux de poivron rouge et 3 bananes plantain en alternance sur chacune des 6 brochettes de 30 cm. Arroser légèrement les brochettes d'huile en aérosol. Disposer les brochettes sur une grille préalablement enduite d'huile en aérosol. Cuire 4 minutes de chaque côté pour une cuisson mi-saignante ou jusqu'au degré de cuisson désiré. Garnir avec des morceaux d'oignon vert et servir avec des quartiers de limette, si désiré.

VIANDES ROUGES

Côte de bœuf en croûte aux grains de poivre rose, nappé de sauce au Cabernet

Instructions :

1. Laisser le rôti reposer à température ambiante pendant 30 minutes. Préchauffer le four à 325 °F.

2. Placer le rôti, côtes en dessous, dans une rôtissoire. Préparer une pâte avec le beurre, la farine, les grains de poivre rose, la moutarde, les grains de poivre noir, le sucre et le sel. Badigeonner le dessus et les côtés du rôti. Rôtir, sans couvercle. Pour une viande saignante, cuire pendant environ 1 heure 30 ou jusqu'à ce que le thermomètre indique 135 °F. Pour une viande à point, cuire pendant 2 heures ou jusqu'à ce que le thermomètre indique 155 °F. Placer le rôti sur la planche à découper, recouvrir de papier d'aluminium et laisser reposer pendant 15 minutes.

3. Pour préparer la sauce, retirer presque tout le gras de la rôtissoire et jeter. Faire chauffer à feu moyen et incorporer les oignons. Cuire en remuant 3 minutes ou jusqu'à ce que les oignons ramollissent. Saupoudrer la farine et cuire en remuant de 1 à 2 minutes. Ajouter, en fouettant le vin, puis le bouillon de bœuf, en grattant tous les petits morceaux qui auraient adhéré à la rôtissoire. Laisser mijoter en remuant souvent, pendant environ 5 minutes ou jusqu'à épaississement. Assaisonner de sel et poivre, au goût. Égoutter dans une saucière chaude. Servir les tranches de rôti nappées de sauce.

Portions : 4 à 6
Préparation : 20 min
Cuisson : 2 h

Ingrédients :

- 2 à 2,5 kg de rôti de côtes de premier choix
- 1/4 de T de beurre, amolli
- 3 c. à s. de farine (tout usage)
- 3 c. à s. de grains de poivre rose, légèrement broyés
- 2 c. à s. de moutarde de Dijon
- 1 c. à s. de grains de poivre noir concassé
- 1 c. à s. de cassonade
- 1 c. à t. sel

SAUCE AU CABERNET
- 1 oignon, finement haché
- 2 c. à s. de farine tout usage
- 3/4 de T de Cabernet ou de tout autre vin rouge charnu
- 2 T de bouillon de bœuf
- Sel et poivre fraîchement moulu

Instructions:

1. Faire des incisions dans le gras sur le dessus du rôti. Mélanger l'huile, les moutardes, l'ail, le thym, le poivre noir et le sel. Badigeonner la viande. Laisser reposer pendant 1 heure.

2. Préchauffer le four à 500 °F.

3. Placer le rôti sur une grille dans une rôtissoire et cuire pendant 30 minutes.

4. Réduire la température du four à 350 °F et cuire 1 heure de plus ou jusqu'à ce qu'un thermomètre à lecture instantanée indique 125 °F, pour une viande saignante, ou 140 °F pour une viande mi-saignante. Retirer du four et laisser reposer 15 minutes. La partie du filet sera plus cuite que celle de la surlonge.

5. Pour préparer la sauce aux figues et au vin, faire cuire les oignons, les carottes, le céleri et les gousses d'ail entières à feu moyen, dans une poêle à frire ou une large casserole. Incorporer le vin, le vinaigre, les figues et les champignons. Réduire de moitié, environ 15 minutes. Ajouter le bouillon de bœuf. Amener à ébullition jusqu'à ce le mélange soit réduit à environ 2 tasses. Passer la sauce au tamis, en pressant sur les solides.

6. Pour tailler, passer un couteau très affûté le long de l'os et retirer la viande. Retourner le rôti et couper le filet. Tailler la surlonge et le filet en tranches et déposer dans chacune des assiettes. Servir la sauce séparément.

Portions: 8
Préparation: 30 min
Marinade: 1 h
Cuisson: 2 h

Ingrédients:
- 1 rôti de surlonge de 3,5 kg
- 1/4 de T d'huile d'olive
- 2 c. à s. de moutarde sèche
- 2 c. à s. de moutarde de Dijon
- 2 c. à s. de d'ail haché
- 2 c. à s. de thym frais haché
- 2 c. à s. de poivre noir
- Sel au goût

SAUCE AUX FIGUES ET AU VIN
- 1 T d'oignon grossièrement haché
- 1/2 T de carottes grossièrement hachées
- 1/2 T de céleri grossièrement haché
- 4 gousses d'ail entières
- 2 T de vin rouge
- 1/4 de T de vinaigre balsamique
- 1/4 de T de figues déshydratées hachées
- 4 champignons shiitake, hachés
- 2 T de bouillon de bœuf

Triangle de base de surlonge teriyaki à la Toyoshima

Portions: 6 à 8
Préparation: 20 min
Marinade: 2 à 24 h
Cuisson: 25 min

Ingrédients:
- 1 triangle de base de surlonge (de 750 g à 1 kg), paré et asséché
- 1 T de sauce soya
- 1 T de sucre de canne intégral ou 1/2 T de sucre granulé et 1/2 T comble de cassonade
- 3/4 de T d'oignon finement haché
- 1/2 T de saké
- 1/2 T de mirin (saké légèrement sucré ou une 1/2 T de saké additionnelle et 1 c. à thé de sucre)
- 1 c. à s. d'ail émincé
- 1 c. à s. de gingembre finement haché
- 1/2 c. à t. de poivre grossièrement moulu
- 1/2 c. à t. de moutarde déshydratée

Instructions:

1. Placer, debout, un sac de plastique refermable d'une capacité de 4 litres dans un bol. Verser la sauce soya, le sucre, l'oignon, le saké, le mirin, l'ail, le gingembre, le poivre et la moutarde. Sceller le sac et secouer jusqu'à dissolution du sucre. Ajouter le bœuf; sceller le sac. Refroidir au moins 2 heures et jusqu'à une journée, en retournant la viande, de temps à autre.

2. Disposer le triangle de base de surlonge sur la grille du barbecue, préalablement enduite d'huile, au-dessus d'un lit de charbons ou dans un gril au gaz à température moyenne (la main peut être placée au-dessus du feu pendant seulement 4 ou 5 secondes). Refermer le couvercle du gril (jeter la marinade).

3. Cuire environ 25 minutes, en retournant toutes les 5 min, jusqu'à ce que le centre de la partie la plus épaisse soit saignant (faire une incision pour vérifier ou, au thermomètre, de 125° à 130 °F, ou jusqu'au degré de cuisson désiré.

4. Transférer la viande sur une planche à découper. Laisser reposer 5 minutes et couper contre le grain en tranches fines et obliques.

Boulettes de viande au pesto et semoule

Portions : 4
Préparation : 30 min
Cuisson : 25 min

Ingrédients :
- **750 g de bœuf haché**
- **5 c. à s. d'huile d'olive, divisées**
- **1/2 T de miettes de pain sec**
- **3/4 de T de pesto commercial**
- **1 gros œuf**
- **1 1/2 c. à t. de sel casher**
- **3/4 de c. à t. de poivre noir**
- **300 g de semoule**
- **1/4 de T de parmesan râpé (facultatif)**

Instructions :

1. Réchauffer le four grille-pain à environ 350 °F. Verser 2 c. à soupe d'huile dans le plateau du four grille-pain et incliner pour couvrir d'huile toute la surface.

2. Dans un bol large, combiner le bœuf, les miettes de pain, 1/2 tasse de pesto, l'œuf, le sel et le poivre. Remuer avec les mains, jusqu'à obtention d'un bon mélange. Façonner la préparation en 12 boulettes, en utilisant environ 1/4 de tasse de la mixture pour chacune d'elles. Transférer les boulettes sur le plateau. Cuire 15 minutes. Retourner les boulettes et poursuivre la cuisson 10 minutes de plus.

3. Pendant ce temps, préparer la semoule en suivant les directives indiquées sur l'emballage.

4. Dans un petit bol, mélanger le reste du pesto et l'huile. Verser sur les boulettes de viande cuites et retourner la viande pour bien couvrir. Diviser les boulettes de viande et la semoule dans des assiettes individuelles et saupoudrer de fromage parmesan, si désiré.

Rosbif à la sauce au raifort

Instructions :

1. Préchauffer le four à 375 °F. Saupoudrer 1/2 c. à thé de sel sur le bœuf et assaisonner avec du poivre. Réchauffer l'huile à feu vif dans une grande poêle à frire allant au four, jusqu'à ce qu'elle soit chaude, mais qu'elle ne fume pas. Ajouter le bœuf, dorer tous les côtés, environ 5 minutes en tout. Retirer la poêle du feu.

2. Placer les moitiés d'oignons dans la poêle, le côté coupé en dessous. Transférer la poêle au four. Cuire le bœuf et les oignons de 35 à 40 minutes ou jusqu'à ce le thermomètre à lecture instantanée, inséré dans le centre de la viande, indique 140 °F pour une viande mi-saignante. Déposer le bœuf dans un panier de broche au-dessus d'une plaque à biscuits à rebords et laisser reposer pendant 10 minutes avant de tailler. Réserver les oignons.

3. Dans un petit bol, mélanger la crème sure, le raifort, le jus de citron, 1/4 de c. à thé de sel et du poivre au goût. Servir le bœuf avec la sauce au raifort et les oignons rôtis.

Portions : 4
Préparation : 15 min
Cuisson : 45 min

Ingrédients :
- **Bifteck de haut ou de bas de ronde (environ 1 kg), ficelé**
- **2 c. à s. d'huile végétale**
- **6 petits oignons taillés en deux dans le sens de la longueur**
- **1 T de crème sure**
- **1/4 de T de raifort frais pelé et râpé**
- **1 c. à s. de jus de citron**
- **Gros sel**
- **Poivre fraîchement moulu**

Rosbif à la sauce au raifort et à la moutarde

Portions : 12
Préparation : 15 min
Cuisson : 1 h

Ingrédients :

ROSBIF
- **1 rosbif de pointe de surlonge (1,5 kg), paré**
- **2 c. à s. de graines de coriandre moulue**
- **1 c. à s. de poivre noir concassé**
- **2 c. à t. de sel casher**
- **5 gousses d'ail broyées**
- **Aérosol de cuisson**

SAUCE
- **3/4 de T de raifort préparé**
- **1/2 T de moutarde moulue à la meule**
- **1/4 de T de vinaigre blanc**

Instructions :

1. Préchauffer le four à 450 °F.

2. Pour préparer le rosbif, mélanger les 4 premiers ingrédients et badigeonner le bœuf. Placer le rosbif sur une rôtissoire préalablement enduite d'huile en aérosol. Insérer un thermomètre dans la partie la plus épaisse. Cuire au four pendant 20 minutes.

3. Réduire la température du four à 300 °F (ne pas retirer le bœuf du four) ; cuire 40 minutes de plus, jusqu'à ce que le thermomètre indique 140 °F ce qui correspond à une viande mi-saignante, ou jusqu'au degré de cuisson désiré. Placer le bifteck sur une planche à découper et couvrir négligemment avec une feuille d'aluminium. Laisser reposer 15 minutes. (La température du bœuf augmentera de 5 °F pendant ce temps.) Tailler le rosbif contre le grain en tranches minces.

4. Pour préparer la sauce, mélanger le raifort, la moutarde et le vinaigre. Servir avec le rosbif.

Bœuf salé Guinness[MD]

Instructions :

1. Préchauffer le four à 300 °F. Rincer le bœuf et assécher en tapotant.

2. Placer la viande sur une grille dans une rôtissoire ou un faitout. Frotter la cassonade sur le bœuf pour le couvrir en entier, même en dessous. Verser la stout tout autour, et en petite quantité, sur la viande, afin de mouiller légèrement la cassonade.

3. Couvrir et placer dans le four. Cuire pendant 2 heures 30. Laisser reposer 5 minutes avant de trancher le bœuf.

Portions : 2
Préparation : 20 min
Cuisson : 2 h 30

Ingrédients :
- **1,8 kg de poitrine de bœuf salée**
- **1 T de cassonade**
- **1 1/2 T de stout irlandaise**

Suprême de bœuf à la mexicaine

Portions: 4
Préparation: 15 min
Cuisson: 25 min

Ingrédients:
- **500 g de bœuf à bouillir en dés**
- **1 c. à s. d'huile d'olive**
- **1 oignon tranché**
- **1 1/2 c. à t. d'ail émincé**
- **Le jus de 1/2 limette**
- **1 piment jalapeño, épépiné et haché**
- **3 oignons verts, hachés**
- **1/4 de T de coriandre fraîche hachée (ou quantité au goût)**
- **1 c. à t. d'origan déshydraté**
- **1 boîte (198 g) de salsa verte en conserve**

Instructions:

1. À feu moyen-élevé, faire chauffer l'huile d'olive dans une grande poêle. Ajouter l'oignon et cuire quelques minutes avant d'incorporer le bœuf et l'ail. Cuire, en remuant fréquemment jusqu'à ce que la viande soit uniformément dorée.

2. Pendant que la viande cuit, mélanger le jus de limette, le piment, la coriandre et les oignons verts. Une fois le bœuf doré, incorporer ce mélange et l'origan.

3. Verser la salsa, couvrir et cuire pendant environ 10 minutes, en remuant à l'occasion jusqu'à ce que la viande soit bien cuite.

Bouts de côtes

Instructions:

1. Dans un bol, mélanger l'ail, la moutarde en poudre, le piment jalapeño haché, le vin rouge, le vinaigre de vin rouge, le paprika fort, la marjolaine fraîche hachée, le thym frais haché et l'huile d'olive. Disposer les côtes à plat dans un récipient large (ou 2) de façon à ce qu'elles ne se chevauchent pas. Verser la marinade sur les bouts de côtes.

2. Mariner pendant 12 heures ou toute la nuit au réfrigérateur, en retournant les côtes une fois. Éponger pour assécher les côtes et réserver la marinade.

3. Préchauffer le four à 300 °F.

4. Réchauffer à feu vif les 2 autres c. à soupe d'huile d'olive dans une poêle à frire ou un faitout. En procédant par lots, bien dorer la viande de chaque côté, environ 2 minutes. Réserver.

5. Verser toute l'huile d'olive, excepté 1 c. à soupe. Ajouter l'oignon et les piments et faire revenir 2 minutes, ou jusqu'à ce qu'ils soient tendres. Incorporer les tomates, la sauce Worcestershire, le bouillon de bœuf et la marinade réservée. Amener à ébullition en grattant tous les petits morceaux qui auraient pu adhérer au fond.

6. Ajouter les côtes et le zeste d'orange (ou placer tous les ingrédients dans une casserole allant au four). Couvrir et cuire de 2 à 2 heures 30, jusqu'à ce que les côtes se coupent à la fourchette. Retirer les bouts de côtes et les disposer sur une plaque à biscuits.

7. Augmenter la température du four à 400 °F.

8. Retirer tout le gras qui pourrait se trouver à la surface de la sauce. Faire cuire à feu moyen et réduire jusqu'à ce que le mélange soit savoureux et légèrement plus épais, environ 5 minutes.

9. Faire cuire les côtes au four pendant 15 minutes. Couper en morceaux et remettre dans la sauce.

Portions: 6
Préparation: 30 min
Cuisson: 2 h 50

Ingrédients:
- **6 carrés de bouts de côtes**
- **1 c. à s. d'ail haché**
- **1 c. à t. de moutarde en poudre déshydratée**
- **1 c. à t. de piment jalapeño haché (ou au goût)**
- **1/2 T de vin rouge**
- **2 c. à s. de vinaigre de vin rouge**
- **1 c. à t. de paprika fort**
- **1 c. à s. de marjolaine fraîche hachée**
- **1 c. à s. de thym frais haché**
- **1/4 de T d'huile d'olive**
- **1 T d'oignon rouge haché**
- **1 T de piment jaune, taillé en dés**
- **1 c. à t. de piment jalapeño taillé en dés**
- **2 T de tomates en conserve taillées en dés**
- **1 c. à s. de sauce Worcestershire**
- **2 T de bouillon de bœuf**
- **1 zeste d'orange de 8 cm**

Bœuf à l'orange

Portions : 4
Préparation : 15 min
Marinade : 30 min
Cuisson : 5 min

Ingrédients :
• 500 g de bœuf à bouillir

MARINADE
• 2 c. à s. de jus d'orange
• 2 c. à s. de liqueur d'orange
• 2 c. à s. de sauce soya
• 1 c. à t. de sauce piquante asiatique
• Sel au goût

SAUCE
• 1/4 de T d'huile végétale
• 1 c. à s. de gingembre haché
• 1 c. à s. d'ail finement haché
• 1 T d'oignon coupé en dés
• 1 T de piment rouge coupé en dés
• 1 c. à s. de piment jalapeño, épépiné et taillé en julienne
• 2 c. à s. de zeste d'orange
  taillé en julienne
• 1/2 T de bouillon de poulet
• 1 c. à s. de sauce soya
• 2 c. à s. de liqueur d'orange
• Sel et poivre fraîchement moulu

GARNITURE
• 1/4 de T d'oignon vert effiloché
• 2 c. à s. de menthe ou de coriandre hachée

Instructions :

1. Tailler la viande en dés de 1 cm. Mélanger le jus d'orange, la liqueur, la sauce soya et la sauce piquante dans un bol. Saler légèrement la viande et incorporer dans la marinade. Laisser mariner pendant 30 minutes sur le comptoir, en remuant à l'occasion.

2. Réchauffer 1 c. à soupe d'huile à feu vif dans un wok ou une grande poêle à frire. Quand l'huile est très chaude, ajouter le bœuf, un lot à la fois (ne pas trop en mettre). Faire revenir pendant 1 minute ou jusqu'à ce que le centre de la viande ne soit plus rosé. Retirer à l'aide d'une cuiller à rainures et placer dans un tamis au-dessus d'un bol. Saisir le bœuf qui reste.

3. Essuyer le wok. Ajouter l'huile restante. Incorporer le gingembre et l'ail et faire revenir pendant 30 secondes ou jusqu'à ce qu'ils deviennent tendres, sans être dorés.

4. Ajouter les oignons, les deux piments et le zeste d'orange et faire revenir 1 minute ou jusqu'à ce qu'ils deviennent légèrement plus tendres. Remettre la viande dans le wok et mélanger avec les légumes. Incorporer le bouillon de poulet, la sauce soya et la liqueur d'orange. Amener à ébullition. Goûter pour ajuster l'assaisonnement et ajouter un peu plus de sel et de poivre ou de sauce soya, si nécessaire. Empiler dans l'assiette et garnir avec les oignons verts et la menthe.

Sauté de bœuf et de brocoli à la chinoise

Portions : 4
Préparation : 15 min
Marinade : 1 h
Cuisson : 15 min

Ingrédients :
- 500 g de rôti coupé en tranches de 1 cm
- 1/2 T d'oignon en dés
- 2 T de fleurons de brocoli
- 1 c. à t. de fécule de maïs
- 1/4 de T d'eau

Instructions :

1. Mélanger les ingrédients de la marinade. Ajouter la viande et laisser reposer pendant au moins 1 heure.

2. Faire revenir, en remuant la viande, les oignons et le brocoli dans l'huile chaude, jusqu'à ce qu'ils soient cuits.

3. Mélanger la fécule de maïs et l'eau et verser dans le sauté, jusqu'à ce que le mélange épaississe.

4. Servir sur du riz.

Bifteck de flanc aux épices nappé de sauce piquante aux pêches et au bourbon

Instructions :

1. Pour préparer la sauce, réchauffer l'huile à feu moyen-élevé dans une casserole de format moyen.

2. Ajouter le nectar, 3 c. à s. de sucre et le vinaigre. Amener à ébullition ; cuire jusqu'à réduction à 1 tasse (environ 15 minutes). Ajouter le bourbon, le ketchup, la sauce Worcestershire et le piment rouge.

3. Cuire à feu moyen pendant 2 minutes, en remuant à l'occasion.

4. Retirer du feu et incorporer le jus de limette en remuant. Laisser refroidir un peu.

5. Verser la sauce dans un mélangeur et réduire jusqu'à obtention d'un mélange lisse.

6. Préparer le gril.

7. Pour apprêter le bœuf, mélanger 1 c. à soupe de sucre et les 7 ingrédients qui suivent dans la liste (jusqu'au poivre noir) ; badigeonner les 2 côtés du bifteck.

8. Placer sur la grille préalablement enduite d'huile en aérosol ; griller 7 minutes de chaque côté ou jusqu'au degré de cuisson désiré.

9. Couper la viande en diagonale contre le grain en tranches minces. Servir la viande, accompagnée de la sauce.

Portions : 4
Préparation : 20 min
Cuisson : 25 min

Ingrédients :

SAUCE
- 1 c. à t. d'huile végétale
- 3/4 de T d'oignon vidalia ou de tout autre oignon doux haché
- 2 gousses d'ail émincées
- 1 1/2 T de nectar de pêche
- 3 c. à s. de cassonade
- 2 c. à s. de vinaigre de cidre
- 3 c. à s. de bourbon
- 2 c. à s. de ketchup
- 1 1/2 c. à s. de sauce Worcestershire
- 1 1/2 c. à t. de piment rouge broyé
- 1 c. à s. de jus de limette frais

BIFTECK
- 2 biftecks de flanc parés
- 1 c. à s. de cassonade
- 1 1/4 c. à t. de poudre d'ail
- 1 1/4 c. à t. de cumin moulu
- 1 c. à t. de sel
- 1 c. à t. de coriandre moulue
- 1 c. à t. de paprika
- 3/4 de c. à t. de moutarde déshydratée
- 3/4 de c. à t. de poivre noir fraîchement moulu
- Aérosol de cuisson

Instructions :

1. Préchauffer le four à 350 °F. Mélanger les 6 premiers ingrédients dans un petit bol. Badigeonner tout le morceau de bœuf du mélange d'épices.

2. Cuire le bacon à feu moyen dans une grande casserole au fond épais et allant au four, jusqu'à ce qu'il soit doré et croustillant. À l'aide d'une cuiller à rainures, transférer le bacon sur des essuie-tout pour qu'il s'égoutte. Ne garder que 2 c. à soupe du contenu de la casserole et jeter le reste. Augmenter le feu à une température moyenne-élevée. Ajouter le bœuf et cuire jusqu'à ce que tous les côtés soient dorés, soit environ 12 minutes au total. Transférer le bœuf dans une assiette. Verser le vin rouge dans la casserole, amener à ébullition en grattant les petits morceaux dorés. Bouillir environ 5 minutes, jusqu'à réduction à 1/2 tasse. Ajouter le bouillon et le bacon. Déposer le bœuf sur le bacon. Disperser les oignons, les échalotes, l'ail et les feuilles de laurier autour de la pièce de viande.

3. Couvrir et mettre au four, rôtir pendant environ 1 heure. Retourner le bœuf et remuer les oignons. Couvrir et poursuivre la cuisson 1 heure de plus, en ajoutant de l'eau par quarts de tasse, si le bœuf est sec. Transférer la viande dans une assiette. Ajouter les carottes, le panais et le céleri dans la casserole. Replacer le bœuf sur les légumes, couvrir et cuire 45 minutes de plus, jusqu'à ce que le bœuf et les légumes soient tendres. Transférer le bœuf dans une assiette. Retirer le gras de la surface de la sauce. Assaisonner la sauce au goût avec du sel et du poivre. Verser la sauce sur le bœuf et servir.

Portions : 8 à 10
Préparation : 45 min
Cuisson : 3 h

Ingrédients :
- 1 rôti de palette de 1 kg de bœuf d'embouche, désossé et ficelé
- 1 morceau de bacon de 170 g, taillé en diagonale en tranches de 5 mm d'épaisseur, puis en rectangles de 1 cm
- 2 c. à t. de thym frais haché
- 2 c. à t. de piment banane
- 2 c. à t. de gros sel casher
- 2 c. à t. de poivre noir fraîchement moulu
- 1 c. à t. de moutarde sèche
- 1 c. à t. (comble) de cassonade
- 2 T de vin blanc
- 1/2 T de bouillon de poulet pauvre en sodium
- 2 gros oignons finement tranchés
- 12 petites échalotes pelées
- 12 gousses d'ail pelées
- 3 feuilles de laurier
- 4 grosses carottes, pelées et taillées en morceaux de 2,5 cm
- 3 panais moyens pelés et taillés en morceaux de 2,5 cm
- 1 petit céleri rave pelé et taillé en dés de 2,5 cm

Bifteck tartare

Portions : 8
Préparation : 40 min
Cuisson : 18 min

Ingrédients :
- 1 contrefilet d'environ 500 g, dégraissé
- 1 baguette, taillée en diagonale en tranches de 5 mm
- Un peu d'huile d'olive extra vierge pour la cuisson, plus 1/4 de T
- 1 jaune d'œuf
- 1 c. à s. de jus de citron
- 3 c. à s. de moutarde de Dijon
- 1/8 de c. à t. d'ail émincé
- 1/2 c. à s. de persil plat haché
- 2 c. à s. de d'olives Kalamata dénoyautées, finement hachées
- 1/2 c. à s. de câpres grossièrement hachées
- 1/2 T d'oignon vert haché, les parties vertes seulement
- Sel et poivre fraîchement moulu, au goût

Instructions :

1. Préchauffer le four à 350 °F. Badigeonner une plaque à biscuits d'huile d'olive et disposer les tranches de baguette en une seule couche. Badigeonner le dessus du pain d'huile d'olive et assaisonner de sel et de poivre. Cuire de 15 à 18 minutes, jusqu'à ce que les tranches de baguette deviennent croustillantes et dorées. Refroidir à température ambiante et conserver les crostini dans un récipient hermétiquement fermé, à température ambiante, pour consommation ultérieure.

2. Sur une surface de travail propre, tailler le bifteck en dés de 5 mm. Transférer dans un bol à mélanger et réfrigérer.

3. Dans un autre bol à mélanger, combiner le jaune d'œuf, le jus de citron, la moutarde, l'ail, le sel et le poivre et fouetter pour mélanger.

4. Ajouter le 1/4 de tasse d'huile d'olive en un filet lent et régulier, en fouettant constamment jusqu'à obtention d'une substance lisse.

5. Mélanger la vinaigrette à la viande, avec le persil, les olives, les câpres et l'oignon vert. Remuer pour mélanger, saler et poivrer. Faire un petit monticule de bifteck tartare sur une assiette refroidie, disposer les crostini tout autour et servir ; conserver le reste du bifteck tartare au réfrigérateur et servir de nouveau au besoin.

Cari de bœuf à la sud-africaine

Portions : 6 à 8
Préparation : 30 min
Cuisson : 3 h 15

Ingrédients :
- 1,5 kg d'épaule de bœuf désossée et dégraissée
- 2 oignons pelés et hachés
- 1/4 de T de poudre de cari
- 2 c. à s. de graines de moutarde
- 1 c. à s. d'ail émincé
- 1 c. à t. de curcuma moulu déshydraté
- 2 T de bouillon de bœuf sans matières grasses
- 625 g de tomates prunes, rincées, évidées et hachées
- 2 c. à s. de piments jalapeños frais émincés
- 2 c. à s. de gingembre frais émincé
- 1 banane mûre, pelée et finement tranchée
- Environ 1/2 T de chutney de mangue
- Environ 1/3 de T de noix de coco sucrée, déshydratée
- Sauce yogourt au concombre
- Environ 6 T de riz cuit chaud
- Sel

Instructions :

1. Rincer le bœuf, assécher en tapotant et couper en morceaux de 2,5 cm. Dans une casserole d'une capacité de 5 à 6 litres, mélanger le bœuf, les oignons et 1 tasse d'eau.

2. Couvrir et amener à ébullition à feu vif ; réduire la chaleur et laisser mijoter 30 minutes. Retirer le couvercle, augmenter la chaleur et remuer souvent jusqu'à ce que le liquide s'évapore et que la viande et les oignons soient légèrement dorés, de 5 à 7 minutes. À l'aide d'une cuiller, retirer et jeter tout le gras.

3. Ajouter dans la casserole la poudre de cari, les graines de moutarde, l'ail et le curcuma ; remuer environ 1 minute jusqu'à ce que l'arôme des ingrédients soit encore plus prononcé. Ajouter le bouillon, les tomates, les piments et le gingembre ; remuer pour gratter les petits morceaux qui auraient adhéré au fond de la casserole.

4. Amener à ébullition de nouveau, couvrir, réduire la chaleur et laisser mijoter de 2 à 2 heures 30, jusqu'à ce que la viande soit très tendre quand on la pique.

5. Placer la banane, le chutney, la noix de coco et la sauce au concombre dans des petits bols séparés.

6. Déposer le bœuf au cari sur du riz dans des assiettes. Ajouter de la banane, du chutney, de la noix de coco et de la sauce yogourt au concombre, saler au goût.

Bifteck grillé à la moutarde et à l'érable

Portions : 4
Préparation : 15 min
Marinade : 8 h
Cuisson : 30 min

Ingrédients :
- 500 g de bifteck de haut de palette
- 1/4 de T de pacanes hachées
- 2/3 de T de sirop d'érable
- 2/3 de T de vinaigre balsamique
- 1/3 de T de moutarde de Dijon
- 3 c. à s. de feuilles de thym frais
- 1 c. à t. de sel casher
- 1 c. à t. de poivre moulu
- 85 g de fromage bleu émietté

Instructions :

1. Préchauffer le four à 350 °F. Placer les pacanes en une seule couche dans une poêle peu profonde et cuire, en remuant à l'occasion, de 5 à 7 minutes ou jusqu'à ce que les pacanes soient rôties et odorantes.

2. À l'aide d'un fouet, mélanger le sirop et les 3 ingrédients qui suivent dans la liste et réserver la moitié de cette préparation. Ajouter l'autre moitié dans un plat large et peu profond ou dans un sac de plastique refermable. Parer la viande, si nécessaire, et déposer dans le plat ou dans le sac en le retournant pour bien le badigeonner. Couvrir ou sceller et laisser refroidir pendant 8 heures, en retournant la viande une seule fois, après 4 heures.

3. Retirer la viande de la préparation et jeter la marinade. Saupoudrer le bifteck de sel et de poivre et laisser reposer à température ambiante pendant 30 minutes.

4. Cuire la marinade réservée dans une petite casserole à feu moyen pendant 10 minutes ou jusqu'à réduction de moitié.

5. Disposer la viande sur un panier de broche légèrement enduit d'huile, dans un moule à gâteau roulé recouvert d'une feuille d'aluminium résistante. Disposer à 15 cm du grilloir et cuire de 8 à 10 minutes de chaque côté ou jusqu'au degré de cuisson désiré. Retirer du four, laisser reposer 5 minutes avant de couper la viande. Napper de sauce et saupoudrer de pacanes et de fromage bleu.

Pâté chinois

Portions : 4
Préparation : 30 min
Cuisson : 1 h 25

Ingrédients :
- 500 g de bœuf maigre haché
- 1 c. à s. d'huile végétale
- 1 T d'oignon haché
- 1/2 T de céleri haché
- 1/2 T de carottes hachées
- 1 T de rutabaga ou de navet haché
- 1 c. à t. d'ail haché
- 2 c. à t. de thym frais moulu
- 1 feuille de laurier
- 1 c. à s. de farine (tout usage)
- 1 1/2 T de bouillon de bœuf
  ou de poulet
- 1 T de tomates en
  conserve coupées
- 1 c. à s. de sauce Worcestershire
- 1 c. à s. de sauce soya
- 1 c. à t. de pâte de tomate
- 1 pincée de poivre de Cayenne
- Sel et poivre fraîchement moulu

GARNITURE
- 750 g de pommes de terre
  Yukon Gold, pelées et
  coupées en quartiers
- 1/4 de T de beurre
- 1/4 de T de lait
- 3 c. à s. de miettes de pain

Instructions :

1. Réchauffer l'huile à feu moyen, dans une poêle à frire. Ajouter l'oignon, le céleri, les carottes et le rutabaga et faire revenir environ 4 minutes, jusqu'à ce qu'ils deviennent tendres. Incorporer le bœuf, l'ail, le poivre de Cayenne et le thym et assaisonner de sel et de poivre.

2. Faire revenir pendant 3 minutes ou jusqu'à ce que la viande perde toute teinte rosée. Ajouter la feuille de laurier et incorporer la farine. Ajouter le bouillon, les tomates, la sauce Worcestershire, la sauce soya et la pâte de tomate. Amener à ébullition, réduire la chaleur au minimum et laisser mijoter de 30 à 35 minutes ou jusqu'à ce que la sauce épaississe. Goûter pour ajuster l'assaisonnement, s'il y a lieu.

3. Cuire les pommes de terre dans de l'eau bouillante et salée, jusqu'à tendreté, soit environ de 12 à 15 minutes. Bien égoutter, remettre dans la casserole et sécher sur le brûleur éteint. Piler avec le beurre et le lait. Assaisonner de sel et de poivre.

4. Préchauffer le four à 375 °F.

5. À l'aide d'une cuiller, verser le mélange de bœuf dans un plat allant au four de format moyen. Couvrir de pommes de terre et saupoudrer le tout de miettes de pain.

6. Cuire de 20 à 25 minutes ou jusqu'à ce que le mélange bouille et que le dessus soit bien croustillant.

Pâté chinois sur le pouce

Instructions :

1. Porter à ébullition un grand chaudron d'eau légèrement salée à feu élevé. Ajouter les pommes de terre puis faire cuire jusqu'à ce qu'elles soient tendres, mais encore fermes (15 minutes). Égoutter et réduire en purée. Ajouter le beurre, l'oignon finement haché et 1/4 de tasse de fromage.

2. Porter à ébullition un grand chaudron d'eau salée. Ajouter les carottes et faire cuire jusqu'à ce qu'elles soient tendres, mais fermes (15 minutes). Égoutter, réduire en purée et mettre de côté. Préchauffer le four à 375 °F.

3. Faire chauffer l'huile dans une grande poêle à frire, ajouter l'oignon et faire cuire jusqu'à ce qu'il soit translucide. Ajouter le bœuf haché et faire cuire jusqu'à ce qu'il soit bien doré. Jeter l'excédent de gras puis incorporer la farine et faire cuire pendant 1 minute. Ajouter le ketchup et le bouillon de bœuf. Porter à ébullition, réduire le feu et laisser mijoter pendant 5 minutes.

4. Étaler uniformément le bœuf haché au fond d'un grand plat allant au four puis une couche de purée de carottes. Couvrir le tout avec une couche de purée de pommes de terre et saupoudrer avec le reste du fromage.

5. Faire cuire au four jusqu'à ce que le pâté chinois soit bien doré (20 minutes).

Portions : 4
Préparation : 30 min
Cuisson : 20 min

Ingrédients :
- 500 g de bœuf haché maigre
- 4 grosses pommes de terre pelées
  et coupées en dés
- 1 c. à s. de beurre
- 1 c. à s. d'oignon finement tranché
- 1/4 de T de fromage cheddar râpé
- 5 carottes hachées
- 1 c. à s. d'huile végétale
- 1 oignon haché
- 2 c. à s. de farine (tout usage)
- 1 c. à s. de ketchup
- 3/4 de T de bouillon de bœuf
- 1/4 de T de fromage cheddar râpé
- Sel et poivre noir moulu, au goût

Bœuf Wellington

Instructions:

1. Chauffer le four à 425 °F. Déposer le bœuf sur une rôtissoire, le badigeonner de 1 c. à soupe d'huile d'olive et poivrer. Rôtir pendant 15 minutes, pour une viande mi-saignante, 20 minutes, pour une viande à point. Quand le bœuf a atteint la cuisson désirée, retirer du four et laisser refroidir dans le réfrigérateur pendant environ 20 minutes.

2. Pendant que la viande refroidit, hacher les champignons aussi finement que possible pour qu'ils aient la texture d'une chapelure grossière.

3. Réchauffer 2 c. à soupe d'huile et tout le beurre dans une grande poêle et faire frire les champignons à feu moyen, avec la tige de thym, pendant environ 10 minutes en remuant souvent, jusqu'à obtention d'un mélange uniforme. Assaisonner la mixture de champignons, verser le vin et poursuivre la cuisson encore 10 minutes, jusqu'à ce que tout le vin soit absorbé. Retirer la duxelle du chaudron, pour qu'elle refroidisse, et jeter le thym.

4. Superposer deux morceaux de pellicule de plastique sur une grande planche à découper. Déposer le prosciutto sur la pellicule en une rangée double qui se chevauche légèrement. Étaler la moitié de la duxelles de champignons sur le prosciutto, disposer ensuite le filet de bœuf par-dessus, et le reste des champignons sur le bœuf. Utiliser les bords de la pellicule de plastique pour enrouler le prosciutto autour du bœuf et rouler comme un saucisson, en tordant les extrémités de la pellicule pour la resserrer pendant le processus. Mettre le filet au réfrigérateur et dérouler la pâte.

Portions: 6-8
Préparation: 40 min
Cuisson: 1 h 15

Ingrédients:
- 1 filet de bœuf Angus d'environ 1 kg
- 12 tranches de prosciutto
- 3 c. à s. d'huile d'olive
- 250 g de champignons café et de champignons sauvages, si désiré
- 50 g de beurre
- 1 grosse tige de thym frais
- 1/2 T de vin blanc sec
- 500 g de pâte feuilletée, décongelée, s'il y a lieu
- 2 jaunes d'œuf battus avec 1 c. à t. d'eau
- Un peu de farine, pour saupoudrer
- Sel et poivre, au goût

5. Dérouler le tiers de la pâte pour en faire un rectangle de 18 x 30 cm et déposer sur une plaque à biscuits. Avec la pâte qui reste, faire un autre rectangle d'environ 28 x 36 cm. Retirer le filet de la pellicule de plastique et déposer la viande dans le centre de la plus petite bande de pâte. Badigeonner les extrémités de la pâte, le dessus et les côtés du filet, avec le jaune d'œuf battu. À l'aide d'un rouleau à pâte, soulever délicatement et déposer sur le filet la plus grande bande de pâte. Sceller en pressant fermement les rebords. Couper les joints pour faire une bordure de pâte d'environ 4 cm. Sceller le nouveau rebord en pressant à l'aide du manche d'une fourchette ou d'une cuiller. Glacer le tout avec du jaune d'œuf et, à l'aide du dos d'un couteau, marquer le bœuf Wellington de longues diagonales, en prenant bien soins de ne pas entailler la pâte. Refroidir de 30 minutes à 24 heures.

6. Réchauffer le four à 400 °F. Badigeonner de nouveau avec du jaune d'œuf et cuire jusqu'à ce que la pâte feuilletée devienne dorée et croustillante – entre 20 et 25 minutes pour un bœuf mi-saignant, 30 minutes pour une viande à point. Laisser reposer pendant 10 minutes avant de servir en tranches épaisses.

ASTUCES

- Pour sceller la pâte, utiliser le côté arrondi du manche d'une fourchette ou d'une cuiller et non les dents d'une fourchette, lesquelles transperceront la pâte, au lieu de la sceller.

- Badigeonner la viande et la pâte de dorure à l'œuf. Cela permettra à la pâte qui recouvre la viande de bien y adhérer et de ne pas se soulever pour créer un vide.

- Déposer très soigneusement la pâte sur la viande, tout en la lissant délicatement avec les mains afin d'éviter toute poche d'air entre la pâte et la viande.

- Découper avec précaution.

- Diminuer les risques de séparation des rebords en laissant beaucoup d'espace – ne pas couper la pâte trop près de la viande.

- Utiliser la pâte qui reste. Tout restant peut servir à autre chose, même si la pâte a été recouverte de jaune d'œuf. Il suffit d'en faire une boule et de la placer au réfrigérateur jusqu'au moment de son utilisation.

Rosbif de côtes

Portions : 12 sans les os,
14 avec les os.
Préparation : 15 min
Cuisson : 2 h 30

Ingrédients :
- 1 rosbif de 4 côtes de bœuf,
  dégraissé (environ 4 kg)
- 1 c. à s. de thym déshydraté
- 1 1/2 c. à t. de sel casher
  ou de gros sel
- 1 1/2 c. à t. de poivre noir
  fraîchement moulu
- 1 1/4 T de bouillon de bœuf
  sans matières grasses
- 1/4 de T de brandy ou de porto

Instructions :

1. Rincer la viande et l'assécher en tapotant. Dans un petit bol, mélanger le thym, le sel et le poivre. Badigeonner uniformément le mélange d'épices sur le rôti. Placer sur un support, les os orientés vers le bas, dans une rôtissoire de 25 x 37,5 cm.

2. Faire rôtir le bœuf à 375 °F dans un four ordinaire ou à convection pendant environ 2 heures 30 ou jusqu'à ce qu'un thermomètre inséré dans le centre de l'extrémité la plus étroite indique 135 °F pour une viande à point (la partie la plus large devrait être à 125 °F pour une viande saignante). Récupérer les matières grasses qui auraient pu s'accumuler dans la rôtissoire et jeter.

3. Transférer le rôti dans une assiette et laisser reposer dans un endroit chaud au moins 10 minutes.

4. Pendant ce temps, retirer et jeter les restes de gras de la rôtissoire. Ajouter le bouillon de bœuf et mélanger en remuant pour libérer les petites particules qui y auraient adhéré. Incorporer le brandy. Faire chauffer à feu vif en remuant jusqu'à ce que le mélange bouille vigoureusement. Ajouter les jus de cuisson accumulés dans l'assiette. Verser la sauce dans un tamis au-dessus d'un petit bol.

5. Tailler le rôti et servir avec la sauce.

Bœuf Wellington en portions individuelles

Instructions :

1. Amener la viande à température ambiante et assaisonner de sel et de poivre fraîchement moulu.

2. Verser la sauce demi-glace dans une casserole et commencer à réchauffer.

3. Faire fondre le beurre, à feu moyen-élevé, dans une poêle à fond épais. Faire rapidement saisir tous les côtés de la viande et retirer de la poêle. Déglacer la poêle avec du bouillon de bœuf ou du brandy et ajouter la sauce demi-glace.

4. Abaisser la pâte feuilletée à environ 2,5 mm d'épaisseur et diviser en 4 morceaux assez grands pour enrober chaque pièce de viande. Diviser et étaler le foie sur chacun des filets. Placer au centre de la pâte (le pâté vers le bas) et replier une moitié de la pâte du dessous sur la viande ; replier l'autre moitié sur la première. Placer sur une plaque à biscuits, en retournant la viande pour que le pâté se retrouve sur le dessus.

5. Battre un œuf et ajouter un peu de lait pour préparer un mélange de dorure à l'œuf. Badigeonner sur la pâte.

6. Cuire dans le four préchauffé à 425 °F, pendant 12 minutes pour obtenir une viande à point (la pâte devrait être dorée).

SAUCE

7. Ajouter la sauce Worcestershire, la moutarde sèche, le xérès et la crème à la demi-glace et faire bouillir jusqu'à épaississement. Verser de la sauce dans chacune des assiettes chaudes et déposer le bœuf Wellington dessus.

Portions : 4
Préparation : 20 min
Cuisson : 15 min

Ingrédients :
- 4 filets mignons de 2,5 cm
  d'épaisseur
- 1 paquet de pâte feuilletée
- 3/4 de T de foie gras
- 200 ml de sauce demi-glace
  maison ou commerciale
- Beurre
- 1 œuf
- Sel et poivre

SAUCE
- 1 trait de sauce Worcestershire
- 1 trait de moutarde sèche
- 1/8 de T de xérès
- 1/2 T de crème 35 %

Ragoût Reuben

Portions: 4-6
Préparation: 15 min
Cuisson: 30 min

Ingrédients:
- 500 g de tranches de poitrine de bœuf salé, coupées en lanières
- 6 tranches de pain de seigle, taillées en dés
- 1 boîte (455 g) de choucroute, égouttée et rincée
- 3/4 de T de vinaigrette à la russe
- 2 T de fromage suisse râpé

Instructions:

1. Préchauffer le four à environ 400 °F.

2. Étaler les morceaux de pain sur une plaque à biscuits de 22,5 x 32,5 cm. Étaler uniformément la choucroute sur les morceaux de pain, disposer les lanières de bœuf sur la choucroute. Recouvrir de vinaigrette.

3. Enduire une feuille d'aluminium d'huile en aérosol et couvrir la plaque à biscuits, le côté enduit d'huile en dessous. Faire cuire au four pendant 20 minutes.

4. Retirer le couvercle, saupoudrer de fromage et cuire sans couvercle pendant encore 10 minutes, ou jusqu'à ce que le fromage fonde et fasse des bulles.

Bifteck de flanc mariné au wasabi et au miso

Instructions:

1. Mélanger les 5 premiers ingrédients dans un petit bol; bien remuer avec un fouet. Combiner le mélange de miso et le bifteck dans un grand sac en plastique refermable. Sceller et laisser mariner au réfrigérateur pendant 2 heures.

2. Préparer le gril ou le grilloir.

3. Retirer le bifteck du sac et réserver la marinade. Placer la viande sur une grille ou une rôtissoire préalablement enduites d'huile en aérosol. Faire griller pendant 6 minutes de chaque côté ou jusqu'au degré de cuisson désiré, en badigeonnant de temps à autre avec la marinade réservée.

Portions: 2
Préparation: 15 min
Marinade: 2 h
Cuisson: 12 min

Ingrédients:
- 1 bifteck de flanc (500 g), paré
- 1/4 de T de miso jaune (pâte de fèves de soya)
- 1/4 de T de mirin (saké)
- 1/4 de T de vin blanc sec
- 1 c. à s. de poudre de wasabi
- 1 c. à s. de vinaigre de riz
- Aérosol de cuisson

Bœuf bourguignon

Portions: 6-8
Préparation: 20 min
Cuisson: 3 h

Ingrédients:
- 1 kg de bœuf à bouillir en cubes
- 1/4 de T de farine (tout usage)
- 1 c. à t. de sel
- 1/2 c. à t. de poivre noir moulu
- 4 c. à s. de beurre
- 1 oignon haché
- 2 carottes hachées
- 1 gousse d'ail émincée
- 2 T de vin rouge
- 1 feuille de laurier
- 3 c. à s. de persil frais haché
- 1/2 c. à t. de thym déshydraté
- 1 boîte (170 g) de champignons en conserve
- 1 boîte (455 g) d'oignon en conserve

Instructions:

1. Dans un petit bol, mélanger la farine, le sel et le poivre noir. Enduire les cubes de bœuf de cette préparation.

2. Faire fondre le beurre ou la margarine à feu vif dans une grande poêle à frire. Ajouter la viande et bien faire dorer chaque côté. Verser dans une casserole d'une capacité de 2 litres.

3. Dans la poêle à frire, faire chauffer l'oignon, les carottes et l'ail. Faire revenir de 5 à 10 minutes ou jusqu'à ce que l'oignon soit tendre, ajouter le vin, la feuille de laurier, le persil, le thym et le liquide des champignons en conserve. Verser sur la viande.

4. Couvrir et cuire au four à 350 °F pendant 2 heures 30. Retirer le couvercle, ajouter les oignons et les champignons en conserve et poursuivre la cuisson pendant 30 minutes.

Bœuf bourguignon traditionnel

Portions : 6
Préparation : 20 min
Cuisson : 3 h 15

Ingrédients :
- 1 kg de bœuf à bouillir (épaule ou hanche) en dés
- 2 T de vin rouge, de préférence un vin de Bourgogne
- 1/4 de T d'huile végétale
- 5 tranches de bacon de 2,5 cm
- 2 T d'oignon grossièrement haché
- 2 T de carottes pelées et grossièrement hachées
- 1 T de céleri finement haché
- 2 c. à s. d'ail frais, finement haché
- 1 c. à s. de thym frais, finement haché
- 1/4 de c. à t. de clou de girofle moulu
- 1 T de farine (tout usage) à saupoudrer, dans un grand bol
- 2 c. à s. de pâte de tomate
- 2 feuilles de laurier
- Eau froide
- 500 g de pommes de terre Yukon Gold, bouillies avec la peau
  jusqu'à ce qu'elles soient tendres, refroidies et coupées en dés
- 1 c. à s. de beurre
- 500 g de champignons café, nettoyés, parés et coupés en 2
- 300 g de petits oignons blancs, bouillis et pelés
- Sel et poivre noir fraîchement moulu

Instructions :

1. Mélanger le bœuf et le vin dans un plat de cuisson et laisser mariner dans le réfrigérateur pendant la nuit ou pendant au moins 8 heures.

2. Préchauffer le four à 325 °F.

3. Sortir le bœuf du réfrigérateur. Dans un grand faitout réchauffer l'huile, à feu moyen-élevé. Ajouter le bacon et faire revenir 5 minutes ou jusqu'à ce qu'il soit doré. Retirer les tranches de bacon du faitout et réserver dans un bol de taille moyenne.

4. Ajouter l'oignon, les carottes et le céleri dans le même faitout, faire revenir environ 5 minutes à feu moyen-élevé ou jusqu'à obtention d'une teinte légèrement dorée. Ajouter l'ail, le thym et les clous de girofle et faire revenir pendant 1 minute. Retirer du faitout et réserver, avec le bacon.

5. Égoutter le bœuf et réserver la marinade. Couvrir le bœuf de farine. Secouer pour enlever l'excès de farine.

6. Réchauffer 1 c. à soupe d'huile à feu moyen-élevé. Travailler par lots et faire dorer chaque côté des cubes de bœuf, en ajoutant de l'huile, s'il y a lieu. Pendant la cuisson des derniers morceaux de bœuf, incorporer la pâte de tomate pour la dernière minute de cuisson.

7. Ajouter les légumes, le bacon, les feuilles de laurier et la marinade dans le faitout. Incorporer juste assez d'eau pour couvrir. Faire cuire à feu doux pendant 5 minutes et gratter les petits morceaux dorés qui ont adhéré au fond du faitout. Couvrir et cuire au four pendant environ 3 heures. Ajouter les pommes de terre pendant la dernière demi-heure de cuisson.

8. Faire chauffer le beurre à feu moyen-élevé dans une poêle à frire. Faire revenir les champignons jusqu'à ce qu'ils aient une teinte dorée. Incorporer les petits oignons blancs et cuire 5 minutes de plus. Une fois le bœuf cuit, ajouter les champignons et les oignons dans le faitout et mélanger. Assaisonner au goût et servir chaud.

Filets de bœuf à la crème à l'orange

Portions : 4
Préparation : 15 min
Cuisson : 18 min

Ingrédients :
- 4 filets de bœuf (170 g)
- 1/2 c. à t. de poivre concassé (facultatif)
- 1 T de crème à fouetter
- 2 c. à s. de marmelade à l'orange
- 1 à 2 c. à s. de raifort préparé

GARNITURE
- guirlandes de zeste d'orange

Instructions :

1. Saupoudrer les steaks de poivre concassé, si désiré.

2. Faire griller, le couvercle du gril fermé et à feu moyen (350 °F à 400 °F), de 4 à 6 minutes de chaque côté ou jusqu'à obtention de la cuisson désirée.

3. Dans une poêle à frire, amener à ébullition la crème à fouetter, la marmelade et le raifort, à feu moyen, en remuant constamment ; réduire la chaleur et laisser mijoter, en remuant souvent, pendant 5 minutes ou jusqu'à épaississement. Servir immédiatement avec les steaks ; garnir, si désiré.

Rosbif de côte de bœuf au romarin

Portions : 8 à 10
Préparation : 20 min
Cuisson : 2 h 30

Ingrédients :
- 1 rosbif d'épaule de bœuf avec l'os et 4 côtes (environ 3,5 kg : les côtes doivent demeurer à leur pleine longueur)
- 1 c. à s. de sel
- 2 c. à t. de poivre noir fraîchement moulu
- 8 grandes tiges de romarin frais
- 1 bulbe d'ail, séparé en gousses, écrasées et pelées

Instructions :

1. Préchauffer le four à 450 °F. Mélanger le sel et le poivre dans un petit bol. À l'aide d'un couteau bien aiguisé, faire une incision dans le rosbif, à environ 1 cm devant les côtes afin de créer une poche profonde qui sera remplie par le romarin et l'ail. Saupoudrer la poche de la moitié du mélange de sel, puis insérer le romarin et l'ail en prenant soin de laisser les tiges de romarin sortir du rosbif. Attacher le rôti entre les côtes à l'aide de ficelle de cuisine. Saupoudrer le reste du mélange de sel sur le rosbif. Placer dans une grande rôtissoire, les côtes pointant vers le haut.

2. Cuire pendant 15 minutes et réduire la température du four à 350 °F. Poursuivre la cuisson de 75 à 90 minutes, jusqu'à ce qu'un thermomètre inséré dans le centre indique 130 °F pour une viande saignante, ou pendant 2 heures ou 140 °F, pour une viande à point. Retirer du four, recouvrir d'une feuille d'aluminium et laisser reposer pendant 30 minutes. Couper la ficelle et retirer le romarin. Découper et servir.

Surlonge à la coriandre et à l'ail

Portions : 8
Préparation : 20 min
Marinade : 2 h
Cuisson : 25 min

Ingrédients :
- 1 kg de bifteck de haut de surlonge (3 cm d'épaisseur)
- 1 botte de coriandre fraîche,
- 2 gousses d'ail
- 3 c. à s. de jus de limette
- 1 c. à s. de zeste de limette râpé
- 1/2 c. à t. de sel
- 1/2 c. à t. de cumin moulu
- 1/4 à 1/2 c. à t. de piment rouge moulu

GARNITURE
- Tiges de coriandre fraîche

Instructions :

1. Passer les 7 premiers ingrédients au robot culinaire ou au mélangeur et frotter la mixture de coriandre sur le bifteck.

2. Refroidir pendant 2 heures.

3. Cuire sur le gril, en fermant le couvercle du gril, à température moyenne élevée (300 °F - 400 °F) de 10 à 12 minutes de chaque côté ou jusqu'à obtention de la cuisson désirée.

4. Laisser reposer 10 minutes.

5. Couper la viande en diagonale contre le grain en fines lanières et servir.

Instructions :

1. Préchauffer le four à 300 °F.

2. Réchauffer l'huile d'olive à feu moyen, dans un faitout. Saupoudrer la viande de sel et de poivre avant de la déposer dans le faitout. Saisir tous les côtés (environ 8 minutes). Retirer la viande du chaudron et ajouter l'oignon. Faire revenir pendant 8 minutes ou jusqu'à ce qu'il prenne une teinte dorée. Remettre la viande dans le faitout. Mélanger, dans un bol, le bouillon, le ketchup et la sauce Worcestershire. Verser sur la viande. Ajouter les tomates et faire mijoter.

3. Couvrir et cuire au four pendant 2 heures 30 ou jusqu'à ce que le braisé soit tendre. Ajouter les pommes de terre et les carottes ; couvrir et cuire encore 30 minutes ou jusqu'à ce que les légumes soient tendres. Incorporer le jus de citron. Garnir de persil, si désiré.

Portions : 10
Préparation : 40 min
Cuisson : 3 h 15

Ingrédients :
- 1 (2 kg) épaule de bœuf désossée et parée
- 2 c. à t. d'huile d'olive
- 1 c. à s. de sel casher
- 1 c. à s. de poivre noir concassé
- 2 T d'oignon grossièrement haché
- 2 T de bouillon de bœuf pauvre en sodium
- 1/4 de T de ketchup
- 2 c. à s. de sauce Worcestershire
- 1 T de tomates italiennes taillées en dés
- 625 g de petites pommes de terre rouges
- 500 g de carottes pelée et taillées en morceaux de 2,5 cm
- 2 c. à s. de jus de citron frais
- Persil frais haché (facultatif)

Filet mignon de bœuf au poivre et réduction d'échalotes et de porto

Portions : 8
Préparation : 25 min
Cuisson : 50 min

Ingrédients :

BŒUF
- 1 filet mignon de 1 kg, paré
- 1 c. à t. de sel
- 1 1/2 c. à s. de grains de poivre mélangés broyés
- Aérosol de cuisson

RÉDUCTION
- 2 T de porto rouge ou autre vin rouge sucré
- 1 1/2 T de bouillon de bœuf sans matières grasses et pauvre en sodium
- 1/4 de T d'échalotes finement hachées
- 1/8 c. à t. de sel
- 2 tiges de persil frais
- 1 tige de thym frais
- 1 1/2 c. à s. de farine (tout usage)
- 3 c. à s. d'eau
- 1 c. à s. de beurre
- 1/2 c. à t. de vinaigre balsamique

Instructions :

1. Préchauffer le four à 450 °F.

2. Pour préparer le bœuf, badigeonner la viande de 1 c. à thé de sel et des grains de poivre, en pressant fermement pour qu'ils adhèrent bien. Placer le bœuf dans une rôtissoire peu profonde, préalablement enduite d'huile en aérosol.

3. Cuire à 450 °F pendant 33 minutes ou jusqu'à ce que le thermomètre indique 135 °F ou jusqu'au degré de cuisson désiré. Laisser reposer 10 minutes avant de tailler.

4. Pour préparer la réduction, mélanger le porto et les 5 ingrédients suivants (jusqu'au thym) dans une casserole de taille moyenne ; amener à ébullition.

5. Cuire jusqu'à réduction à 1 1/4 tasse (environ 15 minutes). Passer le mélange de porto dans un tamis au-dessus d'un bol ; jeter les solides. Mélanger la farine et 3 c. à soupe d'eau. Remettre la préparation de porto dans la casserole ; incorporer le mélange de farine en remuant avec un fouet.

6. Amener à ébullition ; cuire pendant 1 minute ou jusqu'à épaississement, en remuant constamment. Retirer du feu ; incorporer le beurre et le vinaigre.

Filets de bœuf nappés de sauce à la moutarde

Portions : 6
Préparation : 10 min
Cuisson : 7 min

Ingrédients :
- **6 filets de bœuf**
  (2,5 cm d'épaisseur)
- **Aérosol de cuisson**
- **1/2 c. à t. de sel, divisée en deux**
- **1/4 de c. à t. de poivre noir**
- **1/4 de T de vin blanc sec**
- **1 1/2 c. à t. de sucre**
- **1 c. à s. de moutarde de Dijon**
- **1/4 de T de crème sure sans
  matières grasses**
- **1 1/2 c. à t. d'estragon frais haché**
- **Tiges d'estragon (facultatif)**

Instructions :

1. Faire chauffer, à feu moyen, une grande poêle à frire antiadhésive préalablement badigeonnée d'huile de cuisson en aérosol. Saupoudrer les filets de 1/4 c. à thé de sel et de poivre.

2. Disposer les filets dans la poêle, cuire 3 minutes de chaque côté ou jusqu'à obtention de la cuisson désirée.

3. Retirer de la poêle, garder au chaud.

4. Verser le vin blanc sec, le sucre et la moutarde de Dijon dans la poêle.

5. Cuire pendant 1 minute, en remuant constamment. Retirer du feu. Ajouter en remuant 1/4 c. à thé de sel, la crème sure et l'estragon haché.

6. Napper les filets de la sauce. Garnir avec des tiges d'estragon, si désiré.

Biftecks de filet à la réduction de porto et fromage bleu

Instructions :

1. Faire chauffer, à feu moyen, une grande poêle à frire en fonte. Saupoudrer les biftecks de 1/4 c. à thé de sel et de 1/4 c. à thé de poivre; arroser les biftecks d'huile en aérosol. Déposer la viande dans la poêle; cuire 4 minutes de chaque côté ou jusqu'à obtention de la cuisson désirée. Retirer les biftecks de la poêle; garder au chaud.

2. Ajouter le porto, la gelée de canneberges, le bouillon, 1/8 c. à thé de sel, 1/8 c. à thé de poivre noir et l'ail dans la poêle, en grattant tout morceau qui y aurait adhéré.

3. Réduire la chaleur et cuire jusqu'à réduction du liquide à 1/4 de tasse (soit environ 4 minutes). Servir les biftecks avec la sauce et des miettes de fromage.

Portions : 4
Préparation : 15 min
Cuisson : 12 min

Ingrédients :
- 4 biftecks (113 g) de filet mignon, parés
- 1/4 de c. à t. de sel, plus 1/8 de c. à t. de sel
- 1/4 de c. à t. de poivre noir, plus 1/8 de c. à t. de poivre noir
- Aérosol de cuisson
- 3/4 de T de porto ou d'un autre vin rouge sucré
- 2 c. à s. de gelée de canneberges
- 2 c. à s. de bouillon de bœuf sans matières grasses et pauvre en sodium
- 1 gousse d'ail, émincée
- 2 c. à s. de fromage bleu émietté

Bœuf sauce Cabernet

Portions : 6
Préparation : 30 min
Cuisson : 1 h

Ingrédients :

SAUCE AU VIN ROUGE
- 1/2 T de champignons déshydratés
- 1 T d'eau bouillante
- 1 c. à s. d'huile d'olive
- 1 T d'oignon haché
- 1/2 T de carottes hachées
- 1/2 T de céleri haché
- 1 c. à t. d'ail haché
- 2 c. à s. de farine (tout usage)
- 3 T de bouillon de bœuf
- 1 c. à s. de pâte de tomate
- 1 c. à t. thym déshydraté
- 1 feuille de laurier
- 2 branches de persil

BŒUF
- 1,25 kg de surlonge de bœuf coupée en dés de 5 cm
- 1/4 de T d'huile d'olive
- 500 g de champignons de Paris
- 1 T de vin rouge
- 1 c. à s. de vinaigre balsamique
- Sel et poivre fraîchement moulu

GARNITURE
- 3 c. à s. de persil haché

Instructions :

1. Faire tremper les champignons dans l'eau pendant 20 minutes ou jusqu'à ce qu'ils aient ramolli. Réserver.

2. Réchauffer l'huile dans un chaudron à feu moyen. Ajouter l'oignon, les carottes et le céleri et faire revenir pendant environ 5 minutes ou jusqu'à ce que les bords des légumes aient une couleur dorée. Ajouter l'ail et faire revenir 1 minute de plus.

3. Incorporer la farine et mélanger avec les légumes. Cuire la farine en remuant, jusqu'à ce qu'elle présente une riche couleur dorée, soit pendant environ 3 minutes. Ajouter le bouillon, la pâte de tomate, le thym, la feuille de laurier, les tiges de persil et les champignons, avec leur eau de trempage. Amener à ébullition en remuant de temps à autre. Réduire le feu au minimum et laisser mijoter pendant 45 minutes ou jusqu'à obtention d'un arôme prononcé et d'un léger épaississement. Passer la sauce en effectuant une pression sur les solides. Réserver.

4. À feu vif, réchauffer 2 c. à soupe d'huile dans une grande poêle à frire. Saler et poivrer le bœuf. Déposer, en procédant par lots, les morceaux de bœuf dans la poêle et faire revenir chaque côté pendant environ 1 à 2 minutes. La viande devrait demeurer saignante puisqu'elle cuira de nouveau dans la sauce. Ajouter de l'huile si nécessaire. Réserver la viande et le jus de cuisson. Ajouter les champignons et faire revenir pendant 4 minutes ou jusqu'à ce qu'ils aient ramolli. Réserver avec la viande.

5. Verser le vin rouge et le vinaigre balsamique dans la poêle et gratter tous les petits morceaux qui auraient adhéré au fond de la poêle. (Si le fond de la poêle est très brûlé par les cuissons précédentes, il est préférable de le nettoyer avant d'ajouter le vin.) Amener à ébullition et laisser bouillir jusqu'à réduction du vin de moitié. Incorporer à la sauce réservée.

6. Juste avant de servir, verser la sauce dans la poêle à frire et amener à ébullition à feu vif. Réduire la chaleur et, à feu moyen, ajouter à la sauce la viande, les champignons et tout le jus de cuisson. Laisser mijoter jusqu'à ce que la viande soit chaude et que le centre soit encore rosé. Retirer le bœuf et le déposer dans un plat de service et faire bouillir la sauce pendant encore 4 minutes pour lui permettre d'épaissir et d'avoir un goût riche. Verser sur la viande et saupoudrer de persil.

Bouts de côtes de bœuf aux champignons

Portions : 4
Préparation : 20 min
Cuisson : 3 h 15

Ingrédients :

- 1,75 kg de bouts de côtes charnus, de style flanken
- 1/4 de T de farine (tout usage)
- 1 c. à t. de sel casher, ou plus, au goût
- 1/2. c. à t. de poivre noir fraîchement moulu ou plus, au goût, pour assaisonner 1,75 kg de viande
- 4 c. à s. d'huile d'olive
- 1 gros oignon haché
- 3 gousses d'ail, émincées
- 2 T de bouillon de bœuf de qualité
- 500 g de champignons de Paris, lavés et finement tranchés
- 6 tiges de persil plat, haché

Instructions :

1. Préchauffer le four à 325 °F.

2. Mélanger la farine, le sel et le poivre et saupoudrer sur les bouts de côtes. Réchauffer la moitié de l'huile d'olive dans un faitout à feu moyen, et saisir tous les côtés du bœuf jusqu'à obtention d'une teinte dorée, soit environ de 3 à 4 minutes par côté. Retirer le bœuf et réserver.

3. Ajouter l'oignon et l'ail et poursuivre la cuisson jusqu'à obtention d'une couleur dorée et d'un arôme puissant, environ 2 minutes de plus. Ajouter le bouillon, en grattant tous les morceaux qui auraient adhéré à la poêle. Replacer le bœuf dans le chaudron. Amener à ébullition. Couvrir et transférer au four. Poursuivre la cuisson jusqu'à ce que la viande soit tendre, soit de 2 heures 30 à 3 heures. Durant les 15 dernières minutes de cuisson, réchauffer le reste de l'huile dans une poêle à frire à fond épais, à feu moyen. Ajouter les champignons et cuire jusqu'à ce qu'ils prennent une teinte dorée, soit de 6 à 8 minutes.

4. Mélanger avec le persil, saler et poivrer. Déposer les bouts de côtes dans un plat de service, faire chauffer le chaudron à feu vif et réduire le liquide de cuisson jusqu'à épaississement. Servir les côtes avec les champignons et le liquide de cuisson.

Bœuf lo mein au brocoli

Instructions :

1. Cuire les pâtes en suivant les directives de cuisson sur l'emballage, en omettant le sel et le corps gras, égoutter.

2. Mélanger les pâtes et l'huile de sésame et bien remuer pour enduire les pâtes d'huile.

3. Pendant que les pâtes cuisent, réchauffer l'huile d'arachide dans une grande poêle antiadhésive à feu moyen-élevé.

4. Ajouter le gingembre et l'ail ; faire revenir pendant 30 secondes. Incorporer le brocoli et l'oignon et saisir 3 minutes. Ajouter les lanières de steak et faire revenir 5 minutes ou jusqu'à ce qu'elles soient bien cuites. Ajouter les pâtes, la sauce soya et les ingrédients qui restent ; cuire pendant 1 minute ou jusqu'à ce que le lo mein soit bien chaud, en remuant constamment.

Portions : 4
Préparation : 20 min
Cuisson : 1 h 15

Ingrédients :

- 1 de bifteck de flanc, paré et coupé contre le grain en lanières minces
- 4 T de spaghettis cuits et chauds (environ 225 g de pâtes non cuites)
- 1 c. à t. d'huile de sésame foncée
- 1 c. à s. d'huile d'arachide
- 1 c. à s. de gingembre frais pelé et émincé
- 4 gousses d'ail, émincées
- 3 T de fleurons de brocoli
- 1 1/2 T d'oignon tranché à la verticale
- 3 c. à s. de sauce soya pauvre en sodium
- 2 c. à s. de cassonade
- 1 c. à s. de sauce d'huîtres
- 1 c. à s. pâte de chili avec ail

Mijoté de bœuf et dumplings

Portions : 6 à 8
Préparation : 30 min
Cuisson : 3 h 45

Ingrédients :

- Bloc d'épaule de bœuf de 2 kg, dégraissée
  et coupée en dés de 3,5 cm
- 6 c. à s. plus 2 T de farine (tout usage)
- 3 3/4 c. à t. de sel
- 1 c. à t. de poivre fraîchement moulu
- 2 c. à s. d'huile végétale
- 2 bouteilles (340 mL chacune) de bière
- 2 gros oignons finement tranchés
- 225 g de champignons, nettoyés et coupés en quartiers
- 3 grosses carottes, pelées, coupées en deux dans le sens
  de la longueur et tranchées en morceaux de 2,5 cm de longueur
- 1/2 T d'oignons verts finement hachés
  (la partie verte seulement)
- 1/2 c. à t. de bicarbonate de soude
- 4 1/2 c. à s. de beurre froid, coupé en morceaux
- 3/4 de T de babeurre
- 1 œuf

Instructions :

1. Dans un grand bol, mélanger le bœuf et 3 c. à soupe de farine,
1 c. à thé de sel et du poivre. Réchauffer 1 c. à soupe d'huile d'olive à
feu moyen, dans un grand chaudron. Ajouter assez de bœuf pour en faire
une seule couche dans le fond (environ 1/3 de la quantité totale de viande),
en prenant soin de ne pas en mettre trop. Faire revenir tous les côtés de
la viande, pendant environ 7 minutes. Transférer dans un grand bol et faire
revenir le bœuf qui reste en le divisant en deux lots. Si la viande ou le jus
de cuisson commencent à roussir, réduire le feu.

2. Verser une bouteille de bière dans le chaudron, gratter, à l'aide d'une
cuiller de bois, tous les morceaux qui auraient adhéré et verser le contenu
du chaudron sur le bœuf réservé. Remettre le chaudron vide, sur un feu
moyen-élevé.

3. Verser la c. à soupe d'huile qui reste dans le chaudron. Ajouter les
oignons et 2 c. à thé de sel. Cuire 2 minutes, en remuant souvent. Couvrir
et réduire le feu. Laisser mijoter à feu doux pendant environ 20 minutes,
en remuant à l'occasion, jusqu'à ce que les oignons soient dorés. Retirer
le couvercle, augmenter le feu à une température moyenne-élevée,
incorporer en remuant 3 c. à soupe de farine et laisser mijoter 3 minutes,
en remuant souvent. Ajouter les champignons, le bœuf et la bière réservés,
l'autre bouteille de bière et les carottes, Amener à ébullition, couvrir et
laisser mijoter à feu doux, en remuant occasionnellement, pendant
environ 3 heures, jusqu'à ce que le bœuf soit tendre.

4. Environ 40 minutes avant de servir, procéder à la fabrication des
dumplings : dans un bol de taille moyenne, mélanger, en remuant,
2 tasses de farine, les oignons verts, 3/4 de c. à thé de sel et le
bicarbonate de soude. À l'aide du mélangeur à pâtisserie ou des doigts,
incorporer le beurre froid dans la farine et manipuler jusqu'à le mélange
prenne l'apparence de la semoule de maïs, dont les morceaux ont la taille
d'un pois. Dans un autre bol, fouetter le babeurre et l'œuf. Incorporer
soigneusement les ingrédients humides aux ingrédients secs et remuer
jusqu'à ce qu'une pâte collante se forme. Si plus de liquide est nécessaire,
ajouter du babeurre, 1 c. à soupe, à la fois. Façonner 12 petites balles de
même taille et les déposer dans le mijoté. Couvrir et laisser sur le feu de
20 à 30 minutes ou jusqu'à ce que les dumplings soient gonflés et bien
cuits. Laisser reposer 15 minutes avant de servir ; le mijoté épaissira
en refroidissant.

Bouts de côtes braisés

Portions : 6
Préparation : 30 min
Marinade : 6 h
Cuisson : 3 h 45

Ingrédients :
- 2 kg de bouts de côtes de bœuf, parés et coupés en 2
- 2 1/4 T de vin rouge sec, divisées en 2
- 2 1/4 T de bouillon de bœuf, divisées en 2
- 2 gousses d'ail, émincées
- 1 c. à t. de piment de la Jamaïque moulu
- 1/2 c. à t. de gingembre moulu
- 1 c. à t. de sel
- 1 c. à t. de poivre
- 1/2 T de farine (tout usage)
- 3 c. à s. d'huile d'olive
- 1 carotte hachée
- 1/2 oignon haché
- 1 céleri haché
- 2 c. à s. de pâte de tomate

GARNITURE
- Persil frais haché

Instructions :

1. Mélanger 1/4 tasse de vin, 1/4 tasse de bouillon, l'ail, le piment de la Jamaïque et le gingembre dans un plat peu profond ; ajouter les petites côtes en les retournant pour bien les badigeonner. Couvrir et refroidir de 4 à 6 heures, en retournant les côtes occasionnellement.

2. Retirer les côtes et réserver la marinade. Saupoudrer la viande de sel et de poivre et fariner.

3. Dans un faitout, cuire les côtes, par lots, dans de l'huile chaude à feu moyen-élevé pendant 15 minutes ou jusqu'à ce qu'elles soient bien dorées. Retirer les côtes et réserver.

4. Réduire le feu à moyen ; ajouter la carotte, l'oignon et le céleri et faire revenir pendant 7 minutes ou jusqu'à ce qu'ils deviennent dorés. ajouter la pâte de tomate ; cuire, en remuant constamment, pendant 3 minutes.

5. Remettre les côtes dans la poêle. Incorporer la marinade réservée, les 2 tasses de vin et de bouillon qui restent. Amener à ébullition et bien couvrir.

6. Cuire à 300 °F pendant 3 heures. Retirer les côtes.

7. Dégraisser la sauce et jeter le gras ; laisser mijoter pendant 12 à 15 minutes ou jusqu'à réduction de moitié. Servir avec les côtes sur des pommes de terre rôties. Garnir, si désiré.

Bifteck de flanc à la vietnamienne

Instructions :

1. Mélanger l'ail, le gingembre, les piments jalapeños, le sucre, la pâte de piment, la sauce de poisson, le jus de limette et la coriandre moulue, dans un bol de taille moyenne.

2. ransférer le mélange dans un sac de plastique refermable et ajouter le bifteck. Sceller le sac et laisser le bifteck mariner au réfrigérateur pendant au moins 3 heures ou toute la nuit.

3. Sortir le bifteck et la marinade du réfrigérateur et laisser reposer jusqu'à ce qu'ils atteignent la température ambiante.

4. Préchauffer le barbecue à feu vif.

5. Retirer le bifteck du sac et saupoudrer les deux côtés de coriandre hachée et de basilic thaïlandais. Faire griller le bifteck de 4 à 6 minutes de chaque côté ou jusqu'à ce qu'il soit mi-saignant. Transférer la viande sur une planche et laisser reposer pendant 5 minutes, Verser la marinade dans une petite casserole et réchauffer à feu vif jusqu'à ébullition. Retirer du feu et laisser refroidir.

6. Trancher finement le bifteck contre le grain et servir avec des feuilles de laitue et les tiges de fines herbes. Pour le déguster, envelopper trois lanières de viande et les tiges des deux herbes dans une feuille de laitue et tremper dans la sauce.

Portions : 4 à 6
Préparation : 15 min
Marinade : 12 h
Cuisson : 17 min

Ingrédients :
- 1 bifteck de flanc de 1 kg, paré
- 2 c. à s. d'ail haché
- 1/4 T de gingembre frais émincé
- 4 gros piments jalapeños, épépinés et émincés
- 2/3 de T de sucre
- 2 c. à t. de pâte de piment rouge
- 1 T de sauce de poisson
- Le zeste et le jus de 6 grosses limettes
- 2 c. à t. de coriandre moulue
- 1/4 de T de coriandre fraîche hachée
- 1/4 de T de basilic thaïlandais frais haché
- 1 laitue Iceberg, feuilles séparées
- Tiges de coriandre et de basilic thaïlandais

Instructions :

1. Mélanger les 6 premiers ingrédients dans un plat peu profond ou dans un grand sac de plastique refermable pour congélateur. Ajouter le bifteck en le retournant pour bien le badigeonner.

2. Couvrir ou sceller et mettre au réfrigérateur pendant 30 minutes, en retournant la viande, de temps à autre.

3. Retirer les biftecks de la marinade et jeter cette dernière.

4. Griller les biftecks, en gardant le couvercle du gril fermé, à feu moyen-élevé (de 350 °F à 400 °F), de 6 à 8 minutes par côté ou jusqu'à obtention de la cuisson désirée.

Portions : 6
Préparation : 10 min
Marinade : 30 min
Cuisson : 16 min

Ingrédients :
- **750 g de bifteck de haut de surlonge, paré**
- **1/4 de T de jus d'orange**
- **2 c. à s. de jus de limette frais**
- **2 c. à s. d'huile végétale**
- **2 c. à s. d'assaisonnement pour bifteck Montréal**
- **1 1/2 c. à s. de feuilles d'origan déshydratées**

GARNITURE
- **Citron grillé et tranches de limette et d'orange**

Portions : 8
Préparation : 30 min
Cuisson : 3 h 45

Ingrédients :
- **1 rôti de pointe de surlonge (1 kg), paré**
- **4 c. à t. d'huile d'arachide, divisées en deux**
- **1 c. à t. de cinq-épices chinoises**
- **1/4 c. à t. de sel casher**
- **5 T de bouillon de bœuf sans matières grasses et pauvre en sodium**
- **1/2 T de xérès sec**
- **1/4 de T de gingembre frais pelé et haché**
- **3 c. à s. de sauce soya pauvre en sodium**
- **1/4 de c. à t. piment rouge broyé**
- **4 gousses d'ail broyées**
- **3 anis étoilés**
- **2 T de chapeaux de champignons shiitake coupés**
- **2 T de carottes (2 grosses) coupées en juliennes (5 cm)**
- **4 petits pak-choï, coupés en deux dans le sens de la longueur (environ 840 g)**
- **340 g de nouilles chinoises aux œufs, fraîches et non cuites**
- **1/4 de T d'oignon vert finement haché**

Instructions :

1. Réchauffer, à feu moyen-élevé, 2 c. à thé d'huile dans un grand faitout. Saupoudrer le rôti également de cinq-épices et de sel. Ajouter la viande dans le faitout, cuire 5 minutes, en faisant dorer chaque côté. Incorporer le bouillon et les 6 ingrédients suivants (jusqu'à l'anis étoilé) dans le récipient, cuire à feu doux. Couvrir, réduire le feu et laisser mijoter pendant 3 heures 30 ou jusqu'à ce que la viande soit tendre. Retirer le bœuf du faitout. Couvrir et garder chaud.

2. Passer le jus de cuisson dans un tamis au-dessus d'un bol ; jeter les matières solides. Réchauffer les deux dernières c. à thé d'huile à feu moyen-élevé. Ajouter les champignons et les carottes et faire revenir 5 minutes. Incorporer le pak-choï et 4 tasses du liquide de cuisson réservé. Couvrir et cuire 5 minutes ou jusqu'à ce que le pak-choï soit tendre.

3. Cuire les nouilles aux œufs en suivant les instructions indiquées sur l'emballage et en omettant le sel et un corps gras. Égoutter. Diviser les nouilles également dans 8 bols. Effilocher la viande à l'aide de deux fourchettes et déposer environ 85 g de viande dans chaque bol. Napper les portions de 2 c. à soupe du mélange de légumes et de 1/2 tasse de bouillon. Placer une moitié de pak-choï dans chaque bol et saupoudrer de 1 1/2 c. à thé d'oignon vert.

Filets de bœuf à la sauce au cognac et aux oignons

Portions : 2
Préparation : 30 min
Cuisson : 56 min

Ingrédients :
- 2 filets de bœuf (de 170 à 225 g)
- 1/2 c. à t. de sel
- 1/4 c. à t. de poivre
- 1 c. à s. d'huile de canola
- 1 c. à s. de beurre ou de margarine
- 1 petit oignon jaune, tranché et séparé en rondelles
- 1 petit oignon rouge, tranché et séparé en rondelles
- 1 botte d'oignons verts, hachés
- 6 échalotes, hachées
- 2 gousses d'ail émincées
- 1/4 de T de cognac*
- 1/4 de T de bouillon de bœuf
- Sel et poivre, au goût

Instructions :

1. Saupoudrer 1/2 c. à thé de sel et 1/4 c. à thé de poivre sur le bœuf.

2. À feu moyen, dans une poêle à frire en fonte ou allant au four, faire revenir les filets dans de l'huile chaude, 3 minutes de chaque côté.

3. Retirer les filets et réserver le jus de cuisson dans la poêle. Faire fondre le beurre dans le jus de cuisson à feu moyen.

4. Ajouter les oignons jaune et rouge et faire revenir pendant 5 min. Ajouter les oignons verts, les échalotes et l'ail et faire revenir de 10 à 15 minutes ou jusqu'à obtention d'une teinte dorée. Verser le cognac et le bouillon en remuant et cuire à feu moyen, en remuant constamment, jusqu'à évaporation (environ 5 min).

5. Déposer les filets sur le mélange d'oignons dans la poêle. Couvrir d'une feuille d'aluminium.

6. Cuire au four à 400 °F de 15 à 20 minutes, ou jusqu'à ce qu'un thermomètre de cuisson inséré dans la partie la plus épaisse de la viande, indique 135 °F (mi-saignant).

7. Retirer les filets de la poêle, en réservant le mélange d'oignons ; recouvrir négligemment les filets et laisser reposer à température ambiante pendant 10 minutes.

8. Cuire le mélange d'oignons à feu moyen en remuant constamment pendant 5 minutes ou jusqu'à évaporation du liquide. Ajouter du sel et du poivre au goût.

9. Servir avec les filets.

*1/4 de T de vin rouge ou de bouillon de bœuf peut remplacer le cognac.

Steak Frites

Instructions :

1. Réchauffer, à feu vif, une grande poêle antiadhésive.

2. Ajouter un trait d'huile. Saler et poivrer les contrefilets et saisir 2 minutes de chaque côté. Diminuer le feu à moyen et cuire la viande 6 minutes de plus pour une viande saignante, 8 minutes pour une viande à point ou bien cuite.

3. Retirer les contrefilets et les laisser reposer dans une assiette chaude.

4. Ajouter 2 c. à soupe de beurre et l'échalote dans la poêle et cuire pendant 2 à 3 minutes. Incorporer la farine et poursuivre la cuisson 1 minute.

5. À l'aide d'un fouet, incorporer le vin dans la poêle et gratter les petits morceaux dorés qui y auraient adhéré. Ajouter la dernière c. à thé de beurre et retirer la poêle du feu.

6. Verser la sauce au vin et à l'échalote sur la viande et la servir chaude, accompagnée de pommes frites allumettes.

Portions : 4
Préparation : 15 min
Cuisson : 20 min

Ingrédients :
- 4 contrefilets (300 g, 2 cm d'épaisseur)
- 1 c. à s. d'huile d'olive extra vierge, 1 trait pour la poêle
- 3 c. à s. de beurre, divisées
- 1 grosse échalote finement hachée
- 2 c. à s. de farine (tout usage)
- 1 T de vin rouge sec
- Sel et poivre

Bifteck de Toscane

Portions: 2
Préparation: 20 min
Cuisson: 45 min

Ingrédients:

- 1 bifteck de côte d'environ 5 cm d'épaisseur
- 1 c. à s. d'huile d'olive
- Sel et poivre fraîchement moulu, au goût

SAUCE

- 1/2 T d'oignon rouge, finement haché
- 4 gousses d'ail, pelées et finement tranchées
- 1/2 T de vin rouge
- 1 c. à s. de vinaigre balsamique
- 1 T de bouillon de poulet ou de bœuf
- 2 boîtes de tomates en conserve hachées
- 2 c. à s. de beurre
- 1/2 botte de roquette

Instructions:

1. Préchauffer le four à 450 °F. Dans une poêle, réchauffer l'huile jusqu'à ce qu'elle devienne très chaude. Assaisonner la viande avec du sel et du poivre. Faire frire la viande 2 minutes de chaque côté ou jusqu'à ce qu'elle soit dorée.

2. Retirer du plat allant au four et cuire de 18 à 20 minutes, en retournant la viande une fois, jusqu'à ce qu'elle soit mi saignante. Cuire 10 minutes de plus pour une viande à point ou bien cuite.

3. Essuyer la poêle et ajouter les oignons, l'ail, le vin et le vinaigre balsamique. Amener à ébullition et cuire environ 3 minutes ou jusqu'à réduction du liquide à 1 c. à soupe.

4. Ajouter le bouillon et les tomates, amener à ébullition de 5 à 7 minutes, jusqu'à réduction de moitié. Passer dans un tamis en pressant sur les solides. Faire chauffer de nouveau à feu doux et incorporer le beurre en fouettant.

5. Disposer la roquette dans 2 assiettes. Couper le bifteck en tranches minces et déposer sur la roquette. Arroser de sauce. Servir avec des pommes de terre et des pois mange-tout.

Bœuf grillé aux épices

Instructions:

1. Mélanger la poudre de chili, l'origan, le cumin, la coriandre et le piment de Cayenne dans un bol. Éponger le bœuf avec des essuie-tout; enduire du mélange d'épices, en le frottant dans la viande. Laisser reposer à température ambiante pendant 30 minutes.

2. Frotter le bœuf avec de l'huile et placer sur le gril à feu vif. Laisser cuire environ 5 minutes de chaque côté ou jusqu'à ce qu'il soit mi-saignant.

3. Déposer dans une assiette et saler. S'il est servi froid, placer le bœuf et les jus de cuisson dans un sac de plastique épais et réfrigérer jusqu'à une journée entière.

4. Pour servir, trancher la viande en diagonale pour en faire de fines lanières. Tartiner les tranches de pain plat aux piments jalapeños avec la crème au raifort et à l'ail rôti. Ajouter une tranche de bœuf et placer sur une assiette de service et décorer de tiges de thym.

Portions: 8
Préparation: 10 min
Marinade: 30 min
Cuisson: 10 min

Ingrédients:

- 1 kg de bifteck de surlonge désossé, coupé à 2,5 cm d'épaisseur
- 1 c. à s. de poudre de chili
- 1 c. à s. d'origan déshydraté
- 2 c. à t. de cumin moulu
- 2 c. à t. de coriandre
- Tranches de pain plat aux piments jalapeños (voir recette plus loin)
- Crème au raifort et à l'ail rôti, recette p. 450
- 1/2 à 1 c. à t. de piment de Cayenne, au goût
- 2 c. à s. d'huile d'olive
- Sel, au goût
- Tiges de thym

Sauté oriental

Portions : 3
Préparation : 20 min
Marinade : 1 h
Cuisson : 15 min

Ingrédients :
• 500 g de bœuf à frire, taillé en lanières de 1 cm

MARINADE
• 1/4 de T de sauce soya
• 1/4 de T vinaigre de saké
• 1/4 de T d'eau
• 2 c. à t. de fécule de maïs
• 1 c. à s. de granules d'ail

SAUTÉ
• 1/2 T d'oignon taillé en dés
• 2 T de fleurons de brocoli
• 2 gousses d'ail hachées
• 2,5 cm de gingembre finement haché

SAUCE POUR LE SAUTÉ
• 2 c. à t. d'huile de sésame
• 1/4 de T de bouillon de poulet
• 1/4 de T de jus d'orange
• 1 c. à s. de sauce soya
• Poivre, au goût
• 2 c. à t. de vinaigre de riz ou de xérès
• 2 c. à t. de fécule de maïs

Instructions :
1. Mélanger les ingrédients de la marinade. Incorporer la viande et laisser mariner pendant au moins 1 heure.

2. Faire sauter la viande dans un peu d'huile et réserver.

3. Faire sauter les oignons et le brocoli dans de l'huile chaude pendant 30 secondes, ajouter l'ail et poursuivre la cuisson 1 minute.

4. Ajouter 2 c. à soupe d'eau, couvrir et faire chauffer pendant 1 minute. Retirer le couvercle et incorporer la viande réservée.

5. Ajouter la sauce pour le sauté et cuire jusqu'à ce qu'elle épaississe légèrement.

6. Servir avec du riz vapeur.

Côtes de bœuf texanes

Portions: 4
Préparation: 10 min
Cuisson: 1 h 15

Ingrédients:
- 3 carrés de petites côtes levées de dos
- 1/2 T de sauce soya pauvre en sodium
- 3 gousses d'ail broyées
- 2 feuilles de laurier
- 3 c. à s. de sirop d'érable
- 1 c. à s. de sauce chili asiatique
- 2/3 de T de bière brune
- 1/2 c. à t. de poivre concassé
- 1 c. à s. de sauce Worcestershire
- 1 c. à s. de sauce verte au piment Tabasco
- 2/3 de T de sauce barbecue façon texane, de bonne qualité
- 1 c. à s. de vinaigre de saké
- 2 morceaux de citron grillé, avec le zeste (facultatif)

Instructions:
1. Préchauffer le four à 350 °F.

2. Dans une petite rôtissoire, disposer, l'os sur le dessus les petites côtes, accompagnées de tous les ingrédients. Imprégner de la marinade. Couvrir avec une feuille d'aluminium et cuire pendant 1 h 30 ou jusqu'à ce que la viande soit tendre. Égoutter tout le liquide dans un bol. Retirer le gras de la surface de la sauce et cuire de 8 à 10 minutes et réduire jusqu'à ce que la sauce soit assez épaisse pour enduire le dos d'une cuiller.

3. Badigeonner les côtes.

4. Préchauffer le gril à température moyenne. Huiler la grille et placer les petites côtes. Griller jusqu'à caramélisation, environ 5 minutes par côté. Servir immédiatement avec le reste de la sauce dans un plat séparé.

Carnitas de bœuf à la Ronaldo

Instructions:
1. Préchauffer le four à 300 °F.

2. Placer le rôti sur une feuille d'aluminium résistante, assez grande pour emprisonner la viande. Dans un petit bol, mélanger les piments verts, la poudre de chili, l'origan, le cumin et l'ail. Saler au goût. Bien mélanger et badigeonner la viande. Envelopper entièrement le bœuf dans le papier d'aluminium et placer sur une rôtissoire. Cuire à 300 °F de 3 heures 30 à 4 heures ou jusqu'à ce que la viande se défasse à la fourchette. Retirer du four et effilocher à l'aide de 2 fourchettes.

Portions: 3
Préparation: 20 min
Cuisson: 4 h

Ingrédients:
- 2 kg de rôti de palette
- 1 boîte (113 g) de piments forts verts, en conserve, hachés
- 2 c. à s. de poudre de chili
- 1/2 c. à t. d'origan déshydraté
- 1/2 c. à t. de cumin moulu
- 2 gousses d'ail émincées
- Sel, au goût

Fondue chinoise

Portions: 4
Préparation: 15 min
Cuisson: 1 h

Ingrédients:
- 2 T de bouillon de bœuf en conserve
- 2 T de vin rouge
- 6 petits oignons coupés
- 3 gousses d'ail hachées
- 1/3 de T de beurre
- 2 T d'eau
- 2 c. à s. de sauce chili ou de salsa
- 1 feuille de laurier
- 1 T de persil haché
- Sel et poivre, au goût

Instructions:
1. Faire revenir les oignons et l'ail et ajouter tous les autres ingrédients.

2. Laisser mijoter le bouillon pendant environ 1 heure et verser dans un caquelon.

3. Déguster avec des tranches de bœuf, de poulet, des fruits de mer et des légumes.

Moussaka

Portions : 6
Préparation : 45 min
Cuisson : 1 h

Ingrédients :
- 500 g de bœuf haché maigre
- 3 aubergines pelées et coupées dans le sens de la longueur en tranches de 1 cm
- 1/4 de T d'huile d'olive
- 1 c. à s. de beurre
- 2 oignons hachés
- 1 gousse d'ail finement hachée
- 1/4 de c. à t. de cannelle moulue
- 1/4 de c. à t. de muscade moulue
- 1/2 c. à t. de fines herbes
- 2 c. à s. de persil haché
- 225 g de sauce tomate
- 1/2 T de vin rouge
- 1 œuf battu
- 4 T de lait
- 1/2 T de beurre
- 6 c. à s. de farine (tout usage)
- 1 1/2 T de fromage parmesan fraîchement râpé
- 1/4 de c. à t. de muscade moulue
- Sel, poivre noir, poivre blanc, au goût

Instructions :

1. Déposer les tranches d'aubergines sur de l'essuie-tout puis saupoudrer légèrement avec du sel et laisser reposer pour extraire l'humidité (30 minutes). Faire chauffer l'huile d'olive dans une poêle à frire à feu élevé. Faire frire rapidement les aubergines jusqu'à ce qu'elles soient dorées puis déposer les tranches sur de l'essuie-tout pour égoutter.

2. Faire fondre le beurre dans une grande poêle à frire à feu moyen, ajouter le bœuf haché, assaisonner de sel et de poivre et ajouter les oignons et l'ail. Lorsque le bœuf est bien doré, saupoudrer le tout de cannelle, de muscade, de fines herbes et de persil. Verser la sauce tomate et le vin et remuer le tout. Laisser mijoter pendant 20 minutes. Laisser refroidir et ajouter l'œuf battu.

3. Pour faire la sauce béchamel, faire chauffer le lait dans une casserole. Faire fondre le beurre dans une grande poêle à frire à feu moyen et incorporer la farine en fouettant jusqu'à l'obtention d'une texture lisse. Baisser le feu et incorporer graduellement le lait chaud en fouettant constamment jusqu'à l'obtention d'une sauce épaisse. Assaisonner de sel et de poivre blanc.

4. Étaler une couche d'aubergines au fond d'un plat graissé allant au four de 23 x 33 cm. Couvrir les aubergines avec toute la garniture de viande et saupoudrer le tout de 1/2 tasse de fromage parmesan. Couvrir le fromage avec le reste des aubergines puis saupoudrer à nouveau de 1/2 tasse de fromage. Verser la sauce béchamel et saupoudrer de muscade et du reste du fromage.

5. Faire cuire au four à 350 °F pendant 1 heure.

Chili con Carne

Portions : 4
Préparation : 30 min
Cuisson : 1 à 2 heures

Ingrédients :
- 1 kg de bœuf haché maigre
- 2 c. à s. d'huile d'olive
- 2 oignons hachés
- 2 gousses d'ail broyées
- 2 verres de vin rouge
- 2 boîtes (400 g) de tomates en conserve, coupées
- 3 c. à s. de purée de tomate
- 2 piments de Cayenne, finement tranchés
- 1 c. à t. cumin moulu
- 1 c. à t. coriandre moulue
- 1 bâton de cannelle
- 1 bon filet de sauce Worcestershire
- 1 cube de bouillon de bœuf
- 2 boîtes (400 g) de haricots rouges, égouttés
- 1 botte de feuilles de coriandre, grossièrement coupées
- Des quartiers de limette pour servir
- Sel et poivre noir fraîchement moulu

Instructions :

1. Réchauffer l'huile dans un grand chaudron à fond épais et faire frire l'oignon et l'ail jusqu'à ramollissement. Augmenter le feu et ajouter la viande, faire revenir jusqu'à ce qu'elle prenne une teinte dorée en brisant tous les amas de viande avec une cuiller de bois. Incorporer le vin rouge et laisser bouillir 2 ou 3 minutes.

2. Incorporer les tomates, la purée de tomate, le piment frais ou les flocons de piment, le cumin, la coriandre moulue, la cannelle et la sauce Worcestershire et émietter le cube de bouillon. Bien assaisonner avec le sel et le poivre. Faire cuire à feu doux, couvrir et laisser mijoter de 50 minutes à 1 heure, en remuant de temps à autre, jusqu'à ce que le mélange devienne riche et épais. Ajouter les haricots et la coriandre fraîche. Cuire encore 10 minutes, sans couvercle, avant de retirer du feu et d'assaisonner de nouveau, si nécessaire.

ASTUCES
- L'idéal est de servir ce plat accompagné de quartiers de limette et de riz, de pain croûté ou de pommes de terre au four, de guacamole, de crème sure et d'une salade verte.

- Le chili est beaucoup plus savoureux 1 ou 2 jours après avoir été préparé, les arômes se révélant et la texture devenant plus riche. Laisser simplement reposer au réfrigérateur où il s'épaissira et faire réchauffer à feu doux juste avant de servir.

- Si le chili est servi le jour de sa préparation, tous les restants peuvent être congelés en portions individuelles dans des sacs à sandwiches bien scellés et assez résistants qui pourront être réchauffés dans de l'eau bouillante pendant 15 à 20 minutes jusqu'à ce qu'ils soient bien chauds.

Chili de bœuf et de courge musquée

Instructions :

1. Cuire dans un faitout, à feu moyen-élevé, le bœuf, le poivron et les deux ingrédients qui suivent, dans la liste, jusqu'à ce la viande s'émiette et qu'elle ne soit plus rosée. Bien égoutter et remettre sur le feu.

2. Incorporer les tomates et les 5 ingrédients qui suivent, dans la liste. Amener à ébullition à feu moyen-élevé. Couvrir, réduire le feu à moyen-doux et laisser mijoter pendant 15 minutes, en remuant à l'occasion. Ajouter le maïs et cuire, sans couvercle, pendant encore 15 minutes ou jusqu'à ce que la courge soit tendre et que les haricots aient gonflé.

Portions : 8
Préparation : 25 min
Cuisson : 40 min

Ingrédients :
- 500 g de bœuf haché extra maigre
- 1 poivron vert haché
- 1 oignon moyen, haché
- 2 gousses d'ail, émincées
- 2 boîtes (400 g) de tomates étuvées à la mexicaine en conserve
- 1 boîte (450 g) de haricots rouges
- 1/2 petite courge musquée, pelée et taillée en dés (environ 1 1/2 T)
- 1 T de bouillon de bœuf
- 1 1/2 c. à t. de cumin moulu
- 1 1/2 c. à t. de poudre de chili
- 1 T de maïs en grains congelé

Chili diabolique au chorizo et au maïs lessivé

Instructions :

1. Presser les saucisses hors de leur boyau dans une casserole d'une capacité de 6 à 8 litres. Jeter les boyaux. Faire cuire à feu vif. Ajouter le bœuf, l'oignon et l'ail. Remuer de temps à autre en réduisant en petits morceaux les saucisses et le bœuf. Poursuivre la cuisson à feu vif environ 10 minutes ou jusqu'à ce que la viande soit dorée et l'oignon, ramolli. Dégraisser et jeter le gras.

2. Ajouter les piments verts, la poudre de chili, le piment chipotle, l'origan et le cumin. Cuire en remuant pendant 1 minutes.

3. Incorporer les tomates, l'ale et le maïs. Amener à ébullition; réduire la chaleur, couvrir et laisser mijoter 30 minutes, en remuant de temps à autre. Saler au goût.

Portions : 8
Préparation : 20 min
Cuisson : 40 min

Ingrédients :
- 500 g de bœuf haché maigre
- 1,25 kg de saucisses chorizo crues dans leur boyau naturel
- 2 gros oignons hachés
- 5 gousses d'ail émincées
- 2 boîtes (198 g chacune) de piments verts en dés
- 1/4 de T de poudre de chili
- 1 c. à t. de piment chipotle moulu
- 2 c. à t. d'origan frais haché
- 2 c. à t. de cumin moulu
- 794 g de tomates broyées
- 1 1/2 T d'ale ou d'une autre bonne bière
- 2 boîtes (435 g chacune) de maïs lessivé jaune, égoutté
- Sel

Pain de viande glacé

Portions : 4
Préparation : 10 min
Temps de caisson : 1 h 10

Ingrédients :
- 1 kg de bœuf haché
- 1/2 T de ketchup
- 1/3 de T de cassonade
- 1/4 de T de jus de citron, divisée
- 1 c. à t. de poudre de moutarde
- 3 tranches de pain, émiettées en petits morceaux
- 1/4 de T d'oignon haché
- 1 œuf battu
- 1 c. à t. de granules de bouillon de bœuf

Instructions :

1. Préchauffer le four à 350 °F.

2. Dans un petit bol, mélanger le ketchup, la cassonade, 1 c. à soupe de jus de citron et la poudre de moutarde.

3. Dans un autre grand bol, mélanger le bœuf haché, le pain, l'oignon, l'œuf, le bouillon, le jus de citron qui reste et 1/3 de la mixture de ketchup qui se trouve dans le petit bol. Bien mélanger et disposer dans un moule à pain de 12,5 x 22,5 cm.

4. Cuire au four à 350 °F pendant 1 heure, égoutter l'excès de gras, badigeonner du reste de mélange de ketchup et poursuivre la cuisson pendant encore 10 minutes.

Pain de viande à la cassonade

Instructions :

1. Préchauffer le four à 350 °F. Graisser légèrement un moule à pain de 12,5 x 22,5 cm.

2. Presser la cassonade dans le fond du moule et étendre le ketchup dessus.

3. Dans un bol, bien mélanger tous les autres ingrédients et façonner un pain. Déposer sur le ketchup.

4. Cuire dans le four pendant 1 heure ou jusqu'à ce que les jus soient clairs.

Portions : 4
Préparation : 20 min
Cuisson : 1 h

Ingrédients :
- 750 g de bœuf maigre haché
- 1/2 T de cassonade
- 1/2 T de ketchup
- 3/4 de T de lait
- 2 œufs
- 1 1/2 c. à t. de sel
- 1/4 de c. à t. de poivre noir fraîs moulu
- 1 petit oignon haché
- 1/4 de c. à t. gingembre haché
- 3/4 de T de panure de craquelins salés finement broyés

Tourte à la viande

Portions : 4
Préparation : 30 min
Cuisson : 1 h 20

Ingrédients :
- 1 kg de bœuf haché
- 1 oignon moyen, finement haché
- 2 gousses d'ail, finement émincées
- 1 pomme de terre, pelée et coupée en quartiers
- 1/8 à 1/4 de c. à t. de clous de girofle moulus
- 1/8 à 1/4 de c. à t. de clous de cannelle moulue
- Sel et poivre au goût
- 1 à 1 1/2 T de bouillon de poulet
- Pâte à tarte pour une croûte double, recette p. 568
- 1 jaune d'œuf battu avec 1 c. à s. d'eau pour glacer

Instructions :

1. Mélanger tous les ingrédients sauf la pâte à tarte et le jaune d'œuf. Bien remuer. Laisser mijoter, sans couvercle, pendant 30 minutes, en remuant fréquemment. Retirer tout excès de gras.

2. Cuire jusqu'à ce que le mélange soit tendre et humide, mais pas mouillé. Laisser refroidir la préparation de viande. Retirer la pomme de terre et la piler avec une fourchette. Bien remuer le mélange de viande de nouveau. Vérifier l'assaisonnement.

3. Dérouler la pâte et déposer en déposer les 2/3 dans une assiette à tarte profonde, de 22,5 cm. Ajouter la garniture. Badigeonner les rebords de la croûte de dorure à l'œuf. Dérouler la croûte du dessus et déposer sur la garniture.

4. Sceller et tailler des incisions pour permettre à la vapeur de s'échapper et badigeonner avec l'œuf. Cuire la tourtière au four à 375 °F, de 40 à 50 minutes, ou jusqu'à ce que la croûte soit dorée.

Pain de viande aux champignons porcini

Portions : 6 à 8
Préparation : 1 h
Cuisson : 1 h 40

Ingrédients :
- 1,5 kg de bœuf haché
- 45 g de champignons porcini déshydratés
- 1 T de lait
- 1 1/2 T de petits dés de pain (de 2 tranches de pain consistant, la croûte enlevée)
- 1/3 de T d'échalotes hachées
- 1/3 de T de persil plat
- 2 œufs
- 1 1/2 c. à t. de sel
- 1 c. à t. de poivre noir fraîchement moulu
- 1 carotte moyenne, finement hachée
- 1 branche de céleri, finement hachée
- 1 3/4 T de bouillon de poulet
- 1 T de vin blanc
- 6 c. à s. de beurre

Instructions :

1. Préchauffer le four à 350 °F. Déposer les champignons dans un petit bol et les recouvrir de 2 tasses d'eau chaude. Remuer et laisser reposer 15 min. Dans un autre petit bol, verser le lait sur les morceaux de pain. Presser le pain avec les doigts pour le ramollir complètement.

2. Briser les amas de viande en petits morceaux et mélanger dans un grand bol. Ajouter les échalotes, le persil, les œufs, le sel et le poivre.

3. À l'aide d'une cuiller à rainures, retirer les champignons de l'eau. Réserver le liquide. Tailler finement les champignons et en ajouter environ les 3/4 au mélange de viande ; réserver les champignons qui restent. Presser légèrement les morceaux de pain pour retirer l'excès de lait et incorporer au mélange de viande. Jeter le lait. Avec les mains, remuer délicatement le pain, la viande et les assaisonnements jusqu'à ce qu'ils soient bien mélangés. Façonner une balle avec le mélange et déposer dans une grande rôtissoire de métal au fond épais. Tapoter pour en faire un pain rond.

4. Saupoudrer les carottes, le céleri et les autres champignons dans le fond de la rôtissoire. Verser 3/4 de tasse de l'eau de trempage des champignons et la même quantité de bouillon de poulet. Cuire environ 90 minutes, jusqu'à ce que l'extérieur du pain de viande soit doré et que l'intérieur atteigne une température de 180°F indiquée sur le thermomètre.

5. Déposer le pain de viande sur une assiette. Faire chauffer la rôtissoire à feu vif sur 2 brûleurs de la cuisinière. Verser le vin et utiliser une cuiller de bois pour libérer les légumes qui y seraient restés et les petits morceaux dorés. Ajouter le reste de l'eau de trempage des champignons et du bouillon de poulet et laisser mijoter jusqu'à réduction de moitié. Réduire le feu à moyen et incorporer le beurre en fouettant ; la sauce épaissira rapidement. Transférer la sauce (et les morceaux de légumes) dans une saucière et servir avec le pain de viande.

Pain de viande de grand-mère

Instructions :

1. Préchauffer le four à 400 °F. Couvrir une plaque à biscuits d'une feuille de papier d'aluminium ou parchemin. Placer le pain dans le robot culinaire jusqu'à ce que de petites miettes se forment. Transférer dans un petit bol, incorporer le lait. Laisser reposer, pendant environ 10 minutes, en remuant à l'occasion.

2. Pendant ce temps, mélanger le bœuf, le porc, l'ail, l'œuf, 1/4 tasse de ketchup, 1 1/2 c. à thé de sel et 1/4 c. à thé de poivre. Ajouter le mélange de pain et de lait et remuer doucement avec une fourchette (ne pas trop mélanger).

3. Placer le mélange de viande sur la plaque à biscuits et façonner en un pain d'une longueur de 22,5 cm et d'une largeur de 10 à 12,5 cm.

4. Cuire, en badigeonnant à deux reprises avec le ketchup restant pendant la cuisson, jusqu'à ce qu'un thermomètre à lecture instantanée indique 160 °F, de 45 à 55 minutes. Laisser reposer le pain de viande 10 minutes avant de trancher et de servir.

Portions : 6
Préparation : 20 min
Cuisson : 55 min

Ingrédients :
- Bloc d'épaule de bœuf haché de 750 g
- 250 g de porc haché
- 3 tranches de pain
- 1/3 deT de lait entier
- 1/2 oignon moyen râpé
- 2 gousses d'ail émincées
- 1 gros œuf
- 1/2 T de ketchup
- Gros sel et poivre moulu

Tourtière québécoise

Portions: 6
Préparation: 1 h 15
Cuisson: 1 h 30

Ingrédients:

PÂTE À TARTE
- 2 1/2 T de farine (tout usage)
- 1/2 c. à t. de sel fin
- 1/2 T de beurre non salé
- 1/2 T de graisse alimentaire végétale
- 2 c. à s. de jus de citron
- 6 à 10 c. à s. d'eau, au besoin

GARNITURE
- 1 1/2 T de pommes de terre pelées et coupées en dés
- 750 g de bœuf
- 2 oignons hachés
- 2 gousses d'ail émincées
- 2 feuilles de laurier
- 3/4 de c. à t. de sel fin
- 1/4 de c. à t. de poivre noir moulu
- 1/2 c. à t. de graines de céleri broyées
- 1 pincée de piment de la Jamaïque
- 1 pincée de clous de girofle moulus
- 1 T de cidre de pomme
- 1/2 T d'eau
- 1 œuf mélangé à 1 c. à s. d'eau pour glacis

Instructions:

1. Mélanger la farine et le sel. Incorporer le beurre et la graisse alimentaire végétale et remuer jusqu'à obtention d'un mélange de texture grossière et granuleuse. Ajouter le jus de citron et l'eau et mélanger jusqu'à ce qu'une pâte se forme.

2. Faire une boule, recouvrir et refroidir pendant 30 minutes. Pendant que la pâte refroidit, préparer sa garniture.

GARNITURE

3. Dans un chaudron d'eau salée, cuire les pommes de terre jusqu'à ce qu'elles soient tendres et égoutter. Piler grossièrement et laisser refroidir.

4. Dans une grande poêle à frire, faire revenir le bœuf, le porc ou le veau à feu moyen, jusqu'à ce la viande ne soit plus rosée. Égoutter l'excès de gras, incorporer les oignons, assaisonner et faire revenir 10 minutes.

5. Ajouter le cidre et l'eau et faire cuire à feu doux. Laisser le mélange mijoter pendant environ 15 minutes, jusqu'à ce que presque tout le liquide soit évaporé. Retirer du feu, incorporer les pommes de terre et laisser refroidir à température ambiante. Ceci peut être préparé une journée à l'avance.

6. Préchauffer le four à 375 °F.

7. Sur une surface légèrement recouverte de farine, couper la pâte en deux et, à l'aide d'un rouleau à pâte, abaisser jusqu'à obtention d'une épaisseur d'un peu moins de 0,5 cm. Déposer dans un moule à charnière de 20 cm. Remplir de garniture.

8. Rouler la pâte qui reste et faire un trou au milieu (pour permettre à la vapeur de s'échapper) et placer sur la garniture. Presser les rebords de la pâte ensemble et badigeonner de dorure à l'œuf. Cuire de 40 à 45 minutes, jusqu'à de que la pâte ait une couleur dorée. Laisser refroidir 5 minutes, retirer du moule et servir.

9. La tourtière peut être préparée deux jours d'avance et réchauffée dans le four à 300 °F.

Tourte aux 2 viandes

Instructions:

1. Préchauffer le four à 425 °F.

2. Dans une casserole, mélanger le porc, le bœuf, l'oignon, l'ail, l'eau, le sel, le thym, la sauge, le poivre noir et les clous de girofle. Amener à ébullition à feu moyen en remuant de temps à autre. Réduire le feu au minimum et laisser mijoter environ 5 minutes, ou jusqu'à ce que la viande soit cuite.

3. Déposer la mixture dans l'abaisse. Placer la pâte du dessus sur le mélange et sceller les rebords en effectuant une pression. Tailler des incisions sur la pâte à tarte du dessus pour laisser la vapeur s'échapper. Couvrir les rebords de la pâte à tarte de papier d'aluminium.

4. Cuire au four pendant 20 minutes, retirer le papier d'aluminium et remettre au four. Cuire encore de 15 à 20 minutes, jusqu'à ce que la croûte devienne dorée. Laisser refroidir 10 minutes avant de tailler.

Portions: 4
Préparation: 25 min
Cuisson: 40 min

Ingrédients:
- 500 g de porc haché maigre
- 250 g de bœuf haché maigre
- 1 oignon, coupé en dés
- 1 gousse d'ail émincée
- 1/2 T d'eau
- 1 1/2 c. à t. de sel
- 1/2 c. à t. de thym déshydraté, broyé
- 1/4 de c. à t. de sauge moulue
- 1/4 de c. à t. de poivre noir moulu
- 1/8 de c. à t. de clous de girofle moulus
- 1 pâte à tarte double de 22,5 cm, recette p. 568

Côtelettes d'agneau à l'abricot

Portions : 4
Préparation : 20 min
Cuisson : 10 min

Ingrédients :
- **8 côtelettes de filet d'agneau parées**
- **1/2 T de gelée d'abricots**
- **1/4 de c. à t. de sel**
- **2 c. à t. de moutarde de Dijon**
- **1 pincée de cannelle moulue**
- **1 c. à t. d'ail finement haché**
- **1 pincée de poivre noir**
- **1 c. à t. de sauce soja faible en sodium**
- **1/2 c. à t. de sauce Worcestershire**
- **Aérosol de cuisson**

Instructions :

1. Mélanger la gelée, le sel, la moutarde, la cannelle et l'ail dans un bol. Réserver. Saupoudrer ensuite les deux côtés des côtelettes avec le sel, la cannelle et le poivre préalablement mélangés.

2. Faire chauffer une grande poêle antiadhésive à feu moyen-fort. Vaporiser la poêle avec l'aérosol de cuisson. Ajouter l'agneau dans la poêle et laisser cuire jusqu'à ce que l'agneau soit à votre goût (5 minutes de chaque côté).

3. Retirer la poêle du feu puis ajouter la sauce aux abricots et retourner les côtelettes pour qu'elles soient bien enrobées de sauce. Déposer 2 côtelettes par assiette et verser le reste de la sauce aux abricots sur la viande.

Jarrets d'agneau à l'orange et à la cardamome

Instructions :

1. Préchauffer le four à 350 °F.

2. Assaisonner généreusement les jarrets d'agneau avec du sel et du poivre. Faire chauffer 2 c. à thé d'huile d'olive à feu élevé dans une grande poêle à frire allant au four ou dans un faitout. Faire dorer les jarrets en les faisant cuire de 4 à 5 minutes par côté. Transférer dans une assiette.

3. Ajouter le reste d'huile d'olive, les oignons et l'ail dans la poêle et faire sauter en remuant jusqu'à ce que les oignons soient tendres et translucides (4 ou 5 minutes). Ajouter le gingembre, la cardamome, le safran, l'assaisonnement au chili, le clou de girofle moulu, les graines de carvi, les graines de fenouil, la cannelle, le cari, 1 c. à thé de sel, les amandes et les raisins. Faire sauter en remuant de temps à autre pendant encore 5 minutes. Ajouter les tomates, le vin, le zeste et le jus d'orange et bien mélanger. Submerger les jarrets dans le liquide et laisser mijoter. Couvrir, transférer la poêle ou le faitout dans le four et laisser cuire jusqu'à ce que la viande se détache facilement de l'os (environ 2 heures).

4. Ajouter les carottes et le fenouil dans le ragoût, couvrir et faire cuire encore jusqu'à ce que les légumes soient tendres (15 minutes). Verser un peu d'huile d'olive sur chaque assiette.

Portions : 4
Préparation : 20 min
Cuisson : 2 h 15

Ingrédients :
- **4 jarrets d'agneau parés**
- **4 c. à t. d'huile d'olive extra vierge (et plus pour servir)**
- **500 g d'oignons jaunes coupés en dés**
- **1/4 de T d'ail finement haché**
- **1 c. à t. de gingembre frais finement haché**
- **2 gousses de cardamome écalées**
- **1 pincée de safran**
- **1 c. à t. d'assaisonnement au chili**
- **1 c. à t. de clou de girofle moulu**
- **1 c. à t. de graines de carvi**
- **2 c. à t. de graines de fenouil**
- **1/2 bâton de cannelle**
- **2 c. à t. de poudre de cari**
- **1/2 T d'amandes mondées en juliennes**
- **1/2 T de raisins secs**
- **2 boîtes de tomates en dés**
- **1 bouteille de vin blanc**
- **1 orange (zeste et jus)**
- **500 g de carottes pelées et coupées grossièrement en dés**
- **1 gros pied de fenouil taillé et coupé grossièrement en dés**
- **Sel, au goût (et 1 c. à t. supplémentaire)**
- **Poivre noir fraîchement moulu**

Jarrets d'agneau braisés

Portions : 6
Préparation : 30 min
Cuisson : 2 h

Ingrédients :
- **6 jarrets d'agneau parés**
- **1/4 de T d'huile végétale (et plus, au besoin)**
- **2 oignons jaunes coupés en dés**
- **2 branches de céleri coupées en dés**
- **2 carottes pelées et coupées en dés**
- **4 grosses gousses d'ail finement hachées**
- **1 T de vin rouge corsé**
- **1 boîte de tomates en dés (avec le jus)**
- **6 T de bouillon de bœuf**
- **2 c. à t. de romarin finement haché**
- **1 c. à t. de thym finement haché**
- **2 feuilles de laurier**
- **2 à 3 c. à t. de persil frais finement haché**
- **Sel et poivre fraîchement moulu, au goût**

Instructions :

1. Préchauffer le four à 400 °F.

2. Assaisonner généreusement les jarrets avec du sel et du poivre et faire chauffer l'huile à feu moyen-fort dans un grand faitout. Faire revenir plusieurs jarrets en même temps (5 à 10 minutes chaque fois) en les tournant de temps à autre et en ajoutant de l'huile, au besoin. Transférer les jarrets sur une assiette et jeter l'excédent de gras reposant dans la poêle.

3. Déposer les oignons, le céleri et les carottes dans le faitout et faire cuire en remuant de temps à autre jusqu'à ce que les légumes soient dorés (5 à 8 minutes). Ajouter l'ail et faire sauter pendant 2 minutes. Retirer le faitout du feu et incorporer le vin. Faire mijoter le liquide à feu moyen-fort en remuant pour gratter les résidus de cuisson. Laisser mijoter jusqu'à ce que le liquide ait réduit de moitié (5 minutes). Ajouter les tomates avec leur jus, le bouillon, le romarin, le thym, les feuilles de laurier et les jarrets d'agneau et porter à ébullition. Couvrir le faitout et transférer dans le four. Laisser cuire jusqu'à ce que la viande se détache facilement de l'os (1 heure 30 à 2 heures). Transférer ensuite les jarrets d'agneau dans un grand bol à l'aide de pinces et couvrir de papier aluminium.

4. Retirer les feuilles de laurier de la sauce et jeter. Dégraisser la sauce avant de la réduire à l'aide d'un mélangeur jusqu'à ce qu'elle soit lisse. En verser un peu sur les jarrets et garnir de persil. Servir le reste dans une saucière avec la viande.

Jarrets d'agneau braisés au poivre noir

VIANDES ROUGES

Portions: 8
Préparation: 30 min
Réfrigération: 6 h
Cuisson: 3 h

Ingrédients:

MARINADE
- **6 gousses de cardamome écalées**
- **1 c. à s. de graines de coriandre**
- **1 c. à s. de poivre noir fraîchement moulu**
- **2 c. à t. de graines de cumin**
- **1 c. à t. de piment de Jamaïque**
- **2 piments thaïlandais séchés**
- **2 c. à s. de sel casher**

AGNEAU
- **8 jarrets d'agneau non désossés roulés**
- **1/4 de T d'huile de maïs**
- **4 oignons moyens grossièrement hachés**
- **4 clous de girofle**
- **4 feuilles de laurier**
- **1/2 T de vin blanc**
- **9 T de bouillon d'agneau ou d'eau**
- **3 c. à s. de pâte de tamarin**
- **2 branches de romarin frais**
- **2 branches de thym frais**
- **4 c. à s. de cassonade claire**
- **1 céleri-rave pelé et coupé en morceaux de 1 cm**
- **2 c. à s. de gingembre frais finement haché**
- **5 gousses d'ail finement hachées**
- **1 c. à s. de sel casher**

Instructions:

1. Pour la marinade, faire griller la cardamome, la coriandre, le poivre, le cumin, le piment de Jamaïque et les piments thaïlandais dans une poêle à frire à feu moyen pendant 1 ou 2 minutes. Retirer du feu et laisser refroidir. Une fois grillés, moudre les piments et les épices dans un robot ou dans un moulin à café pour obtenir une poudre semi-fine. Mélanger ensuite les épices en poudre et le sel dans un petit bol.

2. Pour faire l'agneau, éponger les jarrets. Mettre de côté 1 c. à thé du mélange d'épices puis saupoudrer les côtelettes avec le reste et réfrigérer de 6 à 24 heures.

3. Préchauffer le four à 350 °F.

4. Faire chauffer 1 c. à soupe d'huile à feu moyen-fort dans une grande poêle à fond épais. Saisir plusieurs jarrets en même temps jusqu'à ce que les 2 côtés des jarrets soient dorés (5 minutes) et en tournant la viande de temps à autre (essuyer le fond de la poêle et remettre 1 c. à soupe d'huile). Transférer les jarrets saisis dans un grand plat à rôtir.

5. Laisser le gras de cuisson dans la poêle. Baisser à feu moyen et ajouter les oignons, les clous de girofle et les feuilles de laurier. Faire sauter jusqu'à ce que les oignons soient tendres (8 minutes). Verser la c. à thé d'épices qui reste et faire sauter jusqu'à ce que le mélange dégage une forte odeur (30 secondes). Ajouter le vin, le bouillon d'agneau, la pâte de tamarin, le romarin, le thym, la cassonade, le céleri-rave, le gingembre, l'ail et le sel et porter à ébullition. Verser le mélange sur les jarrets en couvrant le plat à rôtir avec du papier aluminium et faire braiser au centre du four jusqu'à ce que la viande soit très tendre (2 heures 30 à 3 heures).

6. Transférer les jarrets dans une grande assiette et couvrir de papier aluminium pour qu'ils restent chauds.

7. Verser le liquide de cuisson dans une grande casserole à l'aide d'un tamis à mailles serrées. Presser les résidus solides avec le dos d'une cuillère. Porter le liquide à ébullition à feu moyen-fort puis baisser à feu doux et laisser mijoter jusqu'à ce que la sauce ait réduit de moitié et donne environ 4 tasses (25 minutes). Servir les jarrets avec 1/2 tasse de sauce.

Côtelettes d'agneau au four

Instructions:

1. Mélanger le cumin, l'ail, le jus de citron, le persil, la coriandre et l'huile d'olive dans un bol. Badigeonner les 2 côtés des côtelettes, assaisonner de sel et de poivre puis laisser mariner pendant 30 minutes.

2. Préchauffer le four à 500 °F. Déposer les côtelettes sur une plaque à biscuits puis faire cuire au four pendant 3 minutes. Fermer le four et laisser les côtelettes mijoter à l'intérieur pendant 15 minutes pour une viande saignante et 25 minutes pour une viande à point. Ne pas ouvrir le four pendant ce temps.

3. Retirer du four et servir avec de la semoule.

Portions: 4
Préparation: 10 min
Marinade: 30 min
Cuisson: 25 min

Ingrédients:

- **8 côtelettes de filet d'agneau parées de 2,5 cm d'épaisseur**
- **1 c. à t. de cumin moulu**
- **2 gousses d'ail finement hachées**
- **1 c. à t. de jus de citron**
- **1 c. à s. de persil frais haché**
- **1 c. à s. de coriandre fraîche hachée**
- **2 c. à s. d'huile d'olive**
- **Semoule**
- **Sel et poivre fraîchement moulu, au goût**

Côtelettes d'agneau à la moutarde

Instructions :

1. Préchauffer le four à 500 °F. Huiler légèrement un plat à rôtir profond.

2. Saupoudrer de poivre les 2 côtés de chaque côtelette et déposer dans le plat à rôtir. Étaler environ 1 c. à thé de moutarde sur 1 côté de chaque côtelette et laisser reposer 10 à 15 minutes à la température de la pièce.

3. Faire rôtir les côtelettes pendant 5 minutes en posant le côté badigeonné vers le haut. Retourner les côtelettes et étaler environ 1 c. à thé de moutarde sur l'autre côté. Continuer de faire rôtir environ 5 minutes pour une viande saignante et pendant quelques minutes de plus pour une viande à point. Le temps de grillage dépend de l'épaisseur de la côtelette et de la cuisson désirée.

4. Déposer 2 côtelettes sur chaque assiette, garnir de persil et servir immédiatement.

Portions : 4
Préparation : 20 min
Marinade : 15 min
Cuisson : 15 min

Ingrédients :
- **8 petites côtelettes de filet d'agneau parées de 3 cm d'épaisseur avec les extrémités entaillées**
- **Moutarde de Meaux**
- **Feuilles de persil frais**
- **Poivre fraîchement moulu, au goût**

Jarrets d'agneau braisés avec pommes de terre rôties

Portions : 6
Préparation : 30 min
Cuisson : 2 h 30

Ingrédients :
- **6 jarrets d'agneau parés**
- **1/4 de T d'huile végétale (et plus au besoin)**
- **2 oignons jaunes coupés en dés**
- **2 branches de céleri coupées en dés**
- **2 carottes pelées et coupées en dés**
- **4 grosses gousses d'ail finement hachées**
- **1 T de vin rouge corsé**
- **1 boîte de tomates en dés (avec le jus)**
- **2 1/2 T de bouillon de bœuf**
- **2 c. à t. de romarin frais finement haché**
- **1 c. à t. de thym frais finement haché**
- **2 feuilles de laurier**
- **1 kg de petites pommes de terre nouvelles**
- **3 c. à t. d'huile d'olive extra vierge**
- **1 c. à t. de sel**
- **1/2 c. à t. de poivre fraîchement moulu**
- **Persil finement haché pour garnir**
- **Huile de parmesan pour assaisonner**
- **Sel et poivre fraîchement moulu, au goût**

Instructions :

1. Préchauffer le four à 400 °F.

2. Assaisonner généreusement les jarrets avec du sel et du poivre et faire chauffer l'huile à feu moyen-fort dans un grand faitout. Faire revenir plusieurs jarrets en même temps (5 à 10 minutes chaque fois) en les tournant de temps à autre et en ajoutant de l'huile, au besoin. Transférer les jarrets sur une assiette et jeter l'excédent de gras reposant dans la poêle.

3. Déposer les oignons, le céleri et les carottes dans le faitout et faire cuire en remuant de temps à autre jusqu'à ce que les légumes soient dorés (5 à 8 minutes). Ajouter l'ail et faire sauter pendant 2 minutes. Retirer le faitout du feu et incorporer le vin. Faire mijoter le liquide à feu moyen-fort en remuant pour gratter les résidus de cuisson. Laisser mijoter jusqu'à ce que le liquide ait réduit de moitié (5 minutes). Ajouter les tomates avec leur jus, le bouillon, le romarin, le thym, les feuilles de laurier et les jarrets d'agneau et porter à ébullition. Couvrir le faitout et transférer dans le four. Faire cuire jusqu'à ce que la viande se détache facilement de l'os (1 heure 30 à 2 heures). Transférer ensuite les jarrets d'agneau dans un grand bol à l'aide de pinces et couvrir de papier aluminium.

4. Augmenter la température du four à 450 °F. Graisser une plaque à biscuits ou une plaque à rôtir avec de l'huile. Dans un grand bol, mélanger les pommes de terre, 3 c. à thé d'huile d'olive, 1 c. à thé de sel et 1/2 c. à thé de poivre. Déposer les pommes de terre sur la plaque et faire rôtir au four en les remuant et en les retournant de temps à autre jusqu'à ce qu'elles soient tendres (30 à 35 minutes). Vérifier en piquant avec une fourchette.

5. Pendant ce temps, retirer les feuilles de laurier de la sauce et jeter. Dégraisser la sauce avant de la réduire à l'aide d'un mélangeur jusqu'à ce qu'elle soit lisse. En verser sur les jarrets, garnir de persil puis servir la viande avec le reste de la sauce dans une saucière.

6. Transférer les pommes de terre sur une planche à découper et couper en deux. Les déposer dans un grand bol, verser l'huile de parmesan et bien mélanger. Les transférer ensuite les pommes de terre dans un bol de service et garnir de persil. Servir les jarrets d'agneau avec les pommes de terre et la sauce.

Gigot d'agneau papillon

Portions: 8 à 10
Préparation: 20 min
Réfrigération: 3 h
Cuisson: 20 min

Ingrédients:
- 1 gigot d'agneau de 2,5 ou 3 kg paré, désossé et en coupe papillon
- 7 grosses gousses d'ail
- 1 bouteille de vin rouge corsé
- 9 tomates séchées au soleil marinées dans l'huile
- 1/2 T d'olives dénoyautées (et quelques autres pour garnir)
- 2 c. à s. d'herbes de Provence
- 2 c. à t. de poivre noir moulu
- 1 à 2 c. à t. d'huile d'olive (ou plus au besoin)
- Persil frais haché
- Gros sel et poivre fraîchement moulu, au goût

Instructions:

1. Faire 15 ou 20 petites entailles à intervalles réguliers dans le gigot papillon. Trancher 2 des gousses d'ail avant de les insérer dans les entailles. Assaisonner la viande avec du poivre et du sel. Déposer l'agneau dans un grand sac en plastique refermable ou un grand plat (pas en aluminium) et ajouter 2 tasses de vin. Sceller ou couvrir le plat et réfrigérer pendant au moins 3 heures ou jusqu'à 3 jours en retournant de temps à autre. Ramener la viande à la température de la pièce avant de la faire rôtir.

2. Déposer les 5 gousses d'ail qui restent sur une planche à découper et saupoudrer de quelques pincées de sel avant de les hacher. Ajouter les tomates séchées, les olives, les herbes de Provence et le poivre et continuer de hacher jusqu'à l'obtention d'une pâte grossière.

3. Préchauffer le four à 450 °F. Retirer l'agneau de la marinade et étaler à plat en posant le côté tranché vers le haut. Verser la marinade dans une petite casserole, porter à ébullition et retirer du feu. Étaler uniformément la pâte d'olives et de tomates sur la viande. Rouler la viande avant de l'attacher fermement avec de la ficelle.

4. Verser assez d'huile dans un plat à rôtir pour former une pellicule dans le fond. Faire chauffer à feu élevé et laisser dorer l'agneau des 2 côtés pendant 5 ou 6 minutes. Transférer dans le four et faire rôtir pendant 15 minutes. Réduire la température à 350 °F et continuer de faire rôtir pendant environ 45 minutes en badigeonnant la viande toutes les 10 ou 15 minutes avec le reste de la marinade jusqu'à ce qu'un thermomètre à viande inséré dans la partie la plus épaisse de la viande indique 130 °F pour une cuisson très saignante à mi-saignante. Vous pouvez aussi couper la viande pour vérifier la cuisson. Transférer l'agneau sur une planche à découper, couvrir de papier aluminium et laisser reposer pendant 10 minutes avant de couper la viande.

5. Pendant ce temps, faire chauffer le plat à rôtir à feu élevé. Verser 1 tasse de vin et déglacer le plat en remuant pour détacher les résidus de cuisson. Porter à ébullition et laisser bouillir jusqu'à ce que le bouillon ait réduit de moitié (5 à 8 minutes). Dégraisser la sauce avant de la passer au tamis en la versant dans une saucière chaude.

6. Enlever les ficelles et couper la viande en tranches minces dans le sens de la largeur. Déposer les tranches sur une assiette, saupoudrer de persil et garnir d'olives. Servir avec de la sauce.

Côtelettes d'agneau au miel et au vinaigre balsamique

Instructions:

1. Faire chauffer une poêle gril à feu moyen-fort ou préchauffer un barbecue au charbon ou au gaz.

2. Mélanger le vinaigre, l'ail et le miel à l'aide d'un robot culinaire. Incorporer graduellement l'huile végétale au mélange pendant que le robot fonctionne et brasser jusqu'à l'obtention d'une sauce épaisse et lisse. Assaisonner de sel et de poivre.

3. Assaisonner les côtelettes avec du sel et du poivre avant de les badigeonner d'huile d'olive et de les saupoudrer de romarin. Faire griller les côtelettes de chaque côté jusqu'à ce qu'elles soient mi-saignantes (2 à 3 minutes).

4. Déposer les côtelettes sur une assiette et napper de sauce au miel et au vinaigre balsamique. Verser le reste de la sauce dans une saucière et servir.

Portions: 4 à 6
Préparation: 15 min
Cuisson: 10 min

Ingrédients:
- 8 petites côtelettes d'agneau
- 1/3 de T de vinaigre balsamique
- 1 gousse d'ail
- 2 c. à s. de miel
- 3/4 de T d'huile végétale (ou d'huile de canola)
- 2 c. à s. d'huile d'olive
- 1/2 c. à s. de feuilles de romarin frais hachées
- Sel casher et poivre noir fraîchement moulu

Kebabs à la grecque

Portions: 4
Préparation: 15 min
Marinade: 4 h
Cuisson: 10 min

Ingrédients:
• 400 g de filet d'agneau
• 1/4 de T de jus de citron
• 2 c. à s. d'huile d'olive
• 2 gousses d'ail finement hachées
• 1 c. à t. d'origan séché
• 1/2 c. à t. de sel
• 1/2 c. à t. de poivre fraîchement moulu
• 2 feuilles de laurier
• 1 petite courgette tranchée
• 1 T de tomates cerises
• Tzatziki, recette p. 455 (ou feta en miettes)
• Brochettes

Instructions:

1. Mélanger le jus de citron, l'huile, l'ail, l'origan, le sel et le poivre dans un bol. Ajouter les feuilles de laurier.

2. Couper la viande en morceaux de 2,5 cm d'épaisseur et incorporer l'agneau dans le mélange de jus de citron.

3. Remuer pour bien enrober la viande, couvrir et réfrigérer pendant au moins 4 heures, mais préférablement une nuit complète.

4. Huiler légèrement le gril et préchauffer le barbecue à feu moyen-fort.

5. Déposer les tranches de courgette dans un bol avec les tomates cerises avant de les badigeonner d'huile d'olive et de les saupoudrer de sel et de poivre.

6. Piquer en alternant des morceaux de viande, de courgette et de tomate sur les brochettes puis les déposer sur le gril et faire rôtir à la broche pendant 8 à 10 minutes en les retournant de temps à autre.

7. Servir les brochettes avec du tzatziki ou du feta.

Kebabs à l'agneau avec sauce au yogourt

VIANDES ROUGES

Portions : 4
Préparation : 15 min
Marinade : 15 min
Cuisson : 10 min

Ingrédients :
- 750 g de gigot d'agneau coupé en dés de 5 cm
- 2 gros citrons (zeste et jus)
- 2 c. à t. d'origan finement haché
- 5 oignons verts finement hachés
- 5 gousses d'ail finement hachées
- 1/4 de T d'huile d'olive
- 1 T de yogourt nature
- 1 petit concombre pelé, épépiné et finement haché
- Sel et poivre fraîchement moulu, au goût
- 8 brochettes de bambou

Instructions :

1. Tremper 8 brochettes de bambou dans l'eau froide pour bien les imbiber.

2. Râper 3 c. à thé de zeste de citron et presser 5 c. à thé de jus. Mélanger 2 c. à thé de zeste, 3 c. à thé de jus, l'origan, la moitié des oignons verts, la moitié de l'ail et l'huile d'olive dans un plat en verre ou en céramique assez grand pour contenir l'agneau sur une seule couche. Assaisonner généreusement la viande de sel et de poivre, laisser mariner l'agneau et retourner pour bien l'enrober. Laisser reposer 15 minutes à la température de la pièce.

3. Pendant ce temps, mélanger le concombre, le yogourt, le reste du zeste et du jus de citron, le reste des oignons verts et le reste de l'ail dans un petit bol. Assaisonner de sel et de poivre, couvrir et réfrigérer la sauce au yogourt pendant 15 minutes.

4. Faire chauffer un barbecue au charbon ou au gaz à feu élevé et huiler la grille, ou préchauffer le four à gril.

5. Retirer l'agneau de la marinade et jeter la marinade. Piquer les morceaux d'agneau sur des brochettes et déposer ces dernières sur le gril du barbecue ou sur une plaque à biscuits pour une cuisson au four. Faire cuire en retournant la viande 1 fois pendant 6 à 7 minutes pour une cuisson mi-saignante ou un peu plus longtemps, si désiré. Déposer 2 brochettes sur chaque assiette et servir avec de la sauce au yogourt.

Navarin d'agneau

Instructions :

1. Préchauffer le four à 325 °F.

2. Verser 3 c. à soupe d'huile dans une grande casserole. Faire revenir plusieurs morceaux de viande en même temps à feu élevé et transférer dans un bol à l'aide d'une cuiller à égoutter. Ajouter de l'huile, au besoin. Ajouter ensuite les oignons et saupoudrer de sel avant de les faire cuire jusqu'à ce qu'ils soient tendres et translucides. Ajouter l'ail, le céleri, le thym et l'origan et laisser mijoter quelques minutes puis transférer la moitié du mélange dans un bol. Remettre la viande dans la casserole et couvrir de la moitié du mélange qui reste. Ajouter les feuilles de laurier, les carottes, les tomates, le bouillon et le vin. Ajouter de l'eau, au besoin. Porter à ébullition, enlever l'écume et faire bouillonner pendant 3 minutes. Couvrir, transférer dans le four et laisser cuire jusqu'à ce que la viande soit tendre (2 heures à 2 heures 30). Enlever les carottes et les feuilles de laurier. Assaisonner de sel et de poivre au besoin.

3. S'assurer que le ragoût est encore bouillonnant. Réchauffer au besoin. Pendant ce temps, faire bouillir une grande casserole d'eau. Ajouter du sel et les pâtes. Faire cuire jusqu'à ce que les pâtes soient presque prêtes.

4. Égoutter les pâtes avant de les verser rapidement dans le jus de cuisson bouillonnant de la casserole de ragoût en s'assurant d'abord qu'il y a assez de liquide pour les couvrir. Faire cuire les pâtes encore jusqu'à ce qu'elles soient *al dente* (2 ou 3 minutes).

5. Verser le ragoût dans des bols puis émietter du feta et mélanger dans un bol avec du persil, de l'origan ou du basilic haché.

Portions : 10
Préparation : 15 min
Cuisson : 2 h 30

Ingrédients :
- 4 c. à s. d'huile d'olive
- 2,5 kg d'épaule d'agneau parée et coupée en morceaux de 4 x 6 cm
- 5 oignons de taille moyenne finement tranchés
- 4 gousses d'ail finement hachées
- 2 branches de céleri finement hachées
- 4 branches de thym (feuilles)
- 1 c. à t. d'origan séché
- 3 feuilles de laurier
- 2 carottes pelées, coupées en 2 dans le sens de la longueur et dans le sens de la largeur
- 3 boîtes de tomates en dés
- 1 1/4 de T de bouillon d'agneau (ou de bœuf ou d'eau)
- 1 bouteille de vin blanc sec
- 500 g de pâte tubulaire
- 150 g de feta
- 2 à 3 c. à s. de persil haché (ou d'origan, ou de basilic)
- Sel, poivre noir fraîchement moulu

Instructions :

1. Assaisonner les 2 côtés de l'agneau avec du sel et du poivre. Couvrir et réfrigérer pendant 30 minutes.

2. Déposer l'agneau dans un plat à marinade et ajouter la pâte tandoori. Fermer hermétiquement et faire mariner pendant 40 minutes (en suivant les instructions du fabricant, au besoin).

3. Chauffer le barbecue à feu moyen-fort.

4. Déposer l'agneau sur le gril et faire cuire jusqu'à ce qu'un thermomètre à viande inséré dans la partie la plus épaisse de la viande indique 135 °F (10 à 12 minutes de chaque côté) ou jusqu'à la cuisson désirée.

5. Transférer l'agneau sur une planche à découper, couvrir de papier aluminium et laisser reposer de 5 à 10 minutes. Couper la viande en tranches minces, déposer sur une assiette chaude et garnir de tranches de citron. Servir avec du pain naan.

Portions : 8 à 10
Préparation : 25 min
Réfrigération : 30 min
Marinade : 40 min
Cuisson : 25 min

Ingrédients :
- 1,5 à 2 kg de gigot d'agneau coupe papillon désossé, coupé en morceaux de 5 cm
- 1/2 T de pâte tandoori
- Tranches de citron
- Pain naan (ou autres galettes de pain)
- Sel et poivre fraîchement moulu, au goût

Burgers à l'agneau avec chutney à la mangue

Portions : 6
Préparation : 25 min
Cuisson : 20 min

Ingrédients :
- 1 kg d'agneau haché
- 1/4 de T de menthe fraîche finement hachée
- 2 c. à s. de poudre de cari
- 1/2 c. à t. de cumin moulu
- 1/2 c. à t. d'assaisonnement au chili
- 1 c. à t. de sel
- 6 petits pains aux oignons coupés dans le sens de la longueur

CHUTNEY À LA MANGUE
- 2 c. à s. d'huile végétale
- 3/4 de T d'oignons hachés
- 1 c. à s. de gingembre frais pelé et finement haché
- 2 gousses d'ail finement hachées
- 1/2 T de piment de Cayenne finement haché
- 1/4 de c. à t. d'assaisonnement au chili
- 1/2 c. à t. de coriandre moulue
- 1/4 de T de vinaigre de cidre
- 3/4 de T de cassonade
- 2 grosses mangues pelées, dénoyautées et finement hachées
- 1/4 de T d'eau
- 1/4 de c. à thé de sel
- 1/4 de T de raisins secs
- 2 c. à s. de coriandre fraîche finement hachée
- 1/2 T de coriandre fraîche pour garnir

Instructions :

1. Mélanger l'agneau, la menthe, la poudre de cari, le cumin, l'assaisonnement au chili et le sel dans un bol. Former 6 boulettes de 2,5 cm d'épaisseur. Ne pas presser les boulettes trop fermement pour qu'elles restent tendres.

2. Faire chauffer l'huile à feu moyen dans une petite casserole. Ajouter l'oignon et le gingembre et faire cuire pendant 5 minutes. Ajouter l'ail, le piment, l'assaisonnement au chili et la coriandre moulue et faire cuire pendant encore 1 minute.

3. Ajouter le vinaigre de cidre, la cassonade, les mangues, l'eau et le sel. Porter à ébullition puis baisser le feu et couvrir pour faire mijoter jusqu'à ce que la sauce épaississe et que les mangues soient très tendres (40 minutes). Ajouter de l'eau (2 c. à soupe à la fois) si le mélange devient trop sec avant que les mangues soient cuites.

4. Retirer du feu, ajouter les raisins et laisser refroidir avant d'ajouter la coriandre fraîche.

5. Faire chauffer le barbecue à feu élevé. Déposer les boulettes sur le gril et laisser cuire de 4 à 6 minutes de chaque côté ou jusqu'à ce que la cuisson soit à votre goût. Ne pas cuire trop longtemps pour éviter que les boulettes sèchent.

6. Pendant ce temps, faire chauffer les pains sur la partie la moins chaude du gril.

7. Servir les burgers avec de la coriandre fraîche et du chutney à la mangue.

Carré d'agneau grillé

Portions : 4
Préparation : 20 min
Cuisson : 20 min

Ingrédients :
- 1 carré d'agneau à la française
- 1/2 T de chapelure
- 2 c. à s. d'ail finement haché
- 2 c. à s. de romarin frais haché
- 4 c. à s. d'huile d'olive
- 1 c. à t. de sel
- 1 c. à t. de poivre noir
- 1 c. à s. de moutarde de Dijon

Instructions :

1. Préchauffer le four à 475 °F. Poser une grille au centre du four.

2. Mélanger la chapelure, l'ail, le romarin, 1 c. à thé de sel et 1/4 de c. à thé de poivre dans un bol. Incorporer 2 c. à soupe d'huile d'olive pour humidifier le mélange et réserver.

3. Assaisonner le carré avec du sel et du poivre. Faire chauffer 2 c. à soupe d'huile d'olive dans une grande poêle à frire allant au four à feu élevé. Saisir le carré pendant 1 ou 2 minutes de chaque côté. Mettre de côté pendant quelques minutes. Badigeonner le carré d'agneau avec la moutarde et saupoudrer le mélange de chapelure sur l'agneau de façon à l'enrober complètement. Couvrir les extrémités des os avec du papier aluminium pour éviter qu'il carbonise.

4. Déposer le carré dans la poêle et faire cuire au four de 12 à 18 minutes selon la cuisson désirée. Insérer un thermomètre à viande 10 à 12 minutes après le début de la cuisson dans le centre de la viande pour vérifier et continuer de faire cuire le carré, au besoin. Sortir du four et laisser reposer de 5 à 7 minutes en le couvrant de papier aluminium avant de trancher les côtelettes.

Agneau braisé à l'indienne

Portions : 4
Préparation : 30 min
Cuisson : 1 h 20

Ingrédients :
- 1 kg d'épaule d'agneau désossée coupée en gros dés
- 1 oignon jaune haché
- 2 c. à t. de gingembre frais pelé et haché
- 3 gousses d'ail hachées
- 1 petit piment jalapeño rouge (ou vert) épépiné et finement haché
- 1 c. à t. de coriandre moulue
- 1 c. à t. de poudre de cari
- 1/4 de c. à t. de cannelle moulue
- 2 c. à t. de sel (ou plus, au goût)
- 3 c. à t. d'huile de maïs (ou d'huile d'arachide)
- 2 T d'eau
- 1 T de yogourt nature
- Riz vapeur

Instructions :

1. Mélanger l'oignon, le gingembre, l'ail et le piment dans un mélangeur jusqu'à la formation d'une pâte. Mélanger la coriandre, la poudre de cari et la cannelle dans un petit bol. Réserver.

2. Assaisonner l'agneau avec 1 c. à thé de sel. Faire chauffer un faitout ou une grande poêle à frire assez profonde à feu élevé et ajouter 2 c. à thé d'huile. Déposer l'agneau sur une seule couche, en plusieurs fois au besoin pour éviter que les morceaux soient trop rapprochés, et saisir en retournant la viande 1 fois jusqu'à ce que les 2 côtés soient dorés (8 à 10 minutes). Transférer l'agneau sur une assiette à l'aide d'une cuiller à égoutter.

3. Verser le reste de l'huile dans la poêle et faire chauffer à feu moyen. Déposer la pâte d'oignon et d'ail et faire sauter jusqu'à ce qu'elle commence à dorer (3 minutes). Incorporer le mélange d'épices et faire sauter pendant encore 10 secondes. Ajouter l'eau et 1 c. à thé de sel. Monter la température à moyen-fort et porter à ébullition puis réduire à feu doux. Incorporer graduellement le yogourt en fouettant jusqu'à ce qu'il soit bien intégré à la sauce.

4. Remettre l'agneau dans la poêle, couvrir et laisser mijoter doucement jusqu'à ce que l'agneau soit tendre (60 à 70 minutes).

5. Assaisonner de sel et de poivre, au besoin, et servir avec du riz vapeur.

Pâté chinois à l'agneau et aux champignons sauvages

Portions: 4
Préparation: 30 min
Cuisson: 1 h 30

Ingrédients:

GARNITURE À L'AGNEAU
- 1 kg de côtelettes d'épaule d'agneau parées et désossées
- 500 g de champignons assortis (creminis, portobellos ou shiitakes)
- 2 c. à t. de farine (tout usage)
- 3/4 de c. à t. de sel casher
- 1/2 c. à t. de poivre fraîchement moulu
- 1/2 c. à t. de piment de Jamaïque moulu
- 3 c. à s. d'huile d'olive
- 3 gros oignons verts finement hachés
- 3 grosses gousses d'ail finement hachées
- 1 feuille de laurier finement hachée
- 1 3/4 T de bouillon de bœuf
- 1 c. à t. de pâte de tomate

GARNITURE AUX POMMES DE TERRE
- 6 petites pommes de terre Yukon Gold
- 1/3 de T de lait
- 4 c. à t. de beurre non salé
- 1/2 c. à t. de sel casher
- 1/4 de T de ciboulette fraîche hachée
- Poivre noir fraîchement moulu, au goût

Instructions:

1. Pour faire la garniture à l'agneau, couper la viande en morceaux de 1 cm. Équeuter et couper les champignons en tranches de 2 cm. Mélanger la farine, le sel, le poivre et le piment de Jamaïque dans un grand bol. Incorporer l'agneau et remuer pour l'enrober uniformément.

2. Faire chauffer 2 c. à t. d'huile d'olive à feu moyen-fort dans une grande poêle à frire. Ajouter l'agneau et faire sauter jusqu'à ce qu'il soit doré (10 minutes). Transférer dans un bol, verser le reste de l'huile dans la poêle et ajouter les oignons verts et l'ail puis remuer pendant 1 minute. Ajouter les champignons et la feuille de laurier et faire sauter jusqu'à ce que le tout soit bien doré (6 minutes).

3. Remettre l'agneau dans la poêle et incorporer le bouillon de bœuf et la pâte de tomate puis porter à ébullition. Réduire le feu à moyen-doux, couvrir et laisser mijoter jusqu'à ce que l'agneau soit tendre (45 minutes). Enlever le couvercle et laisser encore mijoter jusqu'à ce que la sauce épaississe (2 minutes). Transférer le tout dans un moule à tarte de 23 cm.

4. Préchauffer le four à 350 °F.

5. Pour faire la garniture de pommes de terre, verser 2,5 cm d'eau dans une grande poêle et porter à ébullition. Peler et trancher les pommes de terre en rondelles de 5 mm d'épaisseur. Déposer les rondelles de pommes de terre dans une marguerite, couvrir et faire cuire à la vapeur pendant 12 minutes jusqu'à ce que les pommes de terre soient tendres (vérifier en perçant avec la lame d'un couteau). Transférer les pommes de terre dans un grand bol puis ajouter le lait, le beurre, le sel et le poivre. Réduire les pommes de terre en purée. Incorporer la moitié de la ciboulette et verser les pommes de terre dans le moule sur le mélange d'agneau de façon à le recouvrir complètement.

6. Faire cuire le pâté jusqu'à ce qu'il soit bien chaud et que les pommes de terre commencent à dorer (35 minutes). Saupoudrer le tout avec le reste de la ciboulette et servir immédiatement.

Carrés d'agneau aux herbes

Instructions:

1. Mélanger le zeste de citron, l'ail, le romarin, le thym et 1/4 de tasse d'huile d'olive dans un petit bol. Badigeonner uniformément les carrés d'agneau avec la marinade, couvrir et réfrigérer pendant au moins 1 heure ou toute la nuit.

2. Préchauffer le four à 400 °F.

3. Faire chauffer 2 c. à thé d'huile dans une grande poêle à frire allant au four à feu moyen-fort. Assaisonner les carrés d'agneau de sel et de poivre, déposer dans la poêle et faire cuire jusqu'à ce que les 2 côtés soient dorés (7 minutes). Transférer la poêle dans le four et laisser cuire jusqu'à ce que l'agneau soit bien doré et qu'un thermomètre à viande inséré dans la partie la plus épaisse indique 130 °F (15 minutes) ou jusqu'à l'obtention de la cuisson désirée.

4. Transférer les carrés d'agneau sur une planche à découper et laisser reposer 5 minutes. Couper pour former des côtelettes individuelles et servir avec des tranches de citron.

Portions: 4
Préparation: 20 min
Marinade: 1 h
Cuisson: 15 min

Ingrédients:
- 2 carrés d'agneau à la française
- 1 citron (zeste)
- 4 gousses d'ail finement hachées
- 1 c. à t. de romarin séché
- 1 c. à t. de thym séché
- 1/4 de T d'huile d'olive extra vierge et 2 c. à t. supplémentaires
- 1 citron coupé en 8 morceaux
- Sel et poivre fraîchement moulu

Gigots d'agneau grillés aux herbes

Portions : 4
Préparation : 20 min
Cuisson : 20 min

Ingrédients :

AGNEAU
- 2 gigots d'agneau (500 g)
- 1/4 de T d'origan frais haché grossièrement
- 2 c. à s. de romarin
- 1 1/2 c. à s. de sel casher
- 1 c. à s. de poivre noir
- 1 c. à s. d'ail finement haché
- 3 c. à s. d'huile d'olive

CHUTNEY À L'ABRICOT
- 6 abricots frais coupés en morceaux de 5 mm
- 1 pot de poivrons rouges rôtis coupés en morceaux de 5 mm
- 3 c. à s. d'oignon vert haché
- 3 c. à s. de menthe fraîche hachée grossièrement
- 2 c. à s. de vinaigre de vin rouge
- 2 c. à s. de jus d'orange frais
- 2 c. à s. d'huile d'olive extra vierge
- 1 c. à t. de cassonade
- 3/4 de c. à t. de piment de Cayenne
- 1/2 c. à t. de coriandre moulue
- 1/2 c. à t. de sel

Instructions :

1. Mélanger l'origan, le romarin, le sel, le poivre, l'ail et l'huile et badigeonner l'agneau.

2. Mélanger tous les ingrédients du chutney et assaisonner avec du poivre.

3. Allumer le barbecue et laisser 1/4 de la surface sans charbon. Étaler le charbon sur le reste de façon à ce qu'une extrémité soit 3 fois plus élevée que l'autre.

4. Faire chauffer le barbecue à feu moyen-fort avant de saisir l'agneau sur la partie la plus chaude du gril sans couvrir en retournant la viande 1 fois au cours de la cuisson. Saisir jusqu'à ce que la viande soit bien dorée (8 à 10 minutes). Transférer la viande sur la partie la moins chaude du barbecue puis couvrir avec un plat à rôtir posé à l'envers et laisser griller en retournant la viande 1 fois pendant 12 à 15 minutes pour une cuisson mi-saignante (jusqu'à ce qu'un thermomètre à viande inséré en diagonale au centre indique 135 °F). Transférer l'agneau sur une planche à découper et laisser reposer 15 minutes en le couvrant de papier aluminium.

5. Pour faire cuire la viande sur un barbecue à gaz, préchauffer les brûleurs pendant 10 minutes à feu élevé en fermant le couvercle. Huiler légèrement la grille et saisir l'agneau sans couvrir jusqu'à ce qu'il soit bien doré en retournant la viande 1 fois au cours de la cuisson (8 à 10 minutes). Éteindre un brûleur (celui du centre s'il y en a 3) et déposer l'agneau au-dessus du brûleur éteint. Réduire la température des autres brûleurs à feu moyen et faire griller l'agneau en refermant le couvercle du barbecue pendant 15 à 20 minutes pour une cuisson mi-saignante (jusqu'à ce qu'un thermomètre à viande inséré en diagonale au centre indique 135 °F). Transférer l'agneau sur une planche à découper et laisser reposer pendant 15 minutes en le couvrant de papier aluminium.

6. Trancher finement l'agneau dans le sens de la largeur et servir avec le chutney.

Côtelettes d'agneau grillées à la harissa

Instructions :

1. Déposer les côtelettes dans un grand bol à mariner. Mélanger la harissa et l'huile d'olive et verser sur les côtelettes d'agneau. Bien badigeonner les côtelettes et faire mariner 20 minutes. Transférer les côtelettes sur une assiette et assaisonner légèrement de sel et de poivre.

2. Préchauffer une poêle gril à feu moyen-fort et faire cuire plusieurs côtelettes en même temps, 2 minutes de chaque côté pour une cuisson mi-saignante ou un peu plus longtemps, si désiré, en les retournant 1 fois. Transférer les côtelettes sur une assiette chaude et laisser reposer 2 ou 3 minutes.

3. Servir les côtelettes avec de la semoule et de la ratatouille, si désiré, et une saucière de sauce à la harissa pour accompagner.

Portions : 4
Préparation : 20 min
Marinade : 20 min
Cuisson : 10 min

Ingrédients :
- 1 kg de côtelettes d'agneau parées en papillote de 2 cm d'épaisseur
- 1/2 T de harissa (et plus pour servir)
- 2 c. à t. d'huile d'olive
- Sel et poivre fraîchement moulu, au goût

Burgers à l'agneau et au fromage bleu

Instructions :

1. Pour faire la purée, mélanger le persil, la menthe, l'ail et l'huile d'olive dans un robot culinaire jusqu'à l'obtention d'une préparation lisse. Ajouter le fromage, les noix de pin et le sel et mélanger jusqu'à ce que tous les ingrédients soient intégrés.

2. Pour faire les burgers à l'agneau, préparer le barbecue au charbon ou au gaz et faire griller à feu moyen. Tapisser une plaque à biscuits avec une pellicule de plastique.

3. Diviser le fromage en 6 et former 6 galettes de 5 cm. Réserver.

4. Mélanger l'agneau, le persil, le romarin, le sel et le poivre. Ne pas trop mélanger puis diviser l'agneau en 6 portions. Enrober chaque galette de fromage avec une portion de viande et former une boule puis aplatir pour former une galette de 10 cm de diamètre en s'assurant que le fromage soit complètement enveloppé dans l'agneau. Déposer les boulettes sur la plaque, couvrir et réfrigérer jusqu'à ce que vous soyez prêt à les faire cuire.

5. Faire griller les boulettes en les retournant 1 fois jusqu'à ce que le fromage soit fondu et que la viande soit mi-saignante (4 à 5 minutes de chaque côté).

Portions : 6
Préparation : 25 min
Cuisson : 10 min

Ingrédients :

PURÉE PERSIL ET MENTHE
- 3/4 de T de persil frais
- 1/4 de T de feuilles de menthe fraîche
- 3 gousses d'ail hachées grossièrement
- 1/4 de T d'huile d'olive extra vierge
- 1/4 de T de parmesan fraîchement râpé
- 2 c. à t. de noix de pin
- 1/2 c. à t. de sel

BURGERS À L'AGNEAU
- 1,5 kg d'agneau haché
- 170 g de fromage bleu
- 3 c. à t. de persil frais finement haché
- 2 c. à t. de romarin frais finement haché
- 1/4 de T de menthe fraîche finement hachée
- Sel casher et poivre noir fraîchement moulu

Carrés d'agneau, sauce à la menthe

Portions : 4
Préparation : 20 min
Marinade : 2 h
Cuisson : 25 min

Ingrédients :

MARINADE AUX ÉPICES
- 2 carrés d'agneau comptant 7 à 8 côtelettes chacun
- 2 c. à t. de cassonade
- 1/2 c. à t. de poivre noir fraîchement moulu
- 1 c. à t. de cardamome moulue
- 1/2 c. à t. de cannelle moulue

SAUCE À LA MENTHE
- 1/2 T de menthe fraîche
- 2 c. à t. de sucre glace
- 1/3 de T de vinaigre de cidre (ou de vinaigre de riz)

Instructions :

1. Pour faire la marinade aux épices, mélanger la cassonade, le poivre, la cardamome et la cannelle dans un petit bol et bien mélanger.

2. Saupoudrer uniformément les carrés d'agneau avec les épices et déposer les carrés sur une assiette. Laisser reposer à la température de la pièce de 30 minutes à 2 heures.

3. Préchauffer le four à 475 °F.

4. Déposer les carrés d'agneau dans un grand plat à rôtir huilé. Faire rôtir pendant 10 minutes puis réduire le four à 375 °F et continuer de faire cuire l'agneau jusqu'à ce qu'un thermomètre à viande inséré dans une partie éloignée de l'os indique 125 °F (10 à 15 minutes) pour une cuisson saignante. Transférer l'agneau sur une planche à découper, couvrir de papier aluminium et laisser reposer 5 minutes.

5. Pendant ce temps, préparer la sauce à la menthe en mélangeant les feuilles de menthe, le sucre glace et le vinaigre dans un mélangeur ou un robot culinaire jusqu'à ce que la menthe soit finement hachée. Verser dans un bol et réserver.

6. Couper les carrés en côtelettes individuelles et servir sur des assiettes chaudes avec de la sauce à la menthe.

Côtelettes d'agneau au vinaigre balsamique

Portions : 4 à 6
Préparation : 15 min
Cuisson : 10 min

Ingrédients :
- 2 carrés d'agneau (625 g)
- 2 c. à t. d'huile d'olive
- 1/3 de T de sauce au vinaigre balsamique
- Sel et poivre fraîchement moulu, au goût

Instructions :

1. Couper le carré d'agneau en côtelettes individuelles de 1 cm d'épaisseur. Badigeonner les deux côtés des côtelettes avec de l'huile d'olive et assaisonner de sel et de poivre.

2. Faire chauffer la sauce au vinaigre balsamique à feu moyen-doux dans une petite casserole pendant 2 ou 3 minutes. Retirer du feu et couvrir pour la garder au chaud.

3. Faire chauffer une poêle gril à feu moyen-fort. Déposer les côtelettes d'agneau sur une seule couche, en plusieurs fois au besoin pour éviter que les morceaux soient trop rapprochés, et faire cuire jusqu'à ce que des marques de gril apparaissent sur la viande (2 ou 3 minutes). Retourner les côtelettes et faire cuire encore pour obtenir la cuisson désirée (2 ou 3 minutes). Badigeonner les 2 côtés des côtelettes avec de la sauce au vinaigre balsamique, transférer la viande sur une assiette et couvrir de papier aluminium jusqu'à ce que toutes les côtelettes soient cuites. Verser le reste de la sauce sur les côtelettes et servir immédiatement.

Côtelettes d'agneau à la menthe, aux tomates et à l'ail

Instructions :

1. À l'aide d'un couteau tranchant, enlever le plus de gras possible des côtelettes puis badigeonner les deux côtés avec de l'huile d'olive et assaisonner généreusement de sel et de poivre. Presser fermement les deux côtés de chaque côtelette avec du persil et du basilic et laisser reposer à la température de la pièce de 20 à 30 minutes avant de rôtir.

2. Préchauffer le four à 450 °F.

3. Pendant ce temps, préparer la sauce en faisant chauffer l'huile d'olive dans une petite casserole. Ajouter l'oignon vert et faire sauter jusqu'à ce qu'il soit tendre (3 ou 4 minutes). Ajouter l'ail et faire cuire pendant encore 1 minute. Augmenter le feu à moyen-fort, incorporer les tomates et faire cuire en remuant fréquemment jusqu'à ce que les tomates soient tendres et qu'elles aient extrait leur liquide (3 ou 4 minutes). Ajouter le vinaigre et assaisonner de sel et de poivre. Faire cuire jusqu'à ce que le plus gros du liquide se soit évaporé (3 ou 4 minutes). Retirer du feu, incorporer le basilic et la menthe et mettre de côté jusqu'à ce que les côtelettes soient rôties.

4. Préchauffer une grande poêle à frire allant au four à feu élevé, ajouter 1 c. à thé d'huile d'olive et déposer immédiatement les côtelettes dans la poêle et cuire pendant 2 minutes. Retourner les côtelettes et saisir l'autre côté. Transférer immédiatement la poêle dans le four et faire rôtir l'agneau jusqu'à ce qu'un thermomètre à viande inséré dans la partie la plus épaisse de la viande et éloignée de l'os indique 125 à 130 °F pour une cuisson mi-saignante (5 ou 6 minutes).

5. Retirer la poêle du four et transférer les côtelettes sur une assiette puis couvrir de papier aluminium. Laisser reposer le temps que vous terminiez la sauce.

6. Jeter l'excédent de gras de la poêle et faire chauffer la poêle à feu moyen-fort. Verser le vin et faire cuire en remuant pour détacher les résidus de cuisson collés au fond de la poêle. Ajouter la sauce aux tomates et porter à ébullition. Retirer du feu.

7. Déposer 2 côtelettes par assiette et napper la viande de sauce. Servir immédiatement.

Portions : 4
Préparation : 20 min
Marinade : 30 min
Cuisson : 15 min

Ingrédients :
- 8 côtelettes de filet d'agneau de 3 cm d'épaisseur non désossées
- 2 c. à t. de persil frais haché
- 2 c. à t. de basilic frais haché
- Huile d'olive extra vierge pour badigeonner, plus 1 c. à t. supplémentaire
- Sel casher et poivre fraîchement moulu, au goût

SAUCE
- 2 c. à s. d'huile d'olive
- 1 c. à t. d'huile extra vierge
- 1 petit oignon vert finement haché
- 2 gousses d'ail finement hachées
- 3 tomates pelées, épépinées et grossièrement hachées
- 2 c. à t. de vinaigre balsamique
- 6 à 8 feuilles de basilic frais finement tranchées
- 6 à 8 feuilles de menthe fraîche finement tranchées
- 1/4 de T de vin rouge sec
- Sel casher et poivre noir fraîchement moulu

Daube d'agneau

Portions : 8
Préparation : 40 min
Réfrigération : 12 h
Cuisson : 6 h 30

Ingrédients :
• 2 kg d'épaule d'agneau coupée en morceaux de 5 cm
• 7 grains de poivre
• 2 feuilles de laurier
• 1 bouteille de vin rouge (Côtes du Rhône)
• 8 gousses d'ail finement hachées
• 3 oignons jaunes coupés en 2
  et coupés en tranches de 1 cm
• 2 c. à t. d'huile d'olive
• 12 petites carottes pelées
• 3 c. à t. de farine (tout usage)
• 1 boîte de tomates en dés avec leur jus
• Pain de campagne grillé
• Sel et poivre fraîchement moulu, au goût

Instructions :
1. Envelopper les grains de poivre et les feuilles de laurier dans une étamine ou un sachet de thé. Mélanger le vin, la moitié de l'ail, les oignons, le paquet de poivre et de feuilles de laurier et l'agneau dans un grand bol. Couvrir et réfrigérer de 8 à 12 heures.

2. Transférer l'agneau sur une assiette avec une cuiller à égoutter. Faire passer la marinade dans une passoire à fines mailles. Jeter le paquet de poivre et de feuilles de laurier et mettre le vin, l'ail et les oignons de côté.

3. Assaisonner l'agneau avec du sel et du poivre. Faire chauffer l'huile d'olive à feu moyen-fort dans une cocotte mijoteuse. Faire dorer plusieurs morceaux d'agneau à la fois en faisant cuire de 3 à 5 minutes chaque fois. Transférer sur une assiette. Ajouter l'ail et les oignons mis de côté, le reste de l'ail et les carottes dans la mijoteuse et faire cuire en remuant de temps à autre jusqu'à ce que le tout soit tendre (10 minutes). Ajouter la farine et laisser cuire pendant 2 minutes en remuant de temps à autre. Ajouter le vin mis de côté, les tomates avec leur jus et porter à ébullition puis ajouter l'agneau. Déposer la cocotte au fond de la mijoteuse, couvrir et faire cuire pendant 6 heures.

4. Dégraisser la sauce puis transférer l'agneau et les légumes dans un bol à l'aide d'une cuiller à égoutter. Couvrir le bol de papier aluminium. Faire mijoter la sauce à feu moyen jusqu'à ce qu'elle épaississe (30 minutes). Incorporer l'agneau et les légumes dans la sauce et verser la daube d'agneau dans des bols. Servir avec du pain grillé.

Gigot d'agneau rôti à l'ail et au romarin

Portions : 6 à 8
Préparation : 30 min
Marinade : 5 h
Cuisson : 2 h

Ingrédients :

- 1 gigot d'agneau (2,5 kg) roulé et attaché avec de la ficelle
- 1 c. à t. de sel casher
- 2 c. à t. de poivre noir fraîchement moulu
- 3 c. à s. de romarin frais finement haché
- 3 c. à s. d'huile d'ail (avec de petits morceaux d'ail)
- 1/2 T de vin rouge
- 2 oignons verts finement hachés
- 2 T de bouillon de poulet

Instructions :

1. Mélanger le sel, le poivre, le romarin, l'huile d'ail et les petits morceaux d'ail dans un petit bol jusqu'à ce que le tout soit bien incorporé. Badigeonner uniformément l'agneau avec le mélange, envelopper fermement dans une pellicule de plastique et réfrigérer pendant au moins 4 heures, ou une nuit complète.

2. Laisser l'agneau reposer à la température de la pièce de 45 à 60 minutes.

3. Préchauffer le four à 425 °F et poser une grille dans la partie inférieure du four.

4. Déposer l'agneau sur une grille dans un grand plat à rôtir et faire rôtir pendant 15 minutes. Retourner l'agneau avec des pinces, verser le vin dans le plat à rôtir et faire rôtir pendant encore 15 minutes. Réduire la température à 350 °F et continuer de faire rôtir l'agneau environ 1 heure en le retournant toutes les 20 minutes et en le badigeonnant parfois avec le jus de cuisson jusqu'à ce qu'un thermomètre à viande inséré dans le centre de la viande indique 125 à 130 °F pour une cuisson mi-saignante ou jusqu'à l'obtention de la cuisson désirée. Transférer l'agneau sur une planche à découper, couvrir de papier aluminium et laisser reposer pendant 10 minutes avant de trancher.

5. Pendant ce temps, verser le jus de cuisson dans un bol. Dégraisser et mettre 2 c. à soupe de graisse de côté puis faire chauffer le plat à rôtir à feu moyen-fort. Incorporer les 2 c. à soupe de graisse et les oignons verts dans la casserole et laisser cuire en remuant pendant 2 ou 3 minutes pour gratter les résidus de cuisson collés au fond du plat jusqu'à ce que les oignons verts soient tendres. Ajouter le bouillon de poulet et le jus de cuisson, porter à ébullition et laisser cuire en remuant jusqu'à ce que le liquide ait réduit de moitié (3 ou 4 minutes). Transférer la sauce dans une saucière.

6. Enlever la ficelle de l'agneau et couper en tranches minces avant de servir sur une assiette bien chaude avec la sauce.

Côtelettes d'agneau à la sauce barbecue

Instructions:

1. Pour faire le chutney à la menthe, déposer tous les ingrédients dans un mélangeur et mélanger jusqu'à l'obtention d'une préparation lisse. Donne environ 1 tasse.

2. Pour faire la sauce barbecue, mélanger tous les ingrédients dans une casserole et faire mijoter à feu moyen-fort. Laisser cuire en remuant de temps à autre jusqu'à ce qu'il reste environ 1 1/4 tasse de sauce (15 minutes). Verser dans un bol en la faisant passer dans un tamis. Donne environ 1 1/4 tasse de sauce.

3. Rincer et éponger les côtelettes d'agneau. Déposer dans un bol avec 1/4 de tasse de chutney à la menthe et bien badigeonner la viande. Couvrir et réfrigérer pendant au moins 4 heures et jusqu'à une journée complète.

4. Retirer les côtelettes du bol, jeter le chutney et assaisonner la viande de sel et de poivre. Déposer sur le gril à feu moyen-fort pour un barbecue au charbon ou à feu moyen pour un barbecue au gaz et fermer le couvercle du barbecue. Faire cuire les côtelettes en les retournant 1 fois jusqu'à ce que les 2 côtés soient dorés, mais que le centre soit rosé (9 à 12 minutes).

5. Déposer les côtelettes sur des assiettes et napper la viande de sauce barbecue à la marocaine. Servir avec le reste du chutney et de la sauce.

Portions: 4
Préparation: 20 min
Marinade: 4 h
Cuisson: 12 min

Ingrédients:
• 8 côtelettes de filet d'agneau parées de 2,5 cm d'épaisseur
• Sel et poivre

CHUTNEY À LA MENTHE
• 1 T de feuilles de menthe fraîche
• 1/2 T d'huile d'olive
• 1/2 T d'oignon vert haché
• 3 c. à s. de persil
• 1 c. à s. de jus de citron
• 1 gousse d'ail pelée
• 1 c. à t. de sel
• 1/2 c. à t. de poudre de cari
• 1/4 de c. à t. de poivre de Cayenne

SAUCE BARBECUE À LA MAROCAINE
• 3/4 de T de miel
• 1/2 T de coriandre fraîche
• 1/3 de T de jus de citron
• 1/4 de T de vinaigre de riz
• 1/4 de T de ketchup
• 1/4 de T de sauce soja
• 1 gousse d'ail
• 1 anis étoilé
• 1 bâtonnet de cannelle coupé en morceaux
• 3/4 de c. à t. de poivre noir
• 1/4 de c. à t. de gingembre moulu
• 1/4 de c. à t. de cardamome moulue
• 1/4 de c. à t. de clou de girofle
• 1/4 de c. à t. de piment fort
• 1/4 de c. à t. de sel

Chiches-kebabs aux oignons et à la mélasse

Portions: 15
Préparation: 15 min
Marinade: 8 h
Cuisson: 10 min

Ingrédients:
• 1 kg de gigot d'agneau
• 6 c. à s. de mélasse (ou de sauce hoisin)
• 1/2 T d'oignon frais râpé
• 1/2 c. à t. de sel
• 1/4 de c. à t. de poivre fraîchement moulu
• 1 oignon coupé en 4 et séparé en morceaux
• 15 brochettes
• Tranches de citron (facultatif)
• Branches d'origan (facultatif)

Instructions:

1. Parer l'agneau et couper en 60 morceaux de 1 cm. Mélanger l'agneau, 3 c. à soupe de mélasse, l'oignon râpé, le sel et le poivre dans un grand sac refermable. Sceller et faire mariner au réfrigérateur pendant 8 heures en retournant le sac de temps à autre. Retirer l'agneau du sac et jeter la marinade.

2. Piquer 4 morceaux d'agneau et 4 morceaux d'oignon en alternance sur chacune des 15 brochettes.

3. Préchauffer le gril et déposer les kebabs sur une lèchefrite. Faire griller pendant 3 minutes de chaque côté ou jusqu'à la cuisson désirée. Verser uniformément 3 c. à soupe sur les brochettes et garnir de citron et d'origan, si désiré.

Carré d'agneau aux noix et au porto

Portions: 4
Préparation: 20 min
Cuisson: 40 min

Ingrédients:
- 1 carré d'agneau à la française
- 3 c. à s. de moutarde de Dijon
- 3 c. à s. d'huile d'olive
- 2 T de porto
  (ou un mélange de porto et de vin)
- 2 gousses d'ail
- 4 grains de poivre
- 1/2 T de noix hachées
- 1/3 de T de chapelure
- 2 c. à s. d'ail finement haché
- 2 c. à s. de romarin frais haché
- 3/4 de T de bouillon de bœuf
- Sauce Worcestershire
- 2 c. à s. de beurre
- Sel et poivre noir

Instructions:

1. Préchauffer le four à 425 °F.

2. Bien mélanger l'huile d'olive et la moutarde à l'aide d'un fouet. Verser le porto dans une casserole avec le romarin, l'ail légèrement broyé avec un côté de la lame d'un couteau, les grains de poivre et quelques gouttes de sauce Worcestershire. Porter à ébullition pour commencer la réduction du liquide.

3. Faire chauffer 1 c. à soupe de beurre dans une grande poêle à frire. Assaisonner la viande de sel et de poivre et saisir les 2 côtés dans la poêle avant de retirer le carré du feu.

4. Déglacer la poêle avec le bouillon de bœuf avant d'incorporer le tout dans la casserole avec le porto. Lorsque le liquide a réduit de moitié, passer la sauce dans un tamis pour extraire le romarin, l'ail et les grains de poivre et la faire à nouveau chauffer dans la casserole. Continuer de réduire la sauce jusqu'à ce que le liquide épaississe et prenne la consistance d'un sirop. Incorporer 1 c. à soupe de beurre et fouetter le tout pour terminer.

5. Mélanger les noix et la chapelure et assaisonner de sel et de poivre. Ajouter du romarin ou du thym séché, si désiré. Badigeonner la viande avec le mélange d'huile de moutarde et rouler la viande dans le mélange de noix et de chapelure de façon à enrober complètement le carré d'agneau.

6. Déposer le carré sur une plaque à biscuits en posant la longe vers le haut et les os vers le bas de façon à former une sorte d'arche. Faire rôtir au four jusqu'à l'obtention de la cuisson désirée et selon la taille du carré d'agneau (12 à 15 minutes). Retirer du four et laisser reposer pendant 10 minutes.

7. Couper la viande entre les os, verser de la sauce au porto au fond des assiettes et déposer les côtelettes sur la sauce. Servir chaud.

Gigot d'agneau aux herbes et à l'ail

Instructions:

1. Préchauffer le four à 450 °F. Disposer une grille dans la partie inférieure du four.

2. Mélanger les herbes, l'ail haché, le zeste de citron, 1 c. à thé de sel, 3 c. à thé d'huile d'olive et le poivre dans un bol. Badigeonner l'agneau avec le mélange.

3. Faire chauffer le reste de l'huile dans un grand plat à rôtir à feu moyen-fort. Ajouter l'agneau et faire dorer de 3 à 4 minutes de chaque côté. Transférer sur une assiette.

4. Étaler le romarin au centre de la poêle et déposer l'agneau sur le romarin en posant le gras vers le haut. Déposer les gousses d'ail autour de l'agneau. Faire rôtir au four jusqu'à ce qu'un thermomètre à viande inséré dans la partie la plus épaisse de la viande et éloignée de l'os indique 130 °F pour une cuisson mi-saignante (1 heure). Transférer l'agneau sur une planche à découper et laisser reposer pendant 20 minutes.

5. Jeter l'excédent de gras et faire chauffer la poêle à feu moyen. Verser le madère et laisser cuire en remuant pour détacher les résidus de cuisson collés au fond de la poêle et écraser l'ail grillé. Ajouter le bouillon de bœuf et verser la sauce dans une casserole en la faisant passer dans un tamis. Faire cuire la sauce à feu moyen jusqu'à ce qu'elle épaississe (5 à 10 minutes). Goûter et assaisonner de sel et de poivre, au besoin.

6. Couper l'agneau en tranches minces et servir sur une assiette de service bien chaude avec de la sauce.

Portions: 6 à 8
Préparation: 20 min
Cuisson: 1 h

Ingrédients:
- 1 gigot d'agneau paré
  non désossé (2,5 ou 3 kg)
- 1/2 T de fines herbes fraîches
  hachées (romarin, thym ou origan)
- 1/4 de T d'ail finement haché
- 2 c. à t. de zeste de citron
- 1 c. à t. de sel (ou plus, au goût)
- 5 c. à t. d'huile d'olive extra vierge
- 20 branches de romarin
- 5 gousses d'ail
- 1/4 de T de madère
- 2 T de bouillon de bœuf
- Poivre noir fraîchement moulu, au goût

Tajine d'agneau aux abricots

Portions : 8
Préparation : 2 h 30
Cuisson : 1 h 45

Ingrédients :
- 4 lots de 340 g de gigot d'agneau coupé en dés
- 100 g d'abricots séchés coupés en 2
- 3 c. à s. d'huile d'olive
- 1 gros oignon finement haché
- 2 gousses d'ail finement hachées
- 1 c. à t. de cumin moulu
- 1 c. à t. de coriandre moulue
- 1 c. à t. de cannelle moulue
- 1 boîte de 400 g de tomates italiennes
- 1 1/4 T de bouillon d'agneau
- 1 pincée de safran
- 3 c. à s. d'amandes moulues
- 4 grosses courgettes coupées en gros morceaux
- 1 courge musquée pelée et coupée en dés
- 4 tomates pelées et coupées en 4
- 2 c. à t. de harissa
- 2 c. à s. de persil frais haché
- 500 g de semoule préparé selon les indications de la boîte
- Sel, au goût

Instructions :

1. Déposer les abricots dans un bol et couvrir d'eau chaude (2/3 de tasse). Laisser tremper pendant 2 heures.

2. Préchauffer le four à 180 °F. Faire chauffer 2 c. à soupe d'huile d'olive dans une casserole et faire dorer les morceaux d'agneau en plusieurs fois. Réserver. Verser le reste de l'huile et faire cuire l'oignon à feu doux jusqu'à ce qu'il soit tendre et doré (10 minutes). Ajouter l'ail et les épices et laisser cuire pendant encore 2 minutes avant d'incorporer l'agneau.

3. Ajouter les abricots et l'eau, la boîte de tomates et le bouillon. Incorporer le safran, le sel et les amandes moulues. Laisser mijoter, couvrir et faire cuire au four pendant 1 heure.

4. Ajouter les courgettes, la courge, les tomates fraîches, la harissa et un peu d'eau, au besoin, et faire cuire encore 45 minutes.

5. Assaisonner au goût avec la harissa, saupoudrer de persil et servir avec de la semoule.

Tajine d'agneau traditionnel

Portions : 6
Préparation : 45 min
Réfrigération : 3 heures
Cuisson : 1 h 30

Ingrédients :
- 1,5 à 2 kg de gigot d'agneau désossé coupé en morceaux de 5 cm
- 2 c. à t. de graines de cumin
- 2 c. à t. de graines de coriandre
- 1/2 c. à t. de poivre en grains
- 1 c. à t. de paprika sucré
- 1 c. à t. de sel casher (ou plus, au goût)
- 4 c. à t. d'huile d'olive extra vierge
- 2 gros oignons jaunes coupés en juliennes
- 3 gousses d'ail finement hachées
- 1 pot de sauce à la marocaine
- 2 c. à t. de menthe coupée en juliennes
- Poivre noir fraîchement moulu
- Semoule

Instructions :

1. Faire griller les graines de cumin et de coriandre à feu moyen-doux dans une petite poêle à frire en remuant fréquemment pendant 5 minutes. Transférer les graines dans un préparateur d'épices. Ajouter le poivre, le paprika et 1 c. à thé de sel puis moudre jusqu'à l'obtention d'une poudre fine. Transférer le mélange d'épices dans un grand bol, incorporer l'agneau et remuer pour bien enrober la viande. Couvrir le bol d'une pellicule de plastique et réfrigérer de 2 à 3 heures.

2. Faire chauffer 2 c. à thé d'huile d'olive dans un tajine et faire dorer plusieurs morceaux d'agneau à la fois pendant 3 ou 4 minutes en retournant la viande. Transférer l'agneau sur une assiette.

3. Ajouter le reste de l'huile et les oignons dans le tajine et assaisonner de sel et de poivre. Faire cuire en remuant jusqu'à ce que les oignons soient tendres et translucides (15 minutes). Réduire à feu moyen-doux et laisser cuire en remuant de temps à autre jusqu'à ce que les oignons soient caramélisés (20 à 25 minutes). Incorporer l'ail et l'agneau puis la sauce à la marocaine et remuer pour bien enrober la viande.

4. Couvrir et laisser mijoter doucement jusqu'à ce que la viande soit tendre (1 heure ou 1 heure 30). Goûter et assaisonner de sel et de poivre, au besoin.

5. Garnir de menthe et servir l'agneau directement du tajine. Servir avec de la semoule, si désiré.

Tajine d'agneau en cocotte

Instructions :

1. Déposer les morceaux d'agneau dans un bol avec 2 c. à soupe d'huile d'olive et mettre de côté. Mélanger le paprika, le cumin, le poivre de Cayenne, la cannelle, le clou de girofle, la cardamome, le sel, le gingembre, le safran, la poudre d'ail et la coriandre dans un grand sac refermable et bien mélanger. Déposer l'agneau dans le sac et brasser pour bien l'enrober d'épices. Réfrigérer pendant 8 heures, ou une nuit entière.

2. Faire chauffer 1 c. à soupe d'huile d'olive dans une grande casserole à feu moyen-fort. Ajouter le 1/3 de l'agneau et bien faire dorer. Transférer sur une assiette et répéter l'opération avec le reste de l'agneau. Déposer ensuite les oignons et les carottes dans la casserole et faire cuire pendant 5 minutes. Incorporer l'ail et le gingembre frais et faire cuire pendant encore 5 minutes.

3. Remettre l'agneau dans la casserole et incorporer le zeste de citron, le bouillon de poulet, la pâte de tomate séchées et le miel. Porter à ébullition, couvrir, puis réduire le feu et laisser mijoter à feu doux en remuant de temps à autre jusqu'à ce que la viande soit tendre (1 heure 30 ou 2 heures).

4. Si la consistance du tajine est trop liquide, ajouter de la fécule de maïs diluée dans de l'eau pendant les 5 dernières minutes de cuisson pour épaissir.

Portions : 6
Préparation : 45 min
Réfrigération : 8 h
Cuisson : 2 h

Ingrédients :
- 3 c. à s. d'huile d'olive
- 1 kg de viande d'agneau coupée en morceaux de 3 cm
- 2 c. à t. de paprika
- 1/2 c. à t. de cumin moulu
- 1/4 de c. à t. de poivre de Cayenne
- 1 c. à t. de cannelle moulue
- 1/4 de c. à t. de clou de girofle moulu
- 1/2 c. à t. de cardamome moulue
- 1 c. à t. de sel casher
- 1/2 c. à t. de gingembre moulu
- 2 pincées de safran
- 3/4 de c. à t. de poudre d'ail
- 3/4 de c. à t. de coriandre moulue
- 2 oignons moyens coupés en morceaux de 2,5 cm
- 5 carottes pelées, coupées en 4 et finement tranchées dans le sens de la longueur
- 3 gousses d'ail finement hachées
- 1 c. à s. de gingembre frais moulu
- 1 citron (zeste)
- 1 boîte de bouillon de poulet maison (ou achetée à l'épicerie) faible en sodium
- 1 c. à s. de pâte de tomates séchées
- 1 c. à s. de miel
- 1 c. à s. de fécule de maïs (facultatif)
- 1 c. à s. d'eau (facultatif)

Cari à l'agneau

Portions : 4 à 6
Préparation : 30 min
Cuisson : 52 min

Ingrédients :
- 1,5 kg d'épaule d'agneau désossée coupée en morceaux de 2,5 cm
- 1/4 de T d'huile d'olive extra vierge
- 1 1/2 c. à s. de clou de girofle
- 1 1/2 c. à s. de graines de cumin
- 1 1/2 c. à s. de graines de fenouil
- 1 1/2 c. à s. de graines de coriandre
- 1 1/2 c. à s. de graines de curcuma
- 1 bâtonnet de cannelle
- 2 feuilles de laurier fraîches
- 10 feuilles de cari fraîches
- 1 piment mexicain frais
- 2 oignons moyens hachés
- 5 gousses d'ail pelées
- 2 c. à s. de gingembre frais
- 5 grosses tomates fraîches
- 1/2 T de yogourt nature non sucré
- 1/2 bouquet de coriandre hachée
- 1 oignon vert coupé en rondelles
- 6 T de riz basmati cuit à la vapeur
- Sel casher et poivre moulu

Instructions :

1. Faire chauffer une grosse casserole à feu moyen.

2. Moudre le clou de girofle, les graines de cumin, les graines de fenouil, les graines de coriandre et les graines de curcuma dans un robot. Verser l'huile dans la casserole et incorporer les épices. Ajouter le bâton de cannelle, les feuilles de laurier, les feuilles de cari et le piment. Faire griller jusqu'à ce que le tout soit doré et dégage une forte odeur (2 ou 3 minutes). Déposer l'oignon, l'ail et le gingembre dans un robot culinaire et mélanger jusqu'à ce que le tout soit finement haché.

3. Assaisonner les morceaux d'agneau avec du sel et du poivre et déposer la viande dans la casserole. Faire dorer pendant 5 ou 7 minutes puis ajouter la purée d'oignon et dégorger pendant 8 minutes pour éliminer l'humidité.

4. Remuer le tout avec une cuiller en bois. Ajouter les tomates fraîches et couvrir. Laisser mijoter à feu doux jusqu'à ce que l'agneau soit tendre (40 minutes).

5. Dégraisser et incorporer le yogourt avant de laisser mijoter pendant encore 5 minutes.

6. Garnir de coriandre et d'oignon vert et servir avec du riz basmati.

Cassoulet à l'agneau

Portions : 15
Préparation : 2 h
Marinade : 2 h
Cuisson : 2 h 30

Ingrédients :
- 1,5 kg de rôti d'épaule d'agneau désossé coupé en dés de 4 cm (ou un mélange d'agneau et de rôti d'épaule de porc)
- 500 g de saucisses italiennes douces
- 250 g de saucisses kielbassa coupées en 6 morceaux
- 750 g de moitiés de poitrines de canard désossées
- 1 boîte de bouillon de poulet
- 1 T d'eau pour les saucisses
- 2 T d'eau
- 3 c. à s. d'huile d'olive
- 1 T de vin rouge corsé
- 2 gros oignons coupés en dés
- 6 gousses d'ail finement hachées
- 60 g de prosciutto finement tranché
- 2 c. à t. de thym séché
- 1 boîte de tomates en dés
- 6 boîtes de haricots blancs égouttés
- 3 T de chapelure (broyer du pain tranché dans un robot culinaire)
- 3 c. à s. de beurre fondu
- 1/3 de T de persil haché
- Graisse de canard mise de côté
- Sel et poivre fraîchement moulu

Instructions :

1. Installer une grille dans la partie inférieure du four et préchauffer le four à 450 °F.

2. Déposer les dés d'agneau dans un bol. Verser 2 c. à soupe d'huile et saupoudrer généreusement de sel et de poivre. Remuer l'agneau pour bien l'enrober.

3. Déposer les saucisses italiennes dans un grand plat à rôtir avec 1 tasse d'eau et le reste de l'huile, couvrir de papier aluminium et faire cuire à feu moyen-fort sur 2 brûleurs. Faire cuire jusqu'à ce que les saucisses changent de couleur (environ 5 minutes). Enlever le papier aluminium, mettre de côté et continuer de faire cuire jusqu'à ce que l'eau se soit complètement évaporée. Ajouter les morceaux de saucisses kielbassa et faire cuire en remuant fréquemment jusqu'à ce que toutes les saucisses soient dorées (5 à 8 minutes). Transférer sur une assiette. Lorsque les saucisses sont refroidies, couper les saucisses italiennes en petits morceaux et couper les saucisses kielbassa en 2 dans le sens de la longueur. Réserver.

4. Saupoudrer généreusement les moitiés de poitrines de canard avec du sel et du poivre. Réduire le feu sous le plat à rôtir et déposer les poitrines de canard en posant la peau vers le bas. Faire cuire jusqu'à ce que la graisse ait fondu et que la peau soit de couleur acajou (10 à 12 minutes).

5. Retourner les poitrines et continuer de faire cuire jusqu'à ce qu'elles soient bien cuites (5 minutes).

6. Retirer le canard du plat, verser la graisse du plat dans un bol et mettre de côté. Couper chaque moitié de poitrine en 4 morceaux dans le sens de la largeur. Réserver.

7. Augmenter le feu sous le plat à rôtir à moyen-fort. Ajouter les cubes d'agneau et faire cuire en retournant 1 fois jusqu'à ce qu'une couche brune se forme des 2 côtés (8 à 10 minutes). Transférer l'agneau dans un grand chaudron allant au four. Mettre le plat à rôtir de côté. Verser le bouillon de poulet et le vin sur l'agneau et couvrir le chaudron avec le papier aluminium en le pressant vers le bas de façon à ce qu'il touche presque la viande. Bien sceller le papier aluminium tout autour du plat en ne laissant qu'une petite ouverture pour laisser sortir la vapeur.

8. Laisser mijoter l'agneau à feu doux pendant quelques minutes pour faire évaporer l'alcool puis couvrir. Faire cuire au four sans ouvrir pendant 1 heure 15. La viande sera alors très tendre.

9. Pendant ce temps, faire chauffer le plat à rôtir à feu moyen-fort. Verser 2 c. à soupe de graisse de canard ou d'huile d'olive puis ajouter l'oignon et l'ail et faire sauter jusqu'à ce qu'ils soient tendres (5 minutes). Ajouter le prosciutto et le thym et faire sauter pendant encore 1 ou 2 minutes. Incorporer les tomates et les haricots et laisser mijoter pendant 10 minutes pour bien mélanger les saveurs. Retirer le plat du feu.

10. Transférer l'agneau cuit et le bouillon dans le plat à rôtir. Ajouter le canard, les saucisses et suffisamment d'eau pour obtenir une casserole humide ressemblant à un potage. Laisser reposer le mélange du cassoulet à la température de la pièce pendant 2 heures.

11. Une heure avant de servir, installer une grille dans la partie inférieure du four et préchauffer le four à 350 °F. Laisser mijoter le cassoulet à feu doux.

12. Mélanger la chapelure, le beurre et le persil dans un bol et verser le tout sur le cassoulet. Faire cuire le cassoulet au four jusqu'à ce que la chapelure soit dorée et que le ragoût bouillonne (45 minutes). Laisser reposer pendant 5 minutes et servir.

Tourtière au bison

Portions : 4
Préparation : 20 min
Cuisson : 50 min

Ingrédients :
- 500 g de viande de bison en dés
- 1 T de carottes tranchées
- 1 T de maïs congelé
- 1/2 T de céleri tranché
- 1/3 T de beurre
- 1/3 de T d'oignon haché
- 1/3 de T de farine (tout usage)
- 1/2 c. à t. de sel
- 1/4 de c. à t. de poivre noir
- 1/2 c. à t. thym
- 1 3/4 T de bouillon de bœuf
- 1/2 T de vin rouge
- 2 pâtes à tarte non cuites
  (22,5 cm chacune), recette p. 568

Instructions :

1. Préchauffer le four à 425 °F.

2. Dans une poêle à frire, faire revenir la viande de bison dans un peu d'huile de pépins de raisin. Retirer du feu et réserver.

3. Dans la poêle, à feu moyen, cuire les oignons, les carottes et le céleri dans le beurre, jusqu'à ce que les oignons deviennent translucides. Incorporer la farine, le sel, le poivre et le thym. Verser lentement en remuant le bouillon de bœuf et le vin. Laisser mijoter à feu moyen-doux jusqu'à épaississement ; incorporer le maïs. Retirer du feu et réserver.

4. Placer la viande dans l'abaisse du fond. Verser le mélange de légumes sur la viande. Couvrir avec la pâte à tarte du dessus, sceller les rebords et couper l'excès de pâte. Tailler plusieurs petites incisions pour permettre à la vapeur de s'échapper.

5. Cuire dans le four de 30 à 35 minutes ou jusqu'à ce que la pâte soit dorée et que la garniture bouillonne à l'intérieur. Laisser reposer 10 minutes avant de servir.

Viandes blanches

Côtelettes de porc au poivre

Instructions :

1. Broyer grossièrement les grains de poivre en les martelant une ou deux fois avec une poêle lourde. Éponger les côtelettes en les tapotant et saupoudrer uniformément les deux côtés de sel et des grains de poivre, en effectuant une pression pour aider l'assaisonnement à adhérer.

2. À feu moyen, réchauffer 1 c. à soupe d'huile dans une poêle de 30 cm à fond épais, jusqu'à ce qu'elle soit chaude mais qu'elle ne produise pas de fumée. Faire revenir les côtelettes, de 4 à 6 minutes en tout, en les retournant une fois, jusqu'à ce qu'elles soient dorées et cuites à point. Transférer dans une assiette et essuyer la poêle. Cuire, de la même façon, les deux autres côtelettes dans l'huile qui reste et transférer dans l'assiette. (Ne pas essuyer la poêle après la deuxième cuisson.)

3. Ajouter le xérès dans la poêle et amener à ébullition, en grattant les petits morceaux dorés qui auraient adhéré au fond de la poêle, environ 1 minute ou jusqu'à réduction de moitié.

4. Ajouter la crème et les jus de cuisson accumulés dans l'assiette et amener en ébullition, environ 2 minutes ou jusqu'à ce que la sauce épaississe légèrement. Assaisonner de sel et napper les côtelettes.

Portions : 4
Préparation : 5 min
Cuisson : 10 min

Ingrédients :
- 1 c. à s. de grains de poivre noir
- 4 côtelettes de porc (1 cm d'épaisseur) non désossées
- 1 c. à t. sel
- 2 c. à s. d'huile végétale
- 1/4 de T de xérès semi-sec ou de cream sherry
- 1/3 de T de crème sure

Côtelettes de veau sauce au citron et aux olives

Portions : 2
Préparation : 15 min
Cuisson : 20 min

Ingrédients :
- 2 côtelettes de veau, de 4 cm d'épaisseur, désossées
- 2 citrons
- Sel de mer et poivre fraîchement moulu
- 1 c. à s. d'huile d'olive
- 1 T de bouillon de veau ou de poulet
- 1/4 de T d'olives vertes dénoyautées, grossièrement hachées
- 1 c. à s. de beurre non salé

Instructions :

1. 1 heure avant de commencer à cuisiner, sortir les côtelettes du réfrigérateur.

2. Préchauffer le four à 425 °F.

3. Retirer 2 larges morceaux du zeste d'un citron et réserver. À chaque extrémité du citron, couper une tranche assez épaisse pour exposer la chair. Mettre le fruit debout sur une planche à découper et, en taillant de haut en bas, retirer le zeste et la peau blanche du fruit. Tenir le citron au-dessus d'un bol, couper le long des deux côtés de la membrane de chaque quartier, vers le centre, pour extraire les suprêmes (la chair) du fruit. Presser le jus des membranes utilisées. Tamiser le jus et réserver la chair des quartiers. Mesurer pour vous assurer d'avoir 2 c. à soupe de jus. Si nécessaire, presser ce qui reste du citron.

4. Tapoter les côtelettes pour qu'elles soient bien épongées ; saler et poivrer. Dans une grande poêle à frire, faire chauffer l'huile à feu moyen-élevé et faire dorer les côtelettes, environ 2 minutes de chaque côté. Disposer les côtelettes dans une rôtissoire et cuire au four de 10 à 15 minutes jusqu'à ce que la viande soit cuite ; la température interne du veau devrait se situer entre 130° et 135 °F. Transférer les côtelettes dans une assiette et laisser reposer 5 minutes, après les avoir recouvertes de papier aluminium.

5. Pendant que les côtelettes cuisent, verser le bouillon dans la poêle à frire et ajouter le zeste du citron. Amener à ébullition et déglacer la poêle en grattant les petits morceaux dorés qui auraient adhéré au fond. Poursuivre l'ébullition jusqu'à ce que le liquide ne représente plus que 1/4 de tasse. Retirer le zeste, ajouter le jus de citron et les olives et retirer la poêle du feu. Incorporer le beurre et remuer jusqu'à ce qu'il fonde. Ajouter la chair des quartiers de citron. Servir les côtelettes nappées de sauce au citron et aux olives.

Veau au paprika

Instructions :

1. Faire fondre, à feu moyen-élevé, 1 c. à thé de margarine dans un faitout enduit d'aérosol de cuisson. Ajouter le veau ; cuire 5 minutes en faisant revenir tous les côtés. Retirer du feu et réserver.

2. Faire fondre, à feu moyen, 2 c. à thé de margarine dans le faitout. Ajouter les carottes, l'oignon et l'ail et faire revenir pendant 10 minutes ou jusqu'à ce que les légumes soient tendres. Incorporer la farine, le paprika, le sel et le poivre. Ajouter les bouillons, le vin et les feuilles de laurier, bien remuer. Remettre la viande dans le faitout et amener à ébullition. Couvrir, diminuer la chaleur et laisser mijoter, en remuant de temps à autre, pendant 1 heure 30 ou jusqu'à ce que la viande soit tendre. Jeter les feuilles de laurier. Retirer du feu, incorporer la crème sure. Cuire à feu doux 5 minutes ou jusqu'à ce que la viande soit bien chaude. Servir sur des nouilles. Garnir de persil, si désiré.

Portions : 6
Préparation : 20 min
Cuisson : 1 h 50

Ingrédients :
- 1 rôti de veau d'extérieur de ronde (environ 1 kg), taillé en morceaux de 2,5 cm
- 1 c. à s. de margarine, divisée
- Aérosol de cuisson
- 1 1/2 T de carottes tranchées
- 1 T d'oignons tranchés
- 29 g d'ail émincé
- 1/4 de T de farine tout usage
- 1 c. à s. de paprika
- 1/2 c. à t. de sel
- 1/2 c. à t. de poivre
- 1 T de bouillon de poulet pauvre en sodium
- 1 T de bouillon de bœuf sans matières grasses
- 1/2 T de vin blanc sec
- 2 feuilles de laurier
- 1/2 T de crème sure à faible teneur en gras
- 5 1/4 T de nouilles aux œufs de format moyen (environ 3 1/2 T de pâtes non cuites)
- Persil haché (facultatif)

Mijoté de veau aux légumes d'hiver

Instructions :

1. Placer les jarrets, le vin et 1 tasse d'eau dans une grande casserole et faire cuire à feu moyen. Laisser bouillir 5 minutes jusqu'à réduction du liquide de 1/3.

2. Faire fondre le beurre à feu moyen dans une grande poêle à frire et chauffer jusqu'à ce que le beurre soit mousseux. Transférer les jarrets dans la poêle et réserver le mélange de vin. Réduire la chaleur au minimum et cuire 10 minutes, en retournant les jarrets une fois, jusqu'à ce que la viande soit dorée.

3. Retirer les jarrets de la poêle et placer dans la mijoteuse. Saupoudrer 1 c. à thé de sel uniformément. Déglacer la poêle en versant le mélange de vin et en remuant pour libérer les petites particules qui auraient adhéré à la poêle.

4. Verser le mélange de vin sur la viande; ajouter les petits oignons blancs et les 8 ingrédients qui suivent, dans la liste. Assaisonner avec l'autre c. à thé de sel et le poivre. Cuire à haute température, de 4 à 5 heures, jusqu'à ce que la viande soit tendre.

ASTUCE
Pour blanchir, il faut plonger brièvement dans l'eau bouillante, puis dans l'eau froide pour arrêter le processus de cuisson.

Portions : 4
Préparation : 15 min
Cuisson : 5 h 15

Ingrédients :
- 4 jarrets de veau (de 283 à 340 g)
- 1/2 T de vin blanc
- 3 c. à s. de beurre
- 2 c. à t. de sel, divisées
- 24 petits oignons blancs, frais ou congelés, blanchis
- 4 gousses d'ail
- 2 carottes moyennes, taillées en quatre
- 2 panais coupés en 8
- 2 gros navets pelés et coupés en quatre
- 2 poireaux coupés en deux et taillés en diagonale
- 2 branches de céleri hachées
- 1 tige de thym frais
- 1 tige de romarin frais
- 1/2 c. à t. de poivre fraîchement moulu

Blanquette de veau

Portions : 6
Préparation : 30 min
Cuisson : 1 h 45

Ingrédients :
- 1,5 kg d'épaule de veau désossée coupée en morceaux de 2,5 à 5 cm
- 2 T de bouillon de poulet sans matières grasses
- 2 carottes pelées et coupées en dés
- 3 ou 4 clous de girofle
- 2 feuilles de laurier déshydratées
- 1/2 c. à t. de grains de poivre blanc ou noir
- 500 g de champignons de Paris
- 2 c. à s. de beurre ou de margarine
- 1 paquet (285 g) de petits oignons cuits congelés
- 1/2 c. à t. de zeste de citron râpé
- 1/2 T de crème à fouetter
- 1/2 T de persil haché
- 2 c. à s. de fécule de maïs
- 1 c. à s. de jus de citron
- Sel

Instructions :

1. Rincer la viande et placer dans un chaudron d'une capacité de 5 à 6 litres. Ajouter le bouillon, les carottes, les clous de girofle, les feuilles de laurier et les grains de poivre. Amener à ébullition à feu vif, couvrir et laisser mijoter de 1 heure à 1 heure 15, jusqu'à ce que la viande soit très tendre quand on la pique.

2. Pendant la cuisson du veau, rincer les champignons, couper et jeter les pédoncules décolorés. Dans une poêle à frire de 25 à 30 cm, faire fondre le beurre à feu moyen ; ajouter les champignons et les oignons, mélanger, couvrir et laisser cuire, en secouant la poêle ou en remuant fréquemment, jusqu'à ce que le jus des champignons se soit évaporé et que les légumes commencent à dorer, soit environ 15 minutes. Retirer du feu.

3. Lorsque le veau est très tendre, transférer dans la poêle, à l'aide d'une cuiller à rainures, la viande et les assaisonnements, de même que les champignons et les oignons (en les superposant, si nécessaire) ; jeter les clous de girofle et les feuilles de laurier, si désiré. Ajouter le zeste de citron et la crème dans le bouillon resté dans le chaudron d'une capacité de 5 à 6 litres et amener à ébullition, sans couvercle, à feu vif, jusqu'à réduction à 3 tasses, soit de 10 à 15 minutes. Incorporer le persil.

4. Dans un petit bol, mélanger la fécule de maïs à 2 c. à soupe d'eau, jusqu'à obtention d'un mélange lisse ; incorporer dans le jus de cuisson bouillant. Ajouter le jus de citron, la viande et les légumes, remuer jusqu'à ce que la viande soit bien chaude, de 2 à 3 minutes. Saler au goût et servir dans de grands bols.

Côtelettes de veau et salade aux champignons

Portions: 4
Préparation: 30 min
Cuisson: 20 min
Marinade: 2 h

Ingrédients:

VEAU
- 1/4 de T de vinaigre balsamique
- 2 c. à s. de jus de citron frais
- 1/4 de c. à t. de poivre noir fraîchement moulu
- 2 c. à t. d'huile d'olive extra vierge
- 1 c. à t. de zeste de citron râpé
- 2 c. à t. de sauge fraîche hachée
- 2 gousses d'ail émincées
- 4 côtelettes de veau (227 g) parées
- Aérosol de cuisson
- 1/8 de c. à t. de sel

SALADE
- 1 gros oignon Walla Walla ou autre oignon doux coupé en tranches de 1 cm (environ 250 g)
- 500 g de champignons portobello, équeutés
- 1/4 de T de sauce soya ou de tamari pauvre en sodium
- 1 c. à s. de jus de citron frais
- 1 c. à t. de miel
- 1 c. à s. de ciboulette fraîche hachée
- 1 c. à s. de persil plat frais haché
- 1/4 de c. à t. de poivre noir fraîchement moulu

SAUCE
- 1 T de bouillon de poulet sans matières grasses et pauvre en sodium
- 1 c. à s. de gelée de groseilles rouges

Instructions:

1. Pour apprêter le veau, combiner les 7 premiers ingrédients de la liste dans un sac de plastique refermable résistant. Ajouter la viande, sceller le sac et secouer doucement pour enduire la viande de sauce. Réfrigérer pendant au moins 2 heures, en retournant la viande de temps à autre.

2. Préchauffer le grilloir.

3. Enduire une grande poêle antiadhésive d'aérosol de cuisson et faire chauffer à feu moyen-élevé. Retirer les côtelettes de la marinade et réserver cette dernière. Saupoudrer les côtelettes de sel. Mettre dans la poêle et cuire 4 minutes de chaque côté ou jusqu'au degré de cuisson désiré. Retirer les côtelettes de la poêle.

4. Pour préparer la salade, disposer l'oignon et les champignons, lamelles vers le haut, sur une rôtissoire préalablement enduite d'aérosol de cuisson.

5. Combiner la sauce soya, 1 c. à soupe de jus et le miel, en remuant avec un fouet. Verser uniformément le mélange de sauce sur l'oignon et les champignons. Griller 3 minutes et retourner l'oignon. Griller 3 minutes de plus ou jusqu'à ce que l'oignon soit tendre. Couper les champignons en tranches. Mélanger les champignons, l'oignon, la ciboulette et le persil. Saupoudrer 1 c. à thé de poivre, remuer légèrement.

6. Pour préparer la sauce, mélanger la marinade réservée, le bouillon et la gelée; ajouter dans la poêle et remuer en grattant le fond pour libérer les petits morceaux dorés qui y auraient adhéré. Amener à ébullition et cuire environ 6 minutes, jusqu'à réduction à 1/4 de tasse. Servir la sauce avec les côtelettes et la salade de champignons.

Veau Marsala

Instructions:

1. Saupoudrer le veau de 3 c. à soupe de farine. Mélanger 1 c. à soupe de farine et le consommé à l'aide d'un fouet. Réserver.

2. Faire fondre le beurre à feu moyen-élevé dans une grande poêle antiadhésive. Ajouter le veau et cuire 90 secondes. Retourner le veau et cuire 1 minute. Retirer la viande de la poêle.

3. Incorporer le vin en grattant la poêle pour libérer les petits morceaux dorés qui y auraient adhéré. Ajouter le mélange de consommé, les champignons et le sel. Amener à ébullition. Diminuer la chaleur et laisser mijoter 3 minutes ou jusqu'à épaississement. Remettre le veau dans la poêle et saupoudrer de persil.

Portions: 4
Préparation: 5 min
Cuisson: 5 min

Ingrédients:
- 500 g d'escalopes de veau
- 1/4 de T de farine tout usage, divisée
- 2/3 de T de consommé de bœuf
- 1 c. à s. de beurre
- 1/2 T de Marsala sec
- 1 T de champignons prétranchés
- 1/4 de c. à t. de sel
- 1 c. à s. de persil frais haché

Escalope de veau au vin de Madère et aux champignons porcini

Instructions:

1. Dans une petite casserole, mélanger les porcini déshydratés et le bouillon de veau. Amener à ébullition. Diminuer la chaleur et laisser mijoter à feu doux pendant 3 minutes. Retirer du feu et laisser macérer pendant 30 minutes. Retirer les champignons du bouillon, rincer à l'eau courante, hacher finement et réserver. Passer le liquide dans un tamis et réserver.

2. Saler et poivrer la viande des deux côtés et rouler légèrement dans la farine assaisonnée (il faut fariner la viande juste avant de la faire cuire). Ajouter 1 c. à thé dans une poêle et faire chauffer à feu vif, jusqu'à ce que l'huile soit bien chaude mais qu'elle ne produise pas de fumée. Incorporer 2 c. à soupe de beurre et faire revenir la moitié du veau 1 minute de chaque côté, jusqu'à ce que la viande soit dorée et croustillante. Transférer le veau dans une assiette chaude et réserver.

3. Faire sauter le reste du veau dans l'huile et le beurre qui restent, en essuyant la poêle entre les lots d'escalopes, si nécessaire.

4. Transférer le veau dans l'assiette chaude et ajouter dans la poêle les champignons porcini réservés, les échalotes, l'ail et le vin de Madère, en grattant le fond de la casserole, à l'aide d'une cuiller en bois, pour libérer tous les petits morceaux dorés qui y auraient adhéré. Quand le madère est réduit de moitié, ajouter le bouillon de porcini réservé et cuire 3 minutes, jusqu'à réduction de moitié. Incorporer la crème épaisse et cuire de 3 à 4 minutes, ou jusqu'à ce que la sauce soit assez épaisse pour enduire le dos d'une cuiller. Saler et poivrer, au goût, et remettre le veau dans la poêle pour le réchauffer pendant environ 1 1/2 minutes. Servir immédiatement et napper de sauce.

Portions: 4
Préparation: 15 min
Cuisson: 1 h

Ingrédients:

- 750 g d'escalopes de veau martelées et aplaties
- 23 g de champignons porcini déshydratés
- 1 T de bouillon de veau ou de poulet
- Farine assaisonnée
- 2 c. à s. d'huile végétale
- 4 c. à s. de beurre
- 2 échalotes émincées
- 2 gousses d'ail émincées
- 1/2 T de vin de Madère
- 3/4 de T de crème fraîche épaisse
- Sel, poivre noir fraîchement moulu

Osso Buco à la gremolata

Portions : 6
Préparation : 15 min
Cuisson : 1 h 25

Ingrédients :
- **6 jarrets de veau (227 g) parés**
- **3/4 de c. à t. de sel, divisée**
- **1/4 de c. à t. de poivre fraîchement moulu**
- **1/4 de T de farine tout usage (environ 30 g)**
- **1 c. à s. de beurre, divisée**
- **1 T d'oignon jaune finement haché (environ 1 oignon moyen)**
- **1/2 T de carotte finement hachée (environ 1 carotte moyenne)**
- **1/2 T de céleri finement haché (environ 1 branche)**
- **2 tranches de bacon taillées en dés (non cuites)**
- **1 T de vin blanc**
- **1 T de bouillon de bœuf, pauvre en sodium**
- **1 boîte (411 g) de tomates entières, sans sel ajouté, en conserve, égouttées et hachées**
- **1 T de persil plat frais haché**
- **1 c. à t. de zeste de citron râpé**
- **1 gousse d'ail émincée**

Instructions :

1. Assaisonner le veau de 1/4 de c. à thé de sel et de poivre et rouler la viande dans la farine.

2. Faire fondre, à feu moyen-élevé, 1 1/2 c. à thé de beurre dans un grand faitout. Ajouter 3 jarrets de veau et cuire pendant 8 minutes, en faisant saisir chaque côté. Mettre la viande dans une assiette. Répéter la procédure avec le beurre et le veau qui restent.

3. Ajouter l'oignon, la carotte, le céleri et le bacon dans le faitout. Faire revenir pendant 5 minutes ou jusqu'à ce que les légumes soient tendres et le liquide, presque évaporé. Ajouter le sel qui reste, le bouillon et les tomates. Remettre le veau dans le chaudron et amener à ébullition. Diminuer la chaleur et laisser mijoter pendant 2 heures ou jusqu'à ce que le veau soit tendre. Mélanger le persil, le zeste de citron et l'ail dans un petit bol. Incorporer dans l'osso buco et cuire 10 minutes.

Veau poêlé au romarin et au vinaigre balsamique

Instructions :

1. Badigeonner le veau avec les moitiés de la gousse d'ail et réserver l'ail. Saler et poivrer la viande.

2. Réchauffer l'huile et le beurre dans une casserole à fond épais, assez large pour contenir le veau aisément.

3. À feu moyen-doux, faire dorer lentement tous les côtés du veau, ce qui demandera environ 20 minutes. Ajouter le romarin et l'oignon et cuire 2 minutes de plus. Jeter tout le gras de la poêle, sauf 2 c. à soupe.

4. Incorporer l'ail réservé, le persil et le vin dans la poêle. Cuire à feu moyen en grattant tous les petits morceaux dorés qui auraient adhéré au fond de la poêle, jusqu'à ce que le vin se soit évaporé.

5. Combiner le bouillon et le vinaigre. Ajouter environ 1/2 tasse du mélange de bouillon et de vinaigre et faire mijoter à feu doux. Couvrir partiellement la poêle et cuire, en arrosant la viande du liquide de cuisson, de temps à autre, jusqu'à légère réduction du liquide. Continuer d'arroser le veau toutes les 20 minutes avec le mélange de bouillon. Il devrait demeurer humide et non mouillé. Retourner le veau à l'occasion.

6. Cuire de 1 heure 30 à 2 heures ou jusqu'à ce que le veau soit tendre et que les jus soient clairs. Retirer de la poêle et dégraisser la sauce. Si elle est trop liquide, faire bouillir jusqu'à ce qu'il n'en reste environ qu'une tasse et qu'elle soit riche et savoureuse. Couper le veau en tranches minces et mouiller avec la sauce de la poêle.

Portions : 8
Préparation : 15 min
Cuisson : 2 h 25

Ingrédients :
- **1,75 kg de rôti de veau désossé**
- **1 gousse d'ail coupée en deux**
- **Sel et poivre fraîchement moulu**
- **2 c. à s. d'huile d'olive**
- **1 c. à s. de beurre**
- **1 tige de romarin frais de 8 cm ou 2 c. à t. de romarin déshydraté**
- **1 petit oignon finement haché**
- **2 c. à s. de persil italien finement haché**
- **1/2 T de vin rouge**
- **1 1/2 T de bouillon de poulet**
- **1/2 T de vinaigre balsamique**

Jarrets de veau braisés aux fèves romano

Instructions:

1. Saupoudrer les jarrets de sel casher. Faire chauffer l'huile d'olive à feu moyen-élevé, dans un chaudron d'une capacité de 6 à 8 litres pouvant aller au four ou dans une rôtissoire de 40 cm. Lorsque l'huile est chaude, ajouter les jarrets en une seule couche (travailler par lots, si nécessaire). Cuire, au total de 10 à 12 minutes, en retournant les jarrets pour qu'ils obtiennent une belle teinte dorée de chaque côté. Transférer dans une assiette.

2. Ajouter le vin et le vinaigre et amener à ébullition; cuire de 5 à 8 minutes, jusqu'à ce que le liquide soit presque évaporé, en remuant pour libérer les morceaux dorés dans le chaudron. Ajouter les légumes, le gingembre, 3 c. à soupe de thym, les feuilles de laurier, le poivre, la pâte de tomate, l'ail, les zestes d'orange et de citron, le bouillon et les jarrets. Couvrir (avec une feuille aluminium dans le cas d'une rôtissoire).

3. Cuire à 325 °F de 2 heures 30 à 3 heures, ou jusqu'à ce que la viande soit bien tendre. Tester la cuisson en piquant à l'aide d'une fourchette.

4. Pendant la cuisson, faire bouillir, à feu vif, 3 litres d'eau dans une casserole d'une capacité de 5 à 6 litres. Ajouter les fèves et cuire jusqu'à ce qu'elles soient tendres et croquantes, de 1 à 2 minutes. Égoutter, placer dans l'eau glacée jusqu'à ce qu'elles aient refroidi et égoutter de nouveau.

5. À l'aide d'une paire de pinces, transférer les jarrets dans une assiette et couvrir d'une feuille aluminium. Retirer les feuilles de laurier et dégraisser le contenu du chaudron. En travaillant par lots, passer au mélangeur les légumes et le liquide.

6. À feu moyen-élevé, faire fondre le beurre dans une poêle de 25 à 30 cm. Ajouter les fèves, les raisins, la sauge et le restant du thym. Mélanger environ 3 minutes, jusqu'à ce que les ingrédients soient chauds. Placer chaque jarret dans un bol et napper de sauce et de mélange de fèves.

Portions: 6
Préparation: 30 min
Cuisson: 3 h

Ingrédients:
- 6 jarrets de veau (de 2 à 2,5 kg au total), dégraissés, rincés et séchés
- 2 c. à s. sel casher
- 3 c. à s. d'huile d'olive
- 1 T de vin blanc sec
- 1 T de vinaigre de cidre
- 2 T d'oignon haché
- 1 T de carotte, poireau, fenouil et céleri-rave pelé (1 T de chaque)
- 1/4 de T de gingembre frais émincé
- 1/4 de T de feuilles de thym frais
- 5 feuilles de laurier déshydratées
- 1 c. à t. de poivre fraîchement moulu
- 2 1/2 c. à s. de pâte de tomate
- 2 c. à s. d'ail émincé
- 1 c. à s. de zeste d'orange
- 1 c. à s. de zeste de citron
- 4 T de bouillon de poulet
- 500 g de fèves romano rincées et coupées en dés
- 1 c. à s. de beurre
- Raisins rôtis
- 1 c. à s. de sauge fraîche hachée

Escalopes de veau aux champignons

Portions: 4 à 6
Préparation: 20 min
Cuisson: 20 min

Ingrédients:
- 6 escalopes de veau de 150 g
- 1/4 de T de farine (tout usage)
- 4 c. à s. d'huile d'olive
- 1/2 T de vin rouge
- 1 échalote émincée
- 2 T de bouillon de poulet ou de légumes
- 3 T de champignons shiitake, de cremini, ou de champignons de Paris (ou un mélange)
- 1 c. à s. de beurre (facultatif)
- 3/4 de c. à s. de sauge fraîche, finement hachée

Instructions:

1. Assaisonner le veau (il n'est pas nécessaire de marteler la viande) de sel et de poivre et saupoudrer légèrement de farine, en secouant tout excès.

2. Dans une grande poêle, réchauffer 2 c. à soupe d'huile à feu moyen. Placer 3 escalopes dans la poêle et cuire jusqu'à ce que les bords soient dorés, environ 40 secondes. Retourner et cuire 40 secondes. Transférer dans une assiette et couvrir négligemment avec une feuille aluminium pour garder la viande au chaud. Répéter l'opération avec les 3 autres escalopes, en ajoutant l'huile qui reste.

3. Pour préparer la sauce, déglacer la poêle en incorporant le vin et l'échalote et en remuant tous les jus cristallisés accrochés au fond de la poêle (utiliser une cuiller de bois pour ne pas rayer la surface). Laisser réduire le vin de 2 à 3 minutes, jusqu'à ce qu'il soit presque sec et ajouter le bouillon et les champignons. Amener à ébullition et laisser mijoter de 9 à 10 minutes, ou jusqu'à ce que le liquide devienne sirupeux. Retirer du feu, incorporer le beurre (s'il y a lieu) et la sauge. Assaisonner de sel et de poivre au goût. À l'aide d'une cuiller, verser la sauce sur le veau et servir.

Filets de porc au beurre de pomme

Portions: 4
Préparation: 15 min
Cuisson: 4 h

Ingrédients:
- 2 filets de porc (750 g)
- 2 T de jus de pommes
- 1/2 T de beurre de pomme
- 1/4 de T de cassonade
- 2 c. à s. d'eau
- 1/4 de c. à t. de cannelle moulue
- 1/4 de c. à t. de clous
  de girofle moulu
- Sel, au goût

Instructions:

1. Préchauffer le four à 350 °F.

2. Saler les filets de porc et les mettre dans un plat de cuisson de 22,5 x 32,5 cm ou dans une petite rôtissoire. Verser le jus de pommes sur le porc et couvrir avec le couvercle ou une feuille de papier aluminium.

3. Cuire au four pendant 1 heure. Pendant la cuisson, mélanger le beurre de pomme, la cassonade, l'eau, la cannelle et les clous de girofle. Après 1 heure, retirer les filets de porc du four et les badigeonner avec la préparation de beurre de pomme.

4. Couvrir et remettre au four pendant 2 heures ou jusqu'à ce que la viande puisse être coupée à la fourchette.

Bouts de côtes argentines

Instructions:

1. Dans un bol, mélanger l'ail, la poudre de moutarde, le piment jalapeño, le vin rouge, le vinaigre de vin rouge, le paprika, la marjolaine, le thym et 2 c. à soupe d'huile d'olive. Coucher les bouts de côtes dans un grand plat (ou deux) en s'assurant qu'elles ne se chevauchent pas. Verser la marinade sur les côtes.

2. Faire mariner pendant 12 heures ou toute la nuit au réfrigérateur. Retourner les côtes une fois. Éponger les bouts de côtes et réserver la marinade.

3. Préchauffer le four à 300 °F.

4. Réchauffer 2 c. à soupe d'huile à feu vif, dans une poêle à frire ou dans un faitout. En travaillant par lots, bien saisir viande, environ 2 minutes de chaque côté. Réserver.

5. Verser environ 1 c. à soupe d'huile. Ajouter l'oignon et les piments et faire revenir environ 2 minutes, jusqu'à ce qu'ils deviennent tendres. En remuant, incorporer les tomates, la sauce Worcestershire, le bouillon de bœuf et la marinade réservée. Amener à ébullition, en grattant tous les petits morceaux dorés qui auraient adhéré au fond de la poêle.

6. Ajouter les bouts de côtes et le zeste d'orange (ou mettre tous les ingrédients dans un plat allant au four). Couvrir et cuire pendant 2 heures, ou jusqu'à ce que les côtes puissent être coupées à la fourchette. Retirer les côtes et les disposer sur une plaque à biscuits.

7. Augmenter la température du four à 400 °F.

8. Dégraisser la sauce. Faire chauffer à feu moyen et réduire jusqu'à ce qu'elle soit savoureuse et légèrement plus épaisse, environ 5 minutes de plus.

9. Cuire les bouts de côtes pendant 15 minutes. Couper en lanières et remettre dans la sauce.

Portions: 6
Préparation: 20 min
Marinade: 12 h
Cuisson: 2 h 30

Ingrédients:
- 6 carrés de bouts de côtes
- 1 c. à s. d'ail haché
- 1 c. à t. de poudre de moutarde déshydratée
- 1 c. à t. de piment jalapeño haché (ou quantité au goût)
- 1/2 T de vin rouge
- 2 c. à s. de vinaigre de vin rouge
- 1 c. à t. de paprika fort
- 1 c. à s. de marjolaine fraîche hachée
- 1 c. à s. de thym frais haché
- 1/4 de T d'huile d'olive
- 1 T d'oignon rouge haché
- 1 T de poivron jaune, en dés
- 1 c. à t. de piment jalapeño en dés
- 2 T de tomates en conserve en dés
- 1 c. à s. de sauce Worcestershire
- 2 T de bouillon de bœuf
- 1 tranche de zeste d'orange de 8 cm

Filet de porc asiatique

Instructions :

1. Dans un bol de dimension moyenne, mélanger la sauce soya, l'huile de sésame et la sauce Worcestershire. Incorporer en fouettant la cassonade, les oignons verts, l'ail, la pâte de chili et le poivre. Mettre le filet dans un plat peu profond. Verser la sauce sur la viande, en retournant le porc quelques fois pour bien recouvrir. Couvrir le plat et réfrigérer au moins 8 heures.

2. Préchauffer le four à 450 °F. Transférer le porc et la marinade sur une plaque à biscuits recouverte de papier aluminium.

3. Rôtir de 25 à 30 minutes. Retirer et laisser reposer de 5 à 10 minutes avant de trancher.

Portions : 4
Préparation : 15 min
Cuisson : 30 min

Ingrédients :
- 1 filet de porc paré (1 kg)
- 1/3 de T de sauce soya légère
- 1/4 de T d'huile de sésame
- 2 c. à s. de sauce Worcestershire
- 1/8 de T comble de cassonade
- 3 oignons verts hachés
- 4 gousses d'ail broyées
- 1 1/2 c. à s. de pâte de chili asiatique
- 1 1/2 c. à t. de poivre

Filet de porc au Bourgogne

Portions : 4
Préparation : 30 min
Cuisson : 1 h

Ingrédients :
- 1 filet de porc (1 kg)
- 1/2 c. à t. de sel
- 1/2 c. à t. de poivre noir moulu
- 1/2 c. à t. de poudre d'ail
- 1/2 oignon finement tranché
- 1 branche de céleri haché
- 2 T de vin rouge
- 1 sachet (21 g) de mélange pour sauce brune en poudre

Instructions :

1. Préchauffer le four à 350 °F.

2. Placer le porc dans un plat de cuisson de 22,5 x 32,5 cm et saupoudrer la viande de sel, de poivre et de poudre d'ail. Recouvrir d'oignon et de céleri et verser le vin.

3. Cuire au four pendant 45 minutes.

4. Après la cuisson, retirer la viande du plat de cuisson et déposer sur une assiette de service. Incorporer le mélange pour sauce brune au vin et au jus de cuisson dans le plat de cuisson et mélanger jusqu'à épaississement. Trancher la viande et couvrir de sauce.

Côtelettes de porc au four

Instructions :

1. Préchauffer le four à 350 °F.

2. Réchauffer l'huile d'olive à feu moyen dans une poêle. Placer les côtelettes de porc dans la poêle et dorer, environ 5 minutes de chaque côté. Retirer du feu.

3. Dans un petit bol, mélanger la cassonade, le sel, le poivre et la moutarde sèche.

4. Disposer les côtelettes de porc sur un plat de cuisson de dimension moyenne. Arroser de jus de citron, assaisonner du mélange de cassonade et recouvrir de sauce tomate. Verser l'eau dans le plat.

5. Couvrir et cuire 1 heure au four jusqu'à ce que le thermomètre indique une température de 160 °F.

Portions : 4
Préparation : 20 min
Cuisson : 1 h 10

Ingrédients :
- 4 côtelettes de porc épaisses désossées
- 3 c. à s. d'huile d'olive
- 2 c. à s. de cassonade foncée
- 1/2 c. à t. de sel
- 1/2 c. à t. de poivre noir moulu
- 1/2 c. à t. de moutarde sèche
- 1 c. à s. de jus de citron frais
- 1 1/4 T de sauce tomate en conserve
- 1/4 de T d'eau

Longe de porc farcie aux oignons balsamiques

VIANDES BLANCHES

Portions : 6 à 8
Préparation : 40 min
Cuisson : 2 h 20

Ingrédients :
- 1 longe de porc désossée (environ 1 kg)
- 2 c. à s. d'huile d'olive extra vierge
- 2 oignons finement hachés
- 4 gousses d'ail émincées
- 3 c. à s. de vinaigre balsamique
- 1/2 poivron rouge, finement haché
- 1/2 T de chapelure
- 1 jaune d'œuf
- 1/4 de T de basilic frais haché
- 1 c. à s. d'origan frais haché
- 1 c. à s. de fromage parmesan râpé
- 1/2 c. à t. de sel
- 1/2 c. à t. de poivre moulu
- 2 c. à s. de moutarde de Dijon

Instructions :

1. Réchauffer l'huile à feu moyen-élevé, dans une poêle antiadhésive. Ajouter l'oignon et l'ail ; cuire, en remuant, 8 minutes ou jusqu'à ce qu'ils commencent à dorer. Diminuer le feu à moyen-doux et cuire, en remuant de temps à autre, environ 10 minutes ou jusqu'à ce qu'ils deviennent tendres. Ajouter le vinaigre balsamique et poursuivre la cuisson 2 minutes. Retirer du feu.

2. Ajouter le poivre, la chapelure, le jaune d'œuf, le basilic, l'origan et le fromage et diviser en deux le sel et le poivre ; remuer pour bien mélanger. Réserver.

3. À l'aide d'un couteau de chef bien affûté, commencer à tailler la longe de porc dans le sens de la longueur en spirale pour « dérouler » la longe, jusqu'à l'obtention d'un morceau rectangulaire. À l'aide d'un maillet à viande, marteler le porc jusqu'à une obtention d'une épaisseur uniforme. Étaler la moutarde et saupoudrer le sel et le poivre qui restent. Étaler la préparation d'oignon sur le dessus, en arrêtant à 2,5 cm de l'une des extrémités. À partir de l'extrémité opposée, rouler la longe de porc sur elle-même.

4. Ficeler la longe de porc en nouant de la ficelle à intervalles de 2,5 cm. Déposer sur une grande assiette ; réserver.

5. Réchauffer les deux côtés du barbecue à haute température. Fermer l'un des deux côtés du barbecue et diminuer le feu de l'autre côté à moyen. Placer la longe de porc sur la grille huilée au-dessus du côté fermé du barbecue. Fermer le couvercle pendant 45 minutes, en ajustant la chaleur pour maintenir la température à 325 °F.

6. Retourner le rôti de porc et poursuivre la cuisson pendant 45 minutes, en maintenant la température. Retourner le rôti de porc de nouveau et cuire pendant 30 minutes ou jusqu'à ce qu'un thermomètre inséré au centre de la longe indique 155 °F. Transférer sur la planche à découper et laisser reposer, couvert d'huile, pendant environ 10 minutes. Retirer la ficelle et couper en tranches épaisses. Servir avec tous les jus.

Porc mariné à la sauce aigre-douce

Instructions :

1. Placer le porc dans un plat de cuisson large et réserver. Mélanger la sauce soya, la sauce hoisin, le sucre, les cinq-épices, le sambla œlek, l'huile végétale, le sel et le poivre dans un bol de dimension moyenne et verser sur la viande, en s'assurant qu'elle soit bien recouverte. Mariner le porc pendant la nuit ou pendant au moins 6 heures, au réfrigérateur.

2. Préchauffer le four à 300 °F.

3. Placer le porc dans un plat de cuisson, accompagné de la marinade et de 1/2 tasse d'eau. Couvrir et cuire de 3 heures à 3 heures 30, en retournant la viande toutes les heures et en arrosant jusqu'à ce que le porc soit assez tendre pour être coupé à la fourchette. Retirer du four et laisser la viande refroidir dans ses jus. Il est beaucoup plus facile de retirer le gras quand le porc peut être réfrigéré pendant la nuit.

4. Retirer la viande de ses jus et dégraisser la sauce. Ajouter le vinaigre balsamique dans le plat de cuisson et amener à ébullition à feu vif pendant 7 à 10 minutes ou jusqu'à réduction et épaississement des jus.

5. Couper le porc en tranches minces, couvrir de sauce, verser sur le riz mélangé avec les oignons verts. Servir avec les quartiers de limette.

Portions : 6
Préparation : 20 min
Marinade : 6 h
Cuisson : 3 h 10

Ingrédients :

MARINADE
- 3 c. à s. de sauce soya
- 1/4 de T de sauce hoisin
- 2 c. à s. de sucre
- 1 c. à t. cinq-épices en poudre
- 1 c. à s. de sambal œlek
- 2 c. à s. d'huile végétale
- Sel et poivre fraîchement moulu
- 1 c. à s. de vinaigre balsamique

GARNITURE
- 1 T de riz
- 2 oignons verts
- Quartiers de limette

Pain au jambon

Portions : 6 à 8
Préparation : 10 min
Cuisson : 1 h 30

Ingrédients :
- 1 kg de jambon haché
- 750 g de porc haché
- 2 œufs
- 1 T de chapelure
- 1 T de lait évaporé
- 1/8 de c. à t. de sel
- 1/8 de c. à t. de poivre noir moulu
- 1 T de cassonade
- 1 c. à s. de moutarde sèche
- 1/4 de T de viinaigre de cidre

Instructions :

1. Préchauffer le four à 350 °F.

2. Dans un grand bol, mélanger le jambon, le porc, les œufs, la chapelure, le lait évaporé, le sel et le poivre moulu. Bien mélanger et façonner un pain. Placer dans un plat de cuisson graissé de 22,5 x 32,5 cm.

3. Cuire au four à 350 °F pendant 90 minutes.

4. Pendant que le pain cuit, combiner la cassonade, la moutarde et le vinaigre. Bien mélanger et verser sur le pain 15 minutes avant la fin de la cuisson.

Côtelettes de porc au jus

Instructions :

1. Dans un grand sac refermable, mélanger la sauce soya, l'ail émincé et le poivre. Placer les côtelettes de porc dans le sac, évacuer tout l'air du sac, sceller et faire mariner 12 heures au réfrigérateur. Retourner le sac au milieu de la macération.

2. Préchauffer le grilloir du four. Placer les côtelettes de porc sur une rôtissoire. Griller chaque côté pendant 5 minutes ou jusqu'au degré de cuisson désiré. Le temps de cuisson pourrait être différent selon l'épaisseur des côtelettes.

Portions : 4
Préparation : 5 min
Marinade : 12 h
Cuisson : 10 min

Ingrédients :
- 4 côtelettes de porc désossées de 2,5 cm d'épaisseur
- 1/2 T de sauce soya
- 2 c. à s. d'ail émincé en pot
- 1 c. à t. de poivre noir moulu

Filet de porc pané

Portions : 3
Préparation : 10 min
Cuisson : 55 min

Ingrédients :
- **750 g de filet de porc**
- **2 œufs**
- **1/4 de T de lait**
- **1/2 T de chapelure italienne**
- **1 pincée de sel d'ail**
- **2 c. à t. d'origan déshydraté**
- **1 c. à s. d'huile végétale**
- **Sel et poivre, au goût**

Instructions :

1. Trancher le filet en rondelles de 5 mm. Placer les rondelles entre deux pellicules de plastique et marteler jusqu'à ce qu'elles soient minces.

2. Préchauffer le four à 325 °F.

3. Battre les œufs et le lait et verser dans un plat ou un bol peu profond. Réserver. Dans un bol séparé, bien mélanger la chapelure avec le sel d'ail, l'origan, le sel et le poivre. Dans une grande poêle, réchauffer l'huile à feu vif. Pendant ce temps, tremper les filets dans la préparation d'œufs puis couvrir de chapelure. Quand l'huile est chaude, incorporer les filets dans la poêle et cuire jusqu'à ce que les deux côtés soient dorés (environ 3 minutes de chaque côté).

4. Placer les filets dans un plat de cuisson de 22,5 x 32,5 cm recouvert d'une feuille d'aluminium. Faire frire tous les restants d'œufs et de chapelure pour en faire de la « panure ». Ajouter la « panure » dans le plat de cuisson. Bien couvrir et cuire au four pendant 45 minutes ou jusqu'à ce que la viande ait atteint une température interne de 160 °F.

Tranches de porc au cheddar et aux champignons

Instructions :

1. Préchauffer le four à 375 °F.

2. Dans un grand bol, combiner la crème de champignons, la soupe au cheddar et le lait. Remuer pour bien mélanger. Assaisonner la viande avec l'origan et le basilic. Saler et poivrer au goût.

3. Verser environ 2 tasses de la sauce dans un plat de cuisson de 22,5 x 32,5 cm et placer les tranches de porc sur la sauce. Napper la viande de la sauce qui reste.

4. Cuire, sans couvrir, à 375 °F pendant 1 heure, tourner la viande en s'assurant qu'elle soit toujours recouverte de sauce et poursuivre la cuisson pendant 30 minutes.

Portions : 4
Préparation : 20 min
Cuisson : 1 h 30

Ingrédients :
- **8 tranches de porc épaisses**
- **1 boîte (304 ml) de soupe condensée de crème de champignons**
- **1 boîte (312 ml) de soupe au fromage condensée**
- **2 boîtes (304 ml) de lait en conserve**
- **1 c. à s. d'origan déshydraté**
- **1 c. à s. de basilic déshydraté**
- **Sel et poivre, au goût**

Porc au chili

Portions : 6
Préparation : 10 min
Réfrigération : 45 min
Cuisson : 2 h

Ingrédients :
- **1 kg de filet de porc en dés**
- **2 c. à s. de poudre de chili**
- **2 1/2 c. à t. de cumin moulu**
- **2 c. à t. d'ail émincé**
- **1 c. à s. de coriandre fraîche**
- **1 pincée de sel et de poivre noir**

Instructions :

1. Mélanger la poudre de chili, le sel, le cumin, l'ail, la coriandre et le poivre. Couvrir la viande de cette préparation et laisser reposer 45 minutes au réfrigérateur.

2. Préchauffer le four à 225 °F.

3. Cuire 2 heures ou jusqu'à ce que la viande soit croustillante.

Côtelettes de porc grillées au citron et aux fines herbes

Instructions :

1. Dans un grand sac refermable, mélanger le jus de citron, l'huile, l'ail, le sel, l'origan et le poivre. Placer les côtelettes dans le sac. Sceller et réfrigérer pendant 2 heures. Retourner le sac fréquemment pour bien distribuer la marinade.

2. Préchauffer un gril à feu vif. Retirer les côtelettes du sac et transférer la marinade qui reste dans une casserole. Amener la marinade à ébullition. Retirer du feu et réserver.

3. Huiler légèrement la grille. Griller les côtelettes de porc de 5 à 7 minutes par côté, en arrosant fréquemment avec la marinade, jusqu'à ce que la viande soit cuite.

Portions : 6
Préparation : 10 min
Marinade : 2 h
Cuisson : 15 min

Ingrédients :
- **6 côtelettes de longe de porc désossées**
- **1/4 de T de jus de citron**
- **2 c. à s. d'huile végétale**
- **4 gousses d'ail émincées**
- **1 c. à t. de sel**
- **1/4 de c. à t. d'origan déshydraté**
- **1/4 de c. à t. de poivre**

Tranches de porc au cheddar et aux champignons

Portions : 4
Préparation : 20 min
Cuisson : 1 h 30

Ingrédients :
- **8 tranches de porc épaisses**
- **1 1/4 T soupe condensée de crème de champignons**
- **1 1/4 T de soupe au fromage condensée**
- **1 1/4 T de lait en conserve**
- **1 c. à s. d'origan déshydraté**
- **1 c. à s. de basilic déshydraté**
- **Sel et poivre au goût**

Instructions :

1. Préchauffer le four à 375 °F.

2. Dans un grand bol, combiner la crème de champignons, la soupe au cheddar et le lait. Remuer pour bien mélanger. Assaisonner la viande avec l'origan et le basilic. Saler et poivrer au goût.

3. Verser environ 2 tasses de la sauce dans un plat de cuisson de 22,5 x 32,5 cm et placer les tranches de porc sur la sauce. Napper la viande de la sauce qui reste.

4. Cuire, sans couvrir, à 375 °F pendant 1 heure, tourner la viande en s'assurant qu'elle soit toujours recouverte de sauce et poursuivre la cuisson pendant 30 minutes.

Rôti de porc au romarin

Instructions :

1. Préchauffer le four à 375 °F.

2. Badigeonner généreusement le rôti ou le filet d'huile d'olive et étaler l'ail. Placer dans une rôtissoire de 25 x 37,5 cm et saupoudrer de romarin. Cuire au four pendant 2 heures ou jusqu'à ce que la température interne du porc atteigne 160 °F.

Portions : 6
Préparation : 20 min
Cuisson : 2 h

Ingrédients :
- **1,5 kg de filet de porc**
- **1 c. à s. d'huile d'olive**
- **2 gousses d'ail émincées**
- **3 c. à s. de romarin déshydraté**

Côtelettes de porc à la crème sure

Portions : 6
Préparation : 15 min
Cuisson : 8 h 30

Ingrédients :
- 6 côtelettes de porc
- 1/2 T de farine (tout usage)
- 1 gros oignon, coupé en tranches de 5 mm d'épaisseur
- 2 cubes de bouillon de poulet
- 2 T d'eau bouillante
- 2 c. à s. de farine tout usage
- 1 contenant de crème sure (227 g)
- Sel et poivre, au goût
- Ail en poudre, au goût

Instructions :

1. Assaisonner les côtelettes de porc avec le sel, le poivre et l'ail en poudre et passer dans la 1/2 tasse de farine. Dans une poêle, dorer légèrement les côtelettes à feu moyen dans une petite quantité d'huile.

2. Placer les côtelettes dans une mijoteuse et napper de tranches d'oignon. Dissoudre les cubes de bouillon dans de l'eau bouillante et verser sur les côtelettes. Couvrir et cuire à feu doux de 7 à 8 heures.

3. Préchauffer le four à 200 °F.

4. Une fois cuites, transférer les côtelettes dans le four pour les garder chaudes. Il faut faire preuve de délicatesse : les côtelettes sont tellement tendres qu'elles pourraient se détacher. Dans un petit bol, mélanger 2 c. à soupe de farine à la crème sure ; incorporer au jus de cuisson. Augmenter la température de la mijoteuse à élevée et cuire de 15 à 30 minutes ou jusqu'à ce que la sauce soit légèrement plus épaisse. Napper les côtelettes de sauce.

VIANDES BLANCHES

Rôti de porc à la sauce aux grattons

Instructions :

1. Préchauffer le four à 475 °F.

2. Pendant que le four se réchauffe, faire quelques incisions sur la peau du porc, même s'il s'en trouve déjà. Utiliser la pointe d'un couteau très coupant. Faire de fines entailles sur toute la peau, en enfonçant la lame du couteau à environ la moitié de l'épaisseur du gras qui se trouve dessous.

3. Placer le porc dans une rôtissoire, le côté de la peau vers le haut, couper l'oignon en deux et placer les deux morceaux sous la viande. Saupoudrer uniformément sur la peau environ 1 c. à soupe de cristaux de sel broyés et presser le plus possible.

4. Placer le porc sur la grille du haut dans le four et rôtir pendant 25 minutes. Diminuer la température du four à 375 °F et calculer le reste de la période de cuisson, en accordant 35 minutes de plus par 500 g. Il n'est pas nécessaire d'arroser la viande puisqu'elle est assez grasse pour rester humide. Pour savoir si le porc est cuit, insérer une brochette dans la partie la plus épaisse de la viande. Les jus qui s'écoulent devraient être absolument clairs, sans la moindre trace d'une coloration rose.

5. Une fois cuit, retirer le porc du four et laisser reposer au moins 30 minutes avant de tailler.

6. Incliner la rôtissoire et dégraisser la sauce, ne laissant que les jus. L'oignon sera probablement noir et calciné, ce qui donnera à la sauce une couleur riche. Laisser l'oignon dans la rôtissoire et placer cette dernière directement sur le feu, à basse température. Saupoudrer la farine et, à l'aide d'une cuiller de bois, incorporer rapidement au jus de cuisson. Augmenter la température du feu à moyen et ajouter graduellement le cidre et le bouillon, en remuant à l'aide d'un fouet ballon. Remuer jusqu'au point d'ébullition. Goûter et assaisonner de sel et de poivre. Jeter l'oignon et verser la sauce dans une saucière de service chaude.

7. Servir le porc coupé en tranches et napper de sauce.

Portions : 6 à 8
Préparation : 30 min
Cuisson : 2 h

Ingrédients :
- 2 kg de longe de porc
- 1 petit oignon pelé
- 1 c. à s. de farine
- 1 T de cidre sec
- 1 T de bouillon de légumes (ou l'eau de cuisson de pommes de terre)
- Sel de mer et poivre noir fraîchement moulu

Cocotte de porc aigre-doux barbecue

Portion : 4
Préparation : 15 min
Cuisson : 8 h

Ingrédients :
- 1 kg de côtelettes de porc à la paysanne
- 1 T de ketchup
- 2 c. à s. de sauce chili
- 1/4 de T d'eau
- 2 c. à s. de vinaigre de vin rouge
- 1 c. à s. de jus de citron
- 1 c. à t. de sauce Worcestershire
- 1/4 de c. à t. de sauce piquante
- 2 c. à t. de moutarde de Dijon
- 1 c. à t. de poudre de chili
- 1 c. à t. d'ail en poudre
- 1/2 c. à t.de graines de céleri
- 1/4 de c. à t. de poivre noir moulu
- 3 c. à s. de cassonade
- 1 oignon coupé en rondelles
- 1 poivron rouge coupé en rondelles

Instructions :

1. Dans un bol, mélanger le ketchup, la sauce chili, l'eau, le vinaigre de vin rouge, le jus de citron, la sauce Worcestershire, la sauce piquante, la moutarde de Dijon, la poudre de chili, l'ail en poudre, les graines de céleri, le poivre noir et la cassonade.

2. Placer les côtelettes de porc dans une mijoteuse et couvrir d'oignons et de poivrons rouges. Verser la sauce dans la mijoteuse.

3. Couvrir et cuire 8 heures à feu doux.

Délice de porc et de choucroute

Instructions :

1. À feu moyen, réchauffer l'huile dans une grande poêle. Ajouter le porc et faire dorer. Incorporer la choucroute et les liquides. Ajouter la pomme. Remuer jusqu'à ce que les ingrédients mijotent, diminuer la chaleur et couvrir.

2. Laisser mijoter pendant 1 heure ou jusqu'à ce que le porc soit bien cuit et tendre.

Portions : 3
Préparation : 5 min
Cuisson : 1 h

Ingrédients :
- 500 g de longe de porc désossée, taillée en dés
- 1 c. à s. d'huile végétale
- 1 boîte (453 g) de choucroute en conserve avec le jus
- 1 pomme évidée et hachée avec la pelure

Boulettes de jambon

Portions : 6
Préparation : 20 min
Cuisson : 1 h

Ingrédients :
- 625 g de jambon fumé haché
- 500 g de porc haché
- 500 g de bœuf haché maigre
- 1 T de lait
- 2 œufs
- 1 1/2 T de biscuits Graham émiettés
- 1 1/4 T de soupe de tomate en conserve
- 1/4 de T de vinaigre de cidre
- 1 T comble de cassonade
- 1 c. à t. de moutarde sèche

Instructions :

1. Préchauffer le four à 350 °F.

2. Dans un grand bol, mélanger le jambon, le porc ou de la saucisse et le bœuf haché. Incorporer le lait, les œufs et les miettes de biscuits Graham et bien mélanger. Façonner des boulettes d'environ 5 cm de diamètre et disposer sur une plaque à biscuits de 22,5 x 32,5 cm.

3. Dans un bol de dimension moyenne, mélanger la soupe, le vinaigre, la cassonade et la moutarde sèche. Bien mélanger et verser sur les boulettes.

4. Cuire à 350 °F pendant 1 heure, jusqu'à ce que la température interne de la viande atteigne 160 °F.

Côtelettes de porc au four à la sauce aux champignons

Portions : 6
Préparation : 20 min
Cuisson : 1 h 15

Ingrédients :

- 6 côtelettes de porc
- 1 c. à t. de sel
- 1/4 de c. à t. de poivre noir moulu
- Ail en poudre, au goût
- 2 c. à s. de beurre
- 2 gros oignons finement hachés
- 1 1/4 T de soupe condensée
  de crème de champignons
- 1 1/4 T de lait
- 4 T de pommes de terre finement tranchées

Instructions :

1. Préchauffer le four à 350 °F.

2. Beurrer un plat d'une capacité de 2 litres. Badigeonner le porc de sel, de poivre et d'ail en poudre.

3. Dans une poêle à frire, faire fondre le beurre à feu moyen élevé, ajouter les côtelettes et faire revenir les deux côtés. Retirer la viande et réserver. Placer les oignons dans la poêle et cuire jusqu'à ce qu'ils soient dorés. Incorporer la crème de champignons et le lait et remuer pour bien mélanger. Retirer du feu et réserver.

4. Disposer les tranches de pommes de terre uniformément dans le plat de cuisson beurré. Mettre les côtelettes de porc sur les pommes de terre.

5. Verser le mélange de soupe sur les côtelettes.

6. Couvrir et cuire au four pendant 30 minutes.

7. Retirer le couvercle et poursuivre la cuisson 30 minutes de plus ou jusqu'à ce que les pommes de terre soient bien tendres.

Papillons de porc à la salsa de tomates

Portions : 4 à 6
Préparation : 15 min
Cuisson : 20 min

Ingrédients :

SALSA
- 8 petites tomates fermes et mûres (environ 5 cm chacune)
- 1 piment poblano, banane ou jalapeño, coupé en 2 dans le sens de la longueur
- 1 c. à s. d'huile d'olive
- 1 T de concombre épépiné et coupé en dés
- 1 c. à s. de jus de limette fraîchement pressé
- 1/2 c. à t. de sel, ou au goût

PORC
- 2 filets de porc d'environ 375 g chacun
- 2 c. à s. de jus de limette
- 1 c. à s. d'huile d'olive
- Sel et poivre, fraîchement moulu
- 1 petit avocat
- 1 c. à s. de coriandre fraîche hachée

Instructions :

1. Pour préparer la salsa de tomates carbonisées, préchauffer le gril à feu vif. Couper les tomates dans le sens de la longueur. Badigeonner d'huile les tomates et le piment poblano. Placer le côté coupé des tomates sur la grille et cuire jusqu'à ce qu'elles soient bien dorées, environ 5 minutes. Tourner et griller jusqu'à ce qu'elles commencent à s'attendrir, environ 2 minutes. En même temps, griller le piment, en le retournant une fois, jusqu'à ce que les deux côtés soient bien dorés, environ 5 minutes. Transférer dans un bol et réserver jusqu'à ce qu'ils aient assez refroidi pour être manipulés.

2. Hacher les tomates et le piment grillés. Réserver les jus et jeter les cœurs. Remettre dans le bol. Ajouter le concombre, le jus de limette et le sel. Remuer pour mélanger. Réserver.

3. Pour cuire le porc, diminuer la température du gril à moyen-élevé. Couper chaque filet en deux, dans le sens de la longueur, presque, mais pas entièrement, jusqu'au bout, pour en faire un papillon. Couvrir de pellicule de plastique et marteler légèrement l'extrémité la plus épaisse pour uniformiser l'épaisseur de la viande. Combiner le jus de limette et l'huile dans un plat peu profond et ajouter le porc, en retournant la viande pour bien la couvrir. Saler et poivrer.

4. Griller le porc, en le retournant une fois, de 3 à 4 minutes par côté, ou jusqu'à ce que le centre de la viande devienne rosé. Transférer sur une planche à découper et laisser reposer pendant 5 minutes.

5. Pour servir, couper l'avocat en dés et incorporer dans la salsa avec la coriandre, en remuant légèrement pour mélanger. Vérifier l'assaisonnement. Couper le porc en tranches fines et napper de salsa avant de servir.

Chorizo et flanc de porc aux petits haricots blancs

Instructions :

1. Réchauffer le four à 325 °F. Couper le flanc de porc en gros morceaux. Réchauffer 1 c. à soupe d'huile dans un grand chaudron allant au four et frire le porc en lots à feu vif, jusqu'à ce que tous les côtés soient bien dorés. Retirer à l'aide d'une cuiller à rainures.

2. Ajouter la pancetta et cuire de 2 à 3 minutes, jusqu'à ce qu'elle soit dorée. Diminuer légèrement la chaleur et ajouter l'ail et l'oignon. Cuire de 2 à 3 minutes, jusqu'à ce qu'ils soient tendres. Incorporer le paprika et le chorizo en remuant et cuire pendant environ 1 minute.

3. Remettre le porc dans le chaudron et ajouter les tomates. Verser le vin et assez d'eau pour couvrir. Assaisonner, couvrir et cuire au four pendant 2 heures. Ajouter les petits haricots blancs et remettre au four, sans couvrir, de 20 à 30 minutes. Incorporer la coriandre et servir avec du pain croûté.

Portions : 4
Préparation : 15 min
Cuisson : 2 h 30

Ingrédients :
- 750 g de flanc de porc désossé, la peau enlevée
- Huile d'olive
- 130 g de pancetta taillée en dés
- 1 gros oignon haché
- 2 gousses d'ail hachées
- 1 c. à t. de paprika fort
- 200 g de chorizo haché
- 400 g de tomates hachées en conserve
- 5/8 de T de vin rouge
- 400 g de petits haricots blancs ou de haricots cannellini, égouttés et rincés
- 1 botte de coriandre

Filet de porc grillé à l'ail et aux fines herbes

Portions : 6
Préparation : 15 min
Cuisson : 1 h

Ingrédients :
- Filet de porc de 1,5 kg
- 1/4 de T d'huile d'olive
- 3 gousses d'ail hachées
- 1/2 c. à t. de thym frais haché
- 1/2 c. à s. de romarin frais haché
- 1 c. à s. de sel
- 2 c. à s. de poivre noir moulu

Instructions :

1. Effectuer une entaille horizontale dans le filet de porc, en maintenant les deux moitiés reliées. Badigeonner d'huile d'olive.

2. Insérer l'ail dans l'entaille et sur la partie grasse du porc. Presser le thym et le romarin dans la fente. Saupoudrer le filet de sel et de poivre.

3. Préchauffer le gril à feu moyen-élevé.

4. Huiler légèrement la grille. Placer le porc sur la grille. Cuire approximativement 1 heure, en retournant la viande toutes les 15 minutes, jusqu'à ce que la température interne atteigne 160 °F.

Casserole au jambon et aux petits pois

Instructions :

1. Préchauffer le four à 350 °F. Graisser légèrement un plat de 23 cm allant dans le four. Mélanger le jambon, le pain de maïs, les petits pois et le thym dans un bol.

2. Transférer le mélange dans le plat allant au four puis battre le lait, les œufs, le jaune d'œuf et 1 pincée de sel ensemble. Laisser reposer 15 minutes.

3. Faire cuire jusqu'à ce que le centre soit cuit (40 à 45 minutes). Laisser reposer pendant 10 minutes avant de servir. Servir avec une salade verte.

Portions : 4
Préparation : 25 min
Cuisson : 45 min

Ingrédients :
- 250 g de jambon cuit tranché coupé en petits morceaux (environ 1 1/2 T)
- 200 g de pain de maïs coupé en petits cubes
- 1 T de petits pois congelés
- 1 c. à t. de thym frais haché
- 2 T de lait entier
- 3 œufs et 1 jaune d'œuf supplémentaire légèrement battus
- Sel

Ragoût aux champignons et aux saucisses

Portions : 6 à 8
Préparation : 20 min
Cuisson : 30 min

Ingrédients :
- 500 g de porc haché
- 1,5 kg de tomates fraîches
- 1/2 T d'huile d'olive extra vierge
- 3 T d'oignon rouge finement haché
- 2 feuilles de laurier
- 750 g de bolets frais hachés
- 1 c. à s. d'ail haché
- 1 1/2 T de vin blanc sec
- 5 feuilles de basilic
- 750 g de fettuccini
- 1/2 T de fromage parmesan râpé
- Sel et poivre fraîchement moulu

Instructions :

1. Vider les tomates et utiliser un couteau pointu pour tailler un X dans la peau à la base de chacune.

2. Porter à ébullition un gros chaudron d'eau. Ajouter les tomates et faire cuire jusqu'à ce que la peau commence à se détacher (30 secondes). Sortir les tomates à l'aide d'une cuiller à égoutter et peler chacune d'elles. Presser les tomates dans un bol avec les mains pour les défaire en morceaux et mettre de côté.

3. Faire chauffer l'huile d'olive à feu moyen-doux dans une grande poêle à frire ou un faitout. Ajouter l'oignon et les feuilles de laurier. Faire cuire jusqu'à ce que les oignons soient tendres (5 minutes). Ajouter les champignons et faire sauter jusqu'à ce qu'ils soient juteux (3 minutes). Ajouter le porc haché, assaisonner de sel et de poivre et faire cuire jusqu'à ce que le porc ne soit plus rosé et que la viande soit bien dorée (10 minutes). Défaire en morceaux avec une fourchette en cours de cuisson. Ajouter l'ail et faire sauter pendant 1 minute. Incorporer ensuite le vin blanc (et le jus des champignons, s'il y en a) et faire cuire encore jusqu'à ce qu'il soit presque évaporé (5 minutes). Ajouter les morceaux de tomates, baisser à feu doux et faire cuire encore en remuant de temps à autre jusqu'à ce que les saveurs soient bien mélangées (10 minutes). Incorporer les feuilles de basilic.

4. Faire cuire les fettuccini en suivant les indications de la boîte.

5. Ajouter les pâtes dans le ragoût et remuer pour bien mélanger. Ajouter le parmesan avant de servir.

Sauté de porc et de brocoli

Instructions :

1. Dans un bol de dimension moyenne, combiner le zeste et le jus d'orange, la sauce soya, le vinaigre et la fécule de maïs. Réserver la sauce pour le sauté.

2. Dans une grande poêle antiadhésive, réchauffer, à feu moyen, 1 c. à thé d'huile.

3. En séparant le porc en deux lots, cuire jusqu'à ce qu'il soit doré d'un côté, de 1 à 2 minutes (la cuisson se poursuivra à l'étape 4). Transférer dans une assiette et réserver.

4. Ajouter la c. à thé d'huile qui reste, l'ail et les oignons verts dans la poêle.

5. Cuire, en remuant de temps à autre, jusqu'à ce que les oignons verts flétrissent, de 1 à 2 minutes.

6. Ajouter le brocoli et 1/2 tasse d'eau ; couvrir et cuire jusqu'à ce que le brocoli devienne croquant et que l'eau se soit évaporée (de 2 à 4 minutes).

7. Ajouter le porc (et tous les jus) et la sauce dans la poêle.

8. Cuire en remuant, jusqu'à ce que le porc soit bien cuit et que la sauce épaississe, de 1 à 2 minutes. Saupoudrer d'oignon vert.

Portions : 3
Préparation : 20 min
Cuisson : 20 min

Ingrédients :
- 1 filet de porc (environ 500 g), taillé en quartiers dans le sens de la longueur et finement tranché
- 1 c. à t. de zeste d'orange râpé, plus 1/4 de T de jus d'orange frais
- 1/4 de T de sauce soya
- 1/4 de T de vinaigre de riz
- 1 c. à s. de fécule de maïs
- 2 c. à t. d'huile végétale, comme de l'huile de carthame
- 2 gousses d'ail émincées
- 3 oignons verts, les parties blanches et vertes séparées et finement tranchées
- 1 brocoli coupé en fleurons, les tiges pelées et finement tranchées

Filet de porc mariné

Portions : 4
Préparation : 10 min
Cuisson : 20 min

Ingrédients :
- **2 filets de porc de 375 g**
- **1/4 de T de sauce soya**
- **1/4 de T de cassonade**
- **2 c. à s. de xérès**
- **1 1/2 c. à t. d'oignon émincé déshydraté**
- **1 c. à t. de cannelle moulue**
- **2 c. à s. d'huile d'olive**
- **1 pincée d'ail en poudre**

Instructions :

1. Placer la sauce soya, la cassonade, le xérès, l'oignon déshydraté, la cannelle, l'huile d'olive et une pincée d'ail en poudre dans un grand sac de plastique refermable. Sceller et secouer pour mélanger. Placer le porc dans le sac avec la marinade, sceller et mettre au réfrigérateur de 6 à 12 heures.

2. Préchauffer le gril à feu vif.

3. Huiler légèrement la grille. Placer les filets sur la grille et jeter la marinade. Cuire 20 minutes ou jusqu'au degré de cuisson désiré. Tailler en médaillons et servir.

Côtelettes panées

Instructions :

1. Préchauffer le four à 375 °F.

2. Dans un bol peu profond ou une assiette à tarte, fouetter les œufs avec l'ail et l'oignon en poudre. Placer les miettes de craquelins sur une assiette séparée. Dans une grande poêle, réchauffer l'huile à feu moyen. Tremper les côtelettes dans l'œuf et presser la viande dans les miettes de craquelins pour la couvrir. Frire dans l'huile chaude de 2 à 3 minutes par côté, jusqu'à ce que les côtelettes soient dorées. Retirer de la poêle et disposer sur une plaque à biscuits.

3. Cuire au four pendant 45 minutes en retournant une fois. Servir immédiatement.

Portions : 3
Préparation : 40 min
Cuisson : 45 min

Ingrédients :
- **6 côtelettes de porc minces**
- **2 œufs**
- **1/2 c. à t. d'ail en poudre**
- **1/2 c. à t. d'oignon en poudre**
- **3 paquets (113 g) de craquelins émiettés**
- **3 c. à s. d'huile végétale**

Côtelettes de porc bouillies aux herbes

Portions : 3
Préparation : 20 min
Cuisson : 40 min

Ingrédients :
- **10 côtes levées de porc**
- **1/2 T de sauce soya**
- **10 gousses d'ail broyées**
- **1 c. à s. de romarin déshydraté**
- **1 c. à s. d'origan déshydraté**
- **2 feuilles de laurier**
- **Le jus de 1 limette**
- **10 tiges de persil frais**
- **Poivre noir moulu, au goût**
- **2 limettes coupées en quartiers**

Instructions :

1. Placer les côtes levées dans une grande casserole et remplir de juste assez d'eau pour couvrir. Ajouter la sauce soya, l'ail, le romarin, l'origan, les feuilles de laurier, le jus de limette et les 3/4 du persil. Amener à ébullition, et sans couvrir, laisser mijoter à feu moyen, environ 25 minutes, jusqu'à ce que l'eau se soit complètement évaporée.

2. Lorsqu'il n'y a plus d'eau, retirer les feuilles de laurier et faire dorer la viande, en la retournant de temps à autre. À l'aide d'une spatule, gratter tous les petits morceaux dorés et l'ail attendri dans le fond de la poêle et déposer sur la viande, où l'ail se dissoudra.

3. Retirer le porc et égoutter sur des essuie-tout. Assaisonner de poivre noir et garnir des quartiers de limettes et du persil qui reste.

Sauté de porc cubain

Portions : 4
Préparation : 5 min
Cuisson : 7 min

Ingrédients :
- **375 g de filet de porc tranché**
- **Sel et poivre fraîchement moulu**
- **1 c. à t. de graines de cumin moulues**
- **2 c. à s. d'huile végétale**
- **1 c. à t. d'ail haché**
- **1 T de pommes de terre sucrées râpées**
- **1 T de céleri taillé en juliennes**
- **1 T de haricots noirs cuits**
- **1/4 de T de jus d'orange**
- **1/4 de T de jus de limette**
- **1/2 T de bouillon de poulet**
- **1/4 de c. à t. de poivre de Cayenne**
- **1/4 de T de coriandre fraîche hachée**

Instructions :

1. Assaisonner le porc avec le sel, le poivre et le cumin.

2. Réchauffer l'huile à feu vif dans un wok ou une poêle. Ajouter le porc et faire revenir pendant 3 minutes ou jusqu'à ce que la viande soit dorée à l'extérieur et que le centre soit toujours rosé. Retirer et réserver.

3. Incorporer l'ail et frire pendant 20 secondes. Ajouter les pommes de terre sucrées, le céleri et les haricots noirs. Mélanger et cuire de 2 à 3 minutes ou jusqu'à ce que les légumes soient tendres et croustillants.

4. Remettre la viande et le jus de cuisson dans la poêle. Verser le jus d'orange et de limette, le bouillon de poulet et le poivre de Cayenne. Amener à ébullition et laisser mijoter 1 minute.

5. Disposer dans 4 assiettes, saupoudrer de coriandre et servir immédiatement.

Piles de côtes coulantes et collantes

Portions : 6
Préparation : 30 min
Cuisson : 1 h 50

Ingrédients :
- 3 carrés de côtes de dos de porc
- 1 limette finement tranchée
- 1 c. à t. de grains de poivre entiers
- 1 1/4 de T de ketchup
- 3/4 de T de sirop d'érable pur
- 1/3 de T de vinaigre balsamique
- 1/4 de T de vinaigre de cidre
  ou de vin rouge
- 2 c. à s. de sauce soya
- 2 c. à t. de moutarde sèche
  ou de Dijon
- 1/4 de c. à t. de poivre de Cayenne

Instructions :
1. Préchauffer le four à 325 °F.

2. Placer les côtes sur une planche à découper, le côté de la viande en dessous. Insérer la pointe d'un couteau sous la fine membrane qui recouvre les os, à l'extrémité la plus étroite du carré. Saisir la membrane à l'aide d'un essuie-tout, retirer délicatement et jeter.

3. Placer les côtes sur une grande plaque à biscuits à rebords, le côté de la viande sur le dessus. Disposer les tranches de limette sur la viande et saupoudrer les grains de poivre sur la plaque à biscuits. Verser 1 tasse d'eau chaude. Couvrir toute la plaque d'une feuille d'aluminium, en scellant fermement les côtés. Cuire de 1 heure à 1 heure 30, ou jusqu'à ce que les côtes soient assez tendres pour être coupées à la fourchette et qu'elles se détachent de l'os. Jeter l'eau, les tranches de limette et les grains de poivre.

4. Pendant la cuisson, mélanger le ketchup, le sirop, le vinaigre balsamique, le vinaigre de cidre, la sauce soya, la moutarde et le poivre de Cayenne dans une casserole. Amener à ébullition à feu moyen, en remuant fréquemment. Diminuer la chaleur et laisser mijoter en remuant souvent, pendant environ 20 minutes ou jusqu'à réduction d'environ 1/3 et épaississement.

5. Tapisser une grande plaque à biscuits de papier parchemin ou aluminium.

6. Couper les côtes individuellement entre les os et placer dans un grand bol. Ajouter la sauce et remuer pour enduire les côtes uniformément. Placer sur la plaque à biscuits, le côté de la viande sur le dessus, en serrant les côtes les unes contre les autres pour qu'elles soient bien droites, en réservant le surplus de sauce. Cuire pendant 20 minutes, badigeonner de sauce au milieu de la cuisson avec la sauce réservée, jusqu'à ce que les côtes soient glacées et collantes. Empiler les côtes dans une assiette chaude et servir immédiatement.

Porc rôti aux fines herbes

Instructions :
1. Préchauffer le four à 325 °F.

2. Dans un bol, mélanger la sauge, le sel, le poivre et l'ail. Badigeonner vigoureusement toute la longe de porc. Placer la viande sur une rôtissoire sur une grille au milieu du four, sans couvrir.

3. Cuire au four pendant environ 3 heures, ou jusqu'à ce que la température interne atteigne au moins 150 °F, ou la température du degré de cuisson désiré.

4. Pendant la cuisson, mélanger le sucre, la fécule de maïs, le vinaigre, l'eau et la sauce soya dans une petite casserole. Réchauffer, en remuant de temps à autre, jusqu'à ce que le mélange commence à bouillir et à épaissir légèrement. Badigeonner le rôti avec la glace 3 à 4 fois pendant les dernières 30 minutes de cuisson. Verser le reste de la glace sur le rôti et servir.

Portions : 6
Préparation : 20 min
Cuisson : 3 h

Ingrédients :
- 1 longe de porc désossée
  (2,25 kg)
- 1 c. à t. de sauge broyée
- 1/2 c. à t. de sel
- 1/4 de c. à t. de poivre
- 1 gousse d'ail broyée
- 1/2 T de sucre
- 1 c. à s. de fécule de maïs
- 1/4 de T de vinaigre
- 1/4 de T d'eau
- 2 c. à s. de sauce soya

Filet de porc rôti aux fines herbes et à la poire

Instructions :

1. Préchauffer le four à 475 °F.

2. À l'aide d'un couteau d'office, effectuer 10 petites entailles dans chaque filet. Remplir ces fentes d'ail et de thym; saler et poivrer la viande.

3. Dans une grande poêle allant au four, réchauffer l'huile à feu moyen. Ajouter le porc et cuire, environ 10 minutes, en retournant la viande de temps à autre, jusqu'à ce que tous les côtés du porc soient dorés.

4. Incorporer les poires dans la poêle. Mettre au four et cuire, en remuant les poires une fois, jusqu'à ce qu'un thermomètre à lecture instantanée indique 145 °F, après environ 10 minutes.

5. Disposer le porc et les poires dans une assiette ; laisser reposer 5 minutes.

6. Assaisonner le jus de cuisson de sel et de poivre et verser dans une saucière ou un petit bol. Trancher le porc et servir avec les poires et le jus de cuisson.

Portions : 4
Préparation : 5 min
(plus 5 min de repos)
Cuisson : 20 min

Ingrédients :
- **2 filets de porc (environ 750 g au total), parés**
- **2 gousses d'ail finement tranchées**
- **1 c. à s. de thym frais émincé**
- **Gros sel et poivre moulu**
- **1 c. à s. d'huile d'olive**
- **4 poires Bartlett coupées en quartiers**

VIANDES BLANCHES

Instructions :

1. Amener une grande casserole d'eau salée à ébullition et faire bouillir les œufs exactement 7 1/2 minutes. Faire refroidir dans l'eau froide, peler et réserver. Dans un grand bol, mélanger le porc, la chair à saucisse, le jambon, la sauge et l'oignon. Assaisonner généreusement et ajouter quelques gouttes de sauce Tabasco. Bien mélanger avec les mains jusqu'à ce que tous les ingrédients soient parfaitement amalgamés. Prendre environ 1 c. à soupe du mélange, façonner une petite boulette et faire frire dans une poêle. Goûter pour assaisonner. Un assaisonnement légèrement trop prononcé est parfait.

2. Faire fondre quelques c. à soupe de lard, badigeonner une terrine d'une capacité de 1 litre d'une couche uniforme de lard fondu et saupoudrer de farine. Pour la pâte, incorporer dans un bol la farine et 2 c. à thé de sel. Mettre le lard et le lait dans une poêle, avec 1/2 T d'eau. Réchauffer jusqu'à ce que le lard soit complètement fondu. Verser dans la farine et battre à l'aide d'une cuiller de bois, jusqu'à ce que les ingrédients soient bien mélangés. Transférer sur la surface de travail et pétrir jusqu'à l'obtention d'un mélange bien lisse.

3. Couper un morceau de papier parchemin de façon à ce qu'il s'ajuste au fond et aux rebords de la terrine et qu'une partie retombe à l'extérieur. Façonner, avec environ les 2/3 de la pâte, un rectangle plus ou moins de la même longueur et de la même largeur que la terrine. Placer le rectangle dans le plat et, en utilisant les doigts, presser la pâte dans le fond, dans les coins et sur les côtés, jusqu'à ce qu'elle s'étende jusqu'au bord et qu'elle le recouvre légèrement.

Portions : 6
Préparation : 40 min
Réfrigération : 12 h
Cuisson : 1 h 50

Ingrédients :
- 6 œufs
- 400 g de porc émincé
- 200 g de chair à saucisse de porc de bonne qualité
- 140 g de jambon blanc, coupé en petits morceaux
- 1 petite poignée de feuilles de sauge
- 1 petit oignon finement haché
- Quelques gouttes de sauce Tabasco
- 2 feuilles de gélatine (facultatif)

PÂTE
- 100 g de lard, un peu plus pour graisser
- 2 T de farine nature, un peu plus pour saupoudrer
- 4 c. à s. de lait
- 1 œuf battu

4. Prendre la moitié du mélange de viande et façonner en tapotant en une forme qui s'ajustera à la terrine. Déposer la viande dans le plat. À l'aide des doigts, faire une tranchée dans le milieu de la viande. Couper le dessus et le dessous des œufs. Disposer les œufs en rangée, le long de la tranchée et assaisonner. Le fait de couper les œufs ainsi permettra d'assurer que chaque morceau de la tourte contiendra tant du blanc que du jaune d'œuf. Avec le reste du mélange de viande, façonner un rectangle qui sera déposé sur les œufs. Déposer sur le dessus en effectuant une pression. Badigeonner, avec l'œuf battu, le surplus de pâte qui recouvre le dessus des côtés de la terrine et abaisser le reste de la pâte pour la mettre sur le dessus de la tourte.

5. Effectuer une pression pour fixer l'abaisse du dessus. Badigeonner généreusement de dorure à l'œuf et percer 3 trous sur le dessus. Réchauffer le four à 400 °F et placer la terrine sur une plaque à biscuits et cuire 30 minutes. Diminuer la chaleur à 350 °F et poursuivre la cuisson pendant 1 heure. Laisser refroidir. Renverser délicatement la terrine sur une planche à découper et utiliser les côtés du papier pour tirer la tourte hors du moule. Si les côtés ne sont pas assez dorés, déposer la tourte sur une plaque à biscuits et cuire au four à 400 °F, jusqu'à l'obtention d'une belle teinte dorée. Laisser refroidir avant de mettre au réfrigérateur. Pour remplir la tourte de gelée, tremper la gélatine dans de l'eau froide et réchauffer le bouillon jusqu'à ce qu'il devienne chaud, mais sans mijoter. Retirer la gélatine de l'eau et tordre pour enlever l'excès d'eau. Incorporer au bouillon pour qu'elle se dissolve. Laisser refroidir à la température ambiante et verser dans une bouteille compressible. Verser la gelée dans l'une des ouvertures de l'abaisse du dessus jusqu'à ce que la gelée remonte sur le dessus. Placer la tourte sur un plat et réfrigérer jusqu'à ce que la gelée prenne et répéter l'opération à deux autres reprises pour permettre à la gelée de remplir chaque trou. Mettre au réfrigérateur pendant toute la nuit.

Côtelettes de porc délicieuses

Portions : 4
Préparation : 15 min
Cuisson : 45 min

Ingrédients :
- 4 côtelettes de porc
- 1 T de craquelins au beurre broyés
- 3 œufs battus
- 1/2 T de beurre
- Sel d'ail, au goût
- Poivre noir moulu, au goût

Instructions :

1. Préchauffer le four à 375 °F.

2. Dans un bol peu profond, mélanger les craquelins broyés, le sel d'ail et le poivre ; bien mélanger. Dans un bol séparé, battre les œufs.

3. Tremper les côtelettes de porc dans le batteur à œufs, puis dans le mélange de craquelins. Placer la viande dans un plat de cuisson. Déposer les morceaux de beurre autour des côtelettes. Couvrir et cuire pendant 45 minutes.

Porc et légumes rôtis au four

Portions : 8
Préparation : 15 min
Cuisson : 35 min

Ingrédients :
- 750 g de filet de porc désossé
- 500 g de carottes pelées et coupées en morceaux de 5 cm
- 1 kg de pommes de terre coupées en deux
- 1 oignon moyen coupé en 6 morceaux
- 1 c. à s. d'huile d'olive
- 2 c. à t. de romarin déshydraté broyé
- 1 c. à t. de sauge déshydratée broyée
- Aérosol de cuisson
- 1/4 de c. à t. de sel
- 1/4 de c. à t. de poivre

GARNITURE
- Tiges de romarin et de sauge frais

Instructions :

1. À feu moyen, faire dorer le porc dans une poêle enduite d'aérosol de cuisson. Placer ensuite dans une rôtissoire enduite d'aérosol de cuisson ; disposer les légumes autour de viande. Arroser d'huile d'olive ; saupoudrer uniformément le romarin et les 3 ingrédients qui le suivent dans la liste.

2. Cuire à 450 °F, en remuant les légumes de temps à autre, pendant 30 minutes ou jusqu'à ce qu'un thermomètre inséré dans la partie la plus épaisse de la viande indique 165 °F et que les légumes soient tendres. Garnir, si désiré.

Côtelettes de porc à la mijoteuse

Instructions :

1. Placer les côtelettes de porc dans la mijoteuse. Mélanger les autres ingrédients et verser sur la viande.

2. Cuire à feu doux pendant 6 heures, jusqu'à ce que la température interne du porc atteigne 160 °F.

Portions : 6
Préparation : 5 min
Cuisson : 6 h

Ingrédients :
- 6 côtelettes de porc désossées
- 1/4 de T de cassonade
- 1 c. à t. de gingembre moulu
- 1/2 T de sauce soya
- 1/4 de T de ketchup
- 2 gousses d'ail broyées
- Sel et poivre, au goût

Côtelettes de porc eau à la bouche

Portions : 4
Préparation : 15 min
Cuisson : 5 h

Ingrédients :
- 2 c. à s. de shortening
- 4 côtelettes de porc
- 1 œuf battu
- 1/2 T de farine (tout usage)
- 1 gros oignon tranché
- 2 boîtes (304 ml) de soupe condensée de crème de champignons
- 2 T de lait

Instructions :

1. Faire fondre le shortening à feu moyen-élevé, dans une grande poêle. Tremper les côtelettes de porc dans l'œuf battu et saupoudrer de farine. Cuire dans la poêle, en retournant la viande une fois pour bien dorer les deux côtés.

2. Placer les côtelettes de porc dans une mijoteuse et disposer les tranches d'oignons sur la viande. Verser la soupe et le lait sur la viande et les oignons.

3. Couvrir et cuire à feu vif de 4 à 5 heures ; à feu doux de 8 à 10 heures.

Instructions :

1. Mettre le rôti de porc dans un sac brunisseur pour le four et le placer dans une cocotte mijoteuse. Saupoudrer le rôti d'assaisonnement au chili et déposer les oignons sur le dessus de la viande. Fermer le haut du sac, sans serrer, à l'aide d'une attache en nylon. Utiliser des ciseaux pour couper 3 fentes, de 2,5 cm de longueur, dans le haut du sac. Verser l'eau dans le fond de la cocotte mijoteuse, autour du sac, de façon à ce qu'elle ait une profondeur d'au moins 2,5 cm.

2. Couvrir et cuire à feu doux de 6 à 8 heures.

3. Retirer le porc et les oignons du sac et transférer dans un grand faitout. Réserver les 3/4 du liquide du sac. Effilocher la viande à l'aide de deux fourchettes. Ajouter, au porc effiloché, la salsa, les tomates et le liquide de cuisson.

4. Amener à ébullition à feu vif puis diminuer la chaleur. Couvrir et laisser mijoter à feu doux pendant 1 heure, en remuant à l'occasion.

Portions : 6
Préparation : 15 min
Cuisson : 9 h

Ingrédients :
- 1 rôti (2 kg) d'épaule de porc désossée et parée
- 3 c. à s. d'assaisonnement au chili
- 1 T d'oignons hachés
- 4 T d'eau
- 2 pots (455 g) de salsa
- 2 boîtes (283 g) de tomates en dés assaisonnées de piments verts, non égouttées

Côtelettes de porc à la bière

Portions : 6
Préparation : 20 min
Cuisson : 1 h

Ingrédients :
- **6 côtelettes de porc**
- **2 c. à s. d'assaisonnements pour bifteck**
- **1 1/4 T de bière**
- **2 T de sauce barbecue, recette p. 449**
- **2 oignons tranchés**

Instructions :

1. Saupoudrer les côtelettes de porc d'assaisonnements pour bifteck. Faire dorer les deux côtés dans une poêle à frire. Une fois les côtelettes de porc dorées, les retirer de la poêle.

2. Verser dans la poêle une canette de bière. Remuer la bière jusqu'à ce que tous les petits morceaux dorés qui auraient adhéré à la poêle y soient incorporés. Ajouter la sauce barbecue et remettre les côtelettes de porc dans la poêle. Ajouter les oignons et couvrir. Laisser mijoter à feu doux de 1 à 2 heures.

VIANDES BLANCHES

Escalopes de porc au citron

Instructions :

1. Si des côtelettes premières sont utilisées, placer une côtelette entre 2 pellicules de plastique et, à l'aide d'un maillet à viande, marteler la viande jusqu'à ce qu'elle soit très mince, pas plus de 5 mm d'épaisseur. Répéter la procédure avec le reste de la viande. Les escalopes de porc devraient être assez minces pour qu'il ne soit pas nécessaire de les marteler.

2. Broyer les flocons de maïs et bien mélanger, dans un plat peu profond, avec la farine, le persil, le paprika et le sel. Dans un petit bol, incorporer la moutarde de Dijon à 1 c. à thé d'eau. Badigeonner les deux côtés de la viande avec cette préparation. Saupoudrer du mélange de flocons de maïs et effectuer une pression pour lui permettre de bien adhérer.

3. Dans une grande poêle à frire, faire chauffer l'huile à feu moyen-élevé. Ajouter le porc et cuire 1 à 2 minutes par côté, jusqu'à ce que la viande soit bien dorée. Déposer dans une assiette. Servir avec des quartiers de citron qui pourront être pressés au-dessus de la viande et des morceaux de tomates pour garnir.

Portions : 2
Préparation : 20 min
Cuisson : 5 min

Ingrédients :
- **250 g d'escalopes de porc désossées ou de côtelettes premières**
- **1 T de flocons de maïs**
- **2 c. à s. de farine (tout usage) et 2 c. à soupe de persil finement haché**
- **1 c. à t. de paprika**
- **1/4 de c. à t. de sel**
- **1 c. à s. de moutarde de Dijon**
- **1 c. à s. d'huile d'olive**
- **Quartiers de citron et de tomates**

Côtelettes de porc au xérès et aux pommes

Portion : 6
Préparation : 10 min
Cuisson : 1 h 05

Ingrédients :
- **6 côtelettes de porc**
- **3 grosses pommes pelées, évidées et tranchées**
- **1/4 de T de cassonade**
- **1/2 c. à t. de cannelle moulue**
- **2 c. à s. de beurre**
- **1/2 T de xérès**
- **Sel et poivre, au goût**

Instructions :

1. Dans une grande poêle, faire dorer les côtelettes, environ 2 minutes de chaque côté. Réserver.

2. Préchauffer le four à 350 °F.

3. Disposer les tranches de pomme dans le fond d'un plat de cuisson de 22,5 x 32,5 cm. Saupoudrer de cassonade et de cannelle. Déposer une pastille de beurre ou de margarine et placer les côtelettes de porc dorées sur le dessus. Saler et poivrer au goût. Verser le xérès et cuire pendant 1 heure ou jusqu'à ce que la température interne du porc atteigne 160 °F.

Porc braisé au cidre à l'irlandaise

Portions : 2
Préparation : 15 min
Cuisson : 30 min

Ingrédients :
- Petites noix de beurre
- 2 côtelettes de filet de porc
- 4 tranches minces de bacon fumé, coupées en morceaux
- 2 pommes de terre, coupées en morceaux
- 1 carotte, coupée en gros morceaux
- 1/2 petit rutabaga, coupé en morceaux
- 1/2 gros chou, coupé en plus petits morceaux
- 1 feuille de laurier
- 1/3 de T de cidre irlandais
- 1/2 T de bouillon de poulet

Instructions :

1. Réchauffer le beurre dans une casserole, jusqu'à ce qu'il grésille et frire le porc de 2 à 3 minutes de chaque côté jusqu'à ce qu'il soit doré. Retirer de la poêle.

2. Mettre le bacon, la carotte, les pommes de terre et le rutabaga dans la poêle et frire à feu doux, jusqu'à ce que les légumes soient légèrement colorés.

3. Incorporer le chou, disposer les côtelettes dessus, ajouter la feuille de laurier et verser le cidre et le bouillon.

4. Couvrir la poêle et laisser mijoter à feu doux pendant 20 minutes jusqu'à ce que le porc soit bien cuit et que les légumes soient tendres.

5. Servir à la table directement de la casserole, à l'aide d'une louche.

Carré de côtés de porc aux fines herbes

Portions : 4
Préparation : 25 min
(plus 30 min de repos)
Cuisson : 1 h 10

Ingrédients :
- **1 carré de 4 côtes de porc, d'environ 1,5 kg**

PÂTE DE SAUGE
- **2 c. à s. de sauge fraîche hachée**
- **1 c. à t. de thym frais haché**
- **2 c. à s. de persil haché**
- **2 c. à t. d'ail haché**
- **1 c. à t. d'anchois hachés**
- **2 c. à t. de graines de fenouil broyées**
- **1 c. à t. de zeste de citron râpé**
- **2 c. à s. de moutarde de Dijon**
- **1/4 de T d'huile d'olive**
- **Sel et poivre fraîchement moulu**

SAUCE
- **1 T de bouillon de poulet**
- **1 c. à t. de pâte de tomate**

SAUGE FRITE
- **1 c. à s. d'huile végétale**
- **12 feuilles de sauge**

Instructions :

1. Préchauffer le four à 450 °F.

2. Nettoyer les os du carré. Placer la sauge, le thym, le persil, l'ail, les anchois, le fenouil, le zeste de citron, la moutarde et l'huile d'olive dans un robot culinaire ou un mini hachoir et passer pour en faire une pâte. Réserver 1 c. à soupe et étaler le reste sur tout le carré, incluant les os. Assaisonner le porc de sel et de poivre. Laisser reposer pendant 30 minutes.

3. Placer le carré dans une rôtissoire et cuire pendant 40 minutes. Diminuer la chaleur à 400 °F et faire rôtir encore 25 minutes ou jusqu'à ce que la température interne du porc atteigne environ 145 °F. Retirer de la rôtissoire et laisser reposer. Égoutter le gras de la rôtissoire.

4. Placer la rôtissoire sur la cuisinière à feu moyen-élevé et ajouter le bouillon, la pâte de tomate et la c. à soupe du mélange d'épices réservée. Amener à ébullition en grattant les petits morceaux dorés qui auraient adhéré à la rôtissoire. Laisser mijoter à feu vif de 3 à 4 minutes ou jusqu'à ce que la sauce épaississe légèrement et qu'elle ait une saveur riche. Tamiser la sauce et ajuster l'assaisonnement au goût.

5. Dans une petite poêle, réchauffer l'huile à feu moyen et ajouter délicatement les feuilles de sauge (elles frétilleront et sauteront lorsqu'elles seront ajoutées à l'huile). Faire frire 45 secondes ou jusqu'à ce qu'elles deviennent translucides et croustillantes et égoutter sur des essuie-tout. Tailler le carré en côtes en servant une côte nappée de sauce et de feuilles de sauge frites par personne.

Porc au paprika

Instructions :

1. Amener à ébullition une grande casserole d'eau salée. Faire cuire les nouilles jusqu'à ce qu'elles soient tendres. Égoutter et remettre dans la casserole. Incorporer le beurre, couvrir et réserver.

2. Pendant que les nouilles cuisent, mélanger, dans un bol de dimension moyenne, les morceaux de porc et 1 c. à soupe de paprika; saler et poivrer et remuer pour bien couvrir la viande. Dans une grande poêle, réchauffer 1 c. à soupe d'huile à feu moyen-élevé; cuire le porc, en remuant de temps à autre, de 3 à 5 minutes ou jusqu'à ce que tous les côtés soient dorés. Déposer dans une assiette (réserver la poêle).

3. Remettre la poêle sur la cuisinière, réduire la chaleur à feu moyen. Ajouter la c. à soupe d'huile et l'oignon et cuire de 4 à 5 minutes, jusqu'à ce que l'oignon soit tendre. Ajouter le porc, le paprika qui reste, les tomates et leur jus et 1 tasse d'eau; amener à ébullition. Diminuer la chaleur à feu doux et laisser mijoter, en brisant les tomates à l'aide d'une cuiller de bois, de 2 à 4 minutes ou jusqu'à ce que la sauce soit légèrement plus épaisse.

4. Retirer la poêle du feu et incorporer la crème sure; saler et poivrer et servir la viande sur les nouilles. Garnir de persil, si désiré.

Portions : 3
Préparation : 20 min
Cuisson : 25 min

Ingrédients :
- **1 filet de porc (environ 500 g), l'excès de gras retiré**
- **227 g de nouilles aux œufs assez larges**
- **1 c. à s. de beurre, coupé en morceaux**
- **2 c. à s. de paprika doux**
- **2 c. à s. d'huile d'olive**
- **1 oignon moyen haché**
- **1 boîte (397 g) de tomates pelées entières dans leur jus**
- **1/2 T de crème sure**
- **Gros sel et poivre moulu**
- **Persil haché pour garnir (facultatif)**

Rôti de porc au thym

Portions : 6 à 8
Préparation : 20 min
Cuisson : 3 h

Ingrédients :
- 2 kg de rôti de porc paré
- 3 gousses d'ail tranchées
- 1 c. à t. de sel
- 1/2 c. à s. de poivre noir moulu
- 3 feuilles de laurier
- 1/2 T de vinaigre de cidre
- 1 c. à t. de thym déshydraté

Instructions :

1. Préchauffer le four à 325 °F.

2. À l'aide d'un petit couteau, percer le dessus du rôti. Insérer des tranches d'ail dans les fentes. Saupoudrer le rôti de sel et de poivre. Disposer les feuilles de laurier dans le fond de la rôtissoire et placer la viande par-dessus, le côté du gras vers le haut. Mélanger le vinaigre et le thym dans un petit bol et verser sur la viande.

3. Cuire au four pendant 3 heures, ou jusqu'à ce que la température interne atteigne 160 °F. À l'aide d'une poire à jus ou d'une cuiller, arroser fréquemment le rôti pendant la cuisson. Laisser reposer la viande 10 minutes avant de trancher.

Casserole de porc, de brocoli et de riz

Instructions :

1. Préchauffer le four à 350 °F. Placer le riz et l'eau dans une casserole à feu moyen-élevé et amener à ébullition. Réduire le feu, couvrir et laisser mijoter à feu doux pendant 20 minutes ou jusqu'à ce que le riz soit tendre.

2. Dans un grand bol, mélanger les morceaux de porc, le riz et le brocoli. Incorporer, en remuant, la crème de céleri et la mayonnaise et assaisonner de poivre et de poudre de cari. Transférer dans un plat de cuisson de 22,5 x 32,5 cm et couvrir d'une feuille d'aluminium.

3. Cuire au four de 45 à 50 minutes jusqu'à ce que les ingrédients soient bien chauds. Retirer le papier d'aluminium pendant les 5 dernières minutes de cuisson.

Portions : 3
Préparation : 20 min
Cuisson : 45 min

Ingrédients :
- 750 g de restants de rôti de porc coupé en dés
- 2 T d'eau
- 1 T de riz blanc non cuit
- 2 boîtes (304 ml) de soupe condensée de crème de céleri
- 1/2 T de mayonnaise
- 1/2 c. à t. de poivre noir moulu
- 1/2 c. à t. de poudre de cari
- 1 paquet (283 g) de brocoli congelé, décongelé

Instructions :

1. Dans une poêle moyenne, réchauffer 1 c. à soupe d'huile d'olive à feu doux. Ajouter l'ail; cuire, en remuant souvent, 10 minutes ou jusqu'à ce que l'ail soit bien tendre, mais pas doré.

2. Ajouter le chou, saler et poivrer. Incorporer 5 c. à soupe d'eau. Couvrir; cuire de 10 à 15 minutes en remuant de temps à autre, jusqu'à ce que le chou soit tendre.

3. Frictionner 1/4 de c. à thé de gros sel, le poivre moulu et la sauge déshydratée sur les deux côtés des côtelettes.

4. Dans une poêle antiadhésive, faire chauffer 1 c. à soupe d'huile d'olive à feu moyen. Ajouter les côtelettes jusqu'à ce qu'elles soient dorées et juteuses, environ 3 minutes de chaque côté. Transférer sur une assiette de service.

5. Ajouter le jus de citron et le reste de l'huile dans la poêle, amener à ébullition. Verser sur la viande. Servir avec le chou et un quartier de citron.

Portions : 2
Préparation : 10 min
Cuisson : 30 min

Ingrédients :

- 2 côtelettes de porc non désossée
- 2 c. à s. d'huile d'olive
- 1 gousse d'ail finement tranchée
- 1 petit chou frisé, dont les feuilles ont été coupées en morceaux de la taille d'une bouchée
- 1/2 de c. à t. de sauge déshydratée
- 5 c. à s. d'eau
- 2 c. à s. de jus de citron frais, plus 2 quartiers pour servir
- Gros sel et poivre moulu

Porc à l'orange à la sichuannaise

Portions : 4
Préparation : 10 min
Cuisson : 15 min

Ingrédients :
- 500 g de filet de porc
- 1 blanc d'œuf
- 1 c. à s. de fécule de maïs
- 1 c. à s. d'eau
- 1 c. à s. de sauce soya

ASSAISONNEMENT
- 2 c. à s. de sauce hoisin
- 1 c. à t. de sauce chili asiatique
- 2 c. à s. de sauce soya
- 3 c. à s. de jus d'orange
- 1/4 de T de triple sec
- 1 c. à t. de sucre

SERVICE
- 3 c. à s. d'huile végétale
- 2 c. à s. de zeste d'orange taillé en julienne
- 1 c. à t. d'ail émincé
- 1 c. à s. de gingembre émincé
- 1/2 T de piment vert en dés
- 1/2 T de piment rouge en dés
- 1 c. à t. de fécule de maïs
- 1 c. à s. d'eau

Instructions :

1. Couper le porc en dés de 1cm. Mettre dans un bol. Mélanger les ingrédients de la marinade et ajouter au porc en remuant.

2. Mélanger les ingrédients de l'assaisonnement et réserver.

3. Réchauffer 2 c. à soupe d'huile dans un wok à feu vif. Égoutter le porc et incorporer dans le wok. Saisir environ 3 minutes, jusqu'à ce que la viande soit rosée à l'intérieur. Retirer et réserver. Essuyer le wok.

4. Ajouter le reste de l'huile dans le wok. Faire revenir le zeste d'orange pendant 30 secondes et ajouter l'ail et le gingembre, mélanger. Ajouter les piments et faire revenir jusqu'à ce qu'ils soient dorés et tendres, environ 2 minutes.

5. Remettre le porc et tout le jus de cuisson, ajouter le mélange d'assaisonnement et amener à ébullition. Mélanger l'eau et la fécule de maïs et incorporer cette préparation dans le wok, en remuant. Amener à ébullition en remuant sans cesse, jusqu'à ce que la sauce épaississe. Servir immédiatement.

Grillades de côtes levées sur charbon de bois du Sud

Instructions :

1. Préchauffer le four à 350 °F. Placer les côtes dans deux rôtissoires de 25 x 37,5 cm. Verser l'eau et le vinaigre de vin rouge dans un bol, et remuer. Verser le vinaigre dilué sur les côtes et couvrir d'huile. Cuire au four pendant 45 minutes. Arroser les côtes de leur jus à mi-cuisson.

2. Dans une casserole de dimension moyenne, mélanger le ketchup, l'eau, le vinaigre, la sauce Worcestershire, la moutarde, le beurre, la cassonade, la sauce piquante et le sel; amener à ébullition. Réduire le feu, couvrir et laisser mijoter la sauce barbecue à feu doux pendant 1 heure.

3. Préchauffer le gril à feu moyen.

4. Huiler légèrement la grille. Transférer les côtes dans le gril, et jeter le jus de cuisson. Griller à feu moyen pendant 15 minutes, en retournant les côtes une fois. Badigeonner généreusement la viande de sauce barbecue et faire griller 8 minutes. Retourner les côtes, badigeonner de sauce et faire griller 8 minutes.

Portions : 6
Préparation : 20 min
Cuisson : 1 h 30

Ingrédients :
- 2 kg de petites côtes de dos
- 2/3 de T d'eau
- 1/3 de T de vinaigre de vin rouge
- 1 T de ketchup
- 1 T d'eau
- 1/2 T de vinaigre de cidre
- 1/3 de T de sauce Worcestershire
- 1/4 de T de moutarde préparée
- 4 c. à s. de beurre
- 1/2 T de cassonade
- 1 c. à t. de sauce pimentée piquante
- 1/8 de c. à t. de sel

Filet de porc glacé aux agrumes

Portion : 4
Préparation : 15 min
Marinade : de 3 h à 8 h
Cuisson : 25 minutes

Ingrédients :
- 2 filets de porc (de 375 à 500 g)
- 2 c. à s. de ketchup
- 2 c. à s. de sauce hoisin
- 1 c. à s. de vinaigre de riz
- 2 c. à t. de zeste d'orange râpé
- 1 c. à t. de sauce chili piquante
- 1 c. à t. d'huile de sésame
- 1/2 c. à s. de sauce soya
- 1 1/2 c. à t. de cari en poudre
- Huile végétale pour les grilles de cuisson

Instructions :

1. Marinade : Dans un bol de dimension moyenne, fouetter tous les ingrédients. Ajouter les filets et retourner pour bien les enduire de marinade. Couvrir et mettre au réfrigérateur de 3 à 8 heures.

2. Retirer les filets de la marinade et essuyer la majeure partie de la sauce qui se trouve sur la viande.

3. Préchauffer le gril à feu moyen-élevé.

4. Placer les filets sur la grille et cuire le premier côté 7 minutes, le couvercle du gril fermé. Retourner la viande et cuire l'autre côté 6 minutes, le couvercle du gril fermé. Fermer le gril, laisser la viande sur la grille tout en maintenant le couvercle fermé pendant encore 5 minutes. Transférer la viande sur une assiette et laisser reposer 5 minutes avant de trancher. La température interne de la viande devrait atteindre de 155 °F à 160 °F.

VIANDES BLANCHES

Porc aux poivrons rouges à la portugaise

Instructions:

1. Dans un grand mortier, écraser, à l'aide d'un pilon, l'ail, le gros sel, 1 c. à soupe d'huile d'olive et les grains de poivre pour en obtenir une pâte fine. Transférer dans un grand bol.

2. À l'aide d'un maillet, aplatir les médaillons de porc à 5 mm d'épaisseur. Placer dans le bol avec le mélange d'ail et remuer pour bien enduire les médaillons. Couvrir et laisser mariner au réfrigérateur de 2 à 4 heures.

3. Dans une grande poêle, réchauffer l'huile qui reste à feu vif. Incorporer le porc et le reste du mélange d'ail. Faire rapidement revenir le porc, environ 1 minute de chaque côté. Retirer du feu et réserver.

4. Placer les poivrons rouges dans la poêle et faire revenir de 2 à 5 minutes ou jusqu'à ce qu'ils soient tendres, mais fermes. Verser le vin blanc dans la poêle et gratter les petits morceaux dorés qui auraient adhéré au fond de la poêle. Réduire la chaleur et remettre le porc dans la poêle et continuer de cuire à feu doux, de 10 à 15 minutes ou jusqu'à ce que la température interne atteigne 180 °F.

5. Trancher 1 1/2 citron en rondelles minces. Transférer le porc et le mélange de poivre sur une assiette de service. Presser le jus du 1/2 citron qui reste sur le porc et la préparation de poivre et garnir de rondelles de citron.

Portions: 4
Préparation: 35 min
Cuisson: 25 min

Ingrédients:
- 1 kg de filet de porc tranché en médaillons de 2,5 cm
- 4 grosses gousses d'ail pelées
- 1 1/2 c. à t. de gros sel
- 2 c. à s. d'huile d'olive
- 1 c. à s. de grains de poivre noir entiers
- 2 poivrons rouges tranchés en juliennes
- 1 T de vin blanc sec
- 2 citrons

Rôti de porc à la moutarde au miel épicée

Portions: 6
Préparation: 15 min
Cuisson: 2 h

Ingrédients:
- 1,5 kg de rôti de porc
- 1/4 de T de miel
- 2 c. à s. de moutarde de Dijon
- 2 c. à s. de poivre noir
- 1/2 c. à t. de thym déshydraté, broyé
- 1/2 c. à t. de sel

Instructions:

1. Préchauffer le four à 300 °F. Tailler des fentes de 1 cm dans le rôti et mettre dans un plat de cuisson.

2. Bien mélanger le miel, la moutarde, le poivre, le thym et le sel dans un petit bol. Badigeonner la préparation sur le rôti et insister dans les fentes.

3. Cuire le rôti au four pendant 1 heure. Retirer la viande du four et la déposer sur une plaque à biscuits. Badigeonner le reste de la sauce sur le rôti. Remettre au four et poursuivre la cuisson de 30 minutes à 1 heure ou jusqu'à ce que la température interne de la viande atteigne 170 °F. Laisser reposer 15 minutes avant de trancher.

Rôti de porc en cocotte farci à la choucroute

Instructions:

1. Placer le rôti de porc sur une planche à découper. Avec un couteau bien affûté, couper une entaille de 12,5 cm sur le dessus de la viande, en faisant bien attention de ne pas couper jusque dans le fond du rôti. À l'aide d'une cuiller, farcir le porc de choucroute en la poussant dans la fente avec le dos d'une cuiller.

2. Placer le rôti dans la mijoteuse et cuire à feu doux de 8 à 9 heures.

Portion: 10
Préparation: 10 min
Cuisson: 9 h

Ingrédients:
- 1,5 kg de rôti de porc désossé
- 1 boîte (411 g) de choucroute en conserve égouttée

Côtelettes de porc glacées aux pêches épicées

Portions : 4
Préparation : 10 min
Cuisson : 20 min

Ingrédients :
- 4 côtelettes de porc désossées
- 1 T de pêches en conserve
- 1 1/2 c. à s. de sauce Worcestershire
- 1/2 c. à t. de pâte de chili
- 1 c. à t. de gingembre moulu
- 1 pincée de cannelle moulue
- 2 c. à s. d'huile végétale
- 1/2 T de vin blanc
- Sel et poivre, au goût

Instructions :

1. Dans un petit bol, mélanger les pêches, la sauce Worcestershire et la pâte de chili. Rincer les côtelettes de porc et assécher en tapotant. Saupoudrer la viande de gingembre, de cannelle, de sel et de poivre.

2. Dans une grande poêle, réchauffer l'huile à feu moyen-élevé. Saisir les côtelettes pendant environ 2 minutes de chaque côté. Retirer de la poêle et réserver.

3. Verser le vin blanc dans la poêle et remuer en grattant les petits morceaux dorés qui auraient adhéré au fond. Incorporer le mélange de pêches, en remuant. Remettre les côtelettes dans la poêle et retourner la viande pour bien la couvrir de sauce. Réduire la chaleur et cuire les côtelettes de porc à feu moyen-doux 8 minutes de chaque côté ou jusqu'à ce qu'elles soient bien cuites.

Saucisses en pâte en 4 étapes faciles

Instructions :

1. Faire la pâte : réchauffer le four à 400 °F. Verser la farine dans un grand bol à mélanger et incorporer la moutarde en poudre et une pincée de sel. Faire un trou dans le centre, casser un œuf dedans et verser une goutte de lait. Remuer à l'aide d'une cuiller de bois, en incorporant graduellement un peu de farine, jusqu'à l'obtention d'une pâte lisse dans le trou. Ajouter un peu de lait et continuer de mélanger en remuant jusqu'à ce que tout le lait et toute la farine aient été amalgamés.

2. La pâte devrait être lisse et sans grumeau et avoir une consistance onctueuse. Verser la pâte dans le pichet utilisé pour mesurer le lait, de façon à pouvoir verser plus facilement un peu plus tard, et incorporer le thym. Utiliser des ciseaux pour couper les liens entre les saucisses et les déposer sur une rôtissoire de 20 x 30 cm. Ajouter 1 c. à soupe d'huile, en remuant les saucisses dans l'huile pour bien enduire le fond de la rôtissoire et cuire dans le four pendant 15 minutes.

3. Cuire la pâte : retirer la rôtissoire chaude du four et verser rapidement la pâte – elle devrait grésiller et bouillonner dès qu'elle touche l'huile chaude. Remettre dans le four et cuire 40 minutes, jusqu'à ce que la pâte soit bien cuite, bien levée et croustillante. La pâte devrait être bien prise, ni collante, ni coulante quand on la pique au milieu avec la pointe d'un couteau.

Portion : 4
Préparation : 25 min
Cuisson : 1 h 20

Ingrédients :
- 8 saucisses de porc pure viande
- 100 g de farine
- 1/2 c. à t. de moutarde anglaise en poudre
- 1 œuf
- 1 1/4 T de lait
- 3 tiges de thym frais (seulement les feuilles)
- 2 c. à s. d'huile de tournesol
- 2 oignons pelés et tranchés
- 1 c. à t. de cassonade
- 2 T de bouillon de bœuf

4. Faire la sauce : dans une grande poêle antiadhésive, attendrir les oignons dans le reste de l'huile en remuant souvent, pendant 20 minutes ou jusqu'à ce qu'ils soient dorés. Saupoudrer de sucre 5 minutes avant la fin de la cuisson. Ajouter une cuillerée de farine et cuire, en remuant constamment, pendant 2 minutes, de façon à ce que les oignons soient bien recouverts et qu'il n'y ait plus de farine sèche dans la poêle. Ajouter le bouillon graduellement et bien remuer pour obtenir une sauce lisse. Laisser bouillonner de 4 à 5 minutes pour épaissir et assaisonner. Couper les saucisses en pâte en deux grandes pointes et servir en nappant de sauce.

ÉQUIPEMENT

Un grand bol à mélanger, des cuillers à mesurer, une cuiller de bois, un pichet à mesurer, des ciseaux, une rôtissoire peu profonde de 20 x 30 cm, un chronomètre, un couteau, une planche à découper et une grande poêle à frire antiadhésive

Jambon glacé à la moutarde de dijon

Portions : 10
Préparation : 30 min
Cuisson : 3 h 30

Ingrédients :

JAMBON ET GLACE
- 1 moitié de jambon d'environ 4 kg, non désossée, entièrement cuite et coupée en spirale, de préférence
- 2 à 3 T d'eau
- 1/2 T de sucre demerara ou de cassonade foncée
- 2 c. à s. de moutarde de Dijon
- 1/2 T de vin blanc sec

SAUCE
- 3 c. à s. de beurre non salé
- 1 grande échalote finement coupée
- 1/2 T de farine tout usage

JUS DE CUISSON
- 1 c. à s. de moutarde de Dijon
- 1 feuille de laurier
- 1 T de crème à fouetter
- 1 T de persil frais finement haché
- Plusieurs moulinages de poivre noir

Instructions :

1. Préchauffer le four à 325 °F.

2. Déballer le jambon ; retirer et jeter le disque de plastique autour de l'os, s'il y a lieu. Placer une grille dans une grande casserole plate aux côtés profonds. Verser assez d'eau pour couvrir la casserole d'environ 1 cm d'eau mais pas suffisamment pour qu'elle touche le jambon sur la grille. Placer le jambon, le côté coupé vers le bas ; asperger de tous les jus présents dans l'emballage.

3. Tailler une feuille d'aluminium assez grande pour couvrir le jambon ; enrouler négligemment autour de la viande et cuire de 2 à 3 heures.

4. Pendant la cuisson, préparer la glace en mélangeant la moutarde de Dijon et le vin dans une petite casserole. Amener à ébullition à feu moyen ; laisser bouillir de 12 à 15 minutes ou jusqu'à la réduction de moitié et l'obtention d'une texture épaisse et brillante. Retirer du feu ; réserver.

5 Retirer le jambon du four. Verser de l'eau dans la casserole si le fond est sec.

6. Augmenter la température du four à 425 °F.

7. Badigeonner le jambon avec la glace ; remettre au four, sans couvrir.

8. Cuire 15 minutes ; transférer sur une assiette de service ou une planche à découper. Couvrir négligemment avec une feuille d'aluminium et laisser reposer pendant la préparation de la sauce.

9. Utiliser le liquide de la casserole pour la sauce ; verser dans une tasse à mesurer et retirer le plus de gras possible. Ajouter assez d'eau pour obtenir 3 tasses de liquide.

10. Dans une grande casserole, faire fondre le beurre à feu moyen jusqu'à ce qu'il devienne mousseux. Ajouter l'échalote et cuire 2 minutes. Incorporer la farine en saupoudrant, remuer et cuire de 2 à 3 minutes. Incorporer, en fouettant, la moutarde et la feuille de laurier dans le liquide mentionné plus haut. Amener à ébullition. Diminuer la chaleur et laisser mijoter 5 minutes. Incorporer, en remuant, la crème et le persil ; retirer et jeter la feuille de laurier. Verser dans un pichet de service ou une saucière munie d'une petite louche.

11. À l'aide d'un long couteau à lame mince, couper autour de l'os pour libérer les tranches ; laisser les tranches en place. Ou couper en tranches minces et disposer dans une assiette de service.

Escalopes de porc à la moutarde

Instructions :

1. Passer les tranches de filet de porc dans la farine et secouer pour enlever l'excédent. Faire fondre le beurre dans une grande poêle, à feu moyen-élevé. Cuire la viande dans le beurre chaud environ 5 minutes, jusqu'à ce que les deux côtés soient bien dorés et que le centre ne soit plus rosé. Déposer sur une assiette et garder chaud.

2. Verser le vermouth dans la poêle et laisser mijoter pendant 1 minute. Ajouter le bouillon de poulet et le jus de limette. Cuire en remuant jusqu'à réduction de moitié. Incorporer, en remuant, la crème, la moutarde préparée, la moutarde au miel et le piment de la Jamaïque. Pour servir, napper les tranches de porc de sauce.

Portions : 4
Préparation : 20 min
Cuisson : 10 min

Ingrédients :
- 250 g de filet de porc coupé en tranches de 1 cm d'épaisseur
- 1 c. à s. de farine (tout usage)
- 1 c. à s. de beurre
- 1/3 de T de vermouth sec
- 1/3 de T de bouillon de poulet
- 1 c. à s. de jus de limette frais
- 1/2 T de crème fraîche épaisse
- 1 c. à s. de moutarde préparée
- 1 c. à s. de moutarde au miel
- 1 c. à t. de piment de la Jamaïque moulu

Jambon au four à la glace de bourbon et d'agrumes

Portions : 12
Préparation : 20 min
Cuisson : 1 h

Ingrédients :
- 4 kg de jambon, partie du jarret, fumé et non désossé
- 1 c. à s. de zeste d'orange grossièrement râpé
- 2 c. à s. de zeste de citron grossièrement râpé
- 1/2 T de bourbon, de rye ou de rhum ambré
- 1/2 T de marmelade d'agrumes aux 3 fruits
- 2 c. à s. de miel
- 1. c. à t. de moutarde sèche

Instructions :

1. Préchauffer le four à 325 °F.

2. Retirer la peau et dégraisser le jambon, en laissant une couche de gras de 5 mm d'épaisseur. Faire des incisions sur le gras en forme de diamant.

3. Placer le jambon dans une rôtissoire peu profonde et cuire, sans couvrir, pendant 1 heure. Égoutter le gras de la rôtissoire.

4. Pendant la cuisson, blanchir les zestes d'orange et de citron en les plongeant dans un petit bol d'eau bouillante pendant 1 minute, pour enlever l'amertume. Égoutter et réserver.

5. Passer le bourbon, la marmelade, le miel et la moutarde au robot culinaire, jusqu'à l'obtention d'une purée lisse. Transférer dans un bol.

6. Badigeonner généreusement le jambon de la glace de bourbon et saupoudrer les zestes d'agrumes sur la viande. Cuire, en arrosant de glace toutes les 15 minutes, jusqu'à ce que le jambon soit bien doré ou que le thermomètre indique 140 °F.

7. Ajouter une petite quantité d'eau dans le fond de la rôtissoire si la glace commence à brûler.

8. Transférer le jambon sur une assiette chaude, couvrir négligemment avec une feuille d'aluminium et laisser reposer 15 minutes avant de trancher.

Côtes levées de porc barbecue

Instructions :

1. Placer tous les ingrédients dans une grande rôtissoire. Couper les côtes levées pour en faciliter le service.

2. Mélanger en s'assurant de bien couvrir les côtes levées de pâte semi-sèche.

3. Cuire à 375 °F pendant environ 1 heure. Retourner ou remuer de temps à autre.

ASTUCE

Il est possible d'utiliser le grilloir pour cuire ces côtes levées. Il faut toutefois les surveiller plus attentivement et ajuster le temps de cuisson.

Portions : 4 à 6,
Préparation : 10 min
Cuisson : 1 h 15

Ingrédients :
- 1 carré de côtes levées de porc de 1,5 kg
- 1 pot (227 g) de miel
- 1 c. à t. de paprika
- 1 c. à t. de poudre de chili
- 1/2 c. à t. d'ail en poudre
- 2 c. à s. d'assaisonnements Old Bay
- 1/2 c. à t. d'oignon en poudre
- 1/4 de c. à t. de sel de céleri
- 1/2 T de cassonade foncée
- 1/4 de c. à t. de poivre fraîchement moulu
- 1 oignon moyen râpé ou finement haché
- 1 2/3 de T de sauce barbecue
- 1/4 de T de sucre blanc

Côtelettes de porc farcies

Portions : 4
Préparation : 20 min
Cuisson : 40 min

Ingrédients :
- 2 c. à s. d'huile végétale
- 4 côtelettes de porc épaisses
- 3 T de dés d'un pain de 3 jours
- 1/4 de T de beurre fondu
- 1/4 de T de bouillon de poulet
- 2 c. à s. de céleri haché
- 2 c. à s. d'oignon haché
- 1/4 de c. à t. d'assaisonnement pour volaille
- 1 boîte (304 ml) de soupe condensée
  de crème de champignons
- 1/3 de T d'eau

Instructions :

1. Préchauffer le four à 350 °F.

2. Dans une poêle, réchauffer l'huile et faire dorer les côtelettes de porc. Placer la viande dans un plat de cuisson.

3. Dans un bol, mélanger les dés de pain, le beurre fondu, le bouillon de poulet, le céleri, l'oignon et l'assaisonnement pour volaille. Recouvrir les côtelettes de porc d'un monticule de cette préparation.

4. Mélanger la crème de champignons et l'eau et verser sur la farce et les côtelettes de porc.

5. Couvrir et cuire 30 minutes.

6. Retirer le couvercle et cuire 10 minutes de plus, jusqu'à ce que les jus soient clairs. Le thermomètre devrait indiquer de 160 °F à 170 °F.

Grillade de porc au charbon de bois

Portions : 4
Préparation : 30 min
Mainade : 6 h
Cuisson : 25 min

Ingrédients :
• 2 filets de porc de 600 g

MARINADE
• 3 c. à s. de sauce soya
• 3 c. à s. de scotch
• 1/4 de T de sauce hoisin
• 2 c. à s. de sucre granulé
• 1 c. à t. de cinq-épices en poudre
• 2 c. à s. d'huile végétale
• Sel et poivre moulu, au goût

GLACE
• 1/4 de T de miel
• 1 c. à s. de sauce soya
• 1 c. à s. de vinaigre de vin
• 1 c. à s. de scotch
• 1 c. à t. d'huile de sésame

Instructions :

1. Placer le porc dans un grand plat de cuisson. Dans un bol de dimension moyenne, combiner les ingrédients de la marinade et verser sur le porc en s'assurant qu'il est bien recouvert. Laisser mariner le porc pendant la nuit ou au moins 6 heures, au réfrigérateur.

2. Pour préparer la glace, réchauffer le miel, la sauce soya, le vinaigre, le scotch et l'huile de sésame dans un bol. Remuer pour bien mélanger et réserver.

3. Préchauffer le four à 400 °F. Placer une grille sur une feuille d'aluminium recouvrant une plaque à biscuits. Ajouter 1/2 tasse d'eau dans le plat de cuisson. Placer le porc sur la grille. Badigeonner avec la glace. Rôtir 10 minutes, retourner et badigeonner de nouveau. Poursuivre la cuisson 10 minutes, glacer de nouveau et cuire 5 minutes de plus ou jusqu'à ce que les jus soient clairs. Refroidir. Trancher finement et servir sur une assiette. Saupoudrer d'oignon vert.

Lapin à la moutarde

Instructions :

1. Préchauffer le four à 350 °F.

2. Assaisonner le lapin avec du sel et du poivre et étaler la moutarde sur toute la surface de la viande. Déposer le lapin dans un faitout, puis verser de l'huile et du vin blanc tout autour de la viande. Ajouter ensuite les petits oignons et saupoudrer de petits morceaux de bacon.

3. Couvrir et faire cuire pendant 30 minutes. Retirer le couvercle et tourner les morceaux de lapin. Presser du jus de l'orange sur la viande et remettre dans le four pour faire cuire à découvert pendant 30 minutes jusqu'à ce que le lapin soit tendre. Servir avec des tranches d'orange et de la purée de pommes de terre.

Portions : 4
Préparation : 15 min
Cuisson : 1 h

Ingrédients :
• 1 lapin coupé en morceaux
• 3 c. à s. de moutarde préparée
• 3 c. à s. d'huile végétale
• 1 T de vin blanc
• 4 petits oignons
• 2 tranches de bacon coupées
• 1 orange
• Sel et poivre, au goût

Instructions:

1. Placer le bacon dans une grande poêle profonde. Cuire à feu moyen-élevé jusqu'à ce qu'il soit uniformément doré. Égoutter sur des essuie-tout et réserver. Saupoudrer le lapin de sel et couvrir d'un tiers de tasse de farine et secouer l'excès. Faire venir le lapin dans le gras de bacon restant. Retirer de la poêle, avec tout le gras qui se trouve dans la poêle, sauf 2 c. à soupe et réserver.

2. Faire revenir les échalotes et l'ail dans la poêle environ 4 minutes, jusqu'à ce qu'elles soient tendres. Incorporer le vin, 1 tasse d'eau et le bouillon. Amener à ébullition et incorporer la gelée, les grains de poivre, la feuille de laurier, le romarin et le thym. Remettre le lapin et le bacon dans la poêle. Amener à ébullition et diminuer la chaleur. Couvrir et laisser mijoter environ 1 h 30 ou jusqu'à ce que le lapin soit tendre.

3. Retirer la feuille de laurier et jeter. Placer le lapin sur une assiette chaude et garder au chaud pendant la préparation de la sauce.

SAUCE

Incorporer le jus de citron dans la poêle, avec le liquide de cuisson. Combiner 3 c. à soupe d'eau à 2 c. à soupe de farine et bien mélanger. Incorporer le mélange dans la poêle et cuire à feu doux. Enfin, ajouter le thym. Verser la sauce sur le ragoût et servir, ou verser dans une saucière et servir à part.

Portions: 4
Préparation: 30 min
Cuisson: 1 h 30

Ingrédients:
- 750 g de viande de lapin nettoyée et coupée en morceaux
- 1/2 c. à t. de sel
- 1/3 de T de farine (tout usage)
- 250 g de bacon, coupé en dés
- 1/2 T d'échalotes finement hachées
- 1 gousse d'ail finement hachée
- 1 T de vin rouge sec
- 1 T d'eau
- 1 c. à s. de granules de bouillon de poulet
- 1 c. à s. de gelée de raisins de Corinthe
- 10 grains de poivre concassés
- 1 feuille de laurier
- 1/4 de c. à t. de romarin déshydraté broyé

SAUCE
- 1/8 de c. à t. de thym déshydraté broyé
- 2 c. à t. de jus de citron
- 3 c. à s. d'eau
- 2 c. à s. de farine tout usage

Ragoût de lapin à la maltaise

Portions: 4
Préparation: 30 min
Cuisson: 1 h 20

Ingrédients:
- 1/4 de T d'huile
- 1 lapin (750 g) nettoyé et coupé en deux morceaux
- 1 gros oignon haché
- 3 gousses d'ail hachées
- 1/2 T de vin rouge
- 1 feuille de laurier
- 1 cube de bouillon de bœuf
- 1/4 de c. à t. de muscade moulue
- 2 c. à s. de pâte de tomate
- 1/4 de c. à t. de sucre blanc
- Sel et poivre au goût
- 4 grosses pommes de terre pelées et taillées en quatre
- 2 carottes hachées
- 1/2 T de pois

Instructions:

1. Dans une grande casserole, réchauffer l'huile à feu moyen; cuire le lapin, l'oignon et l'ail dans l'huile chaude, jusqu'à ce que l'ail et l'oignon soient odorants et le lapin, doré. Incorporer le vin, la feuille de laurier, le bouillon de bœuf, la muscade, la pâte de tomate et le sucre.

2. Assaisonner de sel et de poivre. Ajouter les pommes de terre, les carottes et les pois. Verser assez d'eau pour couvrir.

3. Amener le ragoût à ébullition ; diminuer la chaleur et laisser mijoter à feu doux environ 1 heure, ou jusqu'à ce que les pommes de terre soient entièrement cuites.

Cigares au lapin

Portions: 2
Préparation: 15 min
Cuisson: 23 min

Ingrédients:
- 200 g de filet de lapin
- 2 c. à t. d'huile végétale
- 1 T de morilles
- 1 c. à t. d'échalotes émincées
- 1/4 de feuille de pâte feuilletée décongelée
- 3 têtes d'asperges coupées
- 1/2 T de sauce demi-glace de bœuf ou de veau
- 1 c. à s. de beurre
- 1 jaune d'œuf battu
- Sel et poivre au goût

Instructions:

1. Préchauffer le four à 350 °F. Recouvrir une plaque à biscuits de papier parchemin.

2. Dans une petite poêle, réchauffer l'huile à feu moyen-élevé. Ajouter les champignons, l'échalote, le sel et le poivre. Cuire et remuer jusqu'à ce que les champignons se brisent en une pâte, de 5 à 10 minutes. Retirer du feu et laisser refroidir légèrement.

3. Étendre la pâte feuilletée sur une surface propre et dérouler jusqu'à ce qu'elle s'ajuste à la longueur du filet de lapin. Étaler la pâte de champignons sur la surface. Placer le lapin au centre et disposer les asperges le long de la viande Rouler la pâte autour du lapin et des asperges en un cylindre bien serré et presser les extrémités pour sceller. Déposer sur la plaque à biscuits préparée et badigeonner la pâte du jaune d'œuf.

4. Cuire au four jusqu'à ce que la pâte soit bien dorée, de 10 à 13 minutes. Retirer du four et laisser reposer 5 minutes. La viande devrait atteindre une température interne d'au moins 145 °F.

5. Pendant la cuisson du lapin, dans une petite poêle, réchauffer la sauce demi-glace à feu moyen. Une fois fondue et chaude, incorporer le beurre et remuer jusqu'à ce qu'il fonde et retirer du feu.

6. Pour servir, couper la pâte en deux dans le sens de la largeur et placer dans le centre d'un plat de service. Verser la sauce sur l'assiette.

Civet de lapin

Instructions:

1. Déposer le bacon dans une grande poêle profonde. Faire cuire à feu moyen jusqu'à ce qu'il soit uniformément brun. Égoutter sur de l'essuie-tout et mettre de côté. Saupoudrer le lapin avec du sel et enrober avec 1/3 de tasse de farine en se débarrassant de l'excès. Faire dorer le lapin dans ce qui reste de graisse de bacon. Retirer de la poêle avec 2 c. à soupe de graisse et mettre de côté.

2. Faire sauter les échalotes et l'ail dans la poêle pendant environ 4 minutes jusqu'à ce que le tout soit tendre. Verser le vin, 1 tasse d'eau et le bouillon. Porter à ébullition, puis incorporer la gelée, les grains de poivre, la feuille de laurier, le romarin et le thym. Remettre le lapin et le bacon dans la poêle. Porter à ébullition et réduire à feu doux. Couvrir et laisser mijoter pendant environ 1 h 30 ou jusqu'à ce que le lapin soit tendre.

3. Retirer la feuille de laurier et jeter. Déposer le lapin dans un plat bien chaud et garder au chaud pendant que vous préparez la sauce.

4. Pour faire la sauce: Verser le jus de citron dans la poêle avec le liquide de cuisson. Mélanger 1/3 de tasse d'eau avec 2 c. à soupe de farine et bien remuer le tout. Incorporer le mélange dans la poêle et faire cuire à feu doux. Ajouter le thym. Verser la sauce sur le ragoût et servir ou verser dans une saucière et servir en accompagnement.

Portions: 6
Préparation: 30 minutes
Cuisson: 1 h 30

Ingrédients:
- 1,350 kg de viande de lapin nettoyée et coupée en morceaux
- 250 g bacon coupé en dés
- 1/2 c. à t. de sel
- 2/3 de T de farine (tout usage)
- 1/2 T d'échalotes hachées
- 1 gousse d'ail finement hachée
- 1 T de vin rouge sec
- 1 1/3 de T d'eau
- 1 c. à s. de granules de bouillon de poulet
- 1 c. à s. de gelée de groseilles
- 10 grains de poivre noirs broyés
- 1 feuille de laurier
- 1/4 de c. à t. de romarin séché broyé
- 1 pincée de thym séché broyé
- 2 c. à t. de jus de citron

Volailles

Poulet sauté aux champignons et aux haricots verts

Instructions :

1. Installer une marguerite dans une grande casserole. Remplir d'eau jusqu'à ce qu'elle se trouve juste en dessous de la marguerite. Amener à ébullition ; ajouter les haricots verts, couvrir, réduire la chaleur et laisser mijoter. Cuire de 4 à 6 minutes, jusqu'à ce qu'ils soient croquants.

2. Pendant la cuisson des haricots, dans une grande poêle antiadhésive, réchauffer l'huile à feu moyen-élevé. Assaisonner le poulet de sel et de poivre. En procédant par lots, cuire le poulet jusqu'à ce qu'il soit opaque, environ 3 minutes par côté. Transférer dans une assiette et couvrir d'une feuille d'aluminium (réserver la poêle).

3. Placer les champignons et 1 c. à soupe de beurre dans la poêle ; assaisonner de sel et de poivre. Cuire, en remuant de temps à autre, jusqu'à ce que les champignons soient tendres, environ 7 minutes. Retirer du feu et incorporer les 2 c. à soupe de beurre qui restent, le jus de citron et le persil. Surmonter le poulet de champignons et servir, accompagné de haricots verts.

Portions : 4
Préparation : 10 min
Cuisson : 17 min

Ingrédients :
- 750 g d'escalopes de poulet
- 500 g de haricots verts parés
- 1 c. à s. d'huile d'olive
- Gros sel et poivre moulu
- 300 g de champignons blancs, parés et coupés en quartiers
- 3 c. à s. de beurre
- 3 c. à s. de jus de citron frais
- 1/2 T de persil frais haché

Escalopes de poulet en croûte d'amande

Portions : 4
Préparation : 10 min
Cuisson : 15 min

Ingrédients :
- 8 escalopes de poitrine de poulet
- 2 échalotes, les parties vertes et blanches finement tranchées
- 1/2 T de vin blanc sec, à l'œil
- 4 c. à s. de crème sure
- 1 gros œuf
- 1/2 T d'amandes tranchées
- 1/2 T de chapelure nature
- 1/4 de c. à t. de muscade râpée, à l'œil
- 1/4 de T d'huile d'olive extra vierge ou d'huile végétale
- 1 bâton de beurre froid, coupé en morceaux
- Set et poivre

Instructions :

1. À feu moyen, mélanger les échalotes, le vin blanc et 2 c. à soupe de crème dans une casserole et cuire de 5 à 6 minutes, jusqu'à réduction du liquide à 1/4 de tasse.

2. Pendant la cuisson de la sauce, battre l'œuf et incorporer les escalopes de poulet. Mélanger les amandes, la chapelure, la muscade, du sel et du poivre au goût et passer au robot culinaire pour bien mélanger.

3. Couvrir une assiette de pellicule de plastique (pour faciliter le nettoyage après avoir pané la viande) et verser le mélange d'amandes et de chapelure dans l'assiette. Retirer le poulet de l'œuf et couvrir du mélange de chapelure.

4. Préchauffer le four à 250 °F.

5. Faire chauffer à feu moyen à moyen-élevé, 3 c. à soupe d'huile dans une grande poêle antiadhésive. Ajouter les escalopes et cuire 3 minutes de chaque côté. Transférer dans une assiette, couvrir d'une feuille d'aluminium et mettre au four pour garder la viande chaude. Répéter la procédure avec les escalopes de poulet qui restent.

6. Fouetter 2 c. à soupe de crème dans la sauce. Diminuer la chaleur et incorporer en fouettant le beurre jusqu'à ce qu'il soit bien incorporé. Retirer du feu et assaisonner de sel et de poivre au goût. Disposer les escalopes dans les assiettes et couvrir d'un peu de sauce au beurre blanc.

Instructions :

1. Préchauffer le four à 425 °F.

2. À l'aide d'un petit couteau bien affûté, couper dans l'extrémité la plus épaisse du poulet et faire une incision dans les 2/3 de la poitrine. Ouvrir l'incision avec les doigts pour créer un orifice. Poivrer la viande.

3. Mélanger le fromage à la roquette et aux pousses d'épinards et farcir la viande. Enrouler les poitrines en spirale avec le bacon, de façon à ce qu'il recouvre la viande uniformément.

4. Placer le poulet sur une plaque à biscuits antiadhésive et rôtir de 20 à 22 minutes, jusqu'à ce que le bacon soit croustillant et le poulet, ferme.

5. Placer les pommes de terre dans une casserole et recouvrir d'eau. Amener à ébullition, saler l'eau et cuire les pommes de terre pendant 15 minutes ou jusqu'à ce qu'elles soient tendres.

6. Amener à ébullition 2,5 cm d'eau. Parer les haricots verts. Saler l'eau et ajouter les haricots. Laisser mijoter 5 minutes, égoutter et mélanger avec les tomates, le thym, 1 c. à soupe d'huile, du sel et du poivre.

7. Remettre les pommes de terre dans la casserole chaude, après les avoir égouttées. Couvrir de 2 c. à soupe d'huile, ajouter les échalotes et le bouillon de poulet. Saler et poivrer. Mélanger pendant 1 minute. Servir le poulet avec les haricots et les pommes de terre.

Portions : 4
Préparation : 20 min
Cuisson : 35 min

Ingrédients :
- 4 poitrines de poulet désossées et sans peau
- 1/2 T de fromage bleu émietté
- 1 poignée de feuilles de roquette vendue en vrac, hachées
- 1 poignée de feuilles de pousses d'épinards vendues en vrac, hachées
- 4 tranches de bacon
- 1 kg de pommes de terre grenailles, coupées en deux
- 500 g de haricots verts
- 2 tomates en grappe, coupées dans le sens de la longueur, épépinées et finement tranchées
- Les feuilles de 4 tiges de thym frais
- 3 c. à s. d'huile d'olive extra vierge, divisées
- 4 échalotes, les parties blanches et vertes finement hachées
- 1/4 T de bouillon de poulet
- Sel et poivre

Poulet enrobé de bacon et farci au jambalaya

Portions : 4
Préparation : 20 min
Cuisson : 20 min

Ingrédients :
- 4 poitrines de poulet désossées et sans peau (environ 170 g chacune)
- 8 tranches de bacon épaisses
- 1 oignon finement haché
- 1 branche de céleri finement hachée
- 1/2 poivron rouge haché
- 12 crevettes pelées, déveinées et hachées
- 1 T de miettes de pain de maïs (dés d'environ 7,5 cm)
- Sel et poivre

Instructions :

1. Dans une grande poêle, cuire le bacon à feu moyen, en le retournant souvent, environ 3 minutes, jusqu'à ce qu'il soit à moitié cuit. Transférer dans un plat recouvert d'essuie-tout. Ajouter l'oignon, le céleri et le poivron rouge dans la poêle et cuire jusqu'à ce que les légumes deviennent tendres, environ 3 minutes. Incorporer les crevettes et cuire 2 minutes, jusqu'à ce qu'elles deviennent opaques. Ajouter le pain de maïs, saler et poivrer.

2. Faire une incision de 5 cm de largeur dans le centre des poitrines de poulet, en commençant par la partie la plus épaisse et en coupant horizontalement vers le centre, pour faire une poche. Diviser la quantité de farce en quatre et remplir les poches de chacune des poitrines ; sceller l'ouverture en effectuant une pression.

3. Placer 2 tranches de bacon sur la surface de travail. Disposer une poitrine de poulet dans le sens de la largeur sur les tranches et enrouler le bacon autour des poitrines. Fermer avec un cure-dents. Répéter la procédure avec les autres poitrines de poulet.

4. Essuyer la poêle et réchauffer à feu moyen. Ajouter le poulet et cuire pendant 3 minutes. Retourner la viande, couvrir et cuire en tournant une ou deux fois, environ 5 minutes ou jusqu'à ce que le bacon soit croustillant et que le poulet soit bien cuit.

Poulet cuit au four à la goyave

Portions : 6
Préparation : 30 min
Marinade : 1 h
Cuisson : 1 h

Ingrédients :

- 1 à 1,25 kg de pilons de poulet
- 350 g de confiture
  ou de gelée de goyave
- 1/4 de T de jus de citron frais
- 1/4 de T de sauce soya
- 2 c. à t. de piment de la Jamaïque
  moulu
- 1 c. à t. de sel de mer
- 1/2 c. à t. de poivre
  fraîchement moulu
- 1 T d'eau
- 1 c. à s. de fécule de maïs

Instructions :

1. À feu moyen, mélanger la confiture de goyave, le jus de citron, la sauce soya, le piment de la Jamaïque, le sel et le poivre dans une casserole. Cuire jusqu'à ce que la confiture fonde et que les ingrédients soient bien mélangés.

2. Mélanger l'eau et la fécule de maïs et incorporer dans le mélange de goyave. Amener à ébullition et laisser mijoter 1 minute, ou jusqu'à épaississement. Retirer du feu et laisser refroidir.

3. Placer le poulet dans un grand sac refermable ; verser 1/4 de tasse de sauce sur le poulet et remuer pour bien couvrir. Sceller et mettre au réfrigérateur pendant 1 heure ou toute la nuit.

4. Placer le poulet dans une grande rôtissoire. Cuire à 350° F pendant 30 minutes ; égoutter le liquide. Verser le reste de la sauce sur le poulet, cuire 15 minutes de plus, ou jusqu'à ce que le poulet devienne brun doré.

Casserole de poulet au vin rouge et dumplings aux fines herbes

Instructions :

1. Préchauffer le four à 400 °F.

2. Assaisonner le poulet de sel et de poivre noir fraîchement moulu et couvrir d'un peu de farine. Réchauffer l'huile dans une grande casserole pouvant aller au four et munie d'un couvercle. Par lots, faire revenir, les 2 côtés du poulet à feu vif. Retirer le poulet et réserver.

3. Diminuer la chaleur, ajouter les oignons et les lardons et cuire de 5 à 8 minutes, ou jusqu'à ce qu'ils soient dorés. Incorporer l'ail, saupoudrer de farine et cuire pendant 1 minute, en remuant, pour prévenir l'adhérence.

4. Ajouter les champignons, les feuilles de laurier, la sauce de groseilles rouges et le zeste d'orange. Verser ensuite le vin rouge et le bouillon et assaisonner de sel et de poivre. Amener à ébullition et remettre le poulet dans la casserole, en s'assurant qu'il est bien recouvert de liquide

5. Couvrir et cuire au four 30 minutes.

6. Pendant ce temps, préparer les dumplings. Mettre la farine, les miettes de pain, la moutarde et le beurre dans un robot culinaire et passer jusqu'à obtention d'un consistance granuleuse. Ajouter le thym, le persil, les œufs, le sel et le poivre. Passer jusqu'à ce que le mélange forme une pâte assez humide.

7. Enduire les mains de farine et rouler la pâte en six boules de même dimension.

8. Retirer la casserole du four après 30 minutes et déposer les dumplings sur le dessus. Couvrir de nouveau et poursuivre la cuisson au four pendant encore 20 minutes jusqu'à ce que tous les ingrédients soient cuits et que les dumplings soient gonflés.

9. À l'aide d'une cuiller, déposer le poulet et la sauce dans 6 assiettes et surmonter d'un dumpling. Servir avec un vin rouge riche et fruité.

Portions : 6
Préparation : 30 min
Cuisson : 1 h 15

Ingrédients :

- 6 poitrines de poulet
  partiellement désossées
- 3 c. à s. de farine nature
- 3 c. à s. d'huile d'olive
- 3 oignons pelés et coupés en 8
  morceaux quartiers
- 200 g de lardons de bacon fumé
- 3 gousses d'ail pelées
  et tranchées
- 300 g de champignons
  galipèdes tranchés
- 2 feuilles de laurier
- 2 c. à s. de sauce aux
  groseilles rouges
- 3 lanières de zeste d'orange
- 1 T de vin rouge
- 1 T de bouillon de poulet

DUMPLINGS

- 100 g farine auto-levante,
  un peu plus pour saupoudrer
- 100 g de miettes
  de pain blanc fraîches
- 1 c. à s. de moutarde
  en grains à l'ancienne
- 140 g de beurre en dés
- 2 c. à t. de feuilles de thym frais
- 2 c. à s. de persil frais haché
- 2 œufs moyens,
  légèrement battus

Instructions:

1. Dans un grand bol, mélanger l'huile, le vinaigre, l'ail, les feuilles de sauge et la moutarde. Ajouter les poitrines de poulet et les champignons et remuer pour bien recouvrir. Saler et poivrer.

2. Préchauffer le four à 400 °F.

3. Couper grossièrement les champignons et mettre dans une casserole allant au four. Déposer une poitrine de poulet sur chacun des champignons tranchés et badigeonner le poulet avec le restant de marinade. Cuire 25 minutes ou jusqu'à ce que les jus soient clairs.

4. Retirer du four et couper les poitrines de poulet en tranches épaisses.

5. Placer le cresson dans une assiette de service. Napper de champignons et de tranches de poulet. Arroser de jus de citron, de menthe et du jus de cuisson.

Portions: 4
Préparation: 15 min
Cuisson: 25 min

Ingrédients:
- 4 poitrines de poulet désossées et sans peau (environ 1 kg)
- 1/4 de T d'huile d'olive
- 2 c. à s. de vinaigre balsamique
- 1 c. à t. d'ail haché
- 1 c. à s. de feuilles de sauge fraîche hachées
- 1 c. à s. de moutarde de Dijon
- 4 champignons portobello, équeutés
- 1 botte de cresson équeuté
- 2 c. à t. de jus citron
- 2 c. à s. de menthe hachée
- Sel et poivre fraîchement moulu

Poulet Piccata

Portions : 2
Préparation : 15 min
Cuisson : 15 min

Ingrédients :

- 1 poitrine de poulet divisée en 2, désossée et sans peau
- 1/2 T de farine tout usage
- 1 œuf très gros
- 1/2 c. à s. d'eau
- 3/4 de T de chapelure sèche assaisonnée
- Huile d'olive de bonne qualité
- 3 c. à s. de beurre non salé, à la température ambiante, divisé
- 1/3 de T de jus de citron fraîchement pressé (2 citrons), moitiés de citron réservées
- 1/2 T de vin blanc sec
- 1 citron tranché, pour servir
- Feuilles de persil frais hachées, pour servir
- Sel casher et poivre noir fraîchement moulu

Instructions :

1. Préchauffer le four à 400 °F. Couvrir une plaque à biscuits d'une feuille de papier parchemin.

2. Placer chaque poitrine de poulet entre deux feuilles de papier parchemin ou de pellicule de plastique et marteler jusqu'à ce qu'elles atteignent une épaisseur de 1 cm. Saupoudrer les deux côtés de sel et de poivre. Mélanger la farine, 1/2 c. à thé de sel et 1/4 de c. thé de poivre dans une assiette peut profonde. Dans une autre assiette, battre l'œuf et 1/2 c. à thé d'eau. Placer la chapelure dans une troisième assiette. Tremper les poitrines de poulet d'abord dans la farine, secouer l'excédent, puis passer dans le mélange d'œuf et dans la chapelure.

3. À feu moyen-doux, réchauffer 1 c. à soupe d'huile d'olive dans une grande poêle à frire. Ajouter les poitrines de poulet et cuire 2 minutes de chaque côté, jusqu'à ce qu'elles soient dorés. Disposer sur la plaque à biscuits et cuire de 5 à 10 minutes.

4. Pendant la cuisson du poulet, préparer la sauce. Essuyer la poêle à frire à l'aide d'un essuie-tout. À feu moyen, faire fondre 1 c. à soupe du beurre et ajouter le jus de citron, le vin, les moitiés de citron réservées, 1/2 c. à thé de sel et 1/4 de c. à thé de poivre. Amener à ébullition à feu vif jusqu'à réduction de moitié, environ 2 minutes. Retirer du feu et ajouter les 2 c. à soupe de beurre qui restent et fouetter pour mélanger. Jeter les moitiés de citron et servir une poitrine de poulet sur chaque assiette. Napper de sauce et servir avec une tranche de citron et une pincée de persil frais.

Poitrines de poulet farcies aux fines herbes

Instructions :

1. Préchauffer le four à 425 °F. Dans un mélangeur ou à la main, combiner l'ail, les épinards, le persil, la ciboulette, l'estragon, les miettes de pain, le zeste et le jus d'orange, la moutarde, le sel, le poivre et 2 c. à soupe d'huile d'olive. Réserver 1 c. à soupe d'huile pour frire le poulet.

2. Insérer un couteau bien affuté dans la partie la plus épaisse de chacune des poitrines de poulet et couper une pochette, dans le sens de la longueur, sur les 3/4 des poitrines de poulet. Ouvrir les poitrines à plat et badigeonner d'environ 2 c. à soupe du mélange d'épinards. Refermer les poitrines et assaisonner de sel et de poivre. Réserver le reste des épinards.

3. Faire réchauffer, à feu moyen-élevé, le reste de l'huile dans une poêle allant au four. Ajouter le poulet, le côté de la peau en dessous et frire jusqu'à ce qu'il devienne doré et croustillant, environ 2 minutes. Retourner les poitrines et mettre la poêle dans le four. Cuire de 15 à 20 minutes ou jusqu'à ce que les jus soient clairs.

4. Retirer le poulet de la poêle. Dégraisser et ajouter le jus et le zeste d'orange, de même que le vermouth. Amener à ébullition en grattant tous les petits morceaux dorés qui auraient adhéré au fond de la poêle. Réduire jusqu'à obtention d'un mélange sirupeux, environ 1 minute. Ajouter la crème et amener à ébullition. Incorporer le mélange d'épinards. Réduire jusqu'à léger épaississement. Assaisonner au goût. Servir le poulet sur un confit de légumes et arroser de sauce, garnir de beignets aux herbes.

Portions : 4
Préparation : 10 min
Cuisson : 30 min

Ingrédients :

- 4 poitrines de poulet désossées, avec la peau
- 1 c. à s. d'ail haché
- 2 T de jeunes épinards
- 1/4 de T de persil frais haché
- 1/4 de T de ciboulette fraîche haché
- 2 c. à s. d'estragon frais haché
- 2 c. à s. de miettes de pain fraîches
- 1 c. à t. de zeste d'orange
- 2 c. à s. de jus d'orange
- 1 c. à s. de moutarde de Dijon
- Sel et poivre fraîchement moulu
- 3 c. à s. d'huile d'olive

SAUCE

- 1/4 de T de jus d'orange frais
- 1/2 c. à t. de zeste d'orange râpé
- 1/4 de T de vermouth sec
- 1/2 T de crème à fouetter

Poulets de Cornouailles farcis au riz sauvage et aux pacanes

Portions : 8
Préparation : 25 minutes
Cuisson : 1 h

Ingrédients :
- **8 combattants de Cornouailles**
- **2 bâtons (227 g) de beurre non salé**
- **4 T de riz blanc non cuit**
- **1 T de flocons de noix de coco non sucrés**
- **1/2 T de pacanes finement hachées**
- **1 c. à s. d'assaisonnement pour volaille**
- **1 petit oignon, finement haché**
- **Sel et poivre fraîchement moulu**

Instructions :

1. Préchauffer le four à 450 °F.

2. Trancher finement 4 c. à soupe de beurre et glisser les morceaux sous la peau de la poitrine de poulet.

3. Dans un grand bol, mélanger le riz, la noix de coco, les pacanes, l'assaisonnement pour volaille et l'oignon. Diviser le mélange en quantités égales dans les cavités des poulets. Placer 1 c. à soupe de beurre dans chacune des 8 cavités.

4. Badigeonner l'extérieur des poulets des 4 c. à soupe de beurre restantes et assaisonner légèrement de sel et de poivre.

5. Rôtir les poulets 15 minutes, baisser la température du four à 350 °F et poursuivre la cuisson de 30 à 40 minutes de plus ou jusqu'à ce que les jus soient clairs.

Combattants de Cornouailles au miel

Instructions:

1. Rincer les poulets, retirer l'excès de graisse et assécher en tapotant; placer dans un bol. Mettre l'ail et le gingembre dans un mélangeur et passer, jusqu'à obtention d'une substance presque lisse. Dans un autre bol, mélanger la sauce soya, le miel, l'huile, le jus et le zeste d'orange. Ajouter l'ail et le gingembre. Verser le mélange sur les combattants de Cornouailles, en les couvrant bien. Réfrigérer pendant la nuit et retourner la marinade à plusieurs reprises.

2. Préchauffer le four à 350 °F.

3. Placer les poulets dans une rôtissoire peu profonde et napper de marinade. Cuire pendant 1 heure, en arrosant toutes les 15 minutes. Retirer les combattants de Cornouailles et les déposer sur une assiette de service. Verser les jus de cuisson dans une casserole épaisse et bouillir pendant 4 minutes, jusqu'à ce que la sauce épaississe. Verser sur les poulets, juste avant de servir, accompagnés de nouilles au sésame ou de riz pilaf.

Portions: 6
Préparation: 20 min
Cuisson: 1 h 05

Ingrédients:
- 6 combattants de Cornouailles (d'environ 375 à 500 g)
- 4 gousses d'ail hachées
- 1 morceau de gingembre (2,5 cm) pelé et haché
- 1/2 T de sauce soya
- 1/2 T de miel
- 2 c. à s. d'huile d'arachide
- 2 c. à s. de jus d'orange
- 1 c. à s. de zeste d'orange émincé

Poulet frit de Bert

Portions: 4 à 6
Préparation: 30 min
Cuisson: 30 min

Ingrédients:
- 1 poulet (1,5 kg), lavé et coupé en 8 morceaux
- 2 T de farine tout usage ou auto-levante
- 3 œufs
- 1/3 de T de lait
- Huile d'arachide, pour la friture
- Sel et poivre

Instructions:

1. Plusieurs heures avant de les apprêter, saupoudrer généreusement chaque morceau de poulet de sel et de poivre. Disposer le poulet dans un plat recouvert d'une pellicule de plastique, au réfrigérateur.

2. Mettre la farine sans un sac de plastique refermable. Juste avant de cuire, battre les œufs et le lait. Tremper les morceaux de poulet dans la préparation d'œufs et déposer dans le sac, avec la farine. Sceller le sac et secouer, jusqu'à ce que les morceaux de poulet soient bien recouverts de farine. Déposer le poulet enfariné sur une assiette.

3. Faire réchauffer l'huile dans une poêle en fonte. Verser suffisamment d'huile, mais s'assurer qu'elle n'atteigne que la moitié de la hauteur de la poêle. Ceci est important, puisque l'huile montera chaque fois qu'un morceau de poulet sera ajouté dans la poêle.

4. Faire chauffer l'huile à feu vif; pour vérifier si l'huile est assez chaude, faire tomber une goutte d'eau. Si elle frétille, généralement de 4 à 5 minutes après le début de la cuisson, l'huile est prête. Placer environ 4 morceaux de poulet dans l'huile chaude. Laisser cuire 8 minutes, retourner et cuire l'autre côté environ 6 minutes, jusqu'à ce qu'il soit doré et croustillant. Les morceaux qui ont de gros os, comme les cuisses et les hauts de cuisse, pourraient demander une 1 minute de cuisson de plus, par côté.

5. Retirer le poulet de l'huile et laisser égoutter sur des sacs de papier brun. Cuire le deuxième lot de poulet. Envelopper en serrant dans du papier d'aluminium pour garder la viande chaude ou disposer dans des assiettes d'aluminium et placer du papier parchemin entre les couches de morceaux de poulet.

Poulet à la grecque en crapaudine

Portions : 2
Préparation : 15 min
Cuisson : 25 min

Ingrédients :
- 1 poulet de 2,5 kg, lavé, asséché et préparé en crapaudine
- Huile de canola
- 6 tomates prunes coupées en 2
- 3 citrons coupés en deux
- 1 oignon rouge avec la pelure, tranché en rondelles de 1 cm d'épaisseur
- 1/4 de T de vinaigre de vin rouge
- 2 c. à s. de moutarde de Dijon
- 1/2 à 3/4 T de d'huile d'olive grecque
- 2 à 3 c. à s. de feuilles d'origan hachées
- 1 concombre anglais tranché
- 1/2 T d'olives kalamata dénoyautées
- 170 g de féta émietté
- 1/4 de T de feuilles de basilic
- 1/4 de T de yogourt de lait entier à la grecque
- Sel casher et poivre noir fraîchement moulu

Instructions :

1. Préchauffer le gril à feu moyen. Dans le cas d'un gril au charbon de bois, déposer les briquettes d'un seul côté, s'il s'agit d'un gril au gaz, laisser un côté fermé.

2. Saler et poivrer les deux côtés du poulet et bien arroser d'huile de canola. Placer sur la grille, la peau vers le feu direct. Cuire jusqu'à ce que le poulet devienne brun doré et légèrement carbonisé. Ouvrir et fermer le gril, si nécessaire, pour maintenir la chaleur, sans faire brûler la peau. Une fois la peau carbonisée et gonflée, placer la viande de l'autre côté, à feu indirect. Fermer le couvercle et poursuivre la cuisson environ 17 minutes de plus, jusqu'à ce que le poulet soit bien cuit ou qu'un thermomètre à lecture instantanée indique 155 °F. Retirer du gril et laisser reposer 10 minutes avant de trancher.

3. Pendant la cuisson du poulet, badigeonner d'huile les tomates, les citrons et les tranches d'oignon et assaisonner de sel et de poivre. Griller les citrons, le côté coupé vers le bas jusqu'à ce qu'ils soient dorés. Faire cuire les tomates, le côté coupé vers le bas, jusqu'à ce qu'elles soient légèrement carbonisées. Griller les tranches d'oignons, en les retournant une fois, jusqu'à ce qu'elles soient tendres et légèrement carbonisées.

4. Préparer la vinaigrette, en fouettant le vinaigre et la moutarde, jusqu'à l'obtention d'un mélange lisse. Incorporer lentement l'huile d'olive, puis les feuilles d'origan, saler et poivrer.

5. Pour servir, découper le poulet en 6 à 8 morceaux et disposer dans un grand plat de service peu profond. Ajouter les tomates et l'oignon, les concombres et toutes les moitiés des citrons, sauf une, sur et autour du poulet. Disperser les olives et le féta et arroser de vinaigrette. Découper les feuilles de basilic sur le plat et verser une cuillerée de yogourt au centre.

Poitrine de poulet Spanaki

Instructions :

1. Verser l'huile dans une casserole, ajouter les deux types d'oignon et faire chauffer à feu moyen. Saisir 1 minute et ajouter les épinards. Faire revenir pendant environ 10 minutes.

2. Réchauffer le grilloir.

3. Mettre le mélange d'épinards dans un bol et laisser refroidir. Incorporer l'aneth, les œufs, le féta et le poivre aux épinards et très bien mélanger.

4. Ouvrir les poitrines en crapaudine et remplir du mélange épinards/féta. Refermer les poitrines et griller 10 minutes de chaque côté.

5. Au bout de 15 minutes, arroser la viande d'huile d'olive, de citron et d'origan et servir.

Portions : 8
Préparation : 10 min
Cuisson : 31 min

Ingrédients :
- 8 grosses poitrines de poulet
- 1/2 T d'huile d'olive
- 2 tiges d'oignons verts frais, hachées
- 1 oignon moyen, haché
- 500 g d'épinards congelés, lavés et tordus pour enlever l'excès d'eau
- 1/2 T d'aneth frais, haché
- 2 œufs entiers
- 500 g de féta émietté
- 1 c. à s. de poivre moulu
- Huile d'olive
- Citron et origan, au goût

Poulet et trempette Buffalo

Portions : 4
Préparation : 15 min
Cuisson : 10 min

Ingrédients :
- 500 g de poitrine de poulet désossée
  et sans peau, coupée en lanières de 10 x 1cm
- 4 c. à s. de beurre
- 5 c. à s. de sauce pimentée piquante, comme le Tabasco
- 1 c. à s. de vinaigre de vin blanc ou de vinaigre de cidre
- 1/2 T de mayonnaise
- 1/3 de T de crème sure ou de yogourt nature
- 1 c. à t. de sauce Worcestershire
- 30 g de fromage bleu émietté (environ 1/4 de T)
- 4 branches de céleri, pelées et coupées en lanières
- Sel et poivre

Instructions :
1. Préchauffer le grilloir. Saler et poivrer généreusement les morceaux de poulet.

2. Dans une petite casserole, faire fondre le beurre. Incorporer en fouettant la sauce pimentée et le vinaigre.

3. Dans une rôtissoire ou sur une plaque à biscuits, disposer les lanières de poulet avec la moitié du mélange de sauce piquante. Faire griller le poulet, en le retournant une fois, de 7 à 9 minutes, ou jusqu'à ce qu'il soit tendre et doré ; réserver.

4. Pendant que le poulet cuit, dans un bol, mélanger la mayonnaise, la crème sure et la sauce Worcestershire. Incorporer le fromage bleu.

5. Pour servir, diviser la trempette au fromage bleu dans des verres à cocktails. Mettre les lanières et les tiges de céleri debout, dans la vinaigrette.

Poulet au parmesan croustillant

Portions : 4
Préparation : 10 min
Cuisson : 20 min

Ingrédients :
- **4 moitiés de poitrines de poulet désossées de 170 g**
- **1 T de flocons de maïs, légèrement broyés**
- **3/4 de T de fromage parmesan râpé**
- **3 gros œufs battus**
- **5 c. à s. d'huile d'olive extra vierge**
- **1 citron, coupé en morceaux**
- **Sel et poivre**

Instructions :

1. Préchauffer le four à 350 °F. Dans un bol peu profond, combiner les flocons de maïs, le parmesan et 1/4 c. à thé de sel et de poivre. Placer les œufs dans un autre bol peu profond.

2. Couvrir chacune des moitiés de poitrine de poulet du mélange de flocons de maïs, faire suivre du mélange d'œufs et passer de nouveau dans le mélange de flocons de maïs.

3. Transférer sur une plaque à biscuits recouverte d'une feuille de papier ciré.

4. Dans une grande poêle antiadhésive, réchauffer l'huile d'olive à feu moyen-élevé. Ajouter le poulet et cuire, en le retournant une fois, jusqu'à ce qu'il soit doré, environ 2 minutes par côté.

5. Transférer sur une plaque à biscuits propre. Cuire le poulet jusqu'à ce qu'il soit bien cuit, environ 10 minutes. Servir avec les morceaux de citron.

Brochettes de souvlaki et trempette au yogourt

Instructions :

1. Tremper les brochettes de bambou dans l'eau, pendant environ 30 minutes.

2. Préchauffer le gril ou four grille-pain à feu moyen-élevé.

3. Dans un plat, combiner le zeste et le jus de 2 citrons, l'origan, les flocons de piment rouge et l'huile d'olive. Faire une pâte d'ail en l'écrasant avec du gros sel. Ajouter les 3/4 de la quantité d'ail dans la marinade et réserver le reste pour la trempette.

4. Ajouter les filets de poitrines dans la marinade et assaisonner de sel et de poivre, retourner la viande dans la marinade pour bien couvrir et laisser reposer 10 minutes. Enfiler les filets de poitrines sur les brochettes humides et cuire de 7 à 8 minutes, en retournant les brochettes une fois, jusqu'à ce que la viande soit ferme et que les jus soient clairs.

5. Pendant la cuisson des brochettes, mélanger au yogourt le jus du citron qui reste, la pâte d'ail, le concombre et le cumin et saler au goût.

6. Diviser la trempette dans 4 ramequins. Servir, accompagnées de trempette.

Portions : 4
Préparation : 10 min
Marinade : 10 min
Cuisson : 8 min

Ingrédients :
- **16 filets de poitrines de poulet, environ 750 g**
- **3 citrons**
- **2 c. à s. de feuilles d'origan frais finement hachées**
- **1/2 c. à t. de flocons de piment rouge broyés**
- **1/4 de T d'huile d'olive extra vierge**
- **4 gousses d'ail émincées**
- **2 T de yogourt à la grecque**
- **1/2 concombre épépiné, pelé et râpé**
- **1/2 c. à t. de cumin moulu**
- **Sel et poivre noir moulu**
- **Brochettes de bambou**

Poulet et dumplings

Portions : 4 à 6
Préparation : 20 min
Cuisson : 50 min

Ingrédients :

ASSAISONNEMENT MAISON
• 1 T de sel
• 1/4 de T de poivre noir
• 1/4 de T d'ail en poudre

POULET
• 1 poulet de 1,25 kg, taillé en 8
• 3 branches de céleri hachées
• 1 gros oignon haché
• 2 feuilles de laurier
• 2 cubes de bouillon de poulet
• 1 boîte (304 ml) de soupe
  condensée de crème de céleri
  ou de crème de poulet

DUMPLINGS
• 2 T de farine (tout usage)
• 1 c. à t.de sel
• Eau glacée

Instructions :

1. Mélanger les ingrédients et garder dans un contenant hermétiquement fermé jusqu'à 6 mois.

POULET

2. Placer le poulet, le céleri, l'oignon, les feuilles de laurier, le bouillon et l'assaisonnement maison dans un grand chaudron. Ajouter 4 litres d'eau et amener à ébullition à feu moyen. Laisser mijoter environ 40 minutes, jusqu'à ce que le poulet soit tendre et que les jus de la cuisse soient clairs.

3. Retirer le poulet du chaudron et, lorsqu'il est assez froid pour être manipulé, retirer la peau et détacher la chair des os. Remettre la viande de poulet dans le chaudron. Maintenir la chaleur à feu doux.

DUMPLINGS

4. Combiner la farine et le sel et faire un petit monticule dans un bol à mélanger. En commençant par le centre de l'amas, verser une petite quantité d'eau glacée sur la farine. En utilisant les doigts et en partant du centre vers les côtés du bol, incorporer graduellement 3/4 de tasse d'eau glacée. Pétrir la pâte et former une balle.

5. Saupoudrer une bonne quantité de farine sur une surface de travail propre. Rouler la pâte (elle sera ferme), à partir du centre, jusqu'à ce qu'elle atteigne une épaisseur de 5 mm. Laisser reposer la pâte pendant plusieurs minutes.

6. Ajouter la crème de céleri dans le chaudron et laisser mijoter à feu moyen-doux. Couper la pâte en morceaux de 2,5 cm. Couper un morceau en deux et déposer les moitiés dans la soupe. Répéter. Ne pas remuer le poulet après que les dumplings aient été ajoutés. Tourner doucement le chaudron de façon à ce que les dumplings soient submergés et qu'ils cuisent uniformément. Poursuivre la cuisson jusqu'à ce que les dumplings flottent et ne soient plus pâteux, de 3 à 4 minutes.

7. Pour servir, à l'aide d'une louche, disposer le poulet, la sauce et les dumplings dans des bols chauds.

ASTUCE
Si le ragoût de poulet est trop liquide, il peut être épaissi avant d'y ajouter les dumplings. Mélanger simplement 2 c. à soupe de fécule de maïs et 1/4 de tasse d'eau et fouetter ce mélange dans le ragoût.

Poulet rôti

Instructions :

1. Préchauffer le four à 320 °F. Badigeonner une grande rôtissoire de beurre et en étaler un peu sur la peau du poulet.

2. Placer le poulet dans la rôtissoire et disposer les pommes de terre autour. Mettre les moitiés d'ail dans la rôtissoire, verser le vin blanc et le bouillon, couvrir d'une feuille d'aluminium et placer au four. Cuire pendant 1 heure, retirer la feuille d'aluminium et remuer les pommes de terre. Ajouter les fines herbes et les quartiers de citron et cuire sans couvrir pendant 50 minutes.

3. Augmenter la température du four à 425 °F. Poursuivre la cuisson pendant 30 minutes et retirer le poulet et les pommes de terre de la rôtissoire. Couvrir négligemment le poulet d'une feuille d'aluminium et laisser reposer sur une assiette pendant au moins 10 minutes avant de tailler. Garder les pommes de terre au chaud. Servir avec tous les jus de cuisson.

Portions : 4 à 6
Préparation : 10 min
Cuisson : 50 min

Ingrédients :
• Beurre, pour graisser
• 1 poulet entier (1,5 kg)
• 1 kg de pommes de terre à rôtir
  coupées en deux ou en quatre,
  selon leur taille
• 2 gousses d'ail entières,
  coupées en deux
• 1/2 T de vin blanc
• 1/2 T de bouillon de poulet
• 2 tiges de romarin
  coupées en petites branches
• 6 feuilles de laurier
• 1 citron, coupé en quartiers

Poulet Tetrazzini

Portions : 6 à 8
Préparation : 20 min
Cuisson : 1 h

Ingrédients :

- 4 poitrines de poulet désossées et sans peau
- 9 c. à s. de beurre
- 2 c. à s. d'huile d'olive
- 2 1/4 c. à t. de sel
- 1 1/4 c. à t. de poivre moulu
- 500 g de champignons blancs, tranchés
- 1 gros oignon, finement haché
- 5 gousses d'ail émincées
- 1 c. à s. de feuilles de thym frais hachées
- 1/2 T de vin blanc sec
- 1/3 de T de farine tout usage
- 4 T de lait entier, à la température ambiante
- 1 T de crème à fouetter épaisse, à la température ambiante
- 1 T de bouillon de poulet
- 1/8 de c. à t. de muscade moulue
- 340 g de linguine
- 3/4 de T de pois congelés
- 1/4 de T de feuilles de persil italien frais hachées
- 1 T de parmesan râpé
- 1/4 de T de chapelure italienne sèche

Instructions :

1. Préchauffer le four à 450 °F.

2. Enduire un plat de cuisson de 32,5 x 22,5 cm de 1 c. à soupe de beurre. Dans une grande poêle à frire antiadhésive, faire fondre 1 c. à soupe de beurre et la même quantité d'huile à feu moyen-élevé. Saupoudrer le poulet de 1/2 c. à thé de sel et de poivre. Ajouter le poulet dans la poêle chaude et cuire, jusqu'à ce qu'il devienne doré et qu'il soit cuit à point, environ 4 minutes par côté. Transférer le poulet dans une assiette et laisser refroidir légèrement. Couper grossièrement le poulet en petits morceaux et déposer dans un grand bol.

3. Ajouter 1 c. à soupe de beurre et la même quantité d'huile dans la même poêle. Incorporer les champignons et faire revenir à feu moyen-élevé, environ 12 minutes, ou jusqu'à ce que le liquide se soit évaporé et que les champignons deviennent d'un doré pâle. Ajouter l'oignon, l'ail et le thym et faire revenir jusqu'à ce que l'oignon soit translucide, environ 8 minutes. Ajouter le vin laisser mijoter environ 2 minutes, jusqu'à ce qu'il se soit évaporé. Transférer le mélange de champignons dans le bol où repose le poulet.

4. Faire fondre 3 c. à soupe de beurre dans la même poêle, à feu moyen-doux. Ajouter la farine et fouetter pendant 2 minutes. Incorporer, en fouettant, le lait, la crème, le bouillon, la muscade, 1 3/4 c. à thé de sel et 3/4 c. à thé de poivre. Augmenter le feu, couvrir et amener à ébullition à feu vif. Retirer le couvercle et laisser mijoter jusqu'à ce que la sauce épaississe légèrement, en fouettant souvent, environ 10 minutes. Amener à ébullition une grande casserole d'eau salée. Ajouter les linguine et cuire jusqu'à ce que les pâtes soient tendres, mais toujours fermes sous la dent, en remuant de temps à autre, environ 9 minutes. Égoutter. Incorporer les linguine, la sauce, les pois et le persil au mélange de poulet. Remuer jusqu'à ce que la sauce couvre bien les pâtes et que les ingrédients soient bien mélangés. Transférer le mélange de pâtes dans le plat de cuisson préparé. Mélanger le fromage et la chapelure dans un petit bol. Saupoudrer sur les pâtes. Surmonter de 3 boutons de beurre. Cuire, sans couvercle, jusqu'à ce qu'elles deviennent dorées sur le dessus et que la sauce bouillonne, environ 25 minutes.

Poulet à la bière et aux épices

Instructions :

1. Préparer un feu de charbon de bois ou préchauffer le gril au gaz. Dans un petit bol, incorporer les ingrédients secs pour préparer le mélange d'épices. Badigeonner légèrement le poulet d'huile d'olive et assaisonner avec 2 c. à soupe du mélange d'épices. Saupoudrer le reste du mélange dans la cavité du poulet et réserver.

2. Ouvrir la canette de bière, verser environ 1/4 de tasse et percer un autre trou dans le haut à l'aide d'un tire-bouchon ou d'un limonadier. Déposer prudemment la canette de bière debout, au centre du gril, au-dessus d'un feu moyen indirect et placer la cavité du poulet sur la canette de bière.

3. Fermer le couvercle du gril et cuire le poulet, debout, de 1 heure à 1 heure 30 minutes ou jusqu'à ce qu'un thermomètre à lecture instantanée inséré dans la poitrine indique 165 °F et 180 °F dans la cuisse. Pour retirer le poulet du gril, utiliser des pinces pour le tenir fermement et glisser une spatule large sous la canette pour en assurer la stabilité. Transférer sur la surface de travail et, à l'aide des pinces, retirer et jeter la canette de bière. Laisser reposer le poulet pendant 10 minutes avant de couper.

Portions : 4
Préparation : 15 min
Cuisson : 1 h 30

Ingrédients :

- 1 poulet de 2 à 2,5 kg rincé et asséché
- 1 c. à s. de cassonade foncée
- 1 1/2 c. à t. de sucre granulé
- 1 1/2 c. à t. d'ail en poudre
- 1 1/2 c. à t. de sel
- 3/4 de c. à t. de poivre
- 3/4 de c. à t. de paprika fumé
- 1/2 c. à t. de moutarde sèche
- 1/4 de c. à t. de poivre de Cayenne
- 1/4 de c. à t. de sauge déshydratée moulue
- Huile d'olive extra vierge
- 2 1/3 T de bière blonde

Poulet et champignons en croûte

Instructions :

1. Réchauffer l'huile dans une grande poêle à frire antiadhésive. Assaisonner le poulet au goût et frire en retournant de temps à autre, de 5 à 8 minutes, jusqu'à ce que la viande soit d'un brun doré. Selon la dimension de la poêle, il sera peut-être nécessaire de procéder par lots. Transférer le poulet sur une assiette et incorporer le bacon dans la poêle. Frire pendant 5 minutes, jusqu'à ce qu'il soit croustillant. Ajouter les oignons, les champignons et le thym et poursuivre la friture à feu vif 3 minutes de plus, jusqu'à ce que les oignons commencent à être colorés.

2. Mettre la farine dans la poêle et cuire, en remuant, pendant 1 minute. Retirer la poêle du feu et incorporer graduellement, en remuant ou en fouettant, le bouillon, suivi du lait. Remettre le poulet dans la poêle. Amener à ébullition et laisser mijoter pendant 30 minutes. Déposer la garniture dans une grande assiette à tarte ou un plat de cuisson à rebords d'environ 20 x 30 cm et laisser refroidir

3. Réchauffer le four à 400 °F. Sur une surface enfarinée, rouler la pâte jusqu'à ce qu'elle atteigne l'épaisseur d'environ 5 mm. Couper une longue lanière de la largeur du bord de l'assiette à tarte et, à l'aide d'un peu d'œuf, fixer la lanière sur le rebord. Badigeonner d'œuf et, avec le rouleau, soulever le reste de la pâte pour le déposer sur la tarte. Presser doucement les rebords avec les doigts et couper l'excédent de pâte à l'aide d'un couteau bien affûté. Badigeonner légèrement d'œuf pour glacer et cuire 30 minutes ou jusqu'à ce que la pâte lève et soit d'un brun doré foncé.

Portions : 4
Préparation : 15 min
Cuisson : 1 h 20

Ingrédients :

- 8 cuisses de poulet désossées et sans peau
- 8 tranches de bacon strié, coupées en gros morceaux
- 1 c. à s. d'huile végétale
- 1 oignon, coupé en deux et tranché
- 250 g de champignons de Paris
- 1 poignée de tiges de thym
- 2 c. à s. de farine nature
- 1 3/4 T de bouillon de poulet
- 1 T de lait
- 1 paquet de 500 g de pâte feuilletée fraîche ou congelée et décongelée
- 1 œuf battu

Poulet épicé à la sauce barbecue au miel

Portions : 4
Préparation : 20 min
Cuisson : 1 h 45

Ingrédients :

POULET
- 1 poulet entier (750 g)
- 1 c. à s. de paprika
- 2 c. à t. de poivre au citron
- 1/2 c. à t. d'ail en poudre
- 1/4 c. à t. de poivre noir
- 1/8 c. à t. de sel assaisonné
- Aérosol de cuisson

SAUCE
- 1/2 T de ketchup
- 1/4 de T de jus de citron frais
- 2 c. à s. de vinaigre de cidre
- 2 c. à s. de miel
- 1/2 c. à t. d'ail en poudre
- 1/4 de c. à t. de poivre noir

Instructions :

1. Pour préparer le poulet, retirer et jeter les abattis et le cou, rincer le poulet à l'eau froide et assécher en tapotant. Retirer l'excès de graisse. Placer le poulet, le côté de la poitrine vers le bas, sur une planche à découper. Couper le poulet dans le sens de la longueur le long de la colonne vertébrale (ne pas à travers l'os de la poitrine). Retourner le poulet. En commençant par la cavité du cou, relâcher la peau de la poitrine et des pilons en y insérant les doigts et en poussant légèrement entre la peau et la viande

2. Combiner le paprika et 4 ingrédients suivants (jusqu'au sel assaisonné). Frotter le mélange de paprika sous la peau relâchée, de même que sur la poitrine et les pilons. Presser légèrement la peau. Couper une entaille de 2,5 cm dans le bas de chacune des moitiés de la poitrine et insérer les extrémités des pilons dans les fentes.

3. Pour préparer le gril en vue d'une cuisson indirecte, placer une assiette d'aluminium jetable dans le gril ; verser de l'eau dans l'assiette. Disposer le charbon de bois autour de l'assiette ; chauffer à feu moyen. Enduire la grille d'huile de cuisson en aérosol. Placer le poulet, le côté de la poitrine vers le bas, sur la grille au-dessus de l'assiette d'aluminium. Couvrir et griller 1 h 30 ou jusqu'à ce qu'un thermomètre de cuisson indique 180 °F. Retirer le poulet du gril et le déposer sur une planche à découper propre. Couvrir avec une feuille d'aluminium et laisser reposer 5 minutes.

4. Pour préparer la sauce, combiner le ketchup et les ingrédients qui restent dans une petite saucière. Laisser mijoter la sauce à feu moyen-doux ; cuire 15 minutes, en remuant fréquemment. Retirer la peau du poulet et badigeonner d'un tiers de tasse de sauce. Servir le poulet accompagné de la sauce qui reste.

Tourtière au poulet

Portions : 4
Préparation : 20 min
Cuisson : 30 min

Ingrédients :

CROÛTE
- 4 feuilles de pâte feuilletée
- 1 œuf battu

GARNITURE
- 4 moitiés de poitrines de poulet
- Sel assaisonné et poivre
- 2 c. à s. d'huile de cuisson
- 1/3 de T de beurre
- 2/3 de T de farine (tout usage)
- 1 litre de crème fraîche épaisse
- 1/4 de T de concentré de bouillon de poulet
- 1 c. à s. d'ail émincé
- 1/2 petits oignons jaunes émincés
- 1 T de pois congelés et cuits
- 1 T de carottes cuites hachées
- 1 pincée de muscade râpée (facultatif)

Instructions :

CROÛTE
1. Préchauffer le four à 350 °F.

2. Couper chaque feuille de pâte feuilletée congelée en lanières de 2,5 cm x 20 cm. Sur une grande plaque à biscuits, disposer les lanières en treillis assez larges pour couvrir chaque tourtière. Badigeonner l'œuf battu sur chaque treillis. Cuire 5 minutes ou jusqu'à ce que la pâte lève et soit d'un brun doré clair. Réserver jusqu'à l'assemblage des tourtes. Laisser le four à 350 °F.

GARNITURE
3. Assaisonner le poulet de sel assaisonné et de poivre. Dans une grande poêle, réchauffer l'huile à feu moyen-élevé. Ajouter le poulet et faire revenir jusqu'à ce qu'il soit bien cuit. Retirer du feu et couper en morceaux. Il est également possible d'utiliser du poulet précuit.

4. Dans une grande casserole, faire fondre le beurre et ajouter lentement la farine en remuant, jusqu'à obtention d'une substance de la consistance semblable à celle du beurre d'arachides, mais qui n'est pas dorée, comme un roux. Incorporer lentement la crème en remuant constamment. Ajouter le concentré de poulet, l'ail et l'oignon et remuer jusqu'à épaississement. Ajouter les pois, les carottes, la muscade, s'il y a lieu, et les morceaux de poulet. Retirer du feu. Garnir 4 bols individuels allant au four de mélange de poulet et recouvrir du treillis de pâte précuite. Cuire 5 minutes ou jusqu'à ce que la garniture bouillonne. Tout restant de garniture peut être congelé.

Tourtière au poulet à la crème d'estragon et à la polenta

Instructions :
1. Dans une poêle profonde, réchauffer 2 c. à soupe d'huile d'olive extra vierge à feu moyen-élevé. Ajouter le poulet et faire revenir environ 3 minutes. Ajouter les carottes, l'oignon et le céleri, au fur et à mesure qu'ils sont coupés. Assaisonner de sel et de poivre et cuire de 10 à 12 minutes pour attendrir.

2. Préchauffer le grilloir. Installer la grille au milieu du four.

3. Amener 1 tasse de bouillon de poulet et 1/2 tasse de crème à ébullition. Incorporer la polenta et fouetter 3 minutes. Baisser le feu, ajouter le gruyère et réserver.

4. Sortir la viande et les légumes de la poêle, faire fondre le beurre et mélanger avec la farine environ 1 minute. Incorporer en fouettant 2 tasses de bouillon et mélanger, ajouter 1/2 tasse de crème et faire bouillonner. Incorporer l'estragon et les pois et ajuster l'assaisonnement de sel et de poivre avant de verser dans les bols à soupe.

5. Disposer les bols sur une plaque à biscuits. Utiliser la polenta et le mélange de fromage pour couvrir la tourtière. Placer sous le grilloir et dorer, de 2 à 3 minutes.

Portions : 4
Préparation : 20 min
Cuisson : 30 min

Ingrédients :
- 750 g de filets de poitrine de poulet hachés
- 2 c. à s. d'huile d'olive extra vierge
- 2 carottes hachées
- 1 oignon haché
- 2 branches de céleri avec les feuilles, hachées
- Sel et poivre fraîchement moulu
- 3 T de bouillon de poulet, divisées
- 1 T de crème, divisée
- 1/2 T de polenta à cuisson rapide,
- 2 c. à s. de beurre
- 2 c. à s. de farine tout usage
- 2 c. à t. de moutarde de Dijon
- 6 tiges d'estragon frais effeuillé (3 à 4 c. à soupe)
- 1 T de pois congelés
- 1 T de Gruyère râpé

Poulet et risotto à la crème citronnée

Portions : 2
Préparation : 20 min
Cuisson : 55 min

Ingrédients :

- 2 moitiés de poitrine de poulet désossées et sans peau
- 3 T de bouillon de poulet
- 5 c. à s. d'huile d'olive extra vierge
- 1 oignon haché
- 2 gousses d'ail hachées
- 1 T de riz arborio
- 1 trait de champagne ou de vin mousseux
- 3/4 de T de crème fraîche épaisse
- 1 zeste de citron de 7,5 cm et le jus d'un citron
- 1 pincée de poivre de Cayenne
- 55 g de pancetta tranchée et hachée
- 1 petite botte d'asperges,
  coupées en diagonale en morceaux de 2,5 cm
- 1 grande échalote finement tranchée
- 1/2 T de parmesan râpé
- 3 à 4 tiges de thym, les feuilles enlevées et hachées
- Sel et poivre

Instructions :

1. Dans une casserole de dimension moyenne, réchauffer le bouillon de poulet à feu doux. Dans une poêle moyenne, réchauffer 2 c. à soupe d'huile d'olive extra vierge, à feu moyen-élevé. Ajouter l'oignon et l'ail dans la poêle et cuire jusqu'à ce qu'ils soient tendres, de 3 à 4 minutes. Incorporer le riz et remuer pour bien le couvrir ; assaisonner de sel et de poivre. Ajouter le champagne et bouillir environ 2 minutes jusqu'à légère évaporation. Incorporer deux ou trois louches de bouillon de poulet chaud dans le riz et cuire, en remuant de temps à autre, jusqu'à évaporation du liquide. Ajouter du bouillon, quelques louches à la fois et réserver 1/2 tasse. Cuire en remuant à l'occasion, environ 18 minutes, jusqu'à l'obtention d'une substance crémeuse.

2. Pendant la cuisson du risotto, mélanger, dans une petite casserole, la crème, le zeste de citron et le poivre de Cayenne et cuire à feu moyen-doux jusqu'à légère réduction, environ 15 minutes.

3. Pendant ce temps, assaisonner les poitrines de poulet de sel et de poivre. Dans une poêle antiadhésive, réchauffer 2 c. à soupe d'huile d'olive extra vierge, à feu moyen-élevé. Ajouter le poulet et cuire, environ 6 minutes de chaque côté. Transférer sur une planche à découper (réserver la poêle) ; ajouter la 1/2 tasse de bouillon de poulet réservé au jus de cuisson et remuer. Incorporer le liquide dans le risotto pendant la cuisson.

4. Dans la poêle antiadhésive, réchauffer la c. à soupe d'huile d'olive extra vierge qui reste, à feu moyen-élevé. Ajouter la pancetta et cuire environ 3 minutes. Ajouter les asperges et l'échalote et cuire, en remuant, 3 minutes de plus.

5. Pour servir, mélanger le fromage et le thym dans le risotto et déposer une généreuse portion dans les assiettes. Trancher les poitrines de poulet en diagonale et déposer sur le risotto. Retirer le zeste de citron de la crème et jeter. Verser la crème sur le poulet. Verser le jus de citron sur les asperges et remuer, disposer autour du risotto.

Poulet farci à la moutarde

Portions : 4
Préparation : 10 min
Cuisson : 25 min

Ingrédients :
- 4 filets de poitrine désossés et sans peau
- 8 tranches de bacon strié
- 1 boule de mozzarella de 125 g, déchirée en petits morceaux
- 50 g de cheddar fort râpé
- 1 c. à s. de moutarde en grains à l'ancienne

Instructions :

1. Préchauffer le four à 400 °F.

2. Mélanger les fromages et la moutarde.

3. Tailler une fente dans le côté de chaque poitrine de poulet et farcir avec le mélange de moutarde. Envelopper chacune des poitrines farcies de 2 tranches de bacon – serrer juste assez pour maintenir le poulet ensemble.

4. Assaisonner, placer sur une plaque à biscuits et rôtir de 20 à 25 minutes.

ASTUCE
Si vous souhaitez utiliser moins de bacon, étirer 4 tranches de bacon à l'aide du dos d'un couteau pour les allonger et les amincir. Enveloppez chaque poitrine avec une seule tranche.

POUR ACCOMPAGNER
Champignons au fromage cuits au four : Préchauffer le four à 350 °F. Mélanger la mozzarella et le cheddar à 1 c. à soupe de pesto, et farcir les cavités de 4 champignons portobello. Placer sur un plateau de cuisson et rôtir 15 minutes ou jusqu'à ce que les champignons soient tendres et que le fromage bouillonne.

Casserole de poulet et de riz

Instructions :

1. Préchauffer le four à 350 °F.

2. Rincer et égouttés les haricots verts. Faire sauter les oignons dans une poêle.

3. Cuire le riz long grain et sauvage, selon les directives indiquées sur l'emballage.

4. Mélanger tous les ingrédients et verser dans un plat graissé d'une capacité de 3 litres et allant au four.

5. Cuire de 20 à 25 minutes ou jusqu'à bouillonnement.

Portions : 6 à 8
Préparation : 5 min
Cuisson : 25 min

Ingrédients :

- 3 T de poulet cuit en dés
- 3 T de haricots verts
- 1 oignon moyen taillé en dés
- 2 T de châtaignes d'eau égouttées et hachées
- 1/2 T de piments de Cayenne
- 1 boîte de soupe condensée de crème de céleri
- 1 T de mayonnaise
- 1 T de riz long grain et sauvage
- 1 T de cheddar au goût prononcé

Pochettes de poulet aux figues

Portions : 4
Préparation : 20 min
Cuisson : 20 min

Ingrédients :

- 4 poitrines de poulet désossées et sans peau
- 2 à 3 tiges de romarin frais finement haché
- 1 c. à s. d'huile d'olive extra vierge
- 1 pâte feuilletée (27,5 cm x 42,5 cm)
- 8 tranches de fontina, en dés carrés de 5 à 7,5 cm et de 5 mm à 1 cm d'épaisseur, coupées en 2
- 1/2 T de figues en conserve
- 1 œuf mélangé à 1 c. à s. d'eau, pour la dorure
- Sel et poivre noir fraîchement moulu

Instructions :

1. Préchauffer le four à 400 °F.

2. Assaisonner le poulet de sel, de poivre et de romarin. Couper chaque poitrine de poulet en deux, pour obtenir 8 morceaux égaux. Réchauffer l'huile dans une poêle antiadhésive à feu moyen-élevé. Dorer légèrement les deux côtés du poulet, environ 5 minutes au total. Retirer du feu.

3. Recouvrir une plaque à biscuits de papier parchemin. Couper la pâte en 8 morceaux. Placer un morceau de fromage sur chaque carré de pâte et surmonter de figues en conserve et de morceaux de poulet. Effectuer une pression pour sceller les extrémités de la pâte au-dessus du fromage et de la viande, badigeonner de dorure à l'œuf. Retourner les pochettes et badigeonner le dessus de dorure à l'œuf. Cuire de 12 à 15 minutes, jusqu'à ce que la pâte soit dorée.

ASTUCE

Pour apprêter des entrées, laisser simplement les poitrines de poulet entières et couper la pâte en quartiers. Retirer l'excédent de pâte et l'utiliser pour décorer avec des petits morceaux taillés à l'emporte-pièce.

Poulet Cacciatore

Instructions :

1. Réchauffer le four à 375 °F. Frire l'oignon et l'ail dans 3 c. à soupe d'huile, jusqu'à ce qu'ils soient tendres, mais pas dorés. Ajouter les tomates, assaisonner et laisser mijoter de 10 à 15 minutes, ou jusqu'à ce qu'elles soient épaisses et luisantes. Retirer du feu et incorporer le mascarpone et la moitié du basilic, grossièrement déchiqueté.

2. Réchauffer un peu d'huile dans une poêle et frire le poulet des deux côtés jusqu'à ce qu'il soit doré. Transférer dans un plat de cuisson et verser la sauce. Cuire de 25 à 30 minutes, ou jusqu'à ce que le poulet soit bien cuit. Saupoudrer le reste du basilic.

ASTUCE

Servir avec des pâtes courtes, comme des fusilli, ou avec un grand plat de pommes de terre rôties avec de l'huile d'olive et du romarin.

Portions : 6
Préparation : 10 min
Cuisson : 45 min

Ingrédients :

- 6 poitrines de poulet avec la peau
- 1 oignon, finement haché
- 2 gousses d'ail écrasées
- Huile d'olive
- 800 g de tomates cerises
- 4 c. à s. de mascarpone
- Quelques feuilles de basilic

Poulet à la sauce Buffalo et à la trempette de fromage bleu

Portions : 4
Préparation : 10 min
Cuisson : 50 min

Ingrédients :
- 6 moitiés de poitrines de poulet désossées
- Aérosol de cuisson
- 2 c. à t. de sel
- 2 c. à t. de poudre de chili
- 1/4 de c. à t. de poivre noir fraîchement moulu
- 2 c. à s. d'huile de chili
- 2 grosses patates douces, pelées et coupées en morceaux
- 1 grosse aubergine, coupée dans le sens de la largeur en rondelles de 1 cm d'épaisseur
- 1/2 T de crème sure
- 1/4 de T de fromage bleu émietté

Instructions :

1. Préchauffer le four à 400 °F.

2. Enduire 2 grandes plaques à biscuits d'huile de cuisson en aérosol.

3. Dans un petit bol, mélanger le sel, la poudre de chili et le poivre noir.

4. Assécher le poulet en tapotant. Badigeonner avec l'huile de chili. Saupoudrer tout le poulet du mélange de sel et transférer sur la plaque à biscuits préparée. Rôtir 25 minutes, jusqu'à ce que le poulet soit bien cuit.

5. Disposer les patates douces et l'aubergine sur des plaques à biscuits distinctes. Enduire d'huile de cuisson en aérosol et assaisonner de sel et de poivre noir. Rôtir de 25 à 30 minutes, jusqu'à ce que les légumes soient tendres.

6. Dans un petit bol, mélanger la crème sure et le fromage bleu. Servir la trempette avec les poitrines de poulet, des patates douces et des rondelles d'aubergine.

Poulet Général Tao

Instructions :

1. Déposer les ingrédients de la sauce dans un contenant en vitre hermétique et remuer pour bien mélanger les ingrédients.

2. Mélanger les ingrédients de la pâte dans un grand bol. Le mélange devrait être très épais. Ajouter les morceaux de poulet pour bien les faire badigeonner. Extraire un morceau de poulet à la fois à l'aide d'une fourchette et laisser égoutter l'excédent de pâte. Déposer le poulet dans de l'huile bien chaude (350 °F) et faire frire jusqu'à ce qu'il soit croustillant. Ne faire cuire que 7 à 8 morceaux de poulet à la fois.

3. Égoutter le poulet sur de l'essuie-tout. Garder les morceaux au chaud en les déposant au four jusqu'à ce que tous les morceaux de poulet soient frits.

4. Verser un peu d'huile dans un wok ou dans une grande poêle à frire et faire chauffer l'huile à 400 °F.

5. Faire sauter l'oignon vert et les chilis pendant 30 secondes.

6. Remuer la sauce avant de la verser dans la poêle sur l'oignon vert et les chiles. Faire cuire jusqu'à ce que le mélange épaississe. Ajouter un peu d'eau au besoin pour éclaircir. L'épaisseur de la sauce devrait correspondre à la texture normalement obtenue dans un restaurant.

7. Incorporer le poulet aux autres ingrédients et faire cuire jusqu'à ce qu'il soit chaud et bouillonnant.

8. Servir sur un lit de riz.

Portions : 4
Préparation : 20 min
Cuisson : 10 min

Ingrédients :
- 1 kg de poitrine de poulet désossée sans peau coupée en morceaux
- 2 T d'oignon vert tranché
- 8 petits chilis séchés épépinés

PÂTE
- 1/4 de T de sauce soja en faible teneur en sodium
- 1 œuf battu
- 1 T de fécule de maïs

SAUCE
- 1/2 T de fécule de maïs
- 1/4 de T d'eau
- 1 1/2 c. à t. d'ail frais finement haché
- 3/4 de T de sucre
- 1/2 T de sauce soja
- 1/4 de T de vinaigre blanc
- 1/4 de T de xérès (ou de vin blanc)
- 1 3/4 T de bouillon de poulet

Poulet au fromage et aux épices

Portions : 4 à 6
Préparation : 10 min
Cuisson : 20 min

Ingrédients :

- **4 moitiés de poitrines de poulet désossées (environ 1 kg)**
- **2 c. à s. d'huile d'olive**
- **2 c. à s. de feuilles de coriandre fraîche hachées, plus quelques feuilles entières pour garnir**
- **1 c. à s. de poudre de chili**
- **1 c. à s. de cumin moulu**
- **2 c. à t. de sel casher**
- **1 gousse d'ail hachée**
- **1/2 c. à t. de poivre noir moulu**
- **1/8 de c. à t. de poivre de Cayenne**
- **1/4 de T de poivron vert taillé en juliennes**
- **2 c. à s. d'oignon rouge coupé en dés**
- **1 tomate prune moyenne, évidée et taillée en dés (environ 1/4 de T)**
- **113 g de fromage Colby Jack effiloché**

Instructions :

1. Préchauffer le four à 400 °F.

2. Dans un bol, mélanger l'huile, la coriandre hachée, la poudre de chili, le cumin, le sel, l'ail, le poivre et le poivre de Cayenne. Ajouter le poulet et remuer pour couvrir.

3. Transférer le poulet sur une plaque à biscuits recouverte d'une feuille d'aluminium et disposer le poivron vert, l'oignon et la tomate sur chaque poitrine.

4. Rôtir environ 20 minutes, jusqu'à ce que le morceau le plus gros soit bien cuit et qu'un thermomètre à lecture instantanée, inséré dans la partie la plus large, indique 165 °F.

5. Retirer le poulet du four et napper immédiatement de fromage. Servir alors que le fromage fond sur la viande.

6. Disposer sur une assiette de service ou dans des assiettes individuelles et garnir de feuilles de coriandre fraîche.

Poulet au parmesan

Instructions :

1. Placer la grille dans le milieu du four. Préchauffer le four à 450 °F. Recouvrir une plaque à biscuits de papier parchemin.

2. Fouetter la moutarde, le vinaigre, le sel et 1/4 c. à thé de poivre dans un grand bol. Ajouter le poulet et remuer pour bien recouvrir.

3. Passer le muffin anglais dans un robot culinaire jusqu'à ce qu'il soit finement moulu. Ajouter le fromage, le beurre et le poivre qui reste et passer jusqu'à ce que les ingrédients soient bien mélangés.

4. Transférer dans un plat peu profond ou dans une assiette à tarte.

5. Saupoudrer le poulet du mélange de muffin, un morceau à la fois, en le recouvrant entièrement et en pressant le mélange pour lui permettre de bien adhérer. Transférer sur une rôtissoire.

6. Cuire de 15 à 20 minutes, jusqu'à ce que la viande soit dorée et bien cuite.

Portions : 6
Préparation : 10 min
Cuisson : 35 min

Ingrédients :

- **6 moitiés de poitrines de poulet désossées (pas plus de 1 kg au total), rincées et asséchées en tapotant**
- **3 c. à s. de moutarde de Dijon**
- **1 c. à t. de vinaigre de vin blanc**
- **1/2 c. à t. de sel**
- **1/2 c. à t. de poivre noir fraîchement moulu**
- **1 1/2 muffin anglais**
- **3/4 de T de parmesan finement râpé**
- **1 c. à s. de beurre non salé fondu**

Piccata de poulet croûtée

Portions : 4
Préparation : 10 min
Cuisson : 20 min

Ingrédients :

- **4 demi-poitrines de poulet désossées et sans peau, martelées et d'environ 5 mm d'épaisseur**
- **1/4 de T de farine**
- **2 œufs**
- **1 1/4 T de parmesan râpé**
- **500 g de cheveux d'ange**
- **3 c. à s. d'huile d'olive extra vierge**
- **Le jus de 1 citron, plus 1 citron tranché**
- **2 gousses d'ail finement hachées**
- **1/4 de T câpres égouttées et asséchées ou 12 boutons de câprier tranchés**
- **1/2 T de vin blanc sec (à l'œil)**
- **1/4 de T feuilles de persil plat hachées**
- **1/2 T bouillon de poulet**
- **2 c. à s. de beurre refroidi et coupé en petits morceaux**
- **150 g de jeunes épinards**
- **Sel et poivre**

Instructions :

1. Verser la farine sur une assiette. Dans un bol peu profond, battre les œufs ; mettre 1 tasse de fromage dans une autre assiette. Une escalope à la fois, couvrir le poulet de farine, d'œuf et de fromage, en effectuant une pression pour permettre aux ingrédients de bien adhérer. Transférer sur une assiette.

2. Amener à ébullition une grande casserole d'eau. Ajouter le sel et les pâtes et cuire 3 minutes, jusqu'à ce qu'elles soient *al dente*. Égoutter et réserver une louche d'eau de cuisson.

3. Dans une grande poêle antiadhésive, réchauffer 2 c. à soupe d'huile d'olive extra vierge à feu moyen. Ajouter le poulet et cuire, en retournant la viande une fois, jusqu'à ce qu'elle soit bien dorée, environ 10 minutes. Transférer sur un plat de service et couvrir d'une feuille d'aluminium. Ajouter 1 c. à soupe d'huile d'olive extra vierge dans la poêle. Incorporer le citron tranché, l'ail et les câpres et cuire 2 minutes. Ajouter le vin et le persil et cuire jusqu'à réduction, environ 1 minute. Diminuer la chaleur et laisser mijoter.

4. Verser le bouillon de poulet dans la sauce et cuire 1 minute. Incorporer le beurre et remuer jusqu'à ce qu'il fonde et ajouter le jus de citron. Verser un peu de sauce sur le poulet. Ajouter les épinards à la sauce qui reste dans la poêle et cuire jusqu'à ce qu'ils soient fanés. Ajouter l'eau de cuisson des pâtes réservée. Incorporer les pâtes et mélanger pour couvrir ; assaisonner de sel et de poivre. Ajouter le 1/4 de tasse de fromage qui reste et remuer.

5. Servir les pâtes avec le poulet.

Poulet au chili brûlant

Portions : 6
Préparation : 25 min
Cuisson : 1 h

Ingrédients :

- 2 c. à s. d'huile d'olive extra vierge
- 2 oignons hachés
- 4 gousses d'ail finement tranchées
- 4 c. à t. d'origan déshydraté
- 2 1/2 c. à t. de cumin moulu
- 1 1/2 c. à t. de sel
- 1 c. à t. de paprika
- 1 gros piment chipotle dans une sauce adobo, finement haché, la sauce réservée
- 750 g de cuisses de poulet désossées finement tranchées
- 2 boîtes de 795 g de tomates en dés en conserve avec leur jus
- 3 boîtes de 440 g de haricots Pinto
- Avocats, hachés
- Feuilles de coriandre
- fromage cheddar râpé
- Échalotes hachées
- Crème sure pour servir

Instructions :

1. Dans une grande casserole épaisse, chauffer l'huile d'olive à feu moyen.

2. Ajouter les oignons, l'ail, l'origan, le cumin, le sel et le paprika et cuire, en remuant de temps à autre, environ 7 minutes, ou jusqu'à ce que les oignons soient tendres et que les épices soient odorantes. Incorporer le piment chipotle et 1 c. à soupe de sauce adobo.

3. Ajouter le poulet et cuire, en remuant, jusqu'à ce que la viande commence à devenir opaque, environ 2 minutes. Incorporer les tomates et les haricots et amener à ébullition.

4. Diminuer la chaleur et laisser mijoter pendant 10 minutes.

5. Retirer le couvercle, augmenter la chaleur et laisser mijoter le chili vivement, en remuant souvent, de 25 à 30 minutes ou jusqu'à épaississement.

6. Ajouter de la sauce adobo au goût. Servir le chili avec les avocats, la coriandre, le fromage, les échalotes et la crème sure.

ASTUCE

Mélanger des légumes verts avec le poulet au chili brûlant et des croustilles au maïs pour obtenir une délicieuse salade.

Poulet au citron à la toscane

Instructions :

1. Saupoudrer le poulet de 1 c. à thé de sel de chaque côté. Mélanger l'huile d'olive, le zeste et le jus de citron, l'ail, le romarin et 2 c. à thé de poivre dans une tasse à mesurer.

2. Placer le poulet sur une assiette de céramique ou de verre, juste assez large pour le maintenir à plat. Verser la marinade de citron sur la viande et la retourner dans l'assiette.

3. Couvrir d'une pellicule de plastique et mettre au réfrigérateur pendant au moins 4 heures ou toute la nuit. Retourner le poulet 2 ou 3 fois pendant qu'il marine.

4. Quand le poulet est prêt à cuire, allumer le gril à charbon de bois à feu vif, d'un seul côté (ou régler le gril au gaz à feu doux). Étaler la plupart des briquettes sur la moitié du gril. Placer le poulet, le côté de la peau vers le haut, du côté opposé du gril et déposer sur le poulet l'assiette ayant servi au marinage, pour l'alourdir.

5. Cuire, de 12 à 15 minutes, ou jusqu'à ce que le dessous soit doré. Retourner le poulet, remettre l'assiette et poursuivre la cuisson de 12 à 15 minutes de plus, jusqu'à ce que la peau soit dorée et le poulet, bien cuit.

6. Placer les moitiés de citron du côté frais du gril, le côté coupé vers le bas, pendant les dernières 10 minutes de cuisson.

7. Mettre le poulet sur une assiette ou une planche à découper et laisser reposer pendant 5 minutes. Couper en quartiers, saupoudrer de sel et servir avec les moitiés de citron grillées.

Portions : 2 à 3
Préparation : 20 min
Cuisson : 40 min

Ingrédients :

- 1,75 kg de poulet attendri
- 1/3 de T d'huile d'olive de bonne qualité
- 2 c. à t. de zeste de citron râpé (2 citrons)
- 1/3 de T de jus de citron fraîchement pressé
- 1 c. à s. d'ail émincé (3 gousses)
- 1 c. à s. de feuilles de romarin frais émincées
- 1 citron coupé en deux
- Sel casher et poivre noir fraîchement moulu

Poitrines de poulet farcies et polenta au Marsala

Portions : 4
Préparation : 20 min
Cuisson : 50 min

Ingrédients :

- 4 poitrines de poulet désossées et coupées en deux
- 2 tiges de romarin finement hachées
- 500 g de saucisse italienne piquante ou douce ou un chapelet de 4 saucisses, les boyaux jetés
- 2 c. à s. d'huile d'olive extra vierge
- 2 T de bouillon de poulet
- 1/2 T de canneberges déshydratées
- Le zeste râpé de 1 orange, plus 4 rondelles
- 1 T de lait
- 3/4 de T de polenta instantanée
- 2/3 de T de parmesan râpé
- 4 c. à s. de beurre
- 1/2 T de Marsala

Instructions :

1. Préchauffer le four à 400 °F. Faire une entaille dans chacune des poitrines de poulet en s'assurant de ne pas passer au travers. Ouvrir la poitrine comme un livre. Marteler doucement le poulet jusqu'à ce qu'il atteigne une épaisseur de 2,5 mm. Assaisonner les deux côtés de sel, de poivre et de romarin. Surmonter chacune des poitrines de 115 g de saucisse disposée en forme de rondin et rouler le poulet autour de la saucisse.

2. Dans une poêle allant au four, réchauffer l'huile d'olive extra vierge, à feu moyen-élevé. Placer le poulet dans la poêle, l'extrémité du rouleau de poulet en dessous et cuire, en le retournant, environ 5 minutes ou jusqu'à ce qu'il soit doré sur toute la surface. Transférer la poêle au four et cuire 25 minutes, jusqu'à ce qu'il soit bien cuit.

3. Pendant la cuisson du poulet, dans une casserole de dimension moyenne, amener à ébullition le bouillon de poulet, les canneberges et le zeste d'orange à feu moyen-élevé. Diminuer la chaleur et laisser mijoter 5 minutes. Incorporer le lait et amener à ébullition. Ajouter la polenta et cuire, en fouettant sans arrêt, jusqu'à épaississement, environ 5 minutes. Fermer le feu et incorporer, en fouettant, le fromage et 2 c. à soupe de beurre ; assaisonner de sel et de poivre.

4. Transférer le poulet dans une assiette. Faire chauffer la poêle à feu moyen et ajouter le Marsala, en grattant tous les petits morceaux dorés qui auraient adhéré au fond de la poêle. Incorporer les tranches d'orange. Ajouter les 2 c. à soupe de beurre qui restent et remuer pour mélanger.

5. Pour servir, couper le poulet en angle et disposer dans des assiettes. Verser la sauce au Marsala et surmonter des tranches d'orange. Servir avec la polenta.

Poulet sauce à la mangue à la jamaïcaine

Instructions :

1. Réchauffer une poêle antiadhésive à feu moyen-élevé. Saupoudrer uniformément l'assaisonnement et 1/4 c. à thé de sel sur le poulet. Enduire le poulet d'huile de cuisson en aérosol. Ajouter le poulet dans la poêle, cuire 4 minutes de chaque côté ou jusqu'à ce que la viande soit bien cuite.

2. Pendant la cuisson du poulet, mélanger 1/4 c. à thé de sel, la coriandre et les ingrédients qui restent. Servir la salsa avec le poulet.

Portions : 4
Préparation : 5 min
Cuisson : 8 min

Ingrédients :
- 4 moitiés de poitrines de poulet (170 g) désossées et sans peau
- 1/2 c. à t. d'assaisonnement à charqui jamaïcain
- 1/2 c. à t. de sel, divisée
- Aérosol de cuisson
- 1/4 de T de coriandre fraîche émincée
- 1/4 de T d'oignon rouge finement haché
- 1 c. à s. de menthe fraîche hachée
- 1 c. à t. de cassonade
- 2 c. à t. de jus de limette frais
- 1/4 de c. à t. de poivre noir
- 1/4 de c. à t. de piment rouge broyé
- 455 g de confiture de mangue pelée et tranchée, égouttée et hachée

Poulet thaï dans des feuilles de chou

Portions : 4
Préparation : 10 min
Cuisson : 10 min

Ingrédients :
- 1 T d'eau
- 3/4 de T d'oignon rouge tranché à la verticale
- 500 g de poitrine de poulet hachée
- 3 c. à s. de menthe fraîche finement hachée
- 2 c. à s. de coriandre fraîche finement hachée
- 3 c. à s. de jus de limette frais
- 4 c. à t. de sauce de poisson thaïlandaise
- 1/4 à 1/2 c. à thé de poivre rouge concassé
- 16 feuilles de chou de type napa (chinois)
- Quartiers de limette (facultatif)

Instructions :

1. Faire chauffer une poêle antiadhésive à feu moyen-élevé.

2. Ajouter les 3 premiers ingrédients dans la poêle. Chauffer 10 minutes, ou jusqu'à ce que le poulet soit cuit, en remuant pour l'effriter.

3. Égoutter. Remettre le mélange de poulet dans la poêle et incorporer la menthe, la coriandre, le jus, la sauce de poisson et le poivre.

4. Verser environ 3 c. à soupe de mélange de poulet sur chacune des feuilles de chou. Servir avec des quartiers de limette, si désiré.

Poulet Vindaloo

Instructions :

1. Mélanger la pâte vindaloo, le jus et le zeste de limette, le cumin, la cannelle, la cardamome et l'huile, dans un grand plat de cuisson. Ajouter les cuisses et remuer pour bien enduire de marinade. Couvrir d'une pellicule de plastique, mettre au réfrigérateur et laisser mariner pendant au moins 4 heures.

2. Réchauffer le barbecue et griller les cuisses de poulet jusqu'à ce qu'elles soient dorées à l'extérieur et que les jus soient clairs, environ 10 minutes par côté.

Portions : 4
Préparation : 10 min
Marinade : 4 h
Cuisson : 20 min

Ingrédients :
- 10 cuisses de poulet sans peau
- 2 c. à s. de pâte vindaloo commerciale
- Le jus et le zeste de 1 citron
- 1 c. à t. de cumin
- 1/2 c. à t. de cannelle
- 1/2 c. à t. de cardamome
- 1/4 de T d'huile végétale

Poulet Yakitori

Portions : 20 boulettes
Préparation : 15 min
Cuisson : 15 min

Ingrédients :

- **750 g de cuisses de poulet désossées et sans peau, coupées en morceaux de 2,5 cm**
- **3 gros œufs**
- **1 c. à s. d'ail haché grossièrement**
- **Morceau de gingembre frais de 5 cm, plus 2 c. à soupe de gingembre haché grossièrement**
- **2 échalotes hachées grossièrement**
- **1 c. à t. de sel**
- **3 c. à t. de farine**
- **3 c. à t. de fécule de maïs**
- **1/2 T de chapelure japonaise**
- **2 litres d'eau**
- **Brochettes de bambou**

SAUCE

- **1/2 T de saké**
- **1/2 T de sauce soya**
- **1/4 de T de mirin**
- **2 c. à s. de miel**
- **2 c. à t. de fécule de maïs**
- **Feuilles de coriandre fraîche, pour garnir**
- **Oignon vert haché, pour garnir**
- **Graines de sésame, pour garnir**
- **Poivre de Cayenne, pour garnir**

Instructions :

1. Tremper les brochettes de bambou dans l'eau, pendant environ 30 minutes.

2. Dans un robot culinaire, passer ensemble le poulet, les œufs, l'ail, 2 c. à soupe de gingembre, les échalotes, le sel, la farine, la fécule de maïs et la chapelure japonaise, jusqu'à ce que les ingrédients soient bien mélangés. Façonner la préparation de poulet en boulettes 3,5 cm. Pour empêcher le mélange de coller sur les doigts, mouiller les mains, entre chacune des boulettes. Placer les boulettes sur une assiette, sans y toucher.

3. Couper grossièrement le morceau de gingembre et, dans une casserole de dimension moyenne, amener l'eau à ébullition à feu vif. Ajouter le gingembre. Mettre dans l'eau de 8 à 10 boulettes à la fois. Cuire, pendant environ 6 minutes. (Les boulettes flotteront sur le dessus et changeront de couleur, mais il faut s'assurer qu'il ne reste pas de rose à l'extérieur). Retirer les boulettes de l'eau à l'aide d'une cuiller à rainures et égoutter sur des essuie-tout. Répéter jusqu'à ce que toutes les boulettes soient cuites. Quand elles sont assez refroidies pour être manipulées, enfiler 3 boulettes par brochette de bambou et réserver.

4. Pour préparer la sauce yakitori, fouetter le saké, la sauce soya, le mirin, le miel et la fécule de maïs dans une petite casserole. Amener à ébullition à feu moyen-élevé. Diminuer la chaleur et laisser mijoter à feu moyen, en remuant de temps à autre, jusqu'à épaississement, environ 2 minutes.

5. Préchauffer le gril au gaz à feu moyen. Placer les brochettes sur une grille légèrement huilée. (Essuyer de l'huile à l'aide d'un essuie-tout.) Cuire de 7 à 10 minutes, en retournant les brochettes au fur et à mesure qu'elles deviennent dorées.

6. Quand le poulet est cuit, arroser les boulettes de sauce yakitori. Placer les brochettes sur une assiette de service, arroser encore de sauce et saupoudrer de coriandre, d'oignon vert, de graines de sésame et de poivre de Cayenne.

7. Servir immédiatement.

Cuisses de poulet frites au four

Instructions :

1. À l'aide d'un couperet, couper la jointure de la patte (la fin de l'articulation) et jeter. Cela permettra d'obtenir une cuisse de poulet encore plus tendre et succulente.

2. Fabriquer de la chapelure en utilisant les restes d'un pain, coupés en dés de 2,5 cm et passés au robot culinaire. Combiner les herbes de Provence dans un grand bol à mélanger.

3. Fouetter la moutarde et l'huile d'olive dans un autre bol. Assaisonner le poulet de sel et de poivre et couvrir avec le mélange de moutarde.

4. Rouler dans la chapelure et placer sur une plaque à biscuits recouverte de papier parchemin. Cuire de 35 à 40 minutes à 350 °F.

Portions : 4
Préparation : 10 min
Cuisson : 40 min

Ingrédients :

- **8 cuisses de poulet**
- **1/4 de T de moutarde de Dijon**
- **1/4 de T d'huile d'olive**
- **1 1/2 T de chapelure**
- **2 c. à s. d'herbes de Provence**
- **Sel et poivre**

Repas de poulet dans une poêle

Portions: 4
Préparation: 10 min
Cuisson: 50 min

Ingrédients:
- 1 poulet de 1,75 à 2 kg, coupé en quartiers, rincé et asséché en tapotant
- 2 1/2 c. à s. d'huile d'olive extra vierge
- 5 pommes de terre à chair jaune, comme des Yukon Gold, coupées en 4 morceaux
- 4 carottes minces pelées et coupées en morceaux de 5 cm
- 4 panais minces pelés et coupés en morceaux de 5 cm
- 10 tiges de thym
- Sel et poivre

Instructions:

1. Installer une grille dans le tiers supérieur du four et préchauffer à 425 °F. Placer le poulet dans une grande rôtissoire, badigeonner 1/2 c. à soupe d'huile d'olive et assaisonner de sel et de poivre. Rôtir 10 minutes.

2. Pendant la cuisson, mélanger, dans un grand bol, les pommes de terre, les carottes et les panais aux 2 c. à soupe d'huile d'olive restantes et assaisonner de sel et de poivre.

3. Disposer les légumes autour du poulet et parsemer les 8 tiges de thym sur le dessus. Rôtir environ 40 minutes ou jusqu'à ce que les légumes soient tendres et que les jus du poulet soient clairs quand on pique une patte. Retirer les feuilles des 2 tiges de thym qui restent et saupoudrer sur le dessus.

Poitrines de poulet épicées glacées au miel

Instructions:

1. Dans une petite casserole, réchauffer 1 c. à soupe d'huile d'olive à feu moyen. Ajouter l'oignon et l'ail et cuire en remuant, de 6 à 8 minutes, jusqu'à ce que l'oignon devienne translucide et commence à dorer. Incorporer le miel, la sauce piquante et la poudre de chili et laisser mijoter 1 minute. Retirer du feu, ajouter le jus de citron et réserver.

2. Préchauffer le gril ou une poêle à griller à feu moyen-élevé. Badigeonner le poulet des 3 c. à soupe d'huile d'olive qui restent et assaisonner de sel. Griller jusqu'à ce que la viande soit bien marquée, environ 7 minutes. Retourner et cuire jusqu'à ce que le dessous soit bien marqué et que le poulet soit bien cuit, encore 2 minutes. Transférer sur une assiette et badigeonner de la glace réservée. Couvrir d'une feuille d'aluminium et laisser reposer 5 minutes.

3. Pendant la cuisson de la viande, griller l'ananas jusqu'à ce qu'il soit bien marqué d'un côté, environ 4 minutes. Retourner et cuire encore 2 minutes. Servir avec le poulet.

Portions: 8
Préparation: 10 min
Cuisson: 25 min

Ingrédients:
- 8 poitrines de poulet désossées et sans peau (environ 2 kg)
- 1/4 de T d'huile d'olive extra vierge
- 1 petit oignon finement haché
- 1 gousse d'ail finement hachée
- 1/2 T de miel
- 2 c. à t. de sauce pimentée piquante
- 1/2 c. à t. de poudre de chili
- 1 c. à t. de jus de citron
- 1 ananas pelé, évidé et coupé en 8 rondelles épaisses
- Sel

Poulet épicé glacé à l'abricot

Portions: 4
Préparation: 10 min
Cuisson: 20 min

Ingrédients:
- 4 poitrines de poulet désossées et coupées en 2
- 1/4 de T de confiture d'abricot
- 1/4 de c. à t. de flocons de piment rouge
- Gros sel et poivre moulu

Instructions:

1. Réchauffer le grilloir et placer la grille à 10 cm de la chaleur.

2. Dans un petit bol, mélanger la confiture et les flocons de piment rouge; réserver la glace.

3. Placer le poulet sur une plaque à biscuits recouverte d'une feuille d'aluminium; assaisonner de sel et de poivre. Griller de 5 à 6 minutes, jusqu'à ce que le poulet devienne opaque.

4. Badigeonner le poulet avec la glace. Griller de 4 à 5 minutes de plus, jusqu'à ce que la glace soit dorée et qu'un thermomètre à lecture instantanée inséré dans la partie la plus épaisse du poulet indique 165 °F.

Instructions :

1. Couper le poulet en morceaux égaux pour le gril.

2. Mélanger l'ail, l'huile d'olive et le jus d'un citron et ajouter le poulet à la préparation. Mariner au réfrigérateur pendant 1 heure.

3. Enfiler la viande sur des brochettes et griller jusqu'à ce que le poulet soit bien cuit.

4. Mélanger le jus de citron qui reste, le miel et la moutarde et badigeonner sur les morceaux de poulet cuit.

5. Mélanger les graines de sésame claires et foncées dans un bol peu profond et rouler les brochettes de poulet pour couvrir. Servir.

Portions : 2
Préparation : 5 min
Marinade : 1 h
Cuisson : 15 min

Ingrédients :
- **2 poitrines de poulet désossées**
- **2 gousses d'ail émincées**
- **1/4 de T d'huile d'olive**
- **2 citrons pressés**
- **2 c. à s. de miel**
- **1 c. à t. de moutarde de Dijon**
- **Graines de sésame pour couvrir**
- **Brochettes**

Poitrines de canard aux épices asiatiques glacées au gingembre

VOLAILLES

Portions : 4 à 6
Préparation : 15 min
Cuisson : 10 min

Ingrédients :
- 4 poitrines de canard dégraissées
- Sel et poivre fraîchement moulu
- 1 botte d'oignons verts grillés
- Tortillas à la farine grillées
  ou réchauffées

MÉLANGE D'ÉPICES ASIATIQUES
- 2 c. à s. de paprika espagnol
- 1 c. à s. de moutarde sèche
- 2 c. à t. de sel casher
- 2 c. à t. de poivre noir moulu
- 2 c. à t. d'anis étoilé moulu
- 2 c. à t. de gingembre moulu
- 1 c. à t. de piment
  de la Jamaïque moulu
- 1/4 de c. à t. de piment rouge
  moulu

GLACE AU GINGEMBRE, AIL ET CHILI
- 2 c. à s. d'huile d'arachide
- 1 morceau de gingembre de 5 cm,
  finement haché
- 6 gousses d'ail finement hachées
- 2 c. à s. s de pâte de chili asiatique
  piquante (le sambal œlek est
  recommandé)
- 1/2 T de miel
- 1/4 de T de sauce soya
  pauvre en sodium

Instructions :

1. Réchauffer le gril à moyen-élevé.

2. À l'aide d'un couteau, effectuer des incisions en forme de croisillons dans la chair du canard, en s'assurant de ne pas la transpercer. Saler et poivrer les deux côtés.

3. Badigeonner les deux côtés des poitrines de quelques c. à soupe du mélange d'épices et placer sur le gril, le côté badigeonné en dessous.

4. Griller, de 4 à 5 minutes, jusqu'à ce que les poitrines soient légèrement carbonisées et que la peau commence à être croustillante.

5. Retourner les poitrines, badigeonner de glace et poursuivre la cuisson de 3 à 4 minutes, pour obtenir une viande cuite à point.

6. Retirer le canard du gril et badigeonner de glace de nouveau. Laisser reposer 5 minutes et couper des tranches de 5 mm, en diagonale.

7. Placer les oignons verts sur une assiette et couvrir de tranches de poitrines de canard. Servir avec des tortillas.

MÉLANGE D'ÉPICES ASIATIQUES
8. Mélanger tous les ingrédients dans un petit bol.

GLACE AU GINGEMBRE, AIL ET CHILI
9. Réchauffer l'huile à feu moyen dans une petite casserole.

10. Ajouter le gingembre et l'ail et cuire jusqu'à ce qu'ils deviennent tendres. Ajouter la pâte de chili et cuire 1 minute.

11. Incorporer, en fouettant, le miel et la sauce soya et cuire jusqu'à ce que les ingrédients soient bien mélangés et le miel, fondu. Laisser refroidir avant de servir.

Confit de canard

Instructions :

1. Trancher les parties saillantes des cuisses à l'aide d'un couperet.

2. Broyer la gousse d'ail et mélanger avec l'huile d'olive.

3. Badigeonner les cuisses avec la marinade, assaisonner de sel et de poivre et déposer les cuisses sur une plaque à biscuits tapissée de papier parchemin.

4. Faire cuire les cuisses au four à 275 °F de 2 h à 2 h 30.

5. Augmenter la température du four à 400 °F pendant les dernières 20 à 30 minutes de cuisson pour rendre la peau croustillante. Servir.

Portions : 2
Préparation : 15 min
Cuisson : 2 h 30

Ingrédients :
- 2 cuisses de canard
- 2 gousses d'ail
- 2 c. à s. d'huile d'olive
- Sel et poivre

Portions: 1
Préparation: 15 min
Cuisson: 18 min

Ingrédients:

- 1 poitrine de canard désossée avec la peau
- 1 c. à s. d'huile d'olive
- 1 échalote finement hachée
- 1/4 de T de porto
- 1 c. à t. de moutarde de Dijon
- 3 T de laitue frisée déchiquetée
- 1 c. à s. d'amandes tranchées, légèrement rôties

Instructions:

1. Placer une petite poêle peu profonde et à l'épreuve des flammes au milieu du four et préchauffer à 400 °F.

2. Assécher le canard en tapotant et retirer tout le gras des côtés. Tailler, dans la peau du canard, des hachures croisées d'environ 1 cm et assaisonner de 1/4 c. à thé de sel et de 1/8 c. à thé poivre. Réchauffer une poêle à fond épais (pas antiadhésive) à feu moyen-élevé jusqu'à ce qu'elle soit chaude et cuire le canard, le côté de la peau en dessous, 3 minutes, ou jusqu'à ce que la viande soit dorée et croustillante. Retourner et cuire jusqu'à ce que l'autre côté soit doré, environ 2 minutes. Transférer dans la rôtissoire au four et cuire de 10 à 14 minutes, ou jusqu'à ce qu'un thermomètre à lecture instantanée, inséré horizontalement dans le centre, indique 135 °F. Déposer sur une planche à découper et laisser reposer la viande, en la recouvrant négligemment d'une feuille de papier d'aluminium, 5 minutes. (La température interne augmentera à au moins 142 °F)

3. Vider la rôtissoire de tout le gras, excepté 1 c. à soupe, ajouter l'huile et l'échalote et cuire à feu moyen en remuant, jusqu'à ce que l'échalote devienne dorée, environ 2 minutes. Retirer du feu et ajouter le porto. Remettre au feu (le porto pourrait s'enflammer) et cuire en remuant et en grattant les petits morceaux dorés qui auraient adhéré au fond de la rôtissoire, environ 1 minute.

4. Retirer du feu et incorporer la moutarde en remuant. Saler et poivrer au goût. Ajouter la laitue frisée, remuer pour mélanger et saupoudrer d'amandes. Servir le canard avec la salade.

Poitrine de canard glacée à la grenade

Instructions :

1. Dans un petit bol, mélanger le fenouil, le sel, la lavande et la coriandre.

2. Placer les poitrines de canard, le côté de la peau vers le haut, dans un grand plat. Saupoudrer uniformément du mélange d'épices. Retourner les poitrines et disposer le zeste, le brandy et le thym uniformément et laisser mariner 30 minutes.

3. Préchauffer le four à 350 °F.

4. Placer les poitrines de canard, le côté de la peau vers le bas, et faire chauffer à feu moyen dans une grande poêle allant au four. Cuire environ 15 minutes, jusqu'à ce que la graisse fonde et que la peau soit croustillante et mince.

5. Transférer les poitrines dans le four et cuire jusqu'à ce qu'elles soient rosées au centre, environ 4 minutes. Laisser le canard reposer 2 minutes avant de le tailler. Diviser la viande en 4 portions égales et napper de glace à la grenade.

Portions : 4
Préparation : 10 min
Marinade : 30 min
Cuisson : 20 min

Ingrédients :
- 1 c. à t. de fenouil moulu
- 3 c. à s. de gros sel
- 1/2 c. à t. de coriandre moulue
- 1/2 c. à t. de lavande moulue
- 3 moitiés de poitrine de canard de 500 g, l'excès de graisse retiré
- Le zeste de 2 oranges
- 1/4 de T de brandy
- 6 tiges de thym frais
- 1 c. à t. de poivre noir fraîchement moulu
- Glace à la grenade

Canard braisé aux pruneaux et à l'armagnac

Portions : 6 à 8
Préparation : 30 min
Cuisson : 2 h

Ingrédients :
- 2 canards musqués, d'environ 2 kg chacun, coupés en quartiers et dégraissés
- 3 c. à t. de sel
- 1 1/4 c. à t. de poivre noir fraîchement moulu
- 5 échalotes, pelées et coupées en 2
- 3/4 de T de carottes taillées en dés
- 3/4 de T d'oignon taillé en dés
- 2 feuilles de laurier fraîches
- 3 tiges de romarin frais
- 4 c. à s. de farine (tout usage)
- 1 T de vin rouge
- 3 T de bouillon de poulet clair ou foncé, maison de préférence
- 1/3 de T d'armagnac, plus 2 c. à soupe
- 24 pruneaux

Instructions :

1. Préchauffer le four à 350 °F.

2. Faire chauffer sur la cuisinière à feu moyen-élevé une grande rôtissoire allant au four.

3. Assaisonner les canards de 2 c. à thé de sel et de 1 c. à thé de poivre noir.

4. Quand la rôtissoire est chaude, ajouter les morceaux de canard, le côté de la peau en dessous et saisir pendant environ 6 minutes. Baisser le feu et poursuivre la cuisson à feu moyen de 4 à 5 minutes, jusqu'à ce que la peau soit dorée et croustillante. Retourner la viande et cuire l'autre côté pendant 4 minutes. Disposer sur une plaque à biscuits et réserver.

5. Égoutter l'excédent de gras de la rôtissoire dans une tasse à mesurer en verre. Essuyer la rôtissoire avec des essuie-tout et remettre sur la cuisinière à feu moyen. Ajouter 4 c. à soupe du gras de canard réservé, l'échalote, le côté coupé en dessous, les carottes, l'oignon, les feuilles de laurier et les tiges de romarin. Faire revenir les légumes et les aromates de 5 à 6 minutes et incorporer la farine. Cuire en remuant environ 4 minutes, jusqu'à ce qu'un roux se forme. Incorporer en fouettant, le vin rouge, le bouillon de poulet et l'armagnac. Assaisonner la sauce avec le reste du sel et du poivre et laisser mijoter de 3 à 4 minutes. Remettre les morceaux de canard dans la sauce, le côté de la peau vers le haut et ajouter les pruneaux. Bien couvrir avec une feuille d'aluminium et cuire au four pendant 45 minutes. Retourner les morceaux de canard pour qu'ils aient la peau en dessous et continuer de cuire 45 minutes de plus ou jusqu'à ce que la viande soit très tendre.

6. Transférer les morceaux de canard dans une grande assiette de service chaude et incorporer les 2 c. à soupe d'armagnac dans la sauce. Verser la sauce dans une saucière chaude et servir avec le canard, en prenant soin de faire en sorte que chaque invité ait quelques pruneaux et un morceau d'échalote.

Cassoulet au canard et haricots à œil noir

Portions : 8
Préparation : 45 min
Cuisson : 2 h

Ingrédients :
- 6 tranches de bacon fumé et haché
- 6 cuisses de canard sans peau
- 1 T d'oignon jaune tranché et finement haché
- 1/4 de T d'ail haché (environ 7 gousses)
- 1 1/2 T de champignons creminis
- 1 T de céleri finement haché
- 1/2 T de carotte finement hachée
- 6 T de bouillon de poulet sans gras et faible en sodium
- 6 T de haricots à œil noir
- 2 c. à s. de thym frais haché
- 2 c. à s. de persil frais haché
- 1 c. à t. de sel
- 1 c. à t. de poivre noir fraîchement moulu

Instructions :

1. Faire chauffer le bacon à feu moyen dans un grand faitout jusqu'à ce qu'il soit croustillant. Retirer du faitout avant de le mettre de côté et laisser 3 c. à soupe de jus de cuisson dans la poêle. Augmenter le feu à moyen-fort.

2. Saupoudrer le canard avec 1/2 c. à thé de sel et 1/2 c. à thé de poivre. Déposer 3 cuisses de canard dans le jus de cuisson et faire cuire jusqu'à ce qu'il soit doré (3 minutes de chaque côté). Retirer du faitout et répéter l'opération avec le reste des cuisses. Ajouter l'oignon et l'ail dans le faitout et faire sauter pendant 3 minutes. Ajouter le reste du sel, le reste du poivre, les champignons, le céleri et les carottes.

3. Couvrir, baisser la température à feu doux et faire cuire jusqu'à ce que les légumes soient très tendres en remuant de temps à autre (20 minutes).

4. Verser le bouillon, les haricots, 1 c. à soupe de thym et 1 c. à soupe de persil puis remettre le canard dans le faitout. Porter à ébullition, réduire le feu et laisse mijoter jusqu'à ce que le canard soit très tendre en réduisant légèrement les haricots en purée de temps à autre à l'aide d'une fourchette ou d'un pilon à purée (1 heure 20). Retirer le canard du faitout et laisser refroidir légèrement. Détacher la viande des os et défaire la viande en filaments. Jeter les os.

5. Remettre la viande dans le faitout et laisser encore mijoter en remuant de temps à autre jusqu'à ce que la préparation épaississe (20 minutes). Garnir avec le reste du thym, le reste du persil et le bacon.

Dinde rôtie aux épices

Instructions :

1. Extraire les abats et le cou puis rincer la dinde à l'eau froide. Éponger la dinde. Attacher les pattes avec de la ficelle et glisser l'extrémité des ailes sous la dinde.

2. Mélanger la cassonade, le sel, la poudre d'oignon, la poudre d'ail, le piment de Jamaïque, les clous de girofle et le macis puis badigeonner la dinde avec le mélange.

3. Couvrir d'une pellicule de plastique et réfrigérer pendant 8 heures.

4. Déposer la dinde sur la grille d'une rôtissoire en prenant soin de mettre la poitrine vers le haut. Disposer les 1/4 d'oignon autour de la dinde et verser les 2 boîtes de bouillon de poulet au fond de la rôtissoire.

5. Couvrir de papier aluminium et faire cuire pendant 1 heure 30 minutes à 325 °F. Retirer le papier aluminium et faire rôtir encore jusqu'à ce que le thermomètre à viande indique 180 °F (1 heure 30 minutes).

6. Vous pouvez couvrir avec du papier aluminium pour empêcher que la dinde ne rôtisse trop. Retirer les 1/4 d'oignon de la rôtissoire et jeter. Réserver le jus de cuisson. Laisser reposer la dinde 15 minutes avant de trancher.

7. Mélanger le jus de cuisson avec du bouillon de poulet pour obtenir 2 tasses et faire chauffer dans une casserole à feu moyen. Verser la farine et mélanger en fouettant sans arrêt jusqu'à ce que la préparation épaississe (5 minutes). Servir avec la dinde. Garnir, si désiré.

Portions : 8 à 10
Préparation : 15 min
Cuisson : 3 h

Ingrédients :
- 1 dinde entière (6 kg)
- 1/4 de T de cassonade pâle
- 1 c. à t. de poudre d'oignon
- 1/2 c. à t. de poudre d'ail
- 1/2 c. à t. de piment de Jamaïque moulu
- 1/2 c. à t. de clous de girofle moulus
- 1/2 c. à t. de macis moulu
- 1 gros oignon coupé en 4
- 2 1/2 boîtes de bouillon de poulet faible en sodium
- 2 c. à soupe de farine (tout usage)
- 2 c. à s. de sel marin casher (ou de gros sel marin)

GARNITURES
- Branches de romarin frais
- Tranches de pomme
- Noix

Pâté de dinde

Instructions :

1. Préchauffer le four à 400 °F et poser une grille au centre du four.

2. Déposer les morceaux de pain et de sauge dans un robot culinaire et mélanger pour former des miettes. Transférer le tout dans un bol de taille moyenne avant d'ajouter la dinde hachée.

3. Déposer l'oignon et le céleri dans un robot culinaire et mélanger jusqu'à ce qu'ils soient finement hachés.

4. Verser dans le mélange de dinde et mélanger le tout avec les mains. Ajouter le thym, l'œuf, 1 c. à soupe de pâte de tomate, la moutarde, 1 c. à thé de sauce Worcestershire, du sel et du poivre. Bien mélanger avant de transposer le tout dans un moule à pain antiadhésif.

5. Mélanger le blanc d'œuf, 1 c. à soupe de pâte de tomate et 1/4 de c. à thé de sauce Worcestershire en fouettant avec une fourchette jusqu'à ce que la préparation soit lisse.

6. Verser le mélange sur le pâté de dinde et étaler également sur toute la surface.

7. Mettre le moule dans le four puis poser une plaque à biscuits sur la grille du bas pour récupérer le jus de cuisson.

8. Faire cuire jusqu'à ce que le thermomètre à viande inséré au centre du pain de dinde indique 180 °F (environ 1 heure 15). Retirer du four et laisser reposer pendant 15 minutes en couvrant le pain avec du papier aluminium.

9. Couper le pain de viande en 12 tranches et répartir également sur 6 assiettes.

10. Servir immédiatement avec de la purée de pommes de terre et de la sauce bien chaude.

Portions : 6
Préparation : 15 min
Cuisson : 1 h 15

Ingrédients :
- 500 g de dinde hachée maigre
- 4 tranches de pain blanc sans croûte coupées en petits morceaux
- 8 petites feuilles de sauge
- 1 gros oignon jaune coupé en 8
- 1 bâtonnet de céleri coupé en morceaux de 10 cm
- 1/2 c. à t. de thym séché
- 1 gros œuf légèrement battu
- 2 c. à s. de pâte de tomate
- 4 c. à t. de moutarde de Dijon
- 1 1/4 c. à t. de sauce Worcestershire
- 1 gros blanc d'œuf
- 3/4 de c. à t. de gros sel
- poivre noir fraîchement moulu
- Sauce pour servir
- Purée de pommes de terre pour servir

Saucisse de dinde

Portions : 4 à 6
Préparation : 10 min
Cuisson : 8 min

Ingrédients :
- 500 g de poitrine de dinde hachée
- 1 petit oignon haché
- 1 blanc d'œuf
- 2 c. à s. de chapelure
- 1 c. à t. de thym
- 1 c. à t. de sauge
- 1 c. à t. de graines de fenouil
- 1/2 c. à t. de poudre d'ail
- 1 c. à t. de sel
- 1/2 c. à t. de poivre noir moulu
- 1/4 de c. à t. de poivre de Cayenne
- Aérosol de cuisson

Instructions :

1. Mélanger la dinde, l'oignon, le blanc d'œuf, le thym, la sauge, les graines de fenouil, la poudre d'ail, le sel, le poivre noir et le poivre de Cayenne dans un grand bol et bien remuer le tout.

2. Former 4 à 6 boulettes de même grosseur.

3. Vaporiser une grande poêle avec l'aérosol de cuisson.

4. Déposer les boulettes dans la poêle et faire cuire à feu moyen jusqu'à ce que le centre ne soit plus rosé (3 à 4 minutes par côté).

Dinde grillée marinée aux agrumes

Portions : 8 à 10
Préparation : 15 min
Marinade : 2 h
Cuisson : 1 h 30

Ingrédients :
- 1 dinde (de 6 à 7 kg)
- 4 tangerines
  (clémentines ou oranges)
- 1 bulbe d'ail coupé en 2
- 1 piment rouge thaïlandais
  (facultatif)
- 4 branches de romarin frais
- 4 branches de thym frais
- 1 c. à soupe de poivre en grains
- Huile d'olive extra vierge
- Sel casher et poivre noir
  fraîchement moulu

Instructions :

1. Mettre tous les ingrédients de la marinade dans un bol et verser une quantité généreuse d'huile d'olive. Bien presser les ingrédients avec les mains de façon à mieux mélanger les saveurs.

2. Demander au boucher de couper la dinde en 4 morceaux et de retirer les os de la poitrine. Pour faire mariner la viande, déposer la dinde dans un grand plat et verser la marinade. Bien faire tremper la dinde dans la marinade en la retournant pour s'assurer qu'elle soit complètement imbibée. Couvrir d'une pellicule de plastique et réfrigérer pendant au moins 2 heures ou une nuit complète.

3. Retirer la dinde du réfrigérateur environ 1/2 heure avant de la faire griller. Faire chauffer le gril à feu moyen et frotter la grille avec de l'huile. Retirer la dinde de la marinade et bien assaisonner avec du sel et du poivre. Déposer la dinde sur le gril en s'assurant de poser le côté avec de la peau vers le bas et faire cuire pendant 30 minutes. Retourner la dinde et continuer à faire griller en arrosant la viande avec de l'huile d'olive jusqu'à ce que les liquides soient clairs et que la température interne de la cuisse atteigne 180 °F (environ 1 heure). Réserver. Couvrir de papier aluminium et laisser reposer pendant environ 10 minutes avant de la couper.

Poitrine de dinde glacée à l'érable

Instructions :

1. Saupoudrer de sel la poitrine de dinde. Déposer la viande dans un contenant profond en prenant soin de placer la poitrine vers le bas. Saupoudrer avec le reste du sel et couvrir d'eau du robinet. Réfrigérer pendant 3 heures. Rincer la poitrine à l'eau froide et éponger avec des essuie-tout.

2. Faire chauffer le sirop avec du beurre pendant quelques secondes au micro-ondes ou sur le feu dans une petite casserole jusqu'à ce que le beurre soit fondu. Remuer le tout.

3. Préchauffer le four à 350 °F. Vaporiser le plat à rôtir ou la plaque à biscuits avec l'aérosol de cuisson ou graisser légèrement la surface. Déposer la dinde dans le plat en disposant la poitrine vers le haut. Incorporer le mélange de beurre et de sirop et arroser légèrement la poitrine. Faire cuire pendant 30 minutes sans couvrir et arroser à nouveau. Faire cuire pendant encore 30 minutes et arroser avec le reste du mélange de beurre et de sirop. Continuer de faire rôtir jusqu'à ce que la dinde soit bien cuite, que le thermomètre à viande indique 165 °F et que la viande soit ferme au toucher (20 à 40 minutes). Retirer du four.

4. Couvrir avec du papier aluminium et laisser reposer à la température de la pièce pendant 15 minutes. Trancher et servir la dinde chaude ou à la température de la pièce (ou couvrir et réfrigérer jusqu'à 2 jours).

SAUCE

5. Retirer les petits morceaux bruns qui reposent dans le liquide du plat puis le vider dans une petite casserole. Incorporer la farine. Faire chauffer à feu moyen et incorporer lentement le bouillon de poulet. Porter à ébullition en remuant fréquemment puis laisser bouillir pendant 1 minute. Égoutter si nécessaire puis ajouter le thym frais et le poivre noir (ou couvrir et réfrigérer jusqu'à 2 jours et réchauffer avant de servir). Servir chaud avec de la dinde tranchée.

Portions : 6 à 8
Préparation : 15 min
Réfrigération : 3 h
Cuisson : 1 h 45

Ingrédients :
- 1,5 à 2 kg de poitrine de dinde
  fraîche non désossée
- 2 c. à s. de sirop d'érable pur
- 2 c. à s. de beurre
- 1/2 T de sel
- Eau froide

SAUCE
- 1/4 de T de farine (tout usage)
- 2 T de bouillon de poulet
- 1 c. à t. de thym frais finement
  haché (ou 1/4 de c. à t. séché)
- 1/4 de c. à t. de poivre noir
  fraîchement moulu

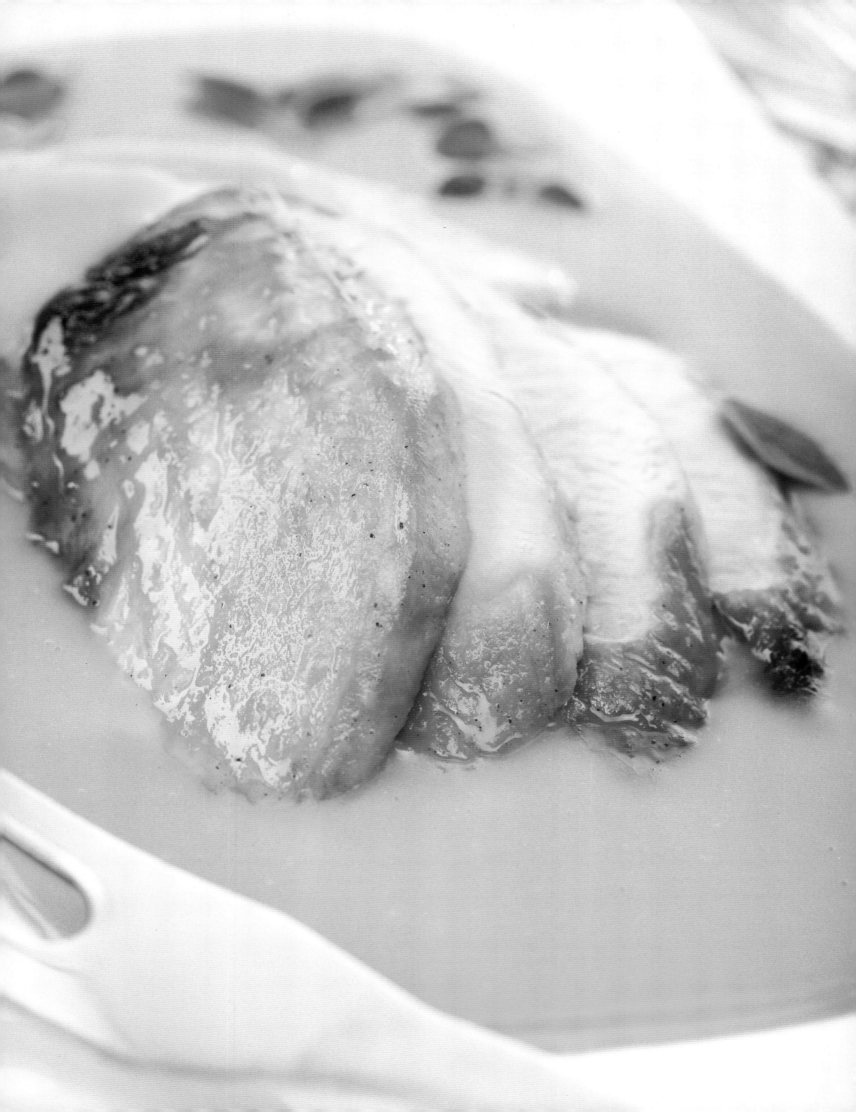

Dinde à la grecque farcie aux marrons et aux noix de pin

Portions : 8 à 10
Préparation : 30 min
Cuisson : 4 h 15

Ingrédients :
- 1 dinde entière (5 kg)
- 250 g de bœuf haché
- 250 g de porc haché
- 1 T de marrons
- 2/3 de T de beurre
- 1/4 de T de jus d'orange
- 1/4 de T de jus de tangerine
- 2/3 de T de jus de citron
- 1/4 de T d'oignon haché
- 1/2 T de riz instantané
- 1/4 de T de noix de pin
- 1/3 de T de beurre
- 1/2 T de bouillon de poulet
- 2 c. à s. de brandy
- 1 c. à t. de sel
- 1/2 c. à t. de poivre noir moulu
- Sel et poivre noir moulu, au goût
- 1/4 de T de raisins secs (facultatif)

Instructions :

1. Préchauffer le four à 325 °F.

2. Faire une petite incision sur les côtés de chaque marron avant de les déposer dans une poêle à frire et de les faire cuire à feu moyen en les remuant souvent jusqu'à ce qu'ils soient rôtis. Retirer du feu, peler et couper.

3. Faire fondre 2/3 de tasse de beurre dans une casserole et mélanger le jus d'orange, le jus de tangerine et le jus de citron. Badigeonner l'intérieur et l'extérieur de la dinde avec le mélange en réservant un peu de marinade pour arroser la viande. Assaisonner de sel et de poivre.

4. Faire cuire le bœuf haché, le porc haché et l'oignon dans une grande poêle à feu moyen jusqu'à ce que le bœuf et l'oignon soient uniformément dorés et que l'oignon soit tendre. Égoutter. Incorporer le riz puis ajouter les marrons, les noix de pins, les raisins secs, 1/3 de tasse de beurre, le bouillon et le brandy. Assaisonner de sel et de 1/2 c. à thé de poivre. Continuer de cuire jusqu'à ce que tout le liquide soit absorbé. Farcir toutes les cavités de la dinde avec le mélange et attacher avec de la ficelle.

5. Déposer la dinde sur une grille dans une rôtissoire et couvrir la poitrine et les cuisses avec du papier aluminium sans exercer de pression. Verser environ 5 mm d'eau au fond d'une casserole. Maintenir ce niveau d'eau tout au long de la cuisson. Faire rôtir la dinde dans le four pendant 3 ou 4 heures en brossant occasionnellement la viande avec le mélange de beurre et de jus qui reste. Augmenter la température du four à 400 °F au cours de la dernière heure de rôtissage puis retirer du papier aluminium. Faire cuire jusqu'à ce que la température interne de la cuisse soit à 180 °F.

VOLAILLES

Dinde au vin blanc assaisonnée à la perfection

Instructions :

1. Frotter l'intérieur et l'extérieur de la dinde avec du sel casher. Déposer la viande dans une grande marmite et couvrir d'eau froide. Déposer dans le réfrigérateur et laisser tremper dans l'eau salée pendant 12 heures ou une nuit complète.

2. Préchauffer le four à 350 °F. Rincer complètement la dinde et jeter la saumure.

3. Badigeonner la dinde avec la moitié du beurre fondu. Déposer sur une grille dans une rôtissoire profonde en prenant soin de placer la poitrine vers le bas.

4. Farcir la cavité de la dinde avec 1 oignon, la moitié des carottes, la moitié des céleris, la branche de thym et la feuille de laurier. Disperser le reste des légumes et le thym au fond du plat à rôtir et couvrir de vin blanc.

5. Faire rôtir jusqu'à ce que la température interne de la cuisse atteigne 180 °F (3 heures 30 ou 4 heures). Tourner soigneusement la poitrine de dinde vers le haut à environ 2/3 du temps de cuisson et badigeonner avec le reste du beurre.

6. Laisser reposer la viande pendant environ 30 minutes avant de servir.

Portions : 8 à 10
Préparation : 30 min
Cuisson : 4 h

Ingrédients :
- 1 dinde entière (4 kg) sans cou et sans abats
- 1/2 T de beurre fondu
- 2 gros oignons pelés et hachés
- 4 carottes pelées et hachées
- 4 bâtons de céleri hachés
- 2 branches de thym frais
- 1 feuille de laurier
- 1 tasse de vin blanc sec
- 2 T de sel casher

Dinde rôtie au porto et à la gelée de groseilles

Instructions :

1. Préchauffer le four à 400 °F. Amener la viande à la température de la pièce et attacher les pattes avec de la ficelle.

2. Placer une grille sur une rôtissoire et badigeonner la peau avec du beurre, du sel et du poivre. Faire rôtir 15 minutes par 500 g pour les premiers 4,5 kg puis 7 minutes par 500 g pour chaque kilo suivant. Baisser la température du four à 375 °F après 1 heure. Arroser toutes les 1/2 heures.

3. Retirer la dinde du four lorsqu'elle est prête puis déposer sur une planche à découper et la couvrir d'un linge à vaisselle pendant 15 minutes pour permettre au jus de se répartir uniformément.

4. Verser le jus de cuisson dans une tasse à mesurer. Remettre 3 c. à soupe de jus de cuisson dans la rôtissoire. Dégraisser le jus qui reste dans la tasse à mesurer. Couvrir le jus de cuisson dans la rôtissoire avec de la farine. Mélanger ensemble à feu moyen jusqu'à ce que la farine roussisse.

5. Verser le contenu de la tasse à mesurer, le bouillon de dinde et le porto dans la rôtissoire puis porter à ébullition et laisser mijoter 5 minutes. Ajouter ensuite la gelée de groseilles et laisser mijoter pendant encore 5 minutes. Assaisonner avant de servir.

Portions : 10
Préparation : 15 min
Cuisson : 3 h

Ingrédients :
- **1 dinde enitère (5 kg)**
- **2 c. à s. de beurre**
- **3 c. à s. de farine**
- **4 T de bouillon de dinde**
- **1/4 de T de porto**
- **1 c. à s. de gelée de groseilles**
- **Sel et poivre noir moulu, au goût**

Boulettes de dinde

Portions : 4
Préparation : 5 min
Cuisson : 10 min

Ingrédients :

- 750 g de dinde hachée
- 1 petit oignon doux coupé en dés
- 2 c. à t. de feuilles d'origan frais hachées
- 2 c. à t. de feuilles de basilic frais hachées
- 2 à 3 gousses d'ail finement hachées
- 1 avocat mûr et ferme
- 1/2 c. à t. de jus de lime pressé
- 1 tomate italienne épépinée et coupée en dés
- 3 gros œufs
- 1 3/4 de T de chapelure
- 1 T de crème riche en matières grasses
- 1/2 T d'huile d'olive
- 1 c. à s. de beurre
- 1 1/2 T de farine (tout usage)
- 1/4 de c. à t. de sel
- Sel marin et poivre fraîchement moulu

Instructions :

1. Mélanger la dinde hachée, les herbes fraîches, l'ail, le sel et le poivre puis ajouter les œufs, la chapelure et la crème.

2. Former des boulettes de la taille désirée.

3. Faire chauffer un grand plat à frire.

4. Ajouter l'huile et le beurre et faire chauffer à feu moyen jusqu'à ce que le beurre soit doré (environ 5 minutes).

5. Faire dorer le beurre ajoute beaucoup de saveur à la recette.

6. Saupoudrer les boulettes avec un peu de farine et faire revenir à feu moyen-fort.

7. Vous pouvez ensuite les faire rôtir au four ou les déposer dans une sauce tomate déjà préparée.

Dinde rôtie farcie aux légumes

Instructions :

1. Préchauffer le four à 325 °F.

2. Faire fondre le beurre à feu moyen dans une poêle antiadhésive. Faire cuire le céleri et l'oignon en remuant souvent jusqu'à ce que l'oignon soit tendre. Ajouter le persil, la sauge, la marjolaine, l'estragon et le sel. Mélanger les croûtons, les carottes, la courgette et les champignons dans un grand bol. Ajouter le mélange de céleri et brasser le tout.

3. Farcir d'abord la partie située près du bréchet puis attacher la peau du cou jusqu'au dos à l'aide d'une brochette. Replier les ailes sur le dessus de la dinde de façon à ce que les extrémités se touchent. Farcir légèrement les cavités du corps (réserver la farce qui reste sur une petite tôle non graissée ; couvrir et réfrigérer).

4. Déposer la farce réservée dans le four avec la dinde durant les 30 dernières minutes de cuisson).

5. Glisser les pilons sous la peau de la queue ou les attacher ensemble à l'aide d'une grande ficelle avant de les attacher à la queue.

6. Déposer la dinde sur la grille d'une rôtissoire assez profonde en s'assurant de mettre la poitrine vers le haut. Insérer un thermomètre à viande dans la partie la plus épaisse du muscle intérieur de la cuisse ou dans la partie la plus épaisse de la poitrine de façon à ce que l'extrémité ne touche pas à un os.

7. Faire rôtir jusqu'à ce que le thermomètre indique 180 °F et que le jus de la dinde ne soit plus rose lorsque le centre de la cuisse (environ 4 heures) est taillé. Aux 2/3 de la cuisson, couper la bande de peau ou la ficelle qui retient les pattes. Couvrir la dinde avec du papier aluminium lorsqu'elle devient dorée. Laisser reposer 20 minutes avant de la trancher.

8. Couvrir et réfrigérer les restes de dinde. Conserver la dinde et la farce dans deux contenants séparés.

Portions : 8 à 10
Préparation : 20 min
Cuisson : 4 h 30

Ingrédients :

- 1 dinde entière (6 kg)
- 2 c. à s. de beurre (ou de margarine)
- 2 bâtonnets de céleri de taille moyenne tranchés
- 1 oignon moyen haché
- 1/4 de T de persil frais haché
- 1 c. à s. de feuilles de sauge fraîche hachées (ou 1 c. à t. de sauge séchée)
- 1 1/2 c. à t. de feuilles de marjolaine fraîche hachées (ou 1/2 c. à t. de marjolaine séchée)
- 3/4 de c. à t. de feuilles d'estragon frais hachées (ou 1/4 de c. à t. d'estragon séché)
- 7 T de croûtons moelleux
- 2 carottes moyennes râpées
- 1 courgette moyenne râpée
- 1 T de champignons frais hachés
- 1/2 c. à t. de sel

Chili à la dinde

Portions : 4
Préparation : 10 min
Cuisson : 25 min

Ingrédients :

- **375 g de dinde hachée**
- **1/4 de T d'huile d'olive extra vierge**
- **1 poivron finement haché**
- **1 oignon finement haché**
- **1/4 de T de pâte de tomates**
- **1 c. à s. d'assaisonnement au chili**
- **1 boîte de tomates broyées**
- **1 1/2 T de bière**
- **1 boîte de haricots secs**
- **Sel et poivre**

Instructions :

1. Faire chauffer l'huile d'olive à feu moyen dans un faitout.

2. Réserver 2 c. à soupe de poivron et ajouter le reste du poivron et l'oignon dans le faitout. Faire cuire en remuant jusqu'à ce que les légumes soient tendres (5 minutes).

3. Verser la pâte de tomates et l'assaisonnement au chili. Incorporer la dinde hachée et assaisonner de sel et de poivre en émiettant la viande et en la remuant pour bien mélanger les ingrédients (3 ou 4 minutes).

4. Verser les tomates broyées et la bière, porter à ébullition et baisser le feu pour faire mijoter pendant 10 minutes en remuant de temps à autre. Ajouter les haricots secs et faire cuire encore jusqu'à ce que le tout soit bien chaud (5 minutes). Assaisonner de sel et de poivre.

5. Servir dans des bols et garnir de poivron.

Cari à la dinde et aux pommes

Portions : 4
Préparation : 5 min
Cuisson : 20 min

Ingrédients :
- 2 T de dinde cuite hachée
- 2 c. à s. de beurre
- 1 grosse pomme étrognée coupée en dés
- 2 oignons verts finement hachés
- 2 gousses d'ail finement hachées
- 1 c. à s. de pâte de cari douce
- 1 piment fort coupé en dés
- 1 T de bouillon de poulet
- 1 T de lait de coco
- 1 c. à t. de fécule de maïs
- 1 c. à t. d'eau
- 2 c. à s. de coriandre fraîche hachée

Instructions :

1. Faire fondre le beurre à feu moyen dans une casserole profonde. Ajouter les morceaux de pomme, les oignons verts, l'ail et la pâte de cari puis faire sauter le tout jusqu'à ce que le mélange soit parfumé et tendre (environ 3 minutes).

2. Ajouter le piment fort et le bouillon de poulet et porter à ébullition.

3. Ajouter la dinde et le lait de coco et porter à nouveau à ébullition. Réduire le feu et laisser mijoter 5 minutes.

4. Diluer la fécule de maïs dans de l'eau avant de la verser dans une casserole. Mélanger et laisser mijoter jusqu'à ce que la préparation épaississe légèrement (1 minute). Saupoudrer de coriandre avant de servir.

Poitrine de dinde farcie aux champignons

Instructions :

1. Verser 1/2 tasse d'eau bouillante sur les bolets séchés. Laisser reposer 10 minutes.

2. Faire fondre le beurre à feu moyen et faire cuire les oignons verts, l'ail, le céleri et les carottes pendant 2 minutes. Ajouter les champignons exotiques, le thym, 1/2 c. à thé de sel et 1/2 c. à thé de poivre et faire cuire en brassant jusqu'à ce que les liquides se soient évaporés et que le mélange soit doré (10 minutes).

3. Égoutter les bolets et conserver le liquide. Ajouter les bolets au mélange de champignons cuits. Incorporer les tomates séchées, le persil, la chapelure et l'œuf jusqu'à ce que tout soit bien mélangé. Laisser refroidir complètement.

4. Tailler la partie la plus épaisse de la poitrine de dinde pour pouvoir l'ouvrir comme un livre. Aplatir légèrement la viande pour égaliser la poitrine. Étendre de la moutarde sur l'intérieur de la poitrine et saupoudrer de sel et de poivre. Étaler également la farce de champignons sur la poitrine en laissant un espace de 5 cm sur l'un des côtés. Rouler la poitrine comme un biscuit roulé.

5. Préchauffer le four à 325 °F.

6. Attacher la poitrine de dinde avec de la ficelle en laissant un espace de 5 cm entre chaque bout de ficelle. Déposer la dinde sur une grille dans un petit plat à rôtir et faire rôtir pendant 1 heure. Augmenter la température du four à 400 °F et faire cuire jusqu'à ce que le thermomètre inséré au centre indique 180 °F (environ 30 minutes). Retirer du four et déposer la poitrine sur une planche à découper. Couvrir de papier aluminium.

7. Dans une petite casserole, porter à ébullition le bouillon de poulet, le liquide des champignons et le jus du plat à rôtir. Faire bouillir 2 minutes pour bien mélanger les saveurs. Dans un petit bol, délayer la fécule de maïs dans l'eau et ajouter au bouillon puis fouetter jusqu'à ce que le mélange épaississe légèrement et reluise.

8. Couper la dinde en tranches de 1 cm et arroser de sauce.

Portions : 6 à 8
Préparation : 20 min
Cuisson : 1 h 45

Ingrédients :
- 1 poitrine de dinde désossée (environ 1,25 kg)
- 1/4 de T de bolets séchés
- 500 g de champignons exotiques finement tranchés (shiitakes, pleurotes ou chanterelles)
- 2 c. à s. de beurre
- 1 oignon vert finement haché
- 2 gousses d'ail finement hachées
- 1 bâtonnet de céleri finement haché
- 1 petite carotte finement hachée
- 1 c. à s. de thym frais haché (ou 1 c. à t. de thym séché)
- 3/4 de c. à t. de sel et la même quantité de poivre
- 1/4 de T de tomates séchées macérées dans l'huile hachées
- 2 c. à s. de persil italien frais haché
- 1/3 de T de chapelure
- 1 œuf
- 1 c. à s. de moutarde de Dijon
- 1 T de bouillon de dinde ou de poulet
- 1 c. à s. de fécule de maïs
- 1 c. à s. d'eau

Dinde rôtie farcie aux deux riz

Portions : 8
Préparation : 20 min
Cuisson : 3 h

Ingrédients :
- **1 dinde (7 kg)**

FARCE AU RIZ BRUN ET AU RIZ SAUVAGE
- **1 T de riz sauvage**
- **1 T de riz brun**
- **5 T de bouillon de poulet**
- **2 c. à s. d'huile d'olive**
- **1 c. à t. d'ail haché**
- **2 T d'oignons hachés**
- **1/2 T de céleri haché**
- **1 T de carottes**
- **2 T de portobellos hachés**
- **1 T de canneberges séchées**
- **2 c. à s. de marjolaine fraîche hachée**
- **2 c. à s. d'estragon frais séché**
- **Sel et poivre fraîchement moulu**

BEURRE ASSAISONNÉ
- **1/2 T de beurre non salé**
- **2 c. à t. d'ail finement haché**
- **1 c. à t. de paprika**
- **2 c. à s. de persil haché**
- **2 c. à s. d'estragon frais haché**
- **1 c. à t. de zeste de citron râpé**
- **Sel casher et poivre fraîchement moulu**

Instructions :

1. Verser le riz sauvage, le riz brun et le bouillon de poulet dans une casserole de taille moyenne et porter à ébullition. Couvrir, baisser à feu doux et laisser mijoter jusqu'à ce que le riz soit cuit (45 minutes). Égoutter et mettre le bouillon de poulet de côté pour laisser le riz refroidir.

2. Faire chauffer l'huile d'olive dans une grande poêle à feu moyen-doux. Ajouter l'ail, l'oignon, le céleri et les carottes et faire sauter jusqu'à ce qu'ils soient très tendres (10 minutes). Ajouter les champignons, les canneberges, la marjolaine, et l'estragon et faire sauter encore jusqu'à ce que les champignons soient juteux (3 minutes). Assaisonner de sel et de poivre.

3. Mélanger les légumes sautés et le riz. Assaisonner davantage si nécessaire.

4. Préchauffer le four à 400 °F.

5. Pour faire le beurre assaisonné, mélanger le beurre non salé, l'ail, le paprika, le persil, l'estragon, le zeste de citron râpé et assaisonner le tout de sel et de poivre.

6. Décoller la peau des poitrines et des cuisses avec le bout des doigts sans l'enlever complètement. Réserver 2 c. à soupe de beurre assaisonné et verser le reste du beurre sous la peau en l'étendant uniformément sur la volaille.

7. Farcir la dinde et déposer la farce qui reste sur une plaque à biscuits beurrée. Rassembler la dinde pour resserrer la cavité avant d'attacher les pattes de la volaille avec de la ficelle. Badigeonner la peau avec le reste du beurre assaisonné.

8. Faire rôtir la dinde pendant 15 minutes par 1/2 kg pour les 5 premiers kg puis 7 minutes par 1/2 kg pour chaque kg suivant. Baisser la température du four à 350 °F après 2 heures. Une dinde de 7 kg devra cuire pendant environ 3 heures.

9. Couvrir et faire cuire la farce avec la dinde pendant 45 minutes.

10. Retirer la dinde du four et laisser reposer 15 minutes. Verser la farce dans un plat. Couper la dinde et la servir avec de la farce.

Dinde à la king sur vol-au-vent

Instructions :

1. Faire fondre le beurre dans une grande poêle à feu moyen jusqu'à ce qu'il soit doré. Faire sauter les champignons jusqu'à ce qu'ils soient tendres.

2. Verser la farine et mélanger jusqu'à l'obtention d'une préparation lisse. Incorporer lentement le bouillon de poulet en fouettant et faire cuire jusqu'à ce qu'il épaississe légèrement. Ajouter la crème, la dinde et les petits pois (décongelés).

3. Réduire à feu doux et faire cuire jusqu'à ce que le mélange épaississe. Assaisonner de sel et de poivre et servir sur les vol-au-vent.

Portions : 2
Préparation : 10 min
Cuisson : 15 min

Ingrédients :
- **1 T de dinde cuite et hachée**
- **2 c. à s. de beurre**
- **3 champignons frais tranchés**
- **1 c. à s. de farine (tout usage)**
- **1 T de bouillon de poulet**
- **1/2 T de crème riche en matières grasses**
- **1/3 de T de petits pois surgelés**
- **2 vol-au-vent**
- **Sel et poivre, au goût**

Pierogis à la dinde et à la purée de pommes de terre

Portions : 4 à 6
Préparation : 30 min
Cuisson : 25 min

Ingrédients :
- 1 T de dinde cuite finement hachée
- 6 tranches de bacon
- 1 T de purée de pommes de terre
- 1 T de cheddar fort fumé (ou de Jarlsberg)
- 1/4 de T de persil italien frais haché
- 1 1/2 c. à t. d'origan séché
- 1/4 de T de crème à fouetter
- 1 paquet de pâte à quenelle (ou pâte won-ton)
- 1 oignon haché
- 1 T de purée de canneberges
- 1 pincée de sel et poivre

Instructions :

1. Mélanger la dinde, les pommes de terre, le fromage, le persil et l'origan dans un grand bol.

2. Recouvrir de crème à fouetter et assaisonner de sel et de poivre, au goût. Remuer jusqu'à ce que le tout soit bien mélangé.

3. Déposer 1 c. à soupe de la farce sur la moitié de la pâte. Brosser les bords de la pâte avec de l'eau et plier en 2 pour former 1 demi-lune. Déposer ces pierogis sur une plaque à biscuits recouverte de papier ciré. Répéter l'opération avec les ingrédients restants et réserver.

4. Faire cuire le bacon dans une grande poêle antiadhésive jusqu'à ce qu'il soit doré et croustillant (8 minutes).

5. Déposer dans un plat recouvert de papier essuie-tout. Ajouter l'oignon et faire cuire en remuant jusqu'à ce qu'il soit doré (5 minutes). Retirer du feu.

6. Déposer soigneusement la moitié des pierogis dans une grande casserole d'eau bouillante et salée. Faire cuire en remuant doucement jusqu'à ce qu'ils remontent à la surface de l'eau (environ 2 minutes).

7. À l'aide d'une cuiller à égoutter, retirer les pierogis de la casserole d'eau avant de les déposer dans la poêle avec les oignons. Répéter l'opération avec l'autre 1/2 des pierogis.

8. Faire sauter les pierogis à feu moyen dans la poêle jusqu'à ce qu'ils soient légèrement dorés (5 minutes). Couper ou émietter le bacon puis servir sur les pierogis avec de la purée de canneberges.

Casserole aux œufs, à la dinde et aux canneberges

Instructions :

1. Couper les croissants en 2 horizontalement et tartiner de moutarde. Saupoudrer la 1/2 du poivre sur la moutarde puis étaler de la purée de canneberges sur la base des croissants avant d'ajouter de la dinde.

2. Poser le dessus des croissants sur la dinde. Déposer les croissants farcis sur une grande plaque à biscuits en les faisant légèrement dépasser. Réserver.

3. Dans un grand bol, fouetter ensemble le lait, les œufs, l'ail, la sauge, le sel et le poivre qui reste. Verser sur les croissants afin de les recouvrir complètement.

4. Envelopper le tout dans une pellicule de plastique et réfrigérer pendant 4 à 24 heures.

5. Retirer ensuite la pellicule et faire cuire au four à 375 °F jusqu'à ce que le tout soit doré et jusqu'à ce que la lame d'un couteau insérée au centre en ressorte sèche (45 à 60 minutes).

6. Laisser reposer 5 minutes avant de servir.

Portions : 8 à 10
Préparation : 10 min
Réfrigération : 4 h
Cuisson : 1 h

Ingrédients :
- 3 T de dinde cuite hachée
- 6 croissants
- 2 c. à s. de moutarde de Dijon
- 1 T de purée de canneberges
- 2 1/2 T de lait
- 5 œufs
- 2 gousses d'ail finement hachées
- 2 c. à s. de sauge fraîche hachée (ou 1 c. à s. de sauge séchée)
- 1/2 c. à t. de poivre
- 1/4 de c. à t. de sel

Poitrine de faisan rôtie à la vanille et à la poire

Instructions :

1. Pour apprêter le faisan : dans un grand bol, mélanger l'eau, 1/4 de tasse de sucre et 1/4 de tasse de sel et mélanger pour dissoudre. Ajouter les poitrines des faisans, couvrir d'une pellicule de plastique et réfrigérer toute la nuit.

2. Pour préparer les sauces : dans une grande poêle antiadhésive, réchauffer 1 c. à soupe de beurre à feu moyen ou moyen-élevé. Ajouter les échalotes et cuire jusqu'à ce qu'elles soient tendres, environ 3 minutes. Incorporer la gousse de vanille et les graines, le vin blanc, le cidre et la crème. Laisser mijoter environ 10 minutes jusqu'à réduction des liquides et épaississement de la sauce. Ajouter le gingembre. Assaisonner de sel et de poivre. Garder au chaud. Dans une autre casserole, mélanger le vin rouge et le miel. Laisser mijoter à feu vif environ 15 minutes pour réduire, jusqu'à ce que le mélange soit assez épais pour enduire le dos d'une cuiller. Réserver.

3. Pour cuire les faisans : préchauffer le four à 375 °F.

4. Dans une grande poêle antiadhésive, incorporer 2 c. à soupe de beurre et faire fondre à feu vif. Assaisonner de sel, de poivre et de coriandre. Ajouter le faisan, le côté de la peau en dessous, cuire jusqu'à ce que la viande soit dorée et bien saisie, environ 5 minutes. Retourner le faisan et transférer la poêle dans la partie inférieure du four. Cuire jusqu'à ce que la viande soit à point, environ de 6 à 8 minutes, selon la taille des poitrines des faisans. Retirer prudemment la poêle du four. Laisser reposer quelques minutes avant de couper.

5. Dans une grande poêle antiadhésive, réchauffer 1 c. à soupe de beurre à feu vif. Ajouter les poires d'Anjou et cuire environ 2 minutes ou jusqu'à ce qu'elles commencent à être légèrement tendres. Ajouter 2 c. à soupe de sucre et remuer de temps à autre, jusqu'à ce que les rebords soient dorés, environ 4 minutes. Retirer les poires et garder au chaud.

6. Pour servir : placer le riz pilaf dans une forme cylindrique dans le centre de chacune des assiettes chaudes. Disposer les tranches de poires autour du cylindre de riz. Trancher les faisans en diagonale pour obtenir de 4 à 6 tranches larges. Empiler les tranches sur le dessus du cylindre de riz. Verser de façon créative les sauces à la vanille-gingembre et au vin rouge autour du faisan et sur l'assiette. Saupoudrer le plat de poivre noir fraîchement moulu et de ciboulette. Garnir de la gousse de vanille et de brins de ciboulette. Servir immédiatement.

Portions : 4
Préparation : 30 min
Cuisson : 25 min

Ingrédients :
- 4 grosses poitrines de faisans, désossées avec la peau et l'extrémité de l'aile (utiliser 8 faisans s'ils sont petits)
- 6 c. à s. de sucre
- 1/4 de T de sel
- 1 litre d'eau froide
- 4 c. à s. de beurre non salé
- 1 T d'échalotes en dés
- 1 grosse gousse de vanille, coupée dans le sens de la longueur et râpée pour recueillir les graines de vanille
- 1/2 T de vin blanc sec, du Chardonnay de préférence
- 1 T de cidre de poire
- 1 T de crème fraîche épaisse
- 2 c. à s. de gingembre émincé en conserve
- 2 T de vin rouge sec
- 1/4 de T de miel
- 1 c. à s. de graines de coriandre, grillées et finement broyées
- 2 poires d'Anjou (rouges, de préférence), coupées en 2, évidées et coupées en tranches de 1 cm d'épaisseur
- 2 T de riz pilaf, en forme de cylindre dans un moule de gélatine
- 2 c. à s. de ciboulette fraîchement coupée
- 4 brins de ciboulette, pour garnir
- Sel et poivre noir fraîchement moulu

Dindon Tetrazzini

Portions : 2
Préparation : 20 min
Cuisson : 10 min

Ingrédients :
- 400 g de fettuccine, coupés en 2
- 1 boîte de 255 g d'épinards en crème congelés
- 1/4 de T de crème sure
- 1 tranche de dindon rôti, coupée en dés de 1 cm
- Sel
- 1 T de chapelure
- 1/4 de T de cheddar finement râpé

Instructions :

1. Amener à ébullition une grande casserole d'eau salée, cuire les fettuccine jusqu'à ce qu'ils soient *al dente*. Égoutter et réserver.

2. Dans la même casserole, ajouter les épinards et cuire à feu moyen jusqu'à ce qu'ils soient bien cuits. Incorporer en remuant la crème sure et le dindon et saler au goût. Ajouter les pâtes réservées et remuer pour bien couvrir. Transférer la préparation dans un petit plat de cuisson.

3. Préchauffer un four grille-pain à 375 °F. Dans un petit bol, mélanger la chapelure et le fromage. Saupoudrer le mélange de chapelure sur les pâtes et cuire jusqu'à ce qu'elles soient dorées, environ 10 minutes.

Cailles farcies

Portions : 4
Préparation : 10 min
Cuisson : 1 h

Ingrédients :
- 6 cailles désossées

FARCE
- 4 tranches de pain coupé en morceaux
- 1/4 de T de saucisse de dinde cuite (ou dinde hachée)
- 1/4 de c. à t. de sauge
- 2 c. à s. d'oignon
- 4 feuilles de céleri
- 1/4 de c. à t. de poivre
- 3 à 5 champignons finement tranchés
- 1/2 T de bouillon de poulet
- 2 c. à s. de beurre
- 1/2 pomme finement hachée
- Noix de pin

SAUCE
- 2 c. à s. de beurre fondu
- 2 c. à s. de sirop d'érable
- 1 c. à s. de jus de citron

Instructions :

1. Faire cuire la saucisse avant de la mélanger aux morceaux de pain.

2. Faire sauter les légumes et les herbes avec du beurre jusqu'à ce qu'ils soient tendres.

3. Mélanger les légumes avec le pain en incorporant le bouillon de poulet, la pomme et les noix de pin jusqu'à l'obtention d'une préparation humide.

4. Farcir les cailles (envelopper et faire tenir ensemble avec de petites brochettes ou étendre simplement sous les cailles).

5. Déposer le tout dans un plat allant au four en prenant soin de placer la poitrine vers le bas et faire cuire à 325 °F pendant 30 à 35 minutes.

6. Arroser les cailles toutes les 8 minutes avec la sauce, retirer du four et servir.

Poissons & fruits de mer

Poisson cuit au four

Instructions :

1. Préchauffer le four à 325 °F.

2. Dans un petit bol, mélanger le miel, la moutarde et le jus de citron. Étaler la préparation sur les darnes de saumon. Assaisonner de poivre. Disposer dans un plat de cuisson de dimension moyenne.

3. Cuire 20 minutes au four jusqu'à ce que le poisson se défasse facilement à la fourchette.

Portions : 4
Préparation : 15 min
Cuisson : 20 min

Ingrédients :
- 4 darnes de saumon
- 3 c. à s. de miel
- 3 c. à s. de moutarde de Dijon
- 1 c. à t. de jus de citron
- 1/2 c. à t. de poivre

Beignets de morue à la bière

Portions : 4
Préparation : 10 min
Cuisson : 5 min

Ingrédients :
- **750 g de filets de morue**
- **3 œufs**
- **3/4 de T de bière**
- **1 1/2 T de lait**
- **4 T de farine à pâtisserie**
- **1 c. à s. de poudre à pâte**
- **1/2 c. à t. de bicarbonate de soude**
- **2 c. à s. de fécule de maïs**
- **1/8 de c. à t. d'ail en poudre**
- **2 litres d'huile végétale pour la friture**
- **Sel et poivre noir moulu, au goût**

Instructions :

1. Dans un bol de dimension moyenne, mélanger la farine, la poudre à pâte, le bicarbonate de soude et la fécule de maïs.

2. Dans un grand bol, battre ensemble les œufs et le lait. Incorporer la bière. Ajouter la préparation de farine. Assaisonner de sel, de poivre noir et d'ail en poudre.

3. Dans une friteuse électrique ou une poêle épaisse, réchauffer l'huile à 375 °F.

4. Couvrir le poisson de pâte et submerger dans l'huile chaude. Frire jusqu'à ce que la pâte soit dorée, de 4 à 5 minutes. Servir.

Filets de truites noircis

Instructions :

1. Dans un petit bol, mélanger le paprika, la moutarde sèche, le poivre de Cayenne, le cumin, le poivre noir et le poivre blanc, le thym et le sel ; réserver. Réchauffer une poêle en fonte à feu vif jusqu'à ce qu'elle soit extrêmement chaude, environ 10 minutes.

2. Verser 3/4 de tasse de beurre fondu dans un plat peu profond. Tremper chacun des filets dans le beurre en les retournant pour couvrir les deux côtés. Badigeonner le mélange d'épices sur les deux côtés du poisson.

3. Placer les filets dans une poêle chaude sans en mettre un trop grand nombre. Verser soigneusement une c. à thé de beurre fondu sur chacun des filets. Cuire environ 2 minutes jusqu'à ce que le poisson ait une apparence carbonisée. Retourner les filets, verser une c. à thé de beurre fondu sur les filets de poisson jusqu'à ce qu'ils soient carbonisés. Répéter avec les filets de poisson restants.

Portions : 6
Préparation : 20 min
Cuisson : 10 min

Ingrédients :
- **6 filets de truite**
- **1 c. à s. de paprika**
- **2 c. à t. de moutarde sèche**
- **1 c. à t. de poivre de Cayenne**
- **1 c. à t. de cumin moulu**
- **1 c. à t. de poivre noir**
- **1 c. à t. de poivre blanc**
- **1 c. à t. de thym déshydraté**
- **1 c. à t. de sel**
- **1 T de beurre non salé fondu, divisée**

Poisson frit croustillant

Portions : 2
Préparation : 30 min
Cuisson : 15 min

Ingrédients :
- **200 g de filets de morue**
- **1 œuf**
- **1 1/2 T de bière**
- **1 T de farine (tout usage)**
- **1 c. à t. d'ail en poudre**
- **1/2 c. à t. de sel**
- **1/2 c. à t. de poivre noir moulu**
- **2 T de flocons de maïs broyés**
- **1 c. à t. d'assaisonnement cajun**
- **1 litre d'huile pour la friture**

Instructions :

1. Dans un bol, battre l'œuf, la bière, la farine, l'ai en poudre, le sel et le poivre. Placer la morue dans le bol et couvrir soigneusement de la préparation.

2. Dans un autre bol de dimension moyenne, mélanger les flocons de maïs et l'assaisonnement cajun. Tremper la morue dans la préparation et bien recouvrir tous les côtés.

3. Dans une poêle large et épaisse ou dans une friteuse profonde, réchauffer l'huile à 365 °F. Frire le poisson jusqu'à ce qu'il soit doré et que la chair se défasse facilement à la fourchette.

Poisson à la provençale

Instructions :

1. Réchauffer le gril à feu moyen. Dans un petit bol, mélanger le zeste de citron, l'assaisonnement italien, les flocons de piment rouge, l'anis, 3/4 de c. à thé de sel, et 1 c. à thé de poivre. Réserver le mélange d'épices.

2. Placer 4 feuilles d'aluminium résistantes de 35 cm sur une surface de travail. En divisant également, placer de l'oignon sur chaque moitié de feuille d'aluminium (en laissant une bordure de 5 cm), suivi du zucchini. Saler et poivrer.

3. Surmonter du poisson ; saupoudrer du mélange d'épices. Ajouter la tomate sur le dessus, arroser d'huile. Plier la feuille d'aluminium sur les ingrédients en serrant les extrémités pour sceller.

4. Placer les papillotes sur le gril. Couvrir et griller jusqu'à ce que le poisson soit cuit à point, de 10 à 12 minutes.

5. Retirer du feu ; ouvrir prudemment les papillotes (de la vapeur très chaude s'échappera) et transférer le poisson à la provençale sur des assiettes.

Portions : 4
Préparation : 15 min
Cuisson : 12 min

Ingrédients :
- 4 filets d'aiglefin, d'achigan ou de morue
- 2 c. à t. de zeste de citron finement râpé
- 1 c. à t. d'assaisonnement italien déshydraté
- 1/4 de c. à t. de flocons de piment rouge
- 1/4 de c. à t. de graines d'anis broyés
- 1 petit oignon sucré finement tranché dans le sens de la largeur
- 6 petits zucchinis finement tranchés
- 1 grosse tomate épépinée et hachée
- 1/4 de T d'huile d'olive extra vierge, plus 2 c. à soupe
- Gros sel et poivre moulu

Roulés de poisson

Portions : 12
Préparation : 25 min
Cuisson : 15 min

Ingrédients :
- 12 filets de plie rouge
- 1 T de chair de crabe émincée
- 1 T de beurre
- 2 c. à s. d'oignon émincé
- 2 c. à s. de persil frais émincé
- 1/4 de c. à t. d'ail en poudre
  ou au goût
- 24 craquelins ronds
  au beurre broyés
- 2 c. à s. de jus de citron
- 1/4 de T de fromage parmesan
  râpé
- Sel et poivre, au goût

Instructions :

1. Préchauffer le four à 375 °F. Enduire un plat de cuisson de 22,5 x 32,5 cm d'aérosol de cuisson.

2. À feu moyen, faire fondre le beurre dans une poêle à frire. Ajouter l'oignon et faire revenir pendant une minute. Incorporer la chair de crabe, le persil, l'ail en poudre, le sel et le poivre et cuire une minute de plus. Retirer du feu et ajouter les craquelins broyés.

3. Étaler le mélange sur les filets ; arroser de jus de citron et saupoudrer de parmesan. Rouler les filets, fermer à l'aide d'un cure-dent et placer dans le plat de cuisson préparé. Déposer une noix de beurre sur chaque rouleau et bien couvrir d'une feuille d'aluminium. Cuire au four de 15 à 17 minutes jusqu'à ce que poisson se défasse facilement à la fourchette.

Bâtonnets de poisson

Instructions :

1. Dans un plat peu profond, battre les œufs et le lait. Verser la chapelure et la farine sur deux assiettes distinctes. Saupoudrer les bâtonnets de poisson de sel et de poivre. Passer les bâtonnets dans la farine et tremper dans le mélange d'œuf. Transférer ensuite les bâtonnets dans la chapelure en les recouvrant complètement et en effectuant une pression légère pour permettre une meilleure adhésion. Placer chacun des bâtonnets dans un panier de broche.

2. Dans une grande poêle, faire chauffer 3 c. à soupe d'huile d'olive à feu moyen-élevé. Disposer la moitié des bâtonnets de poisson en une seule couche, sans les entasser. Cuire jusqu'à ce qu'ils soient brun doré. Retirer les bâtonnets de poisson de la poêle et les déposer sur une assiette. Essuyer la poêle et répéter l'opération avec les 3 c. à soupe d'huile et les bâtonnets de poisson qui restent. Servir les bâtonnets chauds ou à la température ambiante avec la sauce tartare.

Portions : Environ 20 bâtonnets
Préparation : 25 min
Cuisson : 15 min

Ingrédients :
- 500 g de filet de morue
  tranché en bâtonnets de 1 cm
- 2 gros œufs
- 1/4 de T de lait
- 1 T de chapelure
- 1 T de farine (tout usage)
- Gros sel et poivre
  fraîchement moulu
- 6 c. à s. d'huile d'olive
- Sauce tartare, recette p. 451

Morue au four sur lit de chou

Portions : 4
Préparation : 10 min
Cuisson : 30 min

Ingrédients :
- 2 filets de morue de 500 g désarêtés
- 2 c. à s. d'huile d'olive extra vierge,
  un peu plus pour graisser
- 1 chou napa coupé en deux,
  tranché finement (environ 6 T)
- 1 oignon rouge, tranché finement
- 1 bottes d'oignons verts, tranchés
  finement dans le sens de la largeur
- 3 c. à s. de vinaigre de cidre
- Sel et poivre
- 2 T de salsa Fresca

Instructions :

1. Préchauffer le four à 450 °F. Badigeonner d'huile d'olive le fond d'un plat de cuisson de 22,5 x 32,5 cm. Mélanger le chou, l'oignon, les oignons verts et le vinaigre de cidre dans le plat de cuisson ; assaisonner de sel et de poivre.

2. Badigeonner les 2 c. à soupe d'huile d'olive qui restent sur les deux côtés des filets de poisson et assaisonner légèrement de sel. Placer le poisson, le côté de la peau vers le bas, sur le dessus du mélange de chou. Napper entièrement le poisson de salsa. Cuire au four jusqu'à ce que la partie la plus épaisse du poisson soit opaque, de 25 à 30 minutes.

Taquitos de requin

Instructions:

1. Couper le requin en lanières de 2 cm d'épaisseur et de 6,5 cm de longueur. Mélanger l'huile de canola, le jus de citron, l'ail, l'origan, et les épices cajun dans un contenant de plastique. Placer les lanières de requin dans le contenant et faire mariner pendant une heure.

2. Réchauffer les tortillas au micro-ondes pour les rendre plus souples.

3. Égoutter la marinade et assécher les lanières de requin à l'aide d'essuie-tout. Placer une lanière à l'une des extrémités d'une tortilla, rouler en serrant et fermer à l'aide d'un cure-dent.

4. Réchauffer l'huile dans une poêle à frire profonde. Submerger les taquitos dans l'huile chaude. Frire jusqu'à ce que les taquitos soient dorés, pas plus de 3 à 4 minutes chacun. Égoutter sur des essuie-tout.

5. Placer les taquitos dans un plat de cuisson assez grand pour contenir les douze tortillas. Couvrir de fromage effiloché.

6. Cuire à 350 °F pendant 5 minutes, ou jusqu'à ce que le fromage fonde.

Portions: 4
Préparation: 30 min
Marinade: 1 h
Cuisson: 20 min

Ingrédients:
- 500 g de filets de requin
- 12 tortillas (15 cm) de maïs
- 1/4 de T d'huile de canola
- 1/4 de T de jus de citron
- 1 gousse d'ail émincée
- 1 c. à t. d'origan déshydraté
- 1 c. à t. d'assaisonnement cajun
- 1 T de cheddar effiloché
- 2 litres d'huile végétale pour la friture

Filets de poisson panés à la vinaigrette Ranch

Portions: 4
Préparation: 15 min
Cuisson: 10 min

Ingrédients:
- 500 g de filets de tilapia
- 3/4 de T de chapelure italienne assaisonnée
- 1 paquet (28 g) de mélange déshydraté pour vinaigrette de style Ranch
- 2 1/2 c. à s. d'huile végétale
- 2 c. à t. de beurre

Instructions:

1. Placer la chapelure dans un bol. Dans un plat peu profond, combiner le mélange pour vinaigrette et l'huile et former une pâte. Couvrir les filets de tilapia avec la pâte et passer dans la chapelure pour couvrir légèrement.

2. Faire fondre le beurre dans une poêle à feu moyen. Placer les filets dans la poêle et cuire 5 minutes de chaque côté, ou jusqu'à ce qu'ils soient dorés et se défassent facilement à la fourchette.

Fish & chips cuit au four à faible teneur en gras

Instructions:

1. Préchauffer le four à 450 °F.

2. Assaisonner le babeurre de sel et de poivre. Combiner l'aneth, la chapelure, le sel et le poivre dans un plat. Tremper les filets dans le babeurre. Passer chaque côté dans la panko et secouer tout excès.

3. Huiler une plaque à biscuits avec de l'huile d'olive. Y placer le poisson et arroser de toute l'huile restante. Cuire de 8 à 10 minutes ou jusqu'à ce que l'extérieur soit doré et que les jus blancs commencent à apparaître.

Portions: 4
Préparation: 15 min
Cuisson: 10 min

Ingrédients:
- 4 morceaux de tilapia, de bar d'Amérique ou de vivaneau rouge sans peau
- 1/2 T de babeurre
- 2 c. à t. d'aneth frais haché
- 1 T de chapelure
- 2 c. à s. d'huile d'olive
- Sel et poivre fraîchement moulu

Fish & chips

Portions : 4
Préparation : 30 min
Cuisson : 40 min

Ingrédients :
- 4 filets de morue ou d'achigan de mer du Chili (environ 2,5 cm), sans peau
- 2 grosses pommes de terre jaunes (environ 500 g), nettoyées

ASSAISONNEMENT
- 2 c. à s. d'huile d'olive extra vierge
- 1/2 c. à t. de gros sel
- 1/2 c. à t. de poivre fraîchement moulu

ENROBAGE
- 1/3 de T de babeurre à faible teneur en matières grasses
- 1/3 de T de semoule de maïs jaune
- 1/4 de c. à t. de paprika

GARNITURE
- Quartiers de citron
- Vinaigre de malt

Instructions :

1. Préchauffer le four à 450 °F. Disposer les grilles dans les tiers supérieur et inférieur du four.

2. Couper les pommes de terre dans le sens de la longueur en tranches de 5 mm. Bien rincer dans un grand bol d'eau froide et assécher en tapotant avec un linge de cuisine. Transférer sur une grande plaque à biscuits. Arroser d'une c. à soupe d'huile et saupoudrer de sel et de poivre ; bien mélanger. Disposer les tranches en une couche uniforme sur la plaque. Placer sur la grille dans le bas du four et cuire environ 30 minutes, jusqu'à ce qu'elles soient dorées et croustillantes.

3. Pendant la cuisson des pommes de terre, placer les filets de poisson dans un grand bol. Ajouter le babeurre et retourner le poisson pour bien le recouvrir. Dans un autre bol peu profond, mélanger la semoule de maïs, le paprika et les 1/4 de c. à thé de sel et de poivre restantes. Ajouter un filet de poisson à la fois dans la semoule de maïs, en retournant pour couvrir entièrement. Transférer sur une assiette et répéter l'opération avec les autres filets.

4. Réchauffer une poêle en fonte de 30 cm à feu moyen-élevé. Ajouter la c. à soupe d'huile qui reste ; incliner la poêle pour bien la couvrir d'huile. Ajouter les filets, en s'assurant de ne pas trop en mettre. Cuire environ une minute, jusqu'à ce que le poisson soit croustillant. Retourner, à l'aide d'une spatule. Placer la poêle sur la grille supérieure du four et cuire environ 8 minutes, jusqu'à ce que le poisson soit toujours ferme, mais commence à se défaire par une pression dans le centre. Transférer sur des assiettes et servir avec les pommes de terre. Disposer des quartiers de citron et servir du vinaigre de malt à part.

Brochettes de poisson et de concombre

Instructions:

1. Couper le poisson en morceaux de 3 cm et couper le concombre en tranches de 2,5 cm d'épaisseur. Placer le poisson, le concombre et les feuilles de laurier dans un bol.

2. Mélanger en fouettant l'huile, le vin blanc, la sauce soya, les jus de citron et d'orange, saler et poivrer. Verser la moitié du mélange sur le poisson. Remuer et laisser mariner 30 minutes au réfrigérateur.

3. Préchauffer le gril à feu vif. Enfiler les morceaux de poisson, les concombres et les feuilles de laurier sur 6 brochettes.

4. Placer sur le gril et cuire 5 minutes en arrosant du reste de la marinade Retourner et griller 5 à 7 minutes de plus ou jusqu'à ce que le poisson soit cuit.

ASTUCE

Ne pas entasser les morceaux trop près sur la brochette. Laisser un peu d'espace de façon à ce qu'ils cuisent uniformément.

Portions: 3 (6 brochettes)
Préparation: 20 min
Marinade: 30 min
Cuisson: 7 min

Ingrédients:
- **500 g de filet de saumon désarêté et sans peau**
- **500 g de filet de flétan désarêté et sans peau**
- **1 concombre pelé, coupé dans le sens de la longueur et épépiné**
- **24 feuilles de laurier fraîches**
- **1/4 T d'huile de canola**
- **1/4 T de vin blanc**
- **2 c. à s. de sauce soya**
- **2 c. à s. de jus de citron fraîchement pressé**
- **2 c. à s. de jus d'orange fraîchement pressé**
- **Sel et poivre fraîchement moulu**
- **Brochette**

Filets de poisson italiano

Portions: 4
Préparation: 10 min
Cuisson: 15 min

Ingrédients:
- **500 g de filet de morue**
- **2 c. à s. d'huile d'olive**
- **1 oignon finement tranché**
- **2 gousses d'ail émincées**
- **1 boîte (411 g) de tomates en dés**
- **1/2 T d'olives noires dénoyautées et tranchées**
- **1 c. à s. de persil frais haché**
- **1/2 T de vin blanc sec**

Instructions:

1. Dans une grande poêle, chauffer l'huile à feu moyen. Faire revenir les oignons et l'ail dans l'huile d'olive jusqu'à ce qu'ils soient tendres.

2. Incorporer les tomates, les olives, le persil et le vin. Laisser mijoter 5 minutes.

3. Placer le filet dans la sauce. Laisser mijoter pendant 5 minutes de plus ou jusqu'à ce que poisson blanchisse.

Aiglefin en papillote

Instructions:

1. Préchauffer le four à 400 °F.

2. Placer chaque morceau de poisson au centre d'une feuille d'aluminium individuelle (assez grande pour enfermer le poisson lorsque repliée). Saupoudrer chaque morceau de poisson de sel et de poivre. Diviser les tranches de tomates, d'oignon et de poivrons rouge et jaune, entre les 6 filets de poisson et placer sur le dessus des filets. Couvrir uniformément de câpres et de persil. Arroser ensuite les filets d'une c. à soupe d'huile d'olive et d'une c. à soupe de jus de citron.

3. Replier et sceller les feuilles d'aluminium en papillotes et disposer sur une plaque à biscuits. Laisser 5 cm entre chaque papillote pour permettre à la chaleur de circuler.

4. Cuire au four pendant 20 minutes. Laisser reposer 5 minutes et déballer. Servir une papillote par personne.

Portions: 6
Préparation: 10 min
Cuisson: 20 min

Ingrédients:
- **6 filets d'aiglefin (170 g)**
- **4 tomates prunes finement tranchées**
- **1 poivron rouge finement tranché**
- **1 poivron jaune finement tranché**
- **1 petit oignon finement tranché**
- **5 c. à s. de câpres**
- **8 c. à s. de persil frais haché**
- **6 c. à s. de jus de citron frais**
- **6 c. à s. d'huile d'olive extra vierge**
- **Sel et poivre, au goût**

Poisson au gingembre cuit à l'étuvée

Portions : 4
Préparation : 15 min
Cuisson : 10 min

Ingrédients :
- **500 g de filet de flétan**
- **1 c. à t. de gros sel de mer ou de sel casher**
- **1 c. à s. de gingembre frais émincé**
- **3 c. à s. de oignon vert tranché finement**
- **1 c. à s. de sauce soya foncée**
- **1 c. à s. de sauce soya claire**
- **1 c. à s. d'huile d'arachide**
- **2 c. à t. d'huile de sésame rôti**
- **1/4 de T de coriandre fraîche**

Instructions :

1. Assécher le flétan avec des essuie-tout. Badigeonner de sel les deux côtés des filets. Disperser le gingembre sur le poisson et placer dans un plat en céramique allant au four.

2. Placer dans un panier de cuisson en bambou, situé à plusieurs centimètres au-dessus de l'eau bouillante et couvrir. Laisser cuire à la vapeur de 10 à 12 minutes.

3. Verser l'eau accumulée pendant la cuisson et saupoudrer l'oignon vert sur le filet. Arroser la surface du poisson des deux sauces soya.

4. Dans une petite poêle, réchauffer l'huile d'arachide et l'huile de sésame à feu moyen-élevé jusqu'à ce qu'elles commencent à fumer. Lorsque l'huile est bien chaude, verser délicatement sur les filets de flétan. La température très élevée de l'huile fera se soulever et éclabousser les oignons verts et l'eau qui se trouvent sur le dessus du poisson – faire preuve de prudence. Garnir de tiges de coriandre et servir immédiatement.

Ragoût de poisson à la turque

Instructions :

1. Dans une casserole moyenne, amener 3 tasses d'eau à ébullition et incorporer le couscous. Retirer du feu, couvrir et laisser reposer 5 minutes.

2. À feu moyen, réchauffer l'huile d'olive dans une poêle et faire revenir l'oignon et le poivron vert environ 5 minutes, jusqu'à ce qu'ils deviennent tendres.

3. Incorporer l'ail et continuer la cuisson en remuant, environ 2 minutes.

4. Ajouter les cœurs d'artichauts et leur liquide réservé, les câpres et leur liquide réservé et les olives. Incorporer les tomates, le vin, le jus de citron et une tasse d'eau (ou assez pour obtenir la texture désirée).

5. Assaisonner de sumac en poudre, des flocons de piment rouge, de basilic, de cumin, de gingembre et de poivre.

6. Amener le mélange à ébullition et incorporer les morceaux de poisson.

7. Diminuer la chaleur et laisser mijoter 10 minutes, ou jusqu'à ce que le poisson se défasse facilement à la fourchette. Servir sur de la semoule.

Portions : 4
Préparation : 15 min
Cuisson : 30 min

Ingrédients :
- **500 g de filets de tilapia, coupés en morceaux**
- **4 T d'eau**
- **1 1/2 T de semoule déshydratée**
- **2 c. à s. d'huile d'olive**
- **1 petit oignon blanc haché**
- **1 poivron vert haché**
- **2 gousses d'ail émincées**
- **1 T de cœurs d'artichauts marinés, le liquide réservé**
- **2 c. à t. de câpres, le liquide réservé**
- **12 petites olives vertes**
- **1 boîte (411 g) de tomates étuvées, hachées et égouttées**
- **2 c. à s. de vin blanc**
- **1 c. à s. de jus de citron**
- **2 c. à t. de sumac en poudre**
- **1 1/2 c. à t. de flocons de piments rouges broyés**
- **1 c. à t. de basilic déshydraté**
- **1 c. à t. de cumin**
- **1 c. à t. de racine de gingembre fraîche émincée**
- **Poivre noir moulu, au goût**

Bar rôti aux lentilles braisées

Instructions :

1. Réchauffer l'huile d'olive dans une casserole à feu moyen. Ajouter les oignons et l'ail et faire revenir 3 minutes, ou jusqu'à ce qu'ils commencent à s'attendrir. Incorporer les lentilles. Ajouter la feuille de laurier, le thym et le poivre.

2. Verser 5 tasses de bouillon de poulet. Amener à ébullition, couvrir et laisser mijoter jusqu'à ce que les lentilles soient cuites, environ de 30 à 40 minutes. Bien assaisonner.

3. Préchauffer le four à 350 °F.

4. Placer le mélange de lentilles dans une rôtissoire avec 1/2 tasse de plus de bouillon de poulet ou d'eau, si nécessaire. Couvrir les lentilles de la moitié des morceaux de bacon. Y déposer les filets de bar. Assaisonner de sel et de poivre. Combiner la garniture et étaler sur le dessus du poisson. Saupoudrer du reste de bacon. Cuire de 25 à 30 minutes ou jusqu'à ce que des jus blancs commencent à apparaître sur le dessus.

5. Placer le poisson sur un plat de service et disposer les lentilles de chaque côté. Saupoudrer de persil et servir avec de l'aïoli.

Portions : 4
Préparation : 15 min
Cuisson : 30 min

Ingrédients :
- 4 filets de bar
- 125 g de bacon taillé en dés
- 1 c. à s. d'huile d'olive
- 1 oignon haché
- 1 gousse d'ail hachée
- 1 1/2 T de lentilles vertes
- 1 feuille de laurier
- Pincée de thym
- Poivre fraîchement moulu
- 5 1/2 T de bouillon de poulet ou d'eau
- Sel et poivre fraîchement moulu

GARNITURE
- 1/2 T de chapelure sèche
- 3 c. à s. de persil haché
- 1 gousse d'ail hachée
- 2 c. à s. d'huile d'olive

ACCOMPAGNEMENT
- 3 c. à s. de persil haché
- Aïoli, recette p. 444

Bar rôti

Portions : 4
Préparation : 30 min
Cuisson : 45 min

Ingrédients :
- 1 bar (environ 1 kg) nettoyé, écalé et évidé
- 1/2 T plus 2 c. à soupe d'huile d'olive extra vierge, plus pour badigeonner
- 2 petits piments de Cayenne rouges frais
- 20 tiges de thym frais
- 1 limette, tranchée finement dans le sens de la largeur
- 1 grosse tomate coupée en tranches de 5 mm
- 1 gros oignon, taillé dans le sens de la largeur en tranches de 2 mm
- 1/4 de T plus 2 c. à soupe de vin blanc sucré
- 1 c. à s. de jus de limette frais
- Sel et poivre noir fraîchement moulu

Instructions :

1. Préchauffer le grilloir. Faire des incisions sur le poisson à intervalles de 2,5 cm. Badigeonner d'huile d'olive la cavité intérieure du poisson et assaisonner de 1/4 de c. à thé de sel et d'une pincée de poivre. Placer les piments de Cayenne et 10 tiges de thym à l'intérieur de la cavité. Badigeonner d'huile d'olive les deux côtés du poisson et assaisonner de 1/2 c. à thé sel et de 1/8 de c. à thé de poivre moulu.

2. Dans une rôtissoire de 25 x 45 cm, ou assez large pour contenir le poisson, disposer la limette, les tranches de tomate et d'oignon, de façon à ce qu'elles forment un lit pour le poisson, et assaisonner de 1/4 de c. à thé sel et de 1/8 de c. à thé de poivre. Placer le poisson sur le dessus et verser 6 c. à soupe d'huile d'olive sur le poisson.

3. Transférer la rôtissoire sous le grilloir et cuire le poisson 10 minutes, jusqu'à ce que la peau soit légèrement croustillante sur le dessus. Diminuer la température du four à 400 °F. Ajouter le vin dans la rôtissoire et remettre le poisson au four pour poursuivre la cuisson. Rôtir jusqu'à ce que le poisson soit opaque et cuit à point, environ 35 minutes.

4. Retirer la rôtissoire du four et transférer le poisson dans un grand plat de service.

5. Prendre une c. à thé comble des tiges de thym qui restent. Passer les légumes et les jus de cuisson de la rôtissoire dans un tamis placé au-dessus d'un bol et presser tous les jus additionnels des légumes pour créer une sauce. Incorporer les feuilles de thym et les 4 c. à soupe d'huile d'olive restantes dans la sauce, ajuster l'assaisonnement de sel et de poivre et ajouter le jus de limette, au goût. Réchauffer la sauce à feu doux dans une petite casserole et s'assurer de pas l'amener à ébullition. Découper le poisson en filets, napper de sauce et servir.

Bar épicé au gingembre, au chili et à la ciboule

Portions: 6
Préparation: 20 min
Cuisson: 10 min

Ingrédients:
- 6 filets de bar écaillé et sans peau (140 g)
- Environ 3 c. à s. d'huile de tournesol
- 1 gros morceau de gingembre, pelé et effiloché en allumettes
- 3 gousses d'ail tranchées finement
- 3 gros piments chilis rouges, épépinés et tranchés en fines lanières
- 1 botte de ciboule, effilochée en longues lanières
- 1 c. à s. de sauce soya

Instructions:

1. Assaisonner le poisson de sel et de poivre et faire 3 incisions dans la peau.

2. Faire chauffer une poêle épaisse et ajouter une c. à s. d'huile.

3. Une fois l'huile chaude, faire frire le poisson en deux lots, le côté de la peau en dessous, 5 minutes ou jusqu'à ce que la peau soit croustillante et dorée. Le poisson sera presque entièrement cuit.

4. Retourner le poisson, poursuivre la cuisson de 30 secondes à 1 minute, transférer dans une assiette de service et garder au chaud.

5. Réchauffer l'huile qui reste et frire le gingembre, l'ail et les piments pendant environ 2 minutes, jusqu'à ce que les ingrédients soient dorés. Retirer du feu et incorporer la ciboule.

6. Arroser le poisson d'un trait de sauce soya et surmonter des ingrédients qui se trouvent dans la poêle.

Bar rayé aux oranges sanguines

Instructions:

1. Presser 3 ou 4 oranges pour produire une tasse de jus; réserver. Retirer, jeter la pelure et la peau blanche des oranges qui restent.

2. À l'aide d'un couteau bien affûté, retirer les quartiers et réserver dans un petit bol.

3. Saupoudrer le poisson de sel et de poivre. Dans une poêle moyenne, réchauffer l'huile à feu moyen-élevé.

4. Ajouter le poisson, le côté de la peau vers le haut; cuire jusqu'à ce que le poisson soit doré, environ 3 minutes.

5. Retourner le poisson, diminuer la chaleur et poursuivre la cuisson à feu moyen, jusqu'à ce que le poisson soit opaque et complètement cuit, environ 3 minutes. Transférer le poisson sur un plat de service, garder au chaud.

6. Pendant la cuisson du poisson, faire fondre, à feu moyen, une c. à soupe beurre dans une petite casserole.

7. Ajouter les échalotes et cuire en remuant jusqu'à ce qu'elles deviennent légèrement dorées, environ 5 minutes. Ajouter le jus d'orange et laisser mijoter.

8. Cuire jusqu'à réduction du jus de moitié, environ 5 minutes. Retirer de la chaleur et fouetter les 5 c. à soupe de beurre froid qui restent, une à la fois. Incorporer les quartiers d'orange et les olives.

9. Verser sur le poisson et servir immédiatement.

Portions: 4
Préparation: 15 min
Cuisson: 15 min

Ingrédients:
- 4 filets de bar rayé (avec la peau), la peau entaillée
- 1 c. à s. d'huile de canola
- 6 c. à s. de beurre non salé froid
- 2 échalotes, coupées en morceaux de 5 mm
- 1/3 de T de petites olives vertes dénoyautées, coupées en quartiers
- 6 oranges sanguines
- Gros sel et poivre fraîchement moulu

Rouleaux californiens

Portions : environ 40 makis
Préparation : 1 h 30
Cuisson : 15 min

Équipement requis :

- Makisu (natte de bambou pour rouler les sushis)
- Planche à découper propre
- Couteau à sushi ou couteau très affûté
- 1 paquet de varech rôti (nori)
- 1 cuiller de bois ou une spatule en bois ou en plastique pour étendre le riz sur la pellicule de plastique

Ingrédients :

RIZ
- 6 c. à s. de vinaigre de riz
- 2 c. à s. de sucre
- 2 c. à t. de sel
- 3 T de riz japonais à grains moyens non cuit*
- 4 T d'eau

SUSHIS
- 5 feuilles de nori **
- 1 gros concombre
- 2 ou 3 avocats
- Jus de citron frais
- Chair de crabe cuite ou bâtonnets de simili-crabe***
- Wasabi
- Sauce soya
- Gingembre mariné

* Pour faire des sushis, n'utiliser que du riz japonais. Il s'agit d'un riz à grains moyens qui devient collant lorsqu'il est cuit. Le riz à grains longs nord-américain est inadéquat parce qu'il est plus sec et que les grains ne collent donc pas ensemble.
** Feuilles de varech minces pressées et séchées. Généralement, la règle veut que le meilleur nori soit celui qui est vert très foncé, presque noir.
*** Les bâtonnets de simili-chair de crabe sont les plus faciles à utiliser. On peut les trouver dans les épiceries japonaises.

Instructions :

RIZ DES SUSHIS

1. Dans une petite casserole à feu moyen, mélanger le vinaigre de riz, le sucre et le sel. Faire chauffer jusqu'à ce que le sucre se dissolve (ne pas faire bouillir). Retirer du feu et laisser refroidir jusqu'au moment de l'utilisation. Commencer à préparer le riz 2 heures avant de faire les sushis. Laver le riz, en le remuant avec les mains, jusqu'à ce que l'eau soit claire. Placer le riz dans la casserole avec l'eau et laisser tremper 30 minutes. Égoutter le riz dans une passoire et transférer dans une casserole épaisse ou un cuit-riz; ajouter 4 tasses d'eau.

ASTUCE

Pour améliorer la texture du riz, après le rinçage, laisser le riz s'égoutter 30 minutes au réfrigérateur avant de le cuire (placer la passoire et le riz dans un grand bol où l'eau s'accumulera).

2. En l'absence de cuit-riz, mettre l'eau et le riz dans une casserole épaisse à feu moyen-élevé; amener à ébullition, réduire la chaleur, couvrir et laisser mijoter à feu doux 15 minutes. Fermer le feu et laisser reposer le riz, couvert, 15 minutes de plus. Transférer dans un grand bol; aérer les grains avec une spatule de caoutchouc ou une cuiller de bois en coupant et en repliant (ne pas mélanger, cela écraserait le riz).

ASTUCE

Utiliser le riz tout de suite après l'avoir préparé ou couvrir avec un linge mouillé pour conserver l'humidité. Ne pas réfrigérer le riz cuit. Arroser le riz du mélange de vinaigre refroidi, en mélangeant (ajouter suffisamment de vinaigrette pour couvrir le riz, mais ne pas le rendre plus humide – tout le mélange ne sera peut-être pas nécessaire). Étaler le riz chaud sur une grande feuille d'aluminium et laisser refroidir.

INGRÉDIENTS DES SUSHIS

1. Laver, peler et épépiner le concombre. Couper en deux dans le sens de la longueur, puis en longues lanières fines. Couper les avocats en deux dans le sens de la longueur, dénoyauter; couper chaque moitié en deux, toujours dans le sens de la longueur, et retirer soigneusement la pelure. Couper chaque quartier en longues lanières fines. Arroser les tranches d'avocat de jus de citron pour empêcher leur décoloration.

2. Si du crabe des neiges est utilisé, retirer la chair de la partie la plus épaisse des pattes et couper en deux dans le sens de la longueur. Si de l'imitation de crabe est utilisée, retirer l'emballage de plastique et couper en deux dans le sens de la longueur.

3. Placer les lanières de concombre et d'avocat dans une assiette; couvrir d'une pellicule de plastique et réfrigérer jusqu'au moment de leur utilisation.

SUSHIS

1. Étendre le makisu sur une planche à découper, les lanières de bambou à l'horizontale.

2. Placer une pellicule de plastique sur le dessus du makisu (le côté luisant en dessous).

3. Placer le nori sur la pellicule de plastique. Étendre en une fine couche, de 3/4 à 1 tasse de riz sur les 3/4 de la surface de la feuille de nori, en laissant approximativement 2,5 cm de nori non couvert.

ASTUCE

Il est plus facile d'étendre le riz sur la feuille de nori quand les doigts sont mouillés avec de l'eau froide.

4. Disposer les lanières d'avocat et de concombre au centre du riz, surmonter de chair de crabe.

Faire des sushis à l'envers : Après avoir étendu le riz sur la feuille de nori, saupoudrer de graines de pavot ou de sésame rôties. Couvrir à l'aide d'une pellicule de plastique. En soulevant la pellicule du dessous, retourner la feuille de nori et le riz sur le makisu. Retirer la pellicule de plastique du dessus et procéder comme mentionné plus haut.

ROULER LES SUSHIS

1. Placer les doigts sur les ingrédients et, avec les pouces, ramener soigneusement le bas du makisu et de la pellicule de plastique sur les ingrédients (en rentrant la fin de la feuille de nori pour commencer un rouleau). Tirer le makisu et la pellicule de plastique, si nécessaire, pour éviter qu'ils ne s'enroulent dans le sushi.

ASTUCE

Faire un rouleau bien serré à l'aide d'une pression ferme.

2. Continuer de rouler le sushi et de tirer le makisu, si nécessaire jusqu'à ce que seulement 2,5 à 5 cm de nori dépassent. Badigeonner d'un peu d'eau froide l'extrémité de la feuille de nori et terminer le rouleau. Presser doucement le makisu autour du rouleau, jusqu'à ce qu'il soit ferme et bien uniforme (ne pas serrer trop fort, pour éviter de presser les ingrédients hors du rouleau). Enrouler une pellicule de plastique autour du rouleau et mettre au réfrigérateur jusqu'à l'utilisation. Répéter l'opération avec les autres de feuilles de nori pour faire des rouleaux supplémentaires.

COUPER LES RONDELLES DE SUSHI

3. Placer les rouleaux sur une planche à découper bien droite et retirer la pellicule de plastique. À l'aide d'un couteau bien affûté, couper d'abord le rouleau au milieu. Couper ensuite jusqu'à six ou huit rondelles au total (mouiller le couteau entre les rondelles rendra le découpage plus facile et empêchera le riz de s'agglutiner sur la lame).

4. Disposer les tranches de rouleaux californiens sur une assiette de service. Servir avec du wasabi, de la sauce soya et du gingembre mariné. Toujours servir les sushis à la température ambiante.

Calmars frits à l'aïoli à la lime et et à l'ail rôti

Portions : 6
Préparation : 10 min
Cuisson : 2 min

Ingrédients :
- 1,25 kg de calmars décongelés et nettoyés
- 1 1/2 T de farine tout usage
- 1 c. à t. de sel
- 1 c. à t. de poivre fraîchement moulu
- Huile d'arachide
- Aïoli à la lime et à l'ail rôti, recette p. 445

Instructions :

1. Couper les tubes de calmars en rondelles de 5 mm et assécher à l'aide d'essuie-tout. Mélanger la farine, le sel et le poivre dans un plat peu profond.

2. Passer les rondelles et les tentacules, par lots, dans le mélange de farine.

3. Verser 5 cm de profondeur d'huile dans un faitout ; réchauffer à 365 °F.

4. Frire les calmars par lots, 2 minutes ou jusqu'à ce qu'ils soient dorés ; égoutter sur des essuie-tout.

5. Servir immédiatement avec de l'ail rôti et un aïoli à la limette.

Calmars aux tomates et aux câpres

Instructions :

1. Mélanger une c. à soupe d'huile d'olive, le jus de citron, le zeste et les flocons de chili dans un plat de cuisson. Ajouter les calmars et laisser mariner au réfrigérateur pendant 2 heures.

2. Réchauffer 2 c. à soupe d'huile d'olive à feu moyen-élevé dans une grande poêle à frire. Retirer les calmars de la marinade, essuyer l'excédent de liquide (réserver la marinade). Saisir les calmars et les tentacules jusqu'à ce que la chair devienne ferme et légèrement dorée, environ 3 minutes de chaque côté. Retirer de la poêle et réserver.

3. Diminuer la chaleur. Dans la même poêle, ajouter l'ail et les câpres ; saisir jusqu'à ce qu'ils soient dorés, environ 4 minutes. Ajouter les tomates et augmenter le feu à moyen-élevé. Faire revenir 4 minutes ou jusqu'à ce que les tomates deviennent tendres. Mettre la marinade, l'eau et les calmars dans la poêle et réchauffer 3 minutes.

4. Incorporer les noix de pin et le persil, assaisonner au goût et servir chaud.

Portions : 2
Préparation : 30 min
Marinade : 2 h
Cuisson : 17 min

Ingrédients :
- 750 g de calmars entiers, nettoyés et tranchés
- 3 c. à s. d'huile d'olive, un peu plus pour saisir
- 1/4 de T de jus de citron frais
- Le zeste râpé d'un citron
- 1/4 de c. à t. de flocons de chili en morceaux de 5 cm
- 2 c. à t. d'ail finement haché
- 2 c. à t. de câpres égouttées et grossièrement hachées
- 2 1/4 T de tomates cerises, coupées en deux dans le sens de la longueur
- 1/4 de T d'eau
- 1 c. à s. de noix de pin, légèrement rôties
- 1 c. à s. de persil frais finement haché
- Sel et poivre noir fraîchement moulu, au goût

Calmars grillés à la sauce au citron et aux câpres

Instructions:

1. Préparer le gril.

2. Mélanger les six premiers ingrédients et une c. à thé d'huile dans un robot culinaire et passer jusqu'à obtention d'une substance lisse. Dans l'orifice d'alimentation, ajouter l'eau lentement pendant que le robot culinaire est toujours en fonction; passer jusqu'à obtention d'une substance lisse. Transférer la préparation dans un grand bol. Ajouter le poivron et l'oignon et réserver.

3. Mélanger la c. à thé d'huile restante et les calmars; bien remuer. Saupoudrer de sel et de poivre noir. Placer les calmars sur la grille enduite d'huile de cuisson en aérosol; griller 3 minutes ou jusqu'à ce qu'ils soient bien cuits, en retournant une fois. Couper les calmars en rondelles, ajouter le mélange d'olives et remuer pour bien recouvrir.

Portions: 4
Préparation: 20 min
Cuisson: 3 min

Ingrédients:
- 500 g de calmars nettoyés et sans peau
- 1/3 de T d'olives vertes
- 3 c. à s. de câpres salées et rincées
- 3 c. à s. de jus de citron frais
- 2 c. à s. de vinaigre de vin blanc
- 12 feuilles de basilic
- 1 gousse d'ail pelée
- 2 c. à t. d'huile d'olive extra vierge, divisée
- 1/4 de T d'eau
- 1 T de tranches de poivron rouge
- 1/2 T d'oignon rouge finement tranché
- 1/8 de c. à t. de sel
- 1/8 de c. à t. de poivre noir fraîchement moulu
- Aérosol de cuisson

Cioppino

Portions: 10
Préparation: 1 h
Réfrigération: 12 h
Cuisson: 1 h 30

Ingrédients:
- 3 crabes dormeurs entiers et cuits (environ 2,75 kg) ou environ 2,75 kg de homard cuit à l'étuvée
- 500 g de myes
- 1,5 kg de filets de sébaste du Pacifique coupés en morceaux de 3,5 m
- 500 g de grosses crevettes fraîches non pelées
- 2 oignons coupés en dés
- 6 gousses d'ail hachées
- 1 poivron vert haché
- 1/4 de T d'huile d'olive
- 2 T de vin rouge sec
- 2 T de jus de myes
- 1 boîte (796 g) de tomates en dés
- 1 T de sauce tomate
- 1 feuille de laurier
- 1 c. à s. de sucre
- 1 c. à s. d'origan déshydraté
- 1 c. à s. de basilic déshydraté
- 1 c. à s. de poivre noir moulu
- 1 c. à s. de piment rouge déshydraté broyé
- 1 c. à t. de sel
- 1/4 de c. à t. de thym déshydraté
- 1 c. à s. de jus de citron
- 2 miches de pain au levain

GARNITURE
- Persil frais haché

Instructions:

1. Faire revenir dans l'huile chaude les 3 premiers ingrédients dans une grande casserole, jusqu'à ce qu'ils soient tendres; incorporer les 13 ingrédients suivants (du vin au jus de citron).

2. Amener à ébullition, couvrir, réduire la chaleur et laisser mijoter pendant une heure. Laisser refroidir, couvrir et mettre au réfrigérateur pendant au moins 12 heures.

3. Retirer le plastron et la queue des crabes. Soulever la partie supérieure de la coquille et garder le «beurre de crabe» qui se trouve à l'intérieur. Jeter la partie supérieure de la coquille. Retirer et jeter les branchies qui adhèrent au corps du crabe. Jeter la masse stomacale et briser le crabe en sections (droite et gauche).

4. Détacher, en tordant, les pinces et les articulations. Couper chacune des sections du corps en deux morceaux, dans le sens de la largeur. Fendre les pattes à l'aide d'un maillet en bois. Réserver les morceaux du corps, les pinces et le «beurre de crabe».

5. Jeter toutes les palourdes crues qui sont ouvertes. Réchauffer le mélange de tomates à feu moyen dans une grande casserole, en remuant de temps à autre, jusqu'à ce qu'il soit plus ou moins chaud.

6. Placer le crabe, les palourdes, les crevettes et le poisson dans une grande casserole. Verser le bouillon de tomate sur les fruits de mer et amener à ébullition.

7. Diminuer la chaleur et laisser mijoter de 10 à 12 minutes. Jeter toutes les palourdes qui ne se seraient pas ouvertes pendant la cuisson.

8. Servir avec le pain au levain; garnir si désiré.

Cioppino sur le pouce

Portions : 6
Préparation : 20 min
Cuisson : 30 min

Ingrédients :
- 750 g de myes
  dans leurs coquilles
- 250 g de crevettes déveinées
  et décortiquées
- 250 g de pétoncles
  (3,5 cm de largeur)
- 1 c. à s. d'huile d'olive
- 1 T d'oignon haché
- 1 c. à s. d'ail émincé
- 2 T de vin blanc sec
- 500 g de tomates mûres et
  fermes, rincées et hachées, ou 1
  boîte (411 g) de tomates en dés
- 1/2 T de pâte de tomate
- 2 c. à s. de feuilles de basilic frais
  émincées ou 2 c. à thé de basilic
  déshydraté
- 1/2 c. à t. de poivre
- Sel
- 1/4 de T de persil haché
- 500 g de pain croûté
- Quartiers de citron

Instructions :

1. Verser l'huile d'olive dans une casserole d'une capacité de 5 à 6 litres et chauffer, à feu moyen-élevé; lorsque l'huile est chaude, ajouter l'oignon et l'ail et remuer souvent, jusqu'à ce que l'oignon ramollisse, de 3 à 5 minutes. Ajouter le vin, les tomates (avec leur jus, si elles sont en conserve), la pâte de tomate, le basilic et le poivre; amener le mélange à ébullition à feu vif, diminuer la chaleur et laisser mijoter 10 minute en remuant souvent. Saler au goût.

2. Pendant la cuisson, rincer et égoutter les crevettes, les pétoncles et nettoyer les myes.

3. Incorporer délicatement les crevettes, les pétoncles et les myes dans le bouillon de tomates ; couvrir et laisser mijoter jusqu'à ce que les crevettes et les pétoncles soient opaques mais semblent toujours humides dans le centre de la partie la plus épaisse (couper pour vérifier) et que les myes se soient ouvertes, de 7 à 9 minutes.

4. Jeter toutes les myes qui seraient demeurées fermées.

5. Verser le cioppino dans des bols larges et saupoudrer de persil. Servir avec du pain et des quartiers de citron.

Crabes du capitaine

Instructions :

1. Dans une casserole d'une capacité de 5 à 6 litres, amener 4 litres d'eau à ébullition.

2. Rincer les crabes et le poisson et assécher en tapotant; couper le poisson en morceaux de 2,5 à 3,5 cm.

3. Mettre le beurre et l'huile d'olive dans une poêle à frire de 30 cm (dont les côtés ont au moins 6 cm de hauteur) ou un wok de 35 cm et cuire, à feu moyen-élevé; quand le beurre est fondu, ajouter l'ail et remuer jusqu'à ce qu'il soit odorant, de 1 à 2 minutes. Ajouter le poisson et retourner les morceaux de temps à autre, jusqu'à ce qu'ils commencent à dorer, de 2 à 3 minutes.

4. Verser le xérès et le jus de citron; ajouter soigneusement les crabes. Saupoudrer de persil. Couvrir et laisser mijoter jusqu'à ce que les crabes soient chauds et que le poisson soit opaque, mais toujours humide au centre (couper pour vérifier), de 5 à 6 minutes. Ajouter le sel et le poivre au goût.

5. Ajouter les cheveux d'ange dans l'eau bouillante; cuire, en remuant de temps à autre, jusqu'à ce que les pâtes soient tendres et fermes sous la dent, de 3 à 4 minutes. Bien égoutter les pâtes et étendre dans le fond d'un large plat de service.

6. Verser le mélange de crabe sur les pâtes et garnir de quartiers de citron. Servir avec des tranches de baguette pour essuyer la sauce.

Portions : 4 à 6
Préparation : 15 min
Cuisson : 15 min

Ingrédients :
- 2 crabes dormeurs
  (environ 1 kg chacun) cuits,
  nettoyés et décortiqués
- 500 g de poisson blanc à chair
  ferme, comme du flétan,
  désarêté et sans peau
- 3/4 de T de beurre
- 1/4 de T d'huile d'olive
- 1/4 de T d'ail émincé
- 1 T de vin blanc sec
  ou de xérès sec
- 1/3 de T de jus de citron
- 1/2 T de persil haché
- 227 g de cheveux d'ange
- Quartiers de citron
- 1 baguette tranchée
- Sel et poivre

Beignets de crabe à la sauce tartare créole

Instructions:

1. Pour préparer la sauce tartare, mélanger les 6 premiers ingrédients en remuant avec un fouet. Laisser reposer 10 minutes.

2. Pour préparer les croquettes de crabe, mettre le pain dans un robot culinaire, passer par impulsion 10 fois, ou jusqu'à ce que les miettes grossières atteignent 2 tasses. Mélanger une tasse de miettes de pain, l'oignon et les 8 prochains ingrédients (jusqu'à blanc d'œuf); bien mélanger. Diviser le mélange de crabe en 8 portions égales. Façonner chaque portion en une croquette de 1 cm d'épaisseur. Placer une tasse de miettes de pain dans un plat peu profond. Passer les croquettes, une à la fois, dans les miettes de pain.

3. Réchauffer à feu moyen-élevé 2 c. à thé d'huile dans une grande poêle antiadhésive. Ajouter 4 croquettes; cuire 3 minutes de chaque côté ou jusqu'à ce qu'elles soient bien dorées. Répéter la procédure avec le reste de l'huile et des croquettes. Servir avec la sauce tartare. Garnir de tiges de persil et de quartiers de citron, si désiré.

ASTUCE

La sauce tartare repose 10 minutes pour laisser les saveurs se fondre ensemble, mais vous pouvez la préparer une journée plus tôt, la couvrir et la mettre au réfrigérateur. La chair de crabe en conserve fait d'excellentes croquettes, mais elles ont tendance à se défaire. Manipulez-les patiemment et soigneusement pour obtenir de meilleurs résultats.

Portions: 4
Préparation: 30 min
Cuisson: 6 min

Ingrédients:

BEIGNETS DE CRABE
- **500 g de chair de crabe en morceaux**
- **4 tranches (29 g) de pain blanc**
- **1/4 de T d'oignon finement haché**
- **1/4 de T de poivron rouge finement haché**
- **1 c. à s. de persil frais haché**
- **1 c. à s. de jus de citron frais**
- **1 c. à s. de sauce piquante**
- **1/4 de c. à t. de poivre noir fraîchement moulu**
- **1 gros œuf légèrement battu**
- **Le blanc d'un gros œuf, légèrement battu**
- **4 c. à t. d'huile végétale, divisées**
- **Tiges de persil frais (facultatif)**
- **Quartiers de citron (facultatif)**

SAUCE TARTARE
- **1/2 T de mayonnaise à faible teneur en gras**
- **3 c. à s. de relish sucrée**
- **2 c. à s. de câpres égouttées et rincées**
- **1 c. à t. de moutarde créole**
- **1/4 de c. à t. d'assaisonnement cajun sans sel**
- **1/4 de c. à t. de sauce piquante**

Brochettes de crevettes aux fines herbes

Portions: 6
Préparation: 15 min
Cuisson: 6 min

Ingrédients:
- **1/2 T de feuilles de basilic frais**
- **1/2 T de feuilles de coriandre fraîche**
- **1/4 de T de feuilles de persil frais**
- **2 c. à s. de jus de citron frais**
- **2 c. à s. d'eau**
- **1 gousse d'ail**
- **4 c. à t. d'huile d'olive extra vierge**
- **24 crevettes géantes pelées et déveinées (environ 750 g)**
- **1 zucchini moyen, coupé en 20 rondelles (1 cm d'épaisseur)**
- **Aérosol de cuisson**
- **1/2 c. à t. de sel**
- **1/4 de c. à t. de poivre noir**

Instructions:

1. Préparer le gril à feu moyen-élevé.

2. Mettre les 6 premiers ingrédients dans un robot culinaire et ajouter 2 c. à thé d'huile. Passer jusqu'à obtention d'une substance lisse. Transférer la préparation de basilic dans un bol de dimension moyenne. Ajouter les crevettes dans le bol et bien remuer pour recouvrir.

3. Laisser reposer à la température ambiante pendant 15 minutes.

4. Enfiler 6 crevettes et 5 tranches de zucchini en alternance sur 4 brochettes (30 cm). Arroser les brochettes uniformément avec les 2 c. à thé d'huile qui restent.

5. Placer les brochettes sur une grille enduite d'huile de cuisson en aérosol; griller 3 minutes de chaque côté ou jusqu'à ce que les crevettes soient bien cuites. Saupoudrer uniformément de sel et de poivre.

Crevettes à l'étouffée

Portions : 6
Préparation : 45 min
Cuisson : 40 min

Ingrédients :
- 4 T de bouillon de poulet pauvre en sodium et sans matières grasses
- 1 c. à t. de thym déshydraté
- 1 c. à t. de basilic déshydraté
- 1 feuille de laurier
- 1/3 de T de beurre, divisée
- 1/2 T de farine (tout usage)
- Aérosol de cuisson
- 1 1/2 T d'oignon haché
- 2/3 de T de céleri en dés
- 1/2 T de poivron rouge haché
- 1/2 T de poivron vert haché
- 3/4 de T d'eau
- 1/4 T de pâte de tomate
- 1 c. à s. d'assaisonnement cajun sans sel
- 1 1/2 c. à t. d'ail émincé
- 1/4 de c. à t. de sel
- 1/4 de c. à t. de poivre noir
- 1/4 de c. à t. de piment rouge moulu
- 1 c. à t. de sauce Worcestershire
- 1/2 T d'oignons verts hachés
- 1/2 T de persil plat haché
- 500 g de crevettes moyennes, pelées et déveinées (environ 30 crevettes)
- 4 T de riz à grains longs cuits et chaud

Instructions :

1. Faire chauffer, à feu moyen, les 4 premiers ingrédients dans une petite casserole; laisser mijoter. Couvrir et retirer du feu.

2. Dans une casserole moyenne, faire fondre 1/4 de tasse de beurre à feu moyen. Mettre la farine dans une tasse à mesurer et égaliser avec un couteau. Ajouter la farine dans la casserole, cuire 8 minutes ou jusqu'à ce que le mélange devienne très brun en remuant constamment avec un fouet. Retirer du feu. Ajouter une tasse de mélange de bouillon dans la casserole et mélanger avec un fouet jusqu'à obtention d'un mélange lisse. Ajouter les 3 tasses de mélange de bouillon qui restent en remuant avec un fouet jusqu'à obtention d'un mélange lisse et réserver.

3. Faire fondre, à feu moyen-élevé, une c. à soupe plus une c. à thé de beurre dans un grand faitout recouvert d'huile de cuisson en aérosol. Ajouter 1 1/2 tasse d'oignon, le céleri et les poivrons dans la casserole; cuire 10 minutes ou jusqu'à ce que les légumes soient tendres et l'oignon, brun doré, en remuant de temps à autre. Incorporer 3/4 tasse d'eau, en grattant les petits morceaux dorés qui auraient adhéré au fond de la poêle. Ajouter la pâte de tomate, l'assaisonnement cajun, l'ail, le poivre noir et le piment rouge au mélange d'oignon; cuire une minute en remuant constamment. Ajouter le mélange farine-bouillon et la sauce Worcestershire dans la casserole en remuant pour bien mélanger et laisser mijoter.

4. Cuire 10 minutes, en remuant de temps à autre. Ajouter les oignons verts, 1/4 de tasse de persil et les crevettes; cuire 3 minutes ou jusqu'à ce que les crevettes soient cuites. Jeter la feuille de laurier.

5. Servir sur du riz. Saupoudrer chaque portion de 2 c. à thé de persil, si désiré.

Crevettes sautées aux tomates fraîches, au vin et au basilic

Instructions :

1. Combiner l'eau et 1/2 tasse de sel dans un grand bol et remuer jusqu'à ce que le sel se dissolve. Verser le mélange de sel dans un grand sac de plastique refermable. Ajouter les glaçons et les crevettes; sceller. Mettre au réfrigérateur 30 minutes. Retirer les crevettes du sac; jeter la saumure. Éplucher les crevettes.

2. Dans une grande poêle antiadhésive, réchauffer l'huile à feu moyen-élevé. Ajouter l'oignon et l'ail, faire revenir 15 secondes. Ajouter les crevettes et saisir une minute. Ajouter le vin, cuire 1 minute en grattant les petits morceaux dorés qui auraient adhéré au fond de la poêle. Ajouter la tomate, 1/4 de c. à thé de sel et le poivre, cuire 3 minutes ou jusqu'à ce que les crevettes soient à point.

3. Retirer du feu et servir sur des pâtes. Saupoudrer de basilic.

Portions : 4
Préparation : 20 min
Réfrigération : 30 min
Cuisson : 4 min

Ingrédients :
- 625 g de grosses crevettes
- 3 1/2 T d'eau
- 1 T de glaçons
- 1 1/2 c. à s. d'huile d'olive
- 1/4 de T d'oignon vert tranché finement
- 3 gousses d'ail tranchées finement
- 1/2 T de vin blanc sec
- 1 T de tomate pelée, épépinée et grossièrement hachée
- 1/4 de c. à t. de sel casher
- 1/4 de c. à t. de poivre noir fraîchement moulu
- 3 T de vermicelles cuits chauds (environ 170 g de pâtes non cuites)
- 1/4 de T de basilic frais haché
- 1/2 T de sel casher

Crevettes à la créole

Instructions :

1. Dans une grande casserole, mélanger, à feu moyen, les coquilles réservées, 1/2 oignon, la carotte, 2 branches de céleri, et 4 tasses d'eau. Laisser mijoter pendant une heure, sans couvrir et en remuant de temps à autre. Tamiser le bouillon dans une casserole plus petite et faire bouillir jusqu'à réduction à 2 tasses. Retirer du feu

2. Dans une poêle épaisse, faire fondre la graisse à feu moyen. Ajouter les oignons, le céleri, l'ail et le poivron vert et faire revenir jusqu'à ce que les légumes soient tendres et que les rebords commencent à caraméliser.

3. Ajouter les feuilles de laurier, le sel, le poivre noir, la cassonade, le poivre de Cayenne, la sauce pimentée et 2 tasses de la réduction du bouillon de crevettes. Amener à ébullition et ajouter le romarin, le thym et le basilic broyés, les tomates et la sauce tomate.

4. Couvrir et laisser mijoter à feu moyen-doux, en remuant de temps à autre, pendant une heure.

5. Ajouter les crevettes nettoyées et déveinées. Remuer, couvrir et retirer du feu. Laisser les crevettes reposer de 15 à 20 minutes ou jusqu'à ce qu'elles soient roses. Garnir d'oignons verts.

Portions : 6
Préparation : 1 h 10
Cuisson : 1 h 05

Ingrédients :

- 1,5 kg de crevettes moyennes pelées, déveinées et les coquilles réservées
- 1/2 oignon haché
- 1 carotte finement hachée
- 2 branches de céleri hachées
- 4 T d'eau
- 1/3 de T de graisse de bacon
- 2 oignons hachés
- 2 branches de céleri hachées
- 1 c. à s. d'ail émincé
- 1 gros poivron vert haché
- 2 feuilles de laurier
- 1 1/2 c. à t. poivre noir fraîchement moulu
- 2 c. à t. de cassonade
- 1 c. à t. de poivre de Cayenne
- 1 c. à t. de sauce pimentée piquante ou au goût
- 1 c. à t. de romarin déshydraté
- 1 c. à t. de thym déshydraté
- 1 c. à t. de basilic déshydraté
- 4 tomates hachées
- 2 T de sauce tomate en boîte
- 1 T d'oignon vert haché
- Sel, au goût

Crevettes tempura

Portions : 2
Préparation : 20 min
Marinade : 20 min
Cuisson : 2 min

Ingrédients :
- **250 g de crevettes fraîches, épluchées et déveinées**
- **1/2 T de saké**
- **2 litres d'huile pour la friture**
- **1/4 de T de farine (tout usage)**
- **1/3 de T d'eau glacée**
- **1/4 de T de fécule de maïs**
- **1 jaune d'œuf**
- **1/2 c. à t. de sel**
- **1/4 de c. à t. de sucre blanc**
- **1 c. à t. de shortening**
- **1/2 c. à t. de levure chimique**

Instructions :

1. Dans un bol de dimension moyenne, mélanger le saké et 1/4 de c. à thé de sel. Placer les crevettes dans le mélange. Couvrir et laisser mariner au réfrigérateur pendant au moins 20 minutes.

2. Réchauffer l'huile dans une friteuse ou dans un grand wok, jusqu'à ce qu'elle atteigne une température de 375 °F.

3. Dans un bol de dimension moyenne, mélanger la farine tout usage, l'eau glacée, la fécule de maïs, le jaune d'œuf, le reste du sel, le sucre blanc et la levure chimique.

4. Tremper une crevette à la fois dans le mélange pour bien les enduire. Placer délicatement quelques crevettes dans l'huile chaude. Frire jusqu'à ce que tous les côtés soient dorés, environ 90 secondes. À l'aide d'une cuiller à rainures, retirer les crevettes de l'huile et égoutter sur des essuie-tout. Servir chaud.

Tilapia mariné

Instructions:

1. Dans un bol en verre ou en acier inoxydable, mélanger l'ail, l'huile d'olive, le basilic, le sel, le poivre, le jus de citron, et le persil.

2. Placer les filets de flétan dans un plat en verre peu profond ou dans un sac en plastique refermable et verser la marinade sur le poisson. Couvrir ou sceller et mettre au réfrigérateur pendant 1 heure, en retournant de temps à autre.

3. Préchauffer le gril à feu vif et huiler légèrement la grille. Placer la grille à 10 cm de la source de chaleur.

4. Retirer les filets de tilapia de la marinade et égoutter l'excès. Griller les filets 5 minutes par côté ou jusqu'à ce que le poisson soit cuit et se défasse facilement à la fourchette.

Portions: 2
Préparation: 10 min
Marinade: 1 h
Cuisson: 10 min

Ingrédients:
- 2 filets de tilapia (200 g)
- 1 gousse d'ail émincée
- 6 c. à s. d'huile d'olive
- 1 c. à t. de basilic déshydraté
- 1 c. à t. de sel
- 1 c. à t. de poivre noir moulu
- 1 c. à s. de jus de citron frais
- 1 c. à s. de persil frais haché

Flétan aux herbes fraîches

Portions: 4
Préparation: 10 min
Cuisson: 20 min

Ingrédients:
- 4 filets de flétan (170 g)
- 1 gros citron coupé en quartier
- Huile d'olive pour badigeonner
- 1 c. à t. de sel de mer
- 1 c. à t. d'ail en poudre
- 1 c. à s. d'aneth

Instructions:

1. Préchauffer le grilloir et couvrir une plaque à biscuits ou une poêle à griller d'huile d'olive.

2. Rincer le poisson et assécher en tapotant. Placer sur la plaque graissée et badigeonner d'huile d'olive ou enduire d'huile d'olive en aérosol. Presser le jus des quartiers de citron sur tous les filets et assaisonner généreusement de sel d'abord, d'ail ensuite et, enfin, d'aneth.

3. Griller de 15 à 20 minutes au four jusqu'à ce que le filet soit opaque et qu'il se défasse facilement à la fourchette. Le temps de cuisson peut varier selon l'épaisseur du filet.

Flétan grillé au beurre à l'ail et à la coriandre

Instructions:

1. Préchauffer le gril à feu vif. Presser le jus des quartiers de limette sur les filets de poisson et assaisonner de sel et de poivre.

2. Griller les filets de poisson environ 5 minutes de chaque côté, jusqu'à ce qu'ils soient dorés et que le poisson se défasse facilement à la fourchette. Déposer sur une assiette de service.

3. Réchauffer l'huile dans une poêle à feu moyen. Ajouter l'ail ; cuire et remuer jusqu'à ce qu'il soit odorant, environ 2 minutes. Incorporer le beurre, le jus de limette et la coriandre qui restent. Servir le poisson avec la sauce au beurre à l'ail et à la coriandre.

Portions: 4
Préparation: 25 min
Cuisson: 8 min

Ingrédients:
- 4 filets de flétan (170 g)
- 1 limette coupée en quartiers
- 3 gousses d'ail grossièrement hachées
- 1/2 T de coriandre fraîche hachée
- 1 c. à s. de jus de limette frais
- 2 c. à s. de beurre
- 1 c. à s. de d'huile d'olive
- Sel et poivre, au goût
- Beurre à l'ail, recette p. 441

Flétan cuit au four à la salsa verde

Portions : 4
Préparation : 45 min
Cuisson : 15 min

Ingrédients :
- 4 filets de flétan (170 g)
- 2 gousses d'ail
- 1 T de feuilles de persil plat frais
- 1 c. à s. de feuilles d'estragon frais
- 5 c. à s. d'huile d'olive
- 1 c. à s. de vinaigre de vin blanc ou de xérès, au goût
- Sel et poivre fraîchement moulu, au goût
- 1 c. à t. de pâte d'anchois (facultatif)

Instructions :
1. Préchauffer le four à 300 °F. Huiler un plat de cuisson peu profond, juste assez grand pour contenir les filets de poisson en seule couche.

2. Assaisonner légèrement de sel et de poivre les deux côtés du poisson. Placer les filets, le côté de la peau en dessous, dans le plat de cuisson.

3. Cuire jusqu'à ce que le poisson soit opaque, environ 8 minutes; commencer à vérifier environ 5 minutes après de début de la cuisson pour éviter de trop cuire.

4. Dans un robot culinaire, mélanger l'ail, le persil, l'estragon, l'huile d'olive, la pâte d'anchois et le vinaigre. Passer jusqu'à ce que le mélange soit lisse, en arrêtant une fois ou deux pour nettoyer les parois du contenant du robot culinaire.

5. Assaisonner de sel et de poivre et ajouter plus de vinaigre, si nécessaire.

6. Transférer le poisson dans des assiettes individuelles, napper de sauce et servir immédiatement.

Flétan à la moutarde sur un lit de zucchinis et d'oignons rouges

Portions : 4
Préparation : 45 min
Cuisson : 40 min

Ingrédients :
- 4 filets de flétan (170 g)
- 3 zucchinis moyens
- 2 oignons rouges
- 4 tomates prunes
- 3 c. à s. d'huile d'olive
- 1 c. à t. de thym frais haché
- 1 c. à t. de zeste de citron râpé
- 1 c. à s. de moutarde de Dijon
- 1 c. à s. de moutarde en grains à l'ancienne
- 1 c. à s. de sauce soya
- 2 c. à s. de beurre
- 2 c. à t. d'ail finement haché
- 1 T de chapelure fraîche
- 2 c. à s. de persil italien haché

Instructions :
1. Préchauffer le four à 425 °F.

2. Couper le zucchini en morceaux de 2,5 cm. Couper les oignons rouges en 2 et tailler chaque moitié en tiers, jusqu'à la racine. Couper les tomates en quartiers.

3. Mélanger l'oignon, les tomates et les zucchinis à 2 c. à soupe d'huile d'olive et placer dans un plat de cuisson.

4. Cuire 25 minutes ou jusqu'à ce que les légumes soient tendres.

5. Combiner une c. à soupe d'huile d'olive, le thym, le zeste de citron, la moutarde et la sauce soya. Assaisonner le flétan de sel et de poivre et badigeonner du mélange de moutarde.

6. Réchauffer le beurre dans une petite poêle à feu moyen.

7. Ajouter l'ail, faire revenir une minute, incorporer la chapelure et cuire jusqu'à ce que les ingrédients commencent à dorer, environ 2 minutes. Ajouter le persil et assaisonner. Badigeonner sur le poisson.

8. Quand les légumes sont cuits, placer le flétan sur le dessus et remettre au four. Cuire 10 minutes ou jusqu'à ce que des jus blancs commencent à apparaître.

9. Servir le flétan avec les légumes.

Filets de flétan en croûte à la sauce citronnée aux oignons verts

Instructions :

1. Préchauffer le four à 425 °F.

2. Beurrer légèrement une feuille de pâte phyllo. Déposer une autre feuille directement sur la première et beurrer légèrement. En procédant de la même manière, empiler les deux feuilles de pâte phyllo qui restent. Couper les feuilles en deux.

3. Assaisonner les filets de flétan de sel et de poivre. Placer un filet près du rebord du bas de l'une des moitiés de feuilles de phyllo. Surmonter d'aneth. Plier les côtés de la feuille de phyllo et rouler le filet. Placer sur une plaque à biscuits et badigeonner légèrement de beurre. Répéter l'opération avec l'autre filet.

4. Cuire au four jusqu'à ce que la pâte soit dorée, de 12 à 15 minutes environ.

5. Pendant la cuisson, dans une petite poêle, amener le jus de citron à ébullition. Laisser bouillir jusqu'à ce que presque tout le jus se soit évaporé. Réduire la chaleur à feu moyen et incorporer la crème. Laisser mijoter jusqu'à ce que la crème épaississe. Ajouter les oignons verts et assaisonner de sel et de poivre. Servir le flétan sur la sauce.

Portions : 2
Préparation : 20 min
Cuisson : 15 min

Ingrédients :
- **2 filets de flétan (170 g)**
- **2 c. à s. de beurre fondu**
- **4 feuilles de pâte phyllo**
- **2 c. à t. d'aneth frais haché**
- **3 c. à s. de jus de citron**
- **1/2 T de crème à fouetter**
- **2 oignons verts finement hachés**
- **Sel et poivre, au goût**

Fruits de mer en cocotte

Portions: 6 à 8
Préparation: 30 min
Cuisson: 40 min

Ingrédients:
- 500 g de bar rayé coupé en morceaux de 5 cm
- 250 g de pétoncles coupés en deux dans le sens de la largeur
- 500 g de crevettes géantes décortiquées
- 24 moules nettoyées
- 1/4 de T d'huile d'olive
- 1 oignon en dés
- 3 poireaux nettoyés et tranchés finement
- 1 piment rouge coupé en dés
- 2 c. à s. d'ail haché
- 1/2 c. à t. de flocons de chili
- 1 T de tomates en conserve hachées
- 1 c. à t. de paprika
- 1 c. à t. d'origan déshydraté
- 1 T de chapelure fraîche
- 1 T de lait
- 1/3 de T de vin blanc sec
- Sel et poivre fraîchement moulu

Instructions:

1. Dans une poêle profonde, réchauffer 2 c. à soupe d'huile à feu moyen-élevé. Incorporer l'oignon, les poireaux, le piment rouge et l'ail. Faire revenir 2 minutes ou jusqu'à ce que les légumes soient recouverts d'huile. Ajouter les flocons de chili, les tomates, le paprika et l'origan. Baisser le feu à moyen-doux et cuire, en remuant de temps à autre, jusqu'à ce que les légumes soient tendres, environ 10 minutes. Assaisonner de sel et de poivre. Réserver dans un grand bol.

2. Préchauffer le four à 350 °F.

3. Assaisonner le bar, les pétoncles et les crevettes de sel et de poivre. Réserver.

4. Essuyer la poêle et ajouter la chapelure et le lait. Amener à ébullition et laisser mijoter 2 minutes ou jusqu'à ce que lait ait l'apparence du gruau. Retirer du feu et incorporer les légumes. Verser le mélange dans un plat de cuisson allant au four beurré.

5. Dans une poêle, réchauffer 2 c. à soupe d'huile à feu moyen. Ajouter le bar réservé, les pétoncles et les crevettes et saisir rapidement de 30 secondes à 1 minute ou jusqu'à ce qu'apparaisse un peu de couleur. Disposer les fruits de mer sur le mélange de légumes dans le plat de cuisson. Pousser les fruits de mer dans le mélange de façon à ce qu'ils soient partiellement submergés.

6. Couvrir et cuire 10 minutes. Découvrir et cuire de 8 à 10 minutes de plus, ou jusqu'à ce que tous les fruits de mer soient cuits.

7. Commencer à préparer les moules juste avant la fin de la cuisson des fruits de mer. Mettre les moules dans un plat séparé et faire cuire à feu vif. Incorporer le vin. Couvrir et cuire à l'étuvée jusqu'à ce que les moules s'ouvrent, environ 2 minutes. Transférer dans un bol séparé, égoutter et réserver le bouillon. Ajouter le bouillon au plat de cuisson si désiré, pour un goût moins prononcé et une plus grande saveur de moule. Disposer les moules sur les légumes et les fruits de mer et servir.

Croquettes méditerranéennes

Instructions:

1. À feu moyen-élevé, réchauffer une c. à soupe d'huile d'olive dans une poêle. Incorporer les pétoncles; cuire en les retournant jusqu'à ce que tous les côtés soient blancs. Égoutter et réserver pour laisser refroidir.

2. Dans un robot culinaire, mettre l'oignon, l'ail, les tomates séchées, l'œuf et une c. à soupe d'huile d'olive. Ajouter ensuite le persil, les feuilles de basilic, les piments et l'assaisonnement italien. Régler à vitesse moyenne et passer, jusqu'à ce que les ingrédients soient finement hachés. Placer les pétoncles, le thon et les crevettes dans le robot culinaire et passer à basse vitesse. Incorporer graduellement la chapelure, en continuant de passer, jusqu'à ce que le mélange devienne ferme et légèrement collant, mais pas réduit en purée (les fruits de mer devraient garder une certaine texture).

3. Façonner le mélange en croquettes de la taille de la paume de la main et d'environ 2,5 cm d'épaisseur. Placer sur une assiette, couvrir et réfrigérer pendant une heure.

4. À feu moyen, réchauffer 2 c. à soupe d'huile d'olive dans une grande poêle. Enfariner légèrement les croquettes; secouer l'excès de farine et disposer dans la poêle. Cuire jusqu'à ce qu'elles soient dorées des deux côtés.

Portions: 4
Préparation: 15 min
Réfrigération: 1 h
Cuisson: 20 min

Ingrédients:
- 1 boîte (255 g) de thon égoutté
- 1 boîte de (185 g) crevettes égouttées
- 170 g de pétoncles de baie frais
- 1/2 oignon moyen
- 4 gousses d'ail
- 5 tomates séchées au soleil hachées
- 1 œuf
- 1 botte de persil frais
- 6 feuilles de basilic
- 2 piments du Chili frais épépinés
- 1 c. à s. d'assaisonnement italien
- 1/2 T de chapelure
- 4 c. à s. de farine tout usage
- 4 c. à s. d'huile d'olive, divisées

Tourte aux fruits de mer à la croûte citronnée aux fines herbes

Instructions :

1. Retirer la peau du saumon et couper en morceaux de 2,5 cm. Réserver.

2. Dans une grande poêle, faire fondre une c. à soupe de beurre à feu moyen-élevé. Cuire les crevettes en lots, en retournant une fois, jusqu'à ce qu'elles soient roses et fermes.

3. Transférer dans un plat de cuisson beurré de 20 cm. Ajouter une c. à soupe de beurre dans la poêle et réchauffer à feu vif.

4. Cuire les pétoncles, en retournant une fois, jusqu'à ce qu'ils soient dorés des deux côtés et toujours tendres. Transférer dans le plat où reposent les crevettes et assaisonner légèrement de sel et poivre. Mettre au réfrigérateur jusqu'à ce le plat soit refroidi.

5. Dans la même poêle, diminuer la chaleur à feu moyen-doux et faire fondre le beurre qui reste. Ajouter l'ail et l'oignon et faire revenir environ 3 minutes ou jusqu'à ce qu'ils soient tendres.

6. Saupoudrer de farine et cuire en remuant pendant 1 minute. Incorporer graduellement le bouillon, en remuant pour bien mélanger. Incorporer la crème.

7. Laisser mijoter à feu moyen, en grattant les petits morceaux dorés qui auraient adhéré au fond de la poêle. Ajouter le saumon réservé, diminuer la chaleur et pocher en remuant souvent, jusqu'à ce que le saumon soit cuit à point et que la sauce ait épaissi. Incorporer les tomates. Transférer dans un autre plat peu profond allant au four et laisser refroidir. Mettre au réfrigérateur jusqu'à ce qu'il soit froid.

8. Pour la croûte, sur une surface enfarinée, rouler la pâte en un rectangle de 40 x 20 cm. (Si la pâte est préroulée, former un rectangle de 40 x 25 cm. En regardant la pâte comme si elle était un livre ouvert, badigeonner légèrement le côté droit avec de l'eau. Étaler uniformément le zeste de citron sur le dessus et saupoudrer d'aneth. Replier le côté gauche sur le côté droit pour faire un sandwich. Rouler en un rectangle de 25 cm, en enlevant toutes les bulles d'air. Si un plat rond est utilisé, tailler la pâte pour qu'elle s'ajuste.

Portions : 4
Préparation : 30 min
Cuisson : 1 h 15

Ingrédients :
- **375 g de saumon**
- **375 g de grosses crevettes épluchées et déveinées**
- **250 g de pétoncles**
- **3 c. à s. de beurre, divisées**
- **2 gousses d'ail émincées**
- **1 oignon finement haché**
- **1/3 de T de farine (tout usage)**
- **1 T de bouillon de légumes ou d'eau**
- **1 T de crème à fouetter**
- **3/4 de T de tomates broyées**
- **1/4 de T d'aneth ou d'estragon frais haché**
- **Sel et poivre fraîchement moulu**

CROÛTE
- **250 g de pâte feuilletée**
- **2 c. à t. de zeste de citron râpé**
- **1 c. à s. d'aneth ou d'estragon frais haché**

GARNITURE
- **1 c. à s. de crème à fouetter**
- **Tiges d'aneth ou d'estragon frais**

9. Incorporer l'aneth dans la sauce du saumon refroidi et verser sur les fruits de mer dans le plat de cuisson. Placer la pâte sur le dessus en glissant les rebords entre la sauce et le plat.

10. Pour cuire sans congeler au préalable, régler la température du four à 400 °F et cuire 15 minutes. Réduire la température à 325 °F et poursuivre la cuisson de 30 à 40 minutes, ou jusqu'à ce que la garniture soit chaude et qu'elle bouillonne et que la pâte soit dorée et gonflée.

11. Laisser reposer 5 minutes avant de servir. Garnir d'aneth frais.

12. Pour congeler la tourte non cuite, couvrir le plat d'une pellicule de plastique et enrober le plat tout entier d'une feuille d'aluminium résistante. La congélation peut durer jusqu'à un mois. Pour cuire, retirer la feuille d'aluminium et la pellicule de plastique. Badigeonner de crème.

13. Découvrir et cuire au four à 400 °F pendant environ 30 minutes ou plus, jusqu'à ce que la garniture soit chaude et qu'elle bouillonne et que la pâte soit dorée et gonflée.

14. Laisser reposer 5 minutes avant de servir. Garnir d'aneth frais.

Fruits de mer pochés à la bière

Portions : 6
Préparation : 20 min
Cuisson : 25 min

Ingrédients :
- 500 g de myes
- 500 g de moules
- 500 g de grosses crevettes
- 500 g de pétoncles
- 2 bouteilles de bière de 340 ml
- 1 T d'eau
- 8 gousses d'ail pelées
- 2 feuilles de laurier
- 6 branches de persil
- 6 grains de poivre
- 1 c. à s. de jus de citron
- 1 c. à s. de poudre de chili
- 1 c. à s. de sel
- 1 T de beurre fondu
- 2 c. à s. de jus de citron
- 2 c. à t. d'ail haché
- 2 c. à s. de ciboulette hachée

Instructions :

1. Mélanger la bière, l'eau, l'ail, les feuilles de laurier, le persil, les grains de poivre, le jus de citron, la poudre de chili et le sel dans un grand bol.

2. Amener à ébullition, diminuer la chaleur et laisser mijoter 15 minutes pour mélanger les saveurs.

3. Augmenter la température, ajouter les myes et cuire 3 minutes. Ajouter les moules et faire bouillir 2 minutes ou jusqu'à ce qu'elles s'ouvrent.

4. Retirer du feu au fur et à mesure qu'elles s'ouvrent et disposer dans un grand bol de service.

5. Diminuer la chaleur, ajouter les crevettes et les pétoncles et pocher de 2 à 3 minutes, selon leur taille, jusqu'à ce que les crevettes soient rosées et légèrement recourbées et les pétoncles opaques au centre.

6. Retirer du feu et ajouter aux autres fruits de mer.

7. Combiner le beurre, le jus de citron, l'ail et la ciboulette.

8. Servir comme trempette avec les fruits de mer.

Fruits de mer au cari rouge et au riz collant

Instructions :

1. Dans une casserole d'une capacité de 3 à 4 litres, amener 2 1/2 tasses d'eau et le riz à ébullition; couvrir et laisser mijoter à feu doux jusqu'à ce que le liquide soit absorbé et que le riz soit tendre sous la dent, environ 25 minutes.

2. Pendant la cuisson du riz, dans une poêle à frire de 25 à 30 cm, faire cuire à feu vif le lait de coco, le bouillon de poulet, la pâte de cari, la sauce de poisson et la cassonade, jusqu'à ce que le sucre et la pâte soient dissous et que le liquide mijote.

3. Incorporer les asperges et les myes et cuire 3 minutes. Ajouter les pétoncles et les crevettes, couvrir, et cuire, en remuant de temps à autre, jusqu'à ce que les coquilles s'ouvrent et que les crevettes et les pétoncles soient opaques, mais toujours humides au centre (couper pour vérifier), environ 3 minutes de plus. Incorporer le jus de limette.

4. Disposer le riz dans 4 bols larges et peu profonds et surmonter de fruits de mer, d'asperges et de sauce.

Portions : 4
Préparation : 30 min
Cuisson : 35 min

Ingrédients :
- 8 myes dans leurs coquilles, convenant à la cuisson à l'étuvée et frottées
- 200 g de pétoncles rincés
- 200 g de crevettes décortiquées, déveinées et rincées
- 500 g d'asperges, rincées, les parties dures de la tige retirées et coupées en morceaux de 2,5 cm
- 1 1/2 T de riz blanc à grains courts
- 1 T de lait de coco
- 1/2 T de bouillon de poulet sans matières grasses
- 1 c. à s. de pâte de cari rouge thaïlandais
- 1 c. à s. de sauce de poisson asiatique (nuoc mam ou nam pla)
- 1 c. à s. de cassonade
- 1 c. à s. de jus de limette

Ragoût de fruits de mer épicé

Portions : 4

Ingrédients :
- 1 c. à s. d'huile d'olive
- 1 oignon (227 g) pelé, coupé en deux et finement tranché dans le sens de la longueur
- 2 gousses d'ail pelées et émincées
- 1 boîte (910 g) de tomates broyées ou en dés
- 227 g de pommes de terre rouges ou blanches à peau mince (environ 2,5 c, de largeur), nettoyées et coupées
- 1 ou 2 piments verts, frais, comme des jalapeños, rincés, équeutés, épépinés, et émincés
- 1/2 c. à t. de cumin moulu
- 1/2 c. à t. de poudre de chili
- 1/2 c. à t. de sel
- 340 g de crevettes décortiquées et déveinées, rincées
- 227 g de tilapia ou d'un autre poisson à chair blanche, rincé et coupé en morceaux de 2,5 cm
- 113 g de rondelles de calmars frais ou décongelés (facultatif), rincés
- 2 c. à s. de coriandre fraîche hachée
- Quinoa cuit

Instructions :

1. Réchauffer l'huile à feu moyen-élevé dans une casserole d'une capacité de 5 à 6 litres ; ajouter l'oignon et l'ail et remuer souvent, jusqu'à ce que l'oignon soit attendri, de 8 à 10 minutes.

2. Ajouter les tomates, 1 1/2 tasse d'eau, les pommes de terre, les piments, le cumin, la poudre de chili et le sel ; augmenter la chaleur et amener à ébullition à feu vif.

3. Diminuer la chaleur, couvrir et laisser mijoter jusqu'à ce que les pommes de terre soient tendres, de 20 à 25 minutes.

4. Incorporer les fruits de mer, s'il y a lieu. Couvrir et laisser mijoter de 3 à 4 minutes, jusqu'à ce que les crevettes et le poisson soient opaques, mais toujours humides dans leur partie la plus épaisse (couper pour vérifier). Incorporer la coriandre.

5. Mettre le quinoa dans des assiettes et surmonter de ragoût.

Goberge marinée de Hong-Kong

Instructions :

1. Hacher une botte d'oignons verts et mélanger avec les 4 ingrédients suivants dans un plat peu profond.

2. Ajouter le poisson et laisser mariner 3 heures au réfrigérateur, en le retournant de temps à autre.

3. Couper la botte d'oignons verts qui reste et disposer dans un plat de cuisson. Jeter la marinade; essuyer les filets et placer sur les oignons verts dans le plat.

4. Cuire à 400 °F de 10 à 15 minutes ou jusqu'à ce que le poisson commence à se défaire.

Portions : 4
Préparation : 15 min
Marinade : 3 h
Cuisson : 15 min

Ingrédients :
- 4 morceaux de goberges épais
- 2 bottes d'oignons verts, divisées
- 1/2 T de sauce soya
- 6 c. à s. de sucre
- 1/4 de T de saké ou de vin blanc
- 1 c. à s. de zeste d'orange râpé

Homard thermidor

Instructions :

1. Couper le homard en deux et retirer la chair des pinces et de la queue. Réserver. Évider la tête et réserver. Couper la chair en morceaux et remettre dans la carapace.

2. Pour préparer la sauce, mettre le beurre dans une poêle, ajouter les échalotes et cuire jusqu'à ce qu'elles soient tendres. incorporer le bouillon, le vin et le double-crème et amener à ébullition. Réduire de moitié. Ajouter la moutarde, les fines herbes, le jus de citron et l'assaisonnement.

3. Préchauffer le gril et verser la sauce sur le homard à l'aide d'une cuiller. Couvrir de fromage parmesan.

4. Placer les moitiés de homard sur le gril de 3 à 4 minutes, jusqu'à ce qu'elles soient dorées.

Portions : 2
Préparation : 30 minutes
Cuisson : 10 minutes

Ingrédients :
- 750 g de homard cuit
- 20 g de parmesan frais râpé

SAUCE
- 2 c. à s. de beurre
- 1 échalotte finement hachée
- 1 1/4 de T de bouillon de poisson
- 1/4 de T de vin blanc
- 1/2 T de double-crème
- 1/2 c. à s. de moutarde anglaise
- 2 c. à s. de persil haché
- Le jus de 1/2 citron
- Sel et poivre noir fraîchement moulu

Moules au cerfeuil, au persil et à la ciboulette

Portions : 4
Préparation : 20 min
Cuisson : 10 min

Ingrédients :
- 1 kg de moules
- 1 T d'oignon finement haché
- 2 T de vin blanc fruité
- 1/2 T de céleri finement haché
- 2 c. à s. d'ail finement haché
- 2 c. à s. de cerfeuil frais haché
- 1/4 de T de persil frais haché
- 1/4 de T de beurre
- 2 c. à s. de ciboulette hachée
- Poivre, au goût

Instructions :

1. Dans une grande casserole, mélanger l'oignon, le céleri, l'ail, le cerfeuil, 2 c. à soupe de persil, la ciboulette et le vin blanc. Amener à ébullition.

2. Ajouter les moules, couvrir et cuire à l'étuvée, en secouant la casserole de temps à autre, jusqu'à ce que les moules s'ouvrent, environ 3 minutes. Jeter toutes les moules qui ne s'ouvrent pas. Mettre les moules dans un bol. Laisser mijoter la sauce pendant 2 minutes. Goûter pour ajuster l'assaisonnement, ajouter du poivre au besoin.

3. Mettre le beurre, bien mélanger et verser la sauce dans 4 bols. Ajouter les moules. Saupoudrer de persil et servir immédiatement.

Moules épicées au vin blanc

Instructions :

1. Dans une grande casserole, réchauffer le beurre à feu moyen. Ajouter l'oignon, l'ail, la poudre de cari et les graines de fenouil. Faire revenir 1 minute. Ajouter le vin et amener à ébullition. Incorporer des moules, couvrir la casserole et cuire jusqu'à ce que les moules s'ouvrent, en secouant la casserole de temps à autre.

2. Retirer les moules et réduire le liquide de moitié. Incorporer la crème et cuire 3 minutes ou jusqu'à ce que le mélange épaississe légèrement. Ajouter le persil et assaisonner. Remettre les moules, remuer tous les ingrédients ensemble et servir.

Portions : 4
Préparation : 20 min
Cuisson : 10 min

Ingrédients :
- 1 kg de moules
- 1 c. à s. de beurre
- 1 petit oignon finement haché
- 1 gousse d'ail hachée
- 1 c. à t. de poudre de cari doux
- 1 c. à t. de graines de fenouil
- 1 T de vin blanc
- 1 T de crème à fouetter
- 2 c. à s. de persil frais haché
- Sel et poivre fraîchement moulu

Moules à la sauce verte

Portions : 6
Préparation : 10 min
Cuisson : 5 min

Ingrédients :
- 1 kg de moules
- 3 filets d'anchois
- 1 T de basilic haché
- 2 c. à s. de câpres
- 1/2 c. à t. d'ail haché
- 1/4 de T d'huile d'olive
- 1 T de vin blanc
- Sel et poivre fraîchement moulu
- 1 c. à s. de jus de citron

Instructions :

1. Combiner le basilic, les câpres, l'ail, les filets d'anchois et l'huile d'olive dans un robot culinaire et passer jusqu'à obtention d'une substance lisse. Réserver.

2. Dans une grande casserole, amener le vin à ébullition à feu vif. Ajouter les moules, couvrir et cuire à l'étuvée de 2 à 3 minutes ou jusqu'à ce que les moules s'ouvrent. Jeter les moules qui ne s'ouvrent pas.

3. Incorporer la sauce verte, remuer tous les ingrédients ensemble, assaisonner de sel et de poivre au goût et ajouter un trait de jus de citron. Servir avec beaucoup de bon pain pour essuyer tous les jus savoureux.

Instructions :

1. Réchauffer une grande poêle antiadhésive à feu moyen. Enduire la poêle d'huile de cuisson en aérosol. Ajouter l'oignon; cuire 4 minutes ou jusqu'à ce qu'il soit tendre, remuer de temps à autre. Augmenter le feu à moyen-élevé. Incorporer les tomates, le vin, le vinaigre, l'origan et le piment rouge; amener à ébullition. Diminuer la chaleur; laisser mijoter 30 minutes ou jusqu'à épaississement. Ajouter les moules; couvrir et cuire 5 minutes ou jusqu'à ce que les coquilles s'ouvrent.

2. Retirer du feu; jeter toutes les moules qui sont demeurées fermées. Incorporer le fromage, le sel et le poivre. Saupoudrer de persil.

Moules à l'étuvée au féta

Portions : 8
Préparation : 30 min
Cuisson : 40 min

Ingrédients :
- 64 petites moules nettoyées et ébarbées (environ 1 kg)
- 1 T de féta émietté (environ 113 g)
- 3/4 de T d'oignon jaune émincé
- 4 T de tomates épépinées, pelées et hachées (environ 4 grosses)
- 1 T de vin blanc sec
- 1 c. à t. de vinaigre de vin rouge
- 1/4 de c. à t. d'origan déshydraté
- 1/4 de c. à t. de piment rouge broyé
- Aérosol de cuisson
- 1/4 de c. à t. de sel
- 1/8 de c. à t. de poivre noir fraîchement moulu
- 1 c. à s. de persil plat haché

Moules au poireau, au fenouil et à la tomate

Portions : 2
Préparation : 10 min
Cuisson : 5 min

Ingrédients :
- 1 kg de moules
- 3 T de bouillon de homard
- 3/4 de T de poireau finement tranché
- 3/4 de T de bulbes de fenouils finement tranchés
- 2/3 de T d'échalotes finement hachées
- 1/3 de T de vin blanc sec
- 1/4 de c. à t. de poivre noir
- 1/2 T de tomates hachées et épépinées
- 1 1/2 c. à t. de ciboulette fraîche hachée

Instructions :

1. Laisser mijoter les 6 premiers ingrédients dans un faitout à feu vif. Ajouter les moules; couvrir, diminuer la chaleur et cuire 4 minutes ou jusqu'à ce que les coquilles s'ouvrent.

2. Retirer du feu; jeter toutes les moules qui ne se sont pas ouvertes.

3. Diviser également les moules et le bouillon dans 2 bols peu profonds. Surmonter de tomates et de ciboulette.

Brochettes de pétoncles

Portions : 6
Préparation : 20 min
Réfrigération : 1 h
Cuisson : 8 min

Ingrédients :
- **36 tranches minces de prosciutto**
- **36 de pétoncles frais**
- **36 tomates cerises**
- **36 brochettes de bois**
- **1/2 T d'huile d'olive**
- **1/4 de T de jus de limette fraîchement pressé**
- **1/4 de T de marjolaine fraîche hachée**
- **Poivre fraîchement moulu**

Instructions :

1. Enfiler une tranche de prosciutto, un pétoncle et une tomate cerise sur les brochettes. Mélanger en fouettant les ingrédients de la vinaigrette. Verser sur les brochettes et mettre au réfrigérateur jusqu'à une heure.

2. Préchauffer le four à to 425 °F.

3. Disposer les brochettes en une seule couche sur une plaque à biscuits. Cuire 8 minutes, en retournant à mi-cuisson.

Pétoncles à la vanille accompagnés de purée de pommes de terre au basilic et de poireaux

Instructions :

1. Peler les pommes de terre ; couvrir d'eau dans une casserole moyenne ; ajouter le sel. Amener à ébullition à feu vif ; couvrir et diminuer la chaleur et laisser l'eau bouillir pendant 20 minutes ou jusqu'à ce qu'une brochette de métal pénètre facilement dans une pomme de terre. Égoutter, réduire en purée et incorporer l'huile et la crème fraîche. Goûter et ajouter une pincée de sel et de poivre, si nécessaire. Incorporer le basilic, couvrir et garder au chaud

2. Pendant la cuisson des pommes de terre, nettoyer et couper en tranches épaisses, les parties blanches et vertes des poireaux. La quantité devrait atteindre de 5 à 6 tasses de poireaux légèrement entassés. Faire fondre le beurre à feu moyen dans une grande casserole ; ajouter les poireaux. Faire revenir de 4 à 5 minutes. Verser le bouillon, diminuer la chaleur et laisser mijoter à feu doux, en couvrant partiellement, de 15 à 20 minutes ou jusqu'à ce que les poireaux soient tendres. Couvrir et garder au chaud.

3. Réchauffer, à feu moyen, une poêle à frire en acier inoxydable, jusqu'à ce qu'elle soit assez chaude. Incorporer rapidement le sucre et cuire 1 à 2 minutes ou jusqu'à ce que le sucre devienne caramélisé ; ajouter le beurre. Cuire une minute ou jusqu'à ce que le beurre soit doré. Incorporer en remuant le bouillon, le vinaigre et le sel pour déglacer la poêle ; ajouter la gousse de vanille coupée en deux (mais ne pas incorporer d'extrait encore, si c'est ce qui est utilisé). Laisser bouillir doucement, de 8 à 10 minutes, jusqu'à réduction de moitié et obtention d'une substance légèrement sirupeuse. Retirer du feu, incorporer l'extrait de vanille, si c'est ce qui est utilisé et réserver à la température ambiante. (La sauce se brisera si on la met au réfrigérateur.)

4. Très bien assécher les pétoncles à l'aide d'essuie-tout. Réchauffer une généreuse quantité d'huile dans une grande poêle à frire à feu moyen-élevé. Lorsque l'huile est très chaude, ajouter les pétoncles ; ne pas les remuer pendant au moins une minute. Jeter ensuite un coup d'œil au dessous des pétoncles et faire revenir sans bouger de 2 à 3 minutes ou jusqu'à ce qu'ils soient dorés ; retourner. Répéter la même procédure avec l'autre côté, mais s'assurer de ne pas trop cuire.

5. Disposer 4 pétoncles, les pommes de terre au basilic et les poireaux dans chacune des assiettes chaudes. Arroser les pétoncles de la plus grande partie du jus, mais verser aussi sur les pommes de terre et les poireaux. Servir immédiatement.

Portions : 4
Préparation : 30 min
Cuisson : 1 h

Ingrédients :
- **16 gros pétoncles**
- **3 à 4 pommes de terre jaunes moyennes**
- **1 c. à t. de gros sel**
- **1/4 de T d'huile d'olive**
- **2 c. à s. de crème fraîche ou de crème sure**
- **1 petite botte de basilic haché, environ 1/2 T**
- **2 à 3 poireaux**
- **2 c. à s. de beurre non salé**
- **3 c. à s. de bouillon de légumes**
- **2 c. à s. de sucre granulé**
- **1/4 de T de beurre non salé**
- **2/3 de T de bouillon de légumes**
- **1/4 de T de vinaigre balsamique**
- **1/4 de c. à t. de sel de mer**
- **1/4 de gousse de vanille ou 1/2 c. à t. d'extrait de vanille**
- **1 à 2 c. à s. d'huile d'olive**
- **Sel et poivre fraîchement moulu**

Huîtres cuites au four à l'italienne

Instructions:

1. Préchauffer le four à 450 °F.

2. Placer le pain dans un robot culinaire et passer par impulsion 10 fois, ou jusqu'à ce que l'ensemble des miettes grossières mesure 3/4 de tasse.

3. À feu moyen, réchauffer une poêle antiadhésive de dimension moyenne, enduite d'huile de cuisson en aérosol. Ajouter les oignons, le persil et l'ail, cuire 5 minutes, en remuant constamment. Retirer du feu, incorporer les miettes de pain frais, la chapelure italienne et les 4 ingrédients suivants. Placer les huîtres sur un plat pour roulé.

4. Cuire les huîtres au four pendant 7 minutes, ou jusqu'à ce que leurs rebords se recourbent. Servir avec des quartiers de citron.

Portions: 8
Préparation: 20 min
Cuisson: 12 min

Ingrédients:
- 24 huîtres
- 1 tranche de pain blanc
- Aérosol de cuisson
- 1/3 de T d'oignon vert tranché
- 1/4 de T de persil frais haché
- 2 gousses d'ail émincées
- 1/4 de T de chapelure italienne
- 1/4 de T) de parmesan frais
- 1 c. à t. de jus de citron frais
- 1/8 de c. à t. de piment rouge moulu
- 1/8 de c. à t. de poivre noir
- 2 citrons coupés en quartiers

Pétoncles dans une sauce au beurre aux fines herbes

Portions: 6
Préparation: 15 min
Cuisson: 15 min

Ingrédients:
- **24 pétoncles**
- **1 c. à s. de beurre non salé, plus 1/4 de T**
- **1 c. à s. d'huile végétale**
- **1/2 T de vin blanc**
- **1 c. à s. de crème à fouetter**
- **1/4 de T de ciboulette hachée**
- **3 c. à s. de persil haché**
- **1 c. à t. de feuilles de thym hachées**
- **Sel et poivre fraîchement moulu**

Instructions:

1. Préchauffer le four à 300 °F.

2. Placer le plat de gratin dans le four.

3. Assécher les pétoncles et assaisonner de sel et de poivre. Dans une grande poêle à frire, réchauffer une c. à soupe de beurre et l'huile à feu vif. Ajouter les pétoncles et cuire 2 minutes. Retourner les pétoncles et cuire encore 2 minutes ou jusqu'à ce qu'ils soient opaques au centre. Transférer dans le plat de gratin et garder au chaud dans le four.

4. Ajouter le vin blanc dans la poêle et amener à ébullition, en grattant tous les petits morceaux dorés qui auraient adhéré dans le fond. Laisser bouillir, jusqu'à ce que le vin soit réduit de moitié. Couper en dés le beurre qui reste.

5. Incorporer la crème, en fouettant, dans la réduction de vin et fouetter graduellement le beurre. Ajouter toutes les fines herbes hachées, remuer pour mélanger et ajuster l'assaisonnement. Verser la sauce sur les pétoncles et servir immédiatement.

Pétoncles grillés au confit d'aubergine à la marocaine

Instructions:

1. Préchauffer le four à 450 °F.

2. Couper des lanières dans la pelure de l'aubergine pour créer un effet de rayures. Tailler l'aubergine en tranches de 1 cm. Badigeonner de 2 c. à soupe d'huile, assaisonner de sel et de poivre et placer sur une plaque à biscuits.

3. Cuire 20 minutes en retournant une fois ou jusqu'à ce qu'elles soient dorées. Retirer du feu et laisser refroidir. Couper en dés de 1 cm.

4. Combiner le gingembre, le paprika, le cumin, le poivre de Cayenne et le zeste de citron.

5. À feu moyen, réchauffer 2 c. à soupe d'huile dans une grande poêle. Ajouter l'oignon et l'ail et faire revenir pendant 2 minutes. Ajouter la moitié du mélange d'épices et cuire encore 30 secondes. Ajouter l'aubergine et les tomates, mélanger, diminuer la chaleur et cuire lentement 25 minutes ou jusqu'à ce que le mélange soit très épais et savoureux.

6. Incorporer le jus de citron et le persil et assaisonner de sel et de poivre. Réchauffer au besoin.

7. Saupoudrer les pétoncles du mélange d'épices qui reste et assaisonner de sel et de poivre.

8. Réchauffer le beurre dans une poêle antiadhésive à feu moyen-élevé. Ajouter les pétoncles et saisir environ 1 à 2 minutes par côté. Les pétoncles devraient être opaques au centre.

9. À l'aide d'une cuiller, déposer le mélange d'aubergine sur 4 assiettes et surmonter de pétoncles. Saupoudrer le persil autour de l'assiette.

Portions: 4
Préparation: 30 mi
Cuisson: 1 h

Ingrédients:
- **12 gros pétoncles**
- **1 aubergine sicilienne moyenne**
- **1/4 de T d'huile d'olive**
- **Sel et poivre fraîchement moulu**
- **2 c. à t. de gingembre moulu**
- **2 c. à t. de paprika**
- **2 c. à t. de cumin moulu**
- **1/4 de c. à t. de poivre de Cayenne**
- **1 c. à t. de zeste de citron râpé**
- **1 T d'oignon haché**
- **1 c. à s. d'ail haché**
- **2 T de tomates hachées**
- **1 c. à s. de jus de citron**
- **2 c. à s. de persil haché**
- **2 c. à s. de beurre non salé**

Pétoncles saisis à la sauce à la grenade

Instructions :

1. Presser, à l'aide d'un presse-agrumes ou d'une centrifugeuse, le jus de deux moitiés de grenade, pour obtenir l'équivalent d'une tasse. Mélanger le jus, le vinaigre, la sauce soya, 1/8 de c. à thé de poivre noir et le piment rouge dans une petite casserole. Amener à ébullition.

2. Diminuer la chaleur; laisser mijoter jusqu'à réduction du liquide de moitié (environ 15 minutes), en remuant fréquemment. Garder au chaud.

3. Rincer les pétoncles; assécher. Réchauffer l'huile dans une poêle en fonte, à feu moyen-élevé. Saupoudrer les pétoncles de sel, de sucre et de 1/8 c. à thé de poivre noir. Ajouter les pétoncles dans la poêle; cuire 2 minutes de chaque côté ou jusqu'à ce qu'ils soient bien cuits.

4. Disposer 1/2 tasse de cresson dans chacune des six assiettes; diviser les pétoncles également entre les assiettes. Arroser d'environ 1 c. à soupe de sauce; saupoudrer de 2 c. à soupe de pépins.

Portions : 6
Préparation : 20 min
Cuisson : 25 min

Ingrédients :
- 750 g de pétoncles
- 2 grosses grenades, coupées en deux dans le sens de la largeur
- 3/4 de T de pépins de grenade (environ 1 grenade)
- 1/4 de T de vinaigre balsamique
- 2 c. à s. de sauce soya pauvre en sodium
- 1/4 de c. à t. de poivre noir fraîchement moulu, divisés
- 1 pincée de piment rouge moulu
- 2 c. à t. d'huile végétale
- 1/4 de c. à t. de sel
- 1/4 de c. à t.de sucre
- 3 T de cresson paré (environ 1 botte)

Limande cuite au four à l'oignon et au citron

Portions : 4
Préparation : 20 min
Cuisson : 1 h

Ingrédients :
- 4 filets de limande (170 g)
- 2 citrons, tranchés en rondelles de 5 mm
- 2 oignons moyens, pelés et tranchés en rondelles très minces
- 4 c. à s. de beurre non salé
- 1 T de vin blanc sec
- 1 c. à t. de thym haché frais, plus quelques tiges
- Sel et poivre fraîchement moulu

Instructions :

1. Chauffer le four à 400 °F. Disposer les citrons et les oignons dans un plat de cuisson de 22,5 x 32,5 cm. Beurrer, ajouter le vin et 1/4 de tasse d'eau froide. Saupoudrer de thym haché; assaisonner de sel et de poivre.Cuire, jusqu'à ce que les oignons soient tendres et translucides, environ 40 minutes.

2. Retirer le plat de cuisson du four. Disposer les filets de poisson sur les citrons et les oignons. Assaisonner les filets de sel et de poivre. Disperser les tiges de thym frais sur le poisson. Arroser d'un peu de jus de cuisson. Cuire jusqu'à ce que le poisson soit opaque et bien cuit, de 16 à 18 minutes. Ne pas trop cuire. Servir le poisson avec les oignons et les citrons.

Mahi-mahi grillé

Instructions :

1. Préchauffer le gril à feu vif.

2. Placer le mahi-mahi dans une casserole en aluminium et remuer avec l'ail pour couvrir. Étendre le beurre uniformément dans la casserole. Étaler les oignons sur le poisson. Verser le jus de citron, le vin et les tomates en dés et leurs piments verts du Chili sur le poisson.

3. Assaisonner de sel et de poivre. Bien couvrir la casserole de papier d'aluminium.

4. Placer la casserole sur la grille et cuire le poisson 35 minutes ou jusqu'à ce qu'il se défasse facilement à la fourchette. Saupoudrer de fromage avant de servir.

Portions : 8
Préparation : 20 min
Cuisson : 35 min

Ingrédients :
- 2,25 kg de mahi-mahi sans peau, coupé en morceaux
- 3/4 d'un pot (128 g) d'ail émincé
- 1/2 T de beurre coupé en dés
- 1 gros oignon taillé en dés
- 1 1/2 citron pressé
- 1/2 T de vin blanc sec
- 1 1/2 boîtes (283 g) de tomates en dés assaisonnées de piments verts du Chili
- 227 g de fromage pepperjack effiloché
- Sel et poivre, au goût

Mahi-mahi croûté à la noix de macadamia

Portions : 6
Préparation : 35 min
Cuisson : 45 min

Ingrédients :
- 6 filets de mahi-mahi (170 g)
- 4 T de bouillon de poulet
- 1/3 de T de chapelure nature
- 58 g de noix de macadamia
- 113 g de beurre
- 58 g d'échalotes en dés
- 58 g d'ananas grossièrement haché
- 58 g de papaye grossièrement hachée
- 58 g de mangue grossièrement hachée
- 1 c. à s. de noix de coco effilochée
- 2 piments habanero épépinés
- Sel et poivre, au goût
- Sucre blanc, au goût

Instructions :

1. Préchauffer le four à 375 °F.

2. Dans un robot culinaire ou un mélangeur, passer les noix de macadamia et la chapelure, jusqu'à ce qu'elles soient finement moulues. Verser la préparation de noix sur une assiette et recouvrir les deux côtés des filets de poisson.

3. À feu moyen, réchauffer le beurre dans une grande poêle. Frire les filets des deux côtés jusqu'à ce que les noix soient dorées. Mettre dans un plat allant au four.

4. Ajouter les échalotes dans la poêle et cuire jusqu'à ce qu'elles soient translucides. Incorporer le bouillon de poulet. Ajouter l'ananas, la papaye, la mangue, la noix de coco et les piments habanero. Assaisonner de sel, de poivre et de sucre au goût. Laisser mijoter jusqu'à ce que la sauce épaississe, environ 30 minutes. Utiliser une passoire pour retirer les piments, les fruits et les échalotes. Réserver la sauce dans une casserole à feu doux.

5. Cuire le mahi-mahi au four environ 10 minutes, jusqu'à ce que la température interne atteigne 140 °F. Retirer le poisson et recouvrir légèrement de sauce.

Mérou à la salsa tropicale

Instructions :

1. Pour faire la salsa tropicale : mélanger tous les ingrédients sauf l'huile, le mérou et les épices cajun. Laisser reposer pendant la préparation du mérou.

2. Pour préparer le mérou : dans une poêle en fonte, réchauffer l'huile d'olive jusqu'à ce qu'elle produise de la fumée. Recouvrir les deux côtés du mérou d'épices cajun. Placer le poisson dans la poêle. Cuire de 2 à 3 minutes par côté (selon l'épaisseur) jusqu'à ce qu'il soit cuit.

3. Transférer le mérou sur un plat de service en le déposant sur le mélange de légumes feuillus. Napper le poisson de salsa tropicale.

Portions : 4
Préparation : 20 min
Cuisson : 6 min

Ingrédients :
- 4 filets de mérou (200 g)
- 2 T de mangue en dés
- 2 T d'ananas en dés
- 2 T de papaye en dés
- 1 T piments rôtis en dés
- 1 botte de feuilles de coriandre taillées en dés
- 2 limettes pressées
- 2 c. à s. de piments jalapeños en dés
- 2 c. à s. d'huile d'olive
- Épices cajun
- Mélange de légumes feuillus

Morue à la tequila et à la limette rôtie dans la poêle

Portions : 2
Préparation : 10 min
Cuisson : 12 min

Ingrédients :
- 2 filets de morue (170 g)
- 2 c. à s. d'huile d'olive extra vierge
- 2 c. à s. de tequila
- 3 c. à s. de jus de limette frais
- 1 petit piment serrano épépiné et haché
- 2 c. à s. de coriandre fraîche hachée
- Sel de mer
- Poivre noir fraîchement moulu

Instructions :

1. Assécher les filets et saupoudrer légèrement de sel et de poivre. Réchauffer l'huile à feu vif dans une poêle en fonte ou allant au four. Saisir une côté de la morue de 2 à 3 minutes.

2. Retirer du feu et verser la tequila dans la poêle. Remuer la tequila autour du poisson et flamber rapidement avec une longue allumette ou un briquet. Laisser flamber 10 secondes.

3. Retourner les filets, arroser de jus de limette et saupoudrer de piment serrano. Rôtir à 425 °F de 6 à 8 minutes ou jusqu'à ce que le poisson soit opaque et qu'il se défasse à la fourchette. Retirer du four et saupoudrer de coriandre.

Grillade d'été de morue charbonnière

Instructions :

1. Placer les filets de poisson dans un grand bol. Verser les jus d'orange, de limette et de citron, l'huile d'olive et le vin blanc. Assaisonner de sel, de poivre et des épices pour fruits de mer. Mélanger et recouvrir le poisson. Laisser le citron pressé et les moitiés de limette dans le bol. Laisser mariner pendant au moins 30 minutes.

2. Préchauffer le gril à feu vif. Quand le gril est chaud, huiler la grille.

3. Placer les filets de poisson sur le gril et jeter la marinade. Cuire 4 minutes de chaque côté ou jusqu'à ce que le poisson se défasse facilement à la fourchette. Transférer sur un plat de service et retirer la partie bleu foncé du poisson avant de servir.

Portions : 8
Préparation : 5 min
Marinade : 30 min
Cuisson : 8 min

Ingrédients :
- 2 kg de filets de morue charbonnière
- 1 T de jus d'orange
- 1/4 de T de jus de limette frais
- 1/4 de T de jus de citron frais
- 1/4 de T d'huile d'olive
- 1 c. à s. de vin blanc sec
- Sel casher et poivre noir moulu, au goût
- 1/4 de T d'épices pour fruits de mer à saveur de citron

Morue d'Alaska marinée au saké et dumplings aux crevettes

Portions : 4
Préparation : 1 h
Marinade : 3 h
Cuisson : 15 min

Ingrédients :
- 4 filets de morue noire
  d'Alaska (175 g)

MARINADE
- 1/4 de T de sauce soya
- 3 c. à s. de sucre
- 2 c. à s. de mirin
- 2 c. à s. de saké
- 1/4 de c. à t. de gingembre frais
  pelé et râpé
- 1/4 de c. à t. d'ail râpé

DUMPLINGS
- 175 g de crevettes déveinées
  et coupées en morceaux
- 32 raviolis won ton
- 60 g d'échalotes coupées
  en morceaux
- 1 blanc d'œuf battu légèrement
- 1/2 c. à t. de gingembre frais râpé
- 1/2 c. à t. d'ail frais râpé
- 2 c. à t. de sucre
- 2 c. à t. de mirin
- 2 c. à t. de sauce soya
- 1 pincée de poivre blanc
  fraîchement moulu
- 1 c. à s. d'huile de sésame
- 1 jaune d'œuf battu légèrement
- 1/4 de c. à t. d'eau

BOUILLON SHISO
- 2 T de bouillon de poulet ou d'eau
- 2 c. à s. de sauce soya
- 2 c. à t. de mirin
- 2 c. à t. de vinaigre de riz
- 1/4 de c. à t. d'ail frais râpé
- 1/4 de c. à t. de gingembre frais
  râpé
- 1/2 c. à t. de sucre
- 1/2 c. à t. d'huile de sésame
- 30 g de champignons
  shiitake
- 20 tranches minces d'une carotte
- 1/4 de T de poireau taillé en
  julienne (la partie blanche
  seulement)
- 1 T de feuilles d'épinards

GARNITURE
- 4 feuilles de shiso effilées
- 1. c. à t. de graines de sésame
  blanches rôties

Instructions :

1. Placer les filets de morue noire dans un plat. Pour faire la marinade, mélanger en fouettant la sauce soya, le sucre, le mirin, le saké, le gingembre et l'ail et verser sur le poisson, en s'assurant qu'il soit entièrement recouvert de marinade.

2. Couvrir et réfrigérer pendant au moins 3 heures ou toute la nuit.

3. Mélanger les crevettes, les échalotes, le blanc d'œuf battu, le gingembre, l'ail, le sucre, le mirin, la sauce soya et le poivre blanc dans un robot culinaire et passer jusqu'à obtention d'une substance lisse qui servira de garniture aux dumplings. En laissant l'appareil fonctionner, ajouter graduellement l'huile de sésame dans l'orifice d'alimentation et passer pour bien mélanger. Réserver.

4. Dans un petit bol, mélanger le jaune d'œuf et l'eau pour la dorure à l'œuf des raviolis won ton. Badigeonner de préparation à l'œuf les rebords de quelques raviolis won ton à la fois.

5. Placer environ une c. à thé de garniture dans le centre de chaque ravioli. Plier en deux en effectuant une pression sur les rebords pour sceller et en s'assurant d'éliminer les petites poches d'air.

6. Disposer sur une plaque à biscuits recouverte de papier parchemin, couvrir d'une pellicule de plastique et réfrigérer jusqu'au moment de l'utilisation.

7. Mélanger en fouettant le bouillon de poulet, la sauce soya, le mirin, le vinaigre de riz, l'ail, le gingembre, le sucre et l'huile de sésame dans un pot. Réserver.

8. Préchauffer le grilloir du four.

9. Retirer les filets de morue de la marinade et disposer sur une plaque à biscuits. Cuire à 7,5 cm de la source de chaleur de 8 à 10 minutes ou jusqu'à ce que le poisson soit acajou foncé à l'extérieur et opaque à l'intérieur. Réserver et garder au chaud.

10. Amener à ébullition une grande casserole remplie d'eau salée. En procédant par lots, ajouter un total de 16 dumplings aux crevettes et cuire 3 minutes, ou jusqu'à ce qu'ils deviennent translucides et qu'ils flottent sur le dessus. Égoutter.

11. Amener le bouillon à ébullition et ajouter les champignons shiitake, les tranches de carottes et le poireau.

12. Diminuer la chaleur, laisser mijoter et ajouter les épinards et les dumplings.

13. Pour servir, diviser les dumplings, les légumes et le bouillon dans 4 grands bols peu profonds et saupoudrer de feuilles de shiso.

14. Placer un filet de poisson au centre de chaque bol et saupoudrer de graines de sésame rôties.

Pizza de morue au chorizo, aux tomates et aux champignons

Instructions :

1. Préchauffer le four à 450 °F.

2. Recouvrir une plaque à biscuits de papier parchemin et badigeonner d'huile.

3. Placer la morue sur la plaque à biscuits et assaisonner de sel et de poivre. Placer le chorizo, les tomates et les champignons en rangée et en alternance sur le poisson, jusqu'à ce qu'il soit complètement recouvert.

4. Surmonter d'ail et saupoudrer généreusement de poivre de Cayenne. Saupoudrer le romarin, le thym, le persil, et les oignons verts sur le filet et assaisonner de sel.

5. Arroser le poisson de 6 c. à soupe d'huile d'olive. Rôtir, en arrosant le poisson de temps à autre de l'huile accumulée, environ 5 minutes.

6. Tourner la plaque à biscuits et verser le jus de myes sur la morue. Continuer de rôtir de 5 à 6 minutes, jusqu'à ce qu'une brochette de métal, insérée dans le poisson pendant 5 secondes, pénètre facilement et soit chaude sur les lèvres.

7. Pour servir, arroser le poisson de toute l'huile accumulée.

8. Presser le jus du citron sur le poisson. Soulever un côté du papier parchemin et faire délicatement glisser le poisson sur une assiette chaude.

Portions : 4
Préparation : 30 min
Cuisson : 12 min

Ingrédients :
- 1 filet de morue entier (1,5 kg)
- 58 g de chorizo sec coupé en tranches très minces
- 6 c. à s. d'huile d'olive extra vierge, un peu plus pour le papier parchemin
- Sel de mer fin
- Poivre blanc fraîchement moulu
- 1 c. à t. de romarin frais haché
- 2 c. à t. de thym frais haché
- 2 tomates coupées en tranches très minces
- 5 champignons de Paris, équeutés, nettoyés et finement tranchés
- 3 gousses d'ail finement tranchées
- Poivre de Cayenne
- 2 c. à s. de persil frais haché italien
- 2 oignons verts parés et tranchés finement dans le sens de la largeur
- 1 citron coupé en deux
- 1/4 de T de jus de myes commercial

Poisson-chat cajun

Portions : 4
Préparation : 10 min
Préparation : 45 min
Cuisson : 15 min

Ingrédients :
- 1 kg de filets de poisson-chat, coupés en morceaux de 5 cm
- 1 T de lait ou autant que nécessaire
- 1 œuf
- 1/4 de T de farine tout usage
- 1/4 de T de semoule de maïs
- 2 c. à t. de poivre noir moulu
- 2 c. à t. de moutarde moulue
- 2 c. à s. d'assaisonnement cajun
- 1/4 de T d'huile à friture ou autant que nécessaire
- 1 trait de sauce Tabasco (facultatif)

Instructions :

1. Laisser tremper les morceaux de poisson dans le lait pendant 30 minutes.

2. Dans un petit bol, mélanger en fouettant l'œuf et la sauce pimentée piquante. Dans un autre bol, incorporer la farine, la semoule de maïs, le poivre, la moutarde et l'assaisonnement cajun. Déposer le poisson dans la préparation sèche, puis dans l'œuf et remettre dans le mélange sec. Disposer sur une assiette et mettre au réfrigérateur pendant environ 15 minutes. Ceci favorisera l'adhérence du mélange sur le poisson.

3. Réchauffer à feu moyen-élevé plus d'huile que nécessaire pour couvrir le fond d'une grande poêle épaisse. Frire les morceaux de poisson de 3 à 4 minutes par côté, ou jusqu'à ce qu'ils soient dorés. Selon la quantité et les épices cajun utilisées, certaines panures pourraient être plus foncées que d'autres.

4. Égoutter le poisson sur des essuie-tout et servir avec une sauce piquante ou tartare. Savourer.

Poisson-chat en croûte de semoule de maïs épicée

Instructions :

1. Sur une plaque à biscuits, mélanger la semoule de maïs, le paprika, le cumin, le poivre de Cayenne, une c. à thé de sel et 1/8 de c. à thé de poivre.

2. Passer le poisson dans le mélange de semoule de maïs en le retournant pour bien couvrir les deux côtés.

3. Dans une grande poêle antiadhésive, réchauffer une c. à thé d'huile à feu moyen. Placer 2 filets de poisson dans la poêle, le côté de la peau vers le haut.

4. Cuire jusqu'à ce que la croûte soit dorée et le poisson ferme, de 6 à 8 minutes par côté. Si la croûte commence à devenir trop foncée, diminuer la chaleur. Transférer le poisson sur une assiette. Garder au chaud.

5. Essuyer la poêle à l'aide d'un essuie-tout. Répéter l'opération avec l'huile et le poisson qui restent.

Portions : 4
Préparation : 15 min
Cuisson : 16 min

Ingrédients :
- 4 filets de poisson-chat rincés et asséchés
- 1/4 de T de semoule de maïs jaune
- 1 c. à s. de paprika
- 1 c. à t. de cumin moulu
- 1 pincée de poivre de Cayenne
- Sel et poivre frais moulu
- 2 c. à t. d'huile de canola

Sashimi nouveau genre

Portions : 4
Préparation : 20 min
Cuisson : 5 min

Ingrédients :
- 85 g de filet de plie de qualité supérieure, finement tranché en diagonale dans le sens de la largeur
- 1/2 c. à t. de graines de sésame
- 1 petite gousse d'ail émincée
- Gingembre, pelé et tranché en juliennes au goût
- Brins de ciboulette coupés en morceaux de 3,5 cm au goût
- 2 c. à t. de sauce soya
- 2 c. à t. de jus de citron fraîchement pressé
- 3 c. à s. d'huile d'olive extra vierge
- 2 c. à t. d'huile de sésame

Instructions :

1. Dans une petite poêle à feu moyen, cuire les graines de sésame jusqu'à ce qu'elles soient odorantes et dorées. Mettre dans un petit bol.

2. Disposer le poisson sur une assiette. Badigeonner d'ail. Saupoudrer le gingembre et la ciboulette sur le poisson. Arroser de sauce soya et de jus de citron. Saupoudrer de graines de sésame.

3. Réchauffer l'huile d'olive et l'huile de sésame dans une petite casserole, jusqu'à ce qu'elles commencent à produire de la fumée.

4. Verser sur le poisson ; l'huile chaude saisira le poisson au contact.

Saumon enrobé de pacanes croustillantes

Instructions :

1. Préchauffer le four à 400 °F. Dans un petit bol, mélanger la moutarde, le beurre et le miel. Dans un autre bol, mélanger la chapelure, les pacanes et le persil.

2. Assaisonner chaque filet de saumon de sel et de poivre. Placer sur une plaque à biscuits légèrement huilée. Badigeonner de la préparation de moutarde et de miel. Couvrir le dessus de chaque filet du mélange de chapelure.

3. Cuire 10 minutes par 2,5 cm de l'épaisseur mesurée dans la partie la plus épaisse, ou jusqu'à ce que le saumon se défasse facilement à la fourchette. Servir, garni de quartiers de citron.

Portions : 6
Préparation : 20 min
Cuisson : 10 min

Ingrédients :
- 6 filets de saumon (150 g)
- 3 c. à s. de moutarde de Dijon
- 3 c. à s. de beurre fondu
- 5 c. à t. de miel
- 1/2 T de chapelure fraîche
- 1/2 T de pacanes finement hachées
- 3 c. à t. de persil frais haché
- Sel et poivre, au goût
- 6 quartiers de citrons

Filets de saumon glacés au vinaigre balsamique

Portions : 6
Préparation : 10 min
Cuisson : 20 min

Ingrédients :
- 6 filets de saumon (150 g)
- 4 gousses d'ail émincées
- 1 c. à s. de vin blanc
- 1 c. à s. de miel
- 1/3 de T de vinaigre balsamique
- 4 c. à t. de moutarde de Dijon
- Sel et poivre, au goût
- 1 c. à s. d'origan frais haché

Instructions :

1. Préchauffer le four à 400 °F. Recouvrir une plaque à biscuits d'une feuille d'aluminium et enduire d'huile de cuisson en aérosol.

2. Enduire une petite casserole d'huile de cuisson en aérosol. À feu moyen, cuire l'ail en remuant jusqu'à ce qu'il soit tendre, environ 3 minutes. Incorporer le vin blanc, le miel, le vinaigre balsamique, la moutarde, le sel et le poivre. Laisser mijoter, sans couvrir, pendant environ 3 minutes, ou jusqu'à ce que la sauce épaississe légèrement.

3. Disposer les filets de saumon sur la plaque à biscuits huilée. Badigeonner les filets de glace au vinaigre balsamique et saupoudrer d'origan.

4. Cuire au four de 10 à 14 minutes, ou jusqu'à ce que la chair du poisson se défasse facilement à la fourchette. Badigeonner les filets de la glace qui reste et assaisonner de sel et de poivre. Utiliser une spatule pour transférer les filets sur une assiette de service, en laissant la peau sur le papier d'aluminium.

Saumon sur une planche de cèdre

Instructions :

1. Mélanger la moutarde, le ketchup, le romarin, l'huile d'olive, la poudre de chili, le sel et le poivre. Étaler sur le saumon et laisser mariner pendant 30 minutes.

2. Chauffer le gril à feu vif.

3. Placer une planche de cèdre mouillée sur le gril et laisser griller de 3 à 4 minutes ou jusqu'à ce que le bois devienne odorant ou fumant. Tourner immédiatement la planche et la saler généreusement. Placer le poisson sur la planche, la peau en dessous.

4. Fermer le couvercle et cuire de 12 à 15 minutes, ou jusqu'à ce que le poisson soit cuit à point. Retirer la planche du gril et faire glisser le saumon sur une assiette de service.

Portions : 4
Préparation : 15 min
Marinade : 30 min
Cuisson : 18 min

Ingrédients :
- 1 saumon entier (1 kg) nettoyé
- 2 c. à s. de moutarde en grains à l'ancienne
- 2 c. à s. de ketchup
- 1 c. à s. de romarin frais haché
- 2 c. à s. d'huile d'olive
- 1/2 c. à t. de poudre de chili
- Sel casher et poivre fraîchement moulu

Filets de saumon cuits sur charbon de bois

Portions : 6
Préparation : 30 min
Cuisson : 1 h

Ingrédients :
- 6 filets de saumon (150 g)
- 2 c. à t. d'huile de canola
- 1 oignon, grossièrement haché
- 2 gousses d'ail broyées
- 1 carotte grossièrement hachée
- 1 branche de céleri, grossièrement hachée
- 2 tomates épépinées et grossièrement hachées
- 2 c. à s. de pâte de tomate
- 2 c. à s. de mélasse non soufrée
- 2 c. à s. de miel
- 2 c. à s. de cassonade claire
- 2 c. à t. de moutarde sèche
- 1 c. à t. de cumin moulu
- 1 1/2 c. à t. de gros sel
- 1/2 c. à t. de poivre noir fraîchement moulu
- Pincée de poivre de Cayenne ou au goût
- 2 T d'eau
- Riz pilaf brun

Instructions :

1. Dans une casserole, réchauffer l'huile à feu moyen. Ajouter l'oignon, l'ail, la carotte et le céleri.

2. Cuire les légumes jusqu'à ce qu'ils soient tendres, de 5 à 7 minutes. Ajouter les tomates; cuire les légumes jusqu'à ce qu'ils soient bien tendres, environ 10 minutes de plus. Ajouter la pâte de tomate, la mélasse, le miel, le sucre, la moutarde, le cumin, une c. à thé de sel, 1/4 c. à thé de poivre noir, le poivre de Cayenne et 2 tasses d'eau; remuer pour mélanger.

3. Laisser mijoter doucement environ 30 minutes, jusqu'à ce que la sauce épaississe légèrement. Transférer dans le contenant d'un robot culinaire ou d'un mélangeur; passer jusqu'à obtention d'une substance lisse.

4. Mettre au réfrigérateur jusqu'au moment de servir.

5. Préchauffer le gril ou une poêle à griller à feu moyen-élevé. Assaisonner le poisson avec le sel et le poivre. Badigeonner généreusement de sauce. Griller jusqu'à ce que le poisson soit bien cuit, de 2 à 3 minutes par côté.

6. Quand le poisson est cuit, retirer et jeter la peau. Servir sur du riz pilaf avec la sauce réservée.

Saumon grillé à l'ail et au chili

Instructions :

1. Réchauffer le gril à feu vif.

2. Retirer la queue et les ailerons du saumon. Tailler plusieurs petites fentes peu profondes sur la peau du saumon. Placer le poisson sur 3 grandes feuilles d'aluminium qui se chevauchent légèrement.

3. Dans un bol, mélanger la sauce soya, la sauce chili, le gingembre, et l'ail. Incorporer le jus et le zeste de limette et la cassonade. Verser sur le saumon à l'aide d'une cuiller.

4. Plier le papier d'aluminium sur le saumon et serrer les extrémités pour sceller.

5. Si des charbons de bois sont utilisés, placer sur un seul côté du gril. Placer le poisson du côté opposé aux charbons de bois et fermer le couvercle. Si un gril au gaz est utilisé, placer le poisson sur un côté et ouvrir le feu directement sous le saumon. Fermer le couvercle. Cuire de 25 à 30 minutes.

6. Disposer sur une assiette de service et verser sur le poisson tous les jus de cuisson qui se sont accumulés dans le papier d'aluminium. Garnir avec les oignons verts.

Portions : 4
Préparation : 15 min
Cuisson : 30 min

Ingrédients :
- 1 saumon entier (1 kg) nettoyé
- 1/4 de T de sauce soya
- 1 c. à s. de sauce chili
- 1 c. à s. de racine de gingembre fraîche hachée
- 1 gousse d'ail hachée
- 1 limette, pressée
- 1 zeste de limette
- 1 c. à s. de cassonade
- 3 oignons verts hachés

Saumon au cari et au gingembre

Instructions :

1. Préchauffer le four à 425 °F.

2. Mélanger en fouettant l'huile, la pâte de cari, le gingembre, les grains de moutarde et une pincée de sel dans un petit bol. Ajouter le saumon et retourner le poisson pour bien le recouvrir.

3. Rôtir le saumon sur une plaque à biscuits recouverte de papier parchemin pendant 12 minutes ou jusqu'à ce que poisson se défasse facilement à la fourchette.

Portions : 2
Préparation : 10 min
Cuisson : 12 min

Ingrédients :
- 1 filet de saumon (500 g) désarêté et sans peau
- 2 c. à t. d'huile végétale
- 1 c. à t. de pâte de cari doux
- 1 c. à t. de gingembre frais émincé
- 1/4 de c. à t. de grains de moutarde noire
- 1/2 T d'eau
- 1/4 de T de riz basmati
- 2 abricots séchés finement tranchés
- 2 c. à t. de beurre
- 1 c. à s. de coriandre fraîche hachée
- Sel

Boulettes de saumon

Portions : 2
Préparation : 10 min
Cuisson : 10 min

Ingrédients :
- 1 boîte (418 g) de saumon en conserve
- 1 œuf
- 1/2 T chapelure assaisonnée
- 1/4 de T d'oignon haché
- 1 c. à s. d'huile d'olive

Instructions :

1. Égoutter et réserver le liquide du saumon. Mélanger l'œuf, l'oignon, la chapelure et le saumon.

2. Façonner en boulettes. Si le mélange est trop sec, ajouter du liquide de saumon réservé.

3. Dans une poêle à frire, réchauffer l'huile d'olive. Placer les boulettes dans la poêle. Dorer chaque côté, en retournant délicatement. Égoutter sur des essuie-tout et servir.

Saumon aux fines herbes

Instructions :

1. Préchauffer le four à 350 °F. Enduire d'aérosol de cuisson un côté d'une feuille d'aluminium assez large pour être repliée sur le saumon.

2. Disposer le saumon sur le côté préparé de la feuille d'aluminium. Saupoudrer de sauge, de thym, de paprika et de poivre de Cayenne. Replier la feuille d'aluminium sur le saumon pour l'enfermer.

3. Cuire le saumon 20 minutes au four ou jusqu'à ce qu'il se défasse facilement à la fourchette.

Portions : 4
Préparation : 10 min
Cuisson : 20 min

Ingrédients :
- 1 saumon entier (1 kg) nettoyé
- 5 feuilles de sauge déshydratée
- 1 c. à s. de thym déshydraté
- 1 pincée de paprika moulu
- 1 pincée de poivre de Cayenne moulu

Roulades de saumon aux fines herbes

Portions : 6
Préparation : 30 min
Cuisson : 40 min

Ingrédients :
- 1 filet de saumon (1,5 kg) sans peau et désarêté
- 2 c. à s. de moutarde de Dijon
- 1/2 T de persil plat haché
- 1 c. à s. de zeste de citron râpé
- 1 T de vin blanc sec
- 1/2 T de vinaigre de vin blanc
- 1 échalote émincée
- 1/2 T de crème épaisse
- 8 c. à s. de beurre non salé frais, coupé en morceaux
- 1 c. à s. d'aneth hachée (facultatif)
- Gros sel et poivre moulu

Instructions :

1. Préchauffer le four à 475 °F 4. Préparer le filet en commençant par la partie la plus large, couper le filet de façon à ce qu'il s'ouvre comme un livre (faire attention de ne pas couper le poisson en deux). Couvrir l'intérieur du saumon de moutarde, assaisonner de sel et de poivre et saupoudrer les fines herbes et le zeste. Glisser six morceaux de ficelle sous le poisson et rouler. Attacher les morceaux de ficelle pour maintenir le rouleau de poisson ensemble. Attacher 6 morceaux de ficelle de plus. Trancher le poisson en 12 rondelles individuelles. Transférer les tranches sur une plaque à biscuits recouverte de papier parchemin. Réfrigérer jusqu'à ce qu'il soit prêt à cuire (jusqu'à une journée).

2. Dans une petite casserole, amener le vin, le vinaigre et l'échalote à ébullition et faire cuire jusqu'à ce que la casserole soit presque sèche, de 20 à 25 minutes. Ajouter la crème et amener de nouveau à ébullition. Retirer la casserole du feu et incorporer graduellement le beurre en fouettant, jusqu'à ce que la sauce épaississe et brille. Assaisonner de sel et passer au-dessus d'un tamis à petites mailles.

3. Rôtir le saumon jusqu'à ce qu'il se défasse facilement, de 10 à 12 minutes. Retirer délicatement la ficelle de chaque roulade et arroser de sauce.

Saumon au citron et au romarin

Instructions :

1. Préchauffer le four à 400 °F.

2. Disposer la moitié des tranches de citron en une seule couche dans un plat de cuisson. Ajouter 2 tiges de romarin et surmonter de filets de saumon. Saupoudrer le saumon de sel, déposer les deux autres tiges de romarin et les tranches de citron qui restent. Arroser d'huile d'olive.

3. Cuire au four 20 minutes ou jusqu'à ce que le poisson se défasse facilement à la fourchette.

Portions : 2
Préparation : 10 min
Cuisson : 20 min

Ingrédients :
- 2 darnes de saumon
- 1 citron finement tranché
- 4 tiges de romarin frais
- Gros sel, au goût
- 1 c. à s. d'huile d'olive ou au besoin

Filets de saumon à l'aneth crémeux

Portions : 4
Préparation : 5 min
Cuisson : 40 min

Ingrédients :
- 750 g de filets de saumon
- 1 1/2 T de mayonnaise
- 1/2 T de moutarde préparée
- 1 c. à t. de thym frais haché
- 1 c. à t. d'origan déshydraté
- 1 c. à t. de feuilles de basilic frais haché
- 2 c. à t. d'aneth déshydraté ou au goût

Instructions :

1. Préchauffer le four à 375 °F.

2. Dans un bol, mélanger la mayonnaise et la moutarde. Incorporer le thym, l'origan et le basilic. Placer les filets de saumon sur une plaque à biscuits et étaler le mélange de mayonnaise. Saupoudrer d'aneth.

3. Cuire au four de 30 à 40 minutes, jusqu'à ce que le saumon se défasse facilement à la fourchette.

Saumon en croûte à la noisette

Instructions :

1. Préchauffer le four à 400 °F. Enduire une plaque à biscuits d'huile de cuisson en aérosol.

2. Disposer les filets de saumon sur la plaque à biscuits et étaler des quantités égales de mayonnaise. Surmonter de noisettes et saupoudrer d'estragon, de zeste d'orange, de sel et de poivre.

3. Cuire au four 15 minutes ou jusqu'à ce que le poisson se défasse facilement à la fourchette.

Portions : 2
Préparation : 10 min
Cuisson : 15 min

Ingrédients :
- 500 g de filets de saumon, coupés en 4 morceaux
- 1/2 T de mayonnaise sans matières grasses
- 1/2 T de noisettes hachées
- 2 c. à t. d'estragon frais émincé
- 1/2 c. à t. de zeste d'orange
- 1/2 c. à t. de sel
- 1/8 de c. à t. de poivre noir moulu

Saumon au fromage de chèvre

Portions : 4
Préparation : 15 min
Cuisson : 15 min

Ingrédients :
- **4 filets de saumon (150 g)**
- **1/2 T de fromage de chèvre aux herbes**
- **1/4 de T de mélange de moutarde de Dijon préparée et de mayonnaise**
- **Sel et poivre, au goût**

Instructions :

1. Préchauffer le four à 350 °F. Graisser légèrement une grande plaque à biscuits.

2. Disposer les filets de saumon sur la plaque à biscuits. Faire de petites incisions dans chaque filet et remplir de quantités égales de fromage de chèvre aux herbes. Étaler des quantités égales du mélange de moutarde de Dijon et de mayonnaise sur chaque filet. Assaisonner de sel et de poivre.

3. Cuire le saumon 15 minutes au four, ou jusqu'à ce que les filets se défassent facilement à la fourchette.

Saumon dans une sauce citronnée à l'aneth

Instructions :

1. Placer le saumon dans un plat peu profond et badigeonner de 3 c. à soupe de jus de citron. Assaisonner d'aneth et de poivre au citron. Couvrir et laisser reposer de 10 à 15 minutes.

2. Réchauffer, à feu moyen, 2 c. à soupe de beurre dans une casserole et faire revenir l'échalote 2 minutes, jusqu'à ce qu'elle soit tendre. Mélanger le jus de citron restant, le vinaigre et 1/4 de tasse de vin. Laisser mijoter jusqu'à réduction d'au moins la moitié. Incorporer la crème et le lait. Assaisonner d'aneth, de persil, de thym, de sel et de poivre blanc. Cuire en remuant jusqu'à épaississement. Incorporer en fouettant 1/4 de tasse de beurre. Réserver et garder au chaud.

3. Réchauffer le reste du beurre (1/4 de tasse) dans une poêle à feu moyen. Placer le saumon dans la poêle, le côté de la peau vers le haut, et cuire de 1 à 2 minutes, jusqu'à ce qu'il soit saisi. Réserver le saumon. Déglacer la poêle avec la c. à soupe de vin restante et incorporer la sauce à la crème. Remettre le saumon dans la poêle et cuire 8 minutes dans la sauce, ou jusqu'à ce qu'il se défasse facilement à la fourchette. Servir avec la sauce.

Portions : 4
Préparation : 15 min
Cuisson : 15 min

Ingrédients :
- 4 filets de saumon (150 g)
- 5 c. à s. de jus de citron frais, divisées
- 3/4 de c. à t. d'aneth déshydraté
- 3/4 de c. à t. de poivre au citron
- 1/2 T, plus 2 c. à s. de beurre
- 1 échalote émincée
- 1 c. à s. de vinaigre de vin blanc
- 5 c. à s. de vin blanc, divisées
- 1/2 T de crème fraîche épaisse
- 1/2 T de lait
- 1/2 c. à t. d'aneth
- 1 c. à t. de persil
- 1 c. à t. de thym déshydraté
- Sel et poivre blanc, au goût

Ratatouille au saumon

Portions : 4
Préparation : 30 min
Cuisson : 18 min

Ingrédients :
- 4 filets de saumon (170 g)

RATATOUILLE
- 2 c. à s. d'huile d'olive
- 1 T d'oignon haché
- 2 aubergines italiennes ou chinoises hachées
- 2 zucchinis hachés
- 1/2 piment rouge haché
- 3 tomates hachées
- 1/4 de T de vin blanc sec
- 1 c. à s. de basilic frais haché
- 2 c. à s. de persil frais haché
- Sel et poivre fraîchement moulu, au goût

Instructions :

1. Dans une poêle, réchauffer l'huile à feu vif. Incorporer les oignons, l'aubergine, les zucchinis et le piment rouge et faire revenir 3 minutes ou jusqu'à ce que les légumes soient tendres. Ajouter les tomates et le vin blanc et laisser mijoter 2 minutes ou jusqu'à ce que les tomates soient tendres.

2. Diminuer la chaleur, couvrir et laisser mijoter, de 3 à 5 minutes, ou jusqu'à ce que les légumes soient bien cuits. Incorporer les fines herbes, le sel et le poivre.

3. Assaisonner le saumon de sel et de poivre. Incorporer les filets dans le mélange de ratatouille, couvrir et cuire 8 minutes ou jusqu'à ce que saumon soit cuit, mais légèrement rosé au centre.

4. Servir le saumon sur le dessus de la ratatouille.

Quiche au saumon fumé et au brie

Portions : 8
Préparation : 20 min
Cuisson : 45 min

Ingrédients :
- 90 g de saumon fumé
- 90 g de brie double
  ou triple crème
- 1 croûte de tarte congelée
  pour un plat profond et de 23 cm
- 1 T de crème de table 10 %
- 3 œufs
- 1/4 de c. à t. de sel
- 1 pincée de poivre de Cayenne
- 2 oignons verts

Instructions :

1. Cuire l'abaisse selon les indications inscrites sur l'emballage. Retirer du four et réduire la température à 350 °F.

2. Placer l'abaisse refroidie sur une plaque à biscuits. Fouetter la crème, les œufs, le sel et le poivre de Cayenne. Sans en retirer la croûte, couper le fromage en morceaux de 1 cm. Couper le saumon en morceaux de la même grosseur. Trancher les oignons finement. Disposer uniformément dans le fond de l'abaisse. Verser soigneusement le mélange de crème.

3. Cuire au centre du four jusqu'à ce que la quiche soit à point et dorée, de 30 à 35 minutes. Laisser refroidir 5 minutes avant de trancher.

Saumon au soya et au gingembre

Instructions :

1. Badigeonner environ une c. à soupe de cassonade sur le saumon. Saupoudrer légèrement de poivre au citron et d'ail en poudre et badigeonner l'intérieur du poisson avec l'assaisonnement.

2. Dans une petite casserole, faire chauffer la sauce soya et l'huile d'olive à feu moyen. Incorporer le gingembre et le reste de la cassonade, le poivre au citron et l'ail en poudre. Laisser mijoter, en remuant constamment, jusqu'à ce que le sucre se dissolve. Retirer du feu, incorporer le jus d'orange.

3. Placer le poisson et la marinade dans un sac en plastique refermable, sceller et mettre au réfrigérateur toute la nuit ou au moins 3 heures.

4. Préchauffer le grilloir. Placer le poisson dans un plat de cuisson recouvert d'une feuille d'aluminium. Réserver la marinade.

5. Griller le poisson la peau vers le haut, 2 minutes. Retirer du four, retirer la peau à l'aide de pinces. Arroser de marinade, remettre au four et griller 2 minutes de plus. Retourner le poisson et griller jusqu'à ce que le poisson se défasse facilement à la fourchette, environ 4 minutes. Retirer du four et laisser reposer 5 minutes avant de servir.

Portions : 4
Préparation : 10 min
Marinade : 3 h
Cuisson : 10 min

Ingrédients :
- 4 filets de saumon (500 g)
- 1/3 T de cassonade
- 2 c. à t. de poivre au citron
- 1 c. à t. d'ail en poudre
- 1/3 T de sauce soya
  pauvre en sodium
- 1 c. à s. d'huile d'olive
- 1 morceau (2,5 cm) de racine
  de gingembre fraîche émincée
- 1/3 T de jus d'orange

Saumon grillé

Portions : 4
Préparation : 15 min
Réfrigération : 10 min
Cuisson : 20 min

Ingrédients :
- 4 darnes de saumon
- 1 botte de feuilles
  de coriandre hachées
- 2 gousses d'ail hachées
- 2 T de miel
- Le jus d'une limette
- Sel et poivre, au goût

Instructions :

1. Dans une petite casserole, incorporer la coriandre, l'ail, le miel et le jus de limette. Réchauffer à feu moyen-doux jusqu'à ce que le miel soit bien liquide, environ 5 minutes. Retirer du feu et laisser refroidir légèrement.

2. Placer les darnes de saumon dans un plat de cuisson et assaisonner de sel et de poivre. Verser la marinade sur le saumon, couvrir et réfrigérer 10 minutes.

3. Préchauffer le gril à feu vif.

4. Huiler légèrement la grille. Placer les darnes de saumon et cuire 5 minutes de chaque côté, ou jusqu'à ce que poisson se défasse facilement à la fourchette.

Saumon mariné grillé

Instructions :

1. Dans un bol, mélanger la cassonade et l'eau chaude en remuant jusqu'à ce que la cassonade se dissolve. Verser dans un grand sac de plastique refermable et incorporer le vin, la sauce soya, l'huile d'olive, l'ail et le poivre au citron. Placer le saumon dans le sac, sceller et laisser mariner 8 heures ou toute la nuit au réfrigérateur.

2. Préchauffer le gril à feu vif.

3. Huiler légèrement la grille. Réserver la marinade, placer le saumon sur la grille et cuire de 5 à 8 minutes de chaque côté, ou jusqu'à ce qu'il se défasse facilement à la fourchette.

4. Transférer la marinade et réserver dans une casserole. Dissoudre la fécule de maïs dans l'eau froide. Amener la marinade à ébullition et incorporer le mélange de fécule de maïs pour épaissir. Servir sur le saumon ou à part, comme trempette.

Portions : 4
Préparation : 15 min
Marinade : 8 h
Cuisson : 15 min

Ingrédients :
- **1 kg de filets de saumon**
- **1/4 de T de cassonade**
- **1/2 T d'eau chaude**
- **1/2 T de Shiraz**
- **1/2 T de sauce soya**
- **1/3 de T d'huile d'olive**
- **3 gousses d'ail émincées**
- **1/3 de c. à t. de poivre au citron**
- **1 c. à s. de fécule de maïs**
- **2 c. à s. d'eau froide**

Plie à la sauce au beurre citronné

Portions: 4
Préparation: 15 min
Cuisson: 20 min

Ingrédients:
- 8 filets de sole (de 85 à 113 g chacun)
- 16 tranches de citron très minces (1 à 2 citrons) épépinées
- Le jus de citrons (3 c. à s.)
- 1/2 T de vin blanc sec
- 3 c. à s. de beurre froid coupé en morceaux
- Gros sel

Instructions:

1. Verser le vin dans une grande poêle munie d'un couvercle. Plier chaque filet de poisson en trois. Disposer dans la poêle; assaisonner de gros sel et de poivre moulu. Déposer deux tranches de citron qui se chevauchent sur les morceaux de poisson.

2. Amener le vin à ébullition; diminuer la chaleur à feu moyen-doux. Couvrir; laisser mijoter jusqu'à ce que le poisson soit opaque, de 3 à 5 minutes. À l'aide d'une spatule, transférer le poisson sur des assiettes de service.

3. Amener à ébullition de nouveau le liquide de la poêle; cuire de 1 à 2 minutes, jusqu'à réduction à 1/3 de tasse. Ajouter le jus de citron; retirer du feu. Fouetter le beurre jusqu'à obtention d'une substance lisse. Assaisonner de sel; tamiser, si désiré. Servir avec le poisson; garnir d'herbes fraîches et de poivre, si désiré.

Saumon en croûte aux herbes et salade d'épinards

Instructions :

1. Préchauffer le four à 450 °F.

2. Tapisser une plaque à biscuits avec du papier aluminium et réserver. Mélanger les tranches de pain, le persil et 1 c. à soupe d'huile d'olive dans un robot culinaire et assaisonner de sel et de poivre. Broyer jusqu'à l'obtention d'une chapelure grossière.

3. Déposer le saumon sur la plaque et assaisonner de sel et de poivre. Étaler la moutarde de Dijon sur le dessus des filets et couvrir de chapelure en pressant doucement pour la faire adhérer.

4. Faire griller le saumon jusqu'à ce qu'il soit opaque (11 à 13 minutes).

5. Pendant ce temps, mélanger le jus de citron et le reste de l'huile dans un grand bol. Assaisonner de sel et de poivre et incorporer les épinards et les oignons.

6. Servir le saumon en croûte avec la salade d'épinards.

Portions : 4
Préparation : 20 min
Cuisson : 13 min

Ingrédients :
- **4 filets de saumon sans peau**
- **3 tranches de pain blanc sec**
- **1 T de persil frais**
- **2 c. à s. d'huile d'olive**
- **2 c. à s. de moutarde de Dijon**
- **3 c. à s. de jus de citron frais**
- **150 g de bébés épinards**
- **1/2 oignon rouge finement tranché**
- **Gros sel et poivre noir**

Thon frais à la portugaise

Portions : 4
Préparation : 15 min
Cuisson : 15 min

Ingrédients :
- **4 grosses darnes de thon frais**
- **3 c. à s. de pimenta moida**
  (piment rouge broyé)
- **1/4 de T de vinaigre de cidre**
- **1/2 c. à t. de sel**
- **1/3 de c. à t. de poivre**
- **1 c. à s. d'ail en poudre**
- **2 c. à s. de paprika fort**
- **1/2 T de beurre**
- **1 T d'huile d'olive**
- **1/4 de T de pimenta moida**
- **1/2 T de ketchup**
- **1/4 de T de vinaigre de cidre**
- **1/4 de T d'eau**
- **2 c. à s. de paprika fort**
- **1/2 c. à t. de sel**
- **1/3 de c. à t. de poivre**
- **1 c. à s. d'ail en poudre**

Instructions :

1. Dans un grand sac en plastique refermable, mélanger 3 c. à soupe de pimenta moida, 1/4 de tasse de vinaigre de cidre, 1/2 c. à thé de sel, 1/3 de c. à thé de poivre, 1 c. à soupe d'ail en poudre et 2 c. à soupe de paprika fort. Placer les darnes de thon dans le sac, sceller et secouer doucement pour recouvrir. Laisser mariner au réfrigérateur de 1 heure 30 à 3 heures.

2. Faire fondre le beurre et réchauffer l'huile d'olive dans une grande poêle en fonte, à feu moyen-élevé. Jeter la marinade et placer les darnes de thon dans la poêle. Frire 2 1/2 minutes de chaque côté, ou jusqu'à ce que le poisson se défasse facilement à la fourchette. Retirer de la poêle et égoutter sur des essuie-tout.

3. Mélanger 1/4 de tasse de pimenta moida, le ketchup, 1/4 de tasse de vinaigre de cidre, l'eau, 2 c. à soupe de paprika fort, 1/2 c. à thé de sel, 1/3 de c. à thé de poivre et 1 c. à soupe d'ail en poudre dans la poêle. Gratter tous les petits morceaux dorés qui auraient adhéré au fond de la poêle et cuire 3 minutes, ou jusqu'à ce que la sauce épaississe légèrement.

4. Pour servir, à l'aide d'une cuiller, verser une portion de sauce sur le poisson cuit et servir le reste de la sauce avec du riz ou des pommes de terre.

Thon cuit à la vapeur

Portions: 4
Préparation: 20 min
Cuisson: 10 min

Ingrédients:
- 1 kg de darnes de thon frais
- 1/2 T de sauce soya
- 1/2 T de xérès
- 1/2 T d'huile végétale
- 1 botte d'oignons verts finement haché
- 1/2 T de racine de gingembre fraîche émincée
- 3 gousses d'ail émincées
- 1 c. à t. de sel
- 1 c. à t. de poivre noir moulu

Instructions:

1. Placer les darnes de thon dans un cuiseur à vapeur au-dessus de 2,5 cm d'eau bouillante et couvrir. Cuire de 6 à 8 minutes, ou jusqu'à ce que le poisson se défasse facilement à la fourchette.

2. Pendant la cuisson du poisson, dans une casserole moyenne, mélanger la sauce soya, le xérès, l'huile végétale, les oignons verts, le gingembre, l'ail, le sel et le poivre noir. Amener à ébullition.

3. Retirer les darnes de thon du cuiseur et placer sur un plat de service. Verser la sauce sur les darnes de thon et servir immédiatement.

Titaina

Portions: 2
Préparation: 10 min
Cuisson: 40 min

Ingrédients:
- 2 c. à s. de noix de pin
- 1 c. à s. d'huile à cuisson
- 1/2 poivron rouge haché
- 1/2 poivron vert haché
- 1/2 petit oignon haché
- 1 c. à s. d'ail émincé
- 1 boîte (411 g) de tomates pelées, coupées en dés et égouttées
- 1 boîte (170 g) de thon égoutté
- 1/2 c. à t. de sucre blanc
- 1/4 de c. à t. de cannelle moulue
- 1 pincée de muscade moulue
- Sel et poivre, au goût

Instructions:

1. Rôtir les noix de pin dans une poêle sèche à feu moyen pendant environ 5 minutes, ou jusqu'à ce qu'elles soient odorantes. Retirer du feu et réserver pour refroidir.

2. Dans un poêle, réchauffer l'huile à feu moyen. Ajouter les poivrons rouge et vert, l'oignon et l'ail. Cuire en remuant jusqu'à ce qu'ils soient tendres, environ 10 minutes. Incorporer les tomates et laisser mijoter 15 minutes de plus. Mélanger le thon, le sucre, la cannelle, la muscade, le sel et le poivre. Laisser mijoter encore 15 minutes. Incorporer les noix de pin et servir.

Tartare de thon

Portions: 4
Préparation: 10 min

Ingrédients:
- 500 g de filet de thon, de qualité supérieure, obèse ou jaune de préférence, coupé en dés de 5 mm
- 1/4 de T d'oignon rouge finement émincé
- 1 1/2 c. à s. de piment jalapeño vert ou rouge émincé, épépiné si désiré
- 2 c. à s. d'oignon vert finement émincé, les parties blanches et vertes
- 2 c. à t. de zeste de citron râpé
- 1/4 de T d'huile d'olive
- 3 c. à s. d'huile de sésame asiatique
- Sel casher et poivre grossièrement moulu, au goût
- 1 citron coupé en quartiers

Instructions:

1. Dans un bol, mélanger soigneusement le thon, l'oignon rouge, le piment, l'oignon vert, le zeste de citron, l'huile d'olive et l'huile de sésame.

2. Assaisonner généreusement de sel et de poivre.

3. Déposer le mélange de thon sur des assiettes individuelles et servir immédiatement, garni de quartiers de citron.

Tilapia grillé à la sauce thaï au cari et à la noix de coco

Portions : 4
Préparation : 15 min
Cuisson : 15 min

Ingrédients :
- 4 filets de tilapia (170 g)
- 1 c. à t. d'huile de sésame foncée
- 2 c. à t. de gingembre frais pelé et émincé
- 2 gousses d'ail émincées
- 1 T de poivron rouge finement haché
- 1 T d'oignon vert haché
- 1 c. à t. de poudre de cari
- 2 c. à t. de pâte de cari rouge
- 1/2 c. à t. de cumin moulu
- 4 c. à t. de sauce soya pauvre en sodium
- 1 c. à s. de cassonade
- 1/2 c. à t. de sel
- 1 boîte (397 ml) de lait de coco en conserve
- 2 c. à s. de coriandre fraîche hachée
- Aérosol de cuisson
- 3 T de riz basmati chaud
- 4 quartiers de limette

Instructions :

1. Préchauffer le grilloir.

2. Réchauffer 1/2 c. à thé d'huile à feu moyen, dans une grande poêle antiadhésive. Ajouter le gingembre et l'ail; cuire une minute. Ajouter le poivre et l'oignon; cuire une minute. Incorporer en remuant la poudre de cari, la pâte de cari et le cumin; cuire une minute. Ajouter la sauce soya, le sucre, 1/4 de c. à thé de sel et le lait de coco; laisser mijoter (ne pas faire bouillir). Retirer du feu; incorporer la coriandre.

3. Badigeonner le poisson avec 1/2 c. à thé d'huile; saupoudrer avec 1/4 de c. à thé de sel.

4. Placer le poisson sur une plaque à biscuits enduite d'huile de cuisson en aérosol. Griller 7 minutes, ou jusqu'à ce que le poisson se défasse facilement à la fourchette.

5. Servir le poisson avec la sauce, le riz et les quartiers de limette.

Tilapia grillé à la salsa de mangue

POISSONS & FRUITS DE MER

Portions: 2
Préparation: 45 min
Marinade: 1 h
Cuisson: 10 min

Ingrédients:
- 2 filets de tilapia (170 g)
- 1/3 de T d'huile d'olive extra vierge
- 1 c. à s. de jus de citron
- 1 c. à s. de persil frais émincé
- 1 gousse d'ail émincée
- 1 c. à t. de basilic déshydraté
- 1 c. à t. de poivre noir moulu
- 1/2 c. à t. de sel
- 1 grosse mangue mûre pelée, dénoyautée et coupée en dés
- 1/2 poivron rouge, coupé en dés
- 2 c. à s. d'oignon rouge émincé
- 1 c. à s. de coriandre fraîche hachée
- 1 piment jalapeño épépiné et émincé
- 2 c. à s. de jus de limette
- 1 c. à s. de jus de citron
- Sel et poivre, au goût

Instructions:

1. Mélanger en fouettant l'huile d'olive extra vierge, une c. à soupe de jus de citron, le persil, l'ail, le basilic, une c. à thé de poivre et 1/2 c. à thé de sel dans un bol. Verser la préparation dans un sac en plastique refermable.

2. Ajouter les filets de tilapia, couvrir de marinade, presser l'air hors du sac et sceller. Laisser mariner au réfrigérateur pendant une heure.

3. Préparer la salsa de mangue en mélangeant la mangue, le poivron rouge, l'oignon rouge, la coriandre et le piment jalapeño dans un bol. Ajouter le jus de limette et une c. à soupe de jus de citron et bien remuer.

4. Assaisonner au goût de sel et de poivre et réfrigérer jusqu'au moment de servir.

5. Préchauffer le gril à feu moyen-élevé, et huiler légèrement la grille.

6. Retirer le tilapia de la marinade et secouer pour enlever l'excès. Jeter le reste de la marinade.

7. Griller les filets, jusqu'à ce que le poisson soit opaque au centre et qu'il se défasse facilement à la fourchette, de 3 à 4 minutes par côté, selon l'épaisseur des filets. Servir le tilapia nappé de salsa à la mangue.

Truite enrobée de bacon

Instructions:

1. Placer une gousse d'ail, une tige de sauge et une tige de thym à l'intérieur de chaque poisson. Bien assaisonner de sel et de poivre.

2. Disposer 2 tranchés de bacon de façon à ce qu'elles se chevauchent, sur une planche à découper. Placer le poisson sur le dessus et rouler le bacon autour du poisson, en le fixant à l'aide d'une ficelle. Répéter l'opération avec les autres truites.

3. Préchauffer le gril à feu vif et bien huiler la grille. Griller le poisson de 4 à 6 minutes par côté, ou jusqu'à ce que le bacon soit croustillant et le poisson bien cuit.

4. Couper la ficelle et servir.

ASTUCE
Pour griller le poisson plus facilement et l'empêcher de coller, placez-le dans un panier à poisson bien huilé et fixé solidement.

Portions: 4
Préparation: 10 min
Cuisson: 12 min

Ingrédients:
- 4 truites entières, de 375 à 430 g chacune, nettoyées
- 8 tranches de bacon
- 4 gousses d'ail broyées
- 4 tiges de sauge
- 4 tiges de thym
- Sel et poivre fraîchement moulu
- Ficelle

Truite grillée

Portions : 2 à 4
Préparation : 15 min
Marinade : 1 h
Cuisson : 14 min

Ingrédients :

- 4 truites entières (250 g chacune, avec la tête et la queue)
- 1/4 de T de jus de citron fraîchement pressé
- 1/4 de T de vin blanc sec
- 2 c. à s. d'huile d'olive extra vierge
- 16 feuilles de thym frais
- 2 échalotes finement tranchées
- 2 citrons coupés en rondelles de 5 mm
- Gros sel et poivre fraîchement moulu
- Aérosol de cuisson

Instructions :

1. Mélanger en fouettant le jus, le vin et l'huile dans un plat peu profond. Placer la moitié du thym, des échalotes et des tranches de citron à l'intérieur du poisson. Disposer les truites en une seule couche dans le plat et retourner pour bien couvrir. Disperser le thym, les échalotes et les tranches de citron qui restent sur le poisson. Couvrir; laisser reposer pendant une heure, en retournant de temps à autre.

2. Préchauffer le gril à feu moyen-élevé. Retirer le poisson de la marinade. Assaisonner de sel et de poivre. Enduire d'huile de cuisson en aérosol un panier à gril assez grand pour contenir 4 poissons.

3. Disposer le poisson dans le panier à gril.

4. Griller jusqu'à ce que le poisson soit bien cuit et ferme au toucher, de 5 à 7 minutes par côté.

Vivaneau rouge en papillote, vinaigrette à la coriandre et à la limette

Instructions :

1. Pour préparer le vivaneau rouge : préchauffer le four à to 400 °F. Placer le poisson sur un côté d'une feuille de papier parchemin de 30 x 40 cm.

2. Assaisonner la cavité de sel et de poivre et disposer la limette et la moitié de l'ail. Assaisonner l'extérieur du poisson de sel et de poivre.

3. Saupoudrer l'ail qui reste sur le poisson et arroser d'huile et de jus de limette.

4. Replier le parchemin sur le poisson et sceller en repliant plusieurs fois les rebords. Transférer sur une plaque à biscuits et rôtir jusqu'à ce les papillotes gonflent et deviennent légèrement dorés, environ 20 minutes.

5. Ouvrir prudemment le papillote de poisson. Le poisson devrait être opaque dans le centre. S'il n'est pas assez cuit, sceller le parchemin de nouveau et poursuivre la cuisson.

6. Pour préparer la vinaigrette : réduire en purée tous les ingrédients dans un mélangeur jusqu'à obtention d'une substance lisse.

7. Transférer le poisson sur une planche à découper et jeter le papier parchemin.

8. Désarêter si désiré et garnir de coriandre. Servir immédiatement, accompagné de la vianigrette à part.

Portions : 2
Préparation : 20 min
Cuisson : 20 min

Ingrédients :

VIVANEAU ROUGE :

- 1 vivaneau rouge entier (1 kg) (ou du bar ou de l'achigan noir), écaillé et nettoyé
- Gros sel et poivre fraîchement moulu
- 1/2 limette, coupée en fines rondelles
- 2 gousses d'ail, tranchées finement
- 1 c. à s. d'huile d'olive extra vierge
- 1 c. à s. de jus de limette frais

VINAIGRETTE

- 1/2 T d'huile d'olive extra vierge
- 1/4 de T de jus de limette frais (environ 3 limettes)
- 1/2 T de coriandre fraîche hachée, plus pour la garniture
- 3 gousses d'ail émincées
- 1 c. à t. de zeste de limette finement râpé
- 1/2 c. à t. de piment jalapeño
- 1/2 c. à t. de gros sel

Vivaneau rouge à relish au gingembre et à l'oignon vert

Instructions :

1. Préchauffer le four à 225 °F.

2. Entailler le côté de la peau des filets à trois reprises ; assaisonner de sel et de poivre et arroser d'huile d'olive.

3. Placer le poisson, le côté de la peau vers le bas, dans une poêle allant au four, à feu moyen-élevé. Ajouter quelques gouttes d'eau dans la poêle et transférer au four. Cuire, jusqu'à ce que le poisson soit à point, de 8 à 10 minutes.

4. Dans un petit bol allant au four, combiner le gingembre, l'oignon vert, la citronnelle, le piment de Cayenne et 1/4 de c. à thé de gros sel.

5. Dans une petite casserole, réchauffer l'huile de pépins de raisins, jusqu'à ce qu'elle fume ; verser immédiatement le mélange de gingembre.

6. Ajouter l'estragon, le miso, le zeste d'orange, le rau rom, l'huile de sésame et la sauce nam pla ; remuer jusqu'à ce que les ingrédients soient bien mélangés.

7. Dans une casserole, faire chauffer les champignons à feu moyen et assaisonner de sel, de poivre et d'huile d'olive. Ajouter quelques gouttes d'eau et chauffer à feu moyen.

8. Cuire, en remuant de temps à autre, jusqu'à ce que les champignons soient tendres et juteux.

9. Placer les champignons dans le centre de deux assiettes et surmonter du poisson, le côté de la peau vers le haut.

10. Napper de relish au gingembre et à l'oignon vert et garnir de tiges de cerfeuil et de limette ; servir immédiatement.

Portions : 2
Préparation : 40 min
Cuisson : 20 min

Ingrédients :
- 2 filets de vivaneau rouge (170 g) avec la peau
- Huile d'olive extra vierge
- 2 c. à s. de jeune gingembre émincé et pelé
- 1 c. à s. d'oignon vert finement tranché
- 1/2 c. à t. de citronnelle émincée, la section de l'intérieur
- 1/2 c. à t. de piment de Cayenne vert émincé
- 1 c. à s. d'huile de pépins de raisin
- 1 1/2 c. à t. d'estragon frais haché
- 1 c. à t. de miso blanc
- 1/2 c. à t. de zeste d'orange finement râpé
- 1/2 c. à t. de rau ram (menthe vietnamienne) ou de coriandre
- 1/4 de c. à t. d'huile sésame rôtie
- 1/4 de c. à t. de sauce de poisson (nam pla)
- 1/2 T de champignons shiitake équeutés
- 1/2 T de pleurotes équeutés
- Gros sel et fleur de sel
- Poivre blanc fraîchement moulu
- Tiges de cerfeuil, pour garnir
- Quartiers de limette, pour garnir

Tilapia au citron et à l'ail

Portions : 4
Préparation : 10 min
Cuisson : 30 min

Ingrédients :
- 4 filets de tilapia
- 3 c. à s. de jus de citron frais
- 1 c. à s. de beurre fondu
- 1 gousse d'ail finement haché
- 1 c. à t. de flocons de persil déshydraté
- Poivre, au goût

Instructions :

1. Préchauffer le four à 375 °F. Enduire un plat d'huile de cuisson en aérosol.

2. Rincer les filets de tilapia sous l'eau fraîche et assécher en tapotant avec des essuie-tout.

3. Placer les filets dans un plat de cuisson. Verser le jus de citron sur les filets et napper de beurre. Saupoudrer d'ail, de persil et de poivre.

4. Cuire au four jusqu'à ce que le poisson soit blanc et qu'il se défasse à la fourchette, environ 30 minutes.

Vivaneau à la méditerranéenne

Portions : 8
Préparation : 20 min
Marinade : 1 h
Cuisson : 20 min

Ingrédients :
- 4 petits vivaneaux, d'environ 500 g chacun ou 2 vivaneaux de 1 kg
- 1/2 T d'huile d'olive
- 1 c. à s. d'ail haché
- Tiges d'origan frais, avec les feuilles

VINAIGRETTE
- 2 c. à s. d'origan frais haché
- 1 c. à t. d'ail haché
- 2 c. à s. de piment rouge rôti haché
- 3 c. à s. de vinaigre balsamique
- 1/2 c. à t. de zeste de citron râpé
- 1/2 T d'huile d'olive
- Sel et poivre fraîchement moulu

Instructions :

1. Rincer le poisson. Mélanger en fouettant l'huile et l'ail. Badigeonner le poisson, à l'extérieur, comme à l'intérieur. Remplir la cavité de tiges d'origan frais. Laisser mariner pendant une heure.

2. Pendant ce temps, dans un robot culinaire ou à la main, mélanger l'origan, l'ail, le piment rouge, le vinaigre balsamique et le zeste de citron. Incorporer lentement l'huile en fouettant et assaisonner au goût de sel et de poivre. Réserver.

3. Préchauffer le gril ou le grilloir à feu moyen-élevé. Badigeonner la grille d'huile avant de placer le poisson. Griller environ 7 minutes par côté pour les plus petits poissons ou 10 minutes pour les plus gros, en les retournant une fois et cuire jusqu'à ce que la chair soit blanche et humide et qu'elle se détache des arêtes.

4. Placer sur une assiette de service et désarêter si les poissons sont gros. Sinon, servir un poisson entier par personne. Placer sur des assiettes individuelles et arroser de vinaigrette.

Pâtes & riz

Fettuccini crémeux aux deux fromages

Instructions :

1. Faire bouillir les pâtes dans un grand chaudron d'eau salée jusqu'à ce qu'elles soient *al dente*. Retirer 1 tasse d'eau de cuisson des pâtes et réserver. Égoutter les pâtes et réserver.

2. Faire fondre le beurre dans la même casserole à feu moyen. Ajouter la crème légère et les fromages et laisser mijoter en remuant pour bien mélanger. Ajouter les pâtes et remuer pour bien mélanger les ingrédients. Ajouter l'eau de cuisson des pâtes, au besoin, pour allonger la sauce. Saupoudrer de persil et servir.

Portions : 4
Préparation : 10 min
Cuisson : 15 min

Ingrédients :
- **350 g de fettuccini**
- **2 c. à s. de beurre**
- **1 T de crème légère**
- **1/2 T de fromage pecorino romano râpé**
- **1/2 T de fromage parmesan râpé**
- **1/4 de T de persil frais haché**
- **Gros sel**

Pâtes Alfredo au poulet épicé

Portions: 4
Préparation: 15 min
Cuisson: 1 h 05

Ingrédients:
- 1 poitrine de poulet désossée, sans peau et coupée en cubes
- 3 c. à s. d'huile d'olive
- 5 gousses d'ail broyées
- 1/8 de T d'eau
- 1/2 T de beurre
- 3 c. à s. de safran
- 1 paquet de fromage à la crème
- 1 1/2 T de crème
- 1/2 T de fromage parmesan fraîchement râpé
- 1/2 c. à t. de sel
- 1/4 de c. à t. de poivre de Cayenne
- 1/2 c. à t. de poivre blanc moulu
- Lait (quelques gouttes)
- Pâtes de votre choix

Instructions:

1. Faire chauffer l'huile d'olive dans une grande poêle à feu moyen. Déposer les morceaux de poulet dans l'huile. Faire chauffer en retournant le poulet jusqu'à ce que les 2 côtés soient dorés. Incorporer le poivre de Cayenne, le poivre blanc et l'ail en remuant. Verser l'eau et faire cuire jusqu'à ce que le poulet soit cuit et que l'eau se soit évaporée (30 minutes).

2. Ajouter le beurre et le safran et faire cuire pendant 10 minutes. Ajouter le fromage à la crème et remuer jusqu'à ce qu'il soit fondu et que le mélange soit lisse. Incorporer graduellement la crème en fouettant pour défaire les grumeaux. Incorporer le fromage parmesan et faire cuire jusqu'à ce que la sauce ait la consistance désirée. Si la sauce devient trop épaisse, verser quelques gouttes de lait.

3. Servir la sauce sur les pâtes de votre choix.

Pâtes à la crème de citron et au poulet

Portions: 4
Préparation: 1 h
Cuisson: 10 min

Ingrédients:
- 3 moitiés de poitrines de poulet désossées et sans peau
- 1 citron coupé en quartiers
- 2 c. à t. de poudre d'ail
- 2 boîtes de bouillon de poulet
- 1/4 de T de jus de citron frais
- 1 paquet de pâtes rotelle
- 1 T de crème riche en matières grasses
- 1 c. à t. de zeste de citron râpé
- 1 c. à t. de poivre noir moulu

Instructions:

1. Préchauffer le four à 350 °F. Déposer le poulet dans un plat allant au four légèrement graissé. Insérer des quartiers de citron des 2 côtés des poitrines de poulet et assaisonner les 2 côtés des poitrines avec 1 1/2 c. à thé de poudre d'ail et 3/4 de c. à thé de poivre. Faire cuire au four jusqu'à ce que le jus de cuisson soit transparent et que l'intérieur du poulet ne soit plus rose (40 minutes).

2. Pendant ce temps, verser le bouillon de poulet dans une grande casserole et assaisonner avec le reste de la poudre d'ail et du poivre. Porter à ébullition puis ajouter le jus de citron et les pâtes. Faire cuire à feu moyen en remuant de temps à autre jusqu'à ce que tout le liquide soit absorbé (25 minutes).

3. Couper le poulet en petits morceaux avant de les incorporer dans les pâtes cuites avec la crème et le zeste de citron. Faire cuire en remuant pendant 5 minutes puis retirer du feu et laisser reposer 5 minutes. Bien remuer le tout avant de servir.

Pâtes fraîches version raccourcie

Portions: 500 g
Préparation: 45 min

Ingrédients:
- 3 1/2 T de farine (tout usage) non blanchie (et plus, au besoin)
- 4 gros œufs

Instructions:

1. Déposer la farine dans un bol. Creuser un trou au centre et verser les œufs. Fouetter les œufs à l'aide d'une fourchette et incorporer graduellement de la farine dans le trou en commençant par la bordure intérieure. La pâte devrait commencer à s'assembler lorsque la moitié de la farine est incorporée.

2. Commencer à pétrir la pâte avec la paume des mains. Ajouter de la farine, au besoin, si la pâte est trop collante. Retirer la pâte de la planche en bois lorsqu'elle devient homogène et jeter les petits morceaux secs qui ne se sont pas incorporés à la pâte. Fariner légèrement la planche à découper et continuer de pétrir la pâte pendant encore 3 minutes. La pâte devrait alors être élastique et un peu collante. Continuer de pétrir pendant 3 minutes en tapissant la planche de farine, au besoin. Envelopper la pâte dans une pellicule de plastique et mettre de côté pendant 20 minutes à la température de la pièce.

3. Étaler et couper des formes, si désiré.

Pâtes fraîches version classique

Portions : 500 g
Préparation : 45 min

Ingrédients :
• **2 1/4 T de farine (tout usage)
  non blanchie (et plus au besoin)**
• **3 gros œufs légèrement battus**
• **Semoule de blé dur**

Instructions :

1. Déposer la farine en tas sur une surface de travail. Creuser un trou au centre assez grand pour contenir les œufs battus et verser les œufs. Incorporer graduellement de la farine dans le trou à l'aide d'une fourchette. Lorsque les œufs ne sont plus coulants, défaire le mur. Continuer de mélanger la farine et les œufs jusqu'à ce que la pâte ne soit plus humide.

2. Commencer à pétrir la pâte à la main en ajoutant de la farine, au besoin, jusqu'à ce qu'elle ne soit plus collante (3 à 5 minutes). Faire passer le reste de la farine dans un tamis pour extraire les grumeaux et mettre de côté.

3. Saupoudrer des plaques à biscuits avec de la semoule de blé dur. Diviser la pâte en 2 et laisser une moitié sur la surface de travail avant de la recouvrir d'un linge à vaisselle pour éviter qu'elle sèche. Déposer la machine à pâtes alimentaires sur une surface de travail légèrement farinée (avec la farine mise de côté). Aplatir l'autre moitié de pâte à l'aide d'un rouleau à pâte pour former un rectangle assez mince pour passer entre les rouleaux de la machine écartés au maximum. Passer une première fois la pâte entre les rouleaux puis déposer la pâte sur la surface de travail avant de la saupoudrer légèrement de farine. Plier la pâte en 3 dans le sens de la longueur pour obtenir un rectangle et saupoudrer chaque côté avec de la farine. Aplatir encore avec le rouleau à pâte pour la faire passer une deuxième fois entre les rouleaux de la machine. Faire passer 8 autres fois la pâte entre les rouleaux écartés au maximum. Il est important de saupoudrer la pâte de farine, de la replier et de l'aplatir tel que décrit, entre chaque passage. Après 10 passages entre les rouleaux écartés au maximum, la pâte devrait être complètement lisse et souple.

4. Pour amincir la pâte, faire passer la pâte à plusieurs reprises entre les rouleaux en les resserrant un peu plus chaque fois. Lorsque la bande de pâte devient moins maniable, couper en 2 et continuer de faire passer chaque moitié à la fois entre les rouleaux jusqu'à l'obtention de l'épaisseur désirée.

5. Déposer les bandes de pâte sur les plaques à biscuits et couvrir d'un linge à vaisselle pour éviter qu'elles sèchent. Répéter l'opération avec l'autre moitié de la pâte. Découper les pâtes à la main ou à la machine pour obtenir les formes désirées.

Cheveux d'ange au poulet

Portions : 6
Préparation : 30 min
Cuisson : 1 h

Ingrédients :

- 6 poitrines de poulet désossées
- 1/4 de T de beurre
- 1 sachet de préparation sèche
  pour sauce à salade italienne
- 1/2 T de vin blanc
- 1 boîte de condensé de crème
  de champignons
- 125 g de fromage à la crème
- 500 g de cheveux d'ange

Instructions :

1. Préchauffer le four à 325 °F.

2. Faire fondre le beurre à feu doux dans une grande casserole. Verser le sachet de préparation sèche pour sauce à salade puis incorporer le vin blanc et la boîte de crème de champignons. Ajouter le fromage à la crème et remuer jusqu'à ce que le mélange soit bien lisse. Faire chauffer sans faire bouillir. Déposer les poitrines de poulet sur une seule couche sur une plaque à biscuits de 23 x 33 cm. Verser la sauce sur le poulet. Laisser cuire au four pendant 60 minutes.

3. Faire bouillir l'eau légèrement salée du gros chaudron 20 minutes avant la fin de la cuisson du poulet et laisser cuire les pâtes jusqu'à ce qu'elles soient *al dente* (5 minutes). Égoutter. Servir le poulet et la sauce sur les pâtes.

Cheveux d'ange aux crevettes à l'ail et au brocoli

Instructions :

1. Porter un grand chaudron d'eau légèrement salée à ébullition. Ajouter les pâtes et faire cuire jusqu'à ce qu'elles soient *al dente* (de 8 à 10 minutes). Égoutter.

2. Faire fondre 1 1/2 c. à soupe de beurre dans une casserole à feu moyen. Incorporer la farine et faire cuire pendant 2 minutes. Ajouter lentement le lait et la crème et laisser mijoter en remuant constamment jusqu'à ce que la sauce épaississe. Incorporer le pesto, le persil, l'ail, le fromage parmesan, 1 c. à thé de sel, le poivre blanc, quelques gouttes de sauce Worcestershire et de sauce piquante. Réduire à feu doux et laisser mijoter.

3. Pendant ce temps, déposer les bouquets de brocoli dans une marguerite, couvrir et faire cuire jusqu'à ce qu'ils soient tendres, mais encore fermes (2 à 6 minutes). Égoutter.

4. Faire fondre 1 c. à soupe de beurre dans une grande poêle à frire. Faire sauter les crevettes, l'ail et 1 c. à thé de sel jusqu'à ce que les crevettes soient tendres (5 minutes).

5. Mélanger les pâtes, les crevettes et le brocoli dans un grand bol, napper de sauce et servir.

Portions : 6
Préparation : 30 min
Cuisson : 30 min

Ingrédients :

- 500 g de crevettes géantes
  épluchées et déveinées
- 1 paquet de cheveux d'ange
- 2 1/2 c. à s. de beurre
- 1 1/2 c. à s. de farine (tout usage)
- 1 1/2 T de lait
- 1/2 T de crème riche
  en matières grasses
- 1 1/2 c. à s. de pesto
- 1 1/2 c. à s. de persil frais haché
- 3 gousses d'ail finement hachées
- 2 c. à s. de parmesan râpé
- Sauce Worcestershire
  (quelques gouttes)
- Sauce piquante
  (quelques gouttes)
- 1 bouquet de brocoli
- 3 gousses d'ail finement hachées
- 2 c. à t. de sel
- 1/2 c. à t. de poivre blanc moulu

Penne aux saucisses fumées

Instructions:

1. Préchauffer le four à 375 °F.

2. Couper les saucisses en tranches de 5 mm et faire dorer dans une poêle à frire. Égoutter.

3. Mélanger la crème de céleri et le lait dans une grande casserole. Ajouter les pâtes, les saucisses, 1/2 tasse de fromage, 1/2 tasse d'oignons frits et les petits pois.

4. Couvrir de papier aluminium et laisser cuire au four pendant 45 minutes.

5. Enlever le papier aluminium et saupoudrer le plat avec le reste du fromage et des oignons. Faire cuire jusqu'à ce que le tout soit doré (3 minutes). Laisser reposer 5 minutes avant de servir.

Portions: 6
Préparation: 20 min
Cuisson: 50 min

Ingrédients:
- 1 paquet de saucisses fumées
- 1 T de mozzarella
- 1 boîte de crème de céleri
- 1 1/2 T d'oignons frits déshydratés au cheddar
- 2 1/2 T de lait
- 1 T de petits pois congelés
- 2 1/2 T de penne

Pâtes aux fruits de mer à la cajun

Portions: 6
Préparation: 10 min
Cuisson: 20 min

Ingrédients:
- 250 g de crevettes épluchées et déveinées
- 250 g de pétoncles
- 2 T de crème à fouetter riche en matières grasses
- 1 c. à s. de basilic frais haché
- 1 c. à s. de thym frais haché
- 2 c. à t. de sel
- 2 c. à t. de poivre noir moulu
- 1 1/2 c. à t. de poivre de Cayenne moulu
- 1 c. à t. de poivre blanc moulu
- 1 T d'oignon vert haché
- 1 T de persil frais haché
- 1/2 T de fromage suisse râpé
- 1/2 T de fromage parmesan râpé
- 500 g de fettuccini

Instructions:

1. Faire cuire les pâtes dans un grand chaudron d'eau bouillante salée jusqu'à ce qu'elles soient al dente.

2. Pendant ce temps, verser la crème dans une grande poêle à frire. Couvrir et faire chauffer à feu moyen en remuant constamment jusqu'à ce qu'elle atteigne presque le point d'ébullition. Réduire le feu puis ajouter les herbes, le sel, les poivres, l'oignon vert et le persil. Laisser mijoter jusqu'à ce que la sauce épaississe (7 à 8 minutes).

3. Incorporer les fruits de mer et faire cuire jusqu'à ce que les crevettes ne soient plus transparentes. Incorporer les fromages en remuant bien.

4. Égoutter les pâtes et servir en nappant de sauce.

Macaroni au fromage

Instructions:

1. Préchauffer le four à 350 °F. Porter à ébullition un grand chaudron d'eau légèrement salée. Ajouter les pâtes et faire cuire jusqu'à ce qu'elles soient *al dente* (8 à 10 minutes). Égoutter.

2. Graisser un grand plat allant au four avec du beurre. Déposer 1/4 des macaronis au fond, suivi de 1/4 du fromage tranché. Étendre un peu de beurre et assaisonner de sel et de poivre. Étaler 3 fois les mêmes couches et verser uniformément le lait concentré sur le dessus.

3. Faire cuire sans couvercle jusqu'à ce que la surface soit dorée (1 heure).

Portions: 6
Préparation: 10 min
Cuisson: 1 h

Ingrédients:
- 500 g de macaroni
- 500 g de fromage cheddar tranché
- 1 c. à s. de beurre
- 1 boîte de lait concentré (ou de lait entier)
- Sel et poivre, au goût

Cannelloni aux épinards et aux noix de pin

Portions : 5
Préparation : 25 min
Cuisson : 50 min

Ingrédients :
- 250 g d'épinards équeutés
- 2 T de fromage ricotta
- 1 œuf
- 3/4 de c. à t. de sel
- 1/4 de c. à t. de poivre noir fraîchement moulu
- 3 c. à t. de noix de pin rôties et hachées
- 1 pot de sauce tomate et pecorino romano
- 250 g de pâtes fraîches aux œufs coupées en 10 morceaux de 10 x 15 cm
- 1/3 de T de parmesan

Instructions :

1. Rincer les épinards et déposer les feuilles encore humides dans une poêle à frire à feu moyen-fort. Faire cuire en remuant de temps à autre jusqu'à ce qu'ils soient flétris (1 minute). Transférer les épinards dans une passoire et presser avec une cuiller en bois pour extraire le jus. Hacher finement les feuilles.

2. Battre la ricotta, l'œuf, le sel, le poivre, les noix de pin et les épinards dans un bol à l'aide d'une cuillère en bois jusqu'à ce que le tout soit bien mélangé. Réfrigérer jusqu'à utilisation.

3. Préchauffer le four à 400 °F. Étaler 1/4 de tasse de sauce au fond d'une plaque à biscuits de 23 x 33 cm.

4. Étendre une feuille de pâte sur une surface de travail en posant le côté le plus long vers vous puis verser 1/4 de garniture au centre. Rouler la pâte autour de la garniture en commençant par le côté le plus près de vous. Répéter l'opération avec le reste des feuilles de pâte et de la garniture. Déposer les cannelloni à la verticale au centre de la plaque puis verser 1 tasse de sauce au centre des cannelloni et saupoudrer de fromage.

5. Recouvrir de papier aluminium et faire cuire pendant 20 minutes. Enlever le papier et continuer de faire cuire jusqu'à ce que la surface soit dorée (20 minutes). Laisser reposer pendant 5 minutes avant de servir.

6. Pendant ce temps, faire chauffer le reste de la sauce dans une petite casserole à feu moyen. Transférer la sauce dans un petit bol et déposer sur la table.

Lasagne à la viande

Instructions :

1. Faire cuire la saucisse, le bœuf haché, l'oignon et l'ail à feu moyen dans un faitout jusqu'à ce que le tout soit bien doré. Incorporer les tomates, la pâte de tomates, la sauce tomate et l'eau. Assaisonner de sucre, de basilic, de graines de fenouil, d'assaisonnement à l'italienne, de 1 c. à thé de sel, de poivre et de 2 c. à soupe de persil. Laisser mijoter pendant environ 1 heure 30 en remuant de temps à autre.

2. Porter à ébullition un grand chaudron d'eau légèrement salée. Faire cuire les pâtes dans l'eau bouillante pendant 8 à 10 minutes. Égoutter les pâtes et rincer à l'eau froide. Mélanger la ricotta, l'œuf, le reste du persil et 1/2 c. à thé de sel dans un bol.

3. Préchauffer le four à 375 °F.

4. Pour assembler la lasagne, étaler 1 1/2 tasse de sauce à la viande au fond d'un plat allant au four de 23 x 33 cm. Étaler 6 feuilles de lasagne dans le sens de la longueur sur la viande puis étaler la moitié du mélange de ricotta. Couvrir avec le 1/3 du fromage mozzarella et saupoudrer avec 1/4 de tasse de fromage parmesan. Étaler une nouvelle couche de sauce, de pâtes, de ricotta, de mozzarella et de parmesan et couvrir avec le reste du fromage mozzarella et du parmesan. Couvrir le plat avec du papier aluminium en s'assurant que le papier ne touche pas au fromage (sinon, vaporiser le papier aluminium avec l'aérosol de cuisson).

5. Faire cuire au four pendant 25 minutes. Enlever le papier aluminium et faire cuire pendant encore 25 minutes puis laisser refroidir 15 minutes avant de servir.

Portions : 8 à 12
Préparation : 30 min
Cuisson : 2 h 30

Ingrédients :
- 500 g de saucisse italienne douce
- 375 g de bœuf haché maigre
- 1/2 T d'oignon finement haché
- 2 gousses d'ail broyées
- 800 g de tomates broyées
- 200 g de pâte de tomates
- 200 g de sauce tomate
- 1/2 T d'eau
- 2 c. à s. de sucre
- 1 1/2 c. à t. de basilic séché
- 1/2 c. à t. de graines de fenouil
- 1 c. à t. d'assaisonnement à l'italienne
- 1/4 de c. à t. de poivre noir fraîchement moulu
- 4 c. à s. de persil frais haché
- 12 feuilles de lasagne
- 450 g de ricotta
- 1 œuf
- 375 g de mozzarella tranchée
- 3/4 de T de parmesan râpé
- 1 1/2 c. à s. de sel

Nouilles à la sauce aux arachides et à la lime

Portions : 3
Préparation : 20 min
Cuisson : 15 min

Ingrédients :
- 350 g de linguine aux épinards
  (ou de spaghettis de blé entier)
- 2 T de bouquets de brocoli
- 2 T de pois mange-tout
- 2 T de petits pois sucrés
- 1/2 T de beurre d'arachide crémeux naturel
- 1/4 de T de sauce soja faible en sodium
- 1/4 de T d'eau
- 2 c. à s. de vinaigre de riz
- 2 c. à s. de jus de lime frais
- 1 oignon vert coupé en morceaux
- 2 cm de gingembre frais finement râpé
- 2 c. à s. de cassonade
- 1/4 de c. à t. de poivre de Cayenne
- 1/2 T d'arachides écalées non salées

Instructions :

1. Faire cuire les pâtes dans un gros chaudron d'eau bouillante en suivant les indications inscrites sur le paquet. Égoutter et rincer à l'eau froide. Pendant que les pâtes cuisent, déposer le brocoli dans une marguerite et faire cuire à la vapeur pendant 3 minutes. Ajouter les pois mange-tout et les petits pois sucrés et laisser cuire à la vapeur pendant encore 2 minutes.

2. Faire rôtir les arachides dans une poêle à frire sèche à feu moyen jusqu'à ce qu'elles dégagent une forte odeur (3 minutes). Mettre de côté et laisser refroidir.

3. Faire la sauce en réduisant le beurre d'arachide, la sauce soja, l'eau, le vinaigre, le jus de lime, l'oignon vert, le gingembre, le sucre et le poivre de Cayenne en purée dans un robot culinaire ou un mélangeur jusqu'à l'obtention d'une texture lisse.

4. Mélanger les pâtes avec 3/4 de tasse de sauce aux arachides avant de servir. Répartir les pâtes dans 6 bols et couvrir chaque bol de légumes. Verser le reste de la sauce sur les légumes.

5. Hacher grossièrement les arachides et saupoudrer chaque bol avant de servir.

Agnolotti farcis au fromage bleu

Portions : 4
Préparation : 20 min
Cuisson : 20 min

Ingrédients :
• 2 c. à s. de beurre non salé
• 3 poires pelées et coupées en dés
• 1 T de fromage bleu
• 1 T de fromage mascarpone
• 2 c. à s. de zeste de citron râpé
• 1 c. à s. de persil frais râpé
• 1/2 c. à t. de romarin frais haché
• 1/2 c. à t. de thym frais haché
• 3 grandes feuilles de pâte fraîche
• Sel et poivre finement moulu
• Bouillon de poulet (facultatif)

GARNITURES
• 1/4 de T de ciboulette hachée
• 1/2 T de pesto
• Parmesan râpé

Instructions :

1. Faire chauffer le beurre dans une poêle à frire à feu moyen. Ajouter les poires et laisser cuire jusqu'à ce qu'elles soient tendres et légèrement dorées (10 minutes). Mettre de côté pour laisser refroidir.

2. Déposer le fromage bleu, le mascarpone, le zeste de citron, le persil, le romarin et le thym dans un bol. Assaisonner de sel et de poivre. Battre doucement pour bien incorporer les ingrédients et ajouter délicatement les poires.

3. Couper les feuilles de pâte en galettes de 10 cm et couvrir d'un linge humide pour éviter qu'elles sèchent.

4. En travaillant avec 5 galettes à la fois, déposer environ 1 c. à soupe de garniture de fromage sur chaque galette. Mouiller la bordure des pâtes et plier chaque galette en 2 pour former des demi-lunes. Pincer les bordures ensemble pour bien refermer.

5. Relever les 2 coins de la pâte et former une petite bordure en pressant à nouveau pour former les agnolotti. Répéter l'opération avec le reste des feuilles de pâte. Vous obtiendrez environ 30 agnolotti.

6. Faire bouillir un grand chaudron d'eau ou de bouillon de poulet. Plonger les agnolotti et faire bouillir jusqu'à ce que les pâtes flottent à la surface (environ 3 minutes). Égoutter et déposer sur des assiettes.

7. Saupoudrer de ciboulette, de parmesan et garnir de pesto.

Raviolis de bacalao

Instructions:

1. Faire tremper le bacalao dans l'eau pendant 2 jours au réfrigérateur en changeant l'eau de temps à autre. Égoutter et couper en morceaux de 5 cm.

2. Déposer la farine dans un bol. Creuser un trou au centre et verser les œufs. Fouetter les œufs à l'aide d'une fourchette et incorporer graduellement de la farine dans le trou en commençant par la bordure intérieure. La pâte devrait commencer à s'assembler lorsque la moitié de la farine est incorporée.

3. Commencer à pétrir la pâte avec la paume des mains. Lorsqu'elle devient homogène, jeter les petits morceaux secs qui ne se sont pas incorporés à la pâte. Fariner légèrement la planche à découper et continuer de pétrir la pâte pendant encore 6 minutes. La pâte devrait alors être élastique et légèrement collante. Envelopper la pâte dans une pellicule de plastique et mettre de côté pendant 30 minutes à la température de la pièce.

4. Déposer le bacalao dans un robot culinaire et broyer jusqu'à ce qu'il soit défait en petits morceaux, mais sans qu'il soit lisse. Transférer le poisson dans un grand bol puis ajouter la purée de pommes de terre, 3/4 de tasse d'huile d'olive, le romarin et la ciboulette. Bien remuer pour mélanger le tout. Assaisonner de sel et de poivre et mettre de côté.

5. Faire passer la pâte entre les rouleaux de la machine à pâte les plus serrés et déposer la pâte sur une planche à découper légèrement farinée. Si vous utilisez un rouleau à pâte, étaler 5 mm de la garniture de poisson sur toute la surface de la pâte et déposer une autre couche de pâte par-dessus avant de presser légèrement le tout avec les mains. Fariner légèrement le rouleau puis presser les deux feuilles de pâte ensemble à l'aide du rouleau de façon à former un ravioli. Sceller les bordures de la pâte avec le dos de la lame d'un couteau. Couper les raviolis et transférer sur une plaque à biscuits légèrement farinée.

6. Si vous n'avez pas de rouleau à pâte, couper une feuille de pâte en rectangles de 2,5 x 5 cm et déposer 1 c. à thé de garniture de poisson au centre de chaque rectangle puis rabattre la pâte de façon à former un carré de 2,5 cm en appuyant bien sur les bordures pour refermer les raviolis. Répéter l'opération avec le reste de la pâte et le reste de la farce de poisson.

7. Porter à ébullition un gros chaudron d'eau avec 3 c. à soupe de sel. Déposer les raviolis dans l'eau et faire cuire jusqu'à ce qu'ils soient tendres (6 à 7 minutes). Pendant ce temps, mélanger la sauce tomate, le thym, le piment de Cayenne et la menthe dans une grande poêle à frire. Ajouter le reste de l'huile et faire chauffer à feu moyen. Égoutter les raviolis et réserver 1 tasse d'eau salée. Déposer les raviolis dans la poêle à frire et remuer pour bien enrober les pâtes de sauce. Ajuster la consistance de la sauce en ajoutant de l'eau salée, au besoin, et servir immédiatement.

Portions: 8
Préparation: 1 h 30
Réfrigération: 2 jours
Cuisson: 15 min

Ingrédients:
- 500 g de morue séchée (bacalao)
- 3 T de farine (tout usage) et plus pour saupoudrer
- 4 œufs extra gros
- 1 T d'huile d'olive extra vierge
- 1 grosse pomme de terre bouillie, pelée et réduite en purée
- 1 1/2 c. à t. de romarin
- 2 c. à s. de ciboulette fraîche
- 1 T de sauce tomate
- 5 c. à s. de thym frais haché
- 1 c. à t. de piment de Cayenne moulu
- 1/2 bouquet de feuilles de menthe fraîches grossièrement hachées
- Sel et poivre fraîchement moulu
- Semoule de blé dur pour saupoudrer

Salade de pâtes au thon

Portions: 4
Préparation: 10 min
Cuisson: 10 min

Ingrédients:
- 200 g de cheveux d'ange
- 1 1/2 c. à s. de jus de citron frais
- 3/4 de c. à t. de moutarde de Dijon
- 1 c. à s. de mayonnaise
- 6 c. à s. d'huile d'olive
- 1 boîte de thon blanc entier dans l'eau
- 2 c. à t. de câpres
- Sel et poivre, au goût

Instructions:

1. Porter à ébullition un grand chaudron d'eau salée. Ajouter les pâtes et faire cuire dans l'eau bouillante jusqu'à ce qu'elles soient al dente (8 à 10 minutes). Égoutter et mettre de côté.

2. Fouetter ensemble le jus de citron, la moutarde de Dijon et la mayonnaise dans un grand bol. Assaisonner de sel et de poivre puis verser l'huile d'olive et fouetter le tout. Ajouter le thon en le séparant en gros morceaux. Ajouter les câpres et remuer pour bien mélanger. Verser les pâtes dans le bol avec le thon et remuer soigneusement le tout pour bien mélanger. Couvrir et réfrigérer.

Pâtes au poulet et au citron

Portions : 3 à 5
Préparation : 15 min
Cuisson : 25 min

Ingrédients :
- 2 morceaux de poulet
- 500 g de penne
- 3 gousses d'ail tranchées
- 1/4 de c. à t. de poivre de Cayenne
- 3 c. à s. d'huile d'olive
- 3 c. à s. de persil haché grossièrement
- 2 citrons (le jus)
- 1/2 T de fromage parmesan râpé
- Sel et poivre fraîchement moulu

Instructions :

1. Faire bouillir les pâtes dans un grand chaudron d'eau salée jusqu'à ce qu'elles soient *al dente*. Bien égoutter.

2. Assaisonner le poulet de sel et de poivre. Faire chauffer une grande poêle gril à feu moyen-fort et ajouter le poulet. Faire griller jusqu'à ce qu'il soit doré et complètement cuit. Retirer du gril et trancher en bâtonnets.

3. Déposer l'ail et le poivre de Cayenne dans un sautoir et faire sauter dans l'huile d'olive jusqu'à ce que l'ail dégage une forte odeur. Ajouter les pâtes cuites et éteindre le feu. Bien mélanger le tout.

4. Verser les pâtes dans un grand bol et ajouter le poulet puis assaisonner de sel et de poivre. Saupoudrer de persil haché puis verser le jus des 2 citrons et mélanger le tout. Garnir de fromage parmesan et servir.

PÂTES & RIZ

Fettuccini au thon

Instructions :

1. Porter à ébullition un grand chaudron d'eau. Saler, ajouter les pâtes et faire cuire jusqu'à ce qu'elles soient *al dente*.

2. Pendant que les pâtes cuisent, faire chauffer à feu moyen l'huile dans une grande poêle à frire.

3. Faire sauter l'ail et l'oignon jusqu'à ce qu'ils soient tendres (4 ou 5 minutes). Ajouter le thon et les tomates séchées et faire cuire en remuant jusqu'à ce que le tout soit bien chaud (1 ou 2 minutes).

4. Ajouter le vin et faire cuire pendant 1 minute puis ajouter la crème et assaisonner la sauce avec du sel et du poivre.

5. Incorporer les petits pois et les pâtes cuites dans la sauce et saupoudrer de fromage. Servir et garnir de basilic haché.

Portions : 4
Préparation : 20 min
Cuisson : 15 min

Ingrédients :
- 450 g de fettuccini
- 3 c. à s. d'huile d'olive extra vierge
- 4 gousses d'ail finement hachées
- 1 petit oignon haché
- 2 boîtes de thon à l'italienne dans l'eau (ou dans l'huile)
- 1/2 T de tomates séchées tendres et finement hachées
- 1/2 T de vin blanc sec
- 1/2 T de crème riche en matières grasses
- 1/2 T de petits pois congelés
- 1/2 T de fromage parmigiano reggiano
- 1 T de basilic frais haché
- Poivre noir
- Sel

Lasagne aux champignons et aux poivrons rôtis

Portions : 12
Préparation : 35 min
Cuisson : 1 h 30

Ingrédients :
- 1 kg de saucisse italienne douce sans boyau
- 3 T de fromage ricotta
- 1 T de fromage parmigiano reggiano
- 1 œuf
- 1/2 c. à t. de sel
- 1/4 de c. à t. de poivre moulu
- 2 c. à t. d'huile d'olive
- 500 g de champignons de Paris coupés en tranches de 5 mm
- 1/3 de T de persil frais haché
- 2 pots de sauce aux poivrons rôtis
- 500 g de lasagnes
- 4 T de fromage mozzarella râpé

Instructions :

1. Préchauffer le four à 350 °F.

2. Mélanger la ricotta, le fromage parmigiano reggiano, l'œuf, le sel et le poivre. Couvrir et réfrigérer jusqu'à ce que le mélange soit prêt à utiliser.

3. Faire chauffer l'huile d'olive dans une grande poêle à frire à feu moyen. Ajouter la saucisse et faire cuire en remuant et en l'émiettant avec une fourchette jusqu'à ce qu'elle soit légèrement dorée et bien cuite (10 minutes).

4. Transférer et égoutter la saucisse dans une passoire à l'aide d'une cuiller à égoutter avant de la déposer dans un bol.

5. Ajouter les champignons dans la poêle à frire et augmenter le feu à moyen-fort puis faire cuire en remuant de temps à autre jusqu'à ce qu'ils soient dorés (8 minutes). Transférer les champignons dans le même bol que la saucisse et saupoudrer de persil avant de remuer le tout.

6. Étaler 1 tasse de sauce aux poivrons rôtis au fond d'un grand plat allant au four.

7. Couvrir la sauce avec 1/4 des lasagnes étalées sur une seule couche puis étendre 1/3 de ricotta sur les lasagnes. Saupoudrer la ricotta avec 1 tasse de fromage mozzarella puis étaler une autre couche de sauce, suivie de 1/3 de farce à la saucisse. Étaler les mêmes couches à 2 reprises en terminant par une couche de sauce puis terminer avec une dernière couche de lasagne et une dernière couche de sauce. Saupoudrer le tout avec le reste du fromage mozzarella. Couvrir et faire cuire au four pendant 40 minutes. Retirer le papier aluminium ou le couvercle et faire cuire encore jusqu'à ce que la lasagne soit dorée et bouillonnante (30 minutes). Laisser reposer 10 minutes avant de servir.

8. Pendant ce temps, faire chauffer le reste de la sauce dans une petite casserole. Transférer la sauce dans un bol et servir avec la lasagne.

Nouilles de sarrasin aux crevettes et aux légumes épicés

Portions : 2
Préparation : 15 min
Cuisson : 15 min

Ingrédients :

NOUILLES
- 250 g de grosses crevettes épluchées
- 250 g de nouilles de sarrasin
- 2 c. à s. d'huile végétale
- 1 c. à t. d'ail haché
- 2 c. à s. de racine de gingembre râpée
- 1/2 c. à t. de poivre de Cayenne
- 2 T de bok choy finement tranché
- 4 oignons verts tranchés en juliennes
- 2 c. à s. de graines de sésame rôties
- 2 c. à s. de gingembre mariné
- Sel et poivre, au goût

SAUCE ÉPICÉE AU WASABI
- 1 c. à s. d'huile de sésame
- 2 c. à t. de pâte de wasabi
- 3 c. à s. de sauce soja
- 3 c. à s. de vinaigre de riz
- 3 c. à s. de saké
- 1 c. à t. de sucre

Instructions :

1. Fouetter ensemble tous les ingrédients de la sauce épicée jusqu'à l'obtention d'une préparation lisse.

2. Porter à ébullition un grand chaudron d'eau salée et faire cuire les nouilles jusqu'à ce qu'elles soient *al dente* (3 ou 4 minutes). Égoutter.

3. Verser 2 c. à soupe de sauce épicée au wasabi et remuer le tout puis réserver.

4. Faire chauffer l'huile végétale à feu élevé dans une poêle à frire. Ajouter l'ail, le gingembre et le poivre de Cayenne puis faire sauter pendant 1 minute. Ajouter les crevettes et faire sauter pendant 2 minutes. Ajouter le bok choy et faire sauter jusqu'à ce qu'il soit tendre (1 minute). Ajouter les oignons verts puis verser le reste de la sauce. Porter ébullition et ajouter les nouilles.

5. Mélanger tous les ingrédients ensemble et faire cuire en remuant de temps à autre jusqu'à ce que les nouilles soient bien chaudes.

6. Ajouter de la sauce soja et assaisonner de sel et de poivre, au besoin, puis garnir de graines de sésame et de gingembre mariné. Servir chaud.

Pâtes primavera

Instructions :

1. Faire chauffer l'huile à feu moyen-fort dans une grande poêle à frire.

2. Faire cuire l'ail jusqu'à ce qu'il soit tendre (1 minute). Ajouter le poivron et faire cuire jusqu'à ce qu'il devienne tendre (3 minutes). Ajouter les asperges, les champignons et les tomates et faire cuire encore jusqu'à ce que le tout soit tendre (5 minutes).

3. Verser la farine et faire cuire pendant encore 1 minute puis incorporer le bouillon de poulet, le lait, le sel et le poivre et porter à ébullition.

4. Baisser à feu doux et laisser mijoter jusqu'à ce que le liquide ait légèrement épaissi (5 minutes). Ajouter la carotte râpée.

5. Pendant ce temps, faire cuire les pâtes en suivant les instructions indiquées sur le paquet. Égoutter et réserver 1/2 tasse d'eau de cuisson des pâtes de côté.

6. Mélanger les pâtes cuites dans la sauce, et ajouter l'eau des pâtes, au besoin, pour allonger le tout. Saupoudrer de parmesan, de persil et de basilic et servir.

Portions : 4
Préparation : 20 min
Cuisson : 25 min

Ingrédients :
- 1 c. à s. d'huile d'olive
- 3 gousses d'ail finement hachées
- 1 poivron rouge lavé, épépiné et coupé en tranches
- 250 g d'asperges assez minces et coupées en morceaux de 5 cm.
- 1 T de champignons de Paris
- 1 T de tomates cerises coupées en 2
- 1 T de bouillon de poulet faible en sodium
- 1/2 T de lait 1 %
- 1 c. à s. de farine (tout usage) dissoute dans 3 c. à s. d'eau
- 1 grosse carotte pelée et râpée (environ 2 T)
- 350 g de linguine de blé entier
- 1/2 T de parmesan râpé
- 2 c. à s. de persil frais haché
- 1/4 de T de feuilles de basilic frais hachées
- 1/2 c. à t. de sel
- 1/2 c. à t. de poivre noir moulu

Penne à l'agneau et à la menthe

Instructions :

1. Préchauffer le four à 350 °F.

2. Assaisonner les jarrets d'agneau de sel et de poivre puis faire chauffer 1/4 de tasse d'huile d'olive à feu moyen dans un faitout ou une grande casserole résistante aux flammes. Ajouter les jarrets d'agneau et bien faire dorer les 2 côtés. Transférer les jarrets sur une assiette.

3. Jeter l'excédent de graisse du faitout puis ajouter les poireaux et les carottes et faire sauter jusqu'à ce qu'ils soient dorés et dégagent une forte odeur (environ 8 minutes). Ajouter l'ail et faire sauter pendant 1 minute sans le faire brunir. Remettre les jarrets dans le faitout et verser le vin sur la viande puis faire cuire jusqu'à ce que le vin ait réduit de moitié. Ajouter le bouillon, les tomates avec le jus, la feuille de laurier et les zestes d'orange. Porter à ébullition puis couvrir et transférer le faitout dans le four. Faire braiser jusqu'à ce que l'agneau soit très tendre (1 heure 30).

4. Transférer l'agneau sur une planche à découper avant de le couvrir avec du papier aluminium. Dégraisser la sauce et ajouter la menthe hachée et le basilic haché. Goûter et assaisonner au goût.

5. Porter à ébullition un grand chaudron d'eau. Assaisonner généreusement avec du sel et déposer les pâtes dans l'eau bouillante. Faire cuire jusqu'à ce qu'elles soient *al dente* (10 à 12 minutes). Bien égoutter. Déposer les pâtes dans un grand bol très profond. Ajouter environ 2 c. à thé de fromage et verser 1 c. à soupe d'huile d'olive dans les pâtes avant de remuer le tout. Verser les 3/4 de la sauce dans le bol et remuer encore. Garnir de branches de menthe et servir avec le reste du fromage.

6. Couper l'agneau en tranches minces et déposer les tranches sur des assiettes. Verser le reste de la sauce sur l'agneau et servir avec les pâtes.

Portions : 4
Préparation : 35 min
Cuisson : 2 h

Ingrédients :

- **2 gros jarrets d'agneau d'environ 500 g chacun**
- **1/4 de T et 1 c. à s. d'huile d'olive**
- **3 poireaux (la section blanche uniquement) coupés en petits dés**
- **1 carotte pelée et coupée en petits dés**
- **3 gousses d'ail tranchées**
- **1/2 T de vin rouge corsé (chianti)**
- **1/2 T de bouillon de bœuf (ou de bouillon de poulet) léger**
- **900 g de tomates italiennes hachées avec le jus**
- **1 feuille de laurier**
- **2 grandes bandes de zeste d'orange**
- **1 petite poignée de feuilles de menthe fraîches grossièrement hachées**
- **3 branches de menthe fraîche**
- **12 feuilles de basilic frais grossièrement hachées**
- **450 g de penne ou de cavatelli**
- **1 T de fromage pecorino romano râpé**
- **Sel et poivre fraîchement moulu, au goût**

Pâtes au chou-fleur grillé et au persil

Portions : 4
Préparation : 20 min
Cuisson : 25 min

Ingrédients :

- **1 tête de chou-fleur étrognée et coupée en petits fleurons**
- **1 oignon moyen finement tranché**
- **5 gousses d'ail pelées et coupées en 2**
- **1/4 de T d'huile d'olive**
- **4 tranches de pain blanc**
- **350 g de pâtes courtes**
- **1/4 de T de parmesan râpé (et un peu plus pour servir)**
- **1/4 de T de persil frais haché**
- **Gros sel et poivre moulu**

Instructions :

1. Préchauffer le four à 475 °F et installer une grille dans la partie supérieure et une autre dans la partie inférieure du four. Porter à ébullition un grand chaudron d'eau salée. Badigeonner le chou-fleur, l'oignon et l'ail avec 2 c. à soupe d'huile d'olive sur une plaque à biscuits avec rebords. Assaisonner de sel et de poivre et faire rôtir sur la grille inférieure jusqu'à ce que le tout soit tendre et légèrement doré en remuant 1 fois (20 minutes).

2. Pendant ce temps, mélanger le pain et le reste d'huile d'olive dans un robot culinaire. Broyer jusqu'à l'obtention d'une chapelure grossière. Étaler la chapelure sur une plaque à biscuits et faire cuire au four sur la grille supérieure pendant 5 à 6 minutes en remuant 1 fois.

3. Faire cuire les pâtes dans l'eau bouillante jusqu'à ce qu'elles soient *al dente*. Réserver 1/2 tasse d'eau de cuisson. Égoutter les pâtes, les remettre dans le chaudron puis incorporer le mélange de chou-fleur, le parmesan et le persil. Bien mélanger le tout en incorporant graduellement l'eau de cuisson de façon à former une sauce mince qui recouvre les pâtes. Servir avec la chapelure et un peu plus de parmesan, si désiré.

Spaghetti carbonara

Portions : 4
Préparation : 20 min
Cuisson : 20 min

Ingrédients :
- 8 tranches de bacon coupé en dés
- 450 g de spaghetti
- 2 c. à s. d'huile d'olive
- 1 oignon haché
- 1 gousse d'ail finement hachée
- 1/4 de T de vin blanc sec (facultatif)
- 4 œufs battus
- 1/2 T de fromage parmesan
- 2 c. à s. de persil frais haché
- 2 c. à s. de parmesan râpé
- 1 pincée de sel et de poivre, au goût

Instructions :

1. Porter à ébullition un grand chaudron d'eau salée et faire cuire le spaghetti jusqu'à ce qu'il soit *al dente*. Bien égoutter. Verser 1 c. à soupe d'huile d'olive dans les pâtes et réserver.

2. Pendant ce temps, faire cuire le bacon dans une grande poêle à frire jusqu'à ce qu'il soit croustillant. Retirer de la poêle et égoutter sur de l'essuie-tout. Réserver 2 c. à soupe de graisse de bacon. Faire chauffer 1 c. à soupe d'huile d'olive dans la même poêle et ajouter l'oignon haché. Faire cuire à feu moyen jusqu'à ce que l'oignon soit translucide. Ajouter l'ail haché et faire cuire pendant encore 1 minute. Ajouter le vin, si désiré, et faire cuire pendant 1 autre minute.

3. Remettre le bacon croustillant dans la poêle à frire et incorporer les spaghettis cuits et égouttés. Bien remuer le tout et faire chauffer les pâtes en ajoutant un peu plus d'huile d'olive si les pâtes semblent trop sèches ou si elles collent ensemble.

4. Verser les œufs battus et remuer constamment le tout jusqu'à ce que les œufs soient à peine cuits. Ajouter rapidement 1/2 tasse de parmesan et remuer encore. Assaisonner de sel et de poivre, au besoin.

5. Saupoudrer les pâtes de persil et servir immédiatement avec le reste du fromage.

Fettuccini à la bolognaise

Instructions :

1. Faire chauffer l'huile à feu moyen dans un grand faitout. Ajouter l'oignon, le céleri et les carottes.

2. Couvrir et faire cuire en remuant de temps à autre (8 minutes). Retirer les légumes de la poêle.

3. Déposer le veau, le porc et le bœuf dans la poêle. Faire cuire à feu moyen jusqu'à ce que la viande soit dorée en remuant pour la défaire.

4. Ajouter le vin, le sel, le poivre, la muscade et la feuille de laurier et porter à ébullition.

5. Faire cuire pendant 5 minutes puis incorporer le mélange de légumes, le bouillon et la purée de tomates et baisser à feu doux. Laisser mijoter pendant 1 heure en remuant de temps à autre.

6. Verser le lait et le persil haché et porter à ébullition. Réduire le feu et laisser mijoter encore 40 minutes.

7. Enlever la feuille de laurier puis incorporer les pâtes cuites et égouttées et remuer pour bien mélanger le tout.

8. Saupoudrer uniformément de fromage et garnir de branches de persil, si désiré.

Portions : 8
Préparation : 20 min
Cuisson : 2 h

Ingrédients :
- 150 g de veau haché
- 150 g de porc haché
- 150 g de bœuf haché
- 1 c. à s. d'huile d'olive
- 1 T d'oignon finement haché
- 1 T de céleri finement haché
- 1/2 T de carotte finement hachée
- 1 T de vin blanc sec
- 1/4 de c. à t. de muscade moulue
- 1 feuille de laurier
- 1 boîte de bouillon de poulet sans gras et faible en sodium
- 3/4 de T de purée de tomates
- 1 T de lait entier
- 2 c. à s. de persil frais finement haché
- 450 g de fettuccini frais
- 2 c. à s. de fromage parmesan râpé
- 1/2 c. à t. de sel
- 1/2 c. à t. de poivre
- Branches de persil

Cannelloni aux épinards, au feta et à la ricotta

Instructions:

1. Préchauffer le four à 180 °F. Mélanger les épinards, la ricotta, le feta, les oignons verts, l'ail et la muscade dans un grand bol et assaisonner de sel et de poivre.

2. Utiliser 1 c. à thé ou une poche à douille pour farcir chaque cannelloni avec le mélange d'épinards et de fromages. Déposer les cannelloni sur une seule couche sur une plaque à biscuits de 19 x 30 cm.

3. Verser uniformément les tomates sur les cannelloni et saupoudrer de mozzarella. Couvrir le tout de papier aluminium et faire cuire au four pendant 40 minutes. Enlever le papier et laisser cuire encore jusqu'à ce que les pâtes soient tendres et que le fromage soit bien doré (10 minutes). Retirer du four et laisser reposer 5 minutes.

4. Déposer les cannelloni sur des assiettes et servir immédiatement avec des feuilles de laitue.

Portions: 4
Préparation: 20 min
Cuisson: 50 min

Ingrédients:
- 500 g d'épinards congelés
- 350 g de fromage ricotta
- 200 g de fromage feta défait émietté
- 4 oignons verts (la partie blanche) finement hachés
- 2 gousses d'ail broyées
- 16 cannelloni à farcir
- 800 g de tomates en dés
- 1 T de mozzarella râpé grossièrement
- 1 pincée de muscade moulue
- Sel et poivre fraîchement moulu
- Feuilles de laitue

Couscous au poulet et aux olives vertes

Portions : 4
Préparation : 15 min
Cuisson : 20 min

Ingrédients :

- 500 g de poitrine de poulet désossée sans peau et hachée
- 2 c. à s. d'huile d'olive extra vierge
- 1 oignon haché
- 1 courgette (ou 1 courge d'été)
- 2 gousses d'ail finement hachées
- 2 c. à t. de zeste de citron râpé
- 1 citron (le jus)
- 1/2 c. à t. de graines de fenouil
- 1 pincée de cannelle moulue
- 1 T d'olives vertes hachées
- 4 T de bouillon de poulet
- 300 g de semoule instantanée
- 1/4 de T de feuilles de persil hachées
- 1/4 de T de feuilles de menthe finement hachées
- 1/2 c. à t. de poivre de Cayenne moulu
- Sel et poivre

Instructions :

1. Faire chauffer l'huile d'olive dans une poêle à frire avec un couvercle à feu moyen-fort de façon à tapisser toute la surface.

2. Ajouter le poulet et faire cuire jusqu'à ce qu'il soit légèrement doré (3 à 4 minutes). Ajouter l'oignon, la courgette, l'ail, le zeste de citron, le poivre de Cayenne, les graines de fenouil et la cannelle puis assaisonner de sel et de poivre.

3. Faire cuire pendant 5 minutes puis ajouter les olives et faire cuire pendant encore 3 minutes.

4. Verser le bouillon de poulet et porter à ébullition. Incorporer la semoule, couvrir et éteindre le feu avant de laisser reposer pendant 5 minutes.

5. Égrainer le couscous avec une fourchette et ajouter le persil, la menthe et le jus de citron puis remuer le tout avant de servir.

Salade de pâtes et de surlonge

Instructions :

1. Préchauffer le gril.

2. Pendant ce temps, porter à ébullition 3 litres d'eau dans un grand faitout. Déposer les pâtes et faire cuire 5 à 6 minutes. Ajouter les haricots et faire cuire jusqu'à ce que les pâtes soient cuites (3 minutes).

3. Rincer à l'eau froide et bien égoutter.

4. Saupoudrer le bifteck de poivre à l'ail. Déposer le bifteck sur le gril et faire griller à 7,5 cm du feu pendant 10 minutes ou jusqu'à l'obtention de la cuisson désirée en retournant le bifteck à la moitié de la cuisson. Laisser reposer 5 minutes.

5. Trancher finement le bifteck en diagonale dans le sens de la largeur.

6. Mélanger l'oignon, le poivron, le basilic, la moutarde, le vinaigre, l'huile, l'ail, le sel et le poivre dans un grand bol.

7. Ajouter les pâtes et les haricots ainsi que les tranches de bœuf.

8. Remuer pour bien mélanger et saupoudrer de fromage.

Portions : 4
Préparation : 20 min
Cuisson : 15 min

Ingrédients :
- 1 bifteck de surlonge désossé et paré
- 2 T de penne (ou autres pâtes en forme de tube)
- 125 g de haricots verts équeutés
- 1 c. à s. de poivre à l'ail
- 1 1/2 T d'oignon rouge finement tranché
- 1 1/2 T de poivron rouge finement tranché
- 1/4 de T de basilic frais haché
- 3 c. à s. de moutarde de Dijon
- 2 c. à s. de vinaigre balsamique
- 1 c. à t. d'huile d'olive extra vierge
- 1 c. à t. d'ail finement haché
- 1/4 de T de fromage bleu émietté
- 1/4 de c. à t. de sel
- 1/4 de c. à t. de poivre noir

Penne aux épinards et au feta

Portions : 2
Préparation : 25 min
Cuisson : 15 min

Ingrédients :
- 250 g de penne
- 2 c. à s. d'huile d'olive
- 1/2 T d'oignon haché
- 1 gousse d'ail finement hachée
- 3 T de tomates fraîches hachées
- 1 T de champignons frais tranchés
- 2 T d'épinards frais
- 250 g de fromage feta émietté
- 1 pincée de poivre de Cayenne
- Sel et poivre, au goût

Instructions :

1. Porter à ébullition un grand chaudron d'eau salée. Faire cuire les pâtes jusqu'à ce qu'elles soient *al dente*. Égoutter.

2. Pendant ce temps, faire chauffer l'huile d'olive dans une grande poêle à frire à feu moyen-fort.

3. Ajouter l'oignon et l'ail et faire cuire jusqu'à ce qu'ils soient dorés. Incorporer les tomates, les champignons et les épinards puis assaisonner de sel, de poivre et de poivre de Cayenne.

4. Faire cuire encore jusqu'à ce que les tomates soient cuites et que les épinards soient tendres (2 minutes).

5. Réduire le feu à moyen puis incorporer les pâtes et le fromage feta et laisser cuire jusqu'à ce que le tout soit bien chaud.

Pâtes de blé entier aux pois chiches et à la scarole

Portions : 4
Préparation : 15 min
Cuisson : 22 min

Ingrédients :
- **2 T de penne de blé entier**
- **1 scarole grossièrement hachée**
- **4 c. à s. d'huile d'olive extra vierge (ou plus, au goût)**
- **1/4 de T de câpres**
- **5 gousses d'ail tranchées**
- **1/2 T de persil frais finement haché**
- **1/4 de c. à t. de poivre de Cayenne**
- **1 boîte de tomates pelées avec le jus (à part)**
- **1 boîte de pois chiches**
- **2 feuilles de laurier**
- **1/2 T de fromage parmesan fraîchement râpé, et plus pour garnir**
- **Sel casher et poivre fraîchement moulu**

Instructions :

1. Faire cuire les pâtes en suivant les instructions du paquet puis ajouter la scarole au cours des 2 dernières minutes de cuisson. Couvrir sans remuer. Extraire la scarole avec des pinces et réserver. Égoutter les pâtes et réserver 1/2 tasse d'eau de cuisson. Pendant ce temps, faire chauffer 1 c. à soupe d'huile d'olive dans une grande poêle à frire à feu moyen-fort. Ajouter les câpres et faire frire jusqu'à ce qu'elles soient croustillantes (2 minutes). Transférer les câpres sur une assiette couverte d'essuie-tout.

2. Verser le reste de l'huile dans la poêle à frire et faire cuire l'ail, le persil et le poivre de Cayenne jusqu'à ce que l'ail soit légèrement grillé (1 minute). Ajouter les tomates (sans le jus), les pois chiches, une pincée de sel et les feuilles de laurier. Faire cuire jusqu'à ce que les tomates et les pois chiches soient dorés (6 minutes). Ajouter la scarole et le jus des tomates et faire cuire jusqu'à ce que la sauce épaississe légèrement (environ 4 minutes). Retirer et jeter les feuilles de laurier.

3. Verser les pâtes cuites dans la poêle et bien remuer pour les enrober de sauce. Assaisonner de sel et de poivre et ajouter un peu d'eau de cuisson si la sauce est trop épaisse. Ajouter le fromage et couvrir le tout de câpres frites.

Fettuccini Alfredo

Instructions :

1. Porter à ébullition un grand chaudron d'eau salée. Ajouter les pâtes et faire cuire jusqu'à ce qu'elles soient *al dente* (8 à 10 minutes). Égoutter.

2. Faire fondre le beurre dans une grande poêle à frire et ajouter l'ail haché. Faire cuire à feu doux en remuant souvent pour s'assurer de ne pas brûler l'ail (environ 5 minutes).

3. Verser environ 1/4 de T de crème riche en matières grasses dans un petit bol. Ajouter le jaune d'œuf et fouetter le tout. Réserver. Verser le reste de la crème dans la poêle à frire.

4. Augmenter le feu à moyen-fort et lorsque le mélange commence à bouillir, battre rapidement à l'aide d'un fouet. Incorporer graduellement le mélange d'œuf et de crème en fouettant jusqu'à ce que le tout soit bien incorporé pour éviter que l'œuf coagule.

5. Ajouter 1 T de fromage parmesan et continuer à mélanger la crème. Verser le reste du parmesan et le persil et remuer jusqu'à ce que la sauce soit lisse.

6. Retirer du feu et verser la sauce sur les pâtes cuites.

Portions : 4
Préparation : 10 min
Cuisson : 10 min

Ingrédients :
- **300 g de fettuccini**
- **1/2 T de beurre**
- **5 gousses d'ail**
- **1 T de crème riche en matières grasses**
- **1 jaune d'œuf**
- **2 T de fromage parmesan râpé**
- **2 c. à s. de persil séché**

Macaroni fumé aux quatre fromages

Portions : 6
Préparation : 40 min
Cuisson : 55 min

Ingrédients :
- 350 g de macaroni
- 1/4 de T de beurre
- 1/2 T d'oignon haché
- 1 1/2 c. à s. d'ail finement haché
- 1/4 de T de farine (tout usage)
- 1/2 T de crème légère
- 1 1/2 T de lait
- 1/2 c. à t. de moutarde sèche
- 1/2 c. à t. d'arôme
  de fumée liquide
- 1 T de fromage parmesan râpé
- 1 paquet de fromage à la crème
  coupé en dés
- 1 T de fromage suisse râpé
- 2 T de fromage Monterey Jack
  râpé
- 1/3 de T de fromage cheddar fort
  râpé
- 1/2 T de chapelure
- 1/2 T de fromage parmesan râpé
- Sel et poivre

Instructions :

1. Préchauffer le four à 375 °F. Graisser légèrement un plat allant au four de 23 x 33 cm.

2. Porter à ébullition un grand chaudron d'eau salée. Ajouter les pâtes et faire cuire jusqu'à ce qu'elles soient *al dente* (8 à 10 minutes). Égoutter.

3. Pendant ce temps, faire fondre le beurre à feu moyen dans une casserole. Verser l'oignon et faire cuire jusqu'à ce qu'il devienne tendre (3 minutes). Ajouter l'ail et faire cuire encore jusqu'à ce que l'oignon soit tendre et translucide (2 minutes). Incorporer graduellement la farine et faire cuire en remuant constamment pendant 5 minutes.

4. Incorporer la crème et le lait et porter à ébullition. Réduire à feu moyen-doux et incorporer la moutarde sèche et l'arôme de fumée puis laisser mijoter 10 minutes en remuant constamment. Incorporer 1 tasse de fromage parmesan, le fromage à la crème, le fromage suisse, le fromage Monterey Jack et le fromage cheddar fort et remuer jusqu'à ce que les fromages soient fondus. Assaisonner de sel et de poivre puis verser le mélange sur les pâtes égouttées. Transvider le tout dans le plat allant au four et saupoudrer le macaroni de chapelure et du reste du fromage parmesan.

5. Faire cuire au four jusqu'à ce que le macaroni soit doré et bouillonnant (environ 30 minutes). Retirer du four et laisser reposer 5 à 10 minutes avant de servir.

Spaghetti aux tomates, à la crème et aux olives

Instructions :

1. Faire fondre le beurre à feu moyen dans une grande poêle à frire. Ajouter l'oignon et le poireau et faire sauter jusqu'à ce qu'ils soient tendres (5 minutes). Ajouter l'ail et faire sauter jusqu'à ce qu'il soit légèrement doré et dégage une forte odeur (1 ou 2 minutes). Ajouter le brandy et laisser évaporer. Ajouter les tomates, la feuille de laurier et le thym puis augmenter à feu élevé et faire cuire en remuant de temps à autre jusqu'à ce que la sauce épaississe légèrement (10 minutes). Assaisonner de sel et de poivre.

2. Pendant ce temps, porter à ébullition un grand chaudron d'eau. Assaisonner généreusement avec du sel et déposer les pâtes dans l'eau bouillante. Faire cuire jusqu'à ce qu'elles soient *al dente* (7 à 9 minutes).

3. Lorsque les pâtes sont presque prêtes, incorporer les olives et la crème dans la sauce et laisser mijoter doucement à feu doux pendant quelques minutes pour bien mélanger les saveurs.

4. Égoutter les pâtes avant de les incorporer dans la sauce. Ajouter le persil et remuer doucement. Verser dans un grand bol assez profond et servir immédiatement avec le fromage.

Portions : 4
Préparation : 20 min
Cuisson : 20 min

Ingrédients :
- 3 c. à t. de beurre non salé
- 1 oignon blanc sucré coupé en dés
- 1 poireau (section blanche seulement)
  rincé et coupé en dés
- 4 gousses d'ail finement tranchées
- Brandy ou cognac (quelques gouttes)
- 900 g de tomates italiennes hachées
- 1 feuille de laurier
- 450 g de spaghetti (ou de bucatini)
- 1/2 T d'olives noires dénoyautées
  et coupées en 2
- 1/2 T de crème
  riche en matières grasses
- 3 à 4 grandes branches de persil
  grossièrement hachées
  (sans les queues)
- 1 T de fromage grana padano ou
  de parmigiano reggiano
- 2 à 3 grandes branches
  de thym frais finement hachées
- Sel et poivre fraîchement moulu,
  au goût

Lasagnes marinara

Instructions :

1. Pour faire la sauce, faire fondre le beurre dans une casserole à feu moyen-doux. Ajouter la farine et fouetter pendant 3 minutes. Incorporer le lait en fouettant. Augmenter le feu à moyen-fort et battre la sauce jusqu'à ce qu'elle bouillonne doucement et qu'elle soit épaisse et lisse (3 minutes). Ajouter le sel, le poivre et la muscade dans la béchamel et fouetter le tout.

2. Préchauffer le four à 450 °F.

3. Fouetter ensemble la ricotta, les épinards, 1 tasse de parmesan, le prosciutto, l'œuf, le sel et le poivre dans un bol. Porter à ébullition un grand chaudron d'eau salée et ajouter 1 ou 2 c. à soupe d'huile d'olive. Faire bouillir les feuilles de lasagne jusqu'à ce qu'elles soient tendres, mais encore fermes. Égoutter. Déposer les feuilles de pâte sur une seule couche sur une plaque à biscuits pour éviter qu'elles collent.

4. Graisser un plat en verre allant au four de 23 x 33 x 5 cm avec du beurre. Verser la sauce béchamel au fond du plat. Étaler 4 feuilles de lasagne sur une surface de travail et étendre uniformément 3 c. à soupe du mélange de ricotta sur chaque feuille. Rouler chaque feuille pour former 4 rouleaux puis déposer les rouleaux de lasagne sur la sauce béchamel au fond du plat en prenant soin de les espacer suffisamment pour éviter qu'ils se touchent. Répéter l'opération avec le reste des feuilles de pâte et du mélange de ricotta. Verser 1 tasse de sauce marinara sur les rouleaux de lasagne et saupoudrer le tout de fromage mozzarella et du reste du parmesan. Bien couvrir de papier aluminium et faire cuire jusqu'à ce que la lasagne soit bien cuite et que la sauce bouillonne (environ 20 minutes). Enlever le papier aluminium et faire cuire encore jusqu'à ce que le fromage à la surface devienne doré (15 minutes). Laisser reposer 10 minutes.

5. Pendant ce temps, faire chauffer le reste de la sauce marinara à feu moyen dans une petite casserole et servir avec les rouleaux.

Portions : 6
Préparation : 25 min
Cuisson : 50 min

Ingrédients :

SAUCE
- 2 c. à s. de beurre non salé
- 4 c. à t. de farine (tout usage)
- 1 1/4 T de lait entier
- 1/4 de c. à t. de sel
- 1 pincée de muscade moulue
- 1 pincée de poivre moulu

LASAGNE
- 100 g de prosciutto tranché et haché
- 1 contenant de fromage ricotta au lait entier
- 1 paquet d'épinards congelés
- 1 T et 2 c. à s. de fromage parmesan râpé
- 1 gros œuf battu
- 1 à 2 c. à s. d'huile d'olive
- 12 feuilles de lasagne
- 2 T de sauce marinara
- 1 T de fromage mozzarella râpé
- 3/4 de c. à t. de sel (et un peu plus pour saler l'eau)
- 1/2 c. à t. de poivre moulu

Pâtes au saumon et au fromage

Portions : 6
Préparation : 15 min
Cuisson : 15 min

Ingrédients :
• 1 paquet de spaghettis
• 1 1/2 c. à s. d'huile d'olive
• 1 T d'oignon sucré haché
• 3 oignons verts finement hachés
• 2 c. à s. de pesto
• 2 boîtes de saumon émietté
• 1/2 T de fromage parmesan

Instructions :

1. Porter à ébullition un grand chaudron d'eau salée. Ajouter les pâtes et faire cuire jusqu'à ce qu'elles soient *al dente* (8 à 10 minutes). Égoutter.

2. Faire chauffer l'huile d'olive dans une poêle à frire à feu moyen. Ajouter l'oignon, les oignons verts et le pesto.

3. Faire cuire jusqu'à ce que les oignons soient tendres. Incorporer le saumon et faire cuire jusqu'à ce qu'il soit bien chaud. Ajouter le fromage et laisser cuire pendant encore 5 minutes.

4. Mélanger la sauce avec les pâtes et saupoudrer de fromage parmesan avant de servir.

Pâtes au poulet au basilic et au chili

Instructions :

1. Dans un petit bol, mélanger 1/2 tasse d'eau avec la sauce de poisson, la sauce soya, le sucre et le poivre rouge concassé. Remuer pour dissoudre le sucre, réserver.

2. Dans une grande casserole d'eau bouillante et salée, cuire les nouilles de riz jusqu'à ce qu'elles soient *al dente*. Égoutter et réserver.

3. Pendant la cuisson des nouilles, réchauffer, à feu moyen-élevé, un wok ou une grande poêle profonde, pendant environ 1 minute. Ajouter 2 c. à soupe d'huile, l'oignon tranché, l'oignon haché et l'ail.

4. Faire revenir environ 3 minutes, jusqu'à ce qu'ils soient tendres et odorants, mais pas dorés. Transférer le mélange dans un bol et réserver.

5. Ajouter la c. à soupe d'huile qui reste dans la poêle et réchauffer pendant 1 minute. Séparer la viande en deux lots, si nécessaire.

6. Étaler une seule couche de poulet dans la poêle sans en mettre trop et cuire, sans y toucher, environ 1 minute, ou jusqu'à ce que les bords commencent à changer de couleur.

7. Retourner et poursuivre la cuisson en remuant de temps à autre, de 2 à 3 minutes, ou jusqu'à ce que la viande soit légèrement dorée.

8. Ajouter la sauce réservée et le mélange d'oignon et cuire, en remuant à l'occasion, de 2 à 3 minutes de plus, ou jusqu'à ce que le poulet soit bien cuit et uniformément recouvert de sauce.

9. Retirer la poêle du feu et ajouter le basilic, en remuant jusqu'à ce qu'il soit légèrement fané.

10. Servir le poulet sur les nouilles.

Portions : 4
Préparation : 15 min
Cuisson : 25 min

Ingrédients :
• 2 c. à s. de sauce de poisson
• 2 c. à s. de sauce soya
• 4 c. à t. de sucre
• 2 c. à t. de poivre rouge concassé
• 250 g de nouilles de riz asiatiques étroites ou de vermicelle
• 3 c. à s. d'huile végétale
• 1/2 T d'oignon finement tranché, plus 1 T d'oignon finement haché
• 8 gousses d'ail, finement hachées (environ 3 c. à s.)
• 750 g de poitrines de poulet désossées et sans peau, coupées en petits morceaux
• 1 T de feuilles de basilic frais déchiquetées

Macaroni aux quatre fromages

Portions : 6
Préparation : 25 min
Cuisson : 35 min

Ingrédients :

- 1 c. à s. d'huile végétale
- 1 paquet de macaroni
- 9 c. à s. de beurre
- 1/2 T de fromage Munster râpé
- 1/2 T de fromage cheddar doux râpé
- 1/2 T de fromage cheddar fort râpé
- 1/2 T de fromage Monterey Jack râpé
- 1 1/2 T de crème légère
- 250 g de préparation à base de fromage fondu
- 2 œufs battus
- 1/4 de c. à t. de sel
- 1 pincée de poivre noir moulu

Instructions :

1. Porter à ébullition un grand chaudron d'eau légèrement salée. Ajouter les pâtes et faire cuire jusqu'à ce qu'elles soient *al dente* (8 à 10 minutes). Égoutter et remettre dans la casserole.

2. Faire fondre 8 c. à soupe de beurre à feu moyen dans une petite casserole. Verser le beurre dans le chaudron de macaronis.

3. Bien mélanger dans un grand bol les fromages munster, cheddar doux, cheddar fort et Monterey Jack.

4. Préchauffer le four à 350 °F.

5. Incorporer la crème, 1 1/2 tasse du mélange des 4 fromages, la préparation à base de fromage fondu et les 2 œufs battus dans le chaudron de macaronis. Remuer le tout et assaisonner de sel et de poivre. Transférer le mélange dans un grand plat profond allant au four légèrement graissé, saupoudrer le tout avec le reste du mélange de 4 fromages et ajouter 1 c. à s. de beurre.

6. Faire cuire au four jusqu'à ce que le macaroni soit très chaud et que les bordures se mettent à bouillonner (35 minutes). Servir.

Tagliatelles aux bolets

Instructions :

1. Couper le bout de la queue des champignons (dans le cas des shiitakes, couper la queue en entier). Trancher finement les champignons dans le sens de la longueur.

2. Faire chauffer l'huile d'olive dans une grande poêle à frire à feu moyen. Ajouter l'ail et faire sauter jusqu'à ce qu'il soit doré et qu'il dégage une forte odeur (2 minutes). Retirer l'ail de la poêle et jeter. Déposer les champignons dans la poêle et faire sauter pendant 3 ou 4 minutes en remuant avec une cuiller en bois jusqu'à ce qu'ils deviennent tendres (il se peut que les champignons collent au fond de la poêle pendant quelques instants avant d'extraire leur jus, mais il n'est pas nécessaire d'ajouter de l'huile). Augmenter à feu élevé puis ajouter le vin et le thym et faire cuire en remuant constamment jusqu'à ce que l'alcool du vin se soit évaporé (3 minutes). Réduire à feu doux, assaisonner de sel et de poivre et continuer à faire cuire en remuant souvent jusqu'à ce que les champignons soient bien cuits et que le liquide se soit complètement évaporé (environ 15 minutes).

3. Pendant ce temps, porter à ébullition un grand chaudron d'eau salée et faire cuire les pâtes dans l'eau bouillante jusqu'à ce qu'elles soient *al dente* (environ 8 minutes). Égoutter et réserver environ 1 tasse d'eau de cuisson.

4. Lorsque les champignons sont cuits, retirer du feu et ajouter le beurre. Incorporer les pâtes et remuer en ajoutant un peu d'eau de cuisson, au besoin si les pâtes semblent trop sèches. Servir immédiatement avec du fromage parmesan.

Portions : 4 à 6
Préparation : 15 min
Cuisson : 20 min

Ingrédients :
- 1 kg de bolets (ou autre type de champignons sauvages ou cultivés comme des shiitakes ou des champignons de Paris) bien nettoyés
- 1/3 de T d'huile d'olive extra vierge
- 4 gousses d'ail broyées
- 1/2 T de vin blanc sec
- 3 à 4 feuilles de thym frais
- 450 g de tagliatelles aux épinards (ou de tagliatelle aux œufs et aux épinards)
- 2 c. à t. de beurre non salé
- Fromage parmigiano reggiano fraîchement râpé
- Sel et poivre fraîchement moulu, au goût

Casserole de nouilles au thon

Portions : 4
Préparation : 30 min
Cuisson : 45 min

Ingrédients :
- 1/2 T de beurre
- 2 c. à s. de beurre fondu
- 250 g de nouilles aux œufs
- 1/2 oignon finement haché
- 1 branche de céleri finement hachée
- 1 gousse d'ail finement hachée
- 250 g de champignons de Paris
- 1/4 de T de farine (tout usage)
- 2 T de lait
- 2 boîtes de thon
- 1 T de petits pois congelés
- 3 c. à s. de chapelure
- 1 T de fromage cheddar râpé
- Sel et poivre, au goût

Instructions :

1. Préchauffer le four à 375 °F. Graisser un plat allant au four avec 1 c. à soupe de beurre.

2. Porter à ébullition un grand chaudron d'eau salée. Faire cuire les nouilles aux œufs dans l'eau bouillante jusqu'à ce qu'elles soient *al dente* (8 à 10 minutes). Égoutter.

3. Faire fondre 1 c. à soupe de beurre dans une poêle à frire à feu moyen-doux. Ajouter l'oignon, le céleri et l'ail et faire cuire jusqu'à ce qu'ils soient tendres (5 minutes). Augmenter le feu à moyen-fort et incorporer les champignons. Continuer à faire cuire en remuant jusqu'à ce que la majorité du liquide se soit évaporée (5 minutes).

4. Faire fondre 4 c. à soupe de beurre dans une casserole et incorporer la farine en fouettant jusqu'à l'obtention d'une texture lisse. Incorporer graduellement le lait en fouettant et faire cuire encore jusqu'à ce que la sauce soit lisse et épaississe légèrement (5 minutes). Assaisonner de sel et de poivre puis ajouter le thon, les petits pois, le mélange de champignons et les nouilles cuites et bien remuer. Verser le tout dans le plat allant au four. Faire fondre le reste du beurre avant de le mélanger à la chapelure puis de verser le tout sur la casserole. Couvrir de fromage.

5. Faire cuire au four jusqu'à ce que la casserole bouillonne et soit légèrement dorée (25 minutes).

Raviolis aux légumes dans une sauce aux noix de Grenoble

Portions : 4
Préparation : 35 min
Cuisson : 20 min

Ingrédients :
- 4 T de légumes amers assortis
- 4 oignons verts finement hachés
- 5 à 6 feuilles de céleri hachées
- 12 feuilles de persil grossièrement hachées, plus 4 à 6 branches pour décorer
- 1 T de fromage ricotta
- 1 jaune d'œuf
- 1 pincée de muscade moulue
- 2 c. à t. et 1/2 T de fromage pecorino romano râpé
- 1 T de noix de Grenoble, plus quelques noix hachées pour garnir
- 1 gousse d'ail
- 1/3 d'huile d'olive extra vierge et quelques gouttes de plus pour arroser
- 1/2 T de crème riche en matières grasses
- 500 g de feuilles de pâte fraîche
- Feuilles de 5 branches de marjolaine grossièrement hachées, plus des feuilles de 2 à 3 branches de marjolaine finement hachées
- Sel et poivre fraîchement moulu, au goût

Instructions :

1. Porter à ébullition un grand chaudron d'eau salée. Ajouter les légumes et faire cuire pendant 2 minutes. Transférer les légumes dans une passoire à l'aide d'une écumoire et réserver l'eau de cuisson. Rincer les légumes à l'eau froide pour cesser la cuisson et préserver leur couleur, égoutter et presser pour extraire l'humidité.

2. Hacher les légumes avant de les déposer dans un bol. Ajouter les oignons verts, les feuilles de céleri, le basilic, la marjolaine grossièrement hachée, la ricotta, le jaune d'œuf, la muscade et 2 c. à thé fromage pecorino. Assaisonner de sel et de poivre et bien mélanger le tout.

3. Déposer 1 tasse de noix de Grenoble et la gousse d'ail dans un mélangeur ou un robot culinaire et hacher grossièrement. Ajouter l'huile d'olive, la marjolaine finement hachée, la crème et du sel et mélanger pour obtenir une sauce grossière (la sauce ne doit pas être trop lisse). Déposer dans un petit bol, ajouter 1/2 tasse de fromage pecorino et bien mélanger le tout. Réserver.

4. Préparer les raviolis avec les feuilles de pâte et la farce aux légumes puis déposer les raviolis sur une plaque à biscuits farinée. Porter l'eau de cuisson des légumes à ébullition et ajouter les raviolis. Faire cuire les pâtes selon leur fraîcheur jusqu'à ce qu'elles soient tendres (30 secondes à 3 minutes). Il se peut que vous deviez faire cuire les raviolis en deux fois. Transférer les raviolis sur de l'essuie-tout à l'aide d'une écumoire pour les égoutter brièvement puis déposer dans un bol assez profond. Réserver environ 1/2 tasse d'eau de cuisson.

5. Verser la sauce aux noix sur les raviolis puis ajouter environ 2 c. à thé d'eau de cuisson et remuer doucement pour bien distribuer la sauce sur les pâtes en ajoutant un peu plus d'eau au besoin. Garnir de basilic et de noix et servir.

Coquilles farcies au fromage

Instructions :

1. Préchauffer le four à 350 °F. Porter à ébullition un grand chaudron d'eau légèrement salée. Ajouter les pâtes et faire cuire jusqu'à ce qu'elles soient *al dente* (environ 10 minutes). Égoutter, rincer à l'eau froide et réserver.

2. Mélanger la ricotta, les œufs, le fromage parmesan, le fromage mozzarella et le persil ou la menthe dans un bol.

3. Verser plus ou moins 1 tasse de sauce au fond d'un plat allant au four de 23 x 33 cm. Verser environ 3 c. à soupe de la farce au fromage dans chaque coquille cuite puis déposer les coquilles côte à côte dans le plat allant au four (disposer 3 rangées de 6 coquilles dans le sens de la longueur). Verser le reste de la sauce italienne sur les coquilles farcies.

4. Faire cuire au four sans couvrir pendant environ 30 minutes jusqu'à ce que les coquilles bouillonnent et que le fromage soit doré (40 minutes pour les coquilles farcies réfrigérées).

Portions : 3
Préparation : 20 min
Cuisson : 30 min

Ingrédients :
- 18 coquilles géantes
- 1 c. à t. de sel
- 450 g de fromage ricotta
- 2 gros œufs
- 1 T de fromage parmesan râpé
- 2 T de fromage mozzarella râpé
- 2 c. à s. de persil (ou de menthe) frais haché
- 750 g de sauce italienne

Pâtes à la sauce bolognaise

Portions: 6
Préparation: 10 min
Cuisson: 1 h 25

Ingrédients:
- 2 c. à s. d'huile d'olive
- 4 tranches de bacon coupées en morceaux de 1 cm
- 1 gros oignon finement haché
- 1 gousse d'ail finement hachée
- 500 g de bœuf haché maigre
- 250g de porc haché
- 1 casseau de champignons frais tranchés
- 2 carottes râpées
- 1 branche de céleri
- 1 boîte (800 g) de tomates italiennes
- 175 g de sauce tomate
- 1/2 T de vin blanc sec
- 1/2 T de bouillon de poulet
- 1/2 c. à t. de basilic séché
- 1/2 c. à t. d'origan séché
- 500 g de pâtes de votre choix
- Sel et poivre, au goût

Instructions:

1. Faire chauffer de l'eau dans une grande poêle à feu moyen et faire sauter le bacon, l'oignon et l'ail jusqu'à ce que le bacon soit doré et croustillant. Réserver.

2. Faire dorer le bœuf et le porc dans une grande casserole. Jeter l'excédent de graisse. Incorporer le mélange de bacon, les champignons, les carottes, le céleri, les tomates, la sauce tomate, le vin, le bouillon, le basilic, l'origan, le sel et le poivre dans une casserole.

3. Couvrir, réduire le feu et laisse mijoter pendant 1 heure en remuant de temps à autre.

4. Porter à ébullition une grande casserole d'eau salée. Ajouter les pâtes et faire cuire jusqu'à ce qu'elles soient *al dente* (8 à 10 minutes). Égoutter.

5. Servir la sauce sur les pâtes.

Nouilles épicées

Instructions:

1. Faire griller les graines de sésame et les arachides dans une poêle à frire sèche à feu moyen jusqu'à ce qu'elles soient dorées.

2. Pendant que les pâtes cuisent, mélanger les oignons, l'ail, le beurre d'arachide, la sauce chili, la sauce soja, le vinaigre de riz, l'huile de sésame, l'huile d'arachide, le bouillon, le miel et la coriandre dans une casserole à feu moyen-doux.

3. Y incorporer les nouilles udon cuites.

4. Bien mélanger pour enrober les pâtes de sauce, saupoudrer d'arachides et de graines de sésame grillées et servir.

Portions: 4
Préparation: 15 min
Cuisson: 10 min

Ingrédients:
- 400 g de nouilles udon (ou linguine ou autre type de pâtes longues et plates)
- 4 oignons verts hachés
- 2 gousses d'ail finement hachées
- 2 c. à s. de beurre d'arachide crémeux
- 2 c. à s. de sauce chili
- 1 c. à s. de sauce soja
- 1 c. à s. de vinaigre de riz
- 1 c. à s. d'huile de sésame
- 2 c. à s. d'huile d'arachide
- 2 c. à s. de bouillon (ou d'eau)
- 1 c. à s. de miel
- 1 grosse poignée de coriandre fraîche hachée
- 1 poignée d'arachides
- Quelques graines de sésame

Riz frit au poulet

Portions : 6
Préparation : 15 min
Cuisson : 15 min

Ingrédients :
- 4 cuisses de poulet défaites en lanières
- 2 c. à s. d'huile végétale (huile de carthame)
- 2 gros œufs légèrement battus
- 500 g de bok choy étrogné et haché grossièrement
- 1 oignon moyen finement haché
- 2 gousses d'ail finement hachées
- 3 T de riz
- 1 c. à s. de gingembre frais râpé
- 2 c. à s. de vinaigre de riz
- 2 c. à s. de sauce soja
- Gros sel et poivre noir

Instructions :

1. Faire chauffer 1 c. à soupe d'huile dans une grande poêle à frire à feu moyen. Ajouter les œufs et assaisonner de sel et de poivre. Faire cuire jusqu'à ce qu'ils soient cuits (1 à 3 minutes).

2. Transférer les œufs cuits sur une planche à découper et laisser refroidir. Rouler les œufs et trancher finement dans le sens de la largeur. Réserver.

3. Faire chauffer le reste de l'huile à feu moyen dans la même poêle à frire. Ajouter le bok choy, l'oignon et l'ail et assaisonner de sel et de poivre.

4. Faire cuire en remuant fréquemment jusqu'à ce que le bok choy soit tendre (2 à 4 minutes).

5. Faire cuire le riz et le poulet. Défaire le poulet en lanières.

6. Ajouter le riz et le poulet cuits, les œufs tranchés, le gingembre, le vinaigre et la sauce soja et faire cuire en remuant le tout jusqu'à ce que le riz frit soit bien chaud (3 à 5 minutes). Servir.

Ratatouille à l'indienne

Portions : 4
Préparation : 15 min
Cuisson : 20 min

Ingrédients :

- 1 T de riz blanc à longs grains
- 2 c. à s. d'huile végétale
  (huile de carthame)
- 1 oignon moyen finement haché
- 2 gousses d'ail finement hachées
- 1 c. à s. de poudre de cari
  (et plus pour garnir)
- 1 c. à t. de gingembre moulu
- 3 T de sauce tomate maison
  ou achetée en magasin
  (de qualité supérieure)
- 2 boîtes de pois chiches
- 1 c. à s. de jus de lime frais et
  des tranches de lime pour garnir
- 1/2 T de yogourt nature
  faible en gras
- Gros sel et poivre moulu

Instructions :

1. Faire cuire le riz en suivant les instructions du paquet. Couvrir et garder au chaud.

2. Pendant que le riz cuit, faire chauffer l'huile à feu moyen dans une grande poêle à frire. Ajouter l'oignon et l'ail et assaisonner de sel et de poivre. Faire cuire en remuant souvent jusqu'à ce que l'oignon soit tendre (4 à 6 minutes). Ajouter la poudre de cari et le gingembre moulu et faire cuire en remuant souvent jusqu'à ce que le mélange dégage une forte odeur épicée (1 minute).

3. Ajouter la sauce tomate, les pois chiches et 1 1/2 tasse d'eau. Porter à ébullition puis réduire le feu pour laisser mijoter en remuant de temps à autre jusqu'à ce que le mélange épaississe (8 à 10 minutes). Verser le jus de lime et assaisonner de sel et de poivre.

4. Servir la ratatouille avec du riz et du yogourt et garnir avec des tranches de lime et une pincée de poudre de cari.

Byriani de poulet

Instructions:

1. Faire tremper le riz dans l'eau chaude puis rincer à l'eau froide. Faire fondre le beurre dans une casserole et faire cuire l'oignon avec la feuille de laurier, les gousses de cardamome et le bâton de cannelle pendant 10 minutes.

2. Saupoudrer de curcuma puis ajouter le poulet et la pâte de cari et laisser cuire jusqu'à ce que le mélange dégage une forte odeur épicée.

3. Ajouter le riz dans la casserole avec les raisins secs puis incorporer le bouillon de poulet.

4. Couvrir et faire bouillir à gros bouillons avant de réduire à feu doux et de laisser cuire le riz pendant encore 5 minutes. Éteindre le feu et laisser reposer pendant 10 minutes.

5. Bien remuer en incorporant la moitié de la coriandre. Saupoudrer avec le reste de coriandre et les amandes et servir.

Portions: 4
Préparation: 15 min
Cuisson: 15 min

Ingrédients:
- **4 poitrines de poulet sans peau coupées en gros morceaux**
- **1 1/2 T de riz basmati**
- **1 1/2 c. à s. de beurre**
- **1 gros oignon finement tranché**
- **1 feuille de laurier**
- **3 gousses de cardamome**
- **1 bâtonnet de cannelle**
- **1 c. à t. de curcuma**
- **4 c. à s. de pâte de cari**
- **1 T de raisins secs**
- **3 T de bouillon de poulet**
- **Coriandre fraîche hachée**
- **Amandes rôties effilées**

Paëlla classique

Portions: 8
Préparation: 25 min
Cuisson: 40 min

Ingrédients:
- **8 grosses crevettes épluchées**
- **250 g de moules fraîches**
- **8 cuisses de poulet**
- **2 c. à s. d'huile d'olive**
- **2 chorizos (saucisses espagnoles) coupés en tranches de 1 cm**
- **1 1/2 T d'oignon espagnol grossièrement haché**
- **1 1/2 T de piment de Cayenne grossièrement haché**
- **1 1/2 c. à s. d'ail finement haché**
- **1/2 c. à t. de flocons de chili**
- **1 1/2 c. à t. de paprika**
- **2 T de riz à grains courts**
- **1 T de tomates en dés**
- **3/4 de T de vin blanc**
- **2 pincées de safran dans**
- **1/4 de T d'eau (laisser reposer 10 minutes)**
- **1 feuille de laurier**
- **1 c. à t. de sel**
- **3 1/2 T de bouillon de poulet**
- **3/4 de T de petits pois congelés**
- **1 c. à s. de persil frais finement haché**
- **Tranches de citron pour garnir**

Instructions:

1. Préchauffer le four à 400 °F.

2. Faire chauffer de l'huile à feu moyen dans un plat à paella ou un grand plat profond et faire dorer le poulet des 2 côtés pendant environ 15 minutes. Réserver sur une assiette.

3. Jeter l'excédent d'huile et continuer de faire cuire les saucisses, l'oignon et le piment dans la poêle jusqu'à ce que les saucisses soient dorées (environ 10 minutes).

4. Ajouter l'ail, les flocons de chili et le paprika et faire cuire pendant 1 minute. Ajouter le riz et bien mélanger.

5. Ajouter les tomates, le vin blanc, le safran et l'eau et faire cuire pendant 3 minutes avant d'ajouter la feuille de laurier, le sel, le bouillon de poulet et les petits pois. Bien remuer le tout et déposer les cuisses de poulet dans le plat en les espaçant également.

6. Faire cuire au four pendant 25 minutes, retirer du four et déposer les crevettes et les moules dans le riz avant de faire cuire pendant encore 12 minutes.

7. Saupoudrer de persil et servir avec des tranches de citron.

Spaghetti aux boulettes de viande

Portions : 4
Préparation : 20 min
Cuisson : 25 min

Ingrédients :
- **500 g de bœuf haché maigre**
- **2 T d'oignon finement haché**
- **1 gros blanc œuf**
- **3 c. à s. de chapelure fine**
- **1 c. à s. d'ail finement haché**
- **800 g de purée de tomates**
- **1/3 de T de vin blanc sec**
- **1/3 de T de bouillon de bœuf faible en gras**
- **1 c. à t. de basilic séché**
- **1 c. à t. de sucre**
- **350 g de spaghetti**
- **1/4 de T de fromage parmesan râpé**
- **2 c. à s. de persil haché**
- **1/2 c. à t. de sel**
- **1/4 de c. à t. de poivre**

Instructions :

1. Porter à ébullition une grande casserole d'eau et couvrir.

2. Mélanger le bœuf, 1/2 tasse d'oignon, l blanc d'œuf, la chapelure, 1/2 c. à soupe d'ail, le sel et le poivre dans un grand bol. Former 12 boulettes (environ 5 cm chacune) avec le mélange.

3. Déposer les boulettes de viande sur une seule couche (sans trop les rapprocher) dans une grande poêle à frire et faire cuire à feu élevé pendant environ 5 minutes en les retournant pour faire dorer toute la surface des boulettes. Transférer les boulettes sur une assiette à l'aide d'une cuiller à égoutter.

4. Ajouter le reste de l'oignon et de l'ail dans la poêle à frire et faire cuire en remuant souvent jusqu'à ce que les oignons commencent à dorer (5 minutes). Ajouter la purée de tomates, le vin, le bouillon de bœuf, le basilic et le sucre. Remuer jusqu'à ce que le mélange commence à bouillonner.

5. Incorporer les boulettes de viande dans la sauce. Lorsque la sauce commence à bouillir, couvrir, réduire le feu et laisser mijoter de 8 à 10 minutes en remuant de temps à autre jusqu'à ce que le centre des boulettes ne soit plus rose (couper pour vérifier).

6. Pendant ce temps, faire cuire le spaghetti dans l'eau bouillante jusqu'à ce qu'il soit *al dente* (7 à 9 minutes). Bien égoutter.

7. Déposer le spaghetti dans un grand bol et verser la sauce aux boulettes de viande sur les pâtes. Saupoudrer de fromage parmesan et de persil. Servir avec du sel, du poivre et du fromage, si désiré.

Pâtes au saumon

Instructions :

1. Préchauffer le gril. Déposer les graines de fenouil dans un petit sac en plastique refermable et écraser avec un rouleau à pâte. Ajouter le persil, la cassonade, 3/4 de c. à thé de sel et 1 c. à thé de poivre dans le sac et remuer pour bien mélanger.

2. Saupoudrer la surface sans peau du saumon avec le mélange d'épices. Faire griller le saumon en posant la peau vers le bas jusqu'à ce que le centre ne soit plus rose (environ 8 minutes).

3. Défaire le saumon en flocons à l'aide d'une fourchette. Pendant ce temps, faire cuire les pâtes dans un grand chaudron d'eau salée et bouillante pendant environ 13 minutes en suivant les instructions du paquet. Réserver 1/2 tasse d'eau de cuisson et égoutter les pâtes. Remettre les pâtes dans le chaudron et incorporer les épinards avant de remuer le tout.

4. Mélanger la crème sure, le jus de citron, 1/2 c. à thé de sel et 2 c. à soupe d'eau de cuisson dans un bol.

5. Verser les pâtes sur des assiettes, couvrir de saumon et napper le tout du mélange de crème sure, ou alors mélanger le saumon et le mélange de crème sure dans le chaudron avec les pâtes et les épinards en ajoutant de l'eau de cuisson, au besoin, et servir.

Portions : 4
Préparation : 20 min
Cuisson : 20 min

Ingrédients :
- **500 g de filet de saumon avec la peau (environ 2,5 cm d'épaisseur)**
- **1 c. à s. de graines de fenouil**
- **1/4 de T de persil frais finement haché**
- **1 c. à s. de cassonade**
- **450 g de pâtes courtes**
- **300 g d'épinards**
- **1/2 T de crème sure**
- **2 à 3 c. à s. de jus de citron frais**
- **Sel et poivre**

Paëlla sur le pouce

Instructions:

1. Mélanger 2 c. à soupe d'huile d'olive, le paprika, l'origan, le sel et le poivre dans un bol. Déposer les morceaux de poulet dans le bol pour le faire mariner. Couvrir et réfrigérer.

2. Faire chauffer 2 c. à soupe d'huile d'olive à feu moyen dans une grande poêle à frire ou dans un plat à paëlla. Ajouter l'ail, le poivre de Cayenne et le riz. Faire cuire en remuant pour enrober le riz dans l'huile (environ 3 minutes). Ajouter le safran, la feuille de laurier, le persil, le bouillon de poulet et le zeste de citron. Porter à ébullition, couvrir et réduire à feu moyen-doux. Laisser mijoter pendant 20 minutes.

3. Pendant ce temps, faire chauffer 2 c. à soupe d'huile d'olive à feu moyen dans une autre poêle à frire. Déposer le poulet mariné et l'oignon et faire cuire pendant 5 minutes. Ajouter le poivron rouge et la chair de chorizo et laisser cuire pendant 5 minutes. Ajouter les crevettes et faire cuire en les retournant jusqu'à ce que les 2 côtés soient roses.

4. Étaler le mélange de riz sur une grande assiette de service et verser le mélange de viande et de fruits de mer sur le riz.

Portions: 8
Préparation: 30 min
Marinade: 20 min
Cuisson: 30 min

Ingrédients:
- 500 g de poitrine de poulet désossée et sans peau coupée en morceaux de 5 cm
- 500 g de chair de chorizo émiettée
- 500 g de crevettes épluchées et déveinées
- 6 c. à s. d'huile d'olive
- 1 c. à s. de paprika
- 2 c. à t. d'origan séché
- 3 gousses d'ail broyées
- 1 c. à t. de piments de Cayenne broyés
- 2 T de riz à grains courts
- 1 pincée de safran
- 1 feuille de laurier
- 1/2 bouquet de persil italien haché
- 1 L de bouillon de poulet
- 2 citrons (le zeste)
- 1 oignon espagnol haché
- 1 poivron rouge haché grossièrement
- Sel et poivre noir, au goût

Risotto gourmand au homard

Portions : 12
Préparation : 45 min
Cuisson : 30 min

Ingrédients :

- 2 homards (750 g chacun)
- 12 palourdes du Pacifique bien nettoyées
- 12 moules bien nettoyées
- 500 g de grosses crevettes épluchées, déveinées et coupées en 3 dans le sens de la longueur
- 250 g de calmars (corps et tentacules) rincés, épongés et coupés en morceaux de 5 mm
- 5 c. à s. d'huile d'olive extra vierge
- 3 grosses gousses d'ail
- 1 petit chili broyé
- 1 T de vin blanc sec et pétillant
- 6 1/2 T de bouillon de poisson faible en sodium maison ou acheté à l'épicerie
- 2 c. à s. de cerfeuil frais finement haché et quelques branches pour garnir
- 1 pincée de safran
- 9 c. à s. de beurre non salé
- 3 oignons verts finement hachés
- 2 T de riz Vialone Nano (ou de riz carnaroli)
- 1 c. à s. de zeste de citron finement râpé
- 1/4 de T de gros sel (et plus, au goût)
- Poivre noir fraîchement moulu, au goût

Instructions :

1. Remplir un gros chaudron d'eau glacée et réserver. Remplir une grande marmite d'eau froide aux 3/4, porter à ébullition et ajouter 1/4 de tasse de sel.

2. Plonger les homards tête première dans l'eau. Porter à nouveau à ébullition et faire cuire pendant 3 minutes (la viande ne sera pas complètement cuite). Transférer les homards dans le chaudron d'eau glacée en utilisant des pinces.

3. Laisser refroidir 5 minutes et déposer les homards sur une planche à découper.

4. Couper la queue et les pinces en utilisant un linge à vaisselle pour protéger vos mains. Arracher le bout de la queue et faire sortir la chair de la queue en poussant avec les doigts.

5. Couper la chair de la queue en 2 dans le sens de la longueur puis en 2 dans le sens de la largeur, et déposer sur une assiette recouverte d'essuie-tout.

6. Extraire délicatement la chair des pinces avant de la déposer sur l'assiette avec la queue. Enlever tous les résidus encore collés sur la chair.

7. Déposer les palourdes et les moules dans une grande poêle à frire ou dans un grand chaudron et verser 5 cm d'eau. Couvrir et faire mijoter à feu moyen-fort. Faire cuire jusqu'à ce que la coquille des palourdes et des moules s'ouvre (4 à 5 minutes). Jeter les palourdes et les moules qui ne se sont pas ouvertes.

8. À l'aide d'une cuiller à égoutter, transférer les palourdes et les moules dans un bol et recouvrir de papier ciré ou de papier aluminium.

9. Faire chauffer 2 c. à soupe d'huile à feu moyen dans une grande poêle à frire. Ajouter l'ail et le chili et faire cuire pendant 1 minute.

10. Verser 1/4 de tasse de vin blanc et laisser mijoter jusqu'à ce que le vin ait réduit de moitié (2 minutes). Ajouter les crevettes, les calmars et 1/4 de tasse de bouillon et laisser cuire jusqu'à ce que les crevettes deviennent roses (2 ou 3 minutes). Ajouter le cerfeuil et retirer du feu.

11. Mélanger le safran et le reste du bouillon dans une casserole et porter à ébullition. Réduire le feu et laisse mijoter doucement.

12. Faire fondre 3 c. à soupe de beurre et ajouter le reste d'huile dans une grande casserole à feu moyen.

13. Ajouter les oignons verts et faire cuire jusqu'à ce qu'ils soient tendres (2 à 3 minutes). Ajouter le riz et faire cuire en remuant constamment jusqu'à ce que le bout des grains soit translucide (3 minutes).

14. Ajouter le reste du vin et laisser cuire en remuant constamment jusqu'à ce qu'il soit presque complètement absorbé.

15. Verser ensuite 1/2 tasse du bouillon chaud et faire chauffer en remuant jusqu'à ce qu'il soit presque complètement absorbé et qu'une cuiller en bois passée sur la surface du riz laisse une trace.

16. Continuer d'ajouter le bouillon (1/2 tasse à la fois) en remuant constamment et en attendant que chaque portion de bouillon soit absorbée avant de verser la prochaine jusqu'à ce qu'il ne reste plus qu'une seule tasse de bouillon (18 à 20 minutes).

17. Ajouter le homard et le mélange de crevettes puis verser la 1/2 tasse du bouillon qui reste en remuant jusqu'à ce qu'il soit complètement absorbé. Ajouter une autre 1/2 tasse de bouillon pour un risotto plus liquide. Le risotto est prêt lorsque le liquide semble crémeux et que les grains sont cuits, mais légèrement croustillants au centre.

18. Retirer du feu. Incorporer le beurre qui reste et assaisonner de sel et de poivre. Ajouter le zeste de citron, les palourdes et les moules, remuer et garnir de branches de cerfeuil. Servir immédiatement.

Risotto aux fruits de mer

Portions : 4
Préparation : 30 min
Cuisson : 40 min

Ingrédients :
- 1 douzaine de palourdes du Pacifique
- 1 douzaine de moules
- 4 gros pétoncles
- 8 grosses crevettes
- 1/2 T de vin blanc
- 2 c. à s. d'huile d'olive

RISOTTO
- 5 T de bouillon de poulet
- 2 c. à s. d'huile d'olive
- 2 c. à s. de beurre
- 1/2 T d'oignon finement haché
- 1 1/2 T de riz Vialone Nano
- 1/2 T de vin blanc sec
- 2 c. à s. de ciboulette hachée
- Sel et poivre fraîchement moulu

Instructions :
1. Verser le vin blanc dans un grand chaudron. Porter à ébullition à feu moyen puis ajouter les palourdes et faire cuire jusqu'à ce que la coquille des palourdes s'ouvre (5 à 7 minutes). Retirer les palourdes avec des pinces, détacher de la coquille et jeter les coquilles. Ajouter les moules dans le chaudron, couvrir et faire cuire jusqu'à ce que les coquilles s'ouvrent (3 minutes). Jeter les moules qui ne se sont pas ouvertes. Sortir les moules avec des pinces, extraire les moules des coquilles et jeter les coquilles. Réserver le liquide de cuisson et laisser refroidir. Déposer les palourdes et les moules dans le liquide de cuisson.

2. Faire chauffer l'huile à feu moyen-fort dans une poêle à frire. Déposer les pétoncles et les crevettes et faire sauter pendant 2 minutes avant de les déposer dans le bol avec les palourdes, les moules et le liquide de cuisson.

3. Pour faire le risotto, faire mijoter le bouillon de poulet. Faire chauffer l'huile et le beurre à feu moyen dans une casserole, ajouter l'oignon et faire sauter jusqu'à ce qu'il soit tendre (3 minutes). Ajouter le riz et faire sauter jusqu'à ce qu'il soit enrobé d'huile.

4. Verser le vin dans la casserole et faire cuire jusqu'à ce qu'il soit absorbé. Ajouter 1 tasse de bouillon de poulet en remuant jusqu'à ce qu'il soit presque complètement absorbé. Continuer d'ajouter du bouillon (1 tasse à la fois) en remuant bien pendant 15 minutes puis ajouter les fruits de mer et le liquide de cuisson lorsque les grains sont cuits, mais semblent encore légèrement fermes au centre. Faire cuire en remuant de 3 à 5 minutes. Si le riz semble trop sec, ajouter plus de bouillon ou de l'eau pour obtenir une texture crémeuse. Ajouter la ciboulette.

5. Retirer du feu, goûter et assaisonner de sel et de poivre, au besoin. Servir immédiatement.

Risotto aux crevettes et aux pétoncles

Portions : 2
Préparation : 20 min
Cuisson : 25 min

Ingrédients :
- 125 g de crevettes épluchées et déveinées
- 125 g de pétoncles de baie
- 2 T de bouillon de poulet sans gras et faible en sodium
- 1 bouteille de jus de palourdes
- 2 c. à t. de beurre
- 1/4 de T d'oignon vert haché
- 1/2 T de riz arborio
- 1 pincée de safran
- 1 c. à s. de jus de citron frais
- 1/2 T de tomates cerises coupées en 2
- 2 c. à s. de crème à fouetter
- Persil haché (facultatif)

Instructions :

1. Faire mijoter le bouillon de poulet et le jus de palourdes dans une casserole sans faire bouillir. Garder chaud à feu doux.

2. Faire fondre le beurre dans une grande casserole à feu moyen.

3. Ajouter l'oignon vert et faire cuire jusqu'à ce qu'il soit tendre en remuant fréquemment (2 minutes). Ajouter le riz et le safran dans la casserole et faire cuire pendant 30 secondes en remuant fréquemment. Ajouter le jus de citron et faire cuire pendant 15 secondes en remuant fréquemment.

4. Incorporer 1/2 tasse de bouillon chaud et faire cuire jusqu'à ce que le liquide soit presque complètement absorbé en remuant constamment (2 minutes).

5. Ajouter le reste du bouillon (1/2 tasse à la fois) tout en remuant constamment et en attendant que chaque portion de bouillon soit absorbée avant de verser la prochaine (environ 18 minutes au total).

6. Ajouter les tomates et faire cuire pendant 1 minute. Incorporer les crevettes et les pétoncles et faire cuire en remuant de temps à autre jusqu'à ce qu'elles soient cuites (4 minutes).

7. Saupoudrer de persil, si désiré.

Jambalaya

Instructions :

1. Faire fondre le beurre dans une grande poêle à frire et faire sauter les oignons, les poivrons, le céleri et l'ail jusqu'à ce qu'ils soient croustillants et tendres.

2. Déposer le tout dans un très grand bol et incorporer tous les autres ingrédients.

3. Transférer le mélange dans 3 grands plats profonds allant au four.

4. Couvrir et faire cuire au four à 375 °F jusqu'à ce que le riz soit tendre en remuant 2 fois au cours de la cuisson (45 à 50 minutes).

Portions : 24
Préparation : 10 min
Cuisson : 50 min

Ingrédients :
- 1, 5 kg de saucisses fumées cuites et coupées en morceaux de 1 cm
- 3 gros oignons hachés
- 3 gros poivrons verts hachés
- 3 branches de céleris hachés
- 12 gousses d'ail finement hachées
- 1 1/2 T de beurre
- 9 T de bouillon de poulet
- 6 T de riz à grains longs
- 3 T de tomates fraîches hachées
- 1 1/2 T d'oignons verts hachés
- 1/2 T de persil frais finement haché
- 3 c. à s. de sauce Worcestershire
- 3 c. à s. de sauce piquante
- 3 c. à s. de sauce brune
- 1 c. à s. de sel
- 1 c. à s. de poivre

Sauces & trempettes

Sauce béchamel

Instructions:

1. Faire fondre le beurre dans une grande casserole à feu moyen. Une fois le beurre fondu, incorporer la farine jusqu'à ce que le mélange soit lisse. Faire cuire en remuant jusqu'à ce que la préparation atteigne une jolie couleur dorée (7 minutes).

2. Augmenter à feu moyen-fort et incorporer lentement le lait en remuant continuellement jusqu'à ce qu'il épaississe. Laisser mijoter puis réduire à feu à moyen-doux et continuer de faire cuire jusqu'à ce que la farine ramollisse et 20 minutes). Assaisonner de sel et de muscade.

Portions : 2 T
Préparation : 5 min
Cuisson : 35 min

Ingrédients :
- 5 c. à s. de beurre
- 1/4 de T de farine (tout usage)
- 4 T de lait
- 2 c. à t. de sel
- 1/4 de c. à t. de muscade fraîchement moulue

Beurre de pomme

Portions : 3 T
Préparation : 20 min
Cuisson : 4 h

Ingrédients :
- 3 T de cidre de pomme
- 2 kg de pommes
- 1 citron (zeste râpé et jus)
- 1/4 de T de jus de citron
- 1 T de sucre granulé

Instructions :

1. Verser le cidre dans une grande casserole. Porter à ébullition et laisser bouillir jusqu'à ce que le cidre ait réduit de moitié (10 à 15 minutes).

2. Peler et étrogner les pommes avant de les couper en tranches fines et de les incorporer dans le cidre avec le zeste et le jus de citron. Faire cuire à feu moyen-doux jusqu'à ce qu'elles soient très tendres (15 à 20 minutes).

3. Réduire en purée en plusieurs fois dans un robot culinaire ou un mélangeur. Ajouter le sucre, faire chauffer à feu doux et laisser cuire en remuant de temps à autre jusqu'à ce que la sauce soit très épaisse (3 ou 4 heures).

4. Faire attention de ne pas laisser brûler le fond de la sauce. Goûter au cours de la cuisson et ajouter plus de sucre, au besoin.

Chutney aux pommes et aux prunes

Instructions :

1. Réchauffer un pot stérilisé de 500 ml en le remplissant d'eau chaude. Réserver

2. Mélanger les pommes à cuire, les pommes molles, l'oignon, le gingembre, le sucre, le sel, le poivre de Cayenne et le cidre dans une casserole. Porter à ébullition puis réduire le feu et laisser mijoter en remuant de temps à autre jusqu'à ce que les pommes molles commencent à se défaire (10 minutes). Incorporer les prunes et laisser mijoter encore jusqu'à ce que les prunes commencent à ramollir et que le chutney épaississe (5 minutes). Retirer du feu et incorporer le basilic ou la menthe.

3. Après avoir vidé l'eau du pot, verser le chutney bien chaud à l'intérieur en insérant une spatule étroite dans le bocal pour enlever les bulles d'air. Laisser refroidir. Couvrir et réfrigérer pendant au moins 2 jours ou jusqu'à 1 mois.

Portions : 2 T
Préparation : 20 min
Réfrigération : 2 jours
Cuisson : 15 min

Ingrédients :
- 1 1/2 T de pommes à cuire pelées et hachées
- 3/4 de T de pommes molles pelées et hachées
- 1/4 de T d'oignons coupés en dés
- 1 c. à t. de gingembre finement haché
- 1/3 de T de sucre granulé
- 1/2 c. à t. de sel casher (ou de sel de mer)
- 1 1/2 T de cidre de pomme brut
- 1/2 T de prunes rouges (ou mauves)
- 1 c. à s. de basilic (ou menthe) haché
- 1 pincée de poivre de Cayenne

Beurre blanc

Instructions:

1. Déposer l'oignon vert, la feuille de laurier, les grains de poivre, le vinaigre et le vin dans une casserole. Porter à ébullition puis réduire à feu moyen et laisser mijoter la préparation jusqu'à ce qu'il ne reste que 2 c. à soupe de liquide.

2. Incorporer la crème et faire mijoter la sauce jusqu'à ce que la crème ait réduit de moitié. Augmenter le feu à moyen-fort et incorporer rapidement le beurre en fouettant morceau après morceau jusqu'à ce qu'il soit fondu et que la sauce épaississe. Filtrer la sauce dans un tamis pour extraire les épices et servir immédiatement.

Portions: 1 T
Préparation: 10 min
Cuisson: 25 min

Ingrédients:
- 1 1/2 c. à s. d'oignon vert haché
- 1 feuille de laurier
- 6 grains de poivre noir
- 1/4 de T de vinaigre de vin blanc
- 2 c. à s. de vin blanc sec
- 1/4 de T de crème riche en matières grasses
- 1 1/2 T de beurre froid coupé en dés de 1 cm.

Beurre à l'ail

Portions: 1 1/2 T
Préparation: 10 min

Ingrédients:
- 1 T de beurre ramolli
- 1 c. à s. d'ail finement haché
- 1/4 de T de fromage parmesan râpé
- 1 c. à s. de sel d'ail
- 1 c. à t. d'assaisonnement à l'italienne
- 1/2 c. à t. de poivre noir moulu
- 1/4 de c. à t. de paprika moulu

Instructions:

1. Mélanger le beurre ramolli, l'ail haché et le fromage parmesan dans un petit bol. Assaisonner de sel d'ail, d'assaisonnement à l'italienne, de poivre et de paprika. Mélanger jusqu'à l'obtention d'une texture lisse.

Beurre à l'ail et au citron

Instructions:

1. Mélanger tous les ingrédients dans un petit bol jusqu'à ce que la préparation soit lisse. Étendre sur du maïs ou verser sur des légumes.

Portions: 1 1/2 T
Préparation: 10 min

Ingrédients:
- 1/2 T de beurre ramolli
- 1 gousse d'ail finement hachée
- 1 c. à t. de persil frais finement haché
- 2 c. à t. de zeste de citron râpé
- 1/4 de c. à t. de sel
- Poivre, au goût

Beurre au citron et au basilic

Portions: 1 1/2 T
Préparation: 10 min

Ingrédients:
- 3 oignons verts
- 1 T de beurre ramolli
- 3/4 de T de basilic frais
- 1 c. à s. de jus de citron frais
- 1/4 de c. à t. de sel
- 1/4 de c. à t. de poivre moulu

Instructions:

1. Hacher finement les oignons verts dans un robot culinaire. Ajouter le beurre et mélanger jusqu'à ce que le tout soit bien incorporé. Ajouter le basilic, le jus de citron, le sel et le poivre et mélanger au robot jusqu'à ce que le basilic soit finement haché et également distribué.

2. Rouler le mélange sur du papier ciré pour former un rouleau de 2,5 cm. Envelopper et réfrigérer jusqu'à ce qu'il soit bien froid. Couper ensuite en tranches de 5 mm.

Mélange d'épices

Préparation : 5 min

Ingrédients :
- 1 1/2 c. à s. de paprika
- 1 c. à s. de poudre d'ail
- 1 c. à s. de poudre d'oignon
- 1 c. à s. de thym séché et moulu
- 1 c. à t. de poivre noir moulu
- 1 c. à t. de poivre de Cayenne
- 1 c. à t. de basilic séché
- 1 c. à t. d'origan séché

Instructions :

1. Mélanger le paprika, la poudre d'ail, la poudre d'oignon, le thym, le poivre noir, le poivre de Cayenne, le basilic et l'origan dans un bol jusqu'à ce que toutes les épices soient bien incorporées. Ranger dans un contenant hermétique. Se conserve dans un endroit frais et sec.

Sauce aux haricots noirs

Instructions :

1. Mélanger la fécule de maïs, la sauce soja, le xérès, l'huile de sésame, le bouillon de poulet, le sucre et la pâte de chili dans un bol jusqu'à l'obtention d'une substance lisse.

2. Faire chauffer l'huile végétale au micro-ondes dans une grande tasse à mesurer en verre à puissance élevée jusqu'à ce qu'elle soit chaude (1 minute). Ajouter l'ail, le gingembre et les haricots noirs et faire chauffer au micro-ondes sans couvercle jusqu'à ce que le mélange dégage une forte odeur (1 minute). Incorporer le mélange de bouillon de poulet et remuer jusqu'à l'obtention d'une préparation lisse puis faire chauffer au micro-ondes de 1 minute 30 secondes à 3 minutes jusqu'à ce que la sauce se mette à bouillir et épaississe. Remuer une fois. Servir sur du poulet.

Préparation : 5 min
Cuisson : 5 min

Ingrédients :
- 2 c. à t. de fécule de maïs
- 1 c. à t. de sauce soja
- 1 c. à s. d'huile végétale
- 2 c. à t. de gingembre frais finement haché
- 2 c. à s. de xérès sec
- 2 c. à t. d'huile de sésame
- 1/2 T de bouillon de poulet
- 1/2 c. à t. de sucre
- 1 c. à t. de pâte de chili
- 2 gousses d'ail finement hachées
- 2 c. à s. de haricots noirs

Marinade asiatique pour les poissons

Portions : 1/2 T
Préparation : 5 min
Marinade : 30 min
Cuisson : 8 min

Ingrédients :
- 1/4 de T de sauce soja (ou tamari)
- 2 c. à s. d'huile de sésame foncée
- 2 c. à s. de vinaigre de riz
- 1 c. à s. d'ail finement haché
- 1 c. à s. de gingembre frais finement haché
- 2 c. à s. d'oignon vert finement haché
- Poivre noir moulu, au goût

Instructions :

1. Mélanger tous les ingrédients dans un bol. Faire mariner le poisson pendant 30 minutes en le retournant après 15 minutes puis faire griller environ 8 minutes.

Sauce aigre-douce

Instructions:

1. Diluer la fécule de maïs avec de l'eau et mettre de côté. Dans une petite casserole, mélanger le jus d'ananas, le sucre, le vinaigre, le ketchup et la sauce soja. Faire chauffer en remuant jusqu'à ce que le mélange soit chaud (3 à 5 minutes). Incorporer la fécule de maïs et laisser chauffer jusqu'à ce que la sauce épaississe légèrement (2 minutes). Servir chaud ou à la température de la pièce.

Portions: 1 1/2 T
Préparation: 15 min
Cuisson: 7 min

Ingrédients:
• 1/4 de T d'eau froide
• 2 c. à s. de fécule de maïs
• 1 T de jus d'ananas non sucré
• 3 c. à s. de sucre
• 1/2 T de vinaigre blanc
• 3 c. à s. de ketchup
• 1 c. à s. de sauce soja

Sauce aux prunes

Préparation: 15 min
Cuisson: 2 h

Ingrédients:
• 1,5 kg de prunes
• 1 kg de pêches
• 3 poivrons rouges coupés en dés
• 4 grosses gousses d'ail finement hachées
• 1 oignon finement haché
• 4 T de vinaigre de cidre
• 1 1/2 T d'eau
• 1/2 T de xérès
• 1 c. à t. de sauce soja
• 1 1/2 T de sucre blanc
• 1 1/2 T de cassonade pâle
• 1 c. à s. de gingembre moulu
• 1 c. à s. de sel pour les marinades
• 1 c. à s. de moutarde sèche
• 1 c. à t. de poivre de Cayenne
• 1 c. à t. de cannelle
• 1 c. à t. de cardamome

Instructions:

1. Plonger les prunes et les pêches dans l'eau bouillante pendant 2 minutes (500 g à la fois). Retirer la peau et enlever les noyaux. Mélanger tous les ingrédients dans un grand chaudron. Porter à ébullition et laisser mijoter en remuant souvent pour éviter que la sauce colle jusqu'à ce que les fruits se décomposent et que le sirop devienne épais (environ 2 heures).

2. Verser dans des pots stérilisés en laissant 1 cm d'espace à la surface, sceller et plonger les pots dans une casserole d'eau bouillante pendant 10 minutes. Retirer les pots de l'eau chaude, laisser refroidir et ranger.

Sauce teriyaki

Instructions:

1. Mélanger l'eau, la sauce soja, la cassonade, la poudre d'ail, le gingembre et la fécule. Fouetter pour bien mélanger le tout. Porter à ébullition en remuant constamment jusqu'à ce que le mélange bouillonne et épaississe légèrement. Retirer du feu et ramener à la température de la pièce.

Portions: 1 1/2 T
Préparation: 5 min
Cuisson: 7 min

Ingrédients:
• 3/4 de T d'eau
• 1/2 T de sauce soja
• 3/4 à 1 T de cassonade
• 1/4 de c. à t. de poudre d'ail
• 1 pincée de gingembre en poudre
• 1 c. à s. de fécule de maïs

Sauce sichuanaise

Portions: 1/2 T
Préparation: 15 min
Cuisson: 12 min

Ingrédients:
- 1 1/2 c. à t. d'huile de sésame
- 1/2 c. à t. de gingembre frais finement haché
- 1/2 c. à t. d'ail finement haché
- 1/2 T de bouillon de poulet
- 2 anis étoilés
- 1 1/2 c. à t. de vinaigre de vin rouge
- 1 c. à s. de sauce soja
- 1/2 c. à t. de sel
- 1 c. à t. de sauce hoisin
- 1/8 de c. à t. de sauce Tabasco
- 1 pincée de poivre de Cayenne
- 1/4 de c. à t. de poivre
- 1 pincée de mélange cinq-épices en poudre
- 2 c. à t. de fécule de maïs dissoute dans 1 c. à s. d'eau

Instructions:

1. Faire chauffer l'huile dans une petite casserole. Ajouter le gingembre et faire sauter jusqu'à ce qu'il soit tendre, mais pas doré (1 minute).

2. Dans un bol, mélanger l'ail, le bouillon, les anis, le vinaigre de vin, la sauce soja, le sel, la sauce hoisin, la sauce Tabasco, le poivre de Cayenne, le poivre et les épices en poudre.

3. Verser le mélange dans la casserole et laisser mijoter avec un couvercle pendant 10 minutes.

4. Retirer les anis étoilés. Incorporer la fécule de maïs diluée et faire bouillir 1 minute ou 2 minutes.

5. Goûter et ajouter plus de sauce Tabasco, au besoin.

SAUCES & TREMPETTES

Sauce barbecue au chipotle

Instructions:

1. Réduire tous les ingrédients en purée dans un robot culinaire jusqu'à ce que la préparation soit très lisse.

Portions: 4
Préparation: 5 min

Ingrédients:
- 1/4 de T de cassonade
- 1/2 T de ketchup
- 2 c. à s. de piments jalapeños en boîte dans de la sauce adobo
- 1 c. à s. de sauce Worcestershire
- 2 c. à s. de mélasse
- 2 c. à s. de jus d'orange concentré
- 1 c. à t. d'ail finement haché

Aïoli

Portions: 1 T
Préparation: 5 min

Ingrédients:
- 3/4 de T de mayonnaise
- 1/4 de T de yogourt
- 2 c. à s. de jus de citron
- 2 gousses d'ail finement hachées
- 2 c. à s. d'huile d'olive extra vierge

Instructions:

1. Déposer tous les ingrédients dans un bol et fouetter pour mélanger.

Aïoli à la lime et à l'ail rôti

Portions : 1 1/4 T
Préparation : 15 min
Réfrigération : 2 h
Cuisson : 45 min

Ingrédients :
• 2 gros bulbes d'ail
• 2 c. à t. d'huile d'olive
• 1 T de mayonnaise
• 1 c. à t. de zeste de lime râpé
• 2 c. à s. de jus de lime frais
• 2 c. à s. de coriandre fraîche hachée
• 1/2 c. à t. de sel
• 1/4 de c. à t. de sauce piquante

Instructions :
1. Peler les bulbes d'ail en laissant les gousses ensemble. Couper le 1/4 supérieur de chaque bulbe d'ail. Déposer les bulbes au centre d'une feuille de papier aluminium résistante en posant le côté tranché vers le haut. Verser 1 c. à thé d'huile d'olive sur chaque bulbe, rabattre le papier aluminium sur les bulbes en refermant bien. Faire cuire au four à 425 °F jusqu'à ce que l'ail soit tendre (45 minutes). Retirer du four et laisser refroidir. Enlever et jeter les pelures des gousses d'ail et extraire la pulpe. Réduire en purée et remuer jusqu'à ce que la pulpe soit lisse.

2. Mélanger l'ail, la mayonnaise, le zeste et le jus de lime, la coriandre, le sel et la sauce piquante dans un petit bol. Couvrir et réfrigérer pendant 2 heures.

Aïoli au miso rouge

Portions : 1 T
Préparation : 5 min

Ingrédients :
• 1 c. à s. de pâte de miso rouge
• 2 c. à s. de jus d'orange
• 1/2 gousse d'ail finement haché
• 1 T de mayonnaise
• 1/4 de c. à t. d'huile de sésame rôti

Instructions :
1. Fouetter la pâte de miso rouge et le jus d'orange dans un bol jusqu'à ce que le miso soit dissous.

2. Ajouter l'ail, la mayonnaise et l'huile de sésame ôt bien mélanger.

Sauce à pizza

Portions: 1 1/3 T
Préparation: 10 min
Cuisson: 25 min

Ingrédients:
- 1/4 de T d'oignons finement haché
- 1 gousse d'ail finement hachée
- 1/4 de T de vin blanc
- 2 c. à s. de pâte de tomate
- 1 c. à t. d'origan séché
- 1 pincée de poivre noir fraîchement moulu
- 1 boîte de tomates broyées avec le jus
- 1 c. à s. de basilic frais
- 1/2 c. à t. de vinaigre balsamique
- Aérosol de cuisson

Instructions:

1. Faire chauffer une grande casserole à feu moyen-fort. Vaporiser la casserole avec l'aérosol de cuisson. Ajouter l'oignon et faire sauter jusqu'à ce qu'il soit tendre (3 minutes). Ajouter l'ail et faire sauter pendant 30 secondes. Verser le vin et faire cuire pendant 30 secondes. Ajouter la pâte de tomate, l'origan, le poivre et les tomates. Réduire le feu et laisser mijoter jusqu'à ce que la sauce épaississe (20 minutes). Retirer du feu, ajouter le basilic et le vinaigre et laisser refroidir.

Sauce rémoulade

Instructions:

1. Mélanger la mayonnaise, la sauce chili, la moutarde, l'huile d'olive, la sauce piquante, le jus de citron et la sauce Worcestershire dans un bol.

2. Incorporer les oignons verts, le persil, les olives, le céleri, les câpres et l'ail. Y ajouter l'assaisonnement au chili, de sel et de poivre. Couvrir et réfrigérer.

Portions: 1 1/2 T
Préparation: 20 min
Cuisson: 1 h

Ingrédients:
- 1 T de mayonnaise
- 1/4 de T de sauce chili
- 2 c. à s. de moutarde créole
- 2 c. à s. d'huile d'olive extra vierge
- 1 c. à s. de sauce piquante à la cajun
- 2 c. à s. de jus de citron frais
- 1 c. à t. de sauce Worcestershire
- 4 oignons verts moyens hachés
- 2 c. à s. de persil frais haché
- 2 c. à s. d'olives vertes hachées
- 2 c. à s. de céleri haché
- 1 gousse d'ail finement hachée
- 1/2 c. à t. d'assaisonnement au chili
- 1 c. à t. de sel
- 1/2 c. à t. de poivre noir moulu
- 1 c. à t. de câpres (facultatif)

Moutarde aux herbes

Portions: 1/2 T
Préparation: 5 min

Ingrédients:
- 1/2 T de crème sure faible en matières grasses
- 2 c. à s. de moutarde de Meaux
- 1 c. à t. de moutarde de Dijon
- 2 c. à s. de feuilles de thym fraîches hachées
- Gros sel et poivre moulu

Instructions:

1. Mélanger tous les ingrédients dans un bol et assaisonner de sel et de poivre.

Sauce hollandaise

Instructions :

1. Faire fondre le beurre dans une casserole et retirer les matières grasses à la surface. Garder chaud. Mélanger les jaunes d'œufs, le vinaigre, le sel et l'eau dans un bol en verre ou en métal en prévision du bain-marie. Fouetter la préparation avant de la faire chauffer au bain-marie à petit feu puis remuer continuellement jusqu'à ce que le mélange soit pâle et épais (3 à 5 minutes).

2. Retirer du feu et verser le beurre fondu en filet dans le bol en fouettant doucement jusqu'à ce qu'il soit complètement incorporé et jusqu'à l'obtention d'une sauce hollandaise crémeuse (si la sauce est trop épaisse, ajouter un peu d'eau). Assaisonner de jus de citron et de poivre de Cayenne. Garder chaud jusqu'à l'utilisation.

Portions : 1/2 T
Préparation : 5 min
Cuisson : 35 min

Ingrédients :
- 1/2 T de beurre
- 2 jaunes d'œufs
- 1/2 c. à t. de vinaigre de vin blanc (ou de vinaigre d'estragon)
- 1 pincée de sel
- Quelques gouttes d'eau glacée
- Jus de citron
- Poivre de Cayenne

Beurre au raifort

Préparation : 10 min

Ingrédients :
- 8 c. à s. de beurre non salé à la température de la pièce
- 2 c. à s. de raifort préparé
- 1/4 de c. à t. de sel casher

Instructions :

1. Déposer le beurre dans un petit bol. Ajouter le raifort et le sel et réduire en purée avec une cuiller en bois pour bien mélanger le tout. Réfrigérer jusqu'à l'utilisation et ramener à la température de la pièce avant de le servir.

Crème fraîche

Instructions :

1. Fouetter les crèmes ensemble dans un petit bol à l'aide d'une fourchette. Laisser reposer le mélange à la température de la pièce jusqu'à ce qu'il épaississe (12 heures).

2. Tapisser le fond d'un tamis avec une double épaisseur d'étamine. Poser le tamis par-dessus un bol et verser la préparation épaisse et crémeuse. Couvrir et réfrigérer pendant 24 heures.

3. Transférer la crème fraîche dans un contenant hermétique. Peut se conserver au réfrigérateur pendant 1 semaine.

Portions : 2 T
Préparation : 5 min
Réfrigération : 24 h

Ingrédients :
- 1 1/2 T de crème à fouetter
- 1/2 T de crème sure

Sauce à l'huile d'olive et au citron

Portions : 3/4 de T
Préparation : 5 min

Ingrédients :
- 1/2 T d'huile d'olive
- 1/4 de T de jus de citron
- 1 c. à t. d'origan séché
- 1 pincée de sel
- 1 pincée de poivre

Instructions :

1. Mélanger l'huile d'olive, le jus de citron, l'origan, le sel et le poivre dans un contenant hermétique. Sceller et brasser jusqu'à ce que tous les ingrédients soient bien mélangés. Badigeonner le poulet ou le poisson avec la sauce ou servir à table dans une saucière. Remuer avant de servir pour bien mélanger l'huile au reste des ingrédients.

Chutney aux poires

Portions : 11 pots stérilisés de 170 g
Préparation : 20 min
Cuisson : 2 h

Ingrédients :
- 2,25 kg de poires mûres et fermes pelées et hachées
- 1 petit poivron vert finement haché
- 1 T de raisins secs
- 4 T de sucre
- 1 T de gingembre cristallisé
- 3 T de vinaigre blanc
- 1 T d'eau
- 1 1/2 c. à t. de sel
- 1/2 c. à t. de cannelle moulue
- 1/4 de c. à t. de clou de girofle moulu
- 1/4 de c. à t. de muscade
- 1/4 de c. à t. de piment de Jamaïque moulu
- 1 paquet de pectine liquide

Instructions :

1. Déposer les poires, le poivron, les raisins secs, le sucre, le gingembre cristallisé, le vinaigre, l'eau, le sel, la cannelle, le clou de girofle, la muscade et le piment de Jamaïque dans un grand faitout et porter le tout à ébullition. Réduire le feu et laisser mijoter en remuant de temps à autre jusqu'à ce que les poires soient tendres (2 heures). Incorporer la pectine liquide, porter de nouveau à ébullition et faire bouillir pendant 1 minute en remuant constamment. Enlever l'écume.

2. Verser le chutney dans des pots stérilisés bien chauds en laissant un espace de 5 mm à la surface. Essuyer le rebord des pots et poser les couvercles métalliques en vissant fermement.

3. Déposer les pots dans un bain d'eau bouillante pendant 5 minutes.

Confit d'oignons à la bière

Instructions :

1. Faire chauffer l'huile à feu moyen-fort dans un grand faitout ou dans une casserole à fond épais. Ajouter les oignons et faire cuire en remuant souvent jusqu'à ce que les oignons soient mous et légèrement colorés (15 à 20 minutes). Ajouter le vinaigre et faire cuire en remuant jusqu'à ce qu'il soit presque complètement évaporé. Verser la bière, la cassonade, le thym et assaisonner de sel et de poivre.

2. Porter à ébullition, réduire à feu moyen et faire bouillonner en remuant de temps à autre jusqu'à ce que les oignons soient très tendres et que le plus gros du liquide se soit évaporé et devienne sirupeux (15 à 20 minutes). Laisser refroidir puis transférer dans un contenant hermétique. Se conserve pendant 1 mois au réfrigérateur.

Portions : 2 T
Préparation : 20 min
Cuisson : 40 min

Ingrédients :
- 1/4 de T d'huile d'olive
- 6 T d'oignons rouges finement tranchés
- 1/3 de T de vinaigre de vin rouge
- 1 bouteille de bière de fermentation basse
- 1/2 T de cassonade
- 1 c. à s. de thym frais (ou de romarin) haché
- Sel et poivre fraîchement moulu, au goût

Sauce barbecue

Instructions :

1. Mélanger tous les ingrédients dans une casserole de taille moyenne et faire chauffer à feu moyen.

2. Porter à ébullition puis baisser le feu et laisser mijoter pendant 40 minutes en remuant de temps à autre.

3. Diviser la sauce dans plusieurs contenants hermétiques pour faire des marinades ou pour servir à table avec les repas.

Portions : 1 1/4 T
Préparation : 5 min
Cuisson : 40 min

Ingrédients :
- 3/4 de T de vinaigre de cidre
- 1/2 T de ketchup
- 1/4 de T de sauce Worcestershire
- 1 gousse d'ail finement hachée
- 1/4 de T de sauce chili
- 2 c. à s. d'oignon haché
- 1 c. à s. de cassonade
- 1 c. à t. de jus de citron
- 1/2 c. à t. de moutarde sèche
- 1 pincée de poivre de Cayenne moulu

Sauce béarnaise

Portions : 1 1/2 T
Préparation : 25 min
Cuisson : 20 min

Ingrédients :
- 6 branches d'estragon frais rincées
- 1/2 T de vin blanc sec
- 1/2 T de vinaigre de vin blanc
- 1/2 T d'oignons verts hachés
- 2 c. à t. de poivre concassé
- 3/4 de T de beurre
- 3 gros jaunes d'œufs
- 1/8 de c. à t. de sauce piquante
- Sel

Instructions :

1. Hacher assez d'estragon pour obtenir 1 c. à soupe. Porter à ébullition le vin blanc, le vinaigre, l'oignon vert, le poivre et le reste de l'estragon dans une casserole.

2. Faire cuire en remuant souvent jusqu'à ce qu'il ne reste environ que 1/3 de tasse de liquide (10 minutes). Verser dans un bol en filtrant dans un tamis et en appuyant sur les matières solides pour extraire tout le liquide.

3. Pendant ce temps, faire fondre 2 c. à soupe de beurre dans une poêle à feu doux. Garder chaud.

4. Fouetter vigoureusement à la main les jaunes d'œufs dans un bol résistant à la chaleur jusqu'à ce qu'ils épaississent (5 minutes).

5. Ajouter 3 c. à soupe du mélange de vin blanc et battre pour bien incorporer le tout. Ajouter le reste du beurre.

6. Faire cuire au bain-marie en fouettant vigoureusement jusqu'à ce que le beurre soit fondu et que le mélange épaississe et devienne homogène (3 minutes). Retirer le bol du bain-marie.

7. Verser lentement le beurre chaud dans le bol en fouettant constamment jusqu'à ce que la préparation devienne lisse et homogène. Continuer de fouetter jusqu'à ce que tout le beurre soit incorporé et que la sauce soit crémeuse (5 à 7 minutes).

8. Ajouter l'estragon haché et la sauce piquante, goûter et ajouter un peu plus du mélange de vin blanc, de sauce piquante ou de sel, au besoin. Si la sauce est trop froide, réchauffer au bain-marie et fouetter (pas plus de 2 minutes) jusqu'à ce qu'elle soit chaude au toucher. Servir immédiatement.

Sauce aux pommes et aux canneberges

Portions : 5 T
Préparation : 10 min
Cuisson : 15 min

Ingrédients :
- 6 grosses pommes Granny Smith pelées et coupées en dés
- 1 paquet de canneberges fraîches
- 3/4 de T de canneberges séchées et sucrées
- 1 petit citron tranché et épépiné
- 1 T de sucre granulé
- 1/2 T d'eau

Instructions :

1. Mélanger les pommes, les canneberges, le citron, le sucre et l'eau. Porter à ébullition en remuant souvent.

2. Réduire le feu et laisser mijoter en remuant souvent jusqu'à ce que les canneberges éclatent et que le mélange commence à épaissir (15 minutes). Retirer du feu et incorporer les canneberges séchées.

3. Laisser refroidir, couvrir et réfrigérer jusqu'à l'utilisation. Se conserve au réfrigérateur pendant 2 semaines.

Crème au raifort et à l'ail rôti

Instructions :

1. Extraire les gousses d'ail rôties, déposer dans un bol et réduire en purée. Incorporer la mayonnaise, la crème sure, le raifort, la sauce Worcestershire et assaisonner de sel et de sauce piquante. Couvrir et réfrigérer jusqu'à 3 jours.

Portions : 1 1/4 T
Préparation : 15 min
Réfrigération : 3 jours

Ingrédients :
- 2 gros bulbes d'ail rôtis
- 1/2 T de mayonnaise
- 1/2 T de crème sure
- 2 c. à s. de raifort frais finement râpé (ou de raifort en bouteille)
- 1 c. à t. de sauce Worcestershire
- Sauce piquante, au goût
- Sel, au goût

Sauce à la crème sure et au caviar

Portions : 2 T
Préparation : 10 min
Réfrigération : 1 h

Ingrédients :
- 1 T de crème sure
- 1 pot de crème fraîche
- 1/2 T de mayonnaise
- 4 c. à s. d'aneth frais finement haché
- 100 g de caviar de lompe rouge
- 1 pincée de poivre blanc

Instructions :

1. Mélanger la crème sure, la crème fraîche, la mayonnaise, l'aneth et le poivre blanc dans un bol. Incorporer soigneusement le caviar et réfrigérer pendant au moins 1 heure avant de servir.

Sauce tartare

Instructions :

1. Mélanger le jus de citron et les jaunes d'œufs dans un mélangeur jusqu'à ce que la préparation soit lisse. Continuer de brasser en versant l'huile en filet jusqu'à ce que la texture soit lisse et que les ingrédients soient bien incorporés. Transférer la préparation dans un bol et ajouter les cornichons, l'oignon vert, la ciboulette et les câpres. Assaisonner de sel et de poivre, au goût. Réfrigérer jusqu'à l'utilisation.

Portions : 2 T
Préparation : 15 min

Ingrédients :
- 1 citron (jus)
- 2 jaunes d'œufs
- 1 1/2 T d'huile de canola
- 1/2 T de cornichons à l'aneth hachés
- 1 oignon vert finement haché
- 1/4 de T de ciboulette fraîche hachée
- 1 c. à t. de câpres hachées
- Sel et poivre fraîchement moulu, au goût

Sauce à salade Mille-Îles

Portions : 2 T
Préparation : 5 min

Ingrédients :
- 1 T de mayonnaise
- 1/2 T de ketchup
- 1 T de relish sucrée
- 1 pincée de sel
- 1 pincée de poivre moulu

Instructions :

1. Mélanger la mayonnaise, le ketchup, la relish, le sel et le poivre dans un petit bol jusqu'à ce que les ingrédients soient bien incorporés et servir.

Chutney aux tomates

Instructions :

1. Vaporiser une grande poêle antiadhésive avec l'aérosol de cuisson et faire chauffer à feu moyen-fort. Ajouter l'oignon, l'ail et le gingembre. Faire sauter jusqu'à ce que les oignons commencent à dorer (6 minutes). Ajouter les tomates, les raisins, le sucre, les graines de coriandre, la menthe, la coriandre fraîche, le sel, le paprika et le poivre de Cayenne en remuant pour bien mélanger le tout.

2. Faire cuire à feu doux jusqu'à ce que le liquide soit presque complètement évaporé et que le chutney soit épais (17 minutes).

Portions : 9
Préparation : 20 min
Cuisson : 25 min

Ingrédients :
- 2 T d'oignons finement hachés
- 1/2 c. à t. d'ail finement haché
- 1/2 c. à t. de gingembre frais finement haché
- 4 T de tomates épépinées, pelées et hachées
- 1/4 de T de raisins secs
- 2 c. à s. de sucre
- 2 c. à t. de graines de coriandre
- 1 c. à t. de menthe fraîche finement hachée
- 1 c. à t. de coriandre fraîche hachée
- 1/2 c. à t. de sel
- 1/2 c. à t. de paprika
- 1/4 de c. à t. de poivre de Cayenne moulu
- Aérosol de cuisson

Trempette de yogourt épicé

Portions : 8
Préparation : 15 min
Cuisson : 12 min

Ingrédients :

- 2 gousses de cardamome verte
- 1/2 c. à t. de graines de carvi
- 1/2 c. à t. de poivre en grains
- 1 T de coriandre fraîche
- 2 gousses d'ail hachées
- 1 piment serrano haché avec les pépins
- 2 à 3 c. à s. d'eau
- 3 c. à s. d'huile d'olive
- 1 1/2 T de yogourt grec nature
- 4 pains pitas
- 2 c. à s. de beurre non salé fondu
- 1/4 de c. à t. de sel
- 3 poivrons de couleurs assorties coupés en lamelles de 1 cm d'épaisseur dans le sens de la longueur

Instructions :

1. Écraser légèrement les gousses de cardamome avec le pouce et extraire les graines. Jeter l'enveloppe. Faire griller les graines de cardamome, de carvi et le poivre à feu moyen dans une petite poêle à frire en remuant souvent jusqu'à ce qu'ils soient foncés et qu'ils dégagent une odeur. Laisser refroidir. Moudre le mélange d'épices à l'aide d'un broyeur. Dans un mélangeur, réduire la coriandre en purée avec le mélange d'épices, l'ail, le piment, l'eau et 1 c. à s. d'huile jusqu'à l'obtention d'une préparation lisse (ajouter 1 c. à s. d'eau, au besoin). Verser la purée dans le yogourt, remuer et assaisonner avec du sel.

2. Poser une grille dans la partie supérieure et une autre dans la partie inférieure du four et préchauffer le four à 375 °F.

3. Couper les pitas en 2 pour obtenir 8 galettes. Mélanger le beurre, le sel et le reste de l'huile dans un petit bol et badigeonner légèrement la surface rude des pitas. Couper les pitas en tranches de 1 cm d'épaisseur et déposer sur une couche sur 2 plaques à biscuits.

4. Faire cuire 10 minutes en échangeant l'emplacement des plaques à la moitié de la cuisson jusqu'à ce que les pitas soient dorés et croustillants. Laisser refroidir et servir la trempette avec le pain grillé et des tranches de poivrons.

Fondue au fromage

Instructions :

1. Déposer le fromage râpé et la fécule de maïs dans un sac en plastique. Sceller et secouer pour recouvrir le fromage de fécule de maïs. Réserver.

2. Frotter l'intérieur d'une grande casserole avec la gousse d'ail avant de la jeter. Faire chauffer le vin blanc et le jus de citron à feu moyen et laisser mijoter doucement. Incorporer graduellement le fromage et remuer constamment en zigzag pour empêcher le fromage de durcir et de former des grumeaux. Faire cuire jusqu'à ce que le fromage soit fondu et crémeux. Ne pas faire bouillir. Lorsque la texture est bien lisse, ajouter le kirsch, la moutarde sèche et la muscade.

3. Transférer le fromage dans un plat à fondue posé au-dessus d'une flamme pour garder le mélange au chaud.

4. Disposer les garnitures coupées en morceaux sur un plateau tournant et déposer sur la table.

5. Piquer les garnitures avec des fourchettes à fondue ou des brochettes en bois avant de les tremper dans le fromage.

Portions : 4
Préparation : 25 min
Cuisson : 25 min

Ingrédients :

- 250 g de fromage suisse (de type emmenthal ou Jarlsberg) râpé en filaments
- 250 g de fromage gruyère râpé en filaments
- 2 c. à s. de fécule de maïs
- 1 gousse d'ail pelée et coupée en 2 dans le sens de la longueur
- 1 T de vin blanc sec
- 1 c. à s. de jus de citron
- 1 c. à s. de kirsch
- 1/2 c. à t. de moutarde sèche
- 1 pincée de muscade

GARNITURES ASSORTIES

- jambon en dés, brocoli, carottes, chou-fleur, tomates cerises, tranches de poivron vert, baguette française coupée en dés, pommes ou poires pelées et coupées en morceaux

Sauce aux tomates fraîches

Portions : pour 250 g de spaghettis
Préparation : 20 min
Cuisson : 35 min

Ingrédients :
- 1 kg de tomates très mûres
- 2 gousses d'ail
- 3 c. à s. d'huile d'olive
- 1 c. à t. de sel
- 10 feuilles de basilic

Instructions :

1. Retirer les graines (avec une cuiller ou les mains) des tomates et couper en 2 puis en dés de 5 mm. Réserver.

2. Trancher finement l'ail et faire cuire dans l'huile d'olive à feu doux dans une poêle à frire jusqu'à ce qu'il soit tendre et dégage une forte odeur (5 minutes).

3. Ajouter les tomates et 1 c. à thé de sel et augmenter le feu à moyen-fort. Faire cuire les tomates jusqu'à ce que le jus soit extrait et qu'elles commencent à bouillonner. Réduire le feu à moyen-doux ou à feu doux et laisser mijoter doucement. Faire cuire sans couvercle et sans remuer jusqu'à ce que l'huile se sépare du reste de la sauce et que le liquide soit presque complètement évaporé (environ 30 minutes).

4. Pendant ce temps, hacher le basilic. Ajouter le basilic et assaisonner de sel et de poivre, au goût, lorsque la sauce est prête.

Raïta de concombre et de coriandre

Instructions :

1. Peler le concombre et le déposer au centre d'un linge à vaisselle bien propre. Bien envelopper le concombre dans le linge et serrer bien fort pour extraire l'excès de liquide. Déposer le concombre dans un bol de taille moyenne.

2. Ajouter le yogourt, le cumin, la coriandre, la menthe, le sel et l'huile et bien mélanger.

Portions : 4
Préparation : 5 min

Ingrédients :
- 1 concombre anglais pelé
- 1 T de yogourt entier
- 1/4 de c. à t. de cumin
- 2 c. à s. de coriandre fraîche hachée
- 1 c. à s. de menthe fraîche hachée
- 1 c. à s. d'huile végétale
- Sel, au goût

Sauce libanaise à l'ail

Portions : 3 T
Préparation : 10 min

Ingrédients :
- 4 gousses d'ail
- 1 c. à t. de jus de citron
- 3 (ou 4) T d'huile de pépins de raisin
- 1 c. à t. de sel

Instructions :

1. Déposer l'ail, le jus et le sel dans un mélangeur et brasser jusqu'à l'obtention d'une préparation lisse. Ajouter graduellement l'huile en mélangeant continuellement pour obtenir une texture ressemblant à de la mayonnaise épaisse.

Sauce tahini

Instructions:

1. Mélanger l'ail et le tahini dans un robot culinaire ou à l'aide d'un mortier et d'un pilon puis ajouter le sel, l'huile d'olive, le jus de citron et le persil, si désiré. Bien mélanger le tout jusqu'à l'obtention d'une pâte lisse.

Portions: 1 T
Préparation: 10 min

Ingrédients:
- 1/2 T de tahini
  (pâte de graines de sésame)
- 3 gousses d'ail broyées
- 2 c. à s. d'huile d'olive
- 1/4 de T de jus de citron
- 1/2 c. à t. de sel casher
- 1 c. à t. de persil finement haché
  (facultatif)

Mélange d'épices créoles

Préparation: 5 min

Ingrédients:
- 2 c. à s. de poudre d'oignon
- 2 c. à s. de poudre d'ail
- 2 c. à s. d'origan séché
- 2 c. à s. de basilic séché
- 1 c. à s. de thym séché
- 1 c. à s. de poivre noir
- 1 c. à s. de poivre blanc
- 1 c. à s. de poivre de Cayenne
- 5 c. à s. de paprika
- 3 c. à s. de sel

Instructions:

1. Mélanger le paprika, la poudre d'oignon, la poudre d'ail, l'origan, le basilic, le thym, le poivre noir, le poivre blanc, le poivre de Cayenne, le paprika et le sel dans un petit bol puis ranger dans un contenant hermétique.

Sauce tzatziki

Instructions:

1. Mélanger le yogourt, le concombre, l'huile d'olive, le jus de citron, le sel, le poivre, l'aneth et l'ail dans un robot culinaire ou un mélangeur jusqu'à ce que tous les ingrédients soient bien incorporés. Verser dans un bol, couvrir et réfrigérer pendant au moins 1 heure pour plus de saveur.

Portions: 1 T
Préparation: 10 min
Réfrigération: 1 h

Ingrédients:
- 500 g de yogourt nature
- 2 concombres pelés, épépinés
  et coupés en dés
- 2 c. à s. d'huile d'olive
- 1/2 citron (le jus)
- 1 c. à s. d'aneth frais haché
- 3 gousses d'ail
- Sel et poivre, au goût

Houmous edamame

Portions: 4
Préparation: 5 min

Ingrédients:
- 1 T d'edamame épluchés
- 1/4 de T de mayonnaise faible en gras
- 1/4 de T de yogourt faible en gras
- 2 c. à t. de jus de citron frais
- 1/2 c. à t. de cumin moulu
- 1/2 c. à t. d'assaisonnement au chili
- 1 c. à s. de coriandre fraîche hachée grossièrement
- Sel et poivre fraîchement moulu

Instructions:
1. Placer les edamame, la mayonnaise, le yogourt, le jus de citron, le cumin, l'assaisonnement au chili et la coriandre dans un robot culinaire. Assaisonner de sel et de poivre. Mélanger jusqu'à ce que la préparation soit lisse. Verser sur une assiette de service avec des endives et d'autres légumes.

Délicieuse trempette pour nachos

Instructions:
1. Mélanger le fromage à la crème, la crème sure et la mayonnaise au mélangeur ou au robot culinaire. Étendre également le mélange au fond d'un bol de taille moyenne.

2. Couvrir le mélange de couches individuelles de sauce cocktail, de salsa douce, d'oignons verts tranchés, de poivrons rouges, de poivrons verts, de fromage cheddar râpé et de filaments de laitue.

3. Déposer les tranches de concombre sur le rebord du bol. Faire refroidir pendant au moins 2 heures avant de servir.

Portions: 5 T
Réfrigération: 2 h
Préparation: 20 min

Ingrédients:
- 1 paquet de fromage à la crème ramolli
- 1/2 T de crème sure
- 1/2 T de mayonnaise
- 1/4 de T de sauce cocktail
- 1 T de salsa douce
- 3/4 de T d'oignons verts tranchés
- 3/4 de T de poivrons rouges coupés en dés
- 3/4 de T de poivrons verts coupés en dés
- 2 T de fromage cheddar râpé en filaments
- 2 T de laitue coupée en filaments
- 1 concombre finement tranché

Guacamole du Nouveau-Mexique

Portions: 2 T
Préparation: 10 min

Ingrédients:
- 2 avocats de taille moyenne dénoyautés, pelés et coupés en dés
- 1/4 de c. à t. d'ail finement haché
- 1/4 de c. à t. de piment jalapeño finement haché
- 1/4 de T de tomates hachées
- 1 c. à t. d'oignon finement haché
- 2 c. à t. de jus de lime
- 2 c. à t. de coriandre hachée
- Sel casher

Instructions:
1. Réduire grossièrement les avocats, l'ail et le jalapeño en purée en utilisant une cuiller en bois jusqu'à ce que les avocats soient crémeux, mais encore consistants. Ajouter les tomates, l'oignon et du sel, au goût, puis mélanger. Verser le jus de lime, ajouter la coriandre puis mélanger à nouveau avant de goûter. Ajouter plus d'ail, de piment jalapeño, d'oignon, de sel, de jus de lime ou de coriandre, si désiré. Servir avec des croustilles de maïs.

Ketchup aux fruits

Instructions :

1. Mettre tous les ingrédients à froid dans un faitout.

2. Porter à ébullition en remuant de temps en temps puis laisser mijoter à feu moyen-doux de 1 heure à 1 heure 30.

3. Placer dans un contenant hermétique et réfrigérer pendant 12 h. Le ketchup se conserve 2 semaines au réfrigérateur ou dans des pots stérilisés.

ASTUCE

Pour ajuster la consistance du kecthup, il est possible d'ajouter de la pâte de tomate à la fin de la cuisson.

Préparation : 30 min
Réfrigération : 12 h
Cuisson : 1 h 30

Ingrédients :
- 6 tomates mûres pelées et coupées en dés
- 3 poires épluchées, étrognées et coupées en dés
- 4 pommes épluchées, étrognées et coupées en dés
- 2 oignons pelés et coupés en dés
- 3 branches de céleri coupées en dés
- 3 pêches (ou abricots ou nectarines) pelées et coupées en dés
- 2 T de cassonade
- 1 1/2 T de vinaigre blanc
- 1 c. à s. de gros sel
- 5 clous de girofle
- 1/4 de T d'épices à marinade

Mayonnaise

Portions : 1 1/4 T
Préparation : 10 min

Ingrédients :
- 1 jaune d'œuf à température ambiante
- 1 T d'huile de tournesol ou de pépins de raisin
- 1 c. à t. de moutarde
- 1 trait de vinaigre ou de jus de citron
- Sel et poivre

Instructions :

1. Mélanger le jaune d'œuf, la moutarde, le sel et le poivre.

2. Incorporer l'huile peu à peu, en filet très mince, en fouettant vigoureusement pour commencer l'émulsion. Ajouter le reste de l'huile sans jamais cesser de fouetter.

3. Ajouter le vinaigre et ajuster l'assaisonnement.

Mayonnaise à l'ail

Instructions :

1. Fouetter la mayonnaise, l'ail, le jus de citron, la sauce piquante et la coriandre dans un bol. Assaisonner de sel et de poivre.

Portions : 1/2 T
Préparation : 5 min

Ingrédients :
- 1/2 T de mayonnaise
- 1 c. à t. d'ail finement haché
- 1 c. à s. de jus de citron
- 1/2 c. à t. de sauce piquante
- 2 c. à s. de coriandre fraîche hachée
- Sel et poivre fraîchement moulu

Houmous servi avec des pitas grillés

Portions : 1 1/2 T
Préparation : 10 min
Réfrigération : 2 h

Ingrédients :

- 1 boîte de pois chiches
- 1/3 de T d'huile d'olive
- 3 c. à s. de jus de citron
- 1 c. à t. d'ail finement haché
- 1/2 c. à t. de cumin moulu
- 1/4 de c. à t. de poivre de Cayenne moulu
- 1 c. à s. d'huile d'olive (facultatif)
- 1 pain pita

GARNITURE

- Tranches de citron

Instructions :

HOUMOUS

Verser les pois chiches, l'huile d'olive, le jus de citron, l'ail, le cumin et le poivre de Cayenne dans un robot culinaire avec 2 c. à soupe d'eau et mélanger jusqu'à ce que la préparation soit lisse (1 minute à 2 minutes), en arrêtant de temps à autre pour gratter les côtés du robot. Ajouter du sel et du poivre, au goût. Transférer dans un bol. Couvrir et laisser refroidir pendant 2 heures ou jusqu'à 3 jours. Verser 1 c. à soupe d'huile d'olive avant de servir, si désiré. Garnir de tranches de citron, si le cœur vous en dit.

HOUMOUS ÉPICÉ À LA CORIANDRE ET À LA LIME

Suivre la recette ci-dessus en remplaçant le jus de citron par du jus de lime, en ajoutant 1/2 c. à thé de poivre de Cayenne plutôt que 1/4 et en incorporant 1/3 de tasse de coriandre fraîche hachée et 2 c. à thé de zeste de lime râpé aux autres ingrédients dans le robot culinaire. Garnir l'houmous avec 1 pincée de zeste de lime râpée, si désiré.

HOUMOUS AUX POIVRONS ROUGES RÔTIS

Suivre la recette d'houmous ci-dessus en omettant le cumin et en ajoutant 1/2 tasse de poivrons rouges rôtis et hachés et 2 c. à soupe de feuilles d'origan frais aux autres ingrédients dans le robot culinaire. Garnir l'houmous de poivre de Cayenne en poudre, si désiré.

POUR LES PITAS GRILLÉS

Couper le pita en triangles. Badigeonner les triangles d'huile d'olive avant de les déposer sur une plaque à biscuits puis les mettre dans un four préchauffé à 350 °F jusqu'à ce qu'ils soient croustillants (6 minutes).

Chutney aux légumes grillés

Instructions:

1. Préchauffer le four à 450 °F.

2. Enrober les légumes d'huile d'olive. Assaisonner de sel et de poivre et déposer uniformément sur une plaque à biscuits. Faire rôtir pendant 20 minutes en ne retournant les légumes qu'une seule fois. La peau du poivron devrait alors être noircie et facile à enlever. Laisser refroidir. Enlever la peau du poivron et des tomates. Couper grossièrement les légumes.

3. Mélanger les légumes rôtis, l'ail, la coriandre, le vinaigre de riz et le cumin. Assaisonner de sel et de poivre.

Portions: 4 T
Préparation: 10 min
Cuisson: 20 min

Ingrédients:
- 1 oignon rouge coupé en rondelles épaisses
- 3 zucchinis coupés en 3 dans le sens de la longueur
- 1 poivron rouge coupé en 2
- 1 piment jalapeño épépiné et coupé en 2
- 4 tomates italiennes coupées en 2
- 3 c. à s. d'huile d'olive
- 1 c. à t. d'ail haché
- 2 c. à s. de coriandre fraîche hachée
- 2 c. à s. de vinaigre de riz
- 1 c. à t. de cumin moulu
- Sel et poivre fraîchement moulu

Sauce au poivre

Portions: 1 1/4 T
Préparation: 10 min
Cuisson: 15 min

Ingrédients:
- 1 c. à s. de poivre noir en grains concassés
- 1 c. à t. de beurre
- 1 échalote finement hachée
- 1/3 T de vin rouge
- 1/4 T de vinaigre de vin rouge
- 1 T de fond de veau
- Sel et poivre, au goût

Instructions :

1. Mettre le beurre et les échalotes dans une casserole, faire revenir 2 à 3 minutes.

2. Ajouter le vin, le vinaigre de vin et le poivre. Laisser réduire de moitié.

3. Mouiller avec le fond de veau et laisser mijoter à découvert à feu doux 10 minutes.

4. Servir immédiatement.

Trempette piquante à l'avocat

Instructions:

1. Mélanger les tomates, l'oignon, l'avocat et la coriandre. Ajouter le jus de lime, la sauce piquante et bien mélanger. Assaisonner de sel et de poivre.

2. Déposer une pellicule de plastique sur la préparation pour éviter qu'elle s'oxyde et réfrigérer jusqu'à l'utilisation.

Portions: 2 T
Préparation: 10 min

Ingrédients:
- 1 T de tomates épépinées et coupées en dés
- 1/2 T d'oignons rouges finement hachés
- 1 avocat coupé en dés
- 1/4 de T de coriandre fraîche hachée
- 2 c. à s. de jus de lime
- 1/2 c. à t. de sauce piquante
- Sel et poivre fraîchement moulu

Trempette à l'avocat, aux tomates et à la mangue

Portions : 2 T
Préparation : 15 min
Réfrigération : 30 min

Ingrédients :
- 1 mangue pelée, dénoyautée et coupée en petits dés
- 1 avocat dénoyauté, pelé et coupé en petits dés
- 4 tomates de taille moyenne coupées en petits dés
- 1 piment jalapeño épépiné et finement haché
- 1/2 T de coriandre fraîche hachée
- 3 gousses d'ail finement hachées
- 1 c. à t. de sel
- 2 c. à s. de jus de lime
- 1/4 de T d'oignons rouges hachés
- 3 c. à s. d'huile d'olive

Instructions :

1. Dans un bol de taille moyenne, mélanger la mangue, l'avocat, les tomates, le piment jalapeño, la coriandre et l'ail. Incorporer le sel, le jus de lime, l'oignon rouge et l'huile d'olive. Réfrigérer environ 30 minutes avant de servir pour permettre aux différentes saveurs de bien se mélanger.

Trempette au bacon et aux légumes verts

Instructions :

1. Faire cuire le bacon dans une grande poêle à feu moyen-fort jusqu'à ce qu'il soit croustillant (7 à 9 minutes). Retirer le bacon et égoutter sur des essuie-tout. Garder 2 c. à soupe de graisse de cuisson dans la poêle. Émietter le bacon.

2. Faire sauter les légumes verts, l'oignon et l'ail dans la graisse de cuisson jusqu'à ce qu'ils soient tendres (7 à 10 minutes). Ajouter le maïs, le piment, le sel et le poivre et faire cuire jusqu'à ce que tout soit bien chaud (3 minutes). Retirer du feu et verser le vinaigre. Saupoudrer de bacon puis servir chaud avec la couenne de porc, les croustilles de patate douce et la sauce piquante.

Portions : 4 T
Préparation : 15 min
Cuisson : 22 min

Ingrédients :
- 8 tranches de bacon
- 1 paquet de mélange de légumes verts congelés, dégelés et égouttés
- 1/2 oignon doux de taille moyenne haché
- 1 c. à t. d'ail finement haché
- 1 1/2 T de maïs congelé
- 1 piment serrano épépiné et finement haché
- 1/4 de c. à t. de sel
- 1/4 de c. à t. de poivre
- 2 c. à s. de vinaigre de cidre
- Couenne de porc
- Croustilles de patate douce
- Salsa piquante, recette p. 462

Trempette au thon

Portions : 1 1/2 T
Préparation : 10 min

Ingrédients :
- 1 boîte de thon dans l'eau
- 1/3 de T d'oignons hachés
- 1/3 de T de tomates
- 1/3 de T de coriandre fraîche finement hachée
- 1 petit piment jalapeño épépiné et finement haché
- Sel et poivre, au goût

Instructions :

1. Mélanger le thon, l'oignon, les tomates, la coriandre et le piment jalapeño dans un bol de taille moyenne. Assaisonner de sel, au goût, et réfrigérer jusqu'à l'utilisation.

Salsa mexicaine

Instructions :

1. Mélanger les tomates, l'oignon, la coriandre, les piments et le jus de lime dans un bol. Saupoudrer de sel et mélanger à nouveau. Si la salsa est trop sèche, ajouter un peu d'eau.

2. Couvrir et laisser reposer pendant 10 à 15 minutes pour permettre à toutes les saveurs de bien s'imprégner puis servir.

Portions : 2 T
Préparation : 5 min
Marinade : 15 min

Ingrédients :
- **500 g de tomates bien mûres, coupées en morceaux de 5 mm**
- **1/3 de T d'oignons blancs finement hachés**
- **1/4 de T de coriandre fraîche hachée**
- **2 piments serrano épépinés et finement hachés**
- **2 c. à t. de jus de lime**
- **Sel de mer, au goût**

Trempette à l'avocat et à la mangue et croustilles de maïs

Portions : environ 12
(1 portion équivaut à environ
3 c. à s. de salsa et à 6 croustilles)
Préparation : 10 min
Marinade : 10 min
Cuisson : 8 min

Ingrédients :
- **12 tortillas de farine (de 15 cm) coupées chacune en 6 pointes**
- **1/4 de c. à t. de sel casher réparti sur les pointes de tortillas**
- **1 1/4 T d'avocats pelés et hachés**
- **1 T de mangues pelées et hachées**
- **1 c. à s. de coriandre fraîche finement hachée**
- **4 c. à t. de jus de lime**
- **Branches de coriandre fraîche (facultative)**
- **Aérosol de cuisson**

Instructions :

1. Préchauffer le four à 425 °F.

2. Déposer les pointes de tortillas uniformément sur une grande plaque à biscuits préalablement vaporisée avec l'aérosol de cuisson. Vaporiser également les pointes avec l'aérosol, saupoudrer uniformément chaque pointe avec 1 pincée de sel et faire cuire à 425 °F jusqu'à ce que les tortillas soient croustillantes (8 minutes).

3. Mélanger 1 pincée de sel, l'avocat, la mangue, la coriandre hachée et le jus de lime et remuer doucement le tout. Garnir de branches de coriandre, si désiré. Laisser reposer pendant 10 minutes puis servir avec les croustilles.

Trempette rafraîchissante à la mangue

Instructions :

1. Mélanger tous les ingrédients dans un bol de taille moyenne. Couvrir et réfrigérer.

Portions : 3 T
Préparation : 5 min

Ingrédients :
- **1 1/2 T de mangues pelées et hachée**
- **1 1/2 T de tomates hachées**
- **2 c. à s. de coriandre fraîche finement hachée**
- **2 c. à s. de jus de lime**
- **1 c. à s. de piment jalapeño épépiné et finement haché**
- **1 c. à t. de gingembre frais pelé et finement haché**

Salsa piquante

Portions: 4 T
Préparation: 5 min
Marinade: 8 h

Ingrédients:
- 4 tomates italiennes coupées en dés
- 1 boîte de tomates broyées (avec le jus)
- 2 boîtes de piments verts coupés en dés
- 1 botte d'oignons verts hachés
- 1/2 T de coriandre fraîche hachée
- 1 c. à s. d'origan frais haché
- 1 c. à s. de vinaigre
- 1 c. à t. de sucre
- 2 c. à t. de sauce soja légère
- 1 c. à t. de jus de lime
- 2 c. à t. de sel
- 2 c. à t. de poivre

Instructions:

1. Bien mélanger tous les ingrédients dans un bol.

2. Couvrir et faire refroidir 8 heures.

Salsa verde

Portions: environ 4 T
Préparation: 10 min

Ingrédients:
- 8 tomatilles (environ 350 g)
- 1/4 de T d'oignons verts hachés
- 1/4 de T de coriandre fraîche hachée
- 1 piment jalapeño épépiné et coupé en quartiers
- 1 boîte de piments verts hachés
- 1/2 c. à t. de sel

Instructions:

1. Enlever l'enveloppe externe et les racines des tomatilles. Déposer les tomatilles, les oignons, la coriandre, le sel, le piment jalapeño et les piments verts dans un robot culinaire et hacher grossièrement le tout.

Trempette facile

Portions: 2 1/2 T
Préparation: 5 min

Ingrédients:
- 2 T de tomates italiennes (4 grosses tomates) coupées en dés
- 1/4 de T d'oignons blancs hachés
- 3 c. à s. de coriandre fraîche hachée
- 2 c. à t. de piment jalapeño épépiné et finement haché
- 1 1/2 c. à t. de jus de lime
- 3/4 de c. à t. de sel casher (ou au goût)
- 1 petite gousse d'ail finement hachée

Instructions:

1. Mélanger tous les ingrédients dans un bol. Pour une texture plus lisse, verser la moitié de la salsa dans le robot culinaire avant de la mélanger à la moitié plus consistante. Bien couvrir et conserver au réfrigérateur jusqu'à 5 jours.

Guacamole rafraîchissant

Instructions :

1. Déposer les avocats dans un bol de taille moyenne avant de les réduire en purée avec une fourchette. Ajouter l'oignon, la tomate, le piment, le jus de lime et la coriandre et bien remuer pour incorporer toutes les saveurs. Couvrir et faire refroidir jusqu'à ce que le guacamole soit prêt à servir.

2. Saupoudrer de graines de grenade, si désiré, et servir avec des croustilles de maïs.

Portions : 2 3/4 T
Préparation : 5 min

Ingrédients :
- **3 avocats mûrs dénoyautés et pelés**
- **1 petit oignon finement haché**
- **1 tomate moyenne épépinée et hachée**
- **1 piment serrano épépiné et finement haché**
- **3 c. à s. de jus de lime**
- **1 c. à s. de coriandre fraîche finement hachée**
- **1/2 c. à t. de sel**
- **1 c. à s. de graines de grenade fraîche (facultatif)**
- **Croustilles de maïs**

Tartinade aux épinards et aux artichauts

Portions : 5 1/2 T
Préparation : 10 min

Ingrédients :
- 2 T de fromage mozzarella semi-écrémé et râpé
- 1/2 T de crème sure sans gras
- 1/4 de T de fromage parmesan râpé
- 1/4 de c. à t. de poivre noir
- 3 gousses d'ail broyées
- 1 boîte de cœurs d'artichaut hachés
- 1 paquet de fromage à la crème faible en matières grasses, ramolli
- 1 paquet de fromage à la crème sans gras, ramolli
- 1/2 paquet d'épinards hachés congelés, dégelés, égouttés et bien séchés
- 1 paquet de croustilles de maïs cuites au four

Instructions :
1. Préchauffer le four à 350 °F.

2. Mélanger 1 1/2 tasse de mozzarella, la crème sure, 2 c. à soupe de parmesan, le poivre, l'ail, les cœurs d'artichaut, les fromages à la crème et les épinards dans un grand bol.

3. Remuer jusqu'à ce que tous les ingrédients soient incorporés.

4. Verser le mélange dans un plat allant au four puis saupoudrer la tartinade avec la 1/2 de tasse de mozzarella et les 2 c. à soupe de parmesan restantes.

5. Faire cuire à 350 °F jusqu'à ce que la tartinade forme des bulles et soit dorée (30 minutes). Servir avec des croustilles de maïs.

Tartinade aux olives et aux pacanes

Instructions :
1. Mélanger le fromage à la crème, la mayonnaise, les olives et les pacanes dans un bol. Réfrigérer pendant au moins 1 heure avant de servir.

Portions : 2 T
Préparation : 5 min
Réfrigération : 1 h

Ingrédients :
- 1 T de fromage à la crème ramolli
- 1/2 T de mayonnaise
- 1 pot d'olives vertes tranchées
- 1 T de pacanes hachées grossièrement

Tartinade de tomates séchées et de fromage de chèvre

Portions : 1 T
Préparation : 5 min

Ingrédients :
- 1 T de fromage de chèvre mou
- 1/3 de T de tomates séchées au soleil hachées
- 3 gousses d'ail finement hachées
- 1 c. à s. de persil frais haché

Instructions :
1. Mélanger le fromage de chèvre, les tomates séchées, l'ail et le persil dans un robot culinaire jusqu'à l'obtention d'une tartinade lisse et onctueuse.

Trempette au brocoli et au wasabi

Instructions :

1. Couper le brocoli en petits morceaux avant de les faire cuire dans de l'eau bouillante salée jusqu'à ce qu'ils soient tendres (environ 15 minutes). Rincer à l'eau froide et bien égoutter.

2. Faire fondre le beurre dans une petite poêle, ajouter l'oignon en dés et faire cuire à feu doux jusqu'à ce qu'ils soient tendres sans être dorés (environ 10 minutes). Déposer le brocoli, les oignons et le fromage dans un robot culinaire et mélanger jusqu'à ce que le tout soit bien lisse. Ajouter le sel, la poudre de wasabi et le jus de lime. Mélanger jusqu'à ce que tous les ingrédients soient bien incorporés puis assaisonner au goût. Couvrir et réfrigérer jusqu'à l'utilisation.

Portions : 1 1/2 T
Préparation : 15 min
Cuisson : 25 min

Ingrédients :
- 1 brocoli
- 1/2 oignon pelé et coupé en dés
- 1 c. à s. de beurre
- 1/4 de T de fromage ricotta crémeux
- 1 1/2 c. à t. de sel
- 3/4 de c. à t. de poudre de wasabi
- 1 c. à s. de jus de citron fraîchement pressé

Trempette épicée aux haricots noirs

Portions : 8
Préparation : 10 min

Ingrédients :
- 1 T de fromage à la crème ramolli
- 1 pot de sauce épicée aux haricots noirs
- 1/2 paquet de fromage mexicain râpé

GARNITURES
- Oignons verts tranchés, tomates hachées, olives noires tranchées
- Tortillas et croustilles de maïs assorti

Instructions :

1. Étendre une couche de fromage à la crème, une couche de sauce épicée et une couche de fromage sur une assiette de service.

2. Ajouter les garnitures et servir avec des croustilles.

Tartinade olivata

Instructions :

1. Mélanger l'eau, le vinaigre balsamique, le vinaigre de vin rouge et les tomates séchées dans une petite casserole. Porter à ébullition à feu moyen-fort. Réduire le feu puis faire mijoter en remuant de temps à autre jusqu'à ce que le liquide soit absorbé et que les tomates gonflent (1 minute ou 2 minutes).

2. Verser le mélange de tomates, les olives, le basilic, l'huile d'olive, l'ail, le poivre et le sel dans un mélangeur ou un robot culinaire puis mélanger jusqu'à ce que la préparation soit lisse en s'assurant de bien gratter les rebords du robot. Servir avec des tranches de baguette.

Portions : environ 1 T
Préparation : 10 min
Cuisson : 5 min

Ingrédients :
- 1 c. à s. d'eau
- 1 c. à s. de vinaigre balsamique
- 1 c. à s. de vinaigre de vin rouge
- 1/4 de T de tomates séchées
- 1/2 tasse d'olives Kalamata dénoyautées
- 1 c. à s. de basilic frais haché
- 1 c. à s. d'huile d'olive
- 1/2 c. à t. d'ail haché
- 1/4 de c. à t. de poivre
- 1 pincée de sel
- Tranches de pain baguette

Pico de gallo

Portions : 2 T
Préparation : 15 min
(plus 1 h de repos)

Ingrédients :
- **2 tomates de taille moyenne épépinées et coupées en dés**
- **1 avocat de taille moyenne bien mûr et coupé en dés**
- **1/4 de T d'oignons blancs coupés en dés**
- **1 piment jalapeño épépiné et finement haché**
- **2 c. à s. de jus de lime**
- **1 c. à s. d'huile extra vierge**
- **Sel, au goût**

Instructions :
1. Mélanger les tomates, l'avocat, l'oignon, le piment, le jus de lime et l'huile d'olive dans un bol. Couvrir et laisser reposer 1 heure. Assaisonner de sel au goût.

Trempette au crabe et au rhum brun

Instructions:

1. Préchauffer le four à 350 °F.

2. Dans une casserole de taille moyenne, faire fondre le beurre à feu moyen. Ajouter l'oignon et l'ail et faire cuire encore jusqu'à ce qu'ils soient tendres sans être dorés (10 minutes).

3. Ajouter le rhum et faire cuire pendant encore 3 minutes.

4. À l'aide d'une spatule en caoutchouc, mélanger les oignons et l'ail réchauffés avec le zeste et le jus de lime, le Tabasco, le fromage à la crème, la mayonnaise et la chair de crabe jusqu'à ce que tous les aliments soient bien incorporés. Ajouter du sel, au goût.

5. Déposer dans un plat allant au four et faire chauffer pendant 20 minutes.

6. Garnir de ciboulette et servir avec des croustilles de banane plantain.

Portions: 6
Préparation: 10 min
Cuisson: 33 min

Ingrédients:
- **125 g de chair de crabe fraîche (ou en boîte)**
- **1 c. à s. de beurre**
- **1/2 T d'oignon blancs finement haché**
- **2 gousses d'ail finement hachées**
- **1/4 de T de rhum brun**
- **1 lime (zeste râpé et jus)**
- **1/4 de c. à t. de sauce Tabasco**
- **250 g de fromage à la crème ramolli**
- **1/3 de T de mayonnaise**
- **2 c. à s. de ciboulette fraîche finement hachée**
- **Sel, au goût**
- **Croustilles de banane plantain, pour accompagner, recette p. 92**

Trempette au feta et aux épinards

Portions: 2 T
Préparation: 10 min

Ingrédients:
- **1 pot de yogourt nature sans gras**
- **3/4 de T de fromage feta émietté**
- **1/4 de T de fromage à la crème faible en matières grasses, ramolli**
- **1/4 de T de crème sure faible en matières grasses**
- **1 gousse d'ail broyée**
- **1 1/2 T d'épinards frais finement hachés**
- **1 c. à s. d'aneth frais finement haché (ou 1 c. à thé d'aneth séché)**
- **1 pincée de poivre noir**
- **Aneth frais (facultatif)**

Instructions:

1. Verser du yogourt sur plusieurs couches de papier absorbant très résistant. Étaler près de 2,5 cm d'épaisseur. Couvrir le tout d'essuie-tout et laisser reposer 5 minutes. Verser le yogourt dans le bol d'un robot culinaire en utilisant une spatule en caoutchouc. Ajouter les fromages, la crème sure et l'ail et mélanger jusqu'à ce que le tout soit lisse en prenant soin de bien gratter les rebords du bol. Verser le mélange de yogourt dans un bol de taille moyenne avant d'ajouter les épinards, l'aneth haché et le poivre. Couvrir et laisser refroidir. Garnir d'aneth frais, si désiré.

Trempette au garam masala

Instructions:

1. Mélanger le yogourt, les tomates, l'oignon, le garam masala et le sel dans un bol. Couvrir et faire refroidir pendant 1 heure. Servir avec des pointes de pita.

Portions: 5
(1 portion équivaut à 1/4 de T de trempette et 4 pointes de pita)
Préparation: 5 min
Réfrigération: 1 h

Ingrédients:
- **1 T de yogourt faible en matières grasses**
- **1/2 T de tomates italiennes épépinées et hachées**
- **1/3 de T d'oignon finement haché.**
- **1 c. à t. de garam masala**
- **1/4 de c. à t. de sel**
- **2 pitas (15 cm), chacun coupé en 10 pointes**

Trempette bacon et fromage bleu

Portions: 12 à 15
Préparation: 20 min
Cuisson: 15 min

Ingrédients:
- 7 tranches de bacon hachées
- 2 gousses d'ail finement hachées
- 2 paquets de fromage
  à la crème ramolli
- 1/3 de T de crème légère
- 100 g de fromage bleu émietté
- 2 c. à s. de ciboulette fraîche
  hachée
- 3 c. à s. de noix hachées et rôties
- Rochers aux raisins secs
- Galettes ou craquelins assortis

Instructions:
1. Faire cuire le bacon haché dans une poêle à feu moyen-fort jusqu'à ce qu'il soit croustillant (10 minutes). Égoutter le bacon et réserver. Ajouter l'ail haché dans la poêle et faire sauter pendant 1 minute.

2. Battre le fromage à la crème à vitesse moyenne avec un batteur électrique jusqu'à ce que le mélange soit lisse. Ajouter la crème et fouetter jusqu'à ce que le tout soit bien incorporé. Ajouter le bacon, l'ail, le fromage bleu et la ciboulette. Verser également le mélange dans 4 petits plats (de 1 tasse) allant au four.

3. Faire cuire à 350 °F jusqu'à ce que le mélange soit doré et bouillonnant (15 minutes). Saupoudrer uniformément de noix et servir avec des rochers aux raisins secs, des galettes ou des craquelins assortis.

SAUCES & TREMPETTES

Trempette classique pour nachos

Instructions:
1. Mélanger la crème sure, le fromage à la crème et les épices à tacos dans un bol. Étendre le mélange dans un moule à tarte puis saupoudrer également le fromage cheddar sur le mélange, avant de recouvrir le tout de tomates et d'oignons verts.

Portions: 4 T
Préparation: 15 min

Ingrédients:
- 1 T de crème sure
- 1 T de fromage à la crème
  à l'oignon et à la ciboulette
- 1 paquet de mélange d'épices
  pour tacos
- 1 T de fromage cheddar râpé
  en filaments
- 1 T de tomates hachées
- 2 oignons verts hachés

Trempette festive

Portions: 1 1/2 T
Préparation: 15 min
Marinade: 1 h

Ingrédients:
- 1 T de fromage à la crème
  faible en gras ramolli
- 1/2 T de yogourt nature sans gras
- 1/4 de T de mayonnaise allégée
- 2 c. à s. de coriandre fraîche
  hachée
- 1 1/2 c. à t. de jus de lime
- 1/2 c. à t. de sauce piquante
- 1/3 de T de poivrons rouges rôtis
  et hachés (en pot)
- 2 c. à s. d'oignons verts
  finement hachés
- 1/4 de c. à t. de sel
- Croustilles aux légumes

Instructions:
1. Déposer le fromage à la crème, le yogourt, la mayonnaise, la coriandre, le jus de lime, la sauce piquante et le sel dans un robot culinaire puis mélanger jusqu'à ce que la préparation soit lisse (30 à 45 secondes), en s'assurant de bien gratter les contours du robot.

2. Ajouter le poivron rouge et l'oignon vert.

3. Couvrir et laisser refroidir 1 heure. Servir avec des croustilles aux légumes.

Trempette pour tacos

Instructions :

1. Mélanger les épices pour tacos et les haricots dans un bol de taille moyenne. Étendre le mélange dans un grand plat de service.

2. Mélanger la crème sure et le fromage à la crème dans un bol de taille moyenne. Étendre sur les haricots.

3. Ajouter une couche de salsa puis étendre une couche de tomate, de poivron vert, d'oignon et de laitue avant de couvrir le tout de fromage et de garnir avec des olives noires.

Portions : 10
Préparation : 30 min

Ingrédients :
- 1 paquet d'épices pour tacos
- 1 boîte de haricots
- 1 T de fromage à la crème faible en gras ramolli
- 1 T de crème sure
- 1 T de salsa
- 1 grosse tomate hachée
- 1 poivron vert haché
- 1 botte d'oignons verts finement hachés
- 1 petite laitue iceberg émincée
- 1 boîte d'olives noires tranchées
- 2 T de fromage cheddar râpé

Trempette épicée aux lentilles rouges avec croustilles de pita

Portions : 10 (1 portion équivaut environ à 1/4 de T de trempette et à 2 croustilles)
Préparation : 10 min
Cuisson : 20 min

Ingrédients :

TREMPETTE
- 1 T de petites lentilles rouges sèches
- 1 feuille de laurier
- 1 c. à s. d'huile d'olive
- 1 T d'oignons finement hachés
- 2 c. à s. de noix de pin
- 1 c. à s. de pâte de tomate
- 1 c. à t. de graines de coriandre moulues
- 1/2 c. à t. de cumin moulu
- 1/2 c. à t. de graines de carvi
- 3 gousses d'ail hachées
- 3 c. à s. de jus de citron
- 1 pincée de poivre de Cayenne moulu
- 1 c. à t. de sel de mer fin

CROUSTILLES
- 4 pitas (15 cm) coupés en 5 pointes
- 1 pincée de sel de mer fin
- 1 pincée de poivre noir moulu
- Aérosol de cuisson

Instructions :

1. Préchauffer le four à 350 °F.

TREMPETTE

2. Verser les lentilles et la feuille de laurier dans une grande casserole puis ajouter de l'eau pour couvrir les lentilles (5 cm au-dessus). Porter à ébullition, couvrir et réduire le feu puis laisser mijoter jusqu'à ce que les lentilles soient tendres (8 minutes). Bien égoutter. Jeter la feuille de laurier.

3. Faire chauffer l'huile à feu moyen-fort dans une poêle à frire antiadhésive. Ajouter les oignons et les noix puis faire sauter jusqu'à ce que les noix soient légèrement dorées (5 minutes). Verser la pâte de tomate, le sel, la coriandre, le cumin, les graines de carvi, le poivre de Cayenne et l'ail puis faire cuire le tout pendant 5 minutes en remuant de temps à autre. Ajouter le jus de citron. Mélanger les lentilles et la préparation d'oignon dans un robot culinaire jusqu'à l'obtention d'une trempette lisse et onctueuse.

CROUSTILLES

4. Vaporiser un côté de chaque pita avec l'aérosol de cuisson puis saupoudrer uniformément les pointes avec 1 pincée de sel et de poivre. Déposer les pointes sur une plaque à biscuits et faire cuire au four à 350 °F jusqu'à ce qu'elles soient dorées (20 minutes).

Tartinade à l'avocat et à la lime

Portions : 1 T
Préparation : 20 min

Ingrédients :
- 1 avocat mûr
- 1 c. à s. de jus de lime
  fraîchement pressé
- 1/2 c. à t. de sauce piquante
- 1 gousse d'ail finement hachée
- Sel et poivre fraîchement moulu
- Croustilles de maïs ou craquelins

GARNITURE
- Crevettes cuites
- Poivron tranché
- Tomates cerises coupées en 2

Instructions :

1. Peler et couper l'avocat en dés avant de le déposer dans un robot culinaire. Ajouter du jus de lime, de la sauce piquante et de l'ail. Mélanger jusqu'à l'obtention d'une texture lisse et assaisonner de sel et de poivre.

2. Transvider le mélange crémeux dans un bol et couvrir avec une pellicule de plastique directement sur la surface de la crème. Réfrigérer jusqu'à l'utilisation.

3. Pour servir, verser une grosse cuillérée de tartinade sur chaque croustille ou craquelin et couvrir d'une crevette cuite, d'une tranche de poivron, d'une moitié de tomate cerise ou d'une feuille de coriandre.

Trempette avocat et feta

Préparation : 20 min
Marinade : 2 à 6 h

Ingrédients :
- 2 tomates italiennes hachées
- 1 avocat bien mûr dénoyauté,
  pelé et haché
- 1/4 d'oignon rouge finement haché
- 1 gousse d'ail finement hachée
- 1 c. à s. de persil frais haché
- 1 c. à s. d'origan frais haché
- 1 c. à s. d'huile d'olive
- 1 c. à s. de vinaigre de vin blanc
  (ou rouge)
- 100 g fromage feta émietté

Instructions :

1. Dans un bol, mélanger soigneusement les tomates, les avocats, l'oignon et l'ail. Incorporer le persil et l'origan puis verser doucement l'huile d'olive et le vinaigre. Ajouter ensuite le feta, couvrir et réfrigérer de 2 à 6 heures.

Salsa aux haricots noirs et à la mangue

Portions : 4 T
Préparation : 5 min
Réfrigération : 24 h

Ingrédients :
- 1 boîte de haricots noirs
- 1 T de mangue mûre et ferme
  coupée en dés
- 1 tomate roma rincée, épépinée
  et hachée grossièrement
- 1/2 T de poivrons oranges
  coupés en dés
- 1/2 T de poivrons jaunes
  coupés en dés
- 1/4 de T d'oignons hachés
- 1 c. à s. de piment jalapeño frais
  épépiné et finement haché
- 1 c. à s. de coriandre hachée
- 1 gousse d'ail finement hachée
- 2 c. à s. de jus de lime
- 1 c. à s. de vinaigre de vin rouge
- Sel et poivre

Instructions :

1. Dans un bol, mélanger les haricots, la mangue, les poivrons, l'oignon, le piment jalapeño, la coriandre, l'ail, le jus de lime et le vinaigre.

2. Ajouter du sel et du poivre, au goût. Servir, ou couvrir et réfrigérer 1 journée.

ASTUCE
Garnir des tortillas en forme de petit bol et servir.

Trempette moutarde et miel

Portions : 1 1/2 T
Préparation : 5 min

Ingrédients :
- 3/4 de T de moutarde de Dijon
- 1/2 T de mayonnaise
- 1/4 de T de miel
- 1/4 de c. à t. de poivre
  de Cayenne moulu
- 1 pincée de sel à l'ail
- Bâtonnets de poulet pour servir

Instructions :
1. Mélanger tous les ingrédients et servir avec des bâtonnets de poulet.

Trempette pizza

Portions : 6
Préparation : 10 min
Cuisson : 25 min

Ingrédients :
- 1 paquet de fromage
  à la crème ramolli
- 1 boîte de sauce à pizza
- 125 g de pepperoni coupé en dés
- 1 oignon haché
- 1 boîte d'olives noires hachées
- 2 T de fromage mozzarella râpé
- Aérosol de cuisson

Instructions :
1. Préchauffer le four à 400 °F. Vaporiser un moule à tarte avec l'aérosol de cuisson.

2. Étendre le fromage à la crème au fond du moule à tarte. Verser la sauce à pizza sur le fromage avant de l'étaler uniformément sur toute la surface du moule. Couvrir le tout de morceaux de pepperoni, d'oignon, d'olives et de fromage mozzarella.

3. Faire cuire à 400 °F pendant 20 à 25 minutes.

Tartinade crémeuse aux artichauts

Portions : 6
Préparation : 15 min
Cuisson : 30 min

Ingrédients :
- 1/2 T de fromage à la crème
  faible en gras ramolli
- 1/4 de T de mayonnaise
  faible en gras
- 3 c. à s. de fromage
  parmesan râpé
- 2 c. à t. d'ail finement haché
- 2 c. à t. de jus de citron
- 1/2 c. à t. de sauce piquante
- 1/4 de c. à t. de sel casher
- 1/4 de c. à t. de poivre noir
  fraîchement moulu
- 2 T de cœurs d'artichauts
  congelés et hachés
- Aérosol de cuisson

Instructions :
1. Préchauffer le four à 350 °F.

2. Mélanger le fromage à la crème, la mayonnaise, le parmesan, l'ail, le jus de citron, la sauce piquante, le sel et le poivre dans un bol. Incorporer les cœurs d'artichauts.

3. Verser le mélange d'artichauts sur une plaque à biscuits carrée de 20 cm de côté vaporisée avec l'aérosol de cuisson.

4. Faire cuire jusqu'à ce que la tartinade soit bien chaude et commence à dorer (30 minutes). Servir chaud.

Sandwichs

Sandwichs de bœuf à l'italienne

Instructions :

1. Préchauffer le four à 450 °F.

2. Mélanger le poivre de Cayenne, la poudre d'ail, la poudre d'oignon, le basilic séché, l'origan séché, l'assaisonnement à l'italienne, le sel d'ail et le poivre noir dans un bol.

3. Saupoudrer la moitié des épices sur toute la surface du rôti puis déposer la viande dans un plat à rôtir assez large pour contenir le rôti. Faire rôtir au four pendant 15 minutes. Réduire la température du four à 350 °F et faire rôtir pendant encore 20 à 30 minutes. Sortir le rôti du four et ajouter de l'eau froide au fond du plat. Laisser reposer jusqu'à ce que la graisse se soit solidifiée. Enlever et jeter la graisse puis saupoudrer le rôti avec le reste du mélange d'épices. Remettre la viande au four pendant 30 minutes. Sortir du four et laisser refroidir 20 minutes avant de couper le rôti en tranches de l'épaisseur d'une feuille de papier.

4. Déposer la viande tranchée dans une grande casserole avec le jus de cuisson, les cubes de bouillon de bœuf, les graines de fenouil et les feuilles de laurier et laisser mijoter à feu doux 1 heure ou 2 heures ou jusqu'à l'obtention de la cuisson désirée. Garnir les petits pains du mélange de bœuf et de piments marinés.

Portions : 8
Préparation : 30 min
Cuisson : 3 h 30

Ingrédients :
- 2 kg de rôti de croupe
- 1 c. à t. de poivre de Cayenne
- 2 c. à t. de poudre d'ail
- 2 c. à t. de poudre d'oignon
- 2 c. à t. de basilic séché
- 2 c. à t. d'origan séché
- 2 c. à t. d'assaisonnement à l'italienne
- 1/2 c. à t. de graines de fenouil
- 3 cubes de bouillon de bœuf
- 3 feuilles de laurier
- 1 1/2 T d'eau
- 8 petits pains italiens
- 1 c. à t. de sel d'ail
- 1 c. à t. de poivre noir
- Piments marinés

Pain amish

Portions : 6
Préparation : 20 min
Cuisson : 40 min

Ingrédients :
- 6 T de farine
- 2 T d'eau chaude
- 2/3 de T de sucre blanc
- 1 1/2 c. à s. de levure active sèche
- 1/4 de T d'huile végétale
- 1 1/2 c. à t. de sel

Instructions :

1. Dissoudre le sucre dans l'eau chaude dans un grand bol puis ajouter la levure. Laisser reposer jusqu'à ce que la levure forme une mousse crémeuse.

2. Mélanger le sel et l'huile avec la levure. Incorporer la farine (1 tasse à la fois) et pétrir la pâte sur une surface légèrement farinée jusqu'à ce qu'elle soit lisse. Déposer la pâte dans un bol bien huilé et tourner la pâte pour bien enrober toute la surface. Couvrir d'un linge humide et laisser lever jusqu'à ce que la pâte ait doublé de volume (environ 1 heure).

3. Frapper la pâte pour la faire dégonfler puis pétrir pendant quelques minutes avant de la diviser en 2. Former 2 pains avant de les déposer dans 2 moules à pain bien huilés de 13 x 23 cm. Laisser lever jusqu'à ce que la pâte dépasse le moule de 2,5 cm (30 minutes). Faire cuire à 350 °F pendant 30 minutes.

Tacos au poisson

Instructions :

1. Faire chauffer l'huile à feu moyen dans une grande poêle à frire et faire sauter le chili, le poireau et l'ail jusqu'à ce qu'ils soient tendres et légèrement dorés. Assaisonner de sel et de poivre.

2. Incorporer le bouillon de poulet et les tomates dans la poêle à frire et assaisonner de cumin. Porter à ébullition puis baisser le feu à doux. Déposer le flétan dans la sauce et faire cuire jusqu'à ce que le poisson se défasse facilement en flocons avec une fourchette (15 à 20 minutes). Verser la garniture dans les tortillas bien chaudes et servir.

Portions : 6
Préparation : 15 min
Cuisson : 30 min

Ingrédients :
- 750 g de filets de flétan
- 1 c. à t. d'huile végétale
- 1 chili haché
- 1 poireau haché
- 2 gousses d'ail hachées
- 2 grosses tomates fraîches coupées en dés
- 1/2 c. à t. de cumin moulu
- 1 lime
- 12 tortillas de maïs
- 1 T de bouillon de poulet
- Sel et poivre, au goût

Falafels et sauce tahini

Portions : 6
Préparation : 35 min
Cuisson : 10 min

Ingrédients :
- 1 T de gourganes séchées pelées et trempées dans l'eau toute la nuit
- 3/4 de T de pois chiches séchés trempés dans l'eau toute la nuit
- 1 oignon vert finement haché
- 1/3 de T de persil finement haché
- 2 c. à s. de coriandre moulue
- 1 gousse d'ail finement hachée
- 1 c. à t. de levure chimique
- 1 c. à t. de sel casher
- 3/4 de c. à t. de cumin moulu
- 3 c. à t. d'eau
- 1 pincée de poivre de Cayenne
- Huile d'olive ou de canola pour frire
- Sauce tahini, recette p. 455

Instructions :

1. Égoutter et rincer les gourganes et les pois chiches avant de les déposer dans un robot culinaire. Ajouter l'oignon, le persil, la coriandre, l'ail, la levure, le sel, le cumin et le poivre de Cayenne et broyer le tout en grattant les bordures du bol jusqu'à l'obtention d'une pâte grossière. Ajouter l'eau et mélanger jusqu'à ce que la pâte soit d'un vert assez vif.

2. Verser la pâte dans un bol.

3. Faire chauffer 5 cm d'huile à 350 °F dans une casserole de taille moyenne et faire frire des boulettes de pâte de la grosseur d'une cuillérée à soupe dans l'huile bien chaude jusqu'à ce qu'elles soient dorées et croustillantes (environ 2 minutes).

4. Égoutter sur des essuie-tout et servir chaud avec de la sauce tahini.

Tacos au bœuf mariné

Instructions:

1. Mélanger les tomates, l'oignon, l'avocat (coupé en dés), la coriandre, le jus de lime, le sel et le poivre dans un bol.

2. Faire chauffer les tortillas en suivant les instructions du paquet et verser 1/4 de tasse de bœuf mariné dans chacune.

3. Garnir chaque tortilla d'environ 3 c. à soupe du mélange de tomates et d'avocats, plier les tortillas en 2 et servir avec des tranches de lime.

Portions: 4
Préparation: 15 min
Cuisson: 10 min

Ingrédients:
- 2 T de bœuf mariné
- 2 T de tomates italiennes fraîches hachées
- 1/3 de T d'oignons hachés
- 1/4 de T d'avocat
- 2 c. à s. de coriandre fraîche hachée
- 1 c. à s. de jus de lime
- 8 tortillas de maïs
- 1 lime coupée en 8 tranches
- 1 pincée de sel
- 1 pincée de poivre noir fraîchement moulu

Tartines au jambon et au fromage avec salade de tomates

Portions : 4
Préparation : 15 min
Cuisson : 3 min

Ingrédients :

TARTINES
- 4 tranches de pain ciabatta grillé
- 30 g de jambon serrano coupé en 4 tranches minces
- 90 g de fromage Manchego coupé en 4 tranches minces
- 1 c. à t. d'origan frais haché
- 2 tomates

SALADE
- 1 c. à s. d'origan frais finement haché
- 1 c. à s. d'oignon vert finement haché
- 1 c. à s. de vinaigre de xérès
- 2 c. à t. d'huile d'olive extra vierge
- 1 gousse d'ail finement hachée
- 4 T de laitue Boston
- 3 T de melon de miel finement tranché
- 3 tomates foncées coupées en 2 dans le sens de la longueur et finement tranchées

Instructions :

1. Préchauffer le gril du four.

2. Pour préparer les tartines, mettre les tranches de pain sur une plaque à biscuits et déposer 1 tranche de jambon et 1 tranche de fromage sur chacune des tranches.

3. Faire griller au four jusqu'à ce que le fromage soit fondu (3 minutes).

4. Garnir de tranches de tomates et saupoudrer uniformément les tartines avec 1 c. à thé d'origan.

5. Pour faire la salade, mélanger 1 c. à soupe d'origan, l'oignon vert, le vinaigre, l'huile et l'ail dans un bol en fouettant pour bien mélanger. Déposer 1 tasse de laitue dans chaque assiette et couvrir avec 3/4 de tasse de melon de miel et 1/2 tasse de tranches de tomate.

6. Verser 1 c. à soupe de vinaigrette sur chaque portion de salade et servir avec 1 tartine sur chaque assiette.

Croque-madame

Instructions :

1. Faire fondre le beurre à feu moyen dans une grande casserole et déposer le fromage pour le faire fondre. Tremper chaque tranche de pain dans le fromage fondu pour bien enrober les 2 côtés.

2. Faire chauffer une poêle à frire à feu moyen. Déposer une tranche de pain dans la poêle et couvrir avec 2 tranches de jambon puis poser l'autre tranche de pain sur le jambon. Faire frire jusqu'à ce que les 2 côtés soient dorés, retirer de la poêle et mettre de côté.

3. Faire frire l'œuf dans la poêle à frire chaude jusqu'à l'obtention de la cuisson désirée, déposer l'œuf sur le sandwich et servir.

Portions : 1
Préparation : 5 min
Cuisson : 10 min

Ingrédients :
- 2 tranches de jambon
- 1 c. à s. de beurre
- 1 T de fromage cheddar râpé
- 2 tranches de pain blanc
- 1 œuf

Beignets au thon et à la sauce barbecue

Portions : 2
Préparation : 5 min
Cuisson : 20 min

Ingrédients :
- 1 boîte de thon dans l'eau
- 1 œuf
- 2/3 de T de flocons d'avoine à cuisson rapide
- 3 c. à s. de sauce barbecue
- 3 c. à s. d'oignon vert haché
- 1/2 c. à t. de sauce piquante
- 1/2 c. à t. de sarriette séchée
- 2 c. à s. d'huile végétale
- 1 pincée de sel

Instructions :

1. Mélanger le thon, l'œuf et les flocons d'avoine dans un bol et bien remuer. Ajouter la sauce barbecue, l'oignon vert, la sauce piquante, la sarriette et le sel.

2. Faire chauffer l'huile à feu moyen dans une grande poêle à frire. Verser des cuillérées de la préparation au thon dans la poêle avant de les aplatir légèrement. Faire cuire jusqu'à ce que les boulettes soient bien dorées (environ 3 minutes de chaque côté).

Boulettes de thon avec mayonnaise au wasabi

Instructions :

1. Déposer le vinaigre et le sucre dans un petit bol. Incorporer graduellement 2 c. à soupe d'huile d'olive pour obtenir une préparation homogène. Assaisonner de sel et de poivre et réserver.

2. Déposer le thon, les oignons verts, la sauce soja, 2 c. à soupe d'huile d'olive, l'huile de sésame et le zeste de citron dans un grand bol. Assaisonner de sel et de poivre et bien mélanger en utilisant les mains. Diviser le thon en 6 portions égales et former 6 boulettes de 1 cm d'épaisseur.

3. Faire chauffer une grande poêle à frire à feu moyen et ajouter suffisamment d'huile de canola pour recouvrir le fond de la poêle. Déposer les boulettes dans la poêle et faire cuire jusqu'à ce qu'elles soient mi-saignantes (2 ou 3 minutes de chaque côté).

4. Déposer la roquette dans un grand bol et verser la vinaigrette mise de côté. Bien mélanger. Répartir également la roquette sur 6 assiettes et couvrir avec 1 boulette de thon. Servir immédiatement avec de la mayonnaise au wasabi.

Portions : 6
Préparation : 15 min
Cuisson : 10 min

Ingrédients :
- 500 g de thon de qualité sushi haché très finement
- 1 c. à s. de vinaigre de riz non assaisonné
- 1 pincée de sucre
- 1/4 de T d'huile d'olive extra vierge
- 2 oignons verts (le blanc) finement hachés
- 1 c. à s. de sauce soja
- 1 c. à s. d'huile de sésame
- 1 c. à t. de zeste de citron
- 1/2 bouquet de roquette
- Huile de canola
- Mayonnaise au wasabi
- Gros sel et poivre fraîchement moulu

Hamburgers de poisson avec aïoli au citron

Portions : 4
Préparation : 25 min
Réfrigération : 24 h
Cuisson : 20 min

Ingrédients :

AÏOLI
- 1/2 T de mayonnaise à l'huile d'olive
- 1 à 2 gousses d'ail finement hachées
- 1 c. à s. de jus de citron fraîchement pressé
- 1/2 c. à t. de zeste de citron finement râpé
- 1/2 c. à t. de moutarde de Dijon
- Pincées de persil haché

HAMBURGERS
- 500 g de poisson blanc frais sans peau et sans arêtes (tilapia)
- 1 œuf
- 1 oignon vert finement haché
- 1 1/2 T de chapelure de pain blanc
- 1 c. à s. de persil frais finement haché
- 1 à 2 c. à s. d'huile d'olive
- 1 à 2 c. à s. de beurre
- 4 tranches carrées de fromage cheddar (préférablement moyen ou fort)
- 4 pains ciabatta (ou autre pain rond italien)
- 2 tomates tranchées
- 4 tranches d'oignon sucré
- 1/4 de c. à t. de sel
- 1/4 de c. à t. de poivre noir moulu

Instructions :

1. Pour faire l'aïoli, fouetter la mayonnaise avec l'ail, le jus et le zeste de citron et la moutarde. Ajouter quelques pincées de persil.

2. Couvrir et réfrigérer pendant une journée.

3. Éponger le poisson avec des essuie-tout avant de le couper en gros morceaux. Déposer le poisson dans un robot culinaire et assaisonner de sel et de poivre. Broyer jusqu'à ce que le poisson soit suffisamment haché pour en faire des boulettes. Transférer le poisson dans un bol et incorporer l'œuf, l'oignon vert et 1 tasse de chapelure.

4. Former 4 boulettes d'environ 2 cm d'épaisseur. Mélanger le reste de la chapelure et le persil dans une assiette et enrober les boulettes du mélange de chapelure et de persil (les boulettes peuvent alors être mises au réfrigérateur dans un contenant hermétique pendant une journée).

5. Faire chauffer l'huile d'olive et le beurre à feu moyen dans une grande poêle à frire et faire sauter les boulettes jusqu'à ce qu'elles soient bien dorées (8 à 10 minutes de chaque côté). Ajouter un peu plus d'huile et de beurre, au besoin. Retourner les boulettes et couvrir de fromage.

6. Pendant ce temps, faire chauffer ou griller les pains.

7. Déposer les boulettes sur la base des pains et garnir d'aïoli, de tranches de tomate et de tranches d'oignon avant de refermer les burgers avec le dessus des pains.

Tacos de tilapia avec salsa de maïs

Instructions :

1. Préchauffer le gril à feu élevé.

2. Mélanger le maïs, l'oignon rouge, le jicama, le poivron rouge et la coriandre dans un bol. Incorporer le jus et le zeste de lime.

3. Mélanger le poivre de Cayenne, le poivre noir et le sel dans un petit bol.

4. Badigeonner les filets de tilapia d'huile d'olive avant de les saupoudrer d'épices.

5. Déposer les filets sur le gril et faire cuire pendant 3 minutes de chaque côté.

6. Pour assembler les tacos, couvrir 2 tortillas de maïs avec du poisson, de la crème sure et de la salsa au maïs et servir.

Portions : 6
Préparation : 30 min
Cuisson : 10 min

Ingrédients :
- 6 filets de tilapia
- 1 T de maïs
- 1/2 T d'oignon rouge coupé en dés
- 1 T de jicama pelé et haché
- 1/2 T de poivron rouge coupé en dés
- 1 T de feuilles de coriandre finement hachées
- 1 lime (jus et zeste)
- 2 c. à s. de crème sure
- 2 c. à s. d'huile d'olive
- 12 tortillas de maïs réchauffés
- 2 c. à t. de poivre de Cayenne
- 1 c. à t. de poivre noir moulu
- 2 c. à t. de sel

Tortillas au bifteck grillé

Portions : 8
Préparation : 15 min
Marinade : 1 h
Cuisson : 20 min

Ingrédients :
- **1 bavette parée (de 1 kg)**
- **1 T de jus de lime frais**
- **8 tranches de lime**
- **2 c. à s. de cumin moulu**
- **2 c. à s. de coriandre moulue**
- **1/2 c. à t. de sel casher**
- **1/2 c. à t. de poivre noir moulu**
- **6 gousses d'ail finement hachées**
- **4 épis de maïs épluchés**
- **8 tortillas de farine sans gras**
- **2 T de feuilles de roquette**
- **2 T d'oignon rouge finement tranché**
- **1 T de brins de coriandre**
- **1 T de tomates hachées**
- **1 T d'avocat**
- **1/2 T de jalapeño épépiné et tranché**
- **Aérosol de cuisson**

Instructions :

1. Mélanger le jus de lime et la bavette dans un sac en plastique refermable. Sceller et faire mariner au réfrigérateur pendant 1 heure en tournant le sac de temps à autre.

2. Préchauffer le gril et vaporiser avec l'aérosol de cuisson.

3. Retirer la bavette du sac et jeter la marinade. Mélanger le cumin, la coriandre, le sel, le poivre et l'ail dans un bol et badigeonner les 2 côtés de la bavette avec ce mélange.

4. Déposer la bavette sur le gril et faire griller pendant 8 minutes de chaque côté ou jusqu'à l'obtention de la cuisson désirée. Déposer la bavette sur une planche à découper, couvrir de papier aluminium et laisser reposer 5 minutes.

5. Couper ensuite la bavette en diagonale dans le sens de la largeur pour obtenir des tranches minces.

6. Vaporiser le gril avec l'aérosol de cuisson et faire griller les épis jusqu'à ce qu'ils soient tendres en les retournant de temps à autre (8 minutes) puis égrainer les épis avant de les jeter.

7. Faire chauffer les tortillas en suivant les indications du paquet puis répartir également le bœuf sur les 8 tortillas.

8. Garnir chacune d'elles d'environ 1/4 de tasse de maïs, 1/4 de tasse de roquette, 1/4 de tasse d'oignon, 2 c. à soupe de coriandre, 2 c. à soupe de tomate, 2 c. à soupe d'avocat pelé coupé en dés et 1 c. à soupe de jalapeño.

9. Plier les tortillas en 2 et servir avec des tranches de lime.

Croque-monsieur

Instructions :

1. Utiliser 2 c. à soupe de beurre pour l'étaler sur 1 côté de chaque tranche de pain. Étendre de la moutarde de Dijon sur 3 des tranches et couvrir la moutarde de 4 tranches de jambon.

2. Tartiner de la mayonnaise sur les 3 autres tranches de pain et couvrir la mayonnaise de 2 tranches de fromage suisse.

3. Rassembler les tranches de pain avec du jambon avec les tranches de pain avec du fromage pour refermer les sandwichs.

4. Fouetter ensemble la farine, la levure, le sel, les œufs et l'eau dans un bol à fond plat jusqu'à ce que le tout soit bien mélangé. Réserver.

5. Faire chauffer le reste du beurre et l'huile végétale à feu moyen dans une grande poêle à frire puis tremper les 2 côtés de chaque sandwich dans le mélange d'œufs et faire frire dans la poêle jusqu'à ce que les sandwichs soient bien dorés en les retournant pour faire cuire chaque côté.

Portions : 3
Préparation : 15 min
Cuisson : 5 min

Ingrédients :
- **12 tranches de jambon tranché mince**
- **1 c. à s. de moutarde de Dijon**
- **2 c. à s. de mayonnaise**
- **4 c. à s. de beurre (ou de margarine) ramolli**
- **6 tranches de pain blanc**
- **6 tranches de fromage suisse**
- **4 c. à s. de farine (tout usage)**
- **1/2 c. à t. de levure chimique**
- **2 œufs**
- **1/4 de T d'eau**
- **1 c. à s. d'huile végétale**
- **1/4 de c. à t. de sel**

Sandwich Reuben

Portions : 4
Préparation : 15 min
Cuisson : 2 min

Ingrédients :
- **250 g de bœuf salé**
- **1 c. à s. de sauce chili**
- **1/3 de T de mayonnaise**
- **1/4 de T de beurre ramolli**
- **8 tranches de pain de seigle**
- **250 g de fromage suisse tranché**
- **500 g de choucroute**

Instructions :
1. Préchauffer le gril du four.

2. Mélanger la sauce chili et la mayonnaise jusqu'à l'obtention d'une préparation lisse. Étaler le mélange de mayonnaise et du beurre sur les tranches de pain. Répartir également le bœuf salé, le fromage suisse et la choucroute sur 4 tranches de pain et couvrir avec le reste des tranches de pain. Déposer sur une plaque à biscuits et faire griller au four jusqu'à ce que les sandwichs soient dorés en les retournant une fois au cours de la cuisson (2 minutes).

Sandwichs de thon au cari

Portions : 2
Préparation : 10 min

Ingrédients :
- **2 c. à s. de mayonnaise**
- **1/2 c. à t. de poudre de cari**
- **1 boîte de thon émietté préférablement dans l'huile**
- **1 c. à s. de morceaux de noix (ou de pacanes)**
- **1 c. à s. de raisins secs**
- **2 c. à s. de céleri finement haché**
- **4 tranches de pain de blé entier**
- **Tranches de concombre et de tomates**
- **Généreuses pincées de poivre de Cayenne**

Instructions :
1. Déposer la mayonnaise, la poudre de cari et le poivre de Cayenne dans un bol et remuer le tout. Incorporer le thon avec une fourchette. Hacher les noix et les raisins secs avant de les ajouter avec le céleri dans le bol. Goûter et ajouter du poivre de Cayenne, au besoin.

2. Déposer 2 tranches de pain sur une planche à découper. Verser la préparation au thon sur chaque tranche puis garnir de tomates et de concombre avant de refermer les sandwichs avec 1 autre tranche de pain. Couper les sandwichs en diagonale.

Sandwichs aux boulettes de viande

Portions : 6
Préparation : 25 min
Cuisson : 25 min

Ingrédients :
- 500 g de ronde hachée
- 6 pains à sous-marin de blé entier
- 1/4 de T d'oignon finement haché
- 3 c. à s. de chapelure assaisonnée à l'italienne
- 2 c. à s. d'eau
- 1 gros blanc d'œuf légèrement battu
- 1 1/2 T de sauce pour pâtes faible en gras et en sodium
- 3/4 de T de mozzarella partiellement écrémé râpé
- 1/4 de c. à t. de poivre

Instructions :

1. Enlever la mie de pain en forme d'ovale sur la surface de chaque pain à sous-marin et mettre de côté.

2. Mélanger le bœuf, l'oignon, la chapelure, l'eau, le poivre et le blanc d'œuf dans un bol et diviser la préparation en 36 petites boulettes de même taille. Faire cuire les boulettes de viande à feu moyen dans une grande poêle à frire jusqu'à ce qu'elles soient bien dorées (8 à 10 minutes). Retirer du feu et éponger.

3. Préchauffer le four à 400 °F.

4. Remettre les boulettes dans la poêle et incorporer la sauce. Faire cuire à feu moyen-doux jusqu'à ce que le tout soit bien chaud (10 minutes).

5. Déposer les 6 pains sur une plaque à biscuits et poser 1 boulette de viande sur chacun des pains. Verser uniformément la sauce sur les boulettes puis saupoudrer avec une quantité égale de fromage. Faire cuire au four jusqu'à ce que le fromage soit fondu (5 minutes).

Sandwichs Monte Cristo

Portions : 4
Préparation : 20 min
Cuisson : 8 min

Ingrédients :
- **250 g de dinde**
- **1 pain brioché torsadé de 500 g**
- **3 c. à s. de moutarde Meaux**
- **1 T de fromage brie finement tranché**
- **3 gros œufs**
- **3/4 de T de lait**
- **3 c. à s. de beurre**

Instructions :

1. Poser les tranches de pain sur une surface de travail. Étendre la moutarde sur le pain puis répartir le brie et la dinde sur 3 tranches de pain avant de couvrir avec les 3 autres tranches de pain. Fouetter les œufs et le lait dans un bol assez profond. Dans une grande poêle antiadhésive, faire fondre 2 c. à soupe de beurre à feu moyen. Tremper chaque sandwich dans le mélange de lait et d'œufs en enrobant bien les 2 surfaces et déposer les sandwichs dans une poêle. Faire cuire un côté jusqu'à ce qu'il soit doré (4 minutes), retourner et ajouter 1 c. à soupe de beurre pour faire cuire l'autre côté jusqu'à ce qu'il soit doré (environ 3 minutes).

Sandwichs au poulet barbecue

Portions : 8
Préparation : 15 min
Cuisson : 40 min

Ingrédients :
- **4 moitiés de poitrines de poulet désossées sans peau (environ 1 kg)**
- **1 oignon finement haché**
- **4 gousses d'ail finement hachées**
- **1 1/3 T de sauce barbecue**
- **1/2 T de vinaigre de cidre de pomme**
- **8 pains kaisers (ou petits pains)**
- **1 1/2 T de fromage Monterey Jack**
- **Sauce piquante**
- **Sel et poivre**

Instructions :

1. Assaisonner le poulet avec du sel et du poivre et déposer dans un grand chaudron avec l'oignon, l'ail et assez d'eau pour couvrir le tout (environ 1 1/2 tasse). Ajouter la sauce barbecue, le vinaigre et quelques gouttes de sauce piquante et porter à ébullition. Réduire le feu et laisser mijoter jusqu'à ce que le poulet soit cuit (15 minutes). Extraire le poulet et défaire en filaments à l'aide de 2 fourchettes. Faire bouillir la sauce en la dégraissant de temps à autre jusqu'à ce qu'elle ait réduit de moitié (15 minutes). Assaisonner de sel et de poivre. Ajouter les filaments de poulet et faire chauffer. Verser le mélange dans les petits pains et couvrir de fromage.

Souvlakis

Portions : 6
Préparation : 20 min
Marinade : 8 h
Cuisson : 15 min

Ingrédients :

- 750 g de bifteck de flanc roulé d'environ 2 cm d'épaisseur
- 2 gousses d'ail finement hachées
- 1/3 de T de jus de citron frais
- 1 c. à s. d'assaisonnement à la grecque
- 1 c. à s. d'huile d'olive
- 1 pot de yogourt nature sans gras
- 1 grand concombre pelé, épépiné et haché
- 1 c. à s. de jus de citron frais
- 1/2 c. à t. d'aneth séché
- 6 pains pitas
- 1 grosse tomate fraîche coupée en dés
- Laitue coupée en lanières

GARNITURES
- Aneth frais
- Tranches de citron
- Tranches de concombre

Instructions :

1. Déposer le bœuf entre 2 feuilles de de pellicule plastique et aplatir la viande à l'aide d'un maillet à viande ou d'un rouleau à pâte pour obtenir une épaisseur de 1 cm.

2. Mélanger l'ail, 1/3 de tasse de jus de citron, l'assaisonnement à la grecque et l'huile d'olive dans un bol profond ou dans 1 sac en plastique refermable et résistant.

3. Déposer le bœuf dans le bol ou le sac, couvrir ou sceller et réfrigérer pendant 8 heures. Retirer le bœuf du sac ou du bol et jeter la marinade.

4. Mélanger le yogourt, le concombre, 1 c. à soupe de jus de citron et l'aneth séché dans un bol et réserver.

5. Couvrir et faire griller le bœuf à feu moyen-fort pendant 7 minutes de chaque côté ou jusqu'à l'obtention de la cuisson désirée.

6. Laisser reposer 5 minutes et couper en fines tranches.

7. Déposer des tranches de bœuf au centre des pains pitas, et couvrir la viande de sauce au yogourt, de laitue et de tomates. Rouler le pain pita, garnir, si désiré, et servir immédiatement.

Hamburgers

Instructions :

1. Préchauffer le gril.

2. Déposer les tranches de pain dans un robot culinaire et broyer jusqu'à l'obtention d'une chapelure fine (30 secondes). Déposer la chapelure dans un grand bol et incorporer le lait. Remuer avec une fourchette pour humidifier la chapelure. Ajouter le sel, le poivre, les oignons et la surlonge hachée dans le bol en remuant jusqu'à ce que tous les ingrédients soient bien combinés.

3. Diviser en 8 boulettes.

4. Vaporiser le gril avec l'aérosol de cuisson et déposer les boulettes sur le gril. Faire griller chaque côté des boulettes pendant au moins 4 minutes ou jusqu'à l'obtention de la cuisson désirée. Retirer du gril et garder au chaud.

5. Badigeonner légèrement la surface coupée des pains avec l'aérosol de cuisson et déposer les pains sur le gril en posant la surface tranchée vers le bas.

6. Faire cuire les pains jusqu'à ce qu'ils soient grillés (30 secondes). Servir les boulettes sur le pain grillé et ajouter des rondelles d'oignons rouges et les garnitures de votre choix.

Portions : 8
Préparation : 25 min
Cuisson : 10 min

Ingrédients :

- 1 kg de surlonge hachée maigre
- 2 tranches de pain de campagne blanc
- 2 c. à s. de lait écrémé
- 3 oignons rouges hachés finement, plus 1 coupé en rondelles
- 8 pains à hamburger coupés en 2
- 1/2 c. à t. de sel
- 1/2 c. à t. de poivre noir
- Aérosol de cuisson

Wraps de chou rouge farcis au bœuf et au sésame

Portions : 4
Préparation : 15 min
Cuisson : 10 min

Ingrédients :
- 375 g bavette parée
- 1/3 de T d'oignon vert finement tranché
- 1 c. à s. de sucre
- 2 c. à s. de sauce soja faible en sodium
- 1 c. à s. d'ail finement haché
- 1 c. à t. d'huile de sésame foncée
- 2 c. à s. d'huile de canola
- 1 c. à s. de graines de sésame rôties
- 4 T de riz à grains courts
- 1 T de kimchi
- 16 feuilles de chou rouge

Instructions :

1. Faire cuire le riz et le garder au chaud.

2. Couper le bœuf dans le sens de la largeur pour former des tranches de 5 mm. Couper ensuite les tranches en bandes de 1 cm de largeur puis en lanières de 8 cm de longueur. Mélanger le bœuf, 1/4 de tasse d'oignon, le sucre, la sauce soja, l'ail et l'huile de sésame dans un bol.

3. Faire chauffer un grand wok à feu élevé. Verser 1 c. à soupe d'huile de canola dans le wok et faire tourner pour bien enduire le fond. Ajouter la moitié du mélange de bœuf dans le wok et faire sauter à feu vif jusqu'à ce qu'il soit doré (2 minutes).

4. Transférer le bœuf cuit dans un bol et verser le reste de l'huile de canola dans le wok avant de faire sauter le reste du mélange de bœuf à feu vif. Transférer dans le bol avec le reste du bœuf et saupoudrer la viande de graines de sésame rôties et du reste de l'oignon vert.

5. Verser 1/4 de tasse de riz, environ 2 c. à soupe du mélange de bœuf et 1 c. à s. de kimchi dans chaque feuille de chou et rouler. Servir immédiatement.

Canapé au bœuf et sauce au raifort

Portions : 4
Préparation : 15 min
Cuisson : 20 min

Ingrédients :

SANDWICH
- 500 g de bavette parée
- 3 1/2 T d'oignons coupés verticalement
- 1/4 de c. à t. de poivre noir fraîchement moulu
- 2 T de feuilles de roquette
- 2 c. à t. d'huile d'olive extra vierge
- 1 c. à t. de vinaigre balsamique
- 4 tranches de pain croûté
- 1/2 c. à t. de sel

SAUCE AU RAIFORT
- 2 1/2 c. à s. de raifort préparé
- 2 c. à s. de crème sure légère
- 2 c. à s. de crème fraîche
- Aérosol de cuisson

Instructions :

1. Pour préparer la crème, mélanger le raifort, la crème sure et la crème fraîche dans un petit bol. Couvrir et réfrigérer.

2. Préchauffer le gril.

3. Pour préparer le sandwich, faire chauffer une grande poêle à frire antiadhésive à feu moyen. Vaporiser la poêle avec l'aérosol de cuisson puis déposer l'oignon et 1 pincée de sel dans la poêle.

4. Couvrir et faire cuire pendant 10 minutes en remuant souvent. Enlever le couvercle et faire cuire encore jusqu'à ce que l'oignon soit doré (10 minutes).

5. Saupoudrer la bavette avec 1 pincée de sel et 1 pincée de poivre. Vaporiser le gril avec l'aérosol de cuisson puis déposer le bœuf sur le gril et faire griller jusqu'à l'obtention de la cuisson désirée (5 minutes de chaque côté).

6. Laisser reposer 5 minutes. Couper la viande en diagonale dans le sens de la largeur de façon à obtenir des tranches minces. Mélanger la viande et le reste du sel dans un bol et remuer.

7. Mélanger la roquette, l'huile et le vinaigre dans un bol et remuer doucement. Étaler 2 c. à soupe de sauce au raifort sur chaque tranche de pain croûté puis ajouter par-dessus 1/3 de tasse d'oignon, 1/2 tasse du mélange de roquette et 85 g de viande.

Hamburgers de bœuf au gingembre

Portions: 6
Préparation: 25 min
Cuisson: 12 min

Ingrédients:
- 750 g de surlonge hachée
- 1/2 T d'oignon vert haché
- 1 1/2 c. à s. de cassonade
- 1 1/2 c. à s. de gingembre frais finement râpé
- 3 c. à s. de sauce soja faible en sodium
- 1 c. à s. d'huile de sésame foncée
- 2 gousses d'ail finement hachées
- 6 pains à hamburger de blé entier
- 6 feuilles de chou rouge
- 6 c. à s. de radis finement haché
- 1/2 c. à t. de poivre noir fraîchement moulu
- Aérosol de cuisson

Instructions:

1. Préchauffer le gril.

2. Mélanger l'oignon vert, la cassonade, le gingembre, la sauce soja, l'huile de sésame, le poivre noir, l'ail et le bœuf haché dans un bol. Diviser le mélange en 6 portions égales et former 6 boulettes de 1 cm d'épaisseur chacune.

3. Vaporiser le gril avec l'aérosol de cuisson et déposer les boulettes sur le gril. Faire griller chaque côté jusqu'à ce qu'un thermomètre indique 160 °F (6 minutes). Retirer les boulettes du gril et laisser reposer 5 minutes.

4. Déposer les pains sur le gril en mettant la surface tranchée vers le bas et faire cuire jusqu'à ce qu'ils soient grillés (1 minute). Déposer 1 boulette sur la base de chaque pain et couvrir chaque boulette de 1 feuille de chou rouge et de 1 c. à soupe de radis puis rabattre l'autre partie du pain sur les garnitures.

SANDWICHS

Tortillas au poisson et à la lime

Instructions:

1. Enlever la peau des filets et couper le poisson en dés de 2,5 cm. Faire sauter l'ail dans une poêle à frire antiadhésive avec du beurre et 5 c. à thé de jus de lime pendant 30 secondes. Ajouter le poisson et le poivre et faire cuire à feu moyen jusqu'à ce que le poisson se défasse facilement en flocons avec une fourchette (6 à 8 minutes).

2. Pendant ce temps, mélanger la crème sure, la mayonnaise, la sauce piquante et le reste du jus de lime dans un bol. Verser 1 grosse c. à soupe de poisson dans chaque tortilla (bien chaude) et garnir le poisson de laitue, de tomates et du mélange de crème sure. Rabattre chaque tortilla sur la garniture et servir.

Portions: 7
Préparation: 10 min
Cuisson: 10 min

Ingrédients:
- 500 g de filets de vivaneau (ou de perche)
- 1 gousse d'ail finement hachée
- 7 c. à t. de jus de lime
- 2 c. à s. de crème sure faible en gras
- 2 c. à s. de mayonnaise faible en gras
- 7 tortillas de farine
- 2 c. à s. de beurre
- 1 T de laitue coupée en lanières
- 1 T de tomates fraîches hachées
- 1/4 de c. à t. de poivre blanc
- Quelques gouttes de sauce piquante

Bœuf rôti et mariné pour sandwichs

Portions: 4
Préparation: 20 min
Cuisson: 4 h

Ingrédients:
- 2 kg de palette de bœuf
- 1 boîte de chilis verts hachés
- 2 c. à s. d'assaisonnement au chile
- 1/2 c. à t. d'origan séché
- 1/2 c. à t. de cumin moulu
- 2 gousses d'ail hachées
- Sel, au goût

Instructions:

1. Préchauffer le four à 300 °F.

2. Déposer la palette de bœuf sur une feuille de papier aluminium assez grande pour envelopper toute la viande. Mélanger les chilis, l'assaisonnement au chile, l'origan, le cumin, l'ail et le sel dans un petit bol et saupoudrer la viande avec le mélange d'épices. Envelopper complètement la palette dans le papier aluminium et déposer dans un plat à rôtir.

3. Faire cuire au four jusqu'à ce que la viande se défasse facilement avec 1 fourchette (3 h 30 à 4 heures). Retirer du four et défaire en filaments à l'aide de 2 fourchettes.

Fajitas au poulet et au bœuf marinés à la bière

Instructions :

1. Parer le bœuf et faire des entailles sur les 2 surfaces de la bavette.

2. Mélanger le jus de lime, la bière, l'assaisonnement au chili, le cumin, l'origan, le sel, le poivre et l'ail dans un petit bol. Répartir également la marinade dans 2 grands sacs en plastique refermables. Déposer la bavette dans un sac et la poitrine de poulet dans l'autre, sceller les sacs et faire mariner les viandes au réfrigérateur pendant 6 heures (ou une nuit complète) en tournant les sacs de temps à autre. Retirer le bœuf et le poulet des sacs et jeter la marinade.

3. Préchauffer le gril du barbecue ou du four.

4. Vaporiser le gril ou une lèchefrite avec l'aérosol de cuisson puis déposer le bœuf sur le gril ou dans la lèchefrite et faire cuire jusqu'à l'obtention de la cuisson désirée (10 minutes de chaque côté). Couper le bœuf en diagonale dans le sens de la largeur pour former des tranches minces. Vaporiser le gril ou une lèchefrite avec l'aérosol de cuisson puis déposer le poulet sur le gril ou dans la lèchefrite et faire cuire 6 minutes de chaque côté. Couper le poulet en tranches minces.

5. Faire chauffer l'huile d'olive dans une grande poêle à frire à feu moyen avant d'y déposer l'oignon et les poivrons. Faire sauter jusqu'à ce que l'oignon commence à dorer (10 minutes).

6. Faire chauffer les tortillas en suivant les indications du paquet.

7. Déposer du bœuf ou du poulet, du mélange d'oignons et de poivrons, des tomates et de la coriandre au centre de chaque tortilla, rouler et servir.

Portions : 12
Préparation : 25 min
Marinade : 6 h
Cuisson : 35 min

Ingrédients :
- **600 g de bavette**
- **600 g de poitrine de poulet désossée sans peau**
- **1 T de jus de lime frais**
- **2/3 de T de bière**
- **4 c. à t. d'assaisonnement au chili**
- **2 c. à t. de cumin séché**
- **1 c. à t. d'origan séché**
- **4 gousses d'ail finement hachées**
- **1 c. à s. d'huile d'olive**
- **2 T d'oignon tranché verticalement**
- **2 T de poivron rouge tranché**
- **2 T de poivron vert tranché**
- **12 tortillas de farine**
- **1 1/2 T de tomates épépinées et coupées en dés**
- **1/2 T de coriandre fraîche finement hachée**
- **1 c. à t. de sel**
- **1/2 c. à t. de poivre**
- **Aérosol de cuisson**

Sandwichs au bœuf épicé

Portions : 8 à 10
Préparation : 30 min
Cuisson : 2 h 30

Ingrédients :
- 1,25 à 1,5 kg de rôti de ronde (ou de rôti de côtes croisées)
- 2 à 3 c. à s. d'huile de canola (ou d'huile d'arachide)
- 2 gros oignons jaunes finement tranchés
- 2 gros poivrons verts finement tranchés
- 2 grosses gousses d'ail
- 1 c. à s. de paprika fumé
- 1/4 de T de farine (tout usage)
- 3 c. à s. de pâte de tomates
- 2 à 2 1/2 T de bouillon de bœuf
- 8 à 10 ciabattas (crostinis ou pains pitas au blé entier)
- Crème sure
- Oignons sucrés finement tranchés
- Sel, au goût

Instructions :

1. Parer le bœuf et jeter le gras. Couper la viande en 4 ou 5 gros morceaux.

2. Faire chauffer 2 c. à soupe d'huile à feu moyen-fort dans un faitout assez profond ou dans une grande casserole. Faire dorer la viande de tous les côtés puis retirer le bœuf du faitout et baisser le feu à moyen. Ajouter le reste de l'huile, au besoin, et déposer les oignons, les poivrons et l'ail dans le faitout.

3. Faire cuire en remuant de temps à autre jusqu'à ce que l'oignon devienne tendre (5 minutes).

4. Pendant ce temps, mélanger le paprika et la farine puis incorporer le tout aux légumes. Faire cuire pendant 2 minutes puis ajouter la pâte de tomates avant de verser graduellement 2 tasses de bouillon de bœuf dans le faitout.

5. Remettre les morceaux de bœuf dans la poêle en les pressant pour les submerger dans le liquide de cuisson. Ajouter du bouillon, au besoin, pour que le liquide recouvre la moitié des morceaux de bœuf. Porter à ébullition, couvrir et baisser à feu doux pour laisser mijoter le bouillon. Faire braiser la viande jusqu'à ce qu'elle se défasse facilement en morceaux (1 heure 30 à 2 heures).

6. Retirer le bœuf du faitout et déposer sur une assiette. Défaire le bœuf en filaments avec 2 fourchettes.

7. Pendant ce temps, augmenter le feu à moyen-doux et laisser mijoter le bouillon dans le faitout sans couvrir jusqu'à ce que le liquide soit luisant et épais (5 à 10 minutes). Remettre les filaments de bœuf dans le faitout et assaisonner de sel, au besoin.

8. Remuer de temps à autre en faisant cuire jusqu'à ce que le tout soit chaud. Verser la garniture de bœuf bien chaude à l'intérieur des pains et garnir de crème sure et d'oignons sucrés finement tranchés.

Sandwich au saumon grillé

Instructions :

1. Badigeonner les 2 surfaces des pavés avec du jus de lime et saupoudrer de poivre au citron. Vaporiser la grille du barbecue avec l'aérosol de cuisson avant d'allumer le gril.

2. Faire griller les pavés à feu moyen en fermant le couvercle du barbecue jusqu'à ce que le saumon soit cuit (5 à 6 minutes de chaque côté).

3. Mélanger la mayonnaise, la moutarde et le miel dans un petit bol et étaler la préparation sur la base de chaque pain avant de recouvrir d'un pavé de saumon, d'une feuille de laitue, d'une tranche de tomate et de luzerne.

4. Poser l'autre moitié des pains et servir.

Portions : 4
Préparation : 15 min
Cuisson : 15 min

Ingrédients :
- 4 pavés de saumon
- 1 c. à s. de lime
- 1/4 de T de mayonnaise
- 2 c. à t. de moutarde de Dijon
- 1 c. à t. de miel
- 4 petits pains ciabatta
- 4 feuilles de laitue
- 4 tranches de tomate
- 1/2 c. à t. de poivre au citron
- Luzerne

Falafels classiques

Portions : 6
Préparation : 35 min
Cuisson : 1 h 30

Ingrédients :

- 1 boîte de pois chiches
- 1 oignon haché très finement
- 1 gousse d'ail broyée
- 1 tranche de pain blanc
  (trempée dans l'eau)
- 1/4 de c. à t. de poivre de Cayenne
- 1 c. à t. de coriandre moulue
- 1 c. à t. de cumin moulu
- 2 c. à s. de persil finement haché
- Tranches de tomates
- Tranches d'oignon
- Navet mariné
- Laitue finement tranchée
- 6 pains pita
- Sel, au goût
- Huile pour frire
- Tatziki, recette p. 455

Instructions :

1. Faire tremper les pois chiches une nuit complète. Couvrir d'eau fraîche et faire cuire jusqu'à ce qu'ils soient tendres (1 heure ou 1 h 30).

2. Égoutter et réduire les pois chiches en purée.

3. Défaire le pain en morceaux avant de l'incorporer aux pois chiches avec l'oignon, l'ail, le poivre de Cayenne, la coriandre, le cumin, le persil et le sel. Bien pétrir le tout pendant quelques minutes.

4. Laisser reposer le mélange pendant 1 ou 2 heures puis former des boulettes de 2,5 cm avec les mains. Mouiller les mains au besoin pour bien manipuler la pâte.

5. Faire chauffer au moins 2,5 cm d'huile à 360 °F dans une poêle à frire et faire frire quelques boulettes à la fois pendant 2 ou 3 minutes jusqu'à ce qu'elles soient uniformément dorées.

6. Égoutter, servir chaud dans les pains pita et garnir le tout de tomates, d'oignon, de navet mariné, de laitue et de tatziki.

Sandwich au thon et aux œufs

Portions : 2
Préparation : 5 min
Cuisson : 10 min

Ingrédients :
- 1 boîte de thon
- 3 œufs
- 1 T de céleri haché
- 1 c. à s. de mayonnaise
- 4 tranches de pain de blé entier
- Sel et poivre au goût

Instructions :

1. Mélanger le thon, les œufs cuits durs, pelés et hachés, le céleri et la mayonnaise dans un bol et assaisonner de sel et de poivre au goût. Diviser la garniture au thon en 2 et étaler uniformément sur 2 tranches de pain avant de refermer les sandwichs avec les 2 autres tranches de pain. Servir.

Wraps au rôti de bœuf

Portions : 8
Préparation : 15 min
Réfrigération : 8 h

Ingrédients :
- 500 g de rôti de bœuf cuit, coupé en 24 tranches
- 1/2 T de crème sure
- 1/2 T de mayonnaise
- 1 oignon vert haché
- 2 c. à s. de raifort préparé
- 1/2 c. à t. de sel
- 1/2 c. à t. de poivre
- 8 tortillas de farine
- 2 paquets de fromage cheddar fort coupé en tranches (si désiré)
- 2 T de laitue iceberg coupée en filaments

Instructions :

1. Mélanger la crème sure, la mayonnaise, l'oignon vert, le raifort, le sel et le poivre dans un bol puis étaler uniformément la préparation sur un côté de chaque tortilla. Couvrir la sauce avec 3 tranches de rôti de bœuf et 2 tranches de fromage (si désiré) puis saupoudrer de laitue iceberg.

2. Rouler fermement les tortillas et envelopper chaque rouleau dans du papier ciré ou une pellicule plastique. Réfrigérer pendant 8 heures.

Sandwich au chili

Portions: 6
Préparation: 10 min
Cuisson: 15 min

Ingrédients:
- 250 g de bœuf haché extra maigre
- 1/2 T d'oignon haché
- 1 c. à t. d'ail finement haché
- 1 c. à t. de cumin moulu
- 1/2 c. à t. d'assaisonnement au chili
- 1 pincée de piment jalapeño en poudre
- 1/4 de T de ketchup
- 1 boîte de haricots rouges
- 1 boîte de tomates en dés avec poivrons verts et oignons
- 6 pains à hamburgers
- 6 c. à s. de fromage cheddar fort râpé
- Cornichons
- Aérosol de cuisson

Instructions:

1. Faire chauffer une grande poêle à frire antiadhésive à feu moyen-fort. Vaporiser la poêle avec l'aérosol de cuisson. Déposer le bœuf dans la poêle et faire cuire jusqu'à ce que la viande soit dorée en remuant pour la défaire en miettes (4 minutes). Ajouter l'oignon et l'ail et faire cuire pendant 2 minutes en remuant souvent. Ajouter le cumin, l'assaisonnement au chili et le piment en poudre et faire cuire pendant encore 30 secondes.

2. Verser le ketchup, les haricots et les tomates et faire cuire jusqu'à ce que la sauce épaississe légèrement (6 minutes). Verser environ 2/3 de tasse de garniture au bœuf sur 6 moitiés de pain, et garnir la viande avec 1 c. à soupe de fromage et 2 cornichons.

3. Poser le dessus du pain et servir.

SANDWICHS

Wraps au crabe et tartinade à l'avocat

Instructions:

1. Déposer 1 c. à soupe de mayonnaise, l'oignon vert, le céleri et le poivre de Cayenne dans un bol. Remuer et incorporer le crabe.

2. Déposer l'avocat pelé et dénoyauté et le reste de la mayonnaise dans un autre bol et réduire en purée jusqu'à ce que la préparation soit lisse. Ajouter la coriandre, le jus de lime, le sel et quelques pincées de poivre de Cayenne.

3. Étaler la moitié de la tartinade à l'avocat sur chaque tortilla et couvrir de 1 ou 2 feuilles de laitue. Répartir également la garniture au crabe sur le 1/3 inférieur de chaque tortilla. Replier le bas de chaque tortilla vers le centre puis plier les 2 côtés vers le centre et rouler fermement pour envelopper la garniture. Couper en 2 dans le sens de la largeur avant de servir. Envelopper fermement dans une pellicule plastique et réfrigérer pour consommer ultérieurement.

Portions: 2
Préparation: 10 min

Ingrédients:
- 2 c. à s. de mayonnaise
- 1 c. à s. d'oignon vert finement haché
- 1 c. à s. de céleri finement haché
- 1 boîte de salade de crabe
- 1 avocat mûr
- 3 c. à s. de coriandre fraîche finement hachée
- 4 c. à t. de jus de lime
- 1/4 de c. à t. de sel
- 2 grandes tortillas
- 2 à 4 feuilles de laitue Boston (ou autre type de laitue)
- Quelques pincées de poivre de Cayenne

Grissinis au parmesan

Portions: 25
Préparation: 50 min
Cuisson: 15 min

Ingrédients:
- 3/4 de T de lait
- 4 c. à s. de beurre non salé et haché
- 1 c. à s. de levure fraîche
- 3 T de farine
- 3 c. à s. de parmesan râpé
- 1 c. à s. de sel

Instructions:

1. Préchauffer le four à 450 °F.

2. Faire fondre le beurre dans une casserole. Ajouter la moitié du lait et faire chauffer à feu doux jusqu'à ce qu'il soit légèrement chaud au toucher. Incorporer la levure en fouettant.

3. Mélanger la farine, le parmesan et le sel dans un bol et incorporer graduellement le reste du lait jusqu'à ce qu'une pâte se forme. Pétrir la pâte pendant 5 minutes et couvrir. Frapper deux fois la pâte pour la faire dégonfler puis diviser en bandes et former de petits rouleaux. Laisser reposer 10 minutes.

4. Baisser la température du four à 350 °F et faire cuire de 10 à 15 minutes.

Quesadillas au homard et à la mangue

Portions : 12
Préparation : 25 min
Cuisson : 15 min

Ingrédients :
- 2 homards vivants de 750 g
- 5 c. à s. d'huile végétale
- 2 grands piments jalapeños épépinés et finement hachés
- 8 oignons verts hachés
- 1 pincée de cumin
- 2 mangues pelées et coupées en petits dés
- 2/3 de T de coriandre hachée
- 24 tortillas de farine
- 6 T de fromage Monterey Jack râpé
- 1/4 de T de coriandre hachée
- 1/2 T de crème sure
- Sel et poivre fraîchement moulu

Instructions :

1. Préchauffer le four à 300 °F. Porter à ébullition un grand chaudron d'eau et plonger les homards tête première dans l'eau avant de couvrir partiellement le chaudron. Faire bouillir les homards pendant 6 minutes. Égoutter et refroidir. Extraire la chair des homards et couper en dés.

2. Faire chauffer 1 c. à thé d'huile végétale dans une grande poêle à frire à feu moyen-doux. Ajouter les piments jalapeños et les oignons verts. Faire sauter 2 minutes et ajouter le cumin, les mangues et la coriandre. Remuer pour mélanger le tout et assaisonner de sel et de poivre. Transférer le mélange dans le bol avec le homard et remuer le tout. Essuyer la poêle à frire.

3. Déposer 12 tortillas sur une planche à découper. Saupoudrer la moitié du fromage dessus puis répartir également la garniture de homard sur chaque tortilla. Saupoudrer avec le reste du fromage et couvrir avec les 12 autres tortillas.

4. Faire chauffer 1 c. à thé d'huile végétale dans une poêle à frire à feu moyen-doux. Verser quelques gouttes d'eau sur les 2 côtés de chaque quesadilla avant de les déposer dans la poêle. Couvrir la poêle et faire cuire les quesadillas jusqu'à ce qu'elles soient dorées et que le fromage soit fondu (2 minutes de chaque côté). Transférer les quesadillas dans une assiette et garder au chaud dans le four. Répéter l'opération avec le reste des quesadillas en ajoutant un peu d'huile dans la poêle, au besoin.

5. Mélanger la coriandre et la crème sure dans un petit bol. Couper les quesadillas en 6 pointes. Verser un peu de crème sure sur chaque pointe et servir.

Panini au prosciutto et aux figues

Portions : 4
Préparation : 10 min

Ingrédients :
- **250 g de prosciutto finement tranché**
- **1/2 T de figues séchées finement hachées**
- **1/4 de T d'eau**
- **1/4 de T de vin blanc**
- **1/2 c. à t. de zeste d'orange râpé**
- **4 petits pains à panini coupés en 2**
- **3/4 de T de fromage parmesan reggiano râpé**
- **4 feuilles de laitue Boston (facultatif)**

Instructions :

1. Pour faire la compote de figues, mélanger les figues, l'eau, le vin et le zeste d'orange dans une petite casserole.

2. Couvrir et laisser mijoter à feu moyen-doux jusqu'à ce que les figues soient très tendres et que le liquide soit évaporé (20 minutes). Réserver.

3. Répartir également le prosciutto sur la base des pains à panini, et couvrir la viande de compote de figues, de fromage râpé et de laitue, si désiré.

4. Rabattre le dessus du sandwich et servir.

Sandwich de poisson sur baguette

Instructions :

1. Couper les filets en tranches de 4 cm et éponger. Déposer les tranches de poisson dans un bol, ajouter la semoule et assaisonner de sel et de poivre avant de remuer pour bien enrober le tout.

2. Faire chauffer l'huile à feu élevé dans une grande poêle à frire. Faire dorer les 2 côtés du poisson (en plusieurs fois, si nécessaire) pendant 7 à 10 minutes en le retournant soigneusement. Transférer le poisson sur une assiette recouverte d'essuie-tout et assaisonner de sel, au besoin.

3. Couper la baguette en deux et enlever un peu de mie. Étaler de la sauce tartare sur les 2 moitiés du pain et garnir de laitue, de tranches de tomate et de poisson puis couper la baguette en 4.

Portions : 4
Préparation : 15 min
Cuisson : 10 min

Ingrédients :
- **500 g de filets de plie sans peau**
- **2 c. à s. de semoule de maïs**
- **2 c. à s. d'huile de canola**
- **1 baguette**
- **Sauce tartare épicée**
- **Laitue et tranches de tomate**
- **Gros sel et poivre moulu**

Hamburgers à l'italienne

Portions : 6
Préparation : 25 min
Cuisson : 12 min

Ingrédients :
- **250 g de saucisses italiennes à la dinde**
- **500 g de surlonge hachée**
- **1 c. à t. d'origan séché**
- **1 c. à t. de basilic séché**
- **1/2 c. à t. de sel**
- **1/2 c. à t. de graines de fenouil broyées**
- **1 pincée de poudre d'ail**
- **60 g de fromage mozzarella finement tranché**
- **6 petits pains italiens coupés en 2**
- **3/4 de T de sauce aux tomates et basilic**
- **Aérosol de cuisson**

Instructions :

1. Préchauffer le gril.

2. Enlever le boyau des saucisses et mélanger la chair avec l'origan, le basilic, le sel, les graines de fenouil, la poudre d'ail et la surlonge hachée dans un grand bol. Diviser le mélange en 6 portions égales et former 6 boulettes de 1 cm d'épaisseur chacune.

3. Vaporiser le gril avec l'aérosol de cuisson et déposer les boulettes sur le gril. Griller un côté pendant 5 minutes, retourner les boulettes et faire cuire l'autre côté pendant 2 minutes. Répartir uniformément le fromage sur les 6 boulettes et faire griller encore jusqu'à ce qu'un thermomètre indique 165 °F (5 minutes). Retirer les boulettes du gril et laisser reposer pendant 5 minutes.

4. Déposer les pains sur le gril en posant la surface tranchée vers le bas et faire cuire les pains jusqu'à ce qu'ils soient grillés (1 minute). Déposer une boulette sur la base de chaque pain et garnir chaque boulette de 2 c. à soupe de sauce aux tomates et basilic avant de rabattre l'autre moitié du pain.

Sandwich au camembert grillé

Instructions :

1. Étaler uniformément le camembert sur une tranche de pain et étendre une mince couche de sauce aux canneberges sur le fromage. Verser quelques gouttes de vinaigre balsamique et recouvrir le tout avec l'autre tranche de pain. Étaler du beurre sur les surfaces extérieures du sandwich.

2. Faire chauffer une poêle à frire à feu moyen puis faire frire le sandwich pendant quelques minutes de chaque côté jusqu'à ce qu'il soit bien doré. Couper le sandwich en 2 et servir immédiatement.

Portion : 1
Préparation : 3 min
Cuisson : 2 min

Ingrédients :
- **60 g de camembert**
- **2 tranches épaisses de pain blanc**
- **1 c. à s. de sauce aux canneberges**
- **1 c. à s. de beurre ramolli**
- **Quelques gouttes de vinaigre balsamique**

Boulettes de saumon citronné

Portions : 6
Préparation : 12 min
Cuisson : 8 min

Ingrédients :
- **1 boîte de saumon émietté**
- **2 œufs**
- **1/4 de T de persil frais haché**
- **2 c. à s. d'oignon finement haché**
- **1/4 de T de chapelure assaisonnée à l'italienne**
- **3 c. à s. de jus de citron**
- **1/2 c. à t. de basilic séché**
- **1 c. à s. d'huile végétale**
- **2 c. à s. de mayonnaise légère**
- **1 pincée de basilic séché**
- **1 pincée de poivre de Cayenne**

Instructions :

1. Mélanger le saumon, les œufs, le persil, l'oignon, la chapelure, 2 c. à soupe de jus de citron, 1/2 c. à thé de basilic et le poivre de Cayenne dans un bol.

2. Diviser le mélange en 6 portions égales et former 6 boulettes d'environ 1 cm d'épaisseur.

3. Faire chauffer l'huile à feu moyen dans une grande poêle à frire et déposer les boulettes lorsque l'huile est chaude.

4. Faire cuire jusqu'à ce qu'elles soient bien dorées (4 minutes de chaque côté).

5. Mélanger la mayonnaise, 1 c. à soupe de jus de citron et 1 pincée de basilic séché dans un petit bol et servir la sauce avec les boulettes.

Porc laqué pour faire des sandwichs

Instructions :

1. Verser le bouillon de bœuf dans une mijoteuse et ajouter les côtes de porc désossées.

2. Faire cuire à feu élevé jusqu'à ce que la viande se défasse facilement en filaments (4 heures).

3. Retirer la viande de la cocotte et défaire en filaments à l'aide de 2 fourchettes.

4. Laisser reposer la viande quelques minutes si elle ne se défait pas tout de suite.

5. Préchauffer le four à 350 °F et transférer le porc dans un faitout ou une poêle et verser la sauce barbecue.

6. Faire chauffer au four jusqu'à ce que le porc soit bien chaud (30 minutes).

Portions : 4
Préparation : 15 min
Cuisson : 4 h 30

Ingrédients :
- **1,5 kg de côtes de porc désossées**
- **1 boîte de bouillon de bœuf**
- **1 bouteille de sauce barbecue**

Fougasse aux olives et du romarin

Portions : 8
Préparation : 1 h 30
Cuisson : 20 min

Ingrédients :
- 2 T d'eau chaude
- 2 c. à. t. de levure sèche
- 4 1/2 T de farine (tout usage)
- 2 c. à. t. de sel
- 3 c. à. s. d'huile d'olive
- 15 olives noires ou vertes (olives grecques ou Kalamata) dénoyautées et coupées en deux
- 1 c. à. s. de romarin frais haché (ou 1 1/2 c. à. t. de romarin séché)
- Tomates confites

Instructions :

1. Verser 2 tasses d'eau chaude dans un grand bol. Saupoudrer de levure sèche et remuer avec une fourchette. Laisser reposer jusqu'à ce que la levure soit dissoute (environ 10 minutes).

2. Ajouter 4 1/4 tasses de farine et le sel dans le mélange de levure et remuer pour bien mélanger le tout. Pétrir la pâte sur une surface farinée jusqu'à ce qu'elle soit lisse et élastique (environ 10 minutes). Ajouter de la farine en y allant d'une c. à soupe à la fois pour éviter que la pâte colle sur les mains. Déposer la pâte dans un grand bol huilé et retourner pour enrober toute la surface de la pâte. Couvrir avec une pellicule de plastique et laisser la pâte lever dans un endroit chaud jusqu'à ce qu'elle ait doublé de volume (45 minutes).

3. Graisser une plaque à biscuits avec 1 c. à soupe d'huile. Aplatir la pâte avant de la transférer sur la plaque. Presser la pâte avec le bout des doigts pour former un rectangle de 25 X 32,5 cm. Laisser reposer pendant 10 minutes, puis arroser la pâte avec 2 c. à soupe d'huile.

4. Déposer des olives, du romarin haché et des tomates confites sur toute la surface, si désiré. Laisser la pâte lever dans un endroit chaud jusqu'à ce qu'elle soit gonflée (25 minutes).

5. Préchauffer le four à 475 °F.

6. Presser la pâte du bout des doigts pour former des empreintes. Faire cuire le pain jusqu'à ce qu'il soit doré et croustillant (20 minutes).

7. Servir chaud ou à la température de la pièce.

Hamburgers au poulet à la provençale

SANDWICHS

Portions : 4
Préparation : 15 min
Cuisson : 35 min

Ingrédients :
- 1 kg de poulet haché
- 2 c. à s. d'huile d'olive extra vierge
- 1 c. à s. de beurre
- 2 gros oignons très finement tranchés
- 1/3 de T d'olives noires (niçoises ou Kalamata)
- 1 c. à s. de pâte d'anchois
- 1 c. à s. d'herbes de Provence séchées
- 1 c. à t. de graines de fenouil
- 2 c. à t. de zeste de citron
- 2 gousses d'ail finement hachées
- 4 tranches de fromage suisse
- 4 petits pains croûtés coupés en 2
- 4 feuilles de laitue (ou de chou rouge)
- Sel et poivre noir fraîchement moulu
- Croustilles pour servir

Instructions :

1. Mélanger 1 c. à soupe d'huile d'olive et le beurre dans une poêle à frire à feu moyen. Déposer les oignons, assaisonner de sel et de poivre et faire cuire pendant 20 minutes pour les faire caraméliser. Ajouter les olives et la pâte d'anchois et faire cuire pendant encore 2 minutes.

2. Retirer du feu.

3. Pendant que les oignons cuisent, mélanger le poulet, les herbes de Provence, les graines de fenouil, le zeste de citron, l'ail, le sel et le poivre. Faire chauffer 1 c. à soupe d'huile d'olive dans une grande poêle à frire à feu moyen-fort. Former 4 boulettes et faire cuire pendant 6 minutes de chaque côté.

4. Faire fondre le fromage suisse sur chaque boulette pendant les 2 dernières minutes de cuisson.

5. Couvrir les boulettes avec du papier aluminium pour faire fondre le fromage.

6. Déposer les boulettes sur la base du pain et garnir de laitue et d'oignons caramélisés. Servir avec des croustilles.

Kebabs

Instructions :

1. Mélanger le yogourt, le jus de citron, l'ail, la sauce piquante, le vinaigre, l'oignon, le poivre noir, le poivre de Cayenne, le macis et le sel dans un bol. Incorporer la viande et faire mariner une nuit complète (au moins 12 heures) en remuant quelques fois.

2. Faire griller la viande sur le barbecue ou au four jusqu'à ce qu'elle soit cuite.

3. Mélanger le tahini, l'ail, le jus de citron et le persil dans un bol et bien fouetter le tout. Ajouter de l'eau, au besoin.

4. Ouvrir un pain pita puis étaler de la sauce tahini à l'intérieur avant de garnir le tout de tomates, d'oignon, de navet mariné, de pousses, de laitue et de viande.

5. Ajouter un peu de tzatziki et servir.

Portions : 8
Préparation : 35 min
Marinade : 12 h
Cuisson : 10 min

Ingrédients :
- 1 kg de bœuf (ou de poulet ou d'agneau) tranché très finement
- 1 T de yogourt nature
- 2 c. à t. de jus de citron
- 4 gousses d'ail finement hachées
- 1/2 c. à t. de sauce piquante
- 1 c. à t. de vinaigre
- 1 c. à t. d'oignon finement haché
- 1/2 c. à t. de macis moulu
- 1 T de tahini, recette p. 455
- 2 gousses d'ail finement hachées
- 2 c. à t. de jus de citron
- 2 c. à t. de persil haché
- 1/2 T d'eau
- 8 tranches de pain pita
- 1/2 c. à t. de poivre noir
- 1/2 c. à t. de poivre de Cayenne
- 1/2 c. à t. de sel
- Tranches de tomates
- Tranches d'oignon
- Navet mariné
- Pousses assorties
- Laitue finement tranchée
- Tzatziki, recette p. 455

Wraps au bœuf thaïlandais

Portions : 6
Préparation : 15 min
Cuisson : 10 min

Ingrédients :
- 500 g de bavette parée
- 1 T de concombre pelé et coupé en dés
- 1/2 T de tomates cerises coupées en 2
- 1/4 de T d'oignon vert finement tranché
- 1 c. à s. de menthe fraîche hachée
- 1 c. à s. de basilic frais haché
- 1 c. à s. de coriandre fraîche hachée
- 2 c. à s. de cassonade
- 3 c. à s. de sauce soja faible en sodium
- 2 c. à s. de jus de lime frais
- 6 tortillas de farine
- 12 feuilles de laitue Boston Bibb
- 1/4 de c. à t. de sel
- 1/4 de c. à t. de poivre
- 1/2 c. à t. de poivre de Cayenne
- Aérosol de cuisson

Instructions :

1. Faire chauffer le gril à feu moyen-fort.

2. Saupoudrer le bœuf de sel et de poivre. Vaporiser le gril avec l'aérosol de cuisson et déposer la bavette.

3. Faire griller pendant 4 minutes de chaque côté ou jusqu'à l'obtention de la cuisson désirée. Laisser reposer 5 minutes.

4. Couper la viande en diagonale dans le sens de la largeur pour obtenir des tranches minces.

5. Mélanger le bœuf, le concombre, les tomates cerises, l'oignon vert, la menthe, le basilic et la coriandre dans un grand bol.

6. Mélanger la cassonade, la sauce soja, le jus de lime et le poivre de Cayenne dans un petit bol, et verser le tout sur la viande. Remuer pour bien enrober la viande.

7. Faire chauffer les tortillas en suivant les indications du paquet.

8. Déposer 2 feuilles de laitue dans chaque tortilla et verser 2/3 de tasse de garniture au bœuf au centre de chaque tortilla avant de les rouler fermement.

Sandwich cubain

Portions : 1
Préparation : 15 min
Cuisson : 10 min

Ingrédients :
- 2 tranches de pain ferme
- 1 à 2 c. à t. de moutarde
- 4 à 5 rondelles de cornichon
- 2 tranches de jambon cuit (ou de jambon blanc)
- 2 tranches de dinde fumée
- 3 tranches minces de fromage suisse
- 1/2 gousse d'ail
- 1/2 c. à s. de mayonnaise
- 1 gros œuf
- 2 c. à s. de lait entier
- 1 c. à s. de beurre non salé

Instructions :

1. Étaler de la moutarde sur une tranche de pain et couvrir de cornichons, de jambon, de dinde et de fromage. Hacher finement ou broyer la demi-gousse d'ail pour obtenir une pâte, ajouter une pincée de sel et incorporer la mayonnaise. Étaler la préparation sur l'autre tranche de pain et refermer le sandwich.

2. Battre l'œuf, le lait, 1 pincée de sel et 1 pincée de poivre et tremper le sandwich dans le mélange.

3. Faire fondre le beurre dans une poêle à frire de taille moyenne à feu moyen-doux. Faire cuire le sandwich sans couvrir jusqu'à ce que le dessous soit doré (environ 4 minutes). Retourner et faire cuire l'autre côté jusqu'à ce que le pain soit bien doré (3 ou 4 minutes). Retirer du feu, couvrir et laisser reposer pendant 1 minute.

Panini au saumon, à l'aneth et au citron

Instructions :

1. Déposer la mayonnaise, le jus de citron, l'oignon et les câpres dans un bol. Remuer et incorporer le saumon avec une fourchette.

2. Mélanger l'aneth et le fromage à la crème dans un autre bol. Trancher les paninis en 2 dans le sens de la longueur puis étaler du fromage à la crème et à l'aneth sur la base des 2 pains.

3. Couvrir de garniture au saumon et de feuilles de roquette avant de refermer les sandwichs.

Portions : 2
Préparation : 10 min

Ingrédients :
- 2 c. à s. de mayonnaise
- 2 c. à t. de jus de citron
- 2 c. à s. d'oignon vert ou rouge finement haché
- 1 c. à t. de câpres hachées
- 1 boîte de saumon
- 1 c. à s. d'aneth frais haché
- 3 c. à s. de fromage à la crème à tartiner
- 2 paninis (ou 2 fougasses ou 4 tranches de pain au levain)
- Feuilles de roquette

Burritos au porc

Portions : 5
Préparation : 10 min
Cuisson : 15 min

Ingrédients :
- 1 c. à s. d'huile végétale
- 5 tranches de porc taillées en lanières
- 1 pot (340 ml) de salsa
- 10 tortillas à la farine de 20 cm
- 1 contenant de crème sure (227 g)
- 3 oignons verts tranchés

Instructions :

1. Chauffer l'huile dans une poêle à feu moyen-élevé. Placer le porc dans la poêle et cuire jusqu'à ce qu'il soit uniformément doré. Verser la salsa et poursuivre la cuisson pendant 5 minutes, jusqu'à ce qu'elle soit bien chaude.

2. Placer 1 ou 2 tortillas à la fois dans un plat pour four micro-ondes. Cuire 1 minute à haute température, jusqu'à ce que les tortillas soient chaudes. Placer des quantités égales de tranches de porc et de salsa dans le centre de chacune des tortillas et rouler. Pour servir, napper de crème sure et d'oignons verts.

Sandwichs à la salade de poulet

Instructions :

1. Cuire le poulet et le hacher grossièrement.

2. Assaisonner le poulet avec de la sauce piquante. Ajouter le céleri haché, la carotte hachée et le fromage bleu et remuer le tout puis verser 1 grosse c. à soupe de mayonnaise. Déposer de la luzerne sur 2 tranches de pain puis répartir la salade de poulet également sur les 2 parties avant d'ajouter 2 tranches de tomate et de poser 1 tranche de pain sur le dessus.

Portions : 2
Préparation : 10 min

Ingrédients :
- 1 T de poulet
- 1 branche de céleri finement hachée
- 1 carotte finement hachée
- 1/3 de T de fromage bleu émietté
- 1 c. à s. de mayonnaise
- 4 tranches de pain de blé entier
- 4 grosses tranches de tomate
- Sauce piquante
- Luzerne

Burritos au poulet à la sauce mojo

Portions : 8
Préparation :
Cuisson : 5 min

Ingrédients :

SAUCE MOJO
- 4 gousses d'ail
- 2 piments serrano épépinés
- 1 grosse poignée de feuilles de coriandre fraîche
- Le jus de 2 limettes
- Le jus d'une orange
- 1/2 T d'huile d'olive extra vierge
- Sel casher et poivre noir moulu

RIZ JAUNE
- 2 T de riz à grain long
- 4 T d'eau
- 2 gousses d'ail écrasées
- 1 c. à t. de curcuma
- 1 c. à t. de sel casher
- 1 feuille de laurier

HARICOTS NOIRS ÉPICÉS
- 2 T (environ 500 g) de haricots noirs déshydratés, triés et rincés
- 3 c. à s. d'huile d'olive extra vierge
- 1 oignon moyen haché
- 1 piment jalapeño haché
- 2 gousses d'ail hachées
- 1 feuille de laurier
- Sel casher et poivre noir moulu

BURRITOS
- 8 grandes tortillas à la farine
- 1 poulet entier (de 1,5 à 2 kg) rôti et effiloché
- 2 avocats hachés
- 1 T de fromage blanc ou de Monterey Jack râpé
- Crème sure pour garnir
- Feuilles de coriandre pour garnir
- Quartiers de limette pour garnir

Instructions :

SAUCE MOJO
1. Mettre l'ail, les piments, la coriandre, le jus de limette, le jus d'orange et l'huile d'olive dans un mélangeur et passer jusqu'à obtention d'un mélange lisse. Goûter et ajuster l'assaisonnement de sel et de poivre.

RIZ JAUNE
2. Mettre tous les ingrédients dans une poêle à fond épais, bien remuer et amener à ébullition à feu moyen-élevé. Diminuer la chaleur, couvrir et laisser mijoter à feu doux de 15 à 20 minutes, jusqu'à ce que le riz ait absorbé l'eau. Retirer du feu et laisser reposer, couvert, pendant 5 minutes.

3. Jeter l'ail et la feuille de laurier, gonfler avec une fourchette et servir.

HARICOTS NOIRS ÉPICÉS
4. Faire tremper les haricots : dans une casserole, s'assurer que l'eau recouvre les haricots d'environ 5 cm. Amener à ébullition et cuire 2 minutes. Retirer du feu, couvrir et laisser tremper pendant 1 heure. Égoutter les haricots.

5. Dans la même casserole, réchauffer l'huile d'olive. Ajouter l'oignon, le piment jalapeño, le poivre, l'ail et la feuille de laurier et cuire 5 minutes, jusqu'à ce que les légumes commencent à s'attendrir. Ajouter les haricots et s'assurer que l'eau recouvre les ingrédients d'environ 2,5 cm.

6. Amener à ébullition, diminuer la chaleur, couvrir et laisser mijoter de 1 heure à 1 h 30 ou jusqu'à ce que les haricots soient tendres.

7. Retirer la feuille de laurier et jeter. Goûter et assaisonner de sel et de poivre.

BURRITOS
8. Réchauffer les tortillas pendant 30 secondes dans une poêle sèche ou sur le gril, jusqu'à ce qu'elles soient souples.

9. Placer du poulet dans le centre de la tortilla et napper de riz et de haricots, d'avocat, de fromage râpé et de sauce mojo.

10. Rouler le burrito et servir, nappé d'une généreuse cuillerée de crème sure et garnir de feuilles de coriandre et d'un jet de jus de citron.

Fajitas au poulet épicé

Portions : 4
Préparation : 10 min
Marinade : 2 à 12 h
Cuisson : 18 min

Ingrédients :
- 3 c. à s. de jus de citron
- 1 c. à s. d'ail haché
- 1 c. à s. de poudre de chili
- 1 c. à t. de cumin moulu
- 1 c. à t. de miel
- 3 c. à s. de d'huile végétale
- 1 kg de poitrine de poulet désossées et sans peau
- 4 tortillas à la farine
- 1 T de crème sure
- Fromage râpé
- Sel, au goût

Instructions :

1. Mélanger le jus de citron, l'ail, la poudre de chili, le cumin, le miel, 1 c. à s. d'huile et le sel dans un grand plat de cuisson. Badigeonner les poitrines de poulet. Laisser mariner de 2 à 12 heures au réfrigérateur.

2. Préchauffer le four à 450 °F.

3. Réchauffer les 2 c. à soupe d'huile restantes dans une poêle à griller ou à frire, à feu moyen-élevé. Ajouter le poulet et saisir 2 minutes par côté, jusqu'à ce que la viande soit dorée.

4. Placer la poêle au four et cuire 8 minutes, ou jusqu'à ce que les jus soient clairs.

5. Placer les tortillas dans une feuille d'aluminium et réchauffer au four 5 minutes.

6. Servir les tortillas et le poulet sur des assiettes et mettre des bols remplis de crème sure, de fromage râpé, de légumes grillés, de relish et de sauce à l'avocat sur la table.

Burgers à la dinde et à la tartinade à l'avocat

Instructions :

1. Trancher l'avocat dans le sens de la longueur et enlever le noyau. Couper l'avocat en morceaux de 5 mm à l'aide d'un couteau à bout arrondi. Utiliser une cuiller pour extraire les morceaux d'avocat et les déposer dans un bol de taille moyenne. Arroser l'avocat de jus de lime et saupoudrer de sel. Ajouter les tomates en dés, l'oignon vert, le piment jalapeño et la coriandre. Mélanger doucement pour que l'avocat garde sa forme. Réserver ou couvrir avec une pellicule de plastique et réfrigérer jusqu'à 1/2 journée.

2. Déposer une feuille de papier ciré sur une surface de travail. Déposer la dinde hachée dans un grand bol. Ajouter l'œuf, l'ail, le sel et le poivre de Cayenne sur la dinde puis incorporer la chapelure et les oignons verts. Mélanger tous les ingrédients avec les mains en pétrissant doucement. Diviser et former 4 boulettes d'environ 1 cm d'épaisseur avant de les déposer sur le papier ciré. Cuire immédiatement ou couvrir et réfrigérer jusqu'à 12 h.

3. Faire chauffer 1 c. à soupe d'huile dans une grande poêle à feu moyen jusqu'à ce qu'elle soit chaude. Déposer les boulettes dans la poêle et faire frire jusqu'à ce qu'elles soient cuites et dorées et que le thermomètre à mesure instantanée indique 165 °F (5 minutes de chaque côté).

4. Ouvrir les petits pains puis déposer des feuilles de laitue bien taillées, une boulette et une grosse cuillérée de tartinade à l'intérieur. Servir avec des croustilles de pommes de terre ou des croustilles de maïs.

ASTUCE
Pour faire des amuse-gueule, former des boulettes de 2,5 cm. Aplatir et faire sauter tel qu'indiqué ci-dessus pendant 2 ou 3 minutes de chaque côté. Couvrir et réfrigérer jusqu'à 2 jours. Pour servir, réchauffer les boulettes dans une poêle bien chaude à feu moyen-doux pendant 3 à 4 minutes puis faire glisser les boulettes dans des mini pitas coupés en 2 ou sur des crostinis. Ajouter de la relish à l'avocat.

Portions : 4
Préparation : 20 min
Cuisson : 10 min

Ingrédients :

TARTINADE
- 1 avocat mûr et ferme
- 1/2 c. à t. de jus de lime fraîchement pressé
- 1 tomate italienne épépinée et coupée en dés
- 1 oignon vert finement tranché
- 2 à 3 c. à t. de piment jalapeño épépiné et finement tranché
- 2 c. à s. de coriandre fraîche hachée (facultatif)
- 1/4 de c. à t. de sel

BURGERS
- 500 g de dinde hachée (ou de poulet haché)
- 1 œuf battu
- 1 gousse d'ail finement hachée
- 1/4 de c. à t. de piment de Cayenne
- 3/4 de T de chapelure
- 2 oignons verts finement tranchés
- 1 à 2 c. à s. d'huile de canola
- 4 petits pains préférablement italiens
- 4 feuilles de laitue
- 1/4 de c. à t. de sel

Burritos de poulet grillé à la sauce à la mangue

Portions : 4
Préparation : 30 min
Cuisson :

Ingrédients :
- 1/4 de T d'huile d'olive extra vierge
- 1/4 de T de jus de limette frais (environ 2 limettes)
- 5 gousses d'ail, 3 écrasées et 2 hachées
- 500 g de poitrine de poulet désossée et sans peau, martelée à 1 cm d'épaisseur
- 1 T de riz blanc à grain long
- 2 T bouillon de poulet
- 1/2 T de sauce tomate
- 1/2 c. à t. de cumin moulu
- 4 grandes tortillas à la farine
- 1 boîte (425 g) de haricots noirs en conserve, rincés
- 3 T de fromage Monterey Jack effiloché (environ 227 g)
- 2 mangues finement hachées
- 2 boîtes de 113 g de piments verts rôtis à la flamme hachés
- 1 c. à s. de coriandre finement hachée
- Sel

Instructions :

1. Dans un sac de plastique refermable, mélanger 3 c. à soupe d'huile d'olive, 3 c. à soupe de jus de limette, l'ail écrasé et 1 1/2 c. à thé de sel. Ajouter le poulet et laisser mariner 15 minutes à la température ambiante.

2. Dans une poêle à griller ou à frire, cuire le poulet à feu moyen-élevé, jusqu'à ce qu'il soit bien cuit, de 6 à 8 minutes : laisser refroidir légèrement et effilocher. Réserver.

3. Dans une casserole de taille moyenne, réchauffer à feu moyen la c. à soupe d'huile qui reste, ajouter le riz et cuire en remuant environ 5 minutes ou jusqu'à ce qu'il soit doré. Incorporer en remuant le bouillon de poulet, le cumin, 1 c. à thé de sel et l'ail haché.

4. Couvrir, amener à ébullition et laisser mijoter jusqu'à ce que le liquide soit absorbé, environ 20 minutes.

5. Préchauffer le four à 350 °F.

6. Placer chaque tortilla sur une feuille d'aluminium et surmonter du riz, des haricots, du poulet réservé et du fromage.

7. Envelopper les burritos bien serrés dans la feuille d'aluminium et réchauffer de 10 à 15 minutes avant de servir.

8. Pendant ce temps, dans un bol de dimension moyenne et non réactif, mélanger la mangue, les piments, la coriandre et la c. à soupe de jus de limette qui reste. Laisser reposer 15 minutes (ou réfrigérer pendant la nuit).

9. Servir la salsa sur les burritos de poulet.

Quesadillas au poulet et aux champignons

SANDWICHS

Portions : 4
Préparation : 15 min
Cuisson : 16 min

Ingrédients :
- 1 c. à s. d'huile de canola
- 1 gros oignon haché (environ 2 T)
- 227 g de champignons de Paris (environ 3 T)
- 3 gousses d'ail émincées
- 2 T de poitrine de poulet désossée, sans peau et hachée (1 moitié de poitrine)
- 1 c. à t. de cumin moulu
- 1 c. à t. de poudre de chili
- 1 c. à t. d'origan déshydraté
- 2 T de jeunes épinards, tranchés en lanières
- 1/2 c. à t. de sel
- 1/4 de c. à t. de poivre noir fraîchement moulu
- 4 tortillas à la farine complète (25 cm)
- 1 T de mélange de fromages mexicains ou de cheddar effiloché
- 1/2 T de salsa
- 1/4 de T de crème sure à teneur réduite en gras

Instructions :

1. Dans une grande poêle, réchauffer l'huile à feu moyen.

2. Ajouter les oignons et les champignons et cuire de 5 à 7 minutes, jusqu'à ce que l'eau des champignons se soit évaporée et qu'ils commencent à dorer. Ajouter l'ail et cuire une minute de plus.

3. Incorporer le poulet, le cumin, la poudre de chili et l'origan et mélanger jusqu'à ce que toutes les épices soient bien amalgamées. Ajouter les épinards, le sel et le poivre et cuire environ 2 minutes jusqu'à ce que les épinards soient fanés.

4. Étaler une tortilla sur une surface de travail plane et saupoudrer de 1/4 de tasse de fromage effiloché. Déposer la moitié du mélange de poulet et de légumes sur le fromage et surmonter d'un autre 1/4 de tasse de fromage. Couvrir le tout d'une tortilla.

5. Réchauffer à feu moyen une grande poêle enduite d'aérosol de cuisson. Déposer délicatement une quesadilla dans la poêle et cuire 3 minutes.

6. À l'aide d'une large spatule, retourner délicatement la quesadilla et cuire l'autre côté 3 minutes jusqu'à ce que la tortilla soit légèrement dorée et que le fromage soit fondu. Répéter l'opération avec la deuxième quesadilla.

7. Trancher en quartiers. Placer 2 quartiers par assiette, accompagnés d'une c. à soupe de crème sure et de 2 c. à soupe de salsa.

Quesadillas au poulet

Instructions :

1. Préchauffer le gril. Graisser une plaque à biscuits.

2. Saupoudrer le poulet d'assaisonnement pour fajitas et bien enrober la viande puis déposer le poulet sur la plaque à biscuits.

3. Mettre le poulet sous le gril et laisser cuire jusqu'à ce que les morceaux de poulet ne soient plus rosés (5 minutes).

4. Préchauffer le four à 350 °F.

5. Faire chauffer l'huile dans une grande poêle à feu moyen. Ajouter les poivrons verts, les poivrons rouges, l'oignon et le poulet. Faire cuire en remuant jusqu'à ce que les légumes aient ramolli (10 minutes).

6. Verser le mélange de poulet et de légumes sur une moitié de tortilla puis saupoudrer le mélange de cheddar, de morceaux de bacon et de Monterey Jack. Plier les tortillas en 2 et déposer sur la plaque à biscuits.

7. Faire cuire les quesadillas dans le four jusqu'à ce que les fromages soient fondus (10 minutes).

Portions : 10
Préparation : 30 min
Cuisson : 25 min

Ingrédients :
- 500 g de poitrine de poulet sans peau désossée et coupée en dés
- 1 sachet d'assaisonnement pour fajitas
- 1 c. à s. d'huile végétale
- 2 poivrons verts hachés
- 2 poivrons rouges hachés
- 1 oignon haché
- 10 tortillas de farine
- 1 paquet de fromage cheddar râpé
- 1 c. à s. de morceaux de bacon
- 1 paquet de fromage Monterey Jack râpé

Pizzas & Quiches

Pâte à pizza toute simple

Instructions :

1. Mélanger la farine, le sel, le sucre et la levure dans un grand bol, puis mélanger l'huile et l'eau chaude. Étaler sur une grande plaque à pizza. Ajouter les garnitures de votre choix.

2. Faire cuire à 375 °F pendant 20 à 25 minutes.

Portions : 4
Préparation : 10 min
Cuisson : 25 min

Ingrédients :
- 3 T de farine (tout usage)
- 1 sachet de levure sèche active
- 2 c. à s. d'huile végétale
- 1 c. à t. de sel
- 1 c. à s. de sucre blanc
- 1 T d'eau chaude

Pâte à pizza au blé entier

Portions : 3 pizzas
Préparation : 20 min
(plus le temps de faire gonfler la pâte)
Cuisson : 20 min

Ingrédients :
• 1 paquet de levure sèche active
• 1 c. à s. de sucre blanc
• 2 1/2 T d'eau chaude
• 2 c. à s. d'huile d'olive
• 1 c. à s. de sel
• 1/2 T de farine de blé entier
• 5 1/2 T de farine (tout usage)

Instructions :

1. Dissoudre la levure et le sucre dans l'eau chaude dans un grand bol à mélanger. Laisser reposer jusqu'à ce que la préparation soit crémeuse (10 minutes).

2. Ajouter l'huile d'olive, la farine de blé entier, le sel et 4 tasses de farine au mélange de levure. Ajouter ensuite le reste de la farine en versant 1/2 tasse à la fois et en brassant bien à chaque fois.

3. Lorsque la pâte est assemblée, la déposer sur une surface farinée et pétrir jusqu'à ce qu'elle soit lisse et élastique (8 minutes).

4. Déposer la pâte dans le bol et la retourner pour l'enrober d'huile.

5. Couvrir d'un linge humide et laisser reposer dans un endroit chaud jusqu'à ce qu'elle ait doublé de volume (environ 1 heure).

6. Démouler la pâte sur une surface légèrement farinée.

7. Diviser la pâte en 3 parties égales et former des cercles. Recouvrir chaque cercle et laisser reposer pendant environ 10 minutes.

8. Préchauffer le four à 425 °F.

9. Rouler la pâte à l'aide d'un rouleau à pâte jusqu'à l'obtention de la forme désirée puis recouvrir de garniture de votre choix et faire cuire à 425 °F jusqu'à ce que la croûte et le fromage soient dorés (environ 20 minutes).

Pâte à pizza au beurre à l'ail

Instructions :

1. Faire dissoudre la levure sèche dans 1/4 de tasse d'eau tiède. Ajouter 1/4 de tasse de farine et de sucre, et bien mélanger.

2. Couvrir d'une pellicule plastique et laisser gonfler dans un endroit chaud pendant 20 minutes.

3. Verser la tasse d'eau tiède qui reste, 3 tasses de farine, la semoule de maïs et le sel dans le mélange de levure. Mélanger le beurre et l'ail puis l'incorporer dans la pâte.

4. Démouler le tout sur une surface légèrement farinée et pétrir jusqu'à ce que la pâte soit lisse et élastique (10 à 12 minutes).

5. Graisser légèrement un grand bol avant d'y verser la pâte et de la retourner pour bien l'imbiber. Couvrir et déposer dans un endroit chaud jusqu'à ce que la pâte ait doublé de volume (environ 1 heure).

6. Aplatir la pâte puis pétrir pendant 2 à 3 minutes. Graisser une plaque à biscuits puis presser la pâte pour couvrir le fond et 5 cm le long des côtés de la plaque. Laisser gonfler pendant 20 minutes.

7. Préchauffer le four à 500 °F. Couvrir la pâte à pizza de vos garnitures préférées. Baisser la température du four à 400 °F et laisser cuire 30 minutes.

Portions : 1 grande pizza
Préparation : 20 min
(plus le temps de faire gonfler la pâte)
Cuisson : 30 min

Ingrédients :
• 1 paquet de levure sèche active
• 1 1/4 T d'eau tiède
• 3 1/4 T de farine (et un peu plus pour saupoudrer)
• 1 c. à t. de sucre
• 1/2 T de semoule de maïs
• 1 c. à t. de sel
• 4 c. à s. de beurre non salé fondu
• 1 gousse d'ail écrasée jusqu'à l'obtention d'une pâte
• Garnitures de votre choix

Pâte à pizza

Instructions:

1. Pour faire la pâte dans la machine à pain, utiliser 1 c. à thé de levure pour machine à pain et 2 1/2 tasses de farine. Disposer en couches dans une boîte à épices avec le sel, l'eau et l'huile en suivant les instructions du fabricant. Mettre en mode « pour pâte » (utiliser le dispositif de programmation pour que le tout soit prêt à l'heure du souper). Vérifier la cuisson au début du cycle. Si la pâte semble trop humide pour former une boule légère, ajouter de la farine, et si la boule est déjà bien ferme, ajouter de l'eau. Lorsque le cycle est terminé, déposer la pâte sur des plaques huilées. Laisser reposer 10 minutes puis étaler la pâte.

Ingrédients:
- 1 à 2 1/2 c. à t. de levure sèche à action rapide (ou de levure pour machine à pain)
- 2 1/2 à 3 T de farine
- 1 c. à t. de sel
- 1 1/4 T d'eau
- 1 c. à s. d'huile d'olive

2. Pour faire la pâte à la main, mélanger 2 c. à thé de levure, 2 1/2 tasses de farine et du sel dans un grand bol. Former un trou au centre. Mettre la farine qui reste de côté pour pétrir. Ajouter de l'eau et de l'huile d'olive (l'eau doit être aussi chaude qu'un bain au toucher. Remuer jusqu'à ce que toute la farine soit bien incorporée dans la pâte. Si la pâte semble trop humide, ajouter de la farine, et si la pâte semble trop ferme, ajouter de l'eau. Démouler sur une surface farinée. Pétrir pendant 8 à 10 minutes en utilisant un peu de farine qui reste si nécessaire pour éviter que la pâte colle. Déposer la boule de pâte sur une plaque à pizza. Retourner pour que la pâte soit enrobée d'huile. Laisser reposer sans couvrir pendant 10 minutes pour faire gonfler une première fois.

3. Arranger les grilles du four de façon à ce qu'une soit placée tout en bas et une autre tout en haut.

4. Préchauffer le four à 475 °F. Étaler la pâte sur une plaque huilée et former une bordure. Étendre la sauce, puis couvrir de garnitures. Faire lever la pâte pendant 10 à 20 minutes sans la couvrir jusqu'à ce qu'elle ait presque doublé de volume.

5. Déposer la pizza sur la grille du bas. Faire cuire pendant 5 à 10 minutes. Utiliser une spatule pour soulever un coin de la pâte afin de vérifier si elle est dorée. Lorsqu'elle est dorée, transférer la pizza sur la grille du haut et faire cuire jusqu'à ce que le dessus soit doré (5 à 8 minutes). Les fours avec des éléments chauffants apparents font dorer la croûte plus rapidement alors faites bien attention. Ajuster le temps de cuisson en fonction de votre four.

VARIANTES

Extra croustillante
Ajouter 1/4 de tasse de semoule de maïs très fine dans l'eau. Faire tremper pendant au moins 15 minutes avant de faire la pâte pour éviter que des grumeaux se forment.

Épeautre
Pour ajouter une saveur de grains entiers, remplacer 1 tasse de farine panifiable par 1 tasse de farine d'épeautre. L'épeautre est une céréale ancienne qui est très populaire en Europe et qui possède un goût fin à saveur de noix.

Semoule de maïs
Faire tremper 1 tasse de farine de maïs dans 1 1/4 tasse d'eau pendant 15 minutes. N'utiliser que 2 tasses de farine panifiable. Utiliser une machine à pain ou un malaxeur muni d'un crochet pétrisseur pour garder la pâte très humide.

Pierre à pizza
Pour reproduire l'effet d'un four de pizzeria, acheter une « pierre » en céramique ou suffisamment de tuiles non vernies pour les aligner de façon bien serrée sur une grille. Il est préférable de porter des manches longues et d'utiliser de longues mitaines pour le four lorsque vous utilisez cette technique afin d'éviter les brûlures. Placer la pierre ou les tuiles sur la grille du bas. Préchauffer le four à 475 °F pendant au moins 30 minutes avant la cuisson. Préparer des pizzas à croûte moyenne pour qu'elles soient plus faciles à manipuler jusqu'à ce que vous deveniez plus habile. Déposer la pizza sur une plaque à biscuits, puis déposer cette dernière sur la céramique ou la pierre chauffée. Faire cuire pendant 5 à 10 minutes puis jeter un coup d'œil sous la croûte. Si elle est légèrement dorée et assez dure pour être soulevée, retirer la pizza du four puis de la plaque. Ensuite, ouvrir le four et faire glisser la pizza directement sur la pierre chaude. Faire cuire jusqu'à ce que le dessous soit bien doré (5 minutes). Pour que le dessous demeure croustillant, glisser la pizza sur un refroidissoir et couper des pointes à l'aide de ciseaux de cuisine.

Pizza club au poulet

Portions : 4 à 6
Préparation : 30 min
(plus le temps de faire gonfler la pâte)
Cuisson : 30 min

Ingrédients :
- 1 pâte à pizza
- 6 ou 8 tranches épaisses de bacon (préférablement fumé deux fois)
- 2 poitrines de poulet désossées et sans la peau et 4 cuisses désossées et sans la peau
- 250 ml de sauce ranch pour salade
- 3/4 de T de fromage à pâte dure pour pizza (la recette suit) ou de fromage à pâte dure de votre choix fraîchement râpé
- 3 T de fromage à pâte molle pour pizza (la recette suit) ou de fromage à pâte molle de votre choix
- 1 T de tomates cerises (ou de tomates en grappes coupées en deux ou de tomates Roma épépinées et égouttées)
- 1/4 de T de persil frais finement haché

POUR LE MÉLANGE DE FROMAGES
- 375 g de mozzarella
- 375 g de provolone doux (ou de scarmoza fraîche et non fumée ou de fromage friulano)
- 125 g de parmesan
- 125 g de romano ou asiago

Instructions :
MÉLANGE DE FROMAGES
1. Couper la mozzarella, le provolone et le friulano en cubes de 1 cm à l'aide d'un grand couteau de chef. Bien mélanger. Vous devriez obtenir 6 tasses.

2. Râper le fromage parmesan, romano ou asiago à l'aide d'une lame pour râper ou d'une râpe manuelle insérée dans un robot culinaire. Vous devriez obtenir 4 tasses.

3. Transférer les cubes de fromage à pâte molle dans un sac en plastique refermable. Il est préférable de ranger le fromage râpé dans un contenant rigide pour éviter l'agglutination.

4. Le fromage réfrigéré se conserve bien pendant 1 semaine. Vous pouvez aussi le faire congeler et le sortir du congélateur pour l'utiliser comme garniture.

PIZZA
5. Étendre la pâte sur deux plaques à pizza rondes et huilées de 30 cm pour obtenir une croûte mince, ou alors sur la moitié d'une plaque pour une croûte moyennement épaisse. Si vous utilisez une plaque à biscuits pour croûte épaisse, n'utiliser que la moitié de la quantité indiquée de garnitures. Former une bordure tout autour de la plaque.

6. Couper le bacon en biseau pour former des morceaux de 2 cm. Faire sauter dans une grande poêle à feu moyen pendant 5 minutes pour extraire le gras jusqu'à ce qu'il commence à brunir.

7. Retirer le bacon du feu et le déposer sur du papier absorbant pour l'égoutter.

8. Pendant ce temps, trancher le poulet en morceaux légèrement plus petits que pour un sauté. Une fois le bacon retiré de la poêle, augmenter le feu à moyen-fort et déposer le poulet dans la graisse du bacon.

9. Faire sauter à feu vif jusqu'à ce qu'il soit légèrement doré (5 à 7 minutes). Égoutter le poulet sur de l'essuie-tout. (Le bacon et le poulet peuvent être cuits à l'avance, couverts séparément et réfrigérés pendant 1 journée).

10. Disposer les grilles du four de façon à ce que l'une d'elles soit placée tout en bas et l'autre tout en haut du four.

11. Préchauffer le four à 475 °F.

12. Étendre de la sauce à salade ranch sur la pâte à pizza puis couvrir le tout du mélange de fromages à pâte dure et de poulet. Disperser également les cubes de fromage puis couvrir le tout de bacon et de tomates.

13. Laisser gonfler sans recouvrir jusqu'à ce que la pâte ait doublé de volume (10 à 20 minutes).

14. Déposer sur la grille du bas. Faire cuire pendant 5 à 10 minutes. Utiliser une spatule pour soulever l'un des coins de la pâte afin de vérifier si elle est dorée.

15. Lorsque la croûte est bien dorée, mettre la pizza sur la grille du haut jusqu'à ce que le dessus soit doré (5 à 8 minutes).

16. Saupoudrer la pizza de persil. Pour que le dessous demeure croustillant, faire glisser la pizza sur un refroidissoir et couper des pointes à l'aide de ciseaux de cuisine.

Instructions :

1. Badigeonner le poulet avec 1 ou 2 c. à soupe de sauce jamaïcaine. Couvrir et réfrigérer de 2 à 24 heures.

SALSA

2. Mélanger les ananas non égouttés avec la fécule de maïs dans une petite casserole. Ajouter l'ail. Faire cuire à feu moyen en remuant souvent jusqu'à ce que la sauce soit chaude, épaisse et bouillonnante (8 à 10 minutes). Retirer du feu puis ajouter le jus de lime, 1 à 2 c. à thé de sauce jamaïcaine et le sel.

3. Pendant ce temps, épépiner la moitié du poivron et couper finement en dés. Trancher finement le reste du poivron et mettre de côté pour garnir la pizza.

4. Épépiner et trancher finement les piments jalapeños. Incorporer les piments dans la sauce avec les poivrons coupés en dés. Laisser refroidir à la température de la pièce. La sauce peut être conservée au réfrigérateur dans un contenant hermétique pendant une journée.

5. Étendre la pâte à pizza sur deux plaques à pizza rondes et huilées de 30 cm pour obtenir une croûte mince, ou alors sur la moitié d'une plaque pour une croûte moyennement épaisse. Si vous utilisez une plaque à biscuits pour croûte épaisse, n'utiliser que les 2/3 de la quantité indiquée de garniture. Former une bordure tout autour de la plaque.

6. Faire griller ou sauter les poitrines de poulet avec un peu d'huile à feu moyen jusqu'à ce que les deux côtés soient dorés et fermes au toucher (6 à 7 minutes). Laisser refroidir et défaire en lanières.

7. Disposer les grilles du four de façon à ce que l'une d'elles soit placée tout en bas et l'autre juste au-dessus du centre du four.

8. Préchauffer le four à 475 °F au moins 15 minutes avant la cuisson.

9. Étendre la sauce à l'ananas sur la pâte à pizza puis garnir uniformément de lanières de poulet, de cubes de fromage, de tranches de poivron et d'oignon. Laisser gonfler sans couvrir jusqu'à ce que la pâte ait doublé de volume (10 à 20 minutes).

10. Déposer la pizza sur la grille du bas. Laisser cuire 5 à 10 minutes. Utiliser une spatule pour soulever l'un des coins de la pâte afin de vérifier sa couleur.

11. Lorsque la croûte est bien dorée, mettre la pizza sur la grille du haut jusqu'à ce que le dessus soit, lui aussi, doré (5 à 8 minutes).

12. Saupoudrer la pizza de coriandre. Pour que le dessous demeure croustillant, faire glisser la pizza sur un refroidissoir et couper des pointes à l'aide de ciseaux de cuisine. Servir avec des tranches de concombre.

Portions : 4 à 6
Préparation : 20 min
Marinade : 2 à 24 h
Cuisson : 20 min

Ingrédients :

POULET
- **3 poitrines de poulet désossées et sans la peau**
- **1 à 2 c. à s. de sauce jamaïcaine faite maison ou achetée**

SALSA
- **1 boîte d'ananas broyés**
- **2 c. à s. de fécule de maïs**
- **1 gousse d'ail finement hachée**
- **1 1/2 c. à t. de jus de citron (ou de lime) fraîchement pressé**
- **1 à 2 c. à t. de sauce jamaïcaine**
- **1/4 de c. à t. de sel**

PIZZA
- **1 poivron rouge**
- **1 à 2 piments jalapeños**
- **1 pâte à pizza préparée**
- **3 T de mozzarella coupée en dés**
- **1 T d'oignon rouge finement haché**
- **1 T de haricots noirs cuits (facultatif)**
- **1/4 de T de coriandre fraîche (ou de persil) hachée**
- **Tranches de concombre**

Sauce à pizza gourmet

Portions: 1 grande pizza
Préparation: 10 min

Ingrédients:
- 1 boîte de pâte de tomates
- 3/4 de T d'eau chaude
- 3 c. à s. de fromage parmesan râpé
- 1 c. à t. d'ail finement haché
- 2 c. à s. de miel
- 1 c. à t. de pâte d'anchois (facultatif)
- 3/4 de c. à t. de poudre d'oignon
- 1/4 de c. à t. d'origan séché
- 1/4 de c. à t. de marjolaine séchée
- 1/4 de c. à t. de basilic séché
- 1/4 de c. à t. poivre noir moulu
- 1/8 de c. à t. de poivre de Cayenne
- 1/8 de c. à t. de piment rouge séché en flocons
- Sel au goût

Instructions:

1. Mélanger la pâte de tomates, l'eau, le fromage parmesan, l'ail, le miel, la pâte d'anchois, la poudre d'oignon, l'origan, la marjolaine, le basilic, le poivre noir moulu, le poivre de Cayenne, les flocons de piment rouge et le sel, et bien défaire les morceaux de fromage.

2. Laisser reposer la sauce pendant 30 minutes pour bien mélanger les saveurs.

3. Étaler sur la pâte à pizza, puis ajouter les garnitures de votre choix.

Instructions:

1. Préchauffer le four à 450 °F.

2. Mélanger les herbes, l'ail, le fromage de chèvre et la crème dans un robot culinaire ou avec les mains jusqu'à l'obtention d'une tartinade. Si la texture est trop épaisse, vous pouvez l'éclaircir avec de la crème. Déposer la croûte de pizza sur une plaque à biscuits ou sur une pierre à pizza.

3. Badigeonner la base avec de l'huile d'olive. Étendre également le mélange d'herbes sur la croûte à pizza. Garnir de fromage parmesan et verser le reste de l'huile d'olive.

4. Faire cuire la pizza jusqu'à ce que le mélange soit chaud et que le dessus de la pizza soit légèrement doré (10 à 15 minutes).

Pizza au fromage de chèvre et aux herbes

Portions: 1 grande pizza
Préparation: 20 min
Cuisson: 15 min

Ingrédients:
- 1/4 de T de persil italien haché
- 1/4 de T de cerfeuil
- 1/4 de T de ciboulette chinoise hachée
- 1/4 de T de menthe fraîche hachée
- 1 c. à t. d'ail broyé
- 1/2 T de fromage de chèvre
- 2 c. à s. de crème fouettée
- 1 croûte à pizza mince précuite
- 2 c. à s. d'huile d'olive
- 1 T de parmesan râpé

Pizza tourte

Portions: 4
Préparation: 5 min
Cuisson: 25 min

Ingrédients:
- 1 c. à s. d'huile d'olive extra vierge
- 1 T d'oignon haché
- 2 gousses d'ail pelées et broyées
- 1 boîte de champignons tranchés
- 1 1/2 T de sauce tomate
- 1/2 T d'olives noires tranchées
- 2/3 de T de pepperoni en tranches
- 1 T de fromage mozzarella râpé
- 1 paquet de biscuits réfrigérés (pains au lait) coupés en quartiers

Instructions:

1. Préchauffer le four à 400 °F.

2. Mélanger l'huile, l'oignon et l'ail dans une grande poêle et faire cuire à feu moyen-fort pendant 2 minutes en remuant de temps à autre. Ajouter les champignons et faire cuire jusqu'à ce qu'ils soient tendres (environ 5 minutes). Ajouter la sauce tomate et les olives et laisser mijoter.

3. Étaler le mélange de sauce sur une plaque à biscuits graissée. Disposer le pepperoni en une seule couche sur la sauce puis recouvrir le tout de fromage.

4. Mettre les biscuits par-dessus et faire cuire jusqu'à ce que le fromage bouillonne et que les biscuits soient dorés (environ 15 minutes). Laisser refroidir environ 5 minutes avant de servir.

Pizza au poulet, au pesto et aux noix de pin

Portions : 4
Préparation : 10 min
Cuisson : 10 min

Ingrédients :
- 1 croûte à pizza achetée
- 1 T de pesto au basilic
- 1 T de poulet cuit coupé en dés
- 1 T de fromage mozzarella partiellement écrémé râpé
- 2 c. à s. de noix de pin

Instructions :

1. Préchauffer le four à 450 °F.

2. Déposer la croûte à pizza sur une grande plaque à biscuits et couvrir de pesto, de poulet, de fromage et de noix de pin. Faire cuire jusqu'à ce que le fromage fonde et que la croûte soit dorée (8 à 10 minutes).

Mini-pizzas aux pêches et au pesto

Portions : 8
Préparation : 30 min
Cuisson : 12 min

Ingrédients :
- 1 gousse d'ail
- 1 T de basilic frais
- 1/2 T de pacanes
- 1/2 T d'huile d'olive extra vierge (et un peu plus pour arroser)
- 1/4 de T de parmesan râpé
- 2 c. à t. de vinaigre de vin rouge
- Sel et poivre
- 1 tube de pâte à pizza réfrigérée
- 2 tomates coupées en tranches
- 2 petites pêches coupées en tranches

Instructions :

1. Broyer l'ail dans un robot culinaire. Ajouter 1/2 tasse de basilic, les pacanes, l'huile d'olive, le parmesan, le vinaigre, le sel, le poivre. Préchauffer le four à 400 °F. Étaler la pâte à pizza sur une surface farinée pour former un carré . Couper en 8 carrés et percer chacun d'eux plusieurs fois à l'aide d'une fourchette. Placer sur une plaque à biscuits légèrement farinée et badigeonner d'huile d'olive.

2. Faire cuire jusqu'à ce que le tout soit doré (12 minutes). Laisser refroidir. Étendre 1 c. à thé de pesto sur chaque carré et recouvrir complètement de tranches de tomates et de pêches. Couper le reste du basilic en bandes très minces et saupoudrer sur la pizza. Assaisonner de sel.

Hot-dog pizzadilla pour les enfants

Portions: 4 pizzadillas
Préparation: 10 min
Cuisson: 8 min

Ingrédients:
- 4 saucisses à hot-dog au bœuf (ou au porc)
- 1 c. à s. d'huile d'olive extra vierge pour couvrir la poêle et pour vaporiser.
- 4 tortillas de farine
- 1/4 de T de salsa douce avec gros morceaux (4 grosses cuillérées)
- 8 jets de ketchup (environ 1/4 de T)
- 1 T de mozzarella (ou de provolone) râpée
- 1 T de fromage cheddar râpé

Instructions:

1. À l'aide d'un petit couteau, couper les saucisses en deux dans le sens de la longueur, puis en tranches de 1 cm. Demander à un adulte de l'aide pour faire chauffer une grande poêle antiadhésive à feu moyen-fort. Verser de l'huile d'olive dans la poêle, puis faire cuire les tranches de saucisses jusqu'à ce qu'elles soient uniformément dorées (2 à 4 minutes). Égoutter les tranches croustillantes de saucisses dans des assiettes recouvertes d'essuie-tout. Les saucisses tranchées jouent ici le rôle du pepperoni.

2. Ajouter quelques gouttes d'huile d'olive dans la poêle, puis déposer une tortilla. Faire cuire pendant 1 minute, puis la retourner à l'aide de pinces et réduire à feu doux. Verser une grosse cuillérée de salsa sur une moitié de la tortilla avant de l'étaler avec le dos d'une cuillère. Ajouter deux jets de ketchup et mélanger à la salsa. Il s'agit ici de la sauce à pizza. Couvrir la sauce avec 1/4 du fromage, soit une grosse poignée de chaque sorte, puis déposer 1/4 des tranches de saucisses sur le fromage. Demander de l'aide à un adulte pour replier la tortilla de façon à former une demi-lune. Presser la tortilla repliée avec une spatule pour l'aplatir et faire coller les deux côtés ensemble.

3. Faire cuire la pizzadilla en la retournant soigneusement une autre fois à l'aide d'une spatule et en la faisant cuire 1 minute de chaque côté. Déposer la pizzadilla dans une assiette et laisser refroidir pendant 2 minutes. Couper ensuite en 4 morceaux comme une pizza et déguster! Répéter l'opération avec les ingrédients qui restent. Peut être mangée telle quelle ou couverte de ketchup, de salsa ou même de moutarde et de relish! Ajouter les condiments de hot-dogs au goût!

Pizzettes aux poires et aux oignons caramélisés

Instructions:

1. Peler et hacher finement l'oignon. Faire chauffer l'huile à feu moyen dans une grande poêle à frire et ajouter l'oignon. Baisser le feu et faire sauter les oignons doucement en remuant souvent jusqu'à ce qu'ils soient flétris et dorés. Pendant ce temps, couper la pâte à pizza en 16 morceaux égaux. Former une boule avec chaque portion de pâte sur une surface farinée. Couvrir et laisser reposer pendant 10 minutes. Aplatir chaque boule avec les mains.

2. À l'aide d'un rouleau à pâte, étaler chaque boule de pâte pour former des galettes de 10 cm de diamètre. Déposer les galettes sur des plaques à biscuits graissées en les espaçant de 2,5 cm. Couvrir et laisser reposer pendant encore 10 minutes avant d'aplatir à nouveau la pâte pour obtenir des galettes de 10 cm. Couvrir et mettre de côté.

3. Peler, retirer le cœur des poires puis les trancher finement. Lorsque les oignons sont bien dorés, assaisonner de sel et de poivre et les transférer dans un bol. Faire fondre le beurre dans la poêle à feu moyen. Lorsque le beurre bouillonne, ajouter les poires. Faire sauter en tournant fréquemment jusqu'à ce qu'elles soient tendres et légèrement dorées (8 à 12 minutes). Laisser refroidir sur une assiette.

4. Préchauffer le four à 450 °F.

5. Étendre une portion égale d'oignons sur les petites pizzas puis ajouter les poires et du thym. Garnir le tout de fromage. Faire cuire jusqu'à ce que les pizzettes soient dorées (10 à 12 minutes). Servir immédiatement. Couper les pizzettes en deux, si désiré, et saupoudrer de thym.

Portions: 16
Préparation: 45 min
Marinade: 2 à 24 h
Cuisson: 20 min

Ingrédients:
- 1 gros oignon sucré
- 1 c. à s. d'huile d'olive
- 500 g de pâte à pizza fraîche et froide
- 3 grosses poires mûres, mais fermes
- 1 pincée de sel
- 1 pincée de poivre noir
- 1 c. à s. de beurre
- 2 à 3 c. à t. de thym frais haché
- 2 T de fromage gruyère (ou emmental, ou un mélange des deux) râpé

Instructions:

1. Préchauffer le four à 375 °F. Mélanger 1 1/2 tasse de fromage cheddar avec le fromage monterey jack et mettre de côté.

2. Graisser une plaque à biscuits munie d'un rebord avec 1 c. à soupe d'huile d'olive. Déposer 6 tortillas sur la plaque de façon à recouvrir complètement la surface et en les faisant chevaucher, si nécessaire.

3. Garnir également les tortillas avec le fromage cheddar qui reste en laissant une bordure de 1 cm de tous les côtés. Couvrir avec les 6 tortillas qui restent en les faisant chevaucher si nécessaire.

4. Percer la couche supérieure avec une fourchette et faire cuire jusqu'à ce que les tortillas soient dorées (environ 10 minutes).

5. Dans une grande poêle à frire, faire chauffer les 2 c. à soupe d'huile d'olive qui reste à feu moyen.

6. Ajouter les oignons et faire cuire jusqu'à ce qu'ils soient bien dorés (10 minutes). Ajouter les haricots et 1/4 de tasse d'eau et réduire en purée jusqu'à ce que les haricots soient tendres et que le liquide soit absorbé (environ 5 minutes). Assaisonner de sel et de poivre.

7. Étaler le mélange de haricots sur les tortillas en laissant un espace de 1 cm le long des côtés.

8. Couvrir le tout de sauce pour tacos, de piments verts, de chorizos et du mélange de fromages. Faire cuire jusqu'à ce que le fromage fonde (25 à 30 minutes).

Portions: 4
Préparation: 45 min
Cuisson: 45 min

Ingrédients:
- 3 T de fromage cheddar râpé
- 1 T de fromage Monterey Jack râpé
- 3 c. à s. d'huile d'olive extra vierge
- 12 petites tortillas
- 3/4 de T d'oignon finement haché
- 2 boîtes de haricots rouges rincés
- Sel et poivre
- 1 pot de sauce pour tacos
- 1 boîte de piments verts hachés
- 1 paquet de chorizos cuits finement tranchés

Calzones à l'italienne

Portions: 4
Préparation: 20 min
Cuisson: 12 min

Ingrédients:
- 1/2 T de fromage ricotta
- 1 c. à t. d'assaisonnement à l'italienne
- 1/4 de c. à t. de sel
- 3/4 de T de fromage parmesan râpé
- 1/2 T de pepperoni haché
- 1/4 de T de champignons fraîchement hachés
- 1/4 de T de poivron vert finement haché
- 2 c. à s. d'oignon finement haché
- 1 boîte (227 g) de pâte à croissant
- 2 T de sauce à pizza

Instructions:

1. Préchauffer le four à 350 °F.

2. Mélanger la ricotta, l'assaisonnement à l'italienne, le sel, le parmesan, la mozzarella, le pepperoni, les champignons, le poivron vert et l'oignon dans un bol de taille moyenne. Laisser reposer.

3. Étendre la pâte à croissant et diviser en 4 triangles.

4. Presser les trous pour refermer. Étaler également la garniture sur la surface des triangles.

5. Enrouler la garniture dans la pâte en commençant par le côté le plus court.

6. Couper chaque rouleau en 4 tranches, et déposer les tranches sur une plaque à biscuits en s'assurant de placer la partie coupée vers le bas.

7. Faire cuire au four jusqu'à ce que les calzones soient légèrement dorés (10 à 12 minutes).

8. Pendant ce temps, faire chauffer la sauce à pizza. Verser la sauce dans un petit bol et servir comme trempette avec les calzones.

Pizza à la sauce barbecue

Portions : 4 pizzas individuelles
Préparation : 25 min
(plus le temps de faire gonfler la pâte)
Cuisson : 20 min

Ingrédients :

POUR LA PÂTE
- 1 paquet de levure sèche active
- 1 1/2 T d'eau chaude
- 1 c. à t. de miel
- 1 de c. à s. de sel casher
- 3 1/2 T de farine
- 1 de c. à s. d'huile d'olive

POUR LA PIZZA
- Farine (tout usage) pour la surface
- 1 oignon jaune de taille moyenne coupé en tranches
- 1/2 poivron vert haché
- 2 gousses d'ail tranchées
- Sel et poivre noir fraîchement moulu
- 2 c. à s. d'huile d'olive
- 1 T de sauce barbecue ranch (la recette suit)
- 2 T de porc (de bœuf ou de poulet cuit effilé)
- 1 paquet de mozzarella râpée
- 4 c. à s. de fromage parmesan frais râpé

POUR LA SAUCE BARBECUE RANCH (1 1/2 TASSE)
- 3/4 de T de mayonnaise
- 1/2 T de babeurre
- 1 c. à t. d'assaisonnement barbecue
- 2 c. à s. de sauce barbecue
- 2 c. à t. de vinaigre de cidre de pomme
- 3/4 de c. à t. de poudre d'oignon
- 1/4 de c. à t. d'aneth séché
- 1 c. à s. de ciboulette fraîche hachée
- 1 c. à s. de persil frais haché
- 1 gousse d'ail finement hachée

POUR LA SAUCE BARBECUE (3 1/2 T)
- 2 T de ketchup
- 1 T d'eau
- 1/2 T de vinaigre de vin
- 5 c. à s. de cassonade claire
- 5 c. à s. de sucre
- 1/2 c. à s. de poivre noir fraîchement moulu
- 1/2 c. à s. de poudre d'oignon
- 1/2 c. à s. de moutarde moulue
- 1 c. à s. de jus de citron
- 1 c. à s. de sauce Worcestershire

POUR L'ASSAISONNEMENT BARBECUE
- 1 1/2 T de paprika
- 3/4 de T de sucre
- 3/4 c. à s. de poudre d'oignon

Instructions :

POUR LA PÂTE
1. Verser la levure, l'eau chaude et le miel dans un petit bol et remuer pour dissoudre. Ajouter 1 c. à s. d'huile d'olive, le sel et remuer pour bien mélanger.

2. Déposer la farine dans le bol d'un malaxeur . Ajouter le mélange d'eau, de miel, d'huile et de sel puis brasser à basse vitesse pendant environ 3 minutes. Ensuite, augmenter à vitesse moyenne et pétrir jusqu'à ce que la pâte soit élastique et commence à se décoller des côtés du bol. La pâte devrait alors être lisse et ferme. Former une boule avec la pâte avant de la déposer dans un grand bol en verre légèrement huilé. Retourner pour couvrir les deux côtés de la pâte avec de l'huile. Couvrir avec une serviette et laisser gonfler dans un endroit chaud et sans courant d'air jusqu'à ce que la pâte ait doublé de volume (environ 2 heures).

3. Couper la pâte en 4 morceaux égaux, former des boulettes et laisser reposer pendant encore 20 minutes avant de faire cuire le tout.

POUR LA PIZZA
1. Préchauffer le gril à température élevée et le four à 400 °F.

2. Faire chauffer un sautoir à feu moyen. Ajouter de l'huile d'olive, puis faire sauter l'oignon, le poivron vert, l'ail, le sel et le poivre jusqu'à ce que le tout soit tendre (environ 3 minutes). Verser dans un bol en verre.

3. Couvrir une surface de travail avec de la farine puis étendre la pâte à pizza pour former 4 galettes (de 15 cm). Brosser d'huile d'olive et déposer sur le gril. Faire griller 1 côté pendant environ 3 minutes, retourner et faire cuire pendant encore 1 minute.

4. Étaler également 1/4 de tasse de sauce barbecue sur chaque pizza puis ajouter 1/2 tasse. de porc haché et couvrir le tout de 1/4 des légumes sautés. Garnir de fromage. Répéter. Faire cuire les pizzas au four pendant 10 minutes jusqu'à ce que le fromage soit fondu. Servir immédiatement.

POUR LA SAUCE BARBECUE RANCH
Mélanger tous les ingrédients jusqu'à ce que la préparation soit lisse. Couvrir et réfrigérer pendant 1 heure pour combiner les saveurs.

POUR L'ASSAISONNEMENT BARBECUE
Déposer tous les ingrédients dans un bol et remuer jusqu'à ce que tout soit bien mélangé. Se conserve dans un contenant pendant 6 mois.

POUR LA SAUCE BARBECUE
Mélanger tous les ingrédients dans une grande casserole. Faire bouillir le mélange puis réduire le feu et laisser mijoter. Faire cuire sans couvercle en remuant souvent pendant 1 h 15.

Mini-pizzas au saumon fumé

Instructions:

1. Préchauffer le four à 400 °F.

2. Disposer les pâtes en une seule couche sur 2 plaques à biscuits. Recouvrir légèrement les pâtes avec de l'huile . Faire cuire à 400 ° F jusqu'à ce qu'elles soient croustillantes (6 minutes). Laisser refroidir.

3. Couper chaque tranche de saumon en 6 parties égales. Bien mélanger le fromage, l'oignon, les câpres, l'aneth et le zeste de citron râpé.

4. Étendre 1 c. à thé de fromage sur chaque portion de pâte puis couvrir le tout avec 1 morceau de saumon.

5. Garnir chaque morceau avec 2 bouts de ciboulette.

Portions: 12
Préparation: 10 min
Cuisson: 6 min

Ingrédients:
- 24 pâtes à gyoza
- Huile végétale en aérosol
- 4 tranches de saumon fumé froid
- 1/2 T de fromage Neufchâtel
- 2 c. à s. d'oignon rouge finement haché
- 1 c. à s. de câpres
- 1 c. à t. d'aneth frais haché
- 1/2 c. à t. de zeste de citron râpé
- 48 morceaux (de 1 cm) de ciboulette.

Calzone au poulet à la sauce barbecue

Portions : 4
Préparation : 20 min
Cuisson : 35 min

Ingrédients :
- 4 tranches de bacon
- 1/2 petit oignon haché
- 3 T de lanières de poitrine de poulet cuit
- 2/3 de T de sauce barbecue
- 1 pâte à pizza réfrigérée
- 1 T de fromage mozzarella râpé
- 2 c. à s. de coriandre fraîche hachée

Instructions :

1. Préchauffer le four à 400 °F.

2. Faire frire le bacon à feu moyen-fort dans une grande poêle à frire jusqu'à ce qu'il soit croustillant. Retirer de la poêle puis égoutter sur du papier absorbant et émietter.

3. Déposer l'oignon et les lanières de poulet dans la graisse chaude de bacon qui repose dans la poêle. Faire frire à feu moyen jusqu'à ce que l'oignon soit tendre. Verser 1/3 de tasse de sauce barbecue et retirer du feu, puis mélanger le tout avec le bacon cuit.

4. Étendre la pâte à pizza sur une plaque à biscuits graissée. Aplatir la pâte pour qu'elle soit d'épaisseur égale, puis la couper en deux.

5. Répartir le mélange de poulet sur les moitiés de pâte en ne l'étalant que sur la moitié de chaque morceau tout en laissant une bordure d'environ 1 cm. Verser la sauce qui reste sur la garniture puis garnir le tout de fromage et de coriandre. Replier la portion de pâte dégarnie sur la partie recouverte de garnitures et appuyer sur le rebord avec une fourchette pour bien refermer le calzone.

6. Faire cuire au four jusqu'à ce que le calzone soit doré à votre goût (25 minutes). Laisser refroidir quelques minutes, puis couper le calzone en deux. Une portion équivaut à la moitié d'un calzone. Vous pouvez les servir avec de la sauce barbecue, si désiré.

Pizza froide aux légumes

Portions : 16
Préparation : 15 min
Réfrigération : 15 min
Cuisson : 10 min

Ingrédients :
- 2 paquets de pâte à croissants réfrigérée
- 1 T de crème sure
- 1 paquet de fromage à la crème ramolli
- 1 c. à t. d'aneth séché
- 1/4 de c. à t. de sel d'ail
- 1 sachet de mélange pour sauce ranch pour salade
- 1 petit oignon finement haché
- 1 branche de céleri finement haché
- 1/2 T de radis coupés en deux et finement tranchés
- 1 poivron rouge finement haché
- 1 1/2 T de brocoli frais haché
- 1 carotte râpée

Instructions :

1. Préchauffer le four à 350 °F. Vaporiser une plaque à biscuits avec de l'aérosol de cuisson.

2. Étaler uniformément la pâte à croissants sur la plaque à biscuits. Laisser reposer 5 minutes puis percer la pâte avec une fourchette.

3. Faire cuire pendant 10 minutes et laisser refroidir.

4. Mélanger la crème sure, le fromage à la crème, l'aneth, le sel d'ail et le mélange pour sauce à salade dans un bol.

5. Étaler le mélange sur la pâte et couvrir le tout d'oignon, de carotte, de céleri, de brocoli, de radis et de poivron.

6. Couvrir et réfrigérer puis couper en carrés et servir.

Pizza Margherita

Instructions :

1. Déposer la farine dans un grand bol puis mélanger avec la levure et le sel. Former un trou au centre avant d'y verser 200 ml d'eau chaude et l'huile d'olive puis mélanger le tout avec une cuillère en bois jusqu'à l'obtention d'une pâte molle et assez humide. Retourner la pâte sur une surface légèrement farinée et pétrir jusqu'à ce qu'elle soit lisse (5 minutes). Couvrir d'un linge à vaisselle et laisser reposer. Si vous voulez, vous pouvez faire lever la pâte, mais ce n'est pas nécessaire si vous optez pour une croûte mince.

2. Mélanger la passata, le basilic et l'ail broyé puis assaisonner au goût. Laisser reposer à température ambiante pendant que vous terminez de malaxer la pâte.

3. Si vous laissez la pâte lever, pétrir rapidement et diviser en deux boules. À l'aide d'un rouleau à pâte, étaler la pâte sur une surface farinée pour former 2 grands cercles d'environ 25 cm de largeur. La pâte doit être très mince puisqu'elle gonflera au four. Déposer les 2 cercles sur des plaques à biscuits farinées.

4. Préchauffer le four à 475 °F.

5. Déposer une autre plaque à biscuits ou un plateau retourné sur la grille la plus élevée du four. Étendre la sauce sur la surface de la pizza avec le dos d'une cuillère. Garnir de fromage et de tomates, arroser d'huile d'olive et assaisonner. Déposer une pizza reposant sur une plaque à biscuits sur la plaque ou le plateau préchauffé au four.

6. Faire cuire jusqu'à ce qu'elle soit croustillante (8 à 10 minutes). Servir avec un peu plus d'huile d'olive et des feuilles de basilic, si désiré. Répéter l'opération pour la pizza qui reste.

Portions : 2 pizzas
Préparation : 25 min
Cuisson : 10 min

Ingrédients :

POUR LA PÂTE
- 300 g de farine
- 1 c. à t. de levure instantanée (sachet ou pot)
- 1 c. à t. de sel
- 1 c. à s. d'huile d'olive (et un peu plus pour arroser)
- 3/4 T d'eau chaude

POUR LA SAUCE TOMATE
- 1/2 T de passata
- 1 poignée de basilic frais (ou 1 c. à t. de basilic séché)
- 1 gousse d'ail broyée

POUR LA GARNITURE
- 125 g de mozzarella coupée en tranches
- 1 poignée de parmesan râpé
- 1 poignée de tomates cerises coupées en deux
- 1 poignée de feuilles de basilic (facultatif)

Pizza Reuben

Portions : 4
Préparation : 25 min
Cuisson : 25 min

Ingrédients :
- 1 paquet (500 g) de pâte à pizza réfrigérée
- 1 1/2 T de fromage suisse râpé (préférablement du fromage suisse importé ou de l'emmental)
- 500 g de pastrami (ou de bœuf salé)
- 1 T de choucroute rincée
- 1/2 c. à s. d'huile d'olive extra vierge
- 1/3 de T de mayonnaise
- 2 1/2 c. à s. de ketchup
- 2 c. à s. de cornichons pour tartines

Instructions :

1. Installer une grille dans le bas du four et faire préchauffer à 425 °F. Couper la pâte à pizza en deux et former 2 boules puis déposer sur une surface légèrement farinée et couvrir l'une des deux d'un linge à vaisselle.

2. Aplatir l'autre boule pour former un cercle de 23 cm et déposer sur une plaque à biscuits recouverte d'un papier ciré. Saupoudrer la moitié du fromage sur la pâte en laissant un espace de 2,5 cm le long de la bordure. Déposer également le pastrami et la choucroute sur le fromage puis recouvrir du fromage qui reste.

3. Aplatir la deuxième boule de pâte pour former un cercle de 25 cm avant de la déposer sur les garnitures. Pincer fermement les côtés pour bien sceller. Badigeonner le dessus avec de l'huile d'olive et faire 3 fentes au centre.

4. Faire cuire la pizza jusqu'à ce qu'elle soit dorée et croustillante (20 à 25 minutes). Laisser refroidir quelques instants.

5. Pendant ce temps, mélanger la mayonnaise, le ketchup et les cornichons dans un petit bol. Couper la pizza en pointes et servir avec la sauce.

Pizzas pochettes remplies de sloppy joe

Portions : 2
Préparation : 35 min
Cuisson : 35 min

Ingrédients :
- 2 c. à s. d'huile d'olive extra vierge (et un peu plus pour arroser)
- 1 poivron haché grossièrement
- 1/2 oignon haché grossièrement
- Sel et poivre
- 750 g de dinde hachée
- 1 T de sauce à pizza
- 1 c. à s. de sauce Worcestershire
- 500 g de pâte à pizza (ou de pâte à pain congelée, dégelée)
- 2 T de fromage mozzarella râpé

Instructions :

1. Faire chauffer l'huile d'olive dans une grande poêle à feu moyen. Ajouter le poivron, l'oignon et une pincée de sel et de poivre puis faire cuire en remuant de temps à autre jusqu'à ce que les légumes soient tendres (5 minutes). Ajouter la dinde et faire cuire à feu moyen-fort en défaisant la viande en morceaux jusqu'à ce qu'elle soit bien cuite et émiettée (6 à 8 minutes). Verser la sauce à pizza et la sauce Worcestershire, assaisonner au goût avec du sel et du poivre et bien faire cuire.

2. Préchauffer le four à 400 °F. Graisser légèrement une plaque à biscuits avec de l'huile d'olive, diviser la pâte en quatre et en aplatir chaque morceau pour former des cercles de 20 cm. Déposer les galettes de pâte sur la plaque à biscuits en laissant environ 1/3 de chaque rond dépasser du rebord de la plaque à biscuits. Déposer une tasse bien remplie du mélange de dinde sur chacune des galettes en laissant une bordure de 1,25 cm. Recouvrir de fromage puis replier la pâte sur la garniture en pinçant fermement les extrémités pour bien sceller la pochette. Faire une petite fente au sommet de chaque pochette.

3. Faire cuire jusqu'à ce que les pochettes soient gonflées et dorées (15 à 20 minutes).

Pizza du Colorado

Instructions :

1. Préchauffer le four à 350 °F. Graisser une plaque à biscuits avec du beurre.

2. Faire cuire le bœuf haché à feu moyen dans une grande poêle jusqu'à ce qu'il soit doré uniformément. Extraire l'excès de graisse puis ajouter l'oignon et 2 tomates. Continuer de faire cuire jusqu'à ce que les oignons soient tendres. Assaisonner de sel, de poivre, d'assaisonnement au chili et de cumin. Ajouter les haricots frits et laisser cuire jusqu'à ce que le tout soit bien chaud.

3. Étendre 6 tortillas sur la plaque en faisant dépasser les côtés. Étendre tout le mélange de haricots sur les tortillas puis étaler la moitié de la crème sure sur les haricots. Garnir d'environ 1/3 du fromage colby et 1/3 du fromage monterey jack. Ajouter 1 c. à soupe de piments verts, 1/3 des tranches de poivron vert, 1/3 des tranches de poivron rouge et 1/3 des tomates hachées qui restent.

4. Former une couche de 4 tortillas au-dessus des garnitures puis étendre la crème sure qui reste. Couvrir de filaments de poulet puis encore 1/3 des deux fromages, des deux types de poivron, des piments verts et des tomates. Étaler ensuite la dernière couche en utilisant les 4 dernières tortillas comme base puis en y déposant les fromages, poivrons, tomates, piments et en terminant avec du fromage râpé pour couvrir le tout. Replier les côtés qui dépassent vers l'intérieur et faire tenir le tout avec des cure-dents. Badigeonner les surfaces exposées avec du beurre fondu.

5. Faire cuire jusqu'à ce que le tout soit bien cuit et que le fromage soit fondu et bouillonne (35 à 45 minutes). Enlever les cure-dents et laisser reposer pendant au moins 5 minutes avant de couper des tranches. Verser de la sauce piquante au goût.

Portions : 6 à 8
Préparation : 45 min
Cuisson : 55 min

Ingrédients :
- 500 g de bœuf haché
- 1 oignon haché
- 2 tomates
- 5 tomates de taille moyenne dont 3 hachées
- 1/2 c. à t. de sel
- 1/4 de c. à t. de poivre
- 2 c. à t. d'assaisonnement au chili
- 1 c. à s. de cumin moulu
- 1 boîte de haricots frits
- 14 tortillas de farine
- 2 T de crème sure
- 500 g de fromage colby
- 500 g de fromage monterey jack
- 2 poivrons rouges épépinés et finement tranchés
- 4 poivrons verts épépinés et finement tranchés
- 1 boîte de piments verts égouttés et coupés en dés
- 1 1/2 T de poulet cuit et coupé en lanières
- 1/4 de T de beurre fondu
- 1 bocal de sauce piquante

Pizza Alfredo au poulet

Instructions :

1. Pour faire la sauce : faire fondre le beurre à feu moyen dans une petite casserole. Incorporer le sel, le poivre et la farine puis ajouter le lait et le romano. Laisser mijoter en brassant continuellement jusqu'à ce que le mélange épaississe. Retirer du feu, couvrir et laisser reposer.

2. Pour faire le beurre à l'ail : faire fondre le beurre à feu moyen dans une petite casserole. Incorporer l'ail, le romarin et le sel. Faire cuire en remuant continuellement jusqu'à ce que l'ail soit tendre, mais pas doré. Retirer du feu, couvrir et laisser reposer.

3. Pour faire la pâte : verser l'eau chaude dans un petit bol et ajouter la levure jusqu'à ce qu'elle soit dissoute. Laisser reposer jusqu'à ce que la levure mousse (environ 5 minutes). Mélanger l'huile végétale, le sucre, le sel, le romarin et la poudre d'ail dans un bol. Ajouter le mélange de levure et verser graduellement la farine. Former une boule plutôt lâche et pétrir jusqu'à ce qu'une boule lisse se forme. Couvrir et laisser reposer pendant 30 minutes.

4. Préchauffer le four à 400 °F. Assaisonner le poulet rôti de romarin, de thym, d'assaisonnements pour volaille, de poudre d'ail et de sel. Couper ou déchiqueter et laisser reposer.

5. Pour assembler la pizza : étendre la pâte sur une plaque à pizza hulée. Couvrir toute la croûte de beurre à l'ail froid, puis verser de la sauce Alfredo (chauffer pour obtenir une consistance à tartiner, si nécessaire) en évitant d'en étaler sur les rebords de la croûte. Couvrir le tout de poulet avant de le retourner pour bien le faire mariner dans la sauce.

6. Faire chauffer jusqu'à ce que le dessous de la croûte soit légèrement doré (20 minutes). Retirer du four et laisser reposer pendant 2 à 3 minutes avant de la couper.

Portions : 1 grande pizza
Préparation : 30 min
(plus le temps de faire gonfler la pâte)
Cuisson : 25 min

Ingrédients :

POUR LA SAUCE
- 4 c. à s. de beurre
- 1/4 de c. à t. de sel
- 1 pincée de poivre noir moulu
- 4 c. à s. de farine (tout usage)
- 1 T de lait
- 3/4 de T de fromage romano râpé

POUR LE BEURRE À L'AIL
- 2 c. à s. de beurre
- 1 gousse d'ail finement hachée
- 1 pincée de romarin séché
- 1 pincée de sel

POUR LA PÂTE
- 1 T d'eau chaude
- 1 sachet de levure à action rapide
- 2 c. à s. d'huile végétale
- 1 c. à s. de sucre blanc
- 1/4 de c. à t. de romarin séché
- 1/4 de c. à t. de poudre d'ail
- 3 T de farine (tout usage)
- 2 moitiés de poitrine de poulet désossées et rôties
- 1/4 de c. à t. de romarin séché
- 1/4 de c. à t. de thym séché
- 1/4 de c. à t. d'assaisonnement pour volaille
- 1/4 de c. à t. de poudre d'ail
- 1 de c. à t. de sel

Mini-pizzas au thon

Portions : 6 mini-pizzas
Préparation : 15 min
Cuisson : 11 min

Ingrédients :
- 2 boîtes de thon dans l'eau
- 3 c. à s. de mayonnaise (ou quantité au goût)
- 1 c. à t. de sel de céleri
- 1 c. à t. de poudre d'oignon
- 1 c. à t. de poudre d'ail
- 1/3 de T de céleri haché
- 1/3 de T d'oignon haché
- 1/4 de T de poivron jaune haché
- 2 c. à s. de beurre
- 3 muffins anglais coupés en deux
- 6 tranches de fromage de votre choix
- 6 tranches de tomate fraîche

Instructions :

1. Préchauffer le four à 200 °F.

2. Égoutter puis émietter le thon dans un bol de taille moyenne. Verser la mayonnaise, le sel de céleri, la poudre d'oignon et la poudre d'ail puis ajouter le céleri, l'oignon et le poivron jaune.

3. Beurrer les moitiés de muffin anglais avant de les déposer sur une plaque à biscuits. Faire cuire jusqu'à ce qu'ils soient légèrement dorés (3 minutes).

4. Verser une cuillerée du mélange de thon sur chaque moitié de muffin et couvrir chacun d'eux d'une tranche de fromage.

5. Remettre dans le four et continuer à faire cuire jusqu'à ce que le fromage soit fondu (environ 8 minutes).

6. Retirer du four et couvrir d'une tranche de tomate pour servir.

Pizza à croûte mince à la ricotta et aux champignons

Portions : 4
Préparation : 15 min
Cuisson : 25 min

Ingrédients :
- 2 c. à t. d'huile d'olive (et un peu plus pour les plaques à biscuits)
- 2 tortillas au blé entier pour sandwichs roulés
- 1 T de fromage asiago râpé
- 2/3 de T de ricotta partiellement écrémée
- 1 paquet de champignons blancs parés et tranchés finement
- 1 petit oignon rouge coupé en 2 et finement tranché
- Gros sel et poivre moulu

Instructions :

1. Préchauffer le four à 450 °F en plaçant une grille en bas et une autre en haut du four.

2. Couvrir deux plaques à biscuits avec bordure d'huile d'olive ou brosser du papier ciré avec de l'huile d'olive pour un nettoyage plus rapide. Déposer une tortilla sur chaque plaque et badigeonner avec 1 c. à thé d'huile.

3. Garnir les tortillas avec du fromage asiago et une cuillerée de ricotta. Ajouter des champignons et de l'oignon, et assaisonner de sel et de poivre.

4. Faire cuire les pizzas jusqu'à ce que la croûte soit croustillante et bien dorée en faisant une rotation entre la grille du haut et celle du bas et en faisant tourner deux fois la pizza sur elle-même au cours de la cuisson (20 à 25 minutes).

5. Couper en deux avec un couteau à pizza et servir une moitié par personne.

Pizza au bœuf et gorgonzola

Instructions :

1. Étendre la pâte sur deux plaques à pizza huilées de 30 cm pour obtenir des croûtes minces ou sur la moitié d'une plaque pour obtenir une croûte moyennement épaisse. Si vous utilisez une plaque à biscuits pour croûte épaisse, n'utiliser que 1/3 de la quantité indiquée de garniture. Former une bordure tout autour de la plaque. Comme la pâte résiste à l'aplatissement, vous pouvez la laisser reposer lorsque vous ne la manipulez pas et vous concentrer sur la garniture.

2. Pour faire la sauce, faire fondre le beurre dans une petite casserole à feu moyen, ajouter l'ail et faire sauter pendant 1 minute. Ajouter la farine et faire cuire pendant 1 minute en remuant souvent. Incorporer le lait en le fouettant. Faire cuire en remuant souvent jusqu'à ce que le mélange bouillonne et épaississe (5 à 8 minutes). Retirer du feu, ajouter le gorgonzola, le sel et le poivre. Si la sauce semble trop épaisse, ajouter quelques gouttes de lait jusqu'à ce qu'elle ait la consistance d'une sauce pour pâtes. (Vous pouvez couvrir la sauce et la réfrigérer pour la conserver pendant 2 jours).

3. Faire chauffer une poêle à frire (préférablement une poêle en fonte ou une poêle à fond cannelé) à feu moyen jusqu'à ce qu'elle soit bien chaude. Badigeonner les deux côtés du bifteck avec de l'huile d'olive. Déposer le bifteck dans la poêle, et faire roussir chaque côté pendant 1 minute. Déposer le bifteck dans une assiette en s'assurant qu'il soit encore très saignant. Réfrigérer immédiatement (couvrir le bifteck lorsqu'il est froid si vous comptez ne l'utiliser que le lendemain). Trancher le bifteck refroidi en morceaux de 5 mm d'épaisseur. Épépiner et trancher finement le poivron. Retirer la queue des champignons. Enlever et jeter les lamelles noires puis trancher finement le reste des champignons. Placer une grille du four tout en bas, et l'autre tout en haut du four.

4. Préchauffer le four à 475 °F au moins 15 minutes avant la cuisson.

5. Étaler la sauce sur la pâte puis répartir également le fromage parmesan râpé, les morceaux de bifteck, des cubes de fromage avant d'ajouter les tranches de poivron, de champignons et d'oignon. Laisser gonfler la pâte sans la recouvrir jusqu'à ce qu'elle ait doublé de volume (10 à 20 minutes). Déposer la pizza sur la grille du bas. Faire cuire de 5 à 10 minutes. Utiliser une spatule pour soulever un coin de la pâte afin de vérifier la croûte. Lorsque la croûte est dorée, mettre la pizza sur la grille du haut et faire cuire jusqu'à ce que le dessus soit doré (5 à 8 minutes). Ajouter du romarin sur la pizza lorsqu'elle est prête.

Portions : 4
Préparation : 30 min
(plus le temps de faire gonfler la pâte)
Cuisson : 30 min

Ingrédients :
- 1 pâte à pizza, recette p. 507 ou 509

POUR LA SAUCE
- 1 c. à s. de beurre
- 2 grosses gousses d'ail finement hachées
- 3 c. à s. de farine (tout usage)
- 1 T de lait entier
- 1/2 T de fromage gorgonzola en miettes
- 1/4 de c. à t. de sel
- 1/4 de c. à t. de poivre noir fraîchement moulu

POUR LA GARNITURE
- 375 à 500 g de bifteck de contre-filet préférablement de 2,5 cm d'épaisseur
- 1 c. à t. d'huile d'arachide
- 1 poivron rouge
- 1 gros ou 2 moyens portobellos
- 3/4 de T de fromage à pâte dure pour pizza (ou de fromage à pâte dure de votre choix fraîchement râpé), cf. p. 510
- 3 T de fromage à pâte molle pour pizza (ou de fromage à pâte molle de votre choix coupé en cubes), cf. p. 510
- 1 T d'oignon blanc ou d'oignon rouge doux finement tranché
- 2 c. à t. de romarin frais (ou séché finement haché)

Pizza à l'oignon et au brie

Portions : 4 à 6
Préparation : 20 min
Cuisson : 20 min

Ingrédients :
- 6 oignons sucrés finement tranchés
- 1/4 de T de beurre
- 1 paquet de mélange à pâte pour petits pains
- 1 1/4 T d'eau chaude
- 2 c. à s. d'huile d'olive
- 230 g de fromage brie sans croûte coupé en morceaux
- 1/3 de T d'amandes tranchées

Instructions :

1. Faire cuire les oignons avec du beurre dans une grande poêle à feu moyen-doux en remuant de temps à autre jusqu'à ce qu'ils soient dorés.

2. Pendant ce temps, préparer le mélange à pâte pour petits pains. Suivre les instructions de la boîte en utilisant de l'huile et de l'eau chaude. Déposer la pâte dans un bol graissé et retourner une fois pour bien enrober toute la surface. Couvrir et laisser reposer pendant 5 minutes. Étendre la pâte pour former un cercle de 35 cm et transférer sur une plaque à pizza graissée de la même grandeur. Garnir de brie, d'oignons et d'amandes.

3. Faire cuire à 400 °F jusqu'à ce que la pizza soit dorée (18 à 20 minutes). Laisser reposer pendant 10 minutes avant de couper la pizza.

Pizza au pesto

Portions : 6
Préparation : 1 h 30
Cuisson : 25 min

Ingrédients :

SAUCE AU PESTO
- 1 gros (ou deux petits) poivron rouge
- 1 grosse gousse d'ail finement hachée
- 2 c. à s. d'huile d'olive
- 1/2 c. à t. de vinaigre balsamique
- 1/4 de c. à t. de sel et de poivre fraîchement moulu
- 2/3 de T de mélange de fromages à pâte dure fraîchement râpés
- 1/4 de T de basilic (ou persil) haché

MÉLANGE DE FROMAGES
- 375 g de mozzarella râpée
- 375 g de provolone doux (ou de scarmoza fraîche et non fumée) râpé
- 375 g de fromage friulano râpé
- 125 g de parmesan râpé
- 125 g de romano (ou asiago) râpé

PÂTE À PIZZA
- 1 à 2 1/2 c. à t. de levure sèche active
- 2 1/2 à 3 T de farine (tout usage)
- 1 c. à t. de sel
- 1 1/4 T d'eau
- 1 c. à s. d'huile végétale

PIZZA
- 1 pâte préparée maison ou achetée à l'épicerie
- 750 g de crevettes moyennes congelées
- 3 T de fromage à pâte molle coupé en dés
- 1 T d'oignon rouge finement tranché
- 1/4 de T de basilic (ou de persil) frais haché

Instructions :

1. Pour la sauce, faire rôtir les poivrons rouges jusqu'à ce que la peau se détache et que des taches noires se forment à la surface. Laisser refroidir puis enlever la peau et les graines. Mélanger le poivron avec l'ail dans un mélangeur ou un robot culinaire jusqu'à ce qu'il soit réduit en purée. Ajouter l'huile d'olive, le vinaigre balsamique, le sel et le poivre et mélanger jusqu'à ce que le tout soit bien incorporé. Ajouter le mélange de fromage et le basilic et mélanger légèrement. La sauce peut être faite à l'avance et conservée au réfrigérateur avec un couvercle pendant 2 jours.

2. Pour faire la pizza, étendre la pâte sur deux plaques à pizza rondes et huilées de 30 cm pour obtenir une croûte mince, ou alors sur la moitié d'une plaque pour une croûte moyennement épaisse. Si vous utilisez une plaque à biscuits pour croûte épaisse, n'utiliser que les 2/3 de la quantité indiquée de garniture. Former une bordure tout autour de la plaque.

3. Éplucher les crevettes et enlever les queues. Éponger juste avant de les utiliser.

4. Disposer les grilles du four de façon à ce que l'une d'elles soit placée tout en bas et l'autre tout en haut du four.

5. Préchauffer le four à 475 °F au moins 15 minutes avant la cuisson.

6. Étendre le pesto sur la pâte à pizza puis répartir les cubes de fromage et les crevettes. Couvrir avec de l'oignon et laisser gonfler sans couvrir jusqu'à ce que la pâte ait doublé de volume (10 à 20 minutes).

7. Déposer la pizza sur la grille du bas. Faire cuire 5 à 10 minutes. Utiliser une spatule pour soulever l'un des coins de la pâte afin de vérifier sa couleur. Lorsque la croûte est bien dorée, mettre la pizza sur la grille du haut jusqu'à ce que le dessus soit, lui aussi, doré (5 à 8 minutes). Saupoudrer la pizza de basilic. Pour que le dessous demeure croustillant, faire glisser la pizza sur un refroidissoir et couper des pointes à l'aide de ciseaux de cuisine.

8. Pour faire la pâte dans la machine à pain, utiliser 1 c. à thé de levure à machine à pain et 2 1/2 tasses de farine. Disposer en couches dans une boîte à épices avec le sel, l'eau et l'huile en suivant les instructions du fabricant. Mettre en mode « pour pâte » (utiliser le dispositif de programmation pour que le tout soit prêt à l'heure du souper). Vérifier la cuisson au début du cycle. Si la pâte semble trop humide pour former une boule légère, ajouter de la farine, et si la boule est déjà bien ferme, ajouter de l'eau. Lorsque le cycle est terminé, déposer la pâte sur une plaque à biscuits huilée. Laisser reposer 10 minutes puis étaler la pâte.

9. Pour faire la pâte à la main, mélanger 2 1/2 c. à thé de levure, 2 1/2 tasses de farine et du sel dans un grand bol. Former un trou au centre. Garder la farine qui reste pour pétrir. Ajouter de l'eau bien chaude et de l'huile. Remuer jusqu'à ce que toute la farine soit bien incorporée dans la pâte. Si la pâte semble trop humide, ajouter de la farine, et si la pâte semble trop ferme, ajouter de l'eau.

10. Démouler sur une surface farinée. Pétrir pendant 8 à 10 minutes en utilisant au besoin la farine qui reste pour éviter que la pâte colle. Déposer la boule de pâte sur une plaque à pizza huilée.

11. Retourner pour que la pâte soit enrobée d'huile. Laisser reposer sans couvrir pour faire gonfler (10 minutes).

Quiche lorraine

Instructions :

1. Préchauffer le four à 425 °F.

2. Déposer le bacon dans une grande poêle et faire frire à feu moyen-fort jusqu'à ce qu'il soit croustillant. Égoutter sur du papier absorbant puis couper grossièrement. Verser du fromage et les morceaux d'oignon sur la croûte.

3. Combiner les œufs, la crème, le sel, le sucre et le poivre de Cayenne dans un bol. Verser le mélange à l'intérieur de la croûte.

4. Faire cuire au four pendant 15 minutes. Réduire le feu à 300 °F et laisser cuire jusqu'à ce que la lame d'un couteau insérée à 2,5 cm du bord ressorte propre (30 minutes). Laisser reposer la quiche 10 minutes avant de couper en pointes.

Portions : 4
Préparation : 15 min
Cuisson : 55 min

Ingrédients :
- 1 croûte de tarte non cuite
- 12 tranches de bacon
- 1 T de fromage suisse râpé
- 1/3 d'oignon finement haché
- 4 œufs battus
- 2 T de crème légère
- 3/4 de c. à t. de sel
- 1/4 de c. à t. de sucre blanc
- 1/8 de c. à t. de poivre de Cayenne

Sauce à pizza toute simple

Portions : 1 grande pizza
Préparation : 5 min

Ingrédients :
- 1 boîte de sauce tomate
- 1 boîte de pâte de tomates
- 1 c. à s. d'origan moulu
- 1 1/2 c. à t. d'ail séché finement haché
- 1 de c. à t. de paprika moulu

Instructions :

1. Mélanger la sauce tomate et la pâte de tomates dans un bol de taille moyenne jusqu'à l'obtention d'une préparation lisse.

2. Ajouter l'origan, l'ail et le paprika et bien mélanger le tout.

Quiche aux épinards

Instructions :

1. Préchauffer le four à 375 °F.

2. Faire fondre le beurre à feu moyen dans une casserole. Faire sauter l'ail et l'oignon dans le beurre jusqu'à ce qu'ils soient légèrement dorés (7 minutes). Incorporer les épinards, les champignons, le feta et 1/2 tasse de fromage cheddar. Assaisonner de sel et de poivre. Verser le mélange dans la croûte à tarte.

3. Combiner les œufs et le lait dans un bol. Assaisonner de sel et de poivre. Verser dans la croûte à tarte et laisser les œufs se mélanger aux épinards.

4. Faire cuire au four pendant 15 minutes. Recouvrir avec le reste du fromage cheddar et faire cuire jusqu'à ce que le centre soit cuit (35 à 40 minutes).

5. Laisser reposer 10 minutes avant de servir.

Portions : 4
Préparation : 20 min
Cuisson : 40 min

Ingrédients :
- 1/2 T de beurre
- 3 gousses d'ail hachées
- 1 petit oignon haché
- 1 paquet d'épinards congelés hachés
- 1 boîte de champignons égouttés
- 1 paquet de fromage feta émietté aux herbes et à l'ail
- 1 paquet de fromage cheddar râpé
- Sel et poivre, au goût
- 1 croûte de tarte non cuite
- 4 œufs bien battus
- 1 T de lait

Quiche au brocoli

Portions : 4
Préparation : 10 min
Cuisson : 30 min

Ingrédients :
- 3 c. à s. de beurre
- 1 oignon finement haché
- 1 c. à t. d'ail haché
- 2 T de brocoli frais haché
- 1 croûte de tarte non cuite
- 1 1/2 T de fromage mozzarella râpé
- 4 œufs battus
- 1 1/2 T de lait
- 1 c. à t. de sel
- 1/2 c. à t. de poivre noir

Instructions :

1. Préchauffer le four à 350 °F.

2. Faire fondre le beurre à feu moyen-doux dans une grande casserole. Ajouter l'oignon, l'ail et le brocoli. Faire cuire lentement en remuant de temps à autre jusqu'à ce que les légumes soient tendres.

3. Verser les légumes sur la croûte et recouvrir de fromage.

4. Combiner les œufs et le lait. Assaisonner de sel et de poivre. Incorporer le beurre fondu, et verser le mélange d'œufs sur les légumes et le fromage.

5. Faire cuire au four jusqu'à ce que le centre soit cuit (30 minutes).

Légumes

Tomates au four farcies aux herbes

Instructions :

1. Préchauffer le four à 450 °F.

2. Couper l'extrémité des 4 tomates. Extraire la pulpe avant de la hacher grossièrement et de la déposer dans un bol. Ajouter l'ail, l'oignon rouge, le persil, les feuilles de basilic, l'huile d'olive et le sel et bien mélanger le tout. Verser la garniture dans les tomates et déposer les tomates farcies sur une plaque à biscuits légèrement graissée.

3. Faire cuire au four jusqu'à ce que les tomates soient légèrement tendres (20 à 25 minutes).

Portions : 4
Préparation : 15 min
Cuisson : 25 min

Ingrédients :
- 4 tomates
- 2 gousses d'ail finement hachées
- 1/2 T d'oignon rouge haché
- 1/3 de T de persil frais haché
- 1/4 de T de feuilles de basilic frais finement tranchées
- 2 c. à s. d'huile d'olive
- 1 c. à t. de sel

Choux de Bruxelles au bacon et au thym

Portions: 8 à 10
Préparation: 15 min
Cuisson: 30 min

Ingrédients:
- 1 kg de choux de Bruxelles
- 150 g de bacon
- 4 oignons verts finement hachés
- 2 c. à t. de thym
  frais finement haché
- 1 1/3 T de bouillon de poulet
  (ou de bouillon de dinde)
- 2 c. à s. de beurre non salé
- 3 c. à s. d'huile d'olive
- 3 c. à t. de sel

Instructions:

1. Couper ou arracher les feuilles des choux de Bruxelles. Trancher l'extrémité sèche avant de couper les choux en 4. Réserver.

2. Faire chauffer une grande poêle à frire à feu moyen. Faire cuire le bacon jusqu'à ce qu'il soit doré et croustillant (7 minutes). Transférer le bacon dans un bol à l'aide d'une cuiller à égoutter. Extraire et jeter la graisse reposant dans la poêle.

3. Refaire chauffer la poêle à feu moyen, ajouter les oignons verts et le thym et laisser cuire jusqu'à ce qu'ils soient tendres (5 minutes) puis verser le mélange dans le bol avec le bacon. Verser 1/4 de tasse de bouillon dans la poêle et dégraisser à l'aide d'une cuiller en bois puis verser le bouillon dans le bol sur les oignons et le bacon.

4. Essuyer la poêle avec un essuie-tout et faire chauffer à feu moyen-fort. Faire fondre le beurre avec de l'huile d'olive, ajouter les choux de Bruxelles et le sel et remuer pour enrober les choux. Faire cuire jusqu'à ce que les choux de Bruxelles commencent à dorer (3 ou 4 minutes). Mélanger et faire cuire pendant encore 3 ou 4 minutes. Incorporer 1/4 de tasse de bouillon. Continuer de faire cuire pendant 15 minutes en remuant de temps à autre et en ajoutant du bouillon, au besoin, jusqu'à ce que les choux de Bruxelles soient tendres. Ajouter la garniture au bacon et le reste du bouillon et remuer pour bien incorporer le tout. Transférer sur une assiette bien chaude et servir immédiatement.

Courge glacée à l'érable et à l'orange

Instructions:

1. Préchauffer le four à 400 °F.

2. Couper les extrémités de chaque courge puis couper chacune d'elles en tranches de 1 cm d'épaisseur sans le sens de la largeur.

3. À l'aide d'un emporte-pièce plus large que le centre contenant les graines, couper et jeter les graines pour laisser une rondelle très nette.

4. Déposer les rondelles dans un grand bol et assaisonner généreusement de sel et de poivre. Incorporer 2 c. à soupe de beurre fondu et disposer les rondelles de courge dans une grande poêle à frire.

5. Fouetter ensemble 1/4 de tasse d'eau, le jus et le zeste d'orange dans un petit bol. Verser sur les rondelles de courge puis faire chauffer la poêle à feu moyen-fort.

6. Couvrir et faire cuire les rondelles jusqu'à ce qu'elles soient presque tendres lorsque piquées avec une fourchette (15 minutes).

7. Fouetter ensemble le reste du beurre, 1 c. à soupe d'eau, le sirop d'érable, le thym haché et les canneberges dans un petit bol.

8. Verser sur les rondelles de courge, transférer la poêle dans le four et faire cuire sans couvrir de 10 à 15 minutes.

9. Transférer les rondelles dans un bol, garnir de thym et servir immédiatement.

Portions: 8
Préparation: 15 min
Cuisson: 40 min

Ingrédients:
- 3 courges poivrées (750 g chacune)
- 3 c. à s. de beurre non salé, fondu
- 1/4 de T et 1 c. à s. d'eau
- 1/4 de T de jus d'orange frais
- 2 c. à s. de zeste d'orange
  finement haché
- 1/4 de T de sirop d'érable
- 2 c. à s. de thym frais haché,
  plus quelques branches pour garnir
- 1/4 de T de canneberges séchées
- Sel casher et poivre noir
  fraîchement moulu, au goût

LÉGUMES

Tomates farcies au four

Portions : 6
Préparation : 20 min
Cuisson : 25 min

Ingrédients :
- **6 tranches de bacon**
- **6 tomates de taille moyenne**
- **1/2 T de poivron vert haché**
- **1/4 de T de fromage parmesan râpé**
- **1/3 de T de croûtons**
- **6 branches de persil**
- **Sel et poivre, au goût**

Instructions :
1. Préchauffer le four à 350 °F.

2. Graisser une plaque à biscuits de 18 x 28 cm. Déposer le bacon dans une grande poêle à frire et faire cuire à feu moyen-fort jusqu'à ce qu'il soit bien doré. Égoutter, émietter et réserver.

3. Pendant que le bacon cuit, laver les tomates et couper les extrémités. Extraire soigneusement la pulpe en laissant une paroi de 1 cm d'épaisseur. Hacher finement la pulpe et déposer 1/3 de tasse dans un bol de taille moyenne. Jeter la pulpe qui reste.

4. Mélanger le bacon émietté, le poivron rouge, le fromage, les croûtons, le sel, le poivre et la pulpe de tomate. Verser une quantité égale dans chaque tomate et déposer les tomates farcies sur la plaque à biscuits.

5. Faire cuire au four jusqu'à ce que les tomates soient bien chaudes et garnir de branches de persil (20 à 25 minutes).

Tomates farcies aux anchois et au fromage

Instructions :

1. Couper chaque tomate en 2 horizontalement. Extraire l'intérieur avec une cuiller et saupoudrer chaque moitié de tomate avec du sel. Égoutter.

2. Préchauffer le four à 425 °F.

3. Faire chauffer de l'huile dans une poêle à frire à feu moyen. Ajouter l'ail et les anchois et remuer pendant 30 secondes. Incorporer la chapelure et faire cuire jusqu'à ce qu'elle soit recouverte d'huile (2 minutes). Transférer sur une assiette.

4. Mélanger les 3 fromages et le basilic. Assaisonner de poivre et farcir chaque tomate avec la garniture au fromage puis couvrir de chapelure à l'ail.

5. Faire cuire sur une plaque à biscuits huilée jusqu'à ce que les tomates soient dorées (20 minutes). Servir chaud.

Portions : 4
Préparation : 20 min
Cuisson : 20 min

Ingrédients :
- **2 filets d'anchois finement hachés**
- **4 grosses tomates bifteck**
- **1 c. à s. d'huile d'olive**
- **1 gousse d'ail broyée**
- **1/4 de T de chapelure fraîche**
- **1/4 de T de fromage mascarpone**
- **150 g de fromage ricotta (ou de fromage de chèvre)**
- **2 c. à s. de parmesan râpé**
- **2 c. à s. de basilic finement haché**
- **Sel et poivre fraîchement moulu**

Tomates farcies au feta

Portions : 8
Préparation : 15 min
Cuisson : 15 min

Ingrédients :
- **4 grosses tomates**
- **125 g de fromage feta émietté**
- **1/4 de T de chapelure fine**
- **2 c. à s. d'oignon vert haché**
- **2 c. à s. de persil frais haché**
- **2 c. à s. d'huile d'olive**
- **Persil italien pour garnir (facultatif)**

Instructions :

1. Couper 4 tomates en 2 dans le sens de la longueur. Extraire la pulpe de chaque moitié de tomate en laissant les pelures intactes. Jeter les graines et hacher grossièrement la pulpe.

2. Mélanger la pulpe, le fromage feta, la chapelure, les oignons verts, le persil et l'huile d'olive dans un bol et verser une quantité égale de la garniture dans les tomates évidées.

3. Déposer les tomates farcies dans un plat allant au four de 23 x 33 cm et faire cuire au four à 350 °F pendant 15 minutes. Garnir de persil italien, si désiré.

Gnocchis au four

Instructions :

1. Préchauffer le four à 350 °F.

2. Porter à ébullition un grand chaudron d'eau légèrement salée. Ajouter les gnocchis et faire cuire jusqu'à ce qu'ils soient tendres (5 à 8 minutes).

3. Pendant ce temps, émietter la chair à saucisse dans une poêle à frire à feu moyen-fort. Faire cuire en remuant jusqu'à ce que la viande soit uniformément dorée. Extraire l'excédent de graisse de la poêle et incorporer la sauce à spaghetti. Retirer du feu et ajouter les gnocchis et la moitié du fromage avant de remuer soigneusement le tout. Transférer le mélange dans un plat allant au four. Saupoudrer avec le reste du fromage.

4. Faire cuire jusqu'à ce que le fromage soit fondu et que la sauce bouillonne (15 à 20 minutes).

Portions : 6
Préparation : 5 min
Cuisson : 30 min

Ingrédients :
- **500 g de chair à saucisse italienne**
- **500 g de gnocchis frais (ou congelés)**
- **1 pot de sauce à spaghetti**
- **1 1/2 T de mozzarella râpée**

Brocoli au beurre à l'ail garni de noix de cajou

Portions : 4
Préparation : 10 min
Cuisson : 10 min

Ingrédients :
- **700 g de brocoli coupé en morceaux**
- **1/3 de T de beurre**
- **1 c. à s. de cassonade**
- **3 c. à s. de sauce soja**
- **2 c. à t. de vinaigre blanc**
- **2 gousses d'ail finement hachées**
- **1/3 de T de noix de cajou salées**
- **1/4 de c. à t. de poivre noir moulu**

Instructions :

1. Déposer le brocoli dans un grand chaudron avec environ 2,5 cm d'eau au fond. Porter à ébullition et faire cuire jusqu'à ce qu'il soit tendre, mais encore croquant (7 minutes). Égoutter et déposer le brocoli sur une assiette de service.

2. Pendant que le brocoli cuit, faire fondre le beurre dans une petite poêle à frire à feu moyen.

3. Mélanger la cassonade, la sauce soja, le vinaigre, le poivre et l'ail dans la poêle et porter à ébullition puis retirer du feu.

4. Ajouter les noix de cajou et verser la sauce sur le brocoli. Servir immédiatement.

Navets et panais au sirop d'érable

Instructions :

1. Faire chauffer l'huile à feu moyen-fort dans une grande poêle à frire. Ajouter le panais et le navet et laisser cuire en remuant une fois jusqu'à ce qu'ils commencent à dorer (2 minutes).

2. Ajouter le bouillon, le sirop d'érable et le vinaigre puis assaisonner de sel et de poivre. Porter à ébullition puis réduire le feu, couvrir et laisser mijoter jusqu'à ce que les légumes soient à la fois encore un peu croquants (10 minutes).

3. Enlever le couvercle et faire cuire à feu moyen-fort pendant 7 à 9 minutes jusqu'à ce que les légumes soient tendres et le liquide sirupeux (il ne devrait alors rester qu'une petite quantité de liquide).

4. Retirer la poêle du feu, ajouter le beurre et faire tournoyer jusqu'à ce qu'il soit fondu. Assaisonner de sel et de poivre.

Portions : 6
Préparation : 15 min
Cuisson : 20 min

Ingrédients :
- **1 c. à s. d'huile végétale (huile de carthame)**
- **450 g de panais pelé et coupé en morceaux de 2,5 cm**
- **450 g de navet pelé et coupé en morceaux de 2,5 cm**
- **1 T de bouillon de poulet à faible teneur en sodium (ou d'eau)**
- **1/2 T de sirop d'érable pur**
- **2 c. à s. de vinaigre de vin rouge**
- **2 c. à s. de beurre non salé**
- **2 branches de romarin frais**
- **Gros sel et poivre moulu**

Tomates et courgettes cuites au four

Portions : 4 à 6
Préparation : 20 min
Cuisson : 50 min

Ingrédients :
- **2 c. à s. d'huile d'olive**
- **1 oignon rouge tranché**
- **2 tomates italiennes tranchées**
- **2 petites courgettes tranchées**
- **1 c. à s. de basilic finement haché**
- **1 c. à s. de marjolaine fraîche hachée**
- **1/4 de T d'eau (ou de bouillon de poulet)**
- **Sel et poivre fraîchement moulu**

Instructions :

1. Préchauffer le four à 350 °F. Graisser un grand plat profond allant au four avec de l'huile ou du beurre.

2. Faire chauffer de l'huile à feu moyen dans une poêle à frire. Ajouter l'oignon et faire sauter jusqu'à ce qu'il soit très tendre et qu'il commence à dorer (10 minutes). Étendre uniformément les tranches d'oignon au fond du plat allant au four et assaisonner de sel et de poivre.

3. Déposer en alternance une couche de tomates tranchées et une autre de courgettes sur l'oignon puis saupoudrer de basilic et de marjolaine et assaisonner de sel et de poivre. Verser l'eau uniformément sur les légumes.

LÉGUMES

Sauté de bok choy

Portions : 4
Préparation : 15 min
Cuisson : 5 min

Ingrédients :
- 2 c. à s. d'huile végétale
- 1 c. à t. de gingembre
- 1 c. à t. d'ail haché
- 4 T de bébés bok choy
- 1/4 de T de bouillon de poulet
- 1 c. à s. de sauce soja
- Sel et poivre fraîchement moulu

Instructions :

1. Faire chauffer l'huile dans un wok ou une poêle à frire. Ajouter le gingembre, l'ail et le bok choy.

2. Faire sauter jusqu'à ce que le bok choy soit légèrement flétri puis ajouter le bouillon de poulet. Couvrir et faire cuire jusqu'à ce que le bok choy soit encore un peu croquant (2 minutes). Faire réduire le liquide jusqu'à ce qu'il ne reste qu'une cuillérée dans la poêle puis ajouter la sauce soja. Assaisonner de sel et de poivre et servir.

Tomates en grappe rôties au four parfumées à la ciboulette

Portions : 4
Préparation : 5 min
Cuisson : 15 min

Ingrédients :
- 2 casseaux de tomates en grappe coupées en 2
- 1 c. à t. d'huile d'olive
- 1/2 c. à t. de romarin séché
- 1/4 de T de ciboulette fraîche hachée grossièrement
- Gros sel et poivre moulu

Instructions :

1. Préchauffer le four à 450 °F.

2. Mélanger les tomates, l'huile et le romarin sur une plaque à biscuits avec rebords. Assaisonner de sel et de poivre puis faire rôtir jusqu'à ce que le dessous des tomates soit doré et commence à s'affaisser (15 minutes).

3. Saupoudrer de ciboulette.

LÉGUMES

Gratin de chou

Instructions :

1. Préchauffer le four à 375 °F.

2. Trancher finement le chou en lanières. Couper la poitrine fumée en morceaux de 1 cm. Faire chauffer une petite poêle à frire à feu moyen-doux et faire frire la poitrine fumée jusqu'à ce qu'elle soit croustillante. Retirer de la poêle à l'aide d'une cuiller à égoutter et éponger sur de l'essuie-tout. Réserver.

3. Ajouter 1 c. à soupe de beurre à la graisse de bacon reposant dans la poêle. Faire fondre le beurre et ajouter la moitié de l'ail. Remuer rapidement avec une cuiller en bois pour le faire ramollir. Ajouter le chou et remuer pour l'enduire de beurre. Laisser ramollir le chou puis ajouter les morceaux de poitrine fumée croustillants. Assaisonner de sel et de poivre puis retirer du feu et ajouter la presque totalité de la ciboulette.

4. Graisser généreusement le fond et les rebords d'un plat allant au four de 23 x 33 cm avec du beurre. Mélanger les pommes de terre, 1 1/2 tasse de crème, 1 tasse de parmesan et le reste de l'ail dans un grand bol. Assaisonner de sel et de poivre puis étaler une couche de pommes de terre au fond du plat. Saupoudrer les pommes de terre de parmesan et étaler 2 autres couches de pommes de terre et de parmesan. Étaler uniformément la farce de chou sur les pommes de terre puis couvrir le chou de 2 autres couches de pommes de terre et de parmesan. Verser le reste de la crème sur le gratin et saupoudrer avec le reste du parmesan.

5. Couvrir le plat de papier aluminium et faire cuire au four pendant 1 heure. Enlever le papier aluminium et faire cuire jusqu'à ce que le gratin soit bien doré (encore 30 minutes). Laisser reposer 10 minutes avant de servir et garnir avec le reste de la ciboulette.

Portions : 6 à 8
Préparation : 15 min
Cuisson : 1 h 35

Ingrédients :
- 1 chou de Savoie étrogné, nettoyé et coupé en lanières
- 1 poitrine de porc fumée
- 2 c. à s. de beurre non salé
- 4 gousses d'ail finement hachées
- 1/4 de T de ciboulette fraîche finement hachée
- 1 kg de pommes de terre non pelées et finement tranchées (3 mm)
- 2 1/2 T de crème riche en matières grasses
- 2 T de fromage parmesan râpé
- Sel de mer et poivre noir fraîchement moulu

Frites belges

Portions : 4 à 6
Préparation : 10 min
Cuisson : 15 min

Ingrédients :
- 3 à 4 T d'huile végétale
- 1 kg de pommes de terre rousses (ou de pommes de terre Idaho ou Yukon Gold)
- Sel, au goût

Instructions :

1. Remplir la moitié d'une friteuse avec de l'huile végétale puis faire chauffer l'huile à 325 °F.

2. Couper les pommes de terre en tranches de 1 cm d'épaisseur et 6 à 7 cm de longueur. Bien éponger les tranches avec un linge à vaisselle (pour éviter d'être éclaboussé par l'huile). Diviser les tranches de pommes de terre en paquets de 1 tasse.

3. Lorsque l'huile est chaude, faire frire les bâtonnets de pommes de terre (1 tasse à la fois) jusqu'à ce qu'ils soient légèrement dorés (4 ou 5 minutes). Soulever le panier-égouttoir pour extraire les frites ou soulever les frites à l'aide d'une écumoire à long manche en s'assurant de réajuster la température de l'huile à 325 °F entre chaque fois. Si désiré, alors attendre quelques heures avant la deuxième étape de la friture.

4. Faire frire les pommes de terre une seconde fois en ajustant la température de l'huile à 325 °F. Faire frire (1 tasse à la fois) jusqu'à ce que les frites soient bien dorées et croustillantes (1 ou 2 minutes). Éponger les frites sur du papier absorbant et servir dans un grand bol recouvert d'essuie-tout. Saupoudrer de sel et servir.

Carottes glacées à l'orange et au gingembre

Portions : 6
Préparation : 15 min
Cuisson : 20 min

Ingrédients :
- 1 c. à s. d'huile végétale (huile de carthame)
- 1 kg de carottes coupées en morceaux de 2,5 cm
- 1 T de bouillon de poulet à faible teneur en sodium (ou d'eau)
- 1/2 c. à t. de zeste d'orange finement tranché
- 2/3 de T de jus d'orange frais
- 1 morceau de 4 cm de gingembre frais râpé coupé en juliennes
- 2 c. à s. de beurre non salé
- Gros sel et poivre moulu

Instructions :

1. Faire chauffer l'huile à feu moyen-fort dans une grande poêle à frire. Ajouter les carottes et faire cuire en remuant une fois jusqu'à ce qu'elles commencent à dorer (2 minutes).

2. Ajouter le bouillon, le zeste et le jus d'orange, le gingembre puis assaisonner de sel et de poivre. Porter à ébullition puis réduire le feu, couvrir et laisser mijoter jusqu'à ce que les carottes soient encore un peu croquantes (10 minutes). Enlever le couvercle et faire cuire à feu moyen-fort pendant 7 à 9 minutes jusqu'à ce que les carottes soient tendres et le liquide sirupeux (il ne devrait alors rester qu'une petite quantité de liquide).

3. Retirer la poêle du feu, ajouter le beurre et faire tournoyer jusqu'à ce qu'il soit fondu. Assaisonner de sel et de poivre.

Épinards en sauce

Portions : 4
Préparation : 15 min
Cuisson : 10 min

Ingrédients :
- 2 paquets d'épinards congelés
- 2 c. à t. d'huile d'olive
- 2 petits oignons verts finement hachés
- 4 c. à t. de farine (tout usage)
- 1 1/2 T de lait 1 %
- 1/2 T de bouillon de poulet faible en sodium
- 2 c. à s. de lait concentré sans gras
- 1 pincée de muscade
- Sel et poivre fraîchement moulu, au goût

Instructions :

1. Presser les épinards décongelés pour extraire l'eau puis faire chauffer l'huile d'olive dans une grande poêle à feu moyen.

2. Ajouter les oignons verts et faire cuire en remuant jusqu'à ce qu'ils soient tendres (2 minutes). Ajouter la farine et laisser cuire pendant 30 secondes en remuant. Ajouter le lait et le bouillon et faire chauffer en grattant les résidus de cuisson au fond de la poêle.

3. Porter à ébullition et faire cuire pendant 2 minutes. Ajouter les épinards et laisser mijoter jusqu'à ce qu'ils soient tendres (5 minutes). Incorporer le lait concentré et la muscade et assaisonner, au goût, de sel et de poivre.

Épinards à la crème

Portions : 2
Préparation : 15 min
Cuisson : 12 min

Ingrédients :
- 450 g d'épinards frais lavés et équeutés
- 2 c. à s. de beurre
- 1 oignon vert finement haché (ou 2 c. à s. d'oignon finement haché)
- 1 c. à s. de farine (tout usage)
- 3/4 à 1 T de lait 1 %
- Gros sel et poivre moulu

Instructions :

1. Déposer les épinards dans une grande casserole et faire cuire à feu moyen puis assaisonner de sel.

2. Couvrir et laisser cuire en remuant de temps à autre pendant 4 ou 5 minutes. Transférer dans une passoire et rincer à l'eau froide. Extraire le plus de liquide possible et réserver.

3. Faire chauffer le beurre à feu moyen-doux dans une casserole. Ajouter l'oignon vert et assaisonner de sel et de poivre. Faire cuire en remuant jusqu'à ce que l'oignon soit tendre, mais pas doré (3 à 5 minutes).

4. Ajouter la farine et faire cuire en remuant pendant 1 minute (sans faire brunir) puis incorporer 3/4 de tasse de lait et laisser mijoter à feu moyen-doux en remuant de temps à autre jusqu'à ce que la préparation épaississe (1 ou 2 minutes). Allonger la sauce avec du lait, au besoin. Retirer du feu, ajouter les épinards et assaisonner de sel et de poivre. Servir.

Oignons caramélisés

Instructions :

1. Faire chauffer l'huile d'olive à feu moyen dans une grande poêle à frire. Ajouter les oignons, couvrir et faire cuire en remuant jusqu'à ce que les oignons soient complètement mous (10 à 15 minutes).

2. Retirer le couvercle, réduire le feu à moyen-doux et faire cuire en remuant souvent jusqu'à ce que les oignons soient bien dorés et sucrés (35 à 45 minutes). Faire attention de ne pas les laisser brûler. Retirer du feu et laisser refroidir. Consommer les oignons immédiatement ou couvrir et conserver au réfrigérateur pendant 3 jours.

Portions : 1 1/2 T
Préparation : 10 min
Cuisson : 1 h

Ingrédients :
- **3 c. à s. d'huile d'olive**
- **2 gros oignons jaunes coupés en 2 et finement tranchés**

Asperges grillées au vinaigre balsamique

Portions : 4
Préparation : 10 min
Cuisson : 10 min

Ingrédients :
- **450 g d'asperges**
- **1 c. à s. d'huile d'olive**
- **1 c. à s. de vinaigre balsamique**
- **1/2 c. à t. d'ail finement haché**
- **1/4 de c. à t. de poivre noir moulu**
- **1/2 c. à t. de sel casher**

Instructions :

1. Préchauffer le four à 425 °F.

2. Couper les extrémités des asperges avant de les déposer sur une plaque à biscuits. Verser l'huile et le vinaigre balsamique sur les asperges puis saupoudrer de sel, d'ail et de poivre noir en remuant pour bien les enrober.

3. Faire cuire au four pendant 10 minutes en les retournant 1 fois au cours de la cuisson.

Épis de maïs grillés avec mayonnaise aux poivrons rouges rôtis

Portions : 6
Préparation : 15 min
Cuisson : 16 min

Ingrédients :
- 1/2 T de mayonnaise légère
- 1/4 de T de poivrons rouges rôtis coupés en dés
- 2 c. à s. de persil frais finement haché
- 1 grosse gousse d'ail finement hachée
- 6 épis de maïs épluchés
- 1 c. à s. de beurre fondu
- 1/4 de c. à t. de poivre noir moulu

Instructions :

1. Fouetter ensemble la mayonnaise, les poivrons rouges, le persil, l'ail et le poivre dans un bol jusqu'à ce qu'ils soient bien mélangés. Réserver la moitié du mélange pour servir.

2. Badigeonner les épis de maïs avec du beurre avant de les déposer sur un gril graissé et de les faire cuire à feu moyen-fort en les retournant de temps à autre (8 minutes).

3. Badigeonner les épis avec une 1/2 de la mayonnaise aux poivrons et faire griller en les retournant jusqu'à ce que les épis soient dorés et encore un peu croquants (environ 8 minutes). Servir les épis avec le reste de la mayonnaise aux poivrons.

Chicorée grillée

Instructions :

1. Couper chaque chicorée en 6. Mettre de côté.

2. Mélanger l'huile, le vinaigre, l'ail, le basilic, la menthe, le sel et le poivre dans un petit bol puis badigeonner 1 côté de la chicorée et déposer sur un gril graissé. Répéter l'opération avec les autres morceaux (réserver un peu de vinaigrette pour servir) et faire griller à feu moyen-fort pendant environ 2 minutes.

3. Brosser la surface supérieure des morceaux, retourner et faire griller jusqu'à ce que la surface soit carbonisée (environ 3 minutes).

4. Déposer la chicorée grillée sur une assiette et servir avec le reste de la vinaigrette.

Portions : 6
Préparation : 15 min
Cuisson : 5 min

Ingrédients :
- 2 chicorées
- 1/4 de T d'huile d'olive extra vierge
- 3 c. à s. de vinaigre balsamique
- 2 gousses d'ail finement hachées
- 2 c. à s. de basilic haché
- 2 c. à s. de menthe hachée (ou de persil)
- 1/4 de c. à t. de sel
- 1/4 de c. à t. de poivre

Rondelles d'oignons

Portions : 4
Préparation : 15 min
Cuisson : 3 min

Ingrédients :
- 1 gros oignon coupé en rondelles de 5 mm
- 1 1/4 T de farine (tout usage)
- 1 c. à t. de levure
- 1 œuf
- 1 T de lait (ou plus, au besoin)
- 3/4 de T de chapelure
- 4 T d'huile (ou plus, au besoin) pour la friture
- 1 c. à t. de sel

Instructions :

1. Faire chauffer l'huile dans une friteuse à 365 °F.

2. Diviser les tranches d'oignon en rondelles individuelles et réserver. Mélanger la farine, la levure et le sel dans un petit bol.

3. Tremper les rondelles d'oignon dans le mélange de farine jusqu'à ce qu'elles soient bien enrobées puis réserver. Incorporer le lait et l'œuf dans la farine en fouettant à l'aide d'une fourchette. Tremper les rondelles farinées dans la pâte pour bien les enrober avant de les déposer sur une grille pour les égoutter. Poser la grille sur une feuille de papier aluminium pour un nettoyage plus facile. Étaler la chapelure sur une assiette ou dans un plat profond puis déposer les rondelles (1 à la fois) dans la chapelure en les retournant et en les saupoudrant pour bien les recouvrir. Extraire les rondelles de la chapelure en les tapotant pour enlever l'excédent et pour s'assurer que l'enrobage adhère bien puis répéter l'opération avec le reste des rondelles.

4. Faire frire les rondelles d'oignon (plusieurs à la fois) jusqu'à ce qu'elles soient dorées (2 ou 3 minutes). Déposer sur de l'essuie-tout pour absorber l'excédent d'huile, assaisonner de sel et servir.

Choux de Bruxelles caramélisés au citron

Portions : 4
Préparation : 10 min
Cuisson : 15 min

Ingrédients :

- **340 g de choux de Bruxelles coupés en 2 dans le sens de la longueur (ou en quartiers s'ils sont gros)**
- **2 c. à s. d'huile d'olive**
- **1 c. à s. de jus de citron frais et quelques tranches pour servir**
- **Gros sel et poivre moulu**

Instructions :

1. Mélanger les choux de Bruxelles et 1/2 tasse d'eau dans une poêle à frire.

2. Assaisonner de sel et de poivre et faire mijoter à feu moyen.

3. Couvrir et faire cuire de 5 à 8 minutes jusqu'à ce que la majorité de l'eau se soit évaporée et que les choux soient à la fois tendres et croustillants (ajouter de l'eau si la poêle devient trop sèche avant que les choux soient prêts).

4. Augmenter à feu moyen-fort puis verser l'huile dans la poêle.

5. Continuer de faire cuire les choux sans couvrir jusqu'à ce que le dessous soit bien doré (5 à 7 minutes).

6. Retirer du feu, incorporer le jus de citron et assaisonner de sel et de poivre.

7. Servir avec des tranches de citron.

Beignets frits à la menthe

Instructions :

1. Mélanger la farine et l'eau pétillante dans un bol. Assaisonner de sel et de poivre puis tremper la menthe dans la pâte et secouer pour enlever l'excédent.

2. Faire chauffer l'huile dans une poêle jusqu'à ce qu'un petit morceau de pain déposé dans la poêle devienne doré en 15 secondes. Faire frire la menthe dans l'huile pendant 15 secondes, retourner soigneusement et faire frire l'autre côté jusqu'à ce qu'elle soit dorée (30 secondes). Égoutter sur de l'essuie-tout.

3. Ces beignets peuvent être frits plusieurs heures à l'avance et être réchauffés au four à 350 °F sur une plaque à biscuits pendant 3 minutes.

Portions : 12
Préparation : 15 min
Cuisson : 5 min

Ingrédients :
- 1/4 de T de farine (tout usage)
- 1/4 de T d'eau pétillante
- 12 branches de feuilles de menthe fraîche
- 1 1/2 T d'huile végétale
- Sel et poivre, au goût

Pommes de terre au romarin

Portions : 4
Préparation : 15 min
Cuisson : 20 min

Ingrédients :
- 1 kg de pommes de terre nouvelles rouges
- 3/4 de c. à t. de romarin
- 2 1/4 c. à t. d'huile d'olive
- Gros sel et poivre moulu

Instructions :

1. Porter à ébullition 1 cm d'eau dans une grande casserole. Ajouter du sel et les pommes de terre. Couvrir et faire cuire en retournant les pommes de terre de temps à autre jusqu'à ce qu'elles soient tendres (14 à 16 minutes).

2. Transférer les pommes de terre dans un bol à l'aide d'une cuiller à égoutter.

3. Saupoudrer les pommes de terre de romarin et badigeonner d'huile puis assaisonner de sel et de poivre. Défaire les pommes de terre en morceaux à l'aide d'une fourchette ou d'une cuiller et remuer pour bien les enrober. Servie chaud.

Aubergines glacées à la sauce hoisin épicée

Instructions :

1. Faire chauffer l'huile dans une petite casserole à feu moyen. Ajouter le gingembre, l'ail et les flocons de chili dans la casserole et faire cuire jusqu'à ce qu'ils soient tendres (3 à 4 minutes). Retirer du feu puis incorporer la sauce hoisin, le vinaigre de vin de riz et la sauce soja en remuant jusqu'à ce que tous les ingrédients soient bien incorporés. Égoutter la marinade et réserver.

2. Faire chauffer le gril à feu élevé.

3. Badigeonner les 2 côtés des tranches d'aubergines avec de l'huile d'olive et assaisonner de sel et de poivre. Déposer les tranches sur le gril et faire griller jusqu'à ce qu'elles soient bien dorées et qu'on voie les traces du gril sur la chair (4 à 5 minutes). Badigeonner les tranches avec la marinade, retourner et continuer de faire griller jusqu'à ce que les aubergines soient bien cuites (3 ou 4 minutes) en badigeonnant avec un peu plus de marinade au cours de la cuisson. Retirer les tranches du gril et badigeonner avec le reste de la marinade. Transférer sur une assiette et saupoudrer de coriandre.

Portions : 4
Préparation : 15 min
Cuisson : 10 min

Ingrédients :
- 1 c. à s. d'huile de canola
- 1 morceau de 2,5 cm de gingembre haché grossièrement
- 2 gousses d'ail finement hachées
- 1 c. à t. de flocons de chili
- 1/2 T de sauce hoisin
- 1 c. à s. de vinaigre de vin de riz
- 1 c. à s. de sauce soja à faible teneur en sodium
- 1 aubergine de taille moyenne coupée en tranches de 1 cm dans le sens de la longueur
- 6 c. à s. d'huile d'olive
- 2 c. à s. de feuilles de coriandre hachées
- Sel et poivre fraîchement moulu

Haricots et chou verts au parmesan épicé

Portions : 6 à 8
Préparation : 15 min
Cuisson : 15 min

Ingrédients :
- 3 c. à s. d'huile d'olive
- 1 oignon tranché
- 14 champignons de Paris équeutés et coupés en 4
- 700 g de haricots verts équeutés et coupés en morceaux de 2,5 cm
- 1/4 de T de vin blanc
- 1 chou vert haché grossièrement
- 2 c. à s. de jus de citron frais
- 3 c. à s. de parmesan râpé
- 2 c. à t. de sel
- 1/2 c. à t. de poivre de Cayenne
- 1/2 c. à t. de poivre noir moulu

Instructions :

1. Faire chauffer l'huile d'olive dans une grande poêle à frire à feu moyen-fort.

2. Ajouter les oignons et faire cuire jusqu'à ce qu'ils soient translucides (4 minutes). Ajouter les champignons, les haricots verts, le sel et le poivre et faire cuire pendant 2 minutes. Ajouter le vin et continuer de faire chauffer jusqu'à ce que les haricots verts soient presque tendres (5 minutes). Ajouter le poivre de Cayenne et le chou et laisser cuire jusqu'à ce que le chou commence à faner (4 ou 5 minutes).

3. Incorporer le jus de citron et le parmesan, bien mélanger le tout et servir immédiatement.

Instructions :

1. Préchauffer le four à 400 °F. Mélanger le persil, l'ail, le poivre de Cayenne et la chapelure dans un robot culinaire et broyer jusqu'à ce que le tout soit bien incorporé.

2. Extraire les graines et le jus des tomates puis verser le mélange de chapelure dans les tomates. Déposer les tomates farcies dans un plat profond allant au four. Verser un filet d'huile d'olive sur les tomates et assaisonner de sel et de poivre. Ajouter 1/2 tasse d'eau au fond du plat allant au four et couvrir le plat avec du papier aluminium.

3. Faire cuire les tomates jusqu'à ce qu'elles soient tendres et que la farce soit bien cuite (environ 45 minutes). Mettre le four à gril, enlever le papier aluminium et faire griller les tomates jusqu'à ce qu'elles soient croustillantes et légèrement dorées (2 ou 3 minutes).

Tomates grillées à la toscane

Portions : 4
Préparation : 15 min
Cuisson : 50 min

Ingrédients :
- 1 1/4 T de persil haché
- 3 petites gousses d'ail finement hachées
- 3/4 de T de chapelure
- 10 tomates italiennes coupées en 2 dans le sens de la longueur
- 1/4 de T d'huile d'olive
- 1 pincée de poivre de Cayenne
- Gros sel et poivre noir fraîchement moulu

Compote de légumes

Portions : 4
Préparation : 15 min
Cuisson : 10 min

Ingrédients :
- 2 c. à s. de beurre
- 1 1/2 T de pommes de terre rouges coupées en dés de 1 cm
- 6 gousses d'ail pelées et coupées en 2
- 2 T de morilles coupées en 2
- 1/2 T de pointes d'asperges
- 1 T de gourganes blanchies et pelées
- 2 c. à s. de cerfeuil frais haché
- Sel et poivre moulu

Instructions :

1. Faire chauffer le beurre dans une poêle à frire à feu moyen.

2. Ajouter les pommes de terre et faire sauter pendant 1 minute. Ajouter l'ail, couvrir et faire cuire jusqu'à ce que les pommes de terre soient tendres (5 minutes).

3. Ajouter les morilles et les pointes d'asperges et faire sauter jusqu'à ce que l'asperge soit encore un peu croquante (2 minutes). Ajouter les gourganes et compléter la cuisson (1 minute). Assaisonner de sel et de poivre.

4. Répartir également la compote sur 4 assiettes et couvrir de poulet, si désiré. Saupoudrer le tout de cerfeuil frais.

Sauté de maïs, de bacon et d'oignons verts

Portions : 4
Préparation : 10 min
Cuisson : 15 min

Instructions :

1. Faire cuire le bacon à feu moyen-fort dans une grande poêle à frire en le retournant de temps à autre jusqu'à ce qu'il soit doré (4 à 6 minutes).

2. Ajouter les grains de maïs, assaisonner de sel, de poivre et de poivre de Cayenne. Faire cuire en remuant souvent jusqu'à ce que le maïs soit tendre. Incorporer les oignons verts et servir immédiatement (5 à 8 minutes).

Ingrédients :
- **4 tranches de bacon coupées en morceaux de 2,5 cm**
- **4 T de grains de maïs**
- **2 ou 3 oignons verts tranchés**
- **1 pincée de poivre de Cayenne**
- **Gros sel et poivre moulu**

Carottes glacées à la moutarde de Dijon

Portions : 8 à 10
Préparation : 15 min
Cuisson : 15 min

Ingrédients :
- **8 grosses carottes pelées et tranchées en diagonale**
- **1 c. à s. de beurre non salé**
- **1 c. à s. de moutarde de Dijon**
- **1 c. à s. de cassonade**
- **1/3 de T de ciboulette (ou persil) hachée grossièrement**
- **Sel et poivre noir moulu, au goût**

Instructions :

1. Porter à ébullition une casserole d'eau remplie aux 3/4. Ajouter du sel et faire cuire les carottes jusqu'à ce qu'elles soient tendres (6 à 8 minutes). Bien égoutter.

2. Remettre les carottes dans une poêle et faire cuire à feu moyen. Ajouter le beurre, la moutarde et la cassonade puis assaisonner de sel et de poivre et remuer soigneusement pour bien les enrober.

3. Faire cuire en remuant constamment jusqu'à ce que les carottes soient uniformément glacées. Transférer dans un bol et saupoudrer de ciboulette. Servir chaud.

Frittata de courgettes

Portions : 4
Préparation : 15 min
Cuisson : 40 min

Ingrédients :
- 4 T de courgettes, d'oignons et de poivrons cuits
- 1 c. à t. d'huile d'olive
- 10 gros œufs
- 1/2 T de fromage parmesan
- 1 1/2 c. à t. de gros sel
- 1/4 de c. à t. de poivre moulu

Instructions :

1. Préchauffer le four à 400 °F. Badigeonner un moule à tarte profond de 24 cm avec 1 c. à thé d'huile d'olive. Éponger l'excédent de liquide de cuisson des courgettes, de l'oignon et des poivrons rôtis avant de les déposer au fond du moule.

2. Battre les œufs dans un grand bol avec le fromage parmesan, le gros sel et le poivre moulu. Verser le tout sur les légumes.

3. Faire cuire au four jusqu'à ce que la frittata soit dorée et que le centre soit cuit (35 à 40 minutes). Laisser reposer 5 minutes avant de servir.

Sauté d'asperges et de champignons

Instructions :

1. Équeuter les asperges. Couper en morceaux de 5 cm de long puis trancher les shiitakes.

2. Faire chauffer l'huile dans une poêle à frire à feu moyen-fort. Ajouter l'ail et faire sauter pendant 30 secondes. Ajouter les asperges et les champignons et faire sauter jusqu'à ce que les champignons soient complètement tendres (1 minute). Incorporer le bouillon, la sauce soja et le vinaigre.

3. Porter à ébullition, couvrir et faire cuire jusqu'à ce qu'elles soient tendres (2 ou 3 minutes, selon l'épaisseur des asperges). Enlever le couvercle et assaisonner de sel et de poivre puis ajouter la ciboulette.

Portions : 8
Préparation : 15 min
Cuisson : 5 min

Ingrédients :
- 1 kg d'asperges
- 10 shiitakes équeutés
- 2 c. à s. d'huile d'olive
- 1 c. à t. d'ail haché
- 1/4 de T de bouillon de poulet
- 1 c. à s. de sauce soja
- 1 c. à s. de vinaigre balsamique
- 1/2 T de ciboulette hachée
- Sel et poivre fraîchement moulu

Chou braisé

Portions : 8
Préparation : 15 min
Cuisson : 35 min

Ingrédients :
- 1 kg de chou de Savoie finement tranché
- 1/4 de T de beurre
- 4 tranches de bacon haché
- 2 oignons moyens finement tranchés
- 1 feuille de laurier
- 2 c. à t. de thym frais haché
- 1 c. à t. de graines de carvi
- 1 T de bouillon de poulet
- 1/2 T de vin blanc
- 2 c. à s. de vinaigre de cidre de pomme
- 2 c. à s. de miel
- 1/2 c. à t. de poivre de Cayenne
- Sel et poivre fraîchement moulu

Instructions :

1. Faire fondre le beurre dans une grande poêle à frire à feu moyen.

2. Ajouter le bacon et faire cuire jusqu'à ce qu'il commence à dorer (5 minutes). Ajouter l'oignon dans la poêle et faire cuire jusqu'à ce qu'il devienne tendre (3 minutes). Incorporer le chou et faire sauter jusqu'à ce qu'il soit encore un peu croquant (5 minutes).

3. Ajouter la feuille de laurier, le thym, les graines de carvi, le poivre de Cayenne et le bouillon de poulet, couvrir et laisser mijoter à feu doux jusqu'à ce que les saveurs se mélangent et que le chou soit très tendre (20 minutes).

4. Ajouter le vin, le vinaigre et le miel. Augmenter à feu moyen et laisser mijoter sans couvrir encore jusqu'à ce que le liquide se soit presque complètement évaporé (5 minutes).

5. Enlever la feuille de laurier et assaisonner de sel et de poivre.

Ratatouille

Portions : 4
Préparation : 15 min
Cuisson : 45 min

Ingrédients :
- 2 c. à s. d'huile d'olive
- 3 gousses d'ail finement hachées
- 2 c. à t. de persil séché
- 1 aubergine coupée en dés de 1 cm
- 1 T de parmesan râpé
- 2 courgettes tranchées
- 1 gros oignon tranché en rondelles
- 2 T de champignons frais tranchés
- 1 poivron vert tranché
- 2 grosses tomates hachées
- Sel et poivre

Instructions :

1. Préchauffer le four à 350 °F.

2. Badigeonner le fond et les côtés d'un plat allant au four avec 1 c. à soupe d'huile d'olive.

3. Faire chauffer le reste de l'huile d'olive à feu moyen dans une poêle à frire.

4. Faire sauter l'ail jusqu'à ce qu'il soit légèrement doré puis incorporer le persil et l'aubergine.

5. Faire sauter jusqu'à ce que l'aubergine soit tendre, et assaisonner de sel, au goût (10 minutes).

6. Étaler uniformément le mélange d'aubergine au fond du plat allant au four puis saupoudrer de quelques c. à soupe de parmesan.

7. Étaler une couche égale de tranches de courgette sur l'aubergine, saler légèrement et saupoudrer avec un peu de fromage.

8. Continuer de superposer des couches de cette façon avec l'oignon, les champignons, le poivron et les tomates en saupoudrant chaque couche avec du sel et du fromage.

9. Faire cuire au four pendant 45 minutes et servir.

Artichauts grillés

Portions : 6
Préparation : 20 min
Cuisson : 50 min

Ingrédients :
• 6 artichauts
• 1 citron
• 3 gousses d'ail finement hachées
• 3 c. à s. d'huile d'olive
• 2 c. à s. de jus de citron
• 1/4 de c. à t. de poivre
• 1 1/2 c. à t. de sel

Instructions :

1. Trancher la base des artichauts et enlever les petites feuilles. Porter à ébullition un chaudron rempli de 2,5 à 5 cm d'eau.

2. Déposer les artichauts dans une marguerite et ajouter 1 c. à soupe de sel et le jus d'un citron. Couvrir et faire cuire à la vapeur jusqu'à ce que le dessus des artichauts puisse être percé facilement avec une fourchette (30 minutes).

3. Égoutter les artichauts, laisser refroidir légèrement puis couper dans le sens de la longueur pour extraire les cœurs d'artichauts.

4. Mélanger l'ail, l'huile d'olive, le jus de citron, 1/2 c. à thé de sel et le poivre dans un bol. Badigeonner les cœurs d'artichauts avec la garniture à l'ail et déposer sur un gril à feu moyen en posant la partie tranchée vers le bas.

5. Faire griller en retournant 1 fois jusqu'à ce que les artichauts soient légèrement dorés (8 à 11 minutes).

Gratin de choux-fleurs et brocolis

Instructions:

1. Graisser un plat allant au four de 18 x 28 cm avec du beurre ou vaporiser avec l'aérosol de cuisson. Couper assez de chou-fleur et de brocoli pour remplir presque complètement le plat puis peler et trancher finement la carotte. Porter à ébullition un grand chaudron d'eau, ajouter les légumes et faire cuire jusqu'à ce qu'ils soient encore très croquants (2 minutes). Égoutter et rincer à l'eau froide. Égoutter une autre fois avant de déposer les légumes dans le plat. Mélanger ensuite la chapelure, 1/2 tasse de fromage, le basilic, le raifort, le sel et le poivre dans un petit bol et incorporer le beurre. Réserver. (Pour avoir de la chapelure fraîche, broyer des cubes de pain de la veille avec la croûte dans un robot culinaire ou un mélangeur jusqu'à la formation d'une chapelure fine et mesurer la quantité nécessaire. Les légumes et la chapelure peuvent être emballés séparément et conservés au réfrigérateur pendant 1 journée.)

2. Pour faire la sauce, faire fondre le beurre dans une casserole à feu moyen. Ajouter l'oignon et faire sauter jusqu'à ce qu'il soit tendre (3 à 5 minutes). Incorporer la farine et faire cuire pendant 1 minute en remuant constamment. Verser graduellement le lait et la moutarde dans la casserole en remuant constamment. Faire chauffer en brassant continuellement ou jusqu'à ce que le mélange épaississe et commence à bouillir (10 minutes). Retirer du feu, ajouter le sel et le fromage et verser uniformément la sauce sur les légumes.

3. Préchauffer le four à 400 °F.

4. Saupoudrer uniformément le mélange de chapelure sur la sauce au fromage couvrant les légumes. Faire cuire jusqu'à ce que les bordures se mettent à bouillonner et que la surface du gratin devienne dorée et croustillante (20 à 25 minutes).

Portions: 6 à 8
Préparation: 25 min
Cuisson: 45 min

Ingrédients:
- 1/2 tête de chou-fleur
- 1 bouquet de brocoli
- 1 grosse carotte
- 2 T de chapelure
- 1/2 T de fromage cheddar fort (ou extra fort) râpé
- 2 c. à s. de basilic frais (ou de persil) haché
- 1 c. à s. de raifort épongé
- 2 c. à s. de beurre fondu
- 1/4 de c. à t. de sel
- 1/4 de c. à t. de poivre

SAUCE CHEDDAR
- 2 c. à s. de beurre
- 1 petit oignon finement haché
- 3 c. à s. de farine
- 2 1/2 T de lait entier
- 2 c. à t. de moutarde de Dijon
- 1 1/2 T de fromage cheddar fort (ou extra fort) râpé
- 1/2 c. à t. de sel

Galettes indiennes aux petits pois et aux pommes de terre

Portions: 16
Préparation: 15 min
Cuisson: 15 min

Ingrédients:
- 4 pommes de terre rousses
- 1 oignon
- 1 œuf
- 2 c. à s. de farine (tout usage)
- 1/4 de c. à t. de coriandre
- 1/4 de c. à t. de curcuma
- 1/4 de c. à t. de cumin
- 1/2 c. à t. de garam masala
- 2 c. à s. de gingembre frais râpé
- 2 c. à s. de coriandre fraîche hachée
- 1/2 T de petits pois (les petits pois congelés fonctionnent à merveille)
- Huile végétale pour la friture
- Yogourt à la menthe
- Sel et poivre, au goût

Instructions:

1. Peler et râper les pommes de terre et l'oignon à la main ou à l'aide d'un robot culinaire. Transférer les légumes dans une passoire ou un linge à vaisselle et presser pour extraire l'excédent d'eau.

2. Mélanger les légumes râpés, l'œuf, la farine, les épices, le gingembre et la coriandre dans un grand bol. Incorporer les petits pois et assaisonner de sel et de poivre.

3. Faire chauffer quelques c. à soupe d'huile dans une grande poêle à frire à feu moyen. Verser le mélange dans la poêle en incorporant quelques c. à soupe à la fois (aplatir avec une cuiller pour des galettes plus croustillantes).

4. Faire frire en plusieurs fois en retournant chaque galette une fois jusqu'à ce qu'elles soient toutes bien dorées (4 minutes de chaque côté).

5. Égoutter sur de l'essuie-tout et servir immédiatement avec du yogourt à la menthe.

Galette de chanterelles et de pleurotes en huître au gruyère

Portions : 10
Préparation : 35 min
Cuisson : 25 min

Ingrédients :

PÂTE LEVÉE
- 1/3 de T d'eau chaude
- 1 c. à t. de levure sèche
- 2 c. à s. de sucre granulé
- 1 œuf battu
- 1 1/2 T de farine
- 3 c. à s. de beurre mou
  coupé en morceaux
- 1/2 c. à t. de sel

GARNITURE
- 1/4 de T de beurre
- 3 T de poireaux hachés
- 250 g de pleurotes
  en huître hachés
- 250 g de chanterelles nettoyées
- 2 c. à t. d'ail haché
- 1/2 T de crème à fouetter
- 1 c. à s. de sauce soja
- 1 T de gruyère râpé
- 1 c. à s. de persil haché
- 1 jaune d'œuf
- 2 c. à s. de crème à fouetter
- Sel et poivre fraîchement moulu

Instructions :

1. Verser l'eau dans un bol et incorporer la levure sèche et le sucre en remuant jusqu'à ce que le tout soit dissous. Laisser reposer jusqu'à l'obtention d'une préparation mousseuse (10 minutes).

2. Ajouter l'œuf, le sel et la farine puis écraser le beurre dans la pâte avec les doigts ou à l'aide d'un robot culinaire en pétrissant légèrement pour assembler la pâte. La pâte devrait alors être lisse sans être collante. Ajouter 1 ou 2 c. à soupe de farine si la pâte semble trop collante.

3. Déposer la pâte dans un bol propre et légèrement huilé et couvrir d'un linge à vaisselle. Déposer dans un endroit chaud et laisser reposer jusqu'à ce que la pâte soit légèrement gonflée (20 minutes).

4. Pour préparer la garniture, faire fondre 2 c. à soupe de beurre dans une grande poêle à frire à feu moyen. Ajouter les poireaux et faire sauter jusqu'à ce qu'ils soient tendres (3 minutes). Retirer les poireaux de la poêle et réserver. Ajouter le reste du beurre dans la poêle et incorporer les pleurotes, les chanterelles et l'ail avant de faire sauter le tout jusqu'à ce que les champignons soient tendres (3 minutes). Remettre les poireaux dans la poêle et ajouter la crème et la sauce soja. Porter à ébullition et faire bouillir jusqu'à ce que le mélange soit juteux (30 secondes). Retirer du feu et laisser refroidir. Ajouter le fromage et le persil et assaisonner de sel et de poivre.

5. Préchauffer le four à 400 °F.

6. Pétrir la pâte pour la faire dégonfler avant de l'étendre sur une surface bien farinée pour former une galette de 35 cm de diamètre. Déposer la galette sur une plaque à biscuits tapissée de papier ciré. Étaler également le mélange de poireaux et de champignons sur la pâte en laissant une bordure dégarnie de 2,5 cm. Plier la pâte sur les légumes pour former une bordure. Il se peut que les bordures se chevauchent légèrement.

7. Mélanger le jaune d'œuf et 2 c. à soupe de crème à fouetter puis badigeonner la pâte avec le mélange. Faire cuire au four jusqu'à ce que la pâte soit dorée et que la garniture soit bien chaude (20 minutes).

Légumes rôtis au cari

Instructions :

1. Préchauffer le four à 400 °F.

2. Couper les panais, les carottes et le navet en tranches de 1 cm d'épaisseur et de 5 à 8 cm de longueur. Couper les artichauts en 2 ou en 4 selon leur taille.

3. Mélanger l'huile, la pâte de cari et le gingembre dans un grand bol puis incorporer les légumes et remuer pour les enrober. Assaisonner de sel et de poivre.

4. Déposer les légumes sur une seule couche sur 1 ou 2 plaques à biscuits.

5. Faire cuire au four en remuant 1 ou 2 fois au cours de la cuisson jusqu'à ce que les légumes soient dorés et bien cuits (30 à 35 minutes).

Portions : 4 à 6
Préparation : 15 min
Cuisson : 35 min

Ingrédients :
- 3 panais moyens pelés
- 3 carottes moyennes pelées
- 1 gros navet blanc pelé
- 250 g d'artichauts
  de Jérusalem pelés
- 3 c. à s. d'huile végétale
- 2 c. à s. de pâte de cari douce
  (ou moyennement épicée)
- 1 c. à s. de gingembre frais râpé
- Sel et poivre, au goût

Haricots verts frits dans une sauce asiatique

Portions : 8
Préparation : 15 min
Cuisson : 10 min

Ingrédients :
- 2 c. à t. de gingembre frais finement haché
- 1/4 de T d'oignon vert finement haché
- 2 c. à t. d'ail finement haché

SAUCE
- 2 c. à t. de sucre
- 2 c. à t. de sauce chili asiatique
- 2 c. à s. de sauce soja
- 2 c. à s. de vinaigre de riz
- 1 c. à t. d'huile de sésame
- 1 kg de haricots verts équeutés
- 2 c. à t. de vinaigre balsamique
- Huile pour la friture
- Sel, au goût

Instructions :

1. Mélanger le gingembre, les oignons verts et l'ail puis réserver. Mélanger le sucre, la sauce chili, la sauce soja, le vinaigre de riz et l'huile de sésame et réserver.

2. Faire chauffer un wok ou une grande poêle à frire à feu élevé et ajouter environ 2 tasses d'huile. Faire chauffer l'huile à environ 375 °F ou jusqu'à ce qu'un morceau de pain devienne doré en 15 secondes.

3. Faire frire les haricots verts en plusieurs fois (5 ou 6 minutes). Déposer une passoire au-dessus d'un bol et verser soigneusement l'huile et les haricots dans la passoire. Laisser reposer pour extraire l'excédent d'huile jusqu'à ce que les haricots soient refroidis. Remettre 2 c. à soupe d'huile dans la poêle ou le wok et faire chauffer à feu élevé puis ajouter le mélange au gingembre et faire sauter pendant 30 secondes. Ajouter les haricots et la sauce et faire cuire jusqu'à ce que les haricots soient bien enrobés. Verser un filet de vinaigre balsamique et assaisonner de sel et de poivre avant de servir.

Gratin de purée de pommes de terre

Instructions :

1. Préchauffer le four à 400 °F. Graisser un plat profond allant au four. Déposer les pommes de terre dans un grand chaudron et couvrir de 2,5 cm d'eau. Ajouter 1 c. à thé de sel et porter à ébullition. Réduire le feu puis laisser mijoter jusqu'à ce que les pommes de terre puissent être facilement percées par un couteau (20 minutes). Égoutter, essuyer le chaudron et remettre les pommes de terre dedans.

2. Ajouter du beurre, réduire les pommes de terre en purée jusqu'à ce qu'elles soient crémeuses et laisser refroidir légèrement. Incorporer les jaunes d'œuf, le lait, 1 1/4 tasse de fromage et 2 c. à thé de sel puis bien mélanger le tout avant d'étaler le mélange dans le plat allant au four. Saupoudrer les pommes de terre avec le reste du fromage puis faire cuire au four en faisant tourner le plat au milieu de la cuisson jusqu'à ce que le fromage soit bien doré (environ 30 minutes).

Portions : 8
Préparation : 15 min
Cuisson : 50 min

Ingrédients :
- 3 c. à s. de beurre (et plus pour graisser)
- 1,5 kg de pommes de terre rousses
- 3 gros jaunes d'œufs
- 1 1/4 T de lait
- 1 1/2 T de fromage gruyère râpé grossièrement
- Gros sel

Haricots frits

Portions : 4
Préparation : 15 min
Cuisson : 9 min

Ingrédients :
- 1 c. à s. d'huile d'olive
- 1/2 oignon coupé en dés
- 2 gousses d'ail finement hachées
- 1 c. à t. d'assaisonnement au chili
- 1 boîte de haricots pinto
- 2/3 de T de bouillon de poulet faible en sodium
- 2 c. à s. de feuilles de coriandre fraîches hachées
- Sel et poivre

Instructions :

1. Faire chauffer l'huile à feu moyen dans une grande poêle à frire. Ajouter l'oignon et faire cuire jusqu'à ce qu'il soit tendre (3 minutes). Ajouter l'ail et l'assaisonnement au chili et faire cuire pendant encore 1 minute. Incorporer les haricots et le bouillon de poulet et faire cuire jusqu'à ce que les haricots soient bien cuits (5 minutes).

2. Réduire les haricots en purée avec le dos d'une cuiller en bois et ajouter du bouillon de poulet, au besoin, pour mouiller la préparation.

3. Assaisonner de sel et de poivre, au goût, puis saupoudrer de coriandre.

Haricots verts piquants à la sichuanaise

Portions : 8 à 10
Préparation : 15 min
Cuisson : 10 min

Ingrédients :
- **450 g de haricots verts**
- **2 c. à s. de sauce soja**
- **1 c. à s. de vinaigre de riz**
- **2 c. à t. de sucre**
- **1/4 à 1/2 c. à t. de flocons de chili**
- **1 c. à s. d'huile végétale**
- **2 c. à s. d'ail finement haché**
- **2 c. à s. de gingembre finement haché**
- **1/4 de c. à t. de poivre blanc moulu**

Instructions :

1. Rincer et égoutter les haricots verts avant de les équeuter. Couper les haricots en morceaux de 5 à 7 cm.

2. Mélanger la sauce soja, le vinaigre de riz, le sucre, les flocons de chili et le poivre blanc dans un petit bol.

3. Faire chauffer une grande poêle à frire à feu élevé puis ajouter les haricots et 1/4 de tasse d'eau.

4. Couvrir et faire cuire en remuant 1 fois jusqu'à ce que les haricots soient croquants et d'un vert assez vif (3 ou 4 minutes). Enlever le couvercle et faire cuire jusqu'à ce que le reste de l'eau se soit évaporé.

5. Ajouter l'huile, l'ail et le gingembre dans la poêle et faire cuire jusqu'à ce que les haricots et l'ail soient légèrement dorés (1 ou 2 minutes).

6. Incorporer le mélange de sauce soja dans la poêle, porter à ébullition et faire cuire jusqu'à ce que le plus gros du liquide se soit évaporé et que la sauce épaississe et recouvre les haricots (2 ou 3 minutes).

7. Verser sur une assiette et servir chaud ou froid sur un lit de salade verte.

Gratin de légumes-racines

Portions: 6
Préparation: 25 min
Cuisson: 1 h

Ingrédients:
- 2 T de panais pelés et finement tranchés
- 1 T de lait
- 1 T de crème à fouetter
- 3 T de patates douces pelées et finement tranchées
- 2 T de navet pelé et finement tranché
- 2 1/2 T de cœurs d'artichauts finement tranchés
- 1/4 de T de beurre
- 2 c. à t. d'ail haché
- 2 T de chapelure
- 3 c. à s. de persil haché
- Beurre
- Sel et poivre fraîchement moulu

Instructions:

1. Préchauffer le four à 400 °F.

2. Déposer les tranches de panais dans un petit chaudron d'eau salée et porter à ébullition. Faire bouillir jusqu'à ce que le panais soit tendre (2 minutes). Égoutter et rincer à l'eau froide puis éponger avec de l'essuie-tout.

3. Verser le lait et la crème dans un petit chaudron et faire chauffer à feu moyen-fort. Assaisonner de sel et de poivre. Porter à ébullition et réserver.

4. Graisser un plat à gratin d'environ 20 x 25 cm avec du beurre et étaler la moitié des patates douces en les faisant chevaucher. Assaisonner de sel et de poivre puis répéter l'opération avec la moitié des tranches de navet, la moitié des tranches de cœurs d'artichaut et la moitié des tranches de panais en pressant fermement avec la paume des mains après avoir étalé chaque couche. Verser la moitié du mélange de lait et de crème puis continuer d'étaler des couches avec le reste des légumes. Verser le reste du mélange de lait et de crème en étalant également le liquide aux 4 coins du plat à gratin. Faire cuire au four pendant 45 minutes.

5. Pendant que le gratin cuit, faire chauffer 1/4 de tasse de beurre à feu moyen dans une poêle à frire. Ajouter l'ail et faire sauter pendant 30 secondes puis incorporer la chapelure et le persil. Saupoudrer le gratin de légumes avec de la chapelure croustillante et faire cuire jusqu'à ce que la surface du gratin soit croustillante (10 minutes).

Beignets frits aux courgettes avec trempette au yogourt

Portions: 4
Préparation: 10 min
Cuisson: 5 min

Ingrédients:

BEIGNETS
- 2 à 3 courgettes râpées
- 1 gousse d'ail broyée
- 3 oignons verts tranchés
- 150 g de fromage feta émietté
- 2 c. à s. de persil finement haché
- 2 c. à s. de menthe fraîche finement hachée
- 1 c. à s. d'aneth frais haché
- 1/2 c. à t. de muscade râpée
- 2 c. à s. de farine
- 2 œufs
- 2 c. à s. d'huile d'olive
- Poivre, au goût

TREMPETTE
- 1 1/4 T de yogourt
- 1/4 de concombre coupé en dés
- 1 c. à s. d'aneth frais finement haché
- Poivre, au goût

Instructions:

1. Râper les courgettes directement sur un linge à vaisselle propre et couvrir avec un autre. Bien éponger et laisser reposer jusqu'à ce que les courgettes soient sèches (10 minutes).

2. Pendant ce temps, faire la trempette en mélangeant le yogourt, le concombre, l'aneth et le poivre dans un bol. Couvrir et réfrigérer.

3. Verser la courgette dans un grand bol puis ajouter l'ail, les oignons verts, le fromage, le persil, la menthe, l'aneth, la muscade, la farine et le poivre.

4. Battre les œufs dans un autre bol avant de les incorporer à la pâte aux courgettes. Remuer. La pâte devrait alors être grumeleuse et inégale.

5. Faire chauffer l'huile dans une grande poêle à feu moyen. Verser 4 c. à soupe de pâte dans la poêle en les espaçant et faire cuire pendant 2 ou 3 minutes de chaque côté. Retirer de la poêle et éponger sur de l'essuie-tout pour extraire l'excédent d'huile. Garder bien chaud.

6. Faire cuire le deuxième lot de beignets de la même façon (il devrait y avoir 8 beignets au total).

7. Servir les beignets chauds avec la trempette.

552 ••• 1001 RECETTES

Roulade aux asperges

Portions : 6
Préparation : 15 min
Cuisson : 25 min

Ingrédients :
- 2 c. à s. d'huile d'olive
- 1 c. à t. d'ail haché
- 2 T de poireaux finement tranchés
  (n'utiliser que la section blanche et vert pâle)
- 1 c. à s. de menthe fraîche hachée
- 1 c. à t. de zeste d'orange râpé
- 1 1/4 T de fromage de chèvre
- 250 g de pâte feuilletée congelée
- 500 g d'asperges équeutées
- 1 œuf battu
- Sel et poivre fraîchement moulu

Instructions :

1. Préchauffer le four à 400 °F.

2. Faire chauffer l'huile d'olive à feu moyen-fort dans une poêle à frire.

3. Ajouter l'ail et les poireaux et faire sauter jusqu'à ce qu'ils soient à la fois tendres et croustillants (2 minutes). Ajouter la menthe et le zeste d'orange, assaisonner de sel et de poivre et laisser refroidir. Combiner le tout avec le fromage de chèvre.

4. Étendre la pâte feuilletée sur une surface farinée et étaler pour former un rectangle de 25 x 35 cm.

5. Déposer la pâte sur une plaque à biscuits tapissée de papier parchemin puis diviser la garniture au fromage de chèvre et aux légumes en 2. Verser la moitié de la garniture le long du 1/3 supérieur de la pâte feuilletée en étalant dans le sens de la longueur et en laissant une bordure de 2,5 cm en haut et le long des côtés les plus courts. Étendre uniformément les asperges sur le fromage et couvrir avec le reste de la garniture au fromage.

6. Badigeonner les bordures intérieures de la pâte feuilletée avec l'œuf battu puis plier la pâte sur la garniture et rabattre les bordures vers l'intérieur.

7. Faire des entailles diagonales tous les 5 cm sur la surface de la roulade et badigeonner avec de l'œuf.

8. Faire cuire au four jusqu'à ce que la roulade soit bien dorée (20 à 25 minutes).

Casserole de pommes de terre grillées au four

Portions: 2
Préparation: 10 min
Cuisson: 45 min

Ingrédients:
- **500 g de pommes de terre Yukon Gold**
- **1/3 de T de beurre clarifié**
- **Sel et poivre fraîchement moulu**

Instructions:

1. Préchauffer le four à 425 °F. Peler et trancher finement les pommes de terre.

2. Déposer 3 c. à s. de beurre clarifié au fond d'une poêle à frire allant au four. Assaisonner de sel et de poivre. Étaler une couche de pommes de terre sur le beurre puis assaisonner de sel et de poivre. Continuer d'étaler des couches de pommes de terre en badigeonnant chaque couche avec du beurre et en assaisonnant de sel et de poivre jusqu'à ce que toutes les tranches soient étendues dans la poêle. Verser le reste du beurre sur le dessus.

3. Faire chauffer la poêle à feu moyen et faire cuire les pommes de terre jusqu'à ce que le dessous commence à dorer (5 minutes). Couvrir les pommes de terre de papier ciré et poser un couvercle par-dessus. Presser le couvercle puis déposer le tout dans le four. Faire cuire pendant 15 minutes, enlever le couvercle et presser les pommes de terre. Faire cuire sans couvercle en pressant les pommes de terre encore 2 fois au cours de la cuisson jusqu'à ce qu'elles soient très tendres (25 à 30 minutes). Retirer du feu, jeter l'excédent de beurre et renverser sur une assiette. Couper et servir.

Gnocchis sur le pouce

Instructions:

1. Déposer les flocons de pommes de terre dans un bol. Verser l'eau bouillante et remuer jusqu'à ce que le tout soit bien mélangé. Laisser refroidir.

2. Incorporer l'œuf, le sel et le poivre puis verser de la farine pour former une pâte assez ferme. Déposer la pâte sur une surface farinée et pétrir légèrement.

3. Diviser la pâte en 2. Rouler chaque moitié en boudin long et mince, de l'épaisseur de 1 bâtonnet de sésame. Couper les rouleaux en petits morceaux à l'aide d'un couteau trempé dans la farine.

4. Déposer quelques gnocchis dans l'eau bouillante. Retirer de l'eau à l'aide d'une cuiller à égoutter lorsqu'ils remontent à la surface. Continuer jusqu'à ce qu'ils soient tous cuits.

Portions: 6
Préparation: 10 min
Cuisson: 5 min

Ingrédients:
- **1 T de flocons de pommes de terre**
- **1 T d'eau bouillante**
- **1 œuf battu**
- **1 c. à t. de sel**
- **1 1/2 T de farine (tout usage)**
- **1 pincée de poivre moulu**

Tajine de chou-fleur

Portions: 6
Préparation: 15 min
Cuisson: 15 min

Ingrédients:
- **2 choux-fleurs coupés en petits fleurons**
- **1/4 de T d'huile végétale**
- **2 c. à t. de gingembre moulu**
- **2 c. à t. de cumin moulu**
- **1 c. à s. de jus de citron**
- **2 c. à s. de citron confit et haché**
- **1 c. à s. de coriandre hachée**
- **Sel et poivre fraîchement moulu**

Instructions:

1. Préchauffer le four à 450 °F.

2. Badigeonner le chou-fleur avec 2 c. à soupe d'huile. Déposer sur une plaque à biscuits et faire cuire en tournant de temps à autre jusqu'à ce qu'il soit doré et encore un peu croquant (15 minutes).

3. Faire chauffer le reste de l'huile dans une grande poêle à frire à feu élevé. Ajouter le gingembre et le cumin et faire sauter jusqu'à ce que les épices dégagent une forte odeur (30 secondes). Ajouter le chou-fleur, réduire à feu moyen-doux et remuer jusqu'à ce que le chou-fleur soit recouvert d'épices. Ajouter le jus de citron et le citron confit puis assaisonner de sel et de poivre et saupoudrer de coriandre hachée.

LÉGUMES

Gnocchis au beurre de sauge

Portions : 6
Préparation : 10 min
Cuisson : 10 min

Ingrédients :
- 2 paquets de gnocchis de pommes de terre
- 1/4 de T de beurre
- 1 gousse d'ail finement hachée
- 1 c. à t. de sauge séchée
- 1/3 de T de parmesan râpé, divisées
- 1/4 de c. à t. de poivre noir moulu
- 1/4 de c. à t. de sel

Instructions :

1. Porter à ébullition un grand chaudron d'eau légèrement salée.

2. Ajouter les gnocchis et faire cuire jusqu'à ce qu'ils flottent (2 à 3 minutes). Égoutter.

3. Faire fondre le beurre dans une poêle à frire à feu moyen.

4. Ajouter l'ail et faire cuire jusqu'à ce qu'il soit tendre et qu'il commence à dorer (environ 4 minutes). Ajouter la sauge et le sel et faire cuire quelques secondes puis incorporer les gnocchis.

5. Verser 1/4 de tasse de fromage râpé et le poivre et remuer soigneusement le tout. Saupoudrer les gnocchis avec 2 c. à soupe de fromage parmesan et servir.

LÉGUMES

Pommes de terre grillées à l'ail

Instructions :

1. Préchauffer le four à 425 °F.

2. Laver et éponger les pommes de terre sans les peler puis couper en dés de 2 cm. Déposer sur une grande plaque à biscuits et verser l'huile dessus. Remuer le tout avec les mains pour bien enrober les pommes de terre.

3. Séparer les gousses d'ail avant de les déposer sur la plaque à biscuits et faire rôtir le tout en retournant les pommes de terre et l'ail 1 ou 2 fois au cours de la cuisson jusqu'à ce qu'elles soient croustillantes et dorées de l'extérieur, mais tendres à l'intérieur (1 heure). Transférer sur une grande assiette et saupoudrer de sel.

Portions : 6
Préparation : 10 min
Cuisson : 1 h

Ingrédients :
- **1,5 kg de pommes de terre**
- **1/3 de T d'huile d'olive**
- **1 bulbe d'ail**
- **Sel casher**

Patates douces glacées à la lime et à la cassonade

Portions : 6
Préparation : 15 min
Cuisson : 25 min

Ingrédients :
- **1 c. à s. d'huile végétale (huile de carthame)**
- **1 kg de patates douces pelées et coupées en morceaux de 2,5 cm**
- **1 T de bouillon de poulet à faible teneur en sodium (ou 1 T d'eau)**
- **1/2 T de cassonade**
- **2 c. à s. de jus de lime frais**
- **2 c. à s. de beurre non salé**
- **1/4 de c. à t. de poivre de Cayenne**
- **Gros sel et poivre noir moulu**

Instructions :

1. Faire chauffer l'huile à feu moyen-fort dans une grande poêle à frire. Ajouter les patates douces et faire cuire en les retournant 1 fois jusqu'à ce qu'elles commencent à dorer (2 minutes).

2. Ajouter le bouillon, la cassonade et le jus de lime et assaisonner de sel et de poivre. Porter à ébullition puis réduire à feu doux, couvrir et laisser cuire jusqu'à ce que les patates douces soient tendres et croustillantes (10 minutes). Retirer le couvercle et faire cuire à feu moyen-fort 7 à 9 minutes jusqu'à ce que les patates douces soient tendres et que le liquide soit sirupeux (il ne devrait rester qu'une petite quantité de liquide).

3. Retirer la poêle du feu, ajouter le beurre et faire tourner la poêle jusqu'à ce qu'il soit fondu. Assaisonner de sel et de poivre de Cayenne.

Galettes de pommes de terre rissolées

Instructions :

1. Déposer les pommes de terre dans une casserole d'eau légèrement salée et porter à ébullition. Réduire à feu moyen et laisser mijoter sans couvercle pas plus que 5 minutes jusqu'à ce qu'elles soient à peine tendres lorsque percées avec une fourchette. Bien égoutter et mettre de côté pour laisser refroidir. Râper les pommes de terre grossièrement à l'aide d'une râpe posée au-dessus d'un bol. Assaisonner de sel et de poivre et remuer.

2. Faire fondre le beurre avec l'huile végétale à feu moyen sur un gril (ou une plaque chauffante). Lorsque le beurre fond et commence à mousser, étaler également l'huile et le beurre sur toute la surface du gril et déposer les pommes de terre râpées. Presser soigneusement avec le dos d'une spatule pour former une masse compacte et égale d'environ 3 cm. Il est normal que les bordures soient inégales. Faire frire jusqu'à ce que le dessous soit doré et croustillant (5 minutes) puis retourner la galette à l'aide d'une spatule. Défaire en morceaux, au besoin. Continuer de faire frire jusqu'à ce que l'autre côté soit doré et croustillant (4 ou 5 minutes). Transférer la galette sur une assiette et garnir de ciboulette. Servir immédiatement.

Portions : 6 à 8
Préparation : 10 min
Cuisson : 15 min

Ingrédients :
- **1,25 kg de pommes de terre non pelées et coupées en 4**
- **2 c. à t. de beurre non salé**
- **2 c. à t. d'huile végétale**
- **2 c. à t. de ciboulette fraîche hachée (ou de persil)**
- **Sel et poivre fraîchement moulu, au goût**

Gnocchis traditionnels

Portions : 6
Préparation : 30 min
Cuisson : 30 min

Ingrédients :
• 2 pommes de terre
• 2 T de farine (tout usage)
• 1 œuf

Instructions :

1. Porter à ébullition un grand chaudron d'eau salée. Faire cuire les pommes de terre pelées jusqu'à ce qu'elles soient tendres, mais encore fermes (15 minutes). Égoutter et réduire en purée à l'aide d'une fourchette ou d'un pilon à purée.

2. Mélanger 1 tasse de purée de pommes de terre, la farine et l'œuf dans un grand bol. Pétrir jusqu'à ce que la pâte forme une boule. Rouler de petites sections de pâte de façon à former de longs boudins. Couper chaque boudin en morceaux de 1,5 cm de longueur sur une surface farinée.

3. Porter à ébullition un grand chaudron d'eau salée. Déposer les gnocchis et faire cuire jusqu'à ce que les pâtes flottent (3 à 5 minutes). Égoutter et servir.

Purée de pommes de terre à l'ail

Instructions :

1. Préchauffer le four à 350 °F.

2. Déposer les gousses d'ail pelées sur une petite plaque à biscuits, badigeonner d'huile d'olive, couvrir et faire cuire au four jusqu'à ce qu'elles soient dorées (45 minutes).

3. Porter à ébullition un grand chaudron d'eau salée. Ajouter les pommes de terre et faire cuire jusqu'à ce qu'elles soient tendres, mais encore fermes. Égoutter et transférer dans un grand bol.

4. Déposer l'ail rôti, le lait, le fromage parmesan et le beurre dans le bol avec les pommes de terre. Assaisonner de sel et de poivre et battre avec un batteur électrique jusqu'à l'obtention de la texture désirée.

Portions : 6
Préparation : 15 min
Cuisson : 1 h

Ingrédients :
• 6 gousses d'ail
• 1/4 de T d'huile d'olive
• 7 pommes de terre pelées
  et coupées en dés
• 1/2 T de lait
• 1/4 de T de parmesan râpé
• 2 c. à s. de beurre
• 1/2 c. à t. de sel
• 1/4 de c. à t. de poivre noir moulu

Tartiflette

Portions : 4
Préparation : 35 min
Cuisson : 35 min

Ingrédients :
- 7 tranches de bacon haché
- 3 grosses pommes de terre pelées et tranchées
- 1 c. à s. de beurre
- 1 gros oignon tranché
- 1/4 de T de vin blanc
- 2 c. à s. de crème fraîche
- 1 meule de fromage reblochon
- Sel et poivre noir moulu, au goût

Instructions :

1. Cuire les pommes de terre (environ 20 minutes). Égoutter et laisser sécher à la vapeur pendant 1 ou 2 minutes.

2. Préchauffer le four à 425 °F. Graisser une plaque à biscuits carrée de 20 cm de côté.

3. Faire sauter le bacon dans une poêle à frire à feu moyen-fort pendant 5 minutes. Retirer le bacon, réserver et extraire la graisse de bacon de la poêle. Faire fondre le beurre dans la même poêle à frire puis ajouter les oignons et faire cuire en remuant jusqu'à ce que les oignons soient translucides (5 minutes).

4. Remettre le bacon dans la poêle, ajouter le vin et laisser mijoter jusqu'à ce que la majorité du vin se soit évaporé. Retirer du feu.

5. Déposer la moitié des pommes de terre sur la plaque à biscuits et verser la moitié du jus de bacon sur les pommes de terre. Étendre ensuite le reste des pommes de terre avant de les couvrir de crème fraîche. Ajouter le reste du jus de bacon.

6. Enlever la croûte du reblochon et couper en tranches minces puis étaler uniformément les tranches sur le bacon pour recouvrir le tout.

7. Faire chauffer au four jusqu'à ce que le fromage soit fondu et un peu doré (environ 15 minutes).

8. Assaisonner de sel et de poivre, au goût, et servir chaud.

Pommes de terre grillées au parmesan

Portions : 6
Préparation : 10 min
Cuisson : 30 min

Ingrédients :
- 1 kg de pommes de terre Yukon Gold coupées
- 1/4 de T de parmesan râpé
- Huile d'olive
- Sel et poivre noir fraîchement moulu

Instructions :

1. Préchauffer le four à 400 °F.

2. Déposer les pommes de terre dans un grand bol avant de les badigeonner avec de l'huile d'olive. Ajouter le parmesan, le sel et le poivre et remuer le tout pour bien enrober les pommes de terre.

3. Déposer les morceaux de pommes de terre sur une plaque à biscuits et faire cuire pendant 15 minutes puis retourner les tranches et faire cuire jusqu'à ce qu'elles soient bien cuites et dorées.

LÉGUMES

Pommes de terre aux trois fromages

Instructions :

1. Préchauffer le four à 325 °F. Graisser un grand plat allant au four avec du beurre ou de l'aérosol de cuisson.

2. Étaler la moitié des pommes de terre au fond du plat et couvrir de la moitié du beurre coupé en tout petits morceaux. Étendre la moitié des tranches d'ail sur les pommes de terre puis verser la moitié de la crème sur l'ail. Saupoudrer le tout avec 1 tasse de fromage cheddar et assaisonner de sel et de poivre. Étaler une autre couche de pommes de terre, de beurre, d'ail, de crème et de fromage cheddar puis recouvrir le tout de provolone. Assaisonner à nouveau de sel et de poivre.

3. Faire cuire au four pendant 30 minutes puis saupoudrer les pommes de terre de parmesan ou de romano pour obtenir une croûte de fromage semi-dure. Continuer de faire cuire sans couvrir jusqu'à ce que les pommes de terre soient tendres lorsque percées avec une fourchette (30 minutes).

Portions : 6
Préparation : 10 min
Cuisson : 1 h

Ingrédients :
- 750 g de pommes de terre Yukon Gold finement tranchées
- 2 c. à s. de beurre
- 2 T de crème riche en matières grasses
- 2 gousses d'ail finement tranchées
- 2 T de fromage cheddar râpé
- 4 tranches de provolone
- 1/2 T de fromage parmesan (ou romano) râpé
- Sel et poivre, au goût

Frites de patates douces

Portions : 6
Préparation : 15 min
Cuisson : 30 min

Ingrédients :
- 500 à 750 g de patates douces
- 1/4 de T d'huile d'olive
- 1/2 c. à t. de sel casher
- 1/2 c. à t. de paprika
- 1/4 de c. à t. de cannelle

Instructions :

1. Préchauffer le four à 425 °F. Tapisser une plaque à biscuits avec du papier aluminium.

2. Peler les patates douces et couper en bâtonnets d'environ 1 cm d'épaisseur.

3. Déposer les patates douces dans un sac en plastique. Ajouter l'huile, le sel, le paprika et la cannelle dans le sac. Sceller et remuer de façon à bien enduire les frites. Étaler les bâtonnets de patates douces en une seule couche sur la plaque à biscuits.

4. Faire cuire au four 30 minutes en retournant les frites toutes les 10 minutes. Transférer immédiatement sur une assiette couverte d'essuie-tout et servir les frites bien chaudes.

Gratin de pommes de terre

Portions: 6
Préparation: 10 min
Cuisson: 1 h

Ingrédients:
- 1,5 kg de pommes de terre
- 9 c. à s. de farine (tout usage)
- 6 c. à s. de beurre coupé en dés
- 4 T de lait
- Sel, au goût

Instructions:

1. Préchauffer le four à 425 °F. Graisser un plat allant au four de 23 x 33 cm.

2. Étaler une couche de pommes de terre pelées et finement tranchées au fond du plat puis saupoudrer avec du sel, 3 c. à soupe de farine et 2 c. à soupe de beurre. Étaler 2 autres couches en saupoudrant de la même façon jusqu'à ce qu'il ne reste plus de tranches de pommes de terre. Verser lentement le lait sur les pommes de terre jusqu'à ce que le plat soit rempli aux 3/4 de lait.

3. Faire cuire au four jusqu'à ce que le lait se mette à bouillonner (vérifier après 5 minutes de cuisson) puis réduire la température du four à 375 °F pendant encore 45 à 60 minutes.

Rouleaux d'aubergine au four

Instructions:

1. Tailler les extrémités de l'aubergine puis couper des tranches de 1,5 cm d'épaisseur dans le sens de la longueur de façon à obtenir 10 à 12 tranches. Déposer les 8 tranches les plus épaisses (réserver les autres) sur une grille. Saupoudrer les tranches avec 1 1/2 c. à thé de sel. Laisser reposer 2 heures pour extraire l'humidité. Éponger avec de l'essuie-tout.

2. Porter à ébullition un grand chaudron d'eau salée et faire cuire les aubergines jusqu'à ce qu'elles soient assez souples pour en faire des rouleaux (5 ou 6 minutes). Transférer sur un linge à vaisselle avec des pinces pour égoutter. Pendant ce temps, préchauffer le gril du four. Couper les poivrons rouges en 2 dans le sens de la longueur et extraire les pépins. Déposer sur une plaque à biscuits en posant la surface coupée vers le bas. Faire griller au four jusqu'à ce que la peau noircisse et cloque. Retirer du four, couvrir avec du papier aluminium et laisser refroidir 10 minutes. Peler les poivrons et trancher finement.

3. Mélanger les tranches de poivron, la chapelure, 1/4 de tasse de fromage pecorino, les noix de pin et 1 c. à soupe d'huile d'olive. Bien mélanger. Faire chauffer 1 c. à soupe de l'huile qui reste, ajouter l'ail et faire sauter pendant 1 minute. Ajouter le mélange de poivrons et assaisonner généreusement de sel et de poivre.

4. Préchauffer le four à 375 °F. Huiler une plaque à biscuits assez grande pour contenir les rouleaux d'aubergine sur une seule couche.

5. Étaler les tranches d'aubergine sur une surface de travail. Répartir une mince couche de chapelure sur les tranches. Déchirer les feuilles de basilic en petits morceaux et répartir également sur la chapelure. Rouler chaque tranche pour former un cylindre et déposer sur la plaque en posant l'ouverture vers le bas. Badigeonner également les rouleaux avec 2 c. à soupe d'huile d'olive et verser quelques gouttes de vinaigre. Faire cuire les aubergines jusqu'à ce qu'elles soient tendres lorsque piquées avec une fourchette (1 heure). Retirer du four et saupoudrer également avec 1/2 T de fromage pecorino et du persil. Servir chaud ou froid.

Portions: 4
Préparation: 15 min
(plus 2 h de repos)
Cuisson: 20 min

Ingrédients:
- 2 aubergines
  (environ 500 g chacune)
- 2 poivrons rouges
- 1/4 de T de chapelure légèrement grillée
- 3/4 de T de fromage pecorino
- 1 c. à s. de noix de pin
- 4 c. à s. d'huile d'olive
- 2 gousses d'ail finement hachées
- 1 c. à s. de persil frais finement haché
- Environ 16 feuilles de basilic frais
- Vinaigre de vin blanc, au goût
- 1 1/2 c. à t. de sel ou au goût
- Poivre noir fraîchement moulu, au goût

Pommes de terre au four

Portions : 4
Préparation : 10 min
Cuisson : 1 h

Ingrédients :
- 4 grosses pommes de terre rousses
- 1 T de crème sure
- Fromage cheddar
- Sel et poivre
- Oignons verts finement hachés (facultatif)

Instructions :

1. Laver et éponger les pommes de terre avant de les piquer avec une fourchette.

2. Faire cuire au four à 375 °F environ 45 minutes, selon la grosseur des pommes de terre (l'intérieur devrait être tendre lorsque percé avec une fourchette). Retirer du four et laisser refroidir quelques instants.

3. Couper les pommes de terre en 2 dans le sens de la longueur et extraire l'intérieur en prenant soin de ne pas endommager la pelure. Déposer la chair des pommes de terre dans un bol et ajouter la crème sure puis saupoudrer de sel et de poivre (et d'oignons verts, si désiré). Réduire le tout en purée.

4. Badigeonner les pelures de pommes de terre avec un peu d'huile d'olive et verser le mélange de pommes de terre à l'intérieur des pelures. Saupoudrer les pommes de terre avec du fromage et remettre au four jusqu'à ce que le tout soit bien cuit et que le fromage soit fondu et bouillonnant.

Purée de pommes de terre fouettée

Instructions :

1. Remplir la moitié d'une casserole avec de l'eau et ajouter une pincée de sel. Porter à ébullition puis ajouter les pommes de terre. L'eau devrait couvrir les pommes de terre. Laisser mijoter jusqu'à ce que les pommes de terre puissent être facilement percées avec une fourchette (10 minutes). Égoutter.

2. Transférer les pommes de terre dans un grand bol. Ajouter le beurre et le lait et réduire les pommes de terre en purée à l'aide d'un pilon à purée. Fouetter ensuite la purée de pommes de terre avec un batteur électrique à vitesse moyenne pendant 1 ou 2 minutes.

Portions : 4
Préparation : 10 min
Cuisson : 10 min

Ingrédients :
- **5 pommes de terre pelées et coupées en 4**
- **3 c. à s. de beurre**
- **1/8 de T de lait**

Raïta aux pommes de terre

Portions : 2
Préparation : 5 min
Cuisson : 10 min

Ingrédients :
- **2 pommes de terre bouillies et coupées en dés**
- **1/2 oignon vert finement tranché**
- **1/2 c. à t. d'assaisonnement pour pizza (ou mélange d'épices)**
- **1 branche de menthe (ou 5 à 6 feuilles)**
- **4 T de yogourt nature**
- **Paprika**
- **Sel, au goût**

Instructions :

1. Bien mélanger les pommes de terre, l'oignon vert, l'assaisonnement pour pizza, la branche de menthe et le yogourt nature.

2. Assaisonner de sel et saupoudrer de paprika.

Choux-fleurs et brocolis à l'ail rôti

Instructions :

1. Préchauffer le four à 400 °F et installer une grille dans le 1/3 supérieur du four.

2. Déposer les gousses d'ail dans un petit plat allant au four et verser 1 c. à soupe d'huile d'olive par-dessus. Assaisonner de sel et de poivre et remuer pour bien enrober les gousses.

3. Couvrir avec du papier aluminium et faire cuire jusqu'à ce qu'elles soient tendres (20 à 25 minutes). Enlever le papier aluminium et laisser cuire encore jusqu'à ce qu'elles soient dorées (5 ou 10 minutes). Sortir du four et réserver.

4. Porter à ébullition un grand chaudron d'eau rempli aux 3/4. Ajouter le chou-fleur et faire cuire jusqu'à ce qu'il soit tendre lorsque piqué avec une fourchette (3 à 5 minutes). Retirer le chou-fleur à l'aide d'une cuiller à égoutter et transférer sur une assiette pour laisser refroidir. Répéter l'opération avec le brocoli et transférer sur une assiette pour laisser refroidir.

5. Faire chauffer le reste de l'huile dans une grande poêle à frire à feu moyen-fort. Ajouter le chou-fleur et le brocoli et faire cuire en remuant de temps à autre jusqu'à ce que les légumes soient chauds (3 minutes). Ajouter les gousses d'ail et mélanger le tout jusqu'à ce que l'ail soit chaud (1 minute). Assaisonner de sel et de poivre.

6. Transférer le brocoli, le chou-fleur et les gousses d'ail dans un plat et garnir de tranches de citron. Servir immédiatement.

Portions : 6
Préparation : 25 min
Cuisson : 45 min

Ingrédients :
- **2 petits bulbes d'ail, gousses séparées et pelées**
- **2 c. à s. d'huile d'olive extra vierge**
- **1 tête de chou-fleur coupée en fleurons de 4 cm**
- **1 bouquet de brocoli coupé en fleurons de 4 cm**
- **Sel et poivre fraîchement moulu, au goût**
- **Tranches de citron pour garnir**

Betteraves et panais rôtis aux olives noires et à l'orange

Portions : 4
Préparation : 20 min
Cuisson : 30 min

Ingrédients :
- 4 betteraves crues pelées
  et coupées en dés
- 4 panais pelés
  et coupés en juliennes
- 1 bulbe de fenouil
  coupé en petits morceaux
- 3 c. à s. d'huile d'olive infusée à l'ail
- 8 T de bébé roquette
- 2 oranges pelées et défaites en
  quartiers finement tranchés
- 1/2 T d'olives Kalamata
  dénoyautées et hachées
- 2 c. à s. de vinaigre balsamique

Instructions :

1. Préchauffer le four à 450 °F. Déposer les morceaux de betteraves, de panais et de fenouil dans un grand bol. Ajouter 2 c. à soupe d'huile et remuer pour bien enrober les légumes. Assaisonner de sel et de poivre, au besoin, puis étaler également les légumes sur une plaque à biscuits. Faire rôtir les légumes pendant 20 minutes en les retournant 2 ou 3 fois à l'aide d'une spatule. Augmenter la température du four à 500 °F et faire rôtir les légumes encore jusqu'à ce qu'ils soient tendres (10 minutes).

2. Déposer la roquette, les tranches d'oranges et les olives dans un grand bol à salade. Ajouter les légumes rôtis, le vinaigre balsamique et le reste de l'huile d'olive puis bien mélanger le tout et assaisonner de sel et de poivre, au goût.

Pommes de terre à la normande et aux oignons

Instructions :

1. Étaler les pommes de terre pelées et finement tranchées et l'oignon en couches sur une plaque à biscuits graissée.

2. Faire fondre le beurre dans une casserole puis incorporer la farine et mélanger jusqu'à l'obtention d'une texture lisse. Ajouter graduellement le bouillon, la mayonnaise, le sel et le poivre puis faire cuire en remuant jusqu'à ce que la sauce épaississe et bouillonne (2 minutes). Verser la sauce sur les pommes de terre et saupoudrer de paprika.

3. Couvrir et faire cuire à 325 °F jusqu'à ce que les pommes de terre soient tendres (2 heures).

Portions : 6
Préparation : 5 min
Cuisson : 2 h

Ingrédients :
- 5 grosses pommes de terre
- 3/4 de T d'oignon haché
- 3 c. à s. de beurre
  (ou de margarine)
- 1/4 de T de farine (tout usage)
- 1 3/4 T de bouillon de poulet
- 2 c. à s. de mayonnaise
- 3/4 de c. à t. de sel
- Paprika
- 1 pincée de poivre

Frites cuites au four

Portions : 4
Préparation : 10 min
Cuisson : 15 min

Ingrédients :
- 4 pommes de terre Yukon Gold
- 2 c. à s. d'huile de canola
- Sel

Instructions :

1. Préchauffer le four à 450 °F.

2. Peler et couper les pommes de terre en tranches de 1 cm d'épaisseur. Empiler quelques tranches puis couper en bâtonnets de 1 cm de largeur. Bien éponger.

3. Badigeonner les bâtonnets dans l'huile et saupoudrer de sel. Déposer les frites sur une plaque à biscuits et faire cuire jusqu'à ce qu'elles soient bien dorées en les retournant 1 fois en cours de cuisson (12 à 15 minutes).

Desserts

Gâteau au fromage

Instructions :

1. Préchauffer le four à 350 °F. Graisser un moule à charnière de 23 cm.

2. Mélanger les biscuits Graham émiettés et le beurre fondu dans un bol de taille moyenne. Presser le tout au fond du moule à charnière.

3. Mélanger le fromage à la crème et le sucre dans un grand bol jusqu'à l'obtention d'une substance lisse. Ajouter le lait et les œufs (1 à la fois) et bien mélanger. Incorporer la crème sure, la vanille et la farine jusqu'à l'obtention d'une préparation lisse. Verser la pâte dans la croûte.

4. Faire cuire au four pendant 1 heure puis éteindre le four et laisser le gâteau refroidir à l'intérieur pendant 5 ou 6 heures avec la porte fermée. Réfrigérer avant de servir. Garnir de fruits.

Portions : 8 à 10
Préparation : 30 min
Cuisson : 1 h

Ingrédients :
- 15 biscuits Graham émiettés
- 2 c. à t. de beurre fondu
- 4 paquets de fromage à la crème
- 1 1/2 T de sucre
- 3/4 de T de lait
- 4 œufs
- 1 T de crème sure
- 1 c. à t. de vanille
- 1/4 de T de farine (tout usage)

Pâte à tarte ou à tartelettes

Portions : 1 tarte de 24 cm
Préparation : 25 min

Ingrédients :
- 1 jaune d'œuf
- 2 c. à t. d'eau froide
- 1 c. à t. d'extrait de vanille
- 1 1/4 T de farine (tout usage) non blanchie
- 1/3 de T de sucre
- 1/4 de c. à t. de sel
- 1/2 T de beurre froid non salé coupé en dés

Instructions :

1. Dans un petit bol, mélanger le jaune d'œuf, l'eau et la vanille. Réserver.

2. Pour faire la pâte à la main, mélanger la farine, le sucre et le sel dans un grand bol. À l'aide d'un coupe-pâte ou de deux couteaux, découper le beurre dans le mélange jusqu'à ce que la texture ait la consistance d'une semoule grossière et que les morceaux de beurre ne soient pas plus gros que des petits pois. Incorporer le mélange d'œufs et mélanger avec une fourchette jusqu'à ce que la préparation soit homogène.

3. Pour faire la pâte avec un batteur sur pied muni d'un fouet plat, mélanger la farine, le sucre et le sel dans le bol du batteur. Ajouter le beurre et battre (puissance moyenne à basse) jusqu'à ce que la texture ait la consistance d'une semoule grossière et que les morceaux de beurre ne soient pas plus gros que des petits pois. Incorporer le mélange d'œufs et battre jusqu'à ce que la préparation soit homogène.

4. Transférer la pâte sur une surface de travail, former une boule et aplatir pour former une galette. Utiliser immédiatement la pâte ou l'envelopper dans une pellicule de plastique et réfrigérer jusqu'à ce qu'elle soit bien froide (environ 30 minutes).

5. Pour étendre la pâte, aplatir la galette sur une surface légèrement farinée en la pressant doucement 6 à 8 fois avec le rouleau à pâte. Soulever la pâte pour la faire tourner d'un quart de tour. Au besoin, saupoudrer légèrement de farine la surface du rouleau à pâte ou de la pâte puis l'étendre. Pour un moule à tarte ou pour de grands moules à tartelettes, utiliser un petit couteau tranchant pour couper des cercles dont le diamètre sera plus large que votre moule ou vos moules d'environ 5 cm. Pour les moules miniatures, utiliser ensuite un petit couteau tranchant ou un emporte-pièce pour couper des cercles dont le diamètre sera supérieur à vos moules d'environ 1 à 2,5 cm. Si vous utilisez des moules rectangulaires, couper un rectangle dont les côtés seront 5 cm plus grands que les moules. Préparer assez de pâte pour faire une tarte de 24 cm ou 6 tartelettes de 10 cm.

VARIANTE

Pour une pâte aux noix, ajouter 2 c. à thé de pacanes, d'amandes ou de noisettes grillées et hachées au mélange de farine et continuer tel qu'indiqué.

ASTUCE

La pâte peut être préparée à l'avance et conservée au congélateur jusqu'à 1 mois. Pour faire congeler la pâte, la déposer sur un cercle rond de 30 cm en carton et bien l'envelopper avec une pellicule plastique.

Tarte au sucre

Instructions :

1. Faire fondre le beurre. Verser la farine et la cassonade et caraméliser le tout à feu doux ou au micro-ondes. Retirer du feu, ajouter le lait et remuer avec un fouet ou une cuiller en bois jusqu'à ce que le mélange épaississe. Ajouter la vanille et laisser refroidir.

2. Verser dans la croûte à tarte. Couvrir la tarte avec de la pâte et faire de petites entailles dans la pâte.

3. Faire cuire de 30 à 45 minutes à 450 °F jusqu'à ce que le mélange sucré se mette à bouillonner à travers les entailles.

Portions : 6
Préparation : 20 min
Cuisson : 45 min

Ingrédients :
- 6 c. à s. de beurre (ou margarine)
- 6 c. à s. de farine
- 2 T de cassonade
- 1 3/4 T de lait
- 1 c. à t. de vanille
- 1 croûte à tarte (la recette de votre choix) non cuite

Tarte au sucre du Québec

Instructions :

1. Préchauffer le four à 400 °F. Mélanger le sucre d'érable, la cassonade, la crème, l'œuf, la farine et le beurre dans un bol. Verser dans la croûte à tarte et faire cuire jusqu'à ce qu'elle soit dorée (environ 25 minutes). Retirer du feu et laisser refroidir 5 minutes avant de servir.

2. Couper des pointes de tarte et servir chaud avec de la crème fouettée.

Portions : 6
Préparation : 20 min
Cuisson : 25 min

Ingrédients :
- 1 T de sucre d'érable
- 1 T de cassonade pâle
- 1/4 de T de crème riche en matières grasses
- 1 œuf
- 1 c. à s. de farine
- 2 c. à s. de beurre fondu
- 1 croûte à tarte de 23 cm non cuite
- Crème fouettée

Tarte à la crème

Portions : 6
Préparation : 15 min
Cuisson : 35 min

Ingrédients :
- 1 croûte de tarte double non cuite de 23 cm
- 3 œufs battus
- 3/4 de T de sucre blanc
- 1/4 de c. à t. de sel
- 1 c. à t. d'extrait de vanille
- 1 blanc d'œuf
- 2 1/2 T de lait bouillant
- 1/4 de c. à t. de muscade
- 3 gouttes de colorant alimentaire jaune (facultatif)

Instructions :

1. Préchauffer le four à 400 °F.

2. Mélanger les œufs, le sucre, le sel et la vanille. Incorporer le lait bouillant. Ajouter du colorant alimentaire jaune pour une couleur plus vive.

3. Déposer la croûte de tarte dans un moule à tarte et badigeonner le fond et les côtés de la croûte avec du blanc d'œuf pour éviter qu'elle ramollisse. Verser le mélange crémeux dans la croûte et saupoudrer de muscade.

4. Faire cuire jusqu'à ce que la lame d'un couteau insérée près du centre de la tarte en ressorte propre (30 à 35 minutes). Laisser refroidir.

Tarte tatin rapide

Instructions :

1. Étendre la pâte feuilletée sur une surface farinée à l'aide d'un rouleau à pâte fariné et faire un rond de 25 cm. Enlever l'excès de farine. Transférer la pâte sur une plaque à biscuits couverte de papier ciré et réfrigérer jusqu'à ce qu'elle soit ferme (30 minutes). Préchauffer le four à 425 °F et faire cuire la pâte.

2. Pendant ce temps, graisser le fond et les côtés d'une poêle à frire de 25 cm avec 4 c. à thé de beurre. Saupoudrer uniformément le fond de la poêle avec du sucre. Disposer les tranches de pommes de façon à ce qu'elles soient collées les unes sur les autres et qu'elles forment des cercles concentriques dans la poêle en s'assurant que le côté courbé soit posé vers le bas. Faire cuire de 23 à 28 minutes à feu moyen-fort sans remuer jusqu'à ce que le jus soit bien doré. Laisser refroidir dans la poêle 10 minutes.

3. Transférer la tarte dans une assiette, et retirer soigneusement les pommes qui collent dans la poêle avant de les déposer sur la pâte cuite. Servir chaud avec de la crème fraîche.

Portions : 8
Préparation : 15 min
Réfrigération : 30 min
Cuisson : 28 min

Ingrédients :
- 1 feuille de pâte feuilletée congelée
- 4 c. à t. de beurre non salé à la température de la pièce
- 1/2 T de sucre granulé
- 7 à 9 pommes étrognées, pelées et coupées en quartiers
- Crème sure, pour servir
- Farine (tout usage) pour saupoudrer

Tarte tatin

Portions : 8
Préparation : 20 min
Réfrigération : 30 min
Cuisson : 55 min

Ingrédients :

CROÛTE
- 1 T de farine (tout usage)
- 1 c. à s. de sucre
- 1/2 c. à thé de sel
- 6 c. à t. de beurre non salé froid et coupé en petits morceaux
- 1 c. à soupe d'eau glacée

GARNITURE AUX POMMES
- 9 petites pommes pelées, étrognées et coupées en 8 morceaux
- 1 c. à s. de jus de citron frais
- 1/4 de c. à t. de sel
- 2 c. à s. de beurre non salé
- 3/4 de T de sucre

Instructions :

1. Pour faire la pâte, mélanger la farine, le sucre et le sel dans un robot culinaire. Ajouter 6 c. à soupe de beurre non salé et mélanger jusqu'à ce que la texture ressemble à une semoule grossière. Ajouter 2 c. à soupe d'eau glacée et mélanger jusqu'à ce que des grumeaux se forment. Étaler la pâte sur une pellicule plastique résistante de façon à former une galette de pâte de 15 cm. Couvrir et congeler pendant 30 minutes.

2. Pour préparer la garniture aux pommes, mélanger les pommes, le jus et 1/4 de c. à thé de sel dans un grand bol en remuant pour enrober le tout. Faire fondre 2 c. à soupe de beurre dans une poêle en fonte de 23 cm à feu moyen-fort. Ajouter 3/4 de tasse de sucre dans la poêle et faire cuire en remuant constamment jusqu'à ce que le caramel soit bien doré (4 minutes). Retirer la poêle du feu. Disposer la moitié des tranches de pommes dans la poêle de façon à ce qu'elles soient collées les unes sur les autres et qu'elles forment des cercles concentriques en s'assurant que le côté courbé soit posé vers le bas. Couvrir du reste des pommes en mettant le côté courbé vers le haut. Faire cuire à feu moyen pendant 15 minutes. Retirer du feu et laisser reposer 15 minutes.

3. Préchauffer le four à 400 °F.

4. Étaler rapidement la pâte sur une surface farinée pour former un cercle de 28 cm. Poser la pâte sur les pommes et replier la bordure vers l'intérieur. Faire 4 entailles de 2,5 cm sur le dessus de la pâte à l'aide d'un couteau tranchant. Faire cuire jusqu'à ce que la pâte soit légèrement dorée (40 minutes). Retirer du four, laisser reposer pendant 5 minutes. Déposer une assiette sur le dessus de la poêle et renverser soigneusement la tarte tatin dans l'assiette. Servir chaud.

Tarte aux pommes

Instructions :

1. Préchauffer le four à 425 °F. Faire fondre le beurre dans une casserole. Ajouter de la farine pour former une pâte puis l'eau, le sucre blanc et la cassonade et porter à ébullition. Réduire la température et laisser mijoter.

2. Déposer la base de la croûte dans une poêle à frire. Remplir la croûte de tranches de pommes, puis couvrir avec la croûte. Verser lentement le mélange liquide de beurre et de sucre sur la croûte.

3. Faire cuire au four pendant 15 minutes puis réduire la température du four à 350 °F. Continuer de faire cuire jusqu'à ce que les pommes soient tendres (35 à 45 minutes).

Portions : 6
Préparation : 30 min
Cuisson : 1 h

Ingrédients :
- 1 croûte de tarte double non cuite de 23 cm
- 1/2 T de beurre non salé
- 3 c. à t. de farine (tout usage)
- 1/4 de T d'eau
- 1/2 T de sucre blanc
- 1/2 T de cassonade
- 8 pommes Granny Smith étrognées, pelées et tranchées

Tartelettes aux raisins secs et aux pacanes

Portions : 12 à 14 tartelettes
Préparation : 20 min
Cuisson : 30 min

Ingrédients :

PÂTE
- 1 1/4 T de graisse végétale
- 1/4 de T de beurre non salé
- 4 T de farine (tout usage) non blanchie
- 1 1/2 c. à t. de sel
- 1/4 de T d'eau froide

CRÈME
- 1/2 T de beurre non salé ramolli
- 1 T de cassonade
- 1/2 c. à t. de sel
- 1 1/2 c. à t. de vinaigre
- 1 1/2 c. à t. de vanille
- 2 œufs
- 1 1/4 T de sirop de maïs
- 1/2 T de raisins secs
- 1/2 T de pacanes hachées

Instructions :

1. Préchauffer le four à 350 °F.

2. Mélanger la graisse végétale et le beurre à la main ou à l'aide d'un batteur électrique jusqu'à l'obtention d'une texture crémeuse. Tamiser la farine et le sel. Mélanger jusqu'à ce que la préparation soit grumeleuse. Verser de l'eau froide pour former une pâte humide. Pétrir la pâte (30 secondes).

3. Étaler la pâte entre deux feuilles de papier ciré jusqu'à l'obtention d'une épaisseur de 3 mm. Couper la pâte en cercles de 10 cm avant de les insérer dans des moules à muffins. Réfrigérer pendant 30 minutes.

4. Mélanger le beurre, le sucre et le sel jusqu'à l'obtention d'une texture crémeuse. Ajouter le vinaigre, la vanille, les œufs et le sirop de maïs et mélanger délicatement. Réfrigérer pendant 30 minutes. Ajouter les pacanes et mélanger encore avant de remplir les tartelettes.

5. Verser 1 c. à thé de raisins dans chaque croûte à tartelette puis déposer environ 1/4 de tasse du mélange de sirop dans chaque moule. Faire cuire de 25 à 30 minutes et laisser refroidir dans les moules. Laisser reposer 2 heures et réfrigérer pour accélérer le processus. Passer la lame d'un couteau tout autour des tartelettes pour les décoller des moules et faire sortir soigneusement les tartelettes.

Tarte aux pralines et à la citrouille

Portions : 8
Préparation : 20 min
Réfrigération : 10 min
Cuisson : 55 min

Ingrédients :
- 1 3/4 T de farine (tout usage)
- 3 1/2 c. à s. d'eau glacée
- 1 c. à t. de sucre
- 1/4 de c. à t. de sel
- 3 c. à s. de graisse végétale
- Aérosol de cuisson
- 1 3/4 T de citrouille non sucrée en boîte
- 1 T de lait 2 %
- 1/3 de T de cassonade
- 3 c. à s. de sirop d'érable
- 2 c. à s. de bourbon
- 1 1/2 c. à t. de cannelle moulue
- 2 c. à t. d'extrait de vanille
- 1/4 de c. à t. de gingembre moulu
- 1/4 de c. à t. de muscade
- 1/4 de c. à t. de piment de Jamaïque
- 2 blancs d'œufs légèrement battus
- 1 œuf légèrement battu
- 1/3 de T de pacanes hachées grossièrement
- 1 1/2 c. à t. de sirop de maïs foncé

Instructions :

1. Mélanger 1/4 de tasse de farine et l'eau glacée en fouettant jusqu'à ce que tout soit bien intégré. Mettre de côté. Mélanger 3/4 de tasse de farine, le sucre et le sel dans un bol. Découper la graisse végétale dans le mélange de farine à l'aide d'un mélangeur ou de deux couteaux jusqu'à ce que la texture ressemble à une semoule grossière. Incorporer le mélange de farine et d'eau et mélanger avec une fourchette jusqu'à ce que les ingrédients secs s'humidifient. Former une galette de 10 cm et étaler la galette de pâte sur une pellicule de plastique résistante et couvrir d'une autre pellicule de plastique. Étaler la pâte en la laissant couverte et former une galette de 28 cm puis réfrigérer jusqu'à ce que la pellicule de plastique puisse être retirée facilement (10 minutes).

2. Retirer 1 feuille de pellicule de plastique et déposer la pâte dans un moule à tarte de 23 cm vaporisé avec l'aérosol de cuisson et retirer l'autre pellicule de plastique. Replier la bordure vers l'intérieur et piquer le fond et les côtés de la pâte avec une fourchette. Faire cuire à 400 °F pendant 15 minutes et laisser refroidir.

3. Mélanger la citrouille, le lait, la cassonade, la farine, le sirop d'érable, le bourbon, le sel, la cannelle, la vanille, le gingembre, la muscade, le piment de Jamaïque, les blancs d'œufs et l'œuf entier dans un bol et bien remuer avec un fouet. Verser le mélange dans la croûte préparée. Faire cuire 40 minutes.

4. Mélanger les pacanes, 1/4 de tasse de cassonade, le sirop de maïs et 1/2 c. à thé de vanille et bien remuer. Saupoudrer le mélange de pacanes sur la tarte et faire cuire pendant encore 15 minutes jusqu'à ce que l'intérieur soit cuit (tapisser les rebords de la croûte avec du papier aluminium, au besoin). Laisser refroidir complètement.

Tarte au citron meringuée

Instructions :

1. Préchauffer le four à 350 °F.

2. Pour faire la crème au citron, fouetter 1 tasse de sucre, la farine, la fécule de maïs et le sel dans une casserole de taille moyenne. Incorporer l'eau, le jus et le zeste de citron. Faire cuire à feu moyen-fort en remuant fréquemment jusqu'à ce que mélange se mette à bouillir. Ajouter le beurre. Déposer les jaunes d'œufs dans un bol et incorporer graduellement 1/2 tasse du mélange de sucre chaud en fouettant le tout puis verser le mélange de jaunes d'œufs dans la casserole avec le reste de la préparation sucrée. Porter à ébullition et continuer de faire cuire en remuant constamment jusqu'à ce que la préparation épaississe. Retirer du feu et verser la crème sur la croûte de tarte cuite.

3. Pour faire la meringue, battre les blancs d'œufs en neige dans un bol en verre ou en métal. Ajouter graduellement les 6 c. à thé de sucre en fouettant jusqu'à ce que des pics fermes se forment. Étendre la meringue sur la crème jusqu'en bordure de la croûte.

4. Faire cuire jusqu'à ce que la meringue soit dorée (10 minutes).

Portions : 6
Préparation : 30 min
Cuisson : 10 min

Ingrédients :
- 1 T de sucre blanc
- 2 c. à t. de farine (tout usage)
- 3 c. à t. de fécule de maïs
- 1/4 de c. à t. de sel
- 1 1/2 T d'eau
- Le jus et le zeste de 2 citrons
- 2 c. à t. de beurre
- 4 jaunes d'œufs battus
- 1 croûte de tarte de 23 cm cuite
- 4 blancs d'œufs
- 6 c. à t. de sucre blanc

Tarte au citron meringuée simple

Portions : 6 à 8
Préparation : 30 min
Cuisson : 15 min

Ingrédients :
- 1 boîte de lait concentré sucré
- 1/2 T de jus de citron
- 1 c. à t. de zeste de citron râpé
- 3 jaunes d'œufs
- 1 croûte de tarte de 23 cm précuite

MERINGUE
- 3 blancs d'œufs
- 1/4 de c. à t. de crème de tartre
- 1/4 de T de sucre

Instructions :

1. Mélanger le lait, le jus et le zeste de citron dans un bol puis incorporer les jaunes d'œufs. Verser sur la croûte froide.

2. Préchauffer le four à 325 °F.

3. Battre les blancs d'œufs avec la crème de tartre jusqu'à ce que des pics mous se forment puis incorporer graduellement le sucre en continuant de fouetter le mélange jusqu'à ce qu'il soit ferme. Étaler la meringue sur la crème jusqu'en bordure de la croûte. Faire cuire jusqu'à ce que la meringue soit dorée (12 à 15 minutes).

Torte au chocolat noir et au bourbon

Instructions :

1. Préchauffer le four à 300 °F. Graisser le fond et les côtés d'un moule à charnière de 23 cm avec de l'aérosol de cuisson.

2. Faire fondre les morceaux de chocolat au micro-ondes dans un bol, à puissance moyenne pendant 1 minute, jusqu'à ce qu'il fonde et qu'il soit lisse en remuant toutes les 30 secondes.

3. À l'aide d'un batteur électrique, battre le beurre et 1/2 tasse de sucre granulé à vitesse moyenne jusqu'à ce que les ingrédients soient bien mélangés (2 minutes). Ajouter la vanille et l'œuf puis battre pendant encore 1 minute. Ajouter le lait et le bourbon, si désiré. Battre pendant 1 minute. Ajouter le chocolat fondu en battant jusqu'à ce qu'il soit bien incorporé au mélange. Verser graduellement le cacao et la farine en battant à basse vitesse jusqu'à ce qu'ils soient bien incorporés.

4. À l'aide d'un batteur électrique, battre les blancs d'œufs et la crème de tartre à haute vitesse jusqu'à ce qu'ils soient mousseux. Ajouter le reste du sucre granulé (1 c. à thé à la fois) en fouettant jusqu'à ce que des pics fermes se forment. Verser 1/4 du mélange de blancs d'œufs dans la pâte puis incorporer doucement le reste des blancs d'œufs. Verser la pâte dans le moule à charnière.

5. Faire cuire jusqu'à ce qu'un cure-dent inséré au centre de la torte n'en ressorte qu'avec quelques miettes (45 minutes). Retirer la torte du four et passer immédiatement une lame de couteau tout autour pour la détacher du moule. Laisser refroidir pendant 30 minutes. La torte lèvera jusqu'en haut du moule au cours de la cuisson, mais s'affaissera lorsqu'elle refroidira. Retirer les parois du moule.

6. Verser la garniture fouettée dans un sac de congélation refermable en plastique (ne pas fermer). Couper un coin pour faire un petit trou. Verser de la garniture fouettée tout autour de la base de la torte à l'aide de la douille et saupoudrer la torte de sucre en poudre et de cacao.

Portions : 10
Préparation : 20 min
Cuisson : 45 min

Ingrédients :
- Aérosol de cuisson végétal
- 1/2 T de morceaux de chocolat noir
- 1/4 de T de beurre ramolli
- 3/4 de T de sucre granulé
- 1 c. à t. d'extrait de vanille
- 1 gros œuf
- 1/4 de T de lait écrémé
- 2 c. à t. de bourbon (facultatif)
- 1/4 de T de cacao soluble
- 2 c. à t. de farine (tout usage)
- 4 blancs d'œufs
- 1/4 de c. à t. de crème de tartre
- 1/2 T de garniture fouettée faible en gras
- 1 c. à t. de sucre en poudre
- 1 c. à t. de noix de coco non sucrée

Instructions :

PÂTE

1. Mélanger la farine, le sucre et le sel au mélangeur. Ajouter le beurre et la graisse végétale en les incorporant dans le mélange jusqu'à ce que la texture ait la consistance d'une semoule grossière. Arroser le mélange avec 4 c. à thé d'eau froide et travailler la pâte jusqu'à ce que des grumeaux humides se forment en ajoutant des c. à thé d'eau si la pâte est trop sèche. Former une boule avec la pâte et aplatir pour former une galette. Envelopper d'une pellicule plastique et réfrigérer pendant 1 heure.

2. Étendre la pâte entre deux feuilles de pellicule de plastique rondes de 35 cm. Transférer la pâte dans un moule à tarte en verre de 23 cm de diamètre en repliant le surplus de pâte vers l'intérieur. Festonner la bordure de pâte. Percer le dessous de la croûte à plusieurs endroits avec une fourchette. Faire congeler la croûte pendant 15 minutes (il est possible de faire la pâte un jour à l'avance et la congeler).

3. Préchauffer le four à 375 °F et couvrir la croûte de papier aluminium. Remplir avec des haricots secs. Faire cuire pendant 20 minutes. Retirer les haricots et le papier aluminium. Faire cuire jusqu'à ce que la pâte soit dorée (10 minutes). Laisser refroidir. (il est possible de faire la pâte un jour à l'avance et de bien l'envelopper dans une pellicule de plastique pour la conserver à la température ambiante.

CRÈME

4. Fouetter 1/2 tasse de sucre, 2 œufs entiers, le jaune d'œuf et la farine dans un bol. Faire mijoter le lait et la noix de coco dans une casserole à feu moyen. Incorporer graduellement du lait chaud dans le mélange d'œufs en fouettant constamment. Faire cuire en remuant constamment jusqu'à ce que la crème épaississe et se mette à bouillir (4 minutes). Retirer du feu. Incorporer les extraits de vanille et de noix de coco puis transférer la crème pâtissière dans un bol. Poser une pellicule plastique par-dessus pour éviter qu'une peau se forme à la surface. Réfrigérer 2 heures ou une journée ou jusqu'à ce que la pâte soit froide. Verser la crème dans la croûte. Couvrir et réfrigérer pendant la nuit.

GARNITURE

5. Faire griller la noix de coco à feu moyen dans une petite poêle à frire jusqu'à ce qu'elle soit dorée en remuant de temps à autre (3 minutes). Laisser refroidir complètement.

6. À l'aide d'un batteur électrique, battre la crème, le sucre et l'extrait de noix de coco dans un bol jusqu'à ce que des pics se forment. Étendre la crème fouettée sur toute la surface de la tarte et saupoudrer de noix de coco grillée (peut être cuisinée 4 heures à l'avance. Couvrir et réfrigérer. Servir froid.

Portions : 8
Préparation : 30 min
Réfrigération : plusieurs heures
Cuisson : 20 min

Ingrédients :

PÂTE
- 1 1/2 T de farine (tout usage)
- 1 c. à t. de sucre
- 1/2 c. à t. de sel
- 6 c. à t. de beurre non salé froid coupé en petits morceaux
- 3 c. à t. de graisse végétale solide coupée en petits morceaux
- 4 c. à t. (ou plus) d'eau glacée

CRÈME
- 1/2 T de sucre
- 2 gros œufs
- 1 gros jaune d'œuf
- 3 c. à t. de farine (tout usage)
- 1 1/2 T de lait entier
- 1 1/2 T de noix de coco sucrée en flocons
- 1 c. à t. d'extrait de vanille
- 1/8 de c. à t. d'extrait de noix de coco

GARNITURE
- 2/3 de T de noix de coco sucrée en flocons
- 1 1/4 T de crème à fouetter froide
- 2 c. à t. de sucre
- 1/8 de c. à t. d'extrait de noix de coco

Tarte au caramel

Portions: 6
Préparation: 15 min
Cuisson: 15 min

Ingrédients:
- 1 croûte de biscuits Graham de 23 cm
- 6 c. à t. de beurre
- 1 sachet de noix de coco hachée
- 1 T de pacanes hachées
- 1 boîte de lait concentré sucré
- 1 paquet de fromage à la crème ramolli
- 1 bouteille de garniture fouettée congelée
- 1 pot de sauce au caramel

Instructions:

1. Faire fondre à feu moyen le beurre dans une petite poêle à frire. Ajouter la noix de coco et les pacanes en remuant pour bien les enrober. Faire sauter jusqu'à ce la noix de coco et les pacanes soient légèrement grillées (environ 5 minutes). Réserver.

2. Dans un grand bol, fouetter le lait concentré et le fromage à la crème jusqu'à l'obtention d'une mousse. Incorporer la garniture fouettée. Verser 1/4 du mélange de fromage à la crème dans la croûte de biscuits Graham puis arroser le tout de 1/4 du pot de sauce au caramel. Répéter l'opération en formant des couches avec le reste du fromage à la crème et de la sauce au caramel. Garnir la tarte de noix de coco et de pacanes. Congeler une nuit.

Tarte aux pacanes

Portions: 6
Préparation: 15 min
Cuisson: 55 min

Ingrédients:
- Farine (tout usage) pour saupoudrer
- 1 fond de tarte congelé de 23 cm
- 2 1/2 T de moitiés de pacanes
- 4 gros œufs
- 1/2 T de sucre
- 1 T de sirop de maïs foncé
- 1/2 T de sirop de maïs pâle
- 1 c. à t. d'extrait de vanille naturelle
- Crème fouettée pour servir

Instructions:

1. Préchauffer le four à 350 °F.

2. Hacher grossièrement 1 1/4 tasse de pacanes. Mettre de côté. Mélanger les œufs et le sucre dans un bol. Fouetter pour bien mélanger. Ajouter les sirops de maïs et la vanille. Fouetter pour bien mélanger. Ajouter les pacanes, remuer le tout et verser dans le fond de tarte.

3. Saupoudrer le reste des pacanes sur la tarte. Faire cuire jusqu'à ce que la croûte soit dorée, la crème ferme et qu'une sonde à gâteau insérée au centre en ressorte propre (50 à 55 minutes). Laisser refroidir complètement avant de trancher. Servir avec de la crème fouettée.

Gâteaux au fromage miniatures avec coulis de framboises

Portions: 12
Préparation: 20 min
Réfrigération: 3 h
Cuisson: 30 min

Ingrédients:
- 4 gâteaux sablés émiettés
- 250 g de fromage à la crème léger
- 1 T de fromage cottage faible en matières grasses
- 3 c. à s. de sucre blanc
- 1/4 de c. à t. d'extrait de vanille
- 1/4 de T de crème sure légère
- 1 c. à t. de fécule de maïs
- 1 œuf
- 2 c. à s. de confiture aux framboises

Instructions:

1. Préchauffer le four à 350 °F.

2. Saupoudrer le fond des moules à muffins miniatures avec des miettes de biscuits. Mettre de côté. Fouetter le fromage à la crème, le fromage cottage, le sucre et la vanille dans un bol à l'aide d'un batteur électrique. Ajouter la crème sure et la fécule de maïs et bien mélanger. Ajouter l'œuf et battre jusqu'à ce qu'il soit bien incorporé aux autres ingrédients. Verser uniformément la pâte dans les moules à muffins.

3. Faire cuire jusqu'à ce que le centre des gâteaux soit presque cuit (30 minutes). Laisser refroidir complètement. Réfrigérer pendant au moins 3 heures.

4. Retirer les gâteaux des moules juste avant de servir et jeter les moules en papier. Déposer les gâteaux sur une assiette de service.

5. Déposer la confiture au micro-ondes et faire cuire à puissance maximale pendant 25 secondes ou jusqu'à ce qu'elle soit chaude. Verser la confiture chaude sur les gâteaux. Ranger les restes au réfrigérateur.

Gâteau au fromage et au chocolat blanc avec coulis de framboises

Instructions :

1. Mélanger les miettes de biscuits, 3 c. à soupe de sucre et le beurre fondu dans un bol. Étendre le mélange au fond d'un moule à charnière de 23 cm.

2. Mélanger les framboises, 2 c. à soupe de sucre, la fécule de maïs et l'eau dans une casserole. Porter à ébullition et laisser bouillir jusqu'à ce que la sauce épaississe (5 minutes). Égoutter le mélange dans une passoire pour extraire les graines.

3. Préchauffer le four à 325 °F. Faire fondre au bain-marie le chocolat avec la crème en remuant de temps à autre jusqu'à ce que la préparation soit lisse.

4. Mélanger le fromage à la crème et 1/2 T de sucre dans un bol jusqu'à ce que la préparation soit lisse. Incorporer les œufs en fouettant (1 à la fois) dans le mélange. Incorporer la vanille et le chocolat blanc fondu puis verser la moitié de ce mélange sur la croûte. Verser 3 c. à soupe de coulis de framboises sur le mélange au fromage puis couvrir les framboises avec le reste du mélange au fromage et terminer avec 3 c. à soupe de coulis de framboises. Lisser la surface avec un couteau à beurre en tourbillonnant pour créer un effet marbré.

5. Faire cuire environ 1 heure. Laisser refroidir puis couvrir avec une pellicule de plastique et réfrigérer pendant 8 heures avant d'enlever le moule. Servir avec le reste du coulis de framboises et garnir de copeaux de chocolat blanc, si désiré.

Portions : 4
Préparation : 1 h
Réfrigération : 8 h
Cuisson : 1 h

Ingrédients :
- 1 T de miettes de biscuits au chocolat
- 3 c. à s. de sucre blanc
- 1/4 de T de beurre fondu
- 2 T de framboises congelées
- 2 c. à s. de sucre blanc
- 2 c. à t. de fécule de maïs
- 1/2 T d'eau
- 2 T de brisures de chocolat blanc
- 1/2 T de crème légère
- 750 g de fromage à la crème ramolli
- 1/2 T de sucre blanc
- 3 œufs
- 1 c. à t. d'extrait de vanille

Gâteau au fromage et cappuccino

Portions : 16
Préparation : 30 min
Cuisson : 1 h

Ingrédients :

- 1 T de miettes de biscuits
  au chocolat
- 1/4 de T de beurre ramolli
- 1 1/4 T de sucre blanc
- 1/4 de c. à t. de cannelle moulue
- 3 paquets de fromage à la
  crème ramolli
- 3 œufs
- 8 carrés de chocolat semi-sucré
- 2 c. à t. de crème à fouetter
- 1 T de crème sure
- 1/4 de c. à t. de sel
- 2 c. à t. de granulés de café
  instantané dissous dans 1/4 de T
  d'eau chaude.
- 1/4 de T de liqueur de café
- 2 c. à t. d'extrait de vanille

GARNITURE

- 1 T de crème à fouetter épaisse
- 2 c. à t. de sucre glace
- 2 c. à t. de liqueur de café
- 1 carré de chocolat semi-sucré

Instructions :

1. Préchauffer le four à 350 °F. Beurrer un moule à charnière de 23 cm.

2. Mélanger les miettes de biscuits, le beurre ramolli, 2 c. à thé de sucre blanc et la cannelle. Bien mélanger et presser au fond du moule à charnière beurré. Réserver.

3. Battre le fromage à la crème ramolli dans un bol jusqu'à ce qu'il soit bien lisse. Ajouter graduellement 1 tasse de sucre blanc et bien mélanger. Ajouter les œufs (1 à la fois). Battre à basse vitesse jusqu'à ce que la préparation soit très lisse.

4. Faire fondre au bain-marie les 8 carrés de chocolat semi-sucré avec 2 c. à thé de crème à fouetter. Remuer jusqu'à ce que le tout soit bien lisse.

5. Incorporer le mélange de chocolat au mélange de fromage à la crème et bien mélanger. Ajouter la crème sure, le sel, le café, 1/4 de tasse de liqueur de café et la vanille puis battre jusqu'à l'obtention d'une substance lisse. Verser le mélange dans le moule.

6. Faire cuire au centre du four pendant 45 minutes. (Le centre sera tendre, mais se raffermira au réfrigérateur.) Ne pas trop cuire. Éteindre le four et laisser le gâteau refroidir à l'intérieur pendant 45 minutes en laissant la porte entrouverte. Retirer le gâteau du four et réfrigérer pendant 12 heures. Avant de servir, garnir le gâteau de crème à fouetter aromatisée et de feuilles de chocolat.

7. Pour faire de la crème à fouetter aromatisée, battre de la crème à fouetter jusqu'à ce que des pics mous se forment puis incorporer le sucre glace et 2 c. à thé de liqueur de café en continuant à battre le tout.

8. Pour faire les feuilles de chocolat, faire fondre au bain-marie 1 carré de chocolat semi-sucré dans une casserole et remuer jusqu'à ce qu'il soit lisse. Badigeonner un côté de feuille de plante non toxique (comme des feuilles d'oranger) avec du chocolat fondu. Congeler jusqu'à ce que le chocolat soit ferme puis retirer les feuilles. Congeler les feuilles de chocolat jusqu'à utilisation.

Gâteau allégé au fromage et à l'orange

Instructions :

1. Déposer les miettes de gaufrette au fond d'un moule à charnière de 20 ou 23 cm vaporisé avec l'aérosol de cuisson.

2. Verser l'eau bouillante dans un grand bol avec le mélange de gélatine pendant au moins 2 minutes jusqu'à ce que la poudre soit complètement dissoute. Laisser refroidir 5 minutes et verser dans un mélangeur. Ajouter le fromage cottage et le fromage à la crème et bien mélanger le tout. Verser dans un grand bol et incorporer doucement la garniture fouettée. Transvider dans le moule à charnière et lisser la surface.

3. Réfrigérer jusqu'à ce que le gâteau soit prêt (4 heures). Retirer la paroi du moule avant de servir. Ranger les restes au réfrigérateur.

Portions : 8
Préparation : 10 min
Réfrigération : 4 h

Ingrédients :

- 1 gaufrette Graham émiettée
- 2/3 de T d'eau bouillante
- 1 paquet de gelée
  sans sucre à l'orange
- 1 T de fromage cottage 2 %
- 1 T de fromage à la crème
- 2 T de garniture fouettée

Gâteau au fromage et aux fraises

Instructions:

1. Pour faire la base, graisser et tapisser un moule à gâteau à fond amovible de 23 cm avec du papier ciré. Déposer les biscuits dans un sac en plastique et écraser avec un rouleau à pâte pour les défaire en miettes. Transférer les miettes dans un bol puis verser le beurre fondu. Mélanger jusqu'à ce que les miettes soient complètement enrobées. Verser le tout dans le moule et presser fermement les miettes dans le fond du moule pour former une couche égale. Réfrigérer pendant 1 heure jusqu'à ce que le fond soit bien dur.

2. Trancher la gousse de vanille en deux dans le sens de la longueur en laissant l'extrémité intacte pour que les deux moitiés restent attachées. Tenir fermement l'extrémité de la gousse et gratter les graines avec le dos d'un couteau de cuisine.

3. Pour faire la crème, déposer le fromage à pâte molle, le sucre glace et les graines de vanille dans un bol puis fouetter avec un batteur électrique jusqu'à ce que la préparation soit lisse. Incorporer la crème et continuer à battre jusqu'à ce que tous les ingrédients soient bien intégrés. Verser le mélange crémeux sur la base de biscuits en étalant la crème de l'extérieur vers l'intérieur et en s'assurant de crever toutes les bulles d'air. Lisser la surface du gâteau au fromage avec le dos d'une cuillère ou une spatule. Réfrigérer toute une nuit.

4. Ramener le gâteau à la température de la pièce 30 minutes avant de servir. Pour démouler le gâteau, poser la base sur une boîte de conserve et faire glisser soigneusement les parois du moule vers le bas. Faire glisser le gâteau sur une assiette de service en retirant le papier et la base du moule. Réduire la moitié des fraises en purée dans un mélangeur ou un robot culinaire avec 25 g de sucre glace et 1 c. à thé d'eau puis tamiser. Déposer le reste des fraises sur le gâteau et verser ensuite la purée.

Portions: 6 à 8
Préparation: 30 min
Réfrigération: 8 h

Ingrédients:
- 250 g de biscuits digestifs
- 1/4 de T de beurre fondu
- 1 gousse de vanille
- 2 T de fromage à pâte molle
- 1/2 T de sucre glace
- 1 pot de crème riche en matières grasses

GARNITURE
- 400 g de fraises équeutées et coupées en deux
- 25 g de sucre glace

Crème anglaise aux mandarines et au gingembre

Portions: 6
Préparation: 20 min
Cuisson: 50 min

Ingrédients:
- 2 T de lait écrémé
- 1/2 c. à t. de zeste de mandarine
- 3 rondelles de gingembre de 6 cm
- 1/2 T de sucre
- 2 gros œufs
- 2 mandarines pelées et coupées en quartiers
- Gingembre confit pour garnir

Instructions:

1. Faire chauffer le lait, le zeste de mandarine et les rondelles de gingembre dans une casserole à feu moyen en remuant souvent jusqu'à ce que la surface du lait se mette à bouillonner. Retirer du feu et laisser refroidir.

2. Tamiser le lait dans un bol et jeter le zeste de mandarine et les rondelles de gingembre. Incorporer le sucre. Battre les œufs avec une pincée de sel dans un petit bol puis incorporer les œufs battus dans le mélange de lait en fouettant.

3. Préchauffer le four à 350 °F. Verser la crème anglaise dans 6 ramequins de 1/2 tasse chacun. Déposer les ramequins dans un plat allant au four puis verser de l'eau bouillante dans le plat jusqu'au tiers de la hauteur des ramequins. Faire cuire jusqu'à ce que la crème s'agite légèrement lorsqu'on la secoue (40 à 50 minutes). Retirer les ramequins du plat et laisser refroidir. Garnir chaque coupe de crème anglaise avec des quartiers de mandarine et du gingembre confit.

Portions : 2 1/2 T
Préparation : 10 min
Cuisson : 15 min

Ingrédients :
- 4 jaunes d'œufs
- 3 c. à t. de sucre
- 2 T de crème riche en matières grasses
- 1 1/2 c. à t. de crème sure
- 1 gousse de vanille coupée dans le sens de la longueur

Instructions :

1. Fouetter les jaunes d'œufs et le sucre dans un bol jusqu'à ce qu'ils soient lisses et jaune pâle.

2. Dans une casserole moyenne, mélanger la crème, la crème sure et la gousse de vanille et porter à ébullition. Incorporer environ la moitié de ce mélange dans la préparation de jaunes d'œufs et bien mélanger avant de remettre le tout dans la casserole. Faire cuire à feu moyen en remuant constamment avec une cuiller en bois jusqu'à ce que la préparation épaisse parvienne à enrober le dos de la cuiller. Ne pas brouiller les œufs.

3. Transférer dans un bol et le déposer par-dessus des cubes de glace et de l'eau froide jusqu'à ce que la préparation refroidisse en remuant de temps à autre. Couvrir et conserver au réfrigérateur jusqu'à utilisation.

Crème caramel classique

Instructions :

1. Préchauffer le four à 225 °F.

2. Faire chauffer le lait et la gousse de vanille à feu moyen-fort dans une casserole moyenne jusqu'à ce que de petites bulles se forment (ne pas faire bouillir). Retirer du feu, couvrir et mettre de côté.

3. Vaporiser des moules à crème avec l'aérosol de cuisson et les déposer sur une plaque à biscuits.

4. Mélanger 1 tasse de sucre et 1/4 de tasse d'eau dans une petite casserole et faire cuire à feu moyen-fort en remuant fréquemment jusqu'à ce que le sucre soit dissous. Continuer de faire cuire pendant 7 minutes jusqu'à ce que le mélange soit doré (ne pas remuer). Verser immédiatement dans les moules à crème de façon à ce que le sucre caramélisé remplisse le fond des coupes.

5. Mélanger le reste du sucre, le sel et les œufs dans un grand bol en fouettant. Retirer la gousse de vanille du mélange de lait et la conserver pour un usage futur. Verser graduellement le mélange de lait chaud dans le mélange d'œufs en remuant constamment avec un fouet. Incorporer la crème. Transvider le mélange d'œufs dans un grand bol à l'aide d'un tamis puis verser environ 1/2 tasse du mélange d'œufs dans les moules sur le sucre caramélisé. Faire cuire jusqu'à ce que la crème soit prête (2 heures). Sortir du four et ramener à la température de la pièce. Poser une pellicule de plastique sur les crèmes et réfrigérer toute la nuit.

6. Passer un couteau ou une spatule en caoutchouc autour des crèmes pour les détacher des moules. Déposer une petite assiette sur chaque moule et renverser pour servir la crème sur l'assiette.

Portions : 10
Préparation : 30 min
Cuisson : 2 h

Ingrédients :
- 4 T de lait 2 %
- 1 gousse de vanille coupée en deux dans le sens de la longueur
- Aérosol de cuisson
- 1 2/3 T de sucre
- 1/4 de T d'eau
- 1/4 de c. à t. de sel casher
- 6 gros œufs
- 3 c. à t. de crème à fouetter riche en matières grasses

Crème caramel sur le pouce

Portions : 6
Préparation : 30 min
Cuisson : 1 h

Ingrédients :
- 2/3 de T de sucre
- 1/3 de T d'eau
- 1 T de lait
- 1 T de crème riche en
  matières grasses
- 4 jaunes d'œufs
- 1/2 T de sucre semoule
  (ou de sucre fin)
- 1 1/2 c. à t. d'extrait de vanille

Instructions :

1. Préchauffer le four à 325 °F.

2. Faire chauffer l'eau et le sucre à feu doux dans une casserole à fond épais. Laisser le sucre se dissoudre. Badigeonner les parois de la casserole avec un peu d'eau pour éviter que le sucre cristallise sur les côtés. Augmenter le feu à moyen-fort et faire bouillir jusqu'à ce que le sirop devienne doré. Retirer rapidement du feu et répartir soigneusement le caramel chaud dans 6 ramequins. Laisser refroidir pendant au moins 2 minutes.

3. Faire chauffer le lait et la crème juste en dessous du point d'ébullition dans une casserole de taille moyenne. Pendant ce temps, mélanger les jaunes d'œufs, le sucre semoule et la vanille dans un bol. Poser le bol sur un linge à vaisselle pour plus de stabilité. Verser doucement 2 c. à thé du mélange de lait chaud dans le mélange d'œufs en fouettant. Incorporer lentement le reste du mélange de lait en versant 1/3 à la fois et en fouettant sans faire trop de bulles. Passer le mélange dans un tamis.

4. Déposer les 6 ramequins dans un plat allant au four couvert d'essuie-tout en les espaçant également. Verser 250 g du mélange sur le caramel dans chaque ramequin. Verser soigneusement de l'eau bouillante dans le plat jusqu'aux 2/3 de la hauteur des ramequins (prendre soin de ne pas verser de l'eau dans la crème). Tapisser le plat allant au four avec du papier aluminium et le faire glisser soigneusement au centre de la grille. Faire cuire jusqu'à ce que la crème soit presque complètement cuite (35 minutes). Retirer du four. Sortir les ramequins du bain d'eau chaude à l'aide de pinces. Laisser reposer à la température de la pièce pendant 5 minutes puis réfrigérer jusqu'à ce que les crèmes soient bien froides.

5. Pour servir, tremper les ramequins dans de l'eau très chaude pendant 15 à 20 secondes. Faire passer la lame d'un couteau tranchant le long du contour de chaque ramequin puis renverser les ramequins sur des assiettes. Le caramel s'étendra alors autour de la crème caramel posée à l'envers. Servir immédiatement.

Crème brûlée à l'orange

Instructions :

1. Préchauffer le four à 325 °F. Graisser légèrement 6 moules à soufflé ou 6 moules à crème de 3/4 de tasse avec du beurre. Battre les jaunes d'œufs et 1/2 tasse de sucre dans un bol. Faire mijoter la crème, le lait et le zeste d'orange dans une casserole à feu moyen. Incorporer graduellement le mélange de crème chaud dans le mélange d'œufs. Verser le Grand Marnier.

2. Répartir la crème dans les moules puis les déposer dans un grand plat allant au four. Verser de l'eau dans le plat jusqu'à mi-hauteur des moules. Faire cuire jusqu'à ce que la crème soit bien cuite au centre (40 minutes). Retirer les moules de l'eau. Laisser refroidir, couvrir et réfrigérer toute la nuit.

3. Préchauffer le gril et déposer les moules à soufflé sur la plaque à biscuits. Saupoudrer 1 c. à thé de sucre sur chaque moule et faire griller jusqu'à ce que le sucre brunisse en faisant tourner la plaque pour faire dorer uniformément pendant 2 minutes en surveillant de près pour ne pas que les crèmes brûlent. Réfrigérer pendant 1 heure. (Les crèmes peuvent être préparées 6 heures à l'avance et réfrigérées.)

Portions : 6
Préparation : 20 min
Cuisson : 40 min

Ingrédients :
- 6 gros jaunes d'œufs
- 1/2 T de sucre,
  plus 6 c. à t. supplémentaires
- 1 1/3 T de crème à fouetter
- 2/3 de T de lait entier
- 2 1/2 c. à t. de zeste d'orange râpé
- 1 1/2 c. à t. de Grand Marnier
  (ou autre liqueur d'orange)

DESSERTS

Muffins aux bleuets

Portions : 10
Préparation : 15 min
Cuisson : 25 min

Ingrédients :

PÂTE
- 1 1/2 T de farine (tout usage)
- 3/4 de T de sucre blanc
- 1/2 c. à t. de sel
- 2 c. à t. de levure chimique
- 1/3 de T d'huile végétale
- 1 œuf
- 1/3 de T de lait
- 1 T de bleuets frais

GARNITURE
- 1/2 T de sucre blanc
- 1/3 de T de farine (tout usage)
- 1/4 de T de beurre coupé en dés
- 1 1/2 c. à t. de cannelle moulue

Instructions :

1. Préchauffer le four à 400 °F. Graisser des moules à muffins avec de l'aérosol de cuisson ou utiliser des moules de papier.

2. Mélanger 1 1/2 tasse de farine, 3/4 de tasse de sucre, le sel et la levure chimique. Verser l'huile végétale dans une tasse à mesurer et ajouter l'œuf et assez de lait pour remplir la tasse. Incorporer aux ingrédients secs puis ajouter les bleuets. Remplir complètement les moules et saupoudrer de garniture croustillante.

3. Pour faire la garniture croustillante, mélanger 1/2 tasse de sucre, 1/3 de tasse de farine, 1/4 de tasse de beurre et 1 1/2 c. à thé de cannelle moulue avec une fourchette et verser sur les muffins avant de les faire cuire.

4. Laisser cuire au four jusqu'à ce que les muffins soient prêts (20 à 25 minutes).

Muffins à la citrouille

Portions : 12
Préparation : 5 min
Cuisson : 25 min

Ingrédients :
- 1 paquet de préparation pour gâteau doré
- 1 boîte de purée de citrouille
- 1 c. à t. de cannelle moulue
- 1/2 c. à t. de muscade moulue
- 1/4 de c. à t. de clou de girofle moulu

Instructions :

1. Préchauffer le four à 350 °F. Graisser un moule de 12 muffins ou insérer des moules de papier.

2. Mélanger la préparation pour gâteau doré, la purée de citrouille, la cannelle, la muscade et le clou de girofle dans un grand bol jusqu'à ce que la préparation soit lisse. Verser des quantités égales de pâte dans chaque moule à muffin.

3. Faire cuire pendant 20 à 25 minutes jusqu'à ce qu'un cure-dent inséré au centre d'un muffin en ressorte propre.

Muffins aux pommes et au caramel

Portions : 24
Préparation : 30 min
Cuisson : 25 min

Ingrédients :
- 1 sac de 12 à 14 petites pommes
- 2 T de sucre
- 1 T d'huile végétale
- 3 gros œufs légèrement battus
- 2 c. à t. d'extrait de vanille
- 3 T de farine (tout usage)
- 2 c. à t. de cannelle moulue
- 1 c. à t. de bicarbonate de soude
- 1/2 c. à t. de sel
- 2 1/2 T de pacanes hachées et grillées
- Glaçage au caramel

Instructions :

1. Peler, étrogner et couper 4 pommes pour former 24 rondelles. Faire sauter les rondelles de pomme en lots dans une poêle à frire légèrement graissée à feu moyen pendant 1 à 2 minutes de chaque côté jusqu'à ce qu'elles soient légèrement dorées. Retirer de la poêle et déposer 1 tranche de pomme au fond de chaque moule à muffin graissé.

2. Peler et hacher finement assez de pommes pour obtenir 3 tasses. Mettre de côté.

3. Mélanger le sucre, l'huile, les œufs et la vanille dans un bol.

4. Mélanger la farine, la cannelle, le bicarbonate de soude et le sel dans un autre bol et ajouter les ingrédients secs dans le mélange liquide en remuant jusqu'à ce que tout soit bien incorporé. Ajouter les pommes finement hachées et 1 tasse de pacanes.

5. Verser la pâte uniformément sur les tranches de pomme reposant au fond des moules en remplissant chaque moule aux 3/4.

6. Faire cuire à 350 °F jusqu'à ce qu'un cure-dent inséré au centre d'un muffin en ressorte propre (25 minutes). Démouler les muffins et laisser refroidir en mettant les rondelles de pommes vers le haut.

7. Appuyer légèrement au centre de chaque rondelle de pomme avec le manche d'une cuiller en bois de façon à former un trou de 2,5 cm de profondeur au centre de chaque muffin. Verser uniformément du glaçage au caramel sur les muffins en remplissant les trous puis saupoudrer le reste des pacanes.

VARIANTES
• Portions : 16 **Préparation :** 20 min **Cuisson :** 50 min
Pour faire un gâteau danois aux pommes et au caramel, laisser tomber les rondelles de pommes et préparer la pâte à muffins tel qu'indiqué. Diviser également la pâte dans 2 moules ronds graissés et farinés de 20 cm. Faire cuire à 350 °F jusqu'à ce qu'un cure-dent inséré au centre en ressorte propre (45 à 50 minutes). Retirer les gâteaux des moules et laisser refroidir. Verser uniformément du glaçage au caramel sur les gâteaux et garnir le tout du reste des pacanes.

• Portions : 2 pains **Préparation :** 20 min **Cuisson :** 60 min
Pour faire du pain aux pommes, laisser tomber les rondelles de pommes, le glaçage au caramel et 1 1/2 tasse de pacanes, et préparer la pâte à muffins tel qu'indiqué. Diviser également la pâte dans 2 moules à pain graissés et farinés de 13 x 23 cm. Faire cuire à 350 °F jusqu'à ce qu'un cure-dent inséré au centre en ressorte propre (1 heure). Retirer des moules et laisser refroidir.

DESSERTS

Muffins au son et aux bananes

Instructions :

1. Mélanger les farines, le son d'avoine, la cannelle, la levure, le bicarbonate de soude, la muscade et le piment de Jamaïque dans un grand bol. Battre les œufs avec le jus, le sucre, la cassonade et l'huile dans un autre bol.

2. Verser les ingrédients liquides dans la préparation sèche et remuer pour humidifier la pâte. Ajouter les bananes et les noix.

3. Remplir des moules à muffin graissés ou en papier jusqu'aux 2/3.

4. Faire cuire à 400 °F jusqu'à ce qu'un cure-dent inséré au centre d'un muffin en ressorte propre (15 à 18 minutes). Laisser refroidir 5 minutes avant de les sortir des moules. Servir chaud.

Portions : 10
Préparation : 10 min
Cuisson : 20 min

Ingrédients :
- 1 1/2 T de farine (tout usage)
- 1 T de son d'avoine
- 1/2 T de farine (de blé entier)
- 1 c. à t. de cannelle moulue
- 2 c. à t. de levure chimique
- 2 c. à t. de bicarbonate de soude
- 1/2 c. à t. de muscade moulue
- 1/4 de c. à t. de piment de Jamaïque
- 2 œufs
- 1 T de jus d'orange
- 1/2 T de sucre
- 1/2 T de cassonade
- 1/2 T d'huile végétale
- 1 T de bananes mûres réduites en purée
- 1/2 T de noix hachées

Muffins aux bananes

Portions : 10
Préparation : 10 min
Cuisson : 25 min

Ingrédients :
- 1 1/2 T de farine (tout usage)
- 1 c. à t. de levure chimique
- 1 c. à t. de bicarbonate de soude
- 1/2 c. à t. de sel
- 3 grosses bananes mûres réduites en purée
- 3/4 de T de sucre blanc
- 1 œuf
- 1/3 de T de beurre fondu

Instructions :

1. Préchauffer le four à 350 °F. Vaporiser des moules à muffin avec de l'aérosol de cuisson ou utiliser des moules en papier. Tamiser ensemble la farine, la levure, le bicarbonate et le sel puis mettre de côté.

2. Mélanger les bananes, le sucre, l'œuf et le beurre fondu dans un grand bol. Incorporer le mélange d'ingrédients secs et remuer jusqu'à l'obtention d'une préparation lisse. Verser la pâte dans les moules à muffins.

3. Pour des petits muffins, faire cuire de 10 à 15 minutes, pour des gros, faire cuire de 25 à 30 minutes jusqu'à ce que le muffin reprenne sa forme lorsque son centre est légèrement pressé.

Lait fouetté au chocolat

Instructions :

1. Verser la crème glacée, le chocolat en dés et 1/2 tasse de crème dans un mélangeur et brasser jusqu'à ce que la préparation soit lisse. Verser dans des verres et garnir de crème fouettée et de copeaux de chocolat.

Portions : 4
Préparation : 10 min

Ingrédients :
- 2 T de crème glacée au chocolat de bonne qualité
- 2 barres de chocolat noir coupées en dés
- 1/2 T de crème riche en matières grasses
- 1 c. à t. de copeaux de chocolat, pour garnir
- 1/4 de T de crème fouettée

Brownies double chocolat

DESSERTS

Portions : 12
Préparation : 15 min
Cuisson : 45 min

Ingrédients :
- 115 g de chocolat semi-sucré coupé en morceaux
- 2 c. à t. d'huile de canola
- 1 T de sucre turbinado
- 1 gros œuf
- 1 gros blanc d'œuf
- 1/4 de T de purée de prunes
- 2 c. à t. d'extrait de vanille
- 1/2 c. à t. de sel
- 3/4 de T de farine d'avoine
- 1/3 de T de poudre de cacao non sucrée

Instructions :

1. Préchauffer le four à 350 °F. Tapisser le fond et les côtés d'un plat de 20 cm allant au four avec du papier aluminium en le laissant dépasser de 5 cm.

2. Mélanger le chocolat et l'huile dans un bol résistant à la chaleur. Faire fondre au bain-marie. Retirer du feu et incorporer le sucre, l'œuf entier, le blanc d'œuf, la purée de prunes, la vanille et le sel en fouettant jusqu'à l'obtention d'une préparation lisse.

3. Mélanger la farine et le cacao dans un bol. Incorporer au mélange de chocolat et remuer pour intégrer tous les ingrédients.

4. Étendre la pâte dans le plat allant au four et faire cuire jusqu'à ce que le dessus soit ferme et qu'un cure-dent inséré au centre des brownies n'en ressorte qu'avec quelques miettes humides (40 à 45 minutes). Laisser refroidir complètement dans le plat. Soulever les brownies à l'aide du papier aluminium puis retirer le papier. Couper 12 rectangles à l'aide d'un couteau dentelé.

Instructions :

1. Préchauffer le four à 350 °F. Graisser un plat de 20 cm allant au four ou un plat en verre calorifuge avec du beurre. Tapisser le plat de papier ciré en laissant dépasser 2,5 cm de chaque côté. Mettre de côté. Faire chauffer le beurre et le chocolat au bain-marie en remuant fréquemment jusqu'à ce que le chocolat et le beurre soient fondus (7 minutes). Retirer le bol du feu et laisser refroidir à la température de la pièce de 10 à 15 minutes.

2. Incorporer le sucre dans le mélange de chocolat et bien mélanger. Ajouter les œufs (1 à la fois) dans le mélange en fouettant jusqu'à ce que la préparation soit bien lisse. Incorporer la vanille puis la farine et le sel.

3. Verser la pâte dans le plat graissé et lisser la surface avec une spatule en caoutchouc. Faire cuire jusqu'à ce qu'une sonde à gâteau insérée au centre des brownies n'en ressorte qu'avec quelques miettes humides (40 à 45 minutes). Déposer le plat sur une grille pour faire refroidir complètement.

4. Passer une lame de couteau ou une spatule tout autour des brownies pour les détacher du plat. Soulever les brownies à l'aide du papier ciré et déposer sur une planche à découper. Couper des carrés de 5 cm. Les brownies peuvent se conserver pendant 3 jours dans un contenant hermétique à la température de la pièce.

Portions : 16
Préparation : 15 min
Cuisson : 45 min

Ingrédients :
- 1/2 T de beurre non salé et un peu plus pour graisser
- 230 g de chocolat semi-sucré haché grossièrement
- 1 1/2 T de sucre
- 4 gros œufs
- 1 c. à t. d'extrait de vanille naturelle
- 3/4 de T de farine (tout usage)
- 1/2 c. à t. de sel

Soufflé au chocolat

Portions : 8 à 10
Préparation : 15 min
Réfrigération : 30 min
Cuisson : 40 min

Ingrédients :
- 340 g de chocolat semi-sucré
- 3/4 de T de beurre non salé coupé en morceaux de la grosseur de 1 c. à t.
- 1 1/2 c. à t. de vanille
- 1/4 de c. à t. de sel
- 3/4 de T de sucre
- 5 gros œufs séparés
- 1/4 de T de farine (tout usage)

ACCOMPAGNEMENT
- **Crème glacée ou crème fouettée légèrement sucrée**

Instructions :

1. Préchauffer le four à 350 °F. Poser la grille du four au centre. Graisser un moule à charnière de 23 cm avec du beurre et tapisser le fond avec du papier ciré puis graisser le papier avec du beurre.

2. Faire fondre le chocolat et le beurre au bain-marie ou au micro-ondes dans un bol en verre ou en céramique pendant 4 à 5 minutes.

3. Incorporer la vanille, le sel et 6 c. à thé de sucre. Ajouter les jaunes d'œufs (1 à la fois) en fouettant bien chaque fois. Incorporer la farine toujours en fouettant.

4. Battre les blancs d'œufs dans un bol avec une pincée de sel en utilisant un batteur électrique (vitesse moyenne à rapide) jusqu'à la formation de pics mous puis ajouter le reste du sucre (1 c. à thé à la fois) en continuant de battre jusqu'à ce que les blancs d'œufs forment des pics fermes et reluisants.

5. Ajouter environ 1/4 des blancs d'œufs en neige dans le mélange de chocolat pour éclaircir puis incorporer soigneusement le reste des blancs d'œufs. Verser la pâte dans le moule en l'étalant uniformément.

6. Faire cuire jusqu'à ce qu'un bâtonnet de bois ou une brochette en bois insérée au centre du gâteau en ressorte avec des miettes humides (35 à 40 minutes).

7. Faire refroidir le soufflé dans le moule pendant 10 minutes. Retirer ensuite la paroi du moule et laisser refroidir complètement. Renverser le soufflé sur la grille et retirer la base du moule et le papier. Renverser à nouveau et déposer le soufflé sur une assiette.

ASTUCE
Le gâteau peut être cuisiné un jour à l'avance et enveloppé dans une pellicule de plastique pour être conservé à la température de la pièce.

Marquise au chocolat

Portions : 4
Préparation : 30 min
Réfrigération : plusieurs heures
Cuisson : 10 min

Ingrédients :
- 300 g de chocolat noir de bonne qualité (60 ou 70 % de cacao)
- 150 g de beurre non salé ramolli
- 150 g de sucre semoule
- 6 c. à t. de poudre de cacao
- 6 œufs
- 2 T de double crème
- 300 g de chocolat « After Eight »

Instructions :

1. Défaire le chocolat en morceau en déposer dans un bol résistant à la chaleur. Faire chauffer au bain-marie à feu doux jusqu'à ce que le chocolat soit fondu. Retirer du feu et laisser refroidir quelques instants.

2. Pendant ce temps, déposer le beurre et le sucre dans un autre bol. Battre le mélange à l'aide d'un batteur ou d'un fouet électrique jusqu'à ce qu'il soit très léger et crémeux puis incorporer la poudre de cacao en continuant à fouetter le mélange.

3. Séparer les œufs (les blancs peuvent être congelés pour un usage ultérieur) et déposer les jaunes dans un troisième bol. Incorporer le reste du sucre puis battre le tout jusqu'à l'obtention d'une préparation pâle et crémeuse. Pour vérifier si la pâte est prête, tracer le chiffre huit dans le mélange à pâte ; le huit devrait normalement garder sa forme pendant quelques instants. Fouetter la crème dans un quatrième bol jusqu'à ce qu'elle épaississe et forme des pics mous.

4. Verser le chocolat fondu dans le mélange de beurre et remuer soigneusement jusqu'à ce que tous les ingrédients soient intégrés. Incorporer doucement le mélange d'œufs puis la crème fouettée. Couvrir un moule de 6,5 x 22 cm avec 3 couches de pellicule de plastique en la laissant dépasser de 10 cm. Transvider le mélange dans une grande poche à douille puis verser une couche sur le dessus du moule avant d'étaler une couche d'After Eight (si nécessaire, en couper quelques-uns en deux pour s'assurer de bien couvrir tout le moule). Décorer une autre couche de crème au chocolat à l'aide de la douille, suivie d'une autre couche d'After Eight. Continuer jusqu'à l'obtention de 4 couches de chocolats à la menthe et jusqu'à ce que le moule soit rempli en terminant par une couche de crème au chocolat. Replier la pellicule plastique sur le gâteau et réfrigérer toute la nuit ou jusqu'à 2 jours.

5. Avant de servir, déposer la marquise dans le congélateur pendant 10 minutes pour qu'elle soit plus facile à trancher. Déposer le moule sur une assiette en prenant soin de mettre le dessous vers le haut et faire glisser la marquise du moule avant de retirer la pellicule. Il est possible d'utiliser un chalumeau pour faire passer rapidement une flamme sur la surface de la marquise afin de lui donner un aspect reluisant. Il est aussi possible de tremper une palette métallique dans de l'eau bouillante et lisser la surface de cette façon. Utiliser un couteau dentelé trempé dans l'eau bouillante pour couper la marquise en tranches.

ASTUCES

- À la place d'une poche à douille, couper le coin d'un petit sac en plastique et verser le mélange à l'intérieur.

- La marquise se conserve au congélateur pendant 1 mois. La faire décongeler dans le réfrigérateur pendant 1 heure avant de servir. Il est possible de la congeler en tranches individuelles pour accélérer le processus.

Tortillas aux fruits et à la cannelle

Portions : 8 à 10
Préparation : 15 min
Réfrigération : 15 min
Cuisson : 10 min

Ingrédients :
- 2 kiwis pelés et coupés en dés
- 2 pommes golden delicious étrognées, pelées et coupées en dés
- 250 g de framboises
- 500 g de fraises
- 2 c. à s. de sucre blanc
- 1 c. à s. de cassonade
- 3 c. à s. de gelée de fruits (n'importe quelle saveur)
- 10 tortillas de farine (de 25 cm)
- 2 T de sucre à la cannelle
- Aérosol de cuisson à saveur de beurre

Instruction :

1. Dans un grand bol, bien mélanger les kiwis, les pommes, les framboises, les fraises, le sucre blanc, la cassonade et la gelée de fruits. Couvrir et réfrigérer pendant au moins 15 minutes.

2. Préchauffer le four à 350 °F.

3. Couvrir 1 côté de chaque tortilla avec l'aérosol de cuisson à saveur de beurre. Couper la tortilla en pointes et les déposer sur une grande plaque à biscuits. Saupoudrer les pointes de cannelle et vaporiser de nouveau avec l'aérosol.

4. Faire cuire au four de 8 à 10 minutes. Répéter l'opération avec les pointes restantes. Laisser refroidir pendant environ 15 minutes. Servir avec le mélange froid de fruits.

Biscuits aux pacanes et aux brisures de chocolat

Portions : 12 biscuits
Préparation : 15 min
Cuisson : 10 min

Ingrédients :
- 3/4 de T de beurre
- 1 1/4 T de cassonade
- 2 c. à t. de lait
- 1 c. à t. d'extrait de vanille
- 1 gros œuf
- 1 3/4 T de farine (tout usage)
- 1 c. à t. de sel
- 3/4 de c. à t. de bicarbonate
  de soude
- 1 T de brisures de chocolat
  semi-sucré
- 1 T de pacanes hachées

Instructions :

1. Préchauffer le four à 350 °F.

2. Mélanger le beurre avec la cassonade dans un grand bol pour obtenir une texture crémeuse. Incorporer le lait et la vanille. Remuer jusqu'à l'obtention d'une préparation onctueuse. Ajouter l'œuf et bien mélanger.

3. Mélanger la farine, le sel et le bicarbonate de soude dans un autre bol. Incorporer les brisures de chocolat et les pacanes hachées. Mélanger le tout et déposer des c. à soupe de pâte sur une plaque puis laisser cuire de 8 à 10 minutes.

Biscuits moulés au beurre d'arachide

Portions : 40
Préparation : 20 min
Cuisson : 8 min

Ingrédients :
- 1 3/4 T de farine (tout usage)
- 1/2 c. à t. de sel
- 1 c. à t. de bicarbonate de soude
- 1/2 T de beurre ramolli
- 1/2 T de sucre blanc
- 1/2 T de beurre d'arachides
- 1/2 T de cassonade
- 1 œuf battu
- 1 c. à t. d'extrait de vanille
- 2 c. à t. de lait
- 40 petits moules au beurre d'arachide enrobés de chocolat

Instructions :

1. Préchauffer le four à 375 °F.

2. Tamiser ensemble la farine, le sel et le bicarbonate de soude. Réserver.

3. Mélanger le beurre, le sucre, le beurre d'arachide et la cassonade jusqu'à ce qu'ils moussent. Incorporer les œufs et le lait en fouettant puis verser le mélange de farine. Bien mélanger le tout.

4. Former 40 boules et déposer chacune d'elles dans des moules à muffin miniatures non graissés.

5. Faire cuire au four pendant 8 minutes. Retirer du four et insérer immédiatement un petit moule au beurre d'arachides dans chaque boule. Laisser refroidir et retirer soigneusement des moules.

Biscuits au double beurre d'arachide

Instructions :

1. Mélanger le beurre, le sucre blanc et la cassonade dans un grand bol jusqu'à ce que la préparation soit lisse et crémeuse. Ajouter les œufs entiers, les jaunes d'œufs et la vanille et mélanger jusqu'à ce que la texture soit mousseuse. Incorporer le beurre d'arachides et bien mélanger. Tamiser la farine, le bicarbonate de soude et le sel puis incorporer les ingrédients secs dans le mélange de beurre d'arachides. Réfrigérer la pâte pendant au moins 2 heures.

2. Préchauffer le four à 350 °F. Graisser légèrement une plaque à biscuits.

3. Former des boulettes de pâte de la grosseur d'une noisette. Déposer les boulettes sur la plaque à biscuits et aplatir légèrement avec une fourchette. Faire cuire jusqu'à ce que le dessus des biscuits soit sec (12 à 15 minutes). Laisser refroidir pendant quelques minutes sur la plaque.

Portions : 24 biscuits
Préparation : 15 min
Réfrigération : 2 h
Cuisson : 15 min

Ingrédients :
- 1 T de beurre ramolli
- 1 T de sucre blanc
- 1 T de cassonade
- 2 œufs
- 1 jaune d'œuf
- 2 c. à t. d'extrait de vanille
- 1 pot de beurre d'arachide
- 2 T de farine (tout usage)
- 1 c. à t. de bicarbonate de soude
- 1/2 c. à t. de sel
- 1 T de pacanes hachées

Biscuits au beurre d'arachide

Portions : 50
Préparation : 15 min
Cuisson : 7 min

Ingrédients :
- **2,25 kg de graisse végétale**
- **2,25 kg de sucre blanc**
- **1,8 kg de cassonade**
- **20 œufs**
- **2,25 kg de beurre d'arachide**
- **3 kg de farine (tout usage)**
- **1/2 T de bicarbonate de soude**
- **3 c. à t. de sel**

Instructions :
1. Préchauffer le four à 325 F. Tapisser des plaques à biscuits de papier ciré.

2. Mélanger la graisse végétale, le sucre blanc et la cassonade dans un grand bol jusqu'à ce que la préparation soit lisse. Incorporer le beurre d'arachides et bien mélanger. Gratter les côtés du bol avec un grattoir de plastique puis ajouter les œufs en versant 5 ou 6 œufs à la fois et en mélangeant bien chaque fois. Gratter le bol et brasser pendant 1 minute. Mélanger la farine, le bicarbonate de soude et le sel dans un autre bol puis incorporer graduellement ce mélange dans la pâte en remuant bien. Gratter les côtés du bol encore une fois et s'assurer que le fond soit bien mélangé au reste.

3. Déposer des cuillérées de pâte sur les plaques à l'aide d'une cuiller à crème glacée pour former des boules de 5 cm. Espacer chaque biscuit de 7 cm et presser légèrement chacun d'eux avec une fourchette pour former des motifs croisés.

4. Faire cuire jusqu'à ce que le contour des biscuits soit légèrement doré (7 minutes). Laisser refroidir sur les plaques pendant au moins 5 minutes pour éviter qu'ils se défassent en morceaux.

Biscuits Oréos

Portions : 32
Préparation : 1 h 30
Cuisson : 20 min

Ingrédients :

PÂTE
- 1 1/3 T de poudre de cacao soluble
- 1 1/2 T de farine (tout usage) et un peu plus pour saupoudrer
- 1/4 de c. à t. de sel
- 1 T de beurre ramolli
- 2 T de sucre granulé
- 2 gros œufs
- 1 c. à t. d'extrait de vanille

CRÉMAGE
- 1/2 T de beurre non salé ramolli
- 1/2 T de graisse végétale
- 3 T de sucre glace tamisé
- 1 c. à t. d'extrait de vanille

Instructions :

1. Préparer la pâte en tamisant ensemble la poudre de cacao, la farine et le sel dans un grand bol.

2. Dans un batteur, mélanger le beurre et le sucre pour obtenir une pâte crémeuse.. Ajouter les œufs (1 à la fois) puis incorporer la vanille. Ajouter le mélange d'ingrédients secs en grattant le fond du bol avec une spatule en caoutchouc.

3. Diviser la pâte en deux : placer une portion entre deux feuilles légèrement farinées de papier ciré et former un rectangle de 5 mm d'épaisseur. Répéter l'opération avec l'autre portion de pâte. Réfrigérer les deux rectangles de pâte en les recouvrant de papier ciré pendant 1 heure ou plusieurs jours jusqu'à ce qu'ils soient fermes.

4. À l'aide d'un emporte-pièce rond de 5 cm, couper la pâte pour former 64 cercles (vous pouvez rouler les retailles). Déposer les biscuits sur des plaques à biscuits non graissées en les espaçant de 5 cm. Réfrigérer pendant 20 minutes. Préchauffer le four à 325 °F.

5. Faire cuire les biscuits jusqu'à ce que les contours soient légèrement plus foncés (20 minutes). Laisser refroidir complètement.

6. Pendant ce temps, préparer le crémage des biscuits en mélangeant le beurre et la graisse végétale à l'aide d'un batteur jusqu'à l'obtention d'une préparation légère et crémeuse. Incorporer le sucre glace et la vanille puis battre le tout.

7. Retourner la moitié des biscuits à l'envers et couvrir chacun d'eux avec 1 c. à thé de crémage. Poser les autres biscuits sur le dessus du crémage en pressant légèrement pour former des sandwichs.

Galette des Rois

Instructions :

1. Déposer la pâte d'amandes dans un robot culinaire ou un mélangeur avec la moitié du sucre et bien mélanger. Ajouter le beurre et le reste du sucre puis mélanger jusqu'à l'obtention d'une substance lisse. Incorporer ensuite 1 œuf, l'extrait de vanille, l'extrait d'amande, la farine et le sel. Réserver.

2. Préchauffer le four à 425 °F. Graisser une plaque à biscuits avec du beurre ou tapisser de papier ciré.

3. Étaler une feuille de pâte feuilletée pour former un carré de 28 cm. Garder la pâte bien fraîche sans la pétrir ni l'étirer. Utiliser un grand moule à tarte, un moule à gâteau ou une poêle à frire pour tracer un cercle dans la pâte et couper avec la pointe d'un couteau tranchant. Déposer le cercle de pâte sur la plaque à biscuits, et recommencer avec une autre feuille de pâte. Réfrigérer les deux feuilles.

4. Déposer la préparation aux amandes au centre de la feuille reposant sur la plaque en laissant une bordure non garnie de 4 cm tout autour du cercle. Cacher la fève dans la pâte. Déposer l'autre feuille de pâte sur le dessus et presser le contour pour refermer. Badigeonner le dessus de la galette avec le beurre fondu et utiliser un couteau pour faire un motif croisé. Piquer ensuite la surface à plusieurs endroits pour permettre à la vapeur de s'échapper au cours de la cuisson.

5. Faire cuire pendant 15 minutes. Ne pas ouvrir le four pendant la cuisson, car la pâte feuilletée risque de ne pas gonfler. Retirer du four et saupoudrer de sucre glace puis remettre au four et faire cuire encore jusqu'à ce que le dessus de la galette soit doré (12 à 15 minutes). Sortir du four et laisser refroidir.

6. Déposer une couronne dorée sur le gâteau. Vous pourrez ainsi couronner la personne qui trouve la fève. Servir froid ou chaud. Ne pas oublier pas d'avertir les gens si une fève se cache à l'intérieur.

Portions : 6
Préparation : 20 min
Cuisson : 30 min

Ingrédients :
- 1/4 de T de pâte d'amandes
- 1/4 de T de sucre blanc
- 3 c. à t. de beurre non salé ramolli
- 1 œuf
- 1/4 de c. à t. d'extrait de vanille
- 1/4 de c. à t. d'extrait d'amande
- 2 c. à t. de farine (tout usage)
- 1 pincée de sel
- 1 pâte feuilletée congelée
- 1 œuf battu
- 1 c. à t. de sucre glace pour saupoudrer
- 1 fève décorative

Gâteau renversé à l'ananas

Portions : 4 à 6
Préparation : 20 min
Cuisson : 45 min

Ingrédients :
- 1/2 T de beurre
- 1 1/2 T de cassonade
- 1 boîte d'ananas en tranches
- 10 cerises au marasquin
- 1 boîte de préparation à gâteau blanc

Instructions :

1. Faire fondre le beurre dans une poêle à frire en fer à feu moyen-fort. Retirer du feu et saupoudrer uniformément le beurre avec la cassonade. Étaler les rondelles d'ananas sur une seule couche dans un moule à gâteau et déposer une cerise au marasquin au centre de chaque rondelle. Faire la préparation à gâteau blanc tel qu'indiqué sur la boîte en remplaçant une partie du liquide indiqué dans les instructions par du jus d'ananas. Verser le mélange sur les ananas.

2. Faire cuire le gâteau tel qu'indiqué sur la boîte puis laisser refroidir 10 minutes. Renverser soigneusement le gâteau sur une assiette. Ne pas laisser refroidir trop longtemps, car il risque de coller au moule.

Gâteau triple chocolat

Portions : 8
Préparation : 25 min
Réfrigération : 4 h
Cuisson : 20 min

Ingrédients :
- Aérosol de cuisson végétal
- 2/3 de T de farine (tout usage)
- 1/3 de T de poudre de cacao non sucrée soluble
- 2/3 de T de sucre
- 1/2 c. à t. de bicarbonate de soude
- 3/4 de c. à t. de levure chimique
- 1/4 de c. à t. de sel
- 1 gros œuf
- 1/4 de T de lait entier
- 3 c. à s. d'huile végétale
- 1/2 c. à t. d'extrait de vanille pur
- Recette de mousse au chocolat semi-sucré et de mousse au chocolat au lait
- 60 g de chocolat semi-sucré

Instructions :

1. Préchauffer le four à 350 °F. Déposer 8 ramequins de 9 cm de diamètre sur une plaque à biscuits avec rebords préalablement vaporisée avec l'aérosol de cuisson. Mettre de côté.

2. Tamiser la farine, la poudre de cacao, le sucre, le bicarbonate de soude, la levure chimique et le sel dans le bol d'un batteur électrique. Incorporer l'œuf, le lait, l'huile, la vanille et 1/4 de tasse d'eau puis brasser pendant 3 minutes (vitesse moyenne à rapide) jusqu'à ce que la préparation soit lisse et bien mélangée.

3. Diviser la pâte également dans les ramequins et faire cuire jusqu'à ce qu'une sonde à gâteau insérée au centre en ressorte propre (environ 20 minutes). Laisser refroidir complètement. Passer une lame de couteau tout autour des gâteaux pour les détacher des ramequins. Démouler. Les gâteaux peuvent être conservés au réfrigérateur pendant une journée.

4. Tailler chaque gâteau de façon à ce qu'il mesure 2,5 cm de haut. Transférer les gâteaux sur une plaque à biscuits tapissée de papier ciré. Couper 8 bandes de papier ciré de 4 x 10 cm puis enrouler une bande autour de chaque gâteau en s'assurant que le bas de la bande soit au même niveau que la base du gâteau. Le cylindre de papier ciré s'élèvera ainsi au-dessus du gâteau pour assurer la hauteur de la mousse. Faire tenir la bande avec du papier adhésif.

5. Déposer la mousse au chocolat semi-sucrée préparée dans une poche à douille et verser une couche de mousse de 2,5 cm d'épaisseur à l'intérieur du cylindre sur chaque gâteau. Réfrigérer jusqu'à ce que la mousse durcisse (20 minutes). Répéter avec la mousse au chocolat au lait en versant une couche sur la mousse semi-sucrée à l'aide d'une douille. Réfrigérer pendant 4 heures ou toute une nuit.

6. Déposer le chocolat semi-sucré dans le micro-ondes et faire chauffer doucement pendant 30 secondes jusqu'à ce qu'il soit chaud (sans le faire fondre). Râper le chocolat à l'aide d'un éplucheur à légumes pour former des copeaux. Retirer les cylindres de papier ciré avant de servir les gâteaux et garnir avec des copeaux de chocolat.

Gâteau des anges

Instructions :

1. Séparer les œufs et réfrigérer les jaunes pour un usage futur. Mesurer les blancs d'œufs en en enlevant ou en ajoutant, au besoin, de façon à obtenir 1 1/2 tasse. Déposer dans un bol et laisser reposer à la température de la pièce pendant 30 minutes.

2. Pendant ce temps, tamiser 3 fois le sucre et la farine. Mettre de côté. Ajouter la crème de tartre, les extraits de vanille et d'amande et le sel dans le bol contenant les blancs d'œufs. Battre à vitesse rapide. Ajouter graduellement le sucre en le fouettant jusqu'à ce qu'il soit dissous et que des pics fermes se forment. Incorporer le mélange de farine en versant 1/4 de tasse à la fois. Verser doucement dans un moule à cheminée de 25 cm non graissé. Éliminer les poches d'air formées dans la pâte à l'aide d'un couteau. Faire cuire au four à 350 °F jusqu'à ce que le gâteau reprenne sa forme après avoir légèrement appuyé au centre (40 à 45 minutes). Renverser immédiatement le moule et laisser refroidir complètement avant de retirer le gâteau du moule.

Portions :
Préparation : 20 min
Cuisson : 45 min

Ingrédients :
- 12 œufs
- 1 1/4 T de sucre glace
- 1 T de farine (tout usage)
- 1 1/2 c. à t. de crème de tartre
- 1 1/2 c. à t. d'extrait de vanille
- 1/2 c. à t. d'extrait d'amande
- 1/4 de c. à t. de sel
- 1 T de sucre

Gâteau au citron et au café

Instructions :

1. Pour faire le streusel, mélanger la farine, la cassonade et le sel. À l'aide d'un coupe-pâte ou de vos doigts, découper le beurre dans la farine et mélanger jusqu'à ce que de petits ou de moyens grumeaux se forment. Couvrir et réfrigérer jusqu'à l'utilisation (se conserve jusqu'à 3 jours).

2. Pour faire le gâteau, faire cuire les tranches de citron dans une casserole d'eau bouillonnante pendant 1 minute. Égoutter et répéter l'opération. Déposer les tranches de citron pour former une seule couche sur une plaque à biscuits tapissée de papier ciré.

3. Préchauffer le four à 350 °F. Graisser un moule à gâteau des anges de 23 cm avec du beurre. Tamiser la farine, la levure chimique, le bicarbonate de soude et le sel dans un bol. À l'aide d'un batteur, fouetter le beurre, le sucre granulé et le zeste de citron à puissance moyenne dans un grand bol jusqu'à ce que la préparation soit légère et mousseuse (environ 2 minutes). Ajouter les œufs (1 à la fois) en fouettant à l'aide du batteur puis incorporer la vanille. Réduire à basse vitesse. Ajouter le mélange de farine en trois temps et en alternant avec la crème sure.

4. Verser la moitié de la pâte dans le moule et déposer la moitié des tranches de citrons sur une seule couche sur la pâte. Étaler ensuite le reste de la pâte, et couvrir avec l'autre moitié des tranches de citron sur une seule couche. Saupoudrer le streusel froid sur la pâte.

5. Faire cuire le gâteau jusqu'à ce qu'il soit doré et qu'une sonde à gâteau insérée au centre en ressorte propre (environ 55 minutes). Sortir du four, déposer sur une plaque à biscuits et laisser refroidir dans le moule pendant 15 minutes. Faire passer un couteau tout autour du gâteau pour le détacher du moule et retirer la paroi extérieure. Laisser refroidir 15 minutes. Passer un couteau tout autour du cercle intérieur pour détacher le moule. Faire glisser deux grandes spatules entre le dessous du gâteau et le moule et soulever le gâteau pour retirer la paroi intérieure. Laisser refroidir complètement.

6. Pour faire le glaçage, mélanger le sucre glace et le jus de citron dans un bol juste avant de servir et arroser le gâteau en laissant le glaçage couler sur les côtés. Laisser le glaçage durcir avant de couper le gâteau. Ce dernier peut être conservé pendant 3 jours. La saveur de citron s'intensifiera au fil des jours.

Portions : 10 à 12
Préparation : 25 min
Cuisson : 55 min

Ingrédients :

STREUSEL
• 1 3/4 T de farine (tout usage)
• 3/4 de T de cassonade pâle
• 1 c. à t. de gros sel
• 3/4 de T de beurre non salé

GÂTEAU
• 5 citrons coupés en tranches très minces
• 2 T de farine (tout usage)
• 1 c. à t. de levure chimique
• 1 c. à t. de bicarbonate de soude
• 1 1/2 c. à t. de gros sel
• 1/2 T de beurre non salé à la température de la pièce, et un peu plus pour graisser
• 1 T de sucre granulé
• 3 c. à t. de zeste de citron finement râpé (4 à 5 citrons)
• 2 gros œufs
• 1 c. à t. d'extrait de vanille pur
• 1 T de crème sure

GLAÇAGE
• 1 T de sucre glace
• 3 à 4 c. à t. de jus de citron

Gâteau danois à la cassonade et aux pacanes

Portions : 12
Préparation : 15 min
Cuisson : 30 min

Ingrédients :
• 2 T de farine (tout usage)
• 2 T de cassonade claire
• 3/4 de T de beurre coupé en dés
• 1 T de crème sure
• 1 gros œuf légèrement battu
• 1 c. à t. de bicarbonate de soude
• 3 c. à t. de sucre granulé
• 1 c. à t. de cannelle moulue
• 1 T de pacanes hachées

Instructions :

1. Mélanger la farine et la cassonade dans un grand bol. Incorporer 3/4 de tasse de beurre dans la farine à l'aide d'un mélangeur ou de 2 fourchettes jusqu'à l'obtention d'une texture grossière. Verser uniformément 2 3/4 tasses de ce mélange au fond d'un moule graissé de 23 x 33 cm.

2. Mélanger la crème sure, l'œuf et le bicarbonate de soude. Ajouter le reste du mélange de farine et de beurre en remuant jusqu'à ce que les ingrédients secs soient humides. Mélanger le sucre et la cannelle. Verser le mélange de crème sure sur la préparation reposant au fond du moule et saupoudrer uniformément le tout du mélange de sucre, de cannelle et de pacanes.

3. Faire cuire au four à 350 °F jusqu'à ce qu'un cure-dent inséré au centre du gâteau en ressorte propre (25 à 30 minutes)

Gâteaux au chocolat, crème glacée au gingembre et au rhum

Portions: 8
Préparation: 10 min
Cuisson: 15 min

Ingrédients:

CRÈME GLACÉE
• 1 pot de crème glacée
  à la vanille ramollie
• 2 c. à t. de gingembre cristallisé
• 1 c. à t. de rhum foncé

PETITS GÂTEAUX
• 400 g de chocolat semi-sucré
• 1 1/4 T de beurre non salé
• 2 c. à t. de coriandre moulue
• 2 c. à t. de cardamome moulue
• 1 c. à t. de cannelle moulue
• 1/2 c. à t. de clou de girofle moulu
• 1/2 c. à t. de poivre blanc moulu
• 6 gros œufs
• 6 gros jaunes d'œufs
• 2 c. à t. d'extrait de vanille
• 3 T de sucre en poudre
• 1 T de farine (tout usage)
• Gingembre cristallisé pour décorer

Instructions:

CRÈME GLACÉE
1. Verser la crème glacée ramollie dans un bol. À l'aide d'une spatule en plastique, incorporer le gingembre et le rhum. Transférer le tout dans un contenant hermétique. Faire congeler le mélange de crème glacée jusqu'à ce qu'il soit ferme (4 heures). Le mélange peut être concocté un jour à l'avance et conservé au congélateur.

PETITS GÂTEAUX
2. Beurrer généreusement 8 moules à soufflé de 3/4 de tasse. Mélanger le chocolat, le beurre, la coriandre, la cardamome, la cannelle, le clou de girofle et le poivre blanc dans une casserole épaisse à feu doux jusqu'à ce que le mélange fonde et soit lisse. Laisser refroidir quelques instants. Fouetter les œufs entiers, les jaunes d'œufs et la vanille dans un grand bol pour bien mélanger. Incorporer 3 tasses de sucre granulé, le mélange de chocolat et la farine. Verser la pâte dans les moules en les remplissant complètement.

3. Préchauffer le four à 425 °F. Faire cuire les gâteaux jusqu'à ce que la pâte lève au-dessus des moules et que la surface des gâteaux soit dorée et le centre tendre et coulant (environ 15 minutes). Passer un petit couteau tout autour des gâteaux pour les détacher des moules. Laisser reposer les gâteaux pendant 5 minutes dans les moules avant de les faire glisser dans une assiette.

4. Répéter l'opération avec les autres petits gâteaux. Saupoudrer de sucre en poudre et de gingembre cristallisé. Servir les petits gâteaux avec de la crème glacée au gingembre et au rhum.

Petits fondants au chocolat

Instructions:

1. Préchauffer le four à 425 °F. Faire fondre le chocolat et le beurre dans une casserole épaisse à feu doux. Laisser refroidir quelques instants.

2. Battre le sucre et les jaunes d'œufs à l'aide un batteur électrique pendant 4 minutes.

3. Incorporer le mélange chocolaté et fouetter encore 5 minutes.

4. Battre les blancs d'œufs dans un autre bol jusqu'à ce que des pics fermes se forment (environ 3 minutes). Incorporer les blancs d'œufs battus dans le mélange avec la farine et mélanger le tout.

5. Verser dans 6 moules à muffin graissés avec du beurre ou dans des moules antiadhésifs. Faire cuire jusqu'à ce que le contour des muffins soit cuit et que le centre soit encore liquide (5 à 7 minutes).

6. Laisser refroidir pendant 5 minutes dans les moules puis transférer soigneusement sur des assiettes. Servir avec de la crème légèrement fouettée.

Portions: 6
Préparation: 15 min
Cuisson: 7 min

Ingrédients:
• 170 g de chocolat semi-sucré
• 2/3 de T de beurre non salé
• 1/3 de T de sucre
• 6 jaunes d'œufs
• 3 blancs d'œufs
• 1/3 de T de farine (tout usage)

Gâteau au chocolat avec fondant à l'expresso

Portions : 6
Préparation : 30 min
Cuisson : 45 min

Ingrédients :

GÂTEAU

- 3 c. à t. de beurre non salé
  (ou de margarine végétale)
  et un peu plus pour graisser
- 170 g de brisures de chocolat
  semi-sucré
- 6 gros œufs séparés
- 1 T de sucre granulé
- 3 c. à t. de poudre d'expresso
  instantané
- 1/4 de c. à t. de gros sel
- 1 c. à t. d'extrait de vanille

FONDANT À L'EXPRESSO

- 85 g de brisures de chocolat
  semi-sucré
- 1 1/2 c. à t. de beurre non salé
  (ou de margarine végétale)
- 2 c. à t. d'extrait de vanille
- 1/3 de T de crème
  riche en matières grasses
  (ou de lait de soja entier)
- 1/3 de T de sucre granulé
- 1 c. à t. de poudre d'expresso
  instantané
- 1/4 de c. à t. de gros sel

Instructions :

1. Pour faire le gâteau, préchauffer le four à 350 °F. Beurrer un moule à charnière de 23 cm et tapisser de papier ciré. Faire fondre le beurre et le chocolat au bain-marie à feu doux.

2. Battre les jaunes d'œufs avec 1/2 tasse de sucre à l'aide un batteur muni d'un fouet jusqu'à ce qu'ils soient pâles et qu'ils épaississent (3 minutes). Ajouter l'expresso et le sel et battre pendant encore 1 minute. Ajouter le mélange de vanille et de chocolat et battre le tout pendant 1 minute.

3. Battre les blancs en neige dans un bol. Ajouter lentement le reste du sucre en battant jusqu'à ce que des pics fermes se forment. Incorporer les blancs d'œufs en 3 fois dans le mélange de chocolat. Verser la pâte dans le moule à charnière.

4. Faire cuire jusqu'à ce que le gâteau soit prêt (40 à 45 minutes) et laisser refroidir complètement sur une grille. Retirer la paroi du moule et soulever soigneusement le gâteau avec une spatule avant de retirer le papier ciré.

5. Pour faire le fondant, déposer le chocolat, le beurre et la vanille dans un bol. Faire bouillir la crème avec le sucre, la poudre d'expresso et le gros sel en remuant et verser le tout sur le mélange de chocolat. Fouetter jusqu'à l'obtention d'une préparation lisse. Servir le fondant avec le gâteau.

Gâteau glacé aux brisures de chocolat

Instructions :

1. Émietter la moitié des biscuits (environ 20). Mélanger les miettes avec la margarine fondue et presser le tout au fond d'un moule à charnière ou d'un moule à tarte de 23 cm. Disposer le reste des biscuits tout autour du moule. Étaler 3/4 de tasse de sauce chaude au chocolat sur la croûte. Congeler pendant 15 minutes.

2. Pendant ce temps, ramollir la moitié de la crème glacée au micro-ondes ou dans une casserole. Verser la crème glacée ramollie sur la sauce au chocolat gelée et faire congeler pendant 30 minutes.

3. Utiliser le reste de la crème glacée et former des boules avant de les disposer sur la couche de crème glacée congelée. Faire congeler jusqu'à ce que le gâteau soit ferme (4 heures ou toute une nuit). Pour servir, garnir avec le reste de la sauce au chocolat, de la crème fouettée et des cerises.

Portions : 6
Préparation : 20 min
Congélation : 5 h

Ingrédients :

- 1 paquet de petits biscuits aux
  brisures de chocolat
- 1/4 de T de margarine fondue
- 1 T de sauce chaude au chocolat
- 2 pots de crème glacée à la vanille
- 1 T de crème fouettée
- 12 cerises

Gâteau aux carottes avec glaçage au fromage

Instructions :

1. Préchauffer le four à 350 °F.

2. Graisser deux moules carrés ou ronds de 23 cm.

3. Mélanger la farine, le sucre, le sel, le bicarbonate de soude et la cannelle. Ajouter l'huile, les œufs et la vanille et battre avec un batteur électrique. Incorporer la purée de carottes et les carottes râpées.

4. Verser la pâte dans les moules et faire cuire jusqu'à ce que le contour des gâteaux se détache des moules (40 à 50 minutes). Laisser refroidir pendant 3 heures avant de mettre le glaçage.

5. Pour faire le glaçage, mélanger le fromage à la crème et le beurre avec un batteur électrique pour obtenir une texture crémeuse. Verser lentement le sucre glace et battre jusqu'à ce que la préparation soit lisse. Mélanger la vanille et le jus de citron avant de l'incorporer au glaçage en en versant juste assez pour obtenir une consistance facile à étaler. Étendre le glaçage.

Portions : 2 petits gâteaux
(ou 1 gâteau à 2 couches)
Préparation : 30 min
Cuisson : 25 min

Ingrédients :
- 3 T de farine
- 3 T de sucre granulé
- 1 c. à t. de sel
- 1 c. à t. de bicarbonate de soude
- 1 c. à t. de cannelle moulue
- 1 1/2 T d'huile de maïs (ou de canola)
- 4 œufs
- 1 c. à t. de vanille
- 1 1/3 T de carottes cuites réduites en purée
- 1/4 de T de carottes râpées

GLAÇAGE AU FROMAGE À LA CRÈME
- 250 g de fromage à la crème à la température de la pièce
- 6 c. à t. de beurre non salé
- 3 T de sucre glace
- 1 c. à t. de vanille
- Jus de 1/2 citron

Pouding chaud au double chocolat

Portions : 6
Préparation : 20 min
Cuisson : 50 min

Ingrédients :

CRÈME
- 1/4 de T de sucre
- 1/4 de T de succédané d'œuf
- 1 T et 2 c. à t. supplémentaire de lait concentré écrémé
- 45 g de chocolat semi-sucré haché
- Aérosol de cuisson

GÂTEAU
- 85 g de chocolat noir haché
- 1/3 de T de sucre
- 1/3 de T de succédané d'œuf
- 1/4 de T de compote de pommes
- 6 c. à t. de garniture fouettée congelée faible en gras

Instructions :

1. Préchauffer le four à 325 °F.

2. Pour préparer la crème, mélanger le sucre et le succédané d'œuf avec un fouet. Faire cuire le lait dans une petite casserole épaisse à feu moyen-fort (ne pas laisser bouillir). Retirer du feu et ajouter le chocolat en remuant jusqu'à ce qu'il soit fondu. Incorporer graduellement le mélange chocolaté chaud dans le mélange d'ingrédients secs en remuant constamment avec un fouet.

3. Verser uniformément le mélange dans 6 ramequins ou 6 coupes à dessert vaporisées avec l'aérosol de cuisson. Déposer les ramequins dans un plat allant au four et verser 2,5 cm d'eau chaude dans le plat. Faire cuire jusqu'à ce que les poudings soient presque prêts (30 minutes). Retirer du four et laisser refroidir dans le plat pendant 30 minutes. Retirer les ramequins du plat et jeter l'eau.

4. Pour préparer la couche de gâteau, déposer le chocolat noir dans un petit bol en verre. Faire chauffer au micro-ondes jusqu'à ce qu'il soit presque fondu (2 minutes). Remuer le chocolat après 1 minute de cuisson. Mettre de côté. Fouetter le sucre et le succédané d'œufs pendant 5 minutes à l'aide d'un batteur électrique à vitesse moyenne jusqu'à ce que le tout soit bien mélangé. Verser uniformément sur la couche de crème. Déposer les ramequins dans un plat allant au four et ajouter 2,5 cm d'eau chaude dans le plat. Faire cuire pendant 20 minutes. Retirer les ramequins du plat et garnir avec 1 c. à thé de garniture fouettée.

Pouding de pain perdu

Portions : 8
Préparation : 30 min
Cuisson : 1 h

Ingrédients :
- 4 T de pain français (ou italien) blanc croustillant et rassis coupé en gros dés
- 2 T de lait
- 4 œufs
- 1 T de sucre
- 1 c. à t. de cannelle
- 4 poires étrognées, pelées et coupées en dés
- 1 T de brisures de chocolat
- 1 T de raisins secs

Instructions :

1. Préchauffer le four à 350 °F. Graisser un moule à soufflé. Déposer les morceaux de pain dans un grand bol.

2. Battre le lait, les œufs, le sucre et la cannelle dans un autre bol et verser le tout sur les morceaux de pain. Ajouter les poires, les brisures de chocolat et les raisins secs et bien mélanger.

3. Verser le mélange dans le moule à soufflé et faire cuire jusqu'à ce que le pudding soit gonflé et doré (1 heure). Laisser reposer 15 minutes. Servir 1 tasse de pudding de pain bien chaud sur chaque assiette.

Terrine de poires et caramel

Portions : 6 à 8
Préparation : 30 min
Cuisson : 1 h 30

Ingrédients :
- 1/4 de T d'eau
- 1 T de sucre
- 2 anis étoilés finement râpés (1/2 c. à t.)
- 1/4 de c. à t. de sel
- 2 c. à t. de jus de citron frais
- 10 à 12 poires mûres et fermes
- 170 g de fromage bleu doux (comme de la Fourme d'Ambert) finement tranché (facultatif)
- 1 T de noix grillées (facultatif)

Instructions :

1. Préchauffer le four à 250 °F. Faire mijoter l'eau avec 3/4 de tasse de sucre dans une petite casserole à feu moyen-fort jusqu'à ce que le sucre soit dissous. Laisser cuire en remuant de temps à autre si le sucre brunit de façon inégale jusqu'à ce que le mélange soit ambré. Verser le caramel dans un moule à charlotte de 9 cm x 16 cm de profondeur en remuant pour bien couvrir le fond et les côtés (le caramel peut parfois craquer lorsqu'il refroidit).

2. Déposer l'anis dans un petit bol. Mélanger le sel et le reste du sucre dans un autre bol. Verser le jus de citron dans un troisième bol.

3. Peler 3 poires. À l'aide d'une mandoline ou d'une trancheuse, couper chacune des poires dans le sens de la longueur.

4. Disposer une couche de tranches de poires dans le moule en allant dans le sens contraire des aiguilles d'une montre et en formant un cercle de tranches superposées pour couvrir le fond du moule. Arroser légèrement les tranches avec le jus de citron et saupoudrer le tout avec 1 c. à thé du mélange de sucre. Étaler une autre couche de poires en disposant les tranches en rond dans le sens des aiguilles d'une montre pour couvrir la couche du dessous. Saupoudrer de 1 c. à thé de sucre et une pincée d'anis étoilé. Trancher les autres poires puis continuer d'étaler des couches en alternant le sens ainsi que le jus de citron et l'anis. Laisser 1 cm d'espace en haut du moule.

5. Tapisser le moule avec du papier aluminium. Déposer le moule dans un plat allant au four et enfourner. Verser soigneusement de l'eau bouillante dans le plat jusqu'à mi-hauteur du moule. Faire cuire jusqu'à ce que la lame d'un couteau insérée au centre ne rencontre aucune résistance (1 heure 15 à 1 heure 30). Sortir du four, transférer sur une grille, et laisser refroidir pendant 10 minutes.

6. Déposer un moule à tarte ou une assiette dont les bords dépassent du moule à charlotte et renverser rapidement. Retirer le moule. À l'aide d'une spatule, transférer la terrine sur une assiette et conserver la sauce de cuisson.

7. Faire bouillir la sauce dans une petite casserole jusqu'à ce qu'elle épaississe légèrement (5 minutes). Laisser refroidir. Trancher la terrine et servir chaud avec de la sauce et du fromage bleu et des noix, si désiré.

Pêches épicées

Instructions :

1. Vider les boîtes de pêches dans une casserole avec le sirop. Ajouter le vinaigre, la cannelle, le gingembre, le chili, le sel, les grains de poivre et les clous de girofle. Porter à ébullition et laisser bouillir 1 minute.

2. Éteindre le feu et laisser le mélange dans la casserole pour le garder au chaud. Napper les pêches de sirop. Les restes peuvent se conserver ou réfrigérateur.

Portions : 8
Préparation : 5 min
Cuisson : 5 min

Ingrédients :
- 2 boîtes de moitiés de pêches dans le sirop
- 1 c. à s. de vinaigre de riz (ou vinaigre de vin blanc)
- 2 bâtonnets de cannelle
- 4 cm de gingembre pelé finement tranché en rondelles
- 1/2 c. à t. de chile broyé et séché
- 1/2 c. à t. de sel casher (ou 1/4 de c. à t. de sel de table)
- 1/4 de c. à t. de poivre en grains
- 3 clous de girofle entiers

Délice aux pêches grillées

Portions : 4
Préparation : 15 min
Cuisson : 20 min

Ingrédients :
- **6 pêches bien mûres coupées en 2 et dénoyautées**
- **8 c. à s. de beurre non salé fondu (et un peu plus, si désiré)**
- **8 c. à s. de cassonade pâle**
- **1 c. à t. de cannelle moulue**
- **1/2 T de céréales granolas**
- **1 pot de crème glacée à la vanille**
- **1/2 T de sauce au caramel préparée et chauffée**

Instructions :

1. Faire chauffer le gril.

2. Déposer les pêches sur le gril en s'assurant de mettre le côté tranché vers le bas et faire dorer. Retirer du gril, couper en pointes et déposer dans un plat à gratin. Verser la moitié du beurre sur les pêches puis la moitié de la cassonade et la moitié de la cannelle et bien remuer le tout. Verser le reste du beurre, du sucre et de la cannelle dans un bol avec les céréales granolas et bien mélanger en ajoutant plus de beurre, au besoin. Couvrir les pêches avec le mélange de granolas et déposer le plat à gratin sur le gril. Couvrir et faire cuire jusqu'à ce que les pêches et les céréales soient dorées (environ 15 minutes).

3. Verser 1 grosse cuillérée de crème glacée dans 4 bols et couvrir avec le mélange de pêches puis arroser le tout de sauce au caramel.

Crème glacée aux framboises

Instructions :

1. Déposer les framboises dans un mélangeur, poser le couvercle et brasser (vitesse moyenne à rapide) jusqu'à ce qu'elles soient hachées. Mélanger tous les ingrédients dans une sorbetière.

2. Remuer jusqu'à ce que le sucre soit dissous et faire congeler en suivant les instructions du fabricant.

Portions : 4 à 6
Préparation : 10 min

Ingrédients :
- **2 T de framboises fraîches ou congelées**
- **2 T de crème à fouetter**
- **1 T de crème légère**
- **1 T de sucre**
- **2 c. à t. d'extrait de vanille**

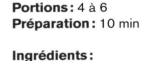

Crème glacée aux pêches

Portions : 8 à 10
Préparation : 20 min

Ingrédients :
- **6 œufs battus**
- **3 1/2 T de sucre blanc**
- **10 pêches dénoyautées et hachées**
- **4 T de crème riche en matières grasses**
- **2 T de crème légère**
- **2 c. à t. d'extrait de vanille**
- **3/4 de c. à t. de sel**

Instructions :

1. Mélanger les œufs et le sucre dans un grand bol jusqu'à ce que le tout soit lisse. Réduire les pêches en purée dans un mélangeur ou un robot culinaire et verser 5 tasses de purée dans le mélange d'œufs. Incorporer la crème riche, la crème légère, la vanille et le sel et bien mélanger le tout.

2. Verser le mélange dans une sorbetière et faire congeler en suivant les instructions du fabricant.

Brioches aux pacanes

Portions : 15 brioches
Préparation : 2 h
Cuisson : 20 min

Ingrédients :

PÂTE
- 3/4 de T de lait écrémé bien chaud
- 1/4 de T de sucre granulé
- 1/2 c. à t. de sel
- 1 paquet (environ 2 1/4 c. à t.) de levure sèche
- 1/4 de T d'eau bien chaude
- 1/2 T de succédané d'œuf
- 3 c. à s. de beurre fondu et refroidi
- 4 T de farine (tout usage)
- Aérosol de cuisson

SAUCE
- 3/4 de T de cassonade
- 3 c. à s. de beurre fondu
- 2 c. à s. d'eau chaude
- 1/3 de T de pacanes grillées finement hachées

BRIOCHES
- 2/3 de T de sucre granulé
- 1 c. à s. de cannelle moulue
- 1 1/2 c. à s. de beurre fondu

Instructions :

1. Pour faire la pâte, mélanger le lait, le sucre granulé et le sel dans un bol.

2. Dissoudre la levure dans un petit bol avec 1/4 de tasse d'eau chaude. Laisser reposer 5 minutes. Incorporer le mélange de levure dans le mélange de lait puis ajouter le succédané d'œuf avec 3 c. à soupe de beurre fondu et bien mélanger le tout.

3. À l'aide d'une tasse à mesurer, ajouter environ 3 3/4 tasses de farine dans le mélange de levure et remuer jusqu'à l'obtention d'une préparation lisse. Déposer la pâte sur une surface farinée et pétrir jusqu'à ce que la pâte soit lisse et élastique (environ 8 minutes). Ajouter la farine (1 c. à soupe à la fois) pour éviter que la pâte colle sur les mains (la pâte devrait être douce et légèrement collante).

4. Déposer la pâte dans un grand bol vaporisé avec l'aérosol de cuisson et la retourner pour enrober la surface. Couvrir et laisser lever la pâte pendant 45 minutes dans un endroit chaud sans courants d'air. Frapper la pâte pour la faire dégonfler avant de la retourner dans le bol. Enrober légèrement avec l'aérosol de cuisson, couvrir et laisser lever pendant encore 45 minutes. Frapper la pâte pour la faire dégonfler, couvrir et laisser reposer 5 minutes.

5. Pour préparer la sauce, mélanger la cassonade, le beurre fondu et l'eau chaude dans un petit bol. Remuer avec un fouet jusqu'à ce que le mélange soit lisse. Étaler uniformément le mélange de cassonade dans une plaque à biscuits de 23 x 33 cm vaporisée avec l'aérosol de cuisson. Saupoudrer le mélange de cassonade et de pacanes. Mettre de côté.

6. Pour assembler les brioches, mélanger le sucre granulé et la cannelle dans un petit bol. Déposer la pâte sur une surface farinée et étendre la pâte pour former un rectangle de 30 x 40 cm. Badigeonner la surface de la pâte avec 1 1/2 c. à soupe de beurre fondu. Saupoudrer la pâte avec le mélange de sucre à la cannelle en laissant une bordure de 1 cm. Rouler la pâte dans le sens de la longueur en pinçant l'extrémité pour fermer partiellement. Couper 15 tranches d'environ 2,5 cm d'épaisseur chacune. Déposer les tranches sur la plaque et vaporiser légèrement avec l'aérosol de cuisson. Couvrir la plaque et laisser lever les brioches dans un endroit chaud sans courants d'air jusqu'à ce qu'elles aient doublé de volume (30 minutes).

7. Préchauffer le four à 350 °F.

8. Découvrir les brioches et faire cuire jusqu'à ce qu'elles soient légèrement dorées (20 minutes). Laisser reposer pendant 1 minute et transposer soigneusement sur une assiette de service.

Mousse au chocolat

Instructions :

1. Faire cuire 1/4 de tasse de crème, le chocolat, le sirop de maïs et le beurre dans une grande casserole à feu doux en remuant jusqu'à ce que le chocolat soit fondu. Laisser refroidir.

2. Battre le reste de la crème à fouetter avec le sucre en poudre et la vanille à haute vitesse avec un mélangeur électrique jusqu'à ce que des pics fermes se forment puis incorporer dans le mélange de chocolat. Couvrir et réfrigérer pendant au moins 30 minutes.

Portions : 4
Préparation : 15 min
Réfrigération : 30 min
Cuisson : 5 min

Ingrédients :
- 1 T de crème à fouetter
- 1 paquet (230 g) de carrés de chocolat semi-sucré
- 1/4 de T de sirop de maïs léger
- 1/4 de T de beurre
- 2 c. à t. de sucre en poudre
- 1/2 c. à t. d'extrait de vanille

Mousse au chocolat noir au coulis de framboises

Instructions:

1. Faire cuire le chocolat, le sucre et le beurre dans une casserole épaisse à feu doux en remuant constamment jusqu'à ce que le chocolat soit fondu.

2. Fouetter ensemble le succédané d'œuf et le lait. Incorporer graduellement 1/2 tasse de chocolat dans le mélange du succédané en fouettant puis ajouter le reste du mélange chocolaté en remuant constamment. Faire cuire à feu doux en remuant sans cesse jusqu'à ce que le mélange épaississe (5 à 8 minutes). Retirer du feu et transférer dans un petit bol non métallique puis laisser reposer 45 minutes.

3. Incorporer doucement la garniture fouettée dans le mélange chocolaté refroidi et mélanger. Verser uniformément la préparation dans 8 coupes, couvrir et réfrigérer 2 heures. Napper chaque coupe de 2 c. à thé de compote de framboises et de garniture, si désiré.

Portions: 8
Préparation: 10 min
Réfrigération: 2 h
Cuisson: 11 min

Ingrédients:
- 2 barres de chocolat noir de bonne qualité hachées grossièrement
- 1/4 de T de sucre
- 2 c. à t. de beurre
- 1/2 T de succédané d'œuf
- 1/4 de T de lait écrémé
- 1 1/2 T de garniture fouettée non laitière faible en gras
- Compote de framboises (facultatif)

GARNITURES
- Framboises fraîches
- Copeaux de chocolat

Brioches aux figues et aux noix

Portions: 12
Préparation: 1 h 40
Cuisson: 15 min

Ingrédients:
- 2 c. à t. de sucre granulé
- 1 paquet (environ 2 1/4 c. à t.) de levure sèche
- 2/3 de T d'eau bien chaude
- 5 c. à t. de beurre fondu
- 1 3/4 T de farine (tout usage)
- 1/4 de c. à t. de sel
- 1/4 de c. à t. de muscade moulue
- Aérosol de cuisson
- 3/4 de T de cassonade
- 2 c. à t. de sirop de maïs foncé
- 2 c. à t. de lait 1 %
- 1/2 T de figues séchées finement hachées
- 1/4 de T de noix finement hachées
- 1 1/2 c. à t. de cannelle moulue

Instructions:

1. Dissoudre le sucre granulé et la levure dans un petit bol avec 2/3 de tasse d'eau chaude. Laisser le mélange reposer pendant 5 minutes. Incorporer 3 c. à thé de beurre fondu.

2. Mélanger 1/2 tasse de farine, le sel et la muscade dans un grand bol en fouettant. Verser le mélange de levure dans le mélange de farine et remuer jusqu'à la formation d'une pâte lisse. Déposer la pâte sur une surface légèrement farinée. Pétrir la pâte pendant environ 4 minutes jusqu'à ce qu'elle soit bien lisse et élastique en ajoutant 1 c. à thé de farine à la fois pour éviter que la pâte colle sur les mains. Déposer la pâte dans un grand bol vaporisé avec l'aérosol de cuisson et faire tourner la pâte pour enrober la surface. Couvrir et faire lever la pâte dans un endroit chaud sans courants d'air jusqu'à ce que la pâte ait doublé de volume (1 heure).

3. Mélanger 1/2 tasse de cassonade, le sirop et le lait dans une petite casserole. Porter le mélange à ébullition puis retirer la casserole du feu. Incorporer les figues. Étaler uniformément les noix sur une plaque à biscuits de 23 x 33 cm vaporisée avec l'aérosol de cuisson puis verser uniformément le mélange de figues sur les noix au fond de la plaque.

4. Mélanger le reste de la cassonade avec la cannelle dans un petit bol et réserver.

5. Préchauffer le four à 375 °F.

6. Frapper la pâte pour la faire dégonfler. Laisser reposer 5 minutes. Étendre la pâte pour former un rectangle de 25 x 30 cm sur une surface légèrement farinée. Badigeonner la surface de la pâte avec le reste du beurre en laissant une bordure de 2,5 cm. Saupoudrer la pâte avec le mélange de cassonade et de cannelle. Rouler la pâte assez serrée dans le sens de la longueur en pressant fermement pour éliminer toutes les poches d'air. Pincer l'extrémité pour fermer partiellement. Couper 12 tranches de 2,5 cm d'épaisseur. Déposer les tranches sur la plaque. Les tranches occuperont toute la surface de la plaque lorsque la pâte lèvera. Couvrir la plaque avec une serviette humide. Laisser lever dans un endroit chaud sans courants d'air jusqu'à ce que les tranches aient doublé de volume (15 minutes).

7. Faire cuire jusqu'à ce que les brioches soient légèrement dorées (15 minutes). Les laisser refroidir pendant 5 minutes puis poser une assiette de service à l'envers sur le dessus de la plaque. Renverser la plaque pour faire tomber les brioches dans l'assiette. Servir chaud.

Mousses au chocolat individuelles

Portions : 10
Préparation : 15 min
Cuisson : 25 min

Ingrédients :
• 1 1/4 T de sucre
• 1/2 T de cacao non sucré
• 2 c. à t. de farine (tout usage)
• 1/8 de c. à t. de sel
• 3/4 de T d'eau
• 140 g de chocolat semi-sucré
  finement haché
• 1 c. à t. de rhum foncé
• 1 c. à t. d'extrait de vanille
• 2 gros œufs
• 1 gros blanc d'œuf
• Aérosol de cuisson

Instructions :
1. Préchauffer le four à 350 °F.

2. Mélanger les 3/4 du sucre, le cacao, la farine et le sel dans une petite casserole. Ajouter l'eau et bien remuer en fouettant. Faire mijoter à feu moyen et laisser cuire pendant 2 minutes en remuant constamment. Déposer les morceaux de chocolat dans un grand bol et verser le mélange de cacao chaud sur le chocolat. Remuer jusqu'à ce que le chocolat soit fondu. Verser le rhum et la vanille.

3. Verser 1/2 tasse de sucre, 2 œufs entiers et 1 blanc d'œuf dans un bol puis battre à haute vitesse pendant 6 minutes à l'aide d'un batteur. Incorporer doucement le mélange d'œufs dans le mélange chocolaté.

4. Répartir la crème au chocolat dans 10 ramequins vaporisés avec l'aérosol de cuisson. Déposer les ramequins dans un plat allant au four de 23 x 33 cm et verser 2,5 cm d'eau chaude dans le plat. Faire cuire pendant 25 minutes ou jusqu'à ce que les mousses gonflent. Servir chaud.

Croustade aux pommes

Portions : 6
Préparation : 30 min
Cuisson : 45 min

Ingrédients :
• 10 T de pommes étrognées,
  pelées et tranchées
• 1 T de sucre blanc
• 1 c. à t. de cannelle moulue
• 1/2 T d'eau
• 1 T d'avoine (cuisson rapide)
• 1 T de farine (tout usage)
• 1 T de cassonade
• 1/4 de c. à t. de levure chimique
• 1/4 de c. à t. de bicarbonate
  de soude
• 1/2 T de beurre fondu

Instructions :
1. Préchauffer le four à 350 °F.

2. Déposer les tranches de pommes dans une poêle à frire. Mélanger le sucre blanc, 1 c. à thé de farine et la cannelle moulue, et saupoudrer sur les pommes. Verser de l'eau sur toute la surface.

3. Mélanger l'avoine, 1 tasse de farine, la cassonade, la levure, le bicarbonate de soude et le beurre fondu ensemble. Émietter uniformément sur les pommes.

4. Faire cuire pendant environ 45 minutes.

Pain aux bananes

Portions : 6
Préparation : 15 min
Cuisson : 1 h 05

Ingrédients :
• 2 T de farine (tout usage)
• 1 c. à t. de bicarbonate de soude
• 1/4 de c. à t. de sel
• 1/2 T de beurre
• 3/4 de T de cassonade
• 2 œufs battus
• 2 1/3 T de bananes très mûres
  réduites en purée

Instructions :
1. Préchauffer le four à 350 °F. Graisser légèrement un moule à pain de 13 x 23 cm.

2. Mélanger la farine, le bicarbonate de soude et le sel dans un grand bol. Mélanger le beurre avec la cassonade dans un autre bol jusqu'à l'obtention d'une texture crémeuse. Incorporer les œufs et la purée de bananes jusqu'à ce que tous les ingrédients soient bien intégrés. Verser le mélange de bananes sur les ingrédients secs. Remuer pour humidifier le tout. Verser la pâte dans le moule à pain.

3. Faire cuire au four jusqu'à ce qu'un cure-dent inséré au centre du pain en ressorte propre (60 à 65 minutes). Laisser le pain reposer dans le moule pendant 10 minutes avant de le démouler.

Scones à l'orange et à la cardamome

Portions : 16
Préparation : 15 min
Cuisson : 12 min

Ingrédients :
- 3 T de farine (tout usage)
- 1/3 de T de sucre
- 2 1/2 c. à t. de levure chimique
- 1/2 c. à t. de bicarbonate de soude
- 3/4 de c. à t. de sel de mer
- 1/2 c. à t. de cardamome
- 3/4 de T de fruits séchés (ou de noix séchées ou un mélange des deux) et hachés
- Le zeste de 1 orange
- 1 T de jus d'orange
- Sucre à la cannelle pour garnir

Instructions :

1. Préchauffer le four à 400 °F.

2. Presser le jus de l'orange dans une tasse à mesurer et ajouter du jus d'orange pour obtenir 1 tasse. Réserver.

3. Mélanger la farine, le sucre, la levure chimique, le bicarbonate, le sel et la cardamome dans un grand bol ou dans un robot culinaire jusqu'à ce que tous les ingrédients soient bien incorporés.

4. Découper le beurre dans la farine à l'aide d'un mélangeur ou d'une lame à pâte dans un robot culinaire jusqu'à ce que le mélange ressemble à une semoule grossière.

5. Verser les fruits, les noix ou préférablement le mélange des deux.

6. Former un trou au centre du mélange de farine et y verser le jus d'orange et le zeste. Mélanger jusqu'à ce que la pâte se décolle des parois du bol.

7. Faire une boule avec la pâte et la déposer sur une surface farinée. Diviser en 4 et former 4 ronds.

8. Couper 4 pointes dans chaque cercle et les déposer sur une plaque à biscuits graissée avec du beurre. Saupoudrer les scones avec du sucre à la cannelle, si désiré.

9. Faire cuire jusqu'à ce que la bordure des pointes soit légèrement dorée (12 minutes). Retirer du four et laisser refroidir sur la plaque pendant 2 minutes. Retirer de la plaque et laisser refroidir encore ou servir immédiatement.

Meringues à la menthe

Instructions :

1. Préchauffer le four à 225 °F. Tapisser 2 plaques à biscuits avec du papier aluminium.

2. Battre les blancs d'œufs, le sel et la crème de tartre dans un bol en verre ou en métal jusqu'à ce que des pics mous se forment. Incorporer graduellement le sucre en continuant de fouetter jusqu'à ce que les blancs d'œufs forment des pics fermes. Déposer des cuillérées de meringue sur les plaques en les espaçant de 2,5 cm. Saupoudrer les biscuits avec les cannes de sucre écrasées.

3. Faire cuire pendant 1 heure 30 dans le four. Les meringues doivent être complètement sèches à l'extérieur. Ne pas les laisser brunir. Éteindre le four et les laisser refroidir complètement dans le four en laissant la porte ouverte. Détacher le papier aluminium de la plaque à l'aide d'une spatule en métal. Couvrir. Les meringues peuvent se conserver dans un endroit frais et sec pendant 2 mois.

Portions : 20
Préparation : 20 min
Cuisson : 1 h 30

Ingrédients :
- 2 blancs d'œufs
- 1/8 de c. à t. de sel
- 1/8 de c. à t. de crème de tartre
- 1/2 T de sucre blanc
- 2 cannes en sucre à la menthe écrasées en morceaux

Pavlova

Portions : 6
Préparation : 20 min
Cuisson : 1 h

Ingrédients :
- 4 blancs d'œuf
- 1 1/4 T de sucre blanc
- 1 c. à t. d'extrait de vanille
- 1 c. à t. de jus de citron
- 2 c. à t. de semoule de maïs
- 1 pot de crème riche en matières grasses
- 6 grosses fraises coupées en 2

Instructions :

1. Préchauffer le four à 300 °F.

2. Tapisser une plaque à biscuits avec du papier ciré et tracer un cercle de 23 cm.

3. Battre les blancs d'œufs en neige jusqu'à ce que des pics fermes se forment. Ajouter graduellement le sucre (1 c. à thé à la fois) en battant bien chaque fois.

4. Fouetter jusqu'à ce que le mélange soit épais et reluisant. Les œufs trop battus perdent du volume et dégonflent lorsqu'on les incorpore à d'autres ingrédients. S'assurer qu'aucune particule de graisse ou de jaune d'œuf ne s'infiltre dans les blancs d'œufs. Incorporer doucement l'extrait de vanille, le jus de citron et la semoule de maïs.

5. Verser la crème à l'intérieur du cercle tracé sur le papier ciré en partant du centre vers l'extérieur.

6. Mettre plus de crème autour du cercle pour ériger un contour un peu plus élevé et créer ainsi un creux au centre de la meringue.

7. Faire cuire pendant 1 heure puis laisser refroidir.

8. Retirer le papier ciré et déposer la meringue sur une assiette plate. Remplir le centre de la meringue avec de la crème fouettée et garnir de fraises (ou autres fruits, si désiré).

Barres Nanaimo

Portions : 25
Préparation : 25 min
Réfrigération : 1 h 30

Ingrédients :

COUCHE DU DESSOUS
- 1/2 T de beurre non salé
  à la température de la pièce
- 1/4 de T de sucre blanc granulé
- 1/3 de T de cacao non sucré
- 1 gros œuf battu
- 1 c. à t. d'extrait de vanille naturelle
- 2 T de miettes de biscuits Graham
- 1 T de noix de coco
  (sucrée ou non sucrée)
- 1/2 T de noix (ou de pacanes)
  hachées grossièrement

CRÈME
- 1/4 de T de beurre non salé
- 2 ou 3 c. à t. de lait (ou de crème)
- 2 c. à t. de poudre à crème
  pâtissière (ou de pouding en
  poudre à la vanille)
- 1/2 c. à t. d'extrait de vanille
- 2 T de sucre en poudre
  (ou de sucre glace)

GARNITURE
- 115 g de chocolat semi-sucré
- 1 c. à s. de beurre non salé

Instructions :

1. Graisser une plaque à biscuits de 23 x 23 cm.

2. Pour faire la couche du dessous, faire fondre du beurre dans une casserole à feu doux. Incorporer le sucre et la poudre de cacao et verser graduellement l'œuf battu en fouettant. Faire cuire en remuant constamment jusqu'à ce que le mélange épaississe (1 ou 2 minutes). Retirer du feu et incorporer l'extrait de vanille, les miettes de biscuits, la noix de coco et les noix hachées. Étaler uniformément le mélange dans le plat graissé. Couvrir et réfrigérer jusqu'à ce que le mélange soit ferme (environ 1 heure).

3. Pour faire la crème, fouetter le beurre à l'aide du batteur électrique pour obtenir une substance crémeuse. Incorporer le lait, la poudre, l'extrait de vanille et le sucre en poudre. Ajouter du lait si la préparation est trop épaisse. Étaler la crème sur la couche du dessous, couvrir et réfrigérer jusqu'à ce que le tout soit ferme (30 minutes).

4. Pour la garniture, faire fondre le chocolat et le beurre au bain-marie. Étendre sur la crème et réfrigérer.

5. Pour servir, ramener la préparation à la température de la pièce avant de couper à l'aide d'un couteau tranchant.

Barres Nanaimo sur le pouce

Instructions :

1. Faire fondre au bain-marie 1/2 tasse de beurre avec le sucre blanc et la poudre de cacao. Remuer de temps à autre jusqu'à ce que le beurre soit fondu et que la préparation soit lisse. Incorporer l'œuf en remuant jusqu'à ce que le mélange épaississe (2 ou 3 minutes). Retirer du feu et incorporer les miettes de biscuits, la noix de coco et les amandes. Étaler le mélange au fond d'une plaque à biscuits de 20 x 20 cm.

2. Pour la couche centrale, mélanger 1/2 tasse de beurre, la crème et la poudre de crème jusqu'à l'obtention d'une préparation légère et mousseuse. Verser le sucre en poudre en mélangeant jusqu'à ce que la crème soit lisse. Étaler sur la couche du fond dans la plaque. Réfrigérer.

3. Pendant que la deuxième couche refroidit, faire fondre le chocolat et 2 c. à thé de beurre au micro-ondes à basse température. Étaler sur le mélange refroidi. Laisser le chocolat durcir avant de couper.

Portions : 25
Préparation : 30 min
Réfrigération : 30 min

Ingrédients :
- 1 1/4 T de beurre ramolli (non salé)
- 2 1/4 T de sucre blanc
- 5 c. à t. de poudre de cacao
  non sucré
- 1 œuf battu
- 1 3/4 T de miettes de biscuits
  Graham
- 1 T de flocons de noix de coco
- 1/2 T d'amandes
  finement hachées (facultatif)
- 3 c. à t. de crème
  riche en matières grasses
- 2 c. à t. de poudre à crème pâtissière
- 4 carrés de chocolat semi-sucré

Tiramisu

Portions : 12
Préparation : 30 min
Réfrigération : 2 h

Ingrédients :
- 8 gros œufs séparés
- 500 g de mascarpone
- 115 g de petits biscottis aux amandes
- 3 T d'expresso préparé et froid
- 1/3 de T de liqueur de café
- 42 doigts de dame
- 1 T de crème riche en matières grasses
- Chocolat au lait de qualité, pour garnir
- 1 T de sucre et 1 c. à s. supplémentaire

Instructions :

1. Fouetter les jaunes d'œufs et le mascarpone dans un bol jusqu'à ce que la substance soit lisse. Ajouter 1 tasse de sucre et fouetter jusqu'à ce que le sucre soit dissous. Mettre de côté.

2. Déposer les biscottis dans le bol d'un robot culinaire et mélanger pour obtenir une chapelure hachée grossièrement. Verser les morceaux de biscottis dans le mélange de mascarpone. Réserver.

3. Battre les blancs d'œufs dans un bol à l'aide d'un batteur électrique jusqu'à ce que des pics mous se forment. Verser les blancs d'œufs dans le mélange de mascarpone et mettre de côté.

4. Mélanger l'expresso et la liqueur de café dans un bol puis verser la moitié de ce mélange dans un moule à tarte. Tremper rapidement la moitié des doigts de dame dans le moule à tarte avant de les déposer au fond d'un plat en verre de 23 x 33 cm allant au four. Rassembler les doigts les uns contre les autres puis verser uniformément la moitié du mélange de mascarpone sur les doigts de dame. Remettre une couche de doigts de dame puis une couche du mélange de mascarpone.

5. Dans un grand bol, fouetter la crème riche en matières grasses et la c. à soupe de sucre jusqu'à ce que des pics fermes se forment. Étaler uniformément la crème fouettée sur le tiramisu et garnir de chocolat râpé. Réfrigérer pendant au moins 2 heures (préférablement pendant toute une nuit) avant de servir.

Pommes rôties à la cannelle

Instructions :

1. Préchauffer le four à 450 °F. Étendre les pacanes dans une tôle de 23 x 33 cm et faire griller jusqu'à ce qu'elles dégagent une odeur alléchante (3 à 5 minutes). Retirer les pacanes du four et mettre de côté (ou conserver dans un sac en plastique refermable pendant 1 journée).

2. Dans un grand bol, mélanger le sucre, le jus de citron et 1 tasse d'eau. Couper chaque pomme en deux jusqu'à la tige (1 à la fois pour éviter qu'elles brunissent), étrogner et tremper immédiatement dans le mélange de sucre.

3. Déposer les moitiés de pommes sur la plaque en s'assurant de mettre le côté tranché vers le bas puis verser le mélange de sucre sur les pommes et piquer des bâtons de cannelle. Couvrir la plaque de papier aluminium et faire cuire jusqu'à ce que les pommes puissent être facilement percées avec la pointe d'un couteau d'office (15 à 20 minutes).

4. Servir les pommes avec de la crème glacée, du jus de cuisson et des pacanes, et garnir le tout de bâtons de cannelle, si désiré.

Portions : 8
Préparation : 15 min
Cuisson : 25 min

Ingrédients :
- 1 T de pacanes
- 1/4 de T de cassonade dorée
- 2 c. à t. de jus de citron frais
- 4 pommes
- 4 bâtons de cannelle et un peu plus pour garnir (facultatif)
- 2 pots de crème glacée à la vanille
- 1 T d'eau

Pizza dessert

Portions : 12
Préparation : 20 min
Cuisson : 20 min

Ingrédients :
- 1 paquet de pâte à biscuits réfrigérée
- 1 bouteille de garniture fouettée
- 1/2 T de bananes tranchées
- 1/2 T de fraises tranchées
- 1/2 T d'ananas broyés égouttés
- 1/2 T de raisins sans pépins coupés en deux

Instructions :

1. Préchauffer le four à 350 °F.

2. Étaler uniformément la pâte à biscuits sur une plaque à pizza de 30 cm. Faire cuire au four jusqu'à ce que la pâte soit dorée (15 à 20 minutes). Laisser refroidir.

3. Étendre la garniture fouettée sur la pâte refroidie. Décorer avec des fruits et réfrigérer jusqu'à utilisation.

Biscottis aux canneberges et aux pistaches

DESSERTS

Portions: 4 douzaines
Préparation: 15 min
Cuisson: 55 min

Ingrédients:
- 1/2 T de canneberges séchées
- 1/2 T d'eau bouillante
- 3 T de farine (tout usage) et un peu plus pour saupoudrer
- 2 c. à t. de levure chimique
- 1/4 de c. à t. de sel
- 4 c. à t. de beurre non salé à la température de la pièce
- 1 T de sucre et un peu plus pour saupoudrer
- 3 gros œufs et un autre œuf légèrement battu
- 2 c. à t. d'extrait de vanille naturelle
- 1/2 T de pistaches non salées hachées grossièrement

Instructions:

1. Préchauffer le four à 375 °F. Tapisser une plaque à biscuits de papier ciré. Réserver. Déposer les canneberges dans un petit bol et ajouter l'eau bouillante. Laisser reposer jusqu'à ce qu'elles gonflent (15 minutes). Égoutter et mettre de côté. Tamiser la farine, la levure et le sel dans un bol moyen. Mettre de côté.

2. Battre le beurre et le sucre dans un bol avec un batteur électrique à puissance moyenne jusqu'à ce que la préparation soit légère et mousseuse (2 minutes). Ajouter 3 œufs en battant 1 œuf à la fois pour bien l'incorporer au mélange et en grattant les côtés du bol, au besoin. Incorporer la vanille. Ajouter le mélange de farine et brasser à basse vitesse jusqu'à ce que le tout soit bien mélangé. Ajouter les canneberges et les pistaches.

3. Déposer la pâte sur une surface farinée et la diviser en 2. Former 2 bûches de 5 x 40 cm et les transférer sur la plaque à biscuits en les espaçant de 10 cm. Aplatir légèrement les bûches avec la paume de la main et badigeonner la surface des bûches avec l'œuf battu puis saupoudrer généreusement de sucre.

4. Faire cuire pendant environ 25 minutes en tournant la feuille à la moitié de la cuisson jusqu'à ce que les bûches soient assez fermes au toucher. Transférer le papier ciré où reposent les bûches sur une grille et laisser refroidir pendant 20 minutes. Réduire la température du four à 300 °F.

5. Placer les bûches sur une planche à découper. À l'aide d'un couteau dentelé, couper les bûches en diagonale pour former des tranches de 1 cm d'épaisseur. Placer la grille sur une grande plaque à biscuits. Faire cuire jusqu'à ce que les biscottis soient fermes au toucher (30 minutes). Retirer la plaque du four et laisser les biscottis refroidir complètement. Vous pouvez les conserver dans un contenant hermétique à la température de la pièce pendant 1 semaine.

Bananes glacées recouvertes de chocolat

Instructions:

1. Peler et couper chaque banane en deux puis insérer un bâtonnet de bois dans chacune des moitiés. Déposer sur un plateau, couvrir d'une pellicule de plastique et congeler (3 heures).

2. Verser les arachides dans un bol assez profond. Faire fondre le chocolat au bain-marie à feu plutôt doux en remuant souvent. Verser le chocolat fondu dans un grand verre. Tremper chaque banane congelée dans le chocolat en la retournant pour enrober toute la surface puis faire rouler immédiatement la banane dans le bol d'arachides pour bien l'enrober. Déposer sur un plateau tapissé de papier ciré. Servir immédiatement ou envelopper individuellement les bananes dans une pellicule de plastique ou du papier ciré et conserver au congélateur jusqu'à 2 semaines.

Portions: 8
Préparation: 15 min
Réfrigération: 3 h
Cuisson: 10 min

Ingrédients:
- 4 bananes moyennes mûres et fermes
- 8 bâtonnets en bois
- 3 c. à t. d'arachides légèrement salées et finement hachées
- 170 g de chocolat noir (60 ou 70 % de cacao) de bonne qualité

Liste des recettes

LISTE DES RECETTES

LISTE DES RECETTES